ro
ro
ro

A. M. Textor

SAG ES TREFFENDER

Ein Handbuch mit über 57000 Verweisen auf sinnverwandte Wörter und Ausdrücke für den täglichen Gebrauch

Vollständig überarbeitet und erweitert
von Renate Morell

Rowohlt Taschenbuch Verlag

44. Auflage Juli 2002
Veröffentlicht im Rowohlt Taschenbuch Verlag GmbH,
Reinbek bei Hamburg, März 1968
Copyright © 1962, 1996 und 2000 by
Verlag Ernst Heyer, Essen
Umschlaggestaltung any.way,
Barbara Hanke/Cordula Schmidt
Satz Life & Futura Postscript PageOne
Gesamtherstellung Clausen & Bosse, Leck
Printed in Germany
ISBN 3 499 61388 3

Die Schreibweise entspricht den Regeln
der neuen Rechtschreibung.

Vorwort

Synonyme, also bedeutungsgleiche oder bedeutungsverwandte Wörter, sind für jeden, der schreibt, unverzichtbares Stilmittel. Das treffende Wort, das das Gemeinte auf den Punkt bringt, verleiht der Sprache nicht nur Prägnanz, sondern auch Farbigkeit und Nuancenreichtum. Bei der Suche nach dem «erlösenden» Wort ist ein Lexikon sinnverwandter Ausdrücke ein fast unverzichtbares Hilfsmittel.

Sag es treffender von A. M. Textor erschien erstmals 1955 im Konradin-Verlag Robert Kohlkammer, Stuttgart, sodann 1962 im Verlag Ernst Heyer, Essen, im März 1968 dann als Taschenbuch, das mit einer Gesamtauflage von über 900 000 Exemplaren längst zu einem unentbehrlichen Nachschlagewerk geworden ist.

Die erweiterte Neuausgabe von *Sag es treffender* ist das Ergebnis einer vollständigen Überarbeitung. In vielen Bereichen hat sich ein gravierender sprachlicher Bedeutungswandel vollzogen, sodass der gesamte Textbestand einer strengen systematischen Durchsicht unterzogen werden musste. Veraltete Sprichwörter wurden aufgelöst, moderne Sinnzusammenhänge hergestellt, eine Fülle von mittlerweile gängigen Fremdwörtern den entsprechenden Stichwörtern neu zugeordnet.

Mit dem vorliegenden Handbuch, das nahezu 2000 Stichwörter, über 57 000 Verweise auf sinnverwandte Wörter und Ausdrücke für den täglichen Gebrauch sowie ein lückenloses, alphabetisch geordnetes Register umfasst, verfügt der Benutzer über eine praktische Handhabe und – sofern er «sein» Wort nicht im schnellen Zugriff findet – über einen beständigen Ideengeber für den eigenen sprachlichen Ausdruck.

Dr. Renate Morell

Benutzerhinweise

1. Jedes im Buch enthaltene Wort, wonach Sie suchen, finden Sie zuerst – nach dem Alphabet – im Register im hinteren Teil. Die Ziffer hinter dem Wort führt zum Stichwort im vorderen Teil bzw. zu einem der Bedeutungsfelder des Stichworts, wiederum gegliedert nach Ziffern.

2. Wortkombinationen mit den Hilfs- bzw. Funktionsverben (Zeitwörtern) haben, sein, bleiben, dürfen, können, lassen, machen, tun, werden und wollen finden Sie so:

müde sein	unter: <u>müde</u> sein
Mut haben	unter: <u>Mut</u> haben
rot werden	unter: <u>rot</u> werden usw.

3. Reflexive Verben sind im Register umgestellt:

sich bewegen	unter: <u>bewegen</u>, sich
sich Gedanken machen:	unter: <u>Gedanken machen</u>, sich usw.

4. Wortkombinationen mit einem Verb (Zeitwort) finden Sie unter dem Verb selbst:

das Unterste zuoberst kehren	unter: <u>kehren</u>, das Unterste zuoberst usw.

5. Ausdrücke mit einem Nomen (Hauptwort) finden Sie unter dem Nomen selbst:

in Ordnung	unter: <u>Ordnung</u>, in
nichts Halbes und nichts Ganzes	unter: <u>Halbes</u> und nichts Ganzes, nichts usw.

6. Andere Ausdrücke finden Sie unter dem sinntragenden Wort:

vor kurzem	unter: <u>kurzem</u>, vor usw.

7. Der Schrägstrich / steht zwischen austauschbaren Wörtern in Fügungen, z. B. für nötig/erforderlich/unabdingbar halten.

Abkürzungen:
jmd. = jemand
jmds. = jemandes
jmdm. = jemandem
jmdn. = jemanden

A

1 abbilden 1. wiedergeben, darstellen, zeigen, **2.** abmalen, abzeichnen, nachzeichnen, porträtieren, konterfeien, fotografieren, knipsen, Bild / Aufnahme machen, abfilmen; abformen, nachformen, nachbilden, Plastik anfertigen, in Stein hauen, **3.** übertragen, projizieren, reproduzieren, kopieren.

2 Abenteurer Spekulant, Glücksritter, Spieler, Hasardeur, Glücksjäger, Wagehals, Freibeuter, Kondottiere, Filibuster, Bukanier, Pirat, Korsar, Überflieger, Kriegsgewinnler, Desperado, Dunkelmann, Schatzsucher, Goldgräber, Mitgiftjäger, Hochstapler, Bohemien, Lebenskünstler, Luftikus, Aussteiger.

3 aber indessen, hingegen, doch, jedoch, gleichwohl, trotzdem, dennoch, dagegen, wogegen, wohingegen, immerhin, zwar, allein, allerdings, freilich, nur, vielmehr, im Gegenteil, richtiger, besser, sondern, dabei, wiederum, während, andererseits, indes, sogar, nichtsdestoweniger, wiewohl, alldieweil.

4 Aberglaube Irrglaube, Dämonenglaube, Geisterglaube, Gespensterglaube, Hexenglaube, Wunderglaube, Kinderglaube, Orakelwesen, Zauberglaube.

5 Abfall 1. Überbleibsel, Rückstand, Bodensatz, Rest; Schnitzel, Fetzen, Lappen, Lumpen, Kram, Krempel, Zeug, Bettel, Gerümpel, Kruscht; Trümmer, Schutt, Bauschutt, Scherben, Abhub, Abraum, Schlacke, Abschaum, Kehricht, Unrat, Dreck; Müll, Sperrmüll, Problemstoffe, Sondermüll, Giftmüll, Altlast, **2.** Ramsch, Ausschuss, Makulatur, Altpapier, Altmaterial, Alteisen, Schrott, Trödel, Plunder, Klamotten, Gerümpel, wertloses Zeug, Strandgut; Schleuderware, Batzenware, Ladenhüter, Altkleider, Altwaren, Getragenes, Gebrauchtes, Unverkäufliches, Krimskrams, **3.** Schutthaufen, Abfallhaufen, Müllhalde, Müllkippe, Mülldeponie, Abwasser, Abgas, Smog, **4.** Senkung, Neigung, Neige, Schiefe, Schräge, Abdachung, schiefe Ebene, Hang, Abhang, Berghang, Bergseite, Berglehne, Steilhang, Lehne, Leite, Rain, Böschung, Halde; Gefälle, Abschüssigkeit, Steile, Jähe, **5.** Abtrünnigkeit, Apostasie, Verrat, Lossagung.

abfallen 1. sich senken, neigen; abdachen, abflachen, fallen, absinken, **2.** übrig bleiben, verbleiben, erhalten bleiben, zu viel/übrig sein, restieren, liegen bleiben, überzählig / überflüssig sein; fortfallen, entfallen, wegfallen, **3.** herunterfallen, zu Boden fallen, herabplumpsen, sich lösen; herabfallen, hinfallen, **4.** abfallen gegen, schlechter/im Nachteil sein, Vergleich nicht aushalten, darunter liegen, nicht nachkommen / gleichziehen, **5.** sich lossagen; abtrünnig werden, abspringen, brechen mit, abschwören, verraten. **6**

Abgabe Tribut, Abführung, Gebühr, Zoll, Steuer, Beitrag, Maut, Obolus. **7**

Abhandlung 1. Essay, Artikel, Entrefilet, Kolumne, Untersuchung, Studie, Betrachtung, Beitrag, Analyse, Traktat, Feuilleton, Bericht, Reportage, Dokumentation, Feature, Elaborat, Niederschrift, Werk, Monographie, **2.** Aufsatz, schriftliche Arbeit, Hausarbeit, Referat, Thesen, Semesterarbeit, Zulassungsarbeit, Diplomarbeit, Dissertation, Doktorarbeit, Habilitationsschrift. **8**

abhängen von 1. abhängig sein von, angewiesen sein auf, nicht leben können ohne in jmds. Hand/Macht sein, jmds. Brot essen, von jmdm. versorgt werden, **2.** sich abhängig machen, jmdm. in die Hand geben, ausliefern, aussetzen; süchtig sein nach, am Tropf hängen, hörig sein, **3.** beruhen/fußen auf, gründen/wurzeln in, sich gründen auf; basieren/sich stützen auf; getragen werden von, bedingt/bestimmt sein durch, liegen/gebunden sein an, **4.** voraussetzen, sich ergeben aus; herrühren von, resultieren aus, kommen von, zusammenhängen/verbunden sein mit, in Beziehung stehen zu, sich beziehen auf; wichtig sein für, ankommen auf. **9**

ablaufen 1. abfließen, abrinnen, verrinnen, verfließen, sich verlaufen; versickern, abperlen, **2.** verlaufen, geschehen, sich abspielen; statthaben, stattfinden, hergehen, vorgehen, abrollen, ver- **10**

anstaltet werden, **3.** ungültig/wertlos werden, verfallen, verjähren, außer Kraft treten, Gültigkeit verlieren, auslaufen.

11 ableiten 1. umleiten, wegführen, verlegen, **2.** Ablauf schaffen, ablassen, herauslassen, Ventil öffnen, ablaufen lassen, **3.** folgern, herleiten.

12 abnehmen 1. Gewicht verlieren, abmagern, abfallen, einfallen, mager/dünner werden, kränkeln, hinschwinden, **2.** abmachen, herunternehmen, abhängen, ablösen, wegnehmen, losmachen, **3.** sich zuspitzen, verjüngen, verengen, verschmälern; spitz zulaufen, **4.** prüfen, kontrollieren, genehmigen.

13 abnehmend nachlassend, schwindend, zurückgehend, im Abnehmen, rückläufig, sinkend, fallend, niedergehend, untergehend, regressiv, rezessiv, verlustbringend, herbstlich, alternd, vergehend, auslaufend.

14 Abneigung 1. Ablehnung, Antipathie, Aversion, Abwehr, Voreingenommenheit, Ressentiment, Animosität, Feindseligkeit, **2.** Unmut, Unwille, Widerstände, Widerstreben, Abscheu, Widerwille, Ekel, Übelkeit, Überdruss, Unlust, Übersättigung, Missfallen, Schauder, Gräuel.

15 abraten widerraten, abbringen von, warnen, ausreden, einwenden, zu bedenken geben, vermiesen, verleiden.

16 absichtlich mit Bedacht/Vorbedacht, willentlich, gewollt, beabsichtigt, intendiert, intentional, geplant, mit Absicht/Willen, gezielt, vorsätzlich, geflissentlich, wohlweislich, wohl überlegt, bewusst, eigens, bezweckt, extra, ausdrücklich, mit Fleiß, zum Trotz, demonstrativ, ostentativ, nun gerade, mutwillig, wissentlich, einkalkuliert, in vollem Bewusstsein, böswillig, arglistig.

17 absondern (sich) 1. beiseite tun, ausschließen, aussperren, abtrennen, absperren, abteilen, separieren, isolieren, in Quarantäne halten, **2.** sich zurückziehen, abseits stellen, abseits halten, im Hintergrund halten, verkriechen; Menschen scheuen, sich verkapseln, abkapseln, entziehen; im Schneckenhaus/Elfenbeinturm/Abseits/zurückgezogen/einsam/als Eremit leben, sich einspinnen, ausschließen, einpuppen, isolieren, separieren, einigeln, vergraben, verbunkern, verschanzen; in die innere Emigration gehen, vereinsamen, privatisieren.

Absonderung 1. Quarantäne, Sepa- **18** rierung, Separation, Isolation, Isolierung, Internierung, Hausarrest, Einzelhaft, Einsperrung, Ghettoisierung, Ghetto, Wagenburg, Vereinzelung, **2.** Separatismus, Sonderbündelei, Partikulation, Sezession, **3.** Ausscheidung, Sekretion.

abspenstig machen ausspannen, **19** abjagen, wegengagieren, ablisten, wegverpflichten, kapern, umdrehen, wegschnappen, entfremden, wegholen, abwerben, weglocken.

abspringen 1. abschwenken, weg- **20** laufen, abwandern, zur Konkurrenz gehen, sich abkehren, abwenden, lossagen, abseilen, distanzieren, verziehen, verflüchtigen; widerrufen, ausscheren, aussteigen, ausbrechen, umschwenken, konvertieren, umkippen, umfallen, im Stich lassen, fallen lassen, desertieren, übergehen, überlaufen, **2.** springen, herabspringen, hinunterspringen, sich in die Tiefe stürzen.

absteigen 1. heruntersteigen, herab- **21** steigen, hinabsteigen, hinuntersteigen, zu Tal gehen, hinuntergehen, hinabsinken, zu Tal fahren, abwärts/bergab gehen, **2.** einkehren, Quartier nehmen, übernachten, **3.** abgestuft/zurückgestuft werden, Rangplatz verlieren, zurückfallen, disqualifiziert werden.

abstellen 1. niederstellen, niederset- **22** zen, absetzen, hinstellen, zu Boden stellen, **2.** drosseln, abdrosseln, abdrehen, zudrehen, schließen, stoppen, abstoppen, anhalten, bremsen, abbremsen, verlangsamen, entschleunigen, Tempo verringern, zum Stehen bringen, ausschalten, abschalten, stilllegen, unterbrechen, halten, **3.** einstellen, hinterlegen, deponieren, sicherstellen, parken, unterbringen, platzieren, aufstellen, lagern, in Verwahr geben, **4.** abhelfen, Abhilfe schaffen, abschaffen, aufheben, beheben, beseitigen, abändern.

Abstufung 1. Nuancierung, Nuance, **23** Abtönung, Schattierung, Dosierung, Gradation, Staffelung, Terrassierung, Übergang, **2.** Abqualifizierung, Abwertung.

absurd widersinnig, abwegig, unsin- **24**

nig, vernunftwidrig, sinnlos, hirnverbrannt, sinnwidrig, gegensätzlich, paradox, unlogisch, ungereimt, aberwitzig, wahnwitzig, verkehrt, folgewidrig; töricht, lächerlich, lachhaft, verrückt, abstrus, verstiegen, bizarr, kindisch, gesponnen, närrisch, unglaubhaft, unerhört.

25 abtreiben abortieren, eingreifen, Frucht abtreiben, Eingriff vornehmen, Schwangerschaft abbrechen, unterbrechen.

26 Abtreibung Schwangerschaftsabbruch, Schwangerschaftsunterbrechung, Abbruch, Eingriff, Abortus, Abort, Fehlgeburt.

27 abwärts nach unten, hinab, hinunter, zu Tal, bergab, erdwärts, niederwärts, talwärts, herunter, herab, zu Boden, in die Tiefe, Talfahrt; flussabwärts, stromabwärts.

28 abweichen 1. abgehen, abbiegen, abzweigen, sich wenden; Biegung machen, umfahren, Umweg machen; vom Kurs abkommen, aus dem Kurs laufen, Richtung/Kurs ändern, abfälschen, aus der Reihe tanzen/dem Rahmen fallen, 2. abkommen, abgleiten, abrutschen, absacken, entgleiten, entweichen, 3. abschweifen, Faden verlieren, abirren, vom Thema abkommen, vom Hundertsten ins Tausendste kommen, von Hölzchen auf Stöckchen kommen, 4. voneinander abweichen, anderer Meinung sein, nicht übereinstimmen, divergieren, nicht übereinkommen, sich nicht einigen können; keinen Kompromiss finden, uneinig sein/bleiben, Sache verschieden sehen.

29 Abweichung 1. Ableitung, Umleitung, Verlegung, 2. Abbiegung, Abzweigung, Schwenkung, Gabelung, Kurve, Abweg, Umweg, Nebenweg, Seitenweg, Schleichweg, Abkürzung, Abstecher, Abzweig, Abtrift, Deviation, Aberration, Richtungsänderung, Weiche, Ausweichstelle, 3. Irrweg, Abirrung, Entgleisung, Verirrung, Holzweg, 4. Abschweifung, Abschwenkung, Umorientierung, Exkurs, Unterbrechung, 5. Regelverstoß, Irregularität, Normwidrigkeit, Regelwidrigkeit, Anomalie, Devianz, Diskrepanz, Divergenz, 6. Variable, Varianz, Variation.

30 abweisen 1. zurückweisen, abweh-

ren, von sich weisen, zurückstoßen, abstoßen, abfertigen, abschütteln, 2. ablehnen, absagen, zurückgeben, retournieren, remittieren, zurückschicken, verzichten auf, keine Verwendung haben, abschlägig bescheiden, abschlagen, 3. verneinen, protestieren, negieren, nein sagen, verschmähen, verwerfen, Finger davonlassen, sich verwahren gegen; ausschlagen, nicht akzeptieren, 4. nicht empfangen, sich verleugnen lassen; abwimmeln, abwinken, abwiegeln, abblitzen lassen, kalte Schulter zeigen, abspeisen, Korb geben, vom Tisch wischen, Abfuhr erteilen, 5. hinauswerfen, an die Luft setzen, heimleuchten.

abweisend 1. ablehnend, zurückhaltend, unzugänglich, unpersönlich, unfreundlich, einschüchternd, ungnädig, unwirsch, unnahbar, zugeknöpft, reserviert, herb, verhalten, verschlossen, kühl, frostig, unterkühlt, kalt, eisig, steinern, brüsk, karg, barsch, schroff, spitz, kurz angebunden, stachelig, kratzbürstig, widerborstig, ungesellig, 2. kritisch, abwertend, pejorativ, abfällig, tadelnd, bissig, scharf, spitze Zunge, spitze Feder, missfällig, missbilligend, abschätzig, mäkelig, krittelig, geringschätzig, kompromittierend, wegwerfend, verächtlich, 3. abgeneigt, verneinend, abschlägig, negativ, polemisch, unwillig, widerwillig, nicht willens, widerstrebend, abhold, nicht grün, 4. atheistisch, gottlos, areligiös, antireligiös. **31**

Abweisung 1. Zurückweisung, Abwehr, Abfuhr, Abfertigung, 2. Ablehnung, Versagung, Absage, Verwerfung, Weigerung, Verweigerung, Nein, Verneinung, Negierung. **32**

Abwesenheit 1. Fehlen, Ausfall, **33** Ausbleiben, Fernbleiben, Lücke, Leere, Vakanz, 2. Unaufmerksamkeit, Unüberlegtheit, Zerstreutheit, Gedankenlosigkeit, Versunkenheit, Vertieftheit, Versponnenheit, Verträumtheit, Geistesabwesenheit, Entrückung, Unkonzentriertheit, Zerfahrenheit, Kopflosigkeit, Gedankenflucht, 3. Vergesslichkeit, Gedächtnisschwund, Gedächtnislücke, Absence, Gedächtnisstörung, Gedächtnisschwäche, Bewusstseinslücke, Sperre, Block, Blockade, Mattscheibe, Black-out, Hänger.

34 abzahlen in Raten / Teilzahlungen zahlen, tilgen, ratenweise zahlen, zurückerstatten, auf Abschlag kaufen, abtragen, ableisten, abbezahlen, finanzieren, abstottern, kleckerweise zahlen.

35 Achtung Beachtung, Ehrerbietung, Ehrfurcht, Respekt, Akzeptanz, Wertschätzung, Hochachtung, Hochschätzung, Anerkennung, Ergebenheit, Scheu, Verehrung, Idolisierung, Vergöttlichung.

36 Adel 1. Noblesse, Vornehmheit, Hoheit, **2.** Nobilität, Aristokratie, Hochadel, Hocharistokratie, Adelskaste, Adelsstand, Feudalaristokratie, Feudaladel, Geburtsadel, Geblüt, Landadel, niederer Adel, Verdienstadel, Patriziat.

37 aggressiv 1. unfriedlich, offensiv, provokant, provozierend, provokativ, expansiv, herausfordernd, aufreizend, zänkisch, streitlustig, streitsüchtig, heftig, kämpferisch, attackierend, angriffslustig, angreiferisch, handgreiflich, tätlich, gewaltbereit, zerstörerisch, destruktiv, violent, hadersüchtig, streitlüstern, zanksüchtig, händelsüchtig, gewalttätig, **2.** kriegerisch, militant, militaristisch, kriegstreiberisch, kriegslüstern.

38 alle 1. jeder, jede, jedermann, alle ohne Ausnahme, jedwede(r), samt und sonders, allesamt, sämtliche, jegliche, Mann für Mann, Freund und Feind, Groß und Klein, Kind und Kegel, Alt und Jung, Gesamtheit, das Ganze, Plenum, **2.** vollständig, vollzählig, ausnahmslos, Krethi und Plethi, alle Mann, mit Mann und Maus, alle Mann an Bord, alle miteinander, die ganze Sippschaft / Gesellschaft, wie ein Mann, tout le monde.

39 allerdings ja, jawohl, gewiss, tatsächlich, in der Tat, sicherlich, jedenfalls, immerhin, freilich, natürlich, zwar, zugegeben.

40 allgemein 1. gängig, üblich, vorherrschend, Standard, **2.** allgemein gültig, verbindlich, für alle geltend, grundsätzlich, **3.** interdisziplinär, übergreifend, fachübergreifend, **4.** universell, allumfassend, universal, umfassend, gemein, allseitig, generell, international, weltumspannend, global.

41 Allgemeinen (im) im Großen und Ganzen, durchgängig, durchweg, in Bausch und Bogen, üblicherweise, in der Regel, gewöhnlich, meistens, sozusagen, gewissermaßen, wie man so sagt, gemeinhin, generell, alles in allem, durchweg, im Ganzen, überhaupt.

42 Alltag 1. Wochentag, Werktag, Arbeitstag, **2.** Gleichmaß, Regelmäßigkeit, Gewohnheit, Tretmühle, Gleichförmigkeit, Eintönigkeit, Alltäglichkeit, Öde, grauer Alltag, Monotonie, immer dasselbe, alte Leier, ewiges Einerlei, Trott.

43 also daher, darum, deswegen, demnach, folglich, demzufolge, mithin, somit, infolgedessen, dementsprechend, deswegen, aus diesem Grund, demgemäß, logischerweise, ist doch so, ergo, nach Adam Riese.

44 alt 1. bejahrt, betagt, ältlich, bei Jahren, vorgerückten Alters, angegraut, meliert, ergraut, grau, grauhaarig, weiß, schlohweiß, weißhaarig, hoch an Jahren, hochbetagt, gesegneten Alters, greis, steinalt, uralt, **2.** verblüht, abgeblüht, abgelebt, abgestorben, absterbend, verknöchert, verkalkt, vergreist, greisenhaft, abständig, senil, tatterig, überaltert, überlebt; knittrig, faltig, runzlig, zerknittert, pergamenten, vertrocknet, zusammengefallen, zusammengeschrumpft, gefurcht, schrumplig, verhutzelt, verrunzelt, bemoost, zittrig, **3.** abgenutzt, abgegriffen, verbraucht, verschlissen, zerschlissen, oll, abgeschabt, morsch, krumplig, fadenscheinig, schäbig, eingerostet, baufällig, klapprig, abgewetzt, **4.** gebraucht, aus zweiter Hand, secondhand, abgetragen, abgelaufen, getragen, abgefahren, **5.** antiquarisch, altertümlich, ehrwürdigen Alters, antik, archaisch, veraltet, fossil, **6.** altgedient, ausgedient, abgedankt, verabschiedet, pensioniert, emeritiert, im Ruhestand, außer Dienst.

45 Alter 1. Jahre, Lenze, Lebensalter, Lebensherbst, Lebensabend, Lebensneige, Bejahrtheit, hohe Jahre, Greisenalter, biblisches Alter, **2.** alter Mann, Greis, Nestor, Patriarch, Stammvater, Senior, Jubilar, alter Herr / Knabe / Knacker / Kracher, Methusalem; Altgedienter, Ausgedienter, Veteran, Pensionär, Rentner, **3.** Ruhestand, Pension, Pensionierung, Altenteil, **4.** Überalterung, Überlebtheit, Vergreisung, Verkalkung, Abständigkeit, Senilität, Greisenhaftigkeit, Greisentum.

46 Altweibersommer Sommerende, Frühherbst, Spätsommer, Nachsommer, Fadensommer, Indian Summer, Sommerfaden, Frauenfaden, Himmelfaden, Mariengarn.

47 Analyse Untersuchung, Zerlegung, Zergliederung, Dekonstruktion, Dekomposition, Auflösung, Dissolution.

48 anbei beiliegend, anliegend, inliegend, beigefügt, beifolgend, angebogen, angeheftet, hierbei, hiermit, beigeschlossen, im Brief, beigepackt, als Anlage, ergänzend, mit gleicher Post, eingeschlossen, nebenher, nebenbei, dazu, nachträglich, sowie, Sonstiges.

49 Anbetracht (in) im Hinblick, in Bezug auf, bedingt durch, wegen, weil, umständehalber, aufgrund, hinsichtlich, in puncto, rücksichtlich, motiviert durch, denn, nämlich, in Betracht, alles in allem, angesichts, gegenüber, vor, mit Rücksicht auf, was … angeht/betrifft/anbelangt, im Zusammenhang mit.

50 anbieten (sich) 1. antragen, vorschlagen, empfehlen, offerieren, anpreisen, feilbieten, ausbieten, ausschreiben, zu verkaufen suchen, auf den Markt bringen, vermarkten, vorführen, ausstellen, auslegen, zur Schau stellen, aushängen, vorweisen, vorzeigen, zeigen, herausstellen, unterbreiten, vorlegen, einschicken, einsenden, **2.** Angebot machen, inserieren, annoncieren, in die Zeitung setzen, anzeigen, Anzeige aufgeben/schalten, **3.** reichen, darbieten, ausschenken, einschenken, kredenzen, darreichen, servieren, auftragen, auftischen, anrichten, aufwarten, bewirten, vorsetzen, beköstigen, laben, nötigen, **4.** sich anerbieten, zur Verfügung stellen, bereit erklären, anheischig machen, verpflichten; auf sich nehmen.

51 Anfang 1. Beginn, Anbeginn, Vorabend, Anbruch, Auftakt, Ausbruch, Antritt, Eintritt, Entstehung, Aufkommen, Geburt, Wiege, Quelle, Keim, Ei, Samen, Initialstadium, Embryonalstadium, **2.** Gründung, Begründung, Etablierung, Eröffnung, Niederlassung, Anbahnung, Ankurbelung; Start, Anpfiff, Anlauf; Anstich; Grundsteinlegung, Erstbezug, Debüt, Ouvertüre, Jungfernfahrt, Jungfernrede, Antrittsvorlesung,

Einweihung, Feuertaufe, Einstand, Uraufführung, Erstaufführung, Premiere, Vernissage, **3.** Morgen, Morgenröte, Sonnenaufgang, Morgenlicht, Frühlicht, Erwachen, Dämmerung, Frühe, Frühstunde, Tagesanbruch, Morgengrauen.

anfangen 1. beginnen, anheben, einsteigen, angehen, losgehen, ansetzen, einsetzen, anlaufen, sich entspinnen, **2.** anbrechen, dämmern, grauen, tagen, hell werden, Tag werden, heraufkommen, aufgehen, erwachen, sich erheben, werden, entstehen, in Gang kommen, **3.** Anfang machen, debütieren, in Angriff nehmen, anpfeifen, starten, anklicken, gründen, begründen, eröffnen, aufmachen, etablieren, niederlassen, ankurbeln, anpacken, anlaufen lassen, ins Rollen bringen, vom Stapel lassen, in Gang setzen, sich anschicken; unternehmen, ins Leben rufen, errichten, einführen, Vorkehrungen treffen, in die Wege leiten/Hand nehmen, Hebel ansetzen, loslegen, Fühlung nehmen, ins Gespräch kommen, anspinnen, Anstalten machen, im Begriff sein, sich in Bewegung setzen; drangehen, herangehen an, Anlauf nehmen, initiieren, Initiative ergreifen, konstituieren. **52**

anfangs 1. anfänglich, zuerst, in erster Linie, primär, vor allem, als Erstes, zuallererst, als Wichtigstes, vorab, zunächst, einleitend, zuvor, zuvorderst, vorweg, eingangs, zu Beginn, **2.** ursprünglich, keimhaft, embryonal, werdend, im Werden/Entstehen, in der Entwicklung, im Entwurf/Bau/Rohbau, in Umrissen, **3.** erstmalig, zum ersten Mal, im Debüt/ersten Auftritt. **53**

angeblich vorgeblich, vermeintlich, anscheinend, nominell, gleichsam, als ob, on dit, gewissermaßen, sozusagen, unter dem Deckmantel. **54**

angeboren ererbt, vererbt, erblich, vererbbar, von Geburt her, genbedingt, kongenital, hereditär, in die Wiege gelegt, von Haus aus, im Blut, naturgegeben, in den Genen. **55**

Angeklagter Beschuldigter, Verdächtiger, Beklagter, Verklagter, Untersuchungsgefangener. **56**

angenehm 1. willkommen, wünschenswert, erwünscht, wohlgefällig, günstig, kommod, unkompliziert, pfle- **57**

geleicht, bequem, gelegen, genehm, zupass, passend, zusagend, praktisch, recht, trifft sich gut, lieb, sympathisch, nett, **2.** ergötzlich, erquickend, wohltuend, erfrischend, genussreich, befriedigend, erfreulich, nach dem Herzen.

58 angesehen geachtet, geschätzt, anerkannt, geehrt, hoch geschätzt, respektiert, renommiert, gerühmt, bejubelt, gefeiert, verehrt, umschwärmt, umjubelt, vergöttert.

59 angestammt 1. eingeboren, nativ, indigen, hiesig, einheimisch, entropisch, endemisch, **2.** sesshaft, bodenständig, autochthon, verwurzelt, verankert, verwachsen, ortsfest, ortsgebunden, heimatverbunden, immobil, stationär, **3.** genuin, überkommen, traditionell, ureigen.

60 angreifen 1. auf jmdn. losgehen, in die Offensive gehen, Kampf aufnehmen, in die Arena steigen, **2.** anfallen, angehen, attackieren, vorgehen, vorrücken, vorstoßen, stürmen, zum Angriff übergehen, Frieden brechen, überfallen, losgehen, losschlagen, dreinschlagen, dreinhauen, berennen, zu Leibe gehen, auf den Leib rücken, vorpreschen, anfliegen, beschießen, bombardieren, packen, überrumpeln, überrollen, überkommen, herfallen über, einfallen, sich stürzen auf; überrennen, vordringen, Vorstoß machen, einmarschieren, besetzen, einhauen auf, sich hermachen über; einstürmen auf, Attacke reiten gegen, unter Beschuss nehmen, mit Granaten belegen, Feuer eröffnen, **3.** anfeinden, bezichtigen.

61 Angriff 1. Offensive, Anmarsch, Vormarsch, Vorgehen, Einfall, Überfall, Vorstoß, Überrumpelung, Handstreich, Attacke, Sturm, Aggression, Affront, Einmarsch, Beschuss, Kanonade, **2.** Hetzjagd, Hatz.

62 Angst 1. Furcht, Bangen, Grauen, Schauder, Schauer, Grausen, Entsetzen, Erzittern, Erbeben, Erschrecken, Schrecken, Panik, Kopflosigkeit, Horror, Schock, **2.** Unruhe, Beklemmung, Beklommenheit, Bangigkeit, Nervosität, Beunruhigung, Bestürzung, Spannung, Erregung, Aufregung, Lampenfieber, Reisefieber, Zittern, Herzklopfen, Alpdruck, Nachtmahr, Alptraum, Horrortrip, Angstträume, Gespensterfurcht,

Gruseln, Zähneklappern, **3.** Befürchtung, Besorgnis, Sorge, Furchtsamkeit, Ängstlichkeit, Bänglichkeit, Bedenklichkeit, Vorsicht, Berührungsangst, **4.** Feigheit, Kleinmut, Kleingläubigkeit, Zaghaftigkeit, Verzagtheit, Mutlosigkeit, Bammel, Heidenangst, Schiss, Muffensausen, **5.** Krankheitsangst, Krankheitswahn, Hypochondrie, **6.** Phobie, Objektangst, Situationsangst, Erwartungsangst, Zwangsbefürchtung, Klaustrophobie, Platzangst, Phobophobie, Angst vor der Angst.

ängstigen (sich) 1. Angst haben, **63** fürchten, bangen, ängsten, erschrecken, beben, erbeben, entsetzen, zittern, zagen, schlottern, gruseln, Nerven verlieren, Schrecken bekommen, Schock erleiden, erbleichen, erblassen, sich verfärben; zusammenfahren, zucken, zusammenzucken, erschauern, aufschrecken, zur Salzsäule erstarren, zurückfahren, zurückschaudern, zurückprallen, zurückschrecken, Atem anhalten, Blut schwitzen, grauen, grausen, schaudern, zittern wie Espenlaub, **2.** befürchten, sich sorgen, Gedanken machen; beklommen / besorgt sein, Manschetten / Furcht haben vor, Gespenster sehen, sich quälen, abhärmen, Sorgen machen; kein Auge schließen, schwarz sehen, sich Kummer machen; zittern um.

ängstlich 1. angstvoll, bekümmert, **64** furchtsam, bange, bänglich, beklommen, unruhig, unbehaglich, nervös, schreckhaft, angespannt, aufgewühlt, aufgeregt, besorgt, sorgenvoll, bangend, bebend, angsterfüllt, entsetzt, panisch, phobisch, **2.** feige, mutlos, zittrig, zitternd, schreckhaft, schlotternd, angstgepeinigt, angstbesessen, von Furien gejagt, nervenschwach, zähneklappernd, zage, zaghaft, zitterig, kleinmütig, kleingläubig, verängstigt, verschüchtert, befangen, verzagt, übervorsichtig, schwachherzig, schwachmütig, angst und bange.

anhängen 1. anhangen, dienen, treu **65** ergeben / verbunden sein, sympathisieren, nachfolgen, sich zugehörig fühlen, verbunden halten; Fan sein, Kult betreiben mit, **2.** sich anklammern; nachlaufen, verfolgen, nicht loslassen, sich abhängig machen, aufgeben; hörig werden, **3.** treu bleiben, nicht im Stich lassen, nicht aufgeben, zu jmdm. halten/ stehen, nicht verlassen, sich nicht abwenden, **4.** zulaufen, zuströmen, sich einfinden, anschließen.

66 Anhänger 1. Beiwagen, Hänger, Wohnwagen, **2.** Parteigänger, Gefolgsmann, Quartiermacher, Nachfolger, Nachläufer, Hintermann, Paladin, Proselyt, Mitkämpfer, Mitstreiter, Kombattant, Fellowtraveller, Kampfgenosse, Kamerad, Vertrauter, Sympathisant, Getreuer, Mitglied, Parteigenosse, Kämpe, Mitverschworener, Gesinnungsgenosse, Gefährte, Jünger, Begleiter, Schatten, Linientreuer, **3.** Nachläufer, Mitläufer, Nachbeter, Trabant, Satellit, Vasall, Höriger, Geschöpf, Werkzeug, Kreatur, Marionette, **4.** Anhängerschaft, Gefolgschaft, Entourage, Gefolge, Gemeinde, Anhang; Tross, Hofstaat, Kamarilla, Günstlinge, **5.** Fan, Fex, Groupie, Verehrer, Bewunderer, Schlachtenbummler.

67 ankommen 1. eintreffen, Ziel erreichen, ans Ziel gelangen, anlangen, kommen, nahen, sich einfinden; erscheinen, eintreten, auftauchen, vorfahren, sich einstellen; einziehen, auftreten, auf der Bildfläche erscheinen, antreten, aufmarschieren, einlaufen, einfliegen, anmarschieren, anrollen, landen, eintrudeln, antanzen, angestiefelt kommen, im Anzug sein, **2.** zur Welt kommen, geboren werden, Licht der Welt erblicken.

68 Ankunft 1. Eintreffen, Erscheinen, Einzug, Kommen, Eintritt, Antritt, Antreten, Betreten, Auftreten, Auftritt, Anfahrt, Anmarsch, Anreise, Landung, Arrival, Einlaufen, **2.** Geburt, Partus, Niederkunft, freudiges Ereignis, Entbindung.

69 anlässlich 1. aus Anlass, aufgrund, bei Gelegenheit, gelegentlich, bei, zu, zum, wenn, als, **2.** denn, weil, nämlich, halber, wegen, infolge, um … willen, ob, dank.

70 Anmut Grazie, Liebreiz, Lieblichkeit, Holdseligkeit, Süße, Feinheit, Zierlichkeit, Leichtigkeit, Zauber, Charme, Reiz.

71 anmutig 1. reizend, bezaubernd, zauberhaft, hold, holdselig, lieblich, liebreizend, charmant, liebenswürdig, gewinnend, einnehmend, **2.** graziös, zierlich,

grazil, geschmeidig, leicht, beweglich, leichtfüßig, gazellenhaft, rehhaft, niedlich, allerliebst, beschwingt, süß.

anordnen 1. angeben, anweisen, verordnen, verschreiben, gebieten, bestimmen, erlassen, vorschreiben, reglementieren, befinden, ansagen, zudiktieren, auferlegen, verhängen, aufbrummen, verfügen, Auflage machen; diktieren, dekretieren, kommandieren, beordern, zitieren, kommen lassen, vorladen, **2.** disponieren, ansetzen, festsetzen, festlegen, anberaumen. **72**

anpassen (sich) 1. synchronisieren, synchron schalten, aufeinander abstimmen, harmonisieren, angleichen, timen, tunen, orchestrieren, adaptieren, **2.** sich angleichen, annähern, assimilieren, anverwandeln, akklimatisieren, eingewöhnen, schicken, fügen, einordnen, einreihen; nicht aus der Reihe tanzen, nicht auffallen, sich einstellen auf, einfügen, einrichten, einleben; vertraut/ heimisch werden, Fuß fassen, sich aneinander gewöhnen, einspielen auf, abschleifen; zusammenwachsen, sich anschmiegen. **73**

Anpassung 1. Harmonisierung, Angleichung, Synchronisierung, Timing, **2.** Einordnung, Assimilierung, Einfügung, Akklimatisierung, Adaptation, Adaption, Anverwandlung, Mimikry; Angepasstheit, Konformismus. **74**

anregen 1. initiieren, veranlassen, vorschlagen, anraten, anempfehlen, nahe legen, Gedanken eingeben, hinlenken auf, suggerieren, anspitzen, **2.** ermuntern, anspornen, anfeuern, drängen, Impuls/Antrieb geben, anstacheln, anheizen, hochkochen, elektrisieren, beschwingen, animieren, antreiben, beleben, aufrütteln, aktivieren, anstecken, begeistern, packen, umwerfen, entflammen, entzünden, befeuern, beflügeln, inspirieren, beseelen, treiben, motivieren, ermutigen, encouragieren, **3.** aufregen, antörnen, reizen, stimulieren, anmachen, aufputschen, erregen, beleben, dopen, aufpeitschen, aufmöbeln, erfrischen, aufmuntern, aufpulvern, in Schwung bringen, **4.** erheitern, erquicken, zerstreuen, unterhalten, vergnügen, amüsieren, fröhlich stimmen, belustigen. **75**

anregend 1. belebend, unterhaltend, **76**

abwechslungsreich, amüsant, erheiternd, aufheiternd, ermunternd, erfrischend, reizvoll, **2.** geistreich, geistvoll, sophisticated, einfallsreich, witzig, spritzig, charmant, unterhaltsam, belustigend, zerstreuend, ablenkend, prickelnd, perlend, moussierend, sprühend, **3.** erregend, inspirierend, begeisternd, entflammend, aufregend, aufreizend, aufputschend, aufpeitschend, stimulierend, beflügelnd, animativ, animierend.

77 Anregung 1. Rat, Impuls, Anstoß, Denkanstoß, Gedanke, Einfall, Idee, Vorschlag, Antrieb, Betreiben, Inspiration, Verursachung, Veranlassung, **2.** Ermunterung, Ermutigung, Belebung, Erweckung, Kick, Auftrieb, Ansporn, Anreiz, Herausforderung, **3.** Zerstreuung, Ablenkung, Unterhaltung.

78 anschaulich 1. bildhaft, eidetisch, lebendig, lebhaft, bunt, farbig, blutvoll, sinnfällig, plastisch, figürlich, gegenständlich, prägnant, augenfällig, sprechend, expressiv, intensiv, frisch, **2.** prall, saftig, malerisch, pittoresk, sinnlich, illustrativ, ausdrucksvoll, ausdrucksstark, unverwischbar, einprägsam, lebensnah, wirklichkeitsnah, praxisnah, handfest, deutlich, konkret, greifbar, handgreiflich.

79 anscheinend vermutlich, wahrscheinlich, offenbar, glaubhaft, anzunehmen, sicherlich, augenscheinlich, scheinbar, mutmaßlich, wie es scheint, dem Anschein nach, dem Vernehmen nach, angeblich, gerüchtweise, voraussichtlich, aller Voraussicht nach, mit ziemlicher Gewissheit, nach menschlichem Ermessen.

80 ansehen (sich) 1. anschauen, betrachten, besehen, besichtigen, sich umsehen; in Augenschein nehmen, beschauen, begucken, angucken, mustern, prüfen, taxieren, untersuchen, studieren, sich beschäftigen/befassen mit, **2.** anblicken, den Blick richten auf, Blick zuwerfen, aufs Korn nehmen, anpeilen, anstarren, anstieren, begaffen, anglotzen, fixieren, nicht aus den Augen lassen, **3.** sich betrachten; vor dem Spiegel stehen, sich bespiegeln, beschauen, prüfen, mustern.

81 Anspielung 1. Andeutung, Stichelei, Neckerei, Fopperei, Hänselei, Hieb, Stich, Seitenhieb, Spitze, Gehässigkeit, **2.** Doppelsinnigkeit, Anzüglichkeit.

Anspruch 1. Recht, Anrecht, Berech- **82** tigung, Befugnis, Anwartschaft, Gewohnheitsrecht, **2.** Ehrgeiz, Ambition, Lebensansprüche, Lebenswünsche, Konsumansprüche, **3.** Anforderung, Forderung, Herausforderung; Kostenaufstellung, Rechnung.

anspruchslos 1. bescheiden, selbst- **83** genügsam, bedürfnislos, schlicht, leicht zufrieden zu stellen, genügsam, sparsam, **2.** zufrieden, wunschlos glücklich, wunschlos, zufrieden gestellt, saturiert.

anspruchsvoll 1. verwöhnt, unbe- **84** scheiden, verfeinert, luxuriös, raffiniert, differenziert, wählerisch, subtil, heikel, kennerisch, niveauvoll, von gutem/gewähltem/erlesenem Geschmack, kritisch, urteilssicher, **2.** anmaßend, selbst ernannt, blasiert, dünkelhaft, versnobt, snobistisch, eingebildet, hochtrabend, hochgestochen, prätentiös, elitär, hochfahrend, hochnäsig.

Anstand 1. Benehmen, Betragen, **85** Umgangsformen, Manieren, Etikette, Erziehung, gute Sitten, Kinderstube, Niveau, Takt, Schliff, Höflichkeit, Artigkeit, Bonhomie, **2.** Ethik, Moral, Moralität, Tugend, Sitte, Sittlichkeit, Sittsamkeit, Schicklichkeit, Biedersinn, Rechtschaffenheit, Lauterkeit, Redlichkeit, Integrität, Anständigkeit, Wohlanständigkeit, Fairplay, Fairness, Seriosität.

anständig 1. gehörig, passend, ange- **86** messen, gemäß, schicklich, ziemlich, salonfähig, stubenrein, **2.** ethisch, moralisch, sittlich, sittenfest, achtbar, honorig, gesittet, sittsam, sittig, honett, respektabel, wohlerzogen, reine Weste, unsträflich, untadelig, tadellos, reputierlich, einwandfrei, unbescholten, unangreifbar, seriös, **3.** fair, lauter, solide, rechtschaffen, gediegen, korrekt, ordentlich, zuverlässig, vertrauenswürdig, ehrenhaft, ehrlich, grundehrlich, hochanständig, grundanständig, sauber, fair, ritterlich, unbestechlich, integer, reell, aufrichtig.

anstandslos ohne weiteres, unbese- **87** hen, glattweg, schlankweg, ohne Bedenken/Umschweife/Zögern, ungescheut, kurzum, kurzweg, kurzerhand, ungehemmt, ohne jede Schwierigkeit, widerspruchslos, natürlich, selbstverständlich, klar, unbedenklich, mir nichts, dir nichts, gern, blanko, ungeprüft, mit einem Federstrich.

88 anstehen 1. ausstehen, fällig sein, restieren, fehlen, offen stehen, zu erledigen/bezahlen/erwarten sein, anliegen, an der Reihe/unerledigt sein, **2.** zustehen, zukommen, gebühren, sich gehören; angemessen sein, sich schicken, ziemen; beanspruchen/verlangen können, ein Recht haben auf, **3.** Schlange stehen, sich anstellen; warten.

89 anstellen 1. verpflichten, einstellen, einsetzen, engagieren, dingen, heuern, chartern, werben, nehmen, verwenden, beschäftigen, in Dienst nehmen, Arbeit geben, unterbringen, ernennen, bestellen, bestallen, bediensten, betrauen, **2.** vereidigen, schwören lassen, unter Eid nehmen, vergattern, **3.** aufdrehen, in Gang setzen, ankurbeln, anlassen, zünden, in Bewegung bringen, einschalten, auf Stand-by schalten, anknipsen, anstoßen, Antrieb geben, aufmachen, **4.** etwas anstellen/anrichten.

90 anstoßen 1. anprallen, gegenstoßen, aufprallen, aufstoßen, **2.** anstürmen, branden, wogen, anrollen, **3.** in die Seite stoßen, aufmerksam machen, anrempeln, **4.** anecken, auffallen, Ärgernis/Befremden erregen, ärgern, ins Fettnäpfchen treten, Fauxpas begehen, zu nahe treten, Missfallen erregen, von sich reden machen; ins Gerede kommen, **5.** lostreten, auslösen, initiieren, **6.** zuprosten, zutrinken, auf jmds. Wohl trinken, Toast ausbringen, jmdn. hochleben/Gläser erklingen lassen, Glas erheben, Hoch ausbringen, Glück wünschen.

91 anstößig 1. ungehörig, unfein, unpassend, unschicklich, anzüglich, zweifelhaft, zweideutig, eindeutig, unanständig, unter der Gürtellinie, pikant, frivol, schlüpfrig, anstandswidrig, nicht salonfähig, nicht stubenrein, halbseiden, **2.** lose, locker, freizügig, leichtfertig, liederlich, unzüchtig, zügellos, lasterhaft, **3.** pornographisch, lasziv, obszön, gewagt, frei, schamlos; erotisierend, libidinös, sexuell stimulierend, aufgeilend, scharf machend, **4.** geschmacklos, wüst, unflätig, zotig, sexistisch, pöbelhaft, gemein, gewöhnlich,

verletzend, ordinär, vulgär, schmutzig, dreckig, schweinisch, pervers, säuisch, **5.** fragwürdig, übel beleumdet, anrüchig, **6.** Ärgernis erregend, Anstoß erregend, schockierend, shocking.

anstrengen (sich) 1. Mühe/zu **92** schaffen machen, beanspruchen, in Anspruch nehmen, Umstände machen, **2.** sich Mühe geben; keine Mühe scheuen, auf sich nehmen, sich befleißigen, angelegen sein lassen, zum Anwalt machen; alle Hebel in Bewegung setzen, in die Vollen gehen, sich engagieren, einsetzen; nichts unversucht lassen, sein Bestes geben, alles tun/aufbieten, von Pontius zu Pilatus laufen, sich ins Zeug legen, dahinter klemmen, abstrampeln, abhampeln, **3.** schwer arbeiten, sich abmühen, plagen, placken, anspannen, ins Geschirr legen, dranhalten; schuften, malochen, asten, ackern, sich erschöpfen, aufreiben, verausgaben, schinden, abrackern, quälen, abarbeiten, aus den Rippen leiern, abringen, **4.** Mühe haben, sich schwer tun; schweren Stand/nichts zu lachen haben.

antizipieren vorgreifen, vorwegnehmen, **93** präjudizieren, vorausdenken, voraussehen, vorwegwissen, prophezeien.

Antrag 1. Anfrage, Frage, Bitte, Vorlage, **94** Gesuch; Ansuchen, Eingabe, Bewerbung, Heiratsantrag, **2.** Bittgesuch, Bittschreiben, Bittschrift, Denkschrift, Bettelbrief, Memorandum, Petition, Gnadengesuch.

Anwärter 1. Erbe, Hinterbliebener, **95** Nachfolger, Nachkomme, künftiger Besitzer, **2.** Bewerber, Interessent, Freier, Prätendent, Assessor, Aspirant, Kronprinz, Thronfolger, Kandidat, Beitrittskandidat, Teilnehmer, Mitbewerber, designierter Nachfolger, Rechtsnachfolger, Platzhirsch, Konkurrent, **3.** Antragsteller, Bittsteller, Ansucher, Petent.

Anweisung 1. Anleitung, Belehrung, **96** Rat, Unterweisung, Einführung, Unterrichtung, Einweisung, Schulung, Ausbildung, Lehre, **2.** Angabe, Vorschrift, Gebrauchsanweisung, Gebrauchsanleitung, Instruktion, Briefing; Beipackzettel, Verpackungsbeilage, Benutzungsvorschrift, Bedienungsanleitung, Rezept, Rezeptur, Verhaltensmaßregel, Direktive, **3.** Überweisung, Zahlung, Zustellung.

97 Anzeige 1. Inserat, Annonce, Zeitungsanzeige, Bekanntmachung, Ausschreibung, Ankündigung, **2.** Anzeigetafel, Display, **3.** Aushang, schwarzes Brett, Pinnwand, Plakat, Poster, Aufgebot, Anschlag, Website, Homepage.

98 anziehen 1. ankleiden, bekleiden, Kleider anlegen, etwas überziehen, umhängen, überwerfen, in die Kleider schlüpfen, Toilette machen, sich fertig machen, herrichten, **2.** sich kleiden, anzuziehen wissen; seinen Stil kennen, **3.** fesseln, reizen, locken, Blicke auf sich ziehen, faszinieren, gewinnen.

99 anziehend 1. einnehmend, ansprechend, reizvoll, **2.** magnetisch, hygroskopisch.

100 appetitlich 1. appetitanregend, ansprechend, einladend, verlockend, duftend, mundwässernd, **2.** köstlich, lecker, pikant, würzig, blumig, süffig, prickelnd, schmackhaft, wohlschmeckend, fein, gut, delikat, deliziös, exquisit, exzellent, erlesen, raffiniert, superb, kulinarisch, göttlich, himmlisch, **3.** sauber, proper, zum Anbeißen.

101 Arbeit 1. Tätigkeit, Tun, Handeln, Wirken, Schaffen, Betätigung, Verrichtung, Ausübung, Leistung, Werk, **2.** Erwerbstätigkeit, Beschäftigung, Broterwerb, Beruf, Metier, Anstellung, Stellung, Profession, Position, Stelle, Job, Platz, Arbeitsverhältnis, Arbeitsplatz, Posten, Aufgabe, **3.** Handarbeit, Heimarbeit, Halbtagsarbeit, Teilzeitarbeit, Jobsharing, Akkordarbeit, Fabrikarbeit, Lohnarbeit, Facharbeit, Kopfarbeit, Schwarzarbeit, Telearbeit, Teleworking, **4.** Maloche, Fron, Joch, Knute, Tretmühle.

102 arbeiten 1. tätig sein, etwas tun / schaffen, Arbeit verrichten, sich beschäftigen mit, betätigen, widmen, befassen, abgeben; Arbeit leisten, tun, etwas betreiben, jobben, **2.** Beruf ausüben, einer Beschäftigung nachgehen, Stellung haben, erwerbstätig sein, im Dienst stehen, Amt ausüben, amtieren, fungieren als, seines Amtes walten, **3.** sich regen, rühren, tummeln; Hausarbeit verrichten, produzieren, leisten, vollbringen, malochen, buckeln, werkeln, hantieren, **4.** verfertigen, anfertigen, herstellen; spinnen, weben, wirken, flechten, zimmern, schreinern,

tischlern; schmieden, schweißen; handarbeiten, stricken, häkeln, sticken, knüpfen, nähen, sticheln, heften, reihen, steppen, schneidern.

Arbeitnehmer Lohnabhängiger, **103** Lohnempfänger, Arbeiter, Werktätiger; Arbeitskraft, Angestellter, Gehaltsempfänger, Bediensteter; Betriebsangehöriger, Mitarbeiter; Tarifpartner.

arbeitslos erwerbslos, ohne Arbeit / **104** Arbeitsplatz / Anstellung / Erwerb, stellungslos, ohne Job, beschäftigungslos, unbeschäftigt, brotlos, gekündigt, entlassen, abgebaut, ausgeschieden, ausgeschaltet, auf der Straße, stempelnd, auf Stütze.

Ärger 1. Gereiztheit, Verstimmung, **105** Verärgerung, Ungehaltenheit, schlechte Laune, Unwille, Unmut, Grimm, Erbostheit, Entrüstung, Erbitterung, Verdruss, Verdrossenheit, Gekränktheit, Verletztheit, Missfallen, Missvergnügen, Missbehagen, **2.** Aufwallung, Empörung, Erregung, Aufgebrachtheit, Verbiesterung, Ingrimm, Zorn, Furor, Gift und Galle, Wut, Wutanfall, Koller, Zähneknirschen, Raserei, Rage, **3.** Ärgernis, Unannehmlichkeit, Widrigkeit, Missgeschick, Geduldsprobe, Nervenprobe, Verdrießlichkeit, Unbilden, Belastung, Gefret, Schererei, Zores, Schlamassel, Knatsch, Theater, Tanz, Krach, Schwulitäten, Plage, Misshelligkeit, Unzuträglichkeit, Spannungen, dicke Luft, Unstimmigkeiten, Unerquicklichkeiten, Ungelegenheiten, Widerwärtigkeiten, Unliebsamkeiten, Schwierigkeiten, Molesten, Schikanen, Belästigungen.

ärgern (sich) 1. Scherereien / **106** Schwierigkeiten machen, Unannehmlichkeiten bereiten, verärgern, auf den Wecker fallen, molestieren, nerven, auf den Geist gehen, ätzen, Nerv töten, enervieren, entnerven, auf die Nerven fallen, vergrätzen, irritieren, reizen, verschnupfen, verstimmen, sauer / nervös / böse / wild / zornig / rasend machen, in Harnisch bringen, erbosen, erzürnen, auf die Palme bringen, hochbringen, zur Raserei / in Rage bringen, aufbringen, verdrießen, erbittern, ergrimmen, Wände hochjagen, fuchsen, wurmen, stinken, **2.** unangenehm berühren, sauer / nervös / böse / heftig / wild / zornig werden, sich erbosen; geladen sein, auffahren, aufbrausen, rotsehen, sich alterieren; aus dem Häuschen/in Harnisch geraten, rotieren, sieden, schäumen, kochen, Wände hochgehen, zu viel/die Krise kriegen, es satt haben/leid sein, genug haben, an die Decke/in die Luft gehen, **3.** übel nehmen, krumm nehmen, einschnappen, verargen, verübeln, in den falschen Hals kriegen.

107 arm 1. bedürftig, mittellos, ohne Vermögen, vermögenslos, unbemittelt, einkommensschwach, finanzschwach, unterprivilegiert, ohne Einkommen, besitzlos, unversorgt, in Not, von der Hand in den Mund, bettelarm, arm wie eine Kirchenmaus, ohne Geld, abgebrannt, pleite, blank, Not leidend, hungernd, **2.** ärmlich, schäbig, armselig, kläglich, dürftig, elend, beklagenswert, kümmerlich, kärglich, mickrig, heruntergekommen, lumpig, abgerissen, verarmt, verelendet, zum Gotterbarmen, erbärmlich, hilfsbedürftig, jämmerlich.

108 Aroma Duft, Geruch, Wohlgeruch, Parfüm, Odeur, Blume, Bukett; Geschmack, Wohlgeschmack, Schmackhaftigkeit, Würze, Würzigkeit, Hautgout, Süße, Süßigkeit; Mief, Muff, Gestank.

109 aromatisch duftend, wohlriechend, balsamisch, blumig, wohlduftend; schmackhaft, wohlschmeckend, köstlich, appetitanregend, pikant, würzig, kräftig; miefig, muffig, stinkend.

110 Art 1. Qualität, Beschaffenheit, Zustand, Form, Gepräge, Wesen, Wesensart, Erscheinung, Ausformung, Erscheinungsform, Charakter, Aussehen, Gestalt, Kontur, **2.** Gattung, Genre, Kategorie, Rasse, Klasse, Schlag, Sorte, Geschlecht, Stamm, Familie, Spezies, Kaliber, Typus, Couleur, **3.** Methode, Manier, Weise, Art und Weise, Stil, Technik, Weg, Modalität, Modus, Duktus.

111 Artist 1. Zirkuskünstler, Varietékünstler, Jahrmarktskünstler, **2.** Akrobat, Athlet, Pantomime, Taschenspieler, Trickkünstler, Gaukler, Zauberkünstler, Eskamoteur, Schlangenmensch, Bodenakrobat, Seiltänzer, Geschicklichkeitskünstler, Clown, Hanswurst, Spaßmacher, Jongleur, Messerwerfer, Trapezkünstler, Hochseilakrobat, Feuerschlucker, Fakir, Schwertschlucker, Domp-

teur, Dresseur, Bauchredner, Tierbändiger, Todesfahrer, Steilwandfahrer, Kunstfahrer.

Arznei 1. Arzneimittel, Droge, Heilmittel, Medikament, Mittel, Medizin, Hausmittel, Pharmakon, Präparat, **2.** Pille, Tablette, Dragee, Zäpfchen, Tinktur, Salbe, Emulsion, Pulver, Tropfen, Injektion, Bestrahlung.   **112**

Arzt Mediziner, Doktor, Heilkundiger, Medikus, Therapeut, Heiler.   **113**

Atelier Künstlerwerkstatt, Werkstatt, Studio; Filmatelier, Filmstudio, Fotoatelier, Fotostudio.   **114**

atmen respirieren, leben; einatmen, Luft einziehen, inhalieren, durchatmen, hauchen, schnauben, hecheln, japsen, Atem holen, Luft holen/schöpfen, tief atmen, schnaufen, nach Luft schnappen, keuchen, prusten, nach Atem ringen, ausatmen.   **115**

Attentat Anschlag, Mordanschlag, Sprengstoffanschlag, Bombenanschlag, Giftgasanschlag, Meuchelmord, Fememord, Überfall, Bluttat.   **116**

auch 1. ferner, weiter, weiterhin, fernerhin, fürderhin, des Weiteren, ebenfalls, gleichermaßen, gleicherweise, desgleichen, genauso, ebenso, gleichfalls, dito, item, sowie, sowohl, **2.** einschließlich, mit, inklusive, samt, nebst, sogar, selbst, ohnedem, ohnedies, **3.** außerdem, dazu, zudem, zum anderen, daneben, zusätzlich, obendrein, überdies, plus, extra, noch, darüber hinaus.   **117**

auffallen abstechen, sich unterscheiden, abheben; ins Auge fallen, Aufsehen erregen, aus der Reihe tanzen, Staub aufwirbeln, Schlagzeilen machen, aus dem Rahmen fallen, Extratour reiten, ausscheren, bemerkt/beachtet werden, sich einprägen; im Gedächtnis haften, Blicke anziehen, Furore machen, überraschen.   **118**

auffallend 1. auffällig, Aufsehen erregend, eklatant, frappant, ungewöhnlich, nicht alltäglich, ausgefallen, aus dem Rahmen fallend, besonders, unübersehbar, sichtlich, überraschend, erstaunlich, aufdringlich, in die Augen fallend, ins Auge stechend, **2.** eigentümlich, merkwürdig, sonderlich, absonderlich, sonderbar, abweichend, abwegig, anders, seltsam, wunderlich, befremdlich, exzentrisch, eigenbrötle-   **119**

risch, verzerrt, grotesk, lachhaft, lächerlich, komisch, kurios, spleenig, verschroben, schrullig, närrisch, verstiegen, verdreht, extravagant.

120 Aufgabe 1. Auftrag, Beruf, Rolle, Funktion, Obliegenheit, Angelegenheit, Sendung, Mission, Amt, Bestimmung, **2.** Schließung, Einstellung, Stilllegung, Liquidierung, Auflassung, Niederlegung, Vergabe, Auslagerung, Outsourcing, **3.** Abbestellung, Kündigung, Aufsage, Widerruf, Annullierung, Abmeldung, Stornierung, **4.** Frage, Problem, Rätsel, Denksportaufgabe, Schwierigkeit, **5.** Übergabe, Preisgabe, Herausgabe, Auslieferung, Verzicht, **6.** Schularbeiten, Schulaufgaben, Hausaufgaben, Pensum, Lektion, Lernstoff, Lehrstoff.

121 Aufgabengebiet Aufgabenbereich, Aufgabenkreis, Aufgabenkomplex, Arbeitsgebiet, Sachgebiet, Domäne, Arbeitsbereich, Arbeitsfeld, Tätigkeitsbereich, Tätigkeitsgebiet, Sachbereich, Referat, Wirkungsbereich, Wirkungskreis, Ressort, Zuständigkeitsbereich, Kompetenzbereich.

122 aufgeben 1. schließen, einstellen, zumachen, dichtmachen, auflösen, aufheben, liquidieren, stilllegen, auflassen, **2.** abbestellen, abmelden, aufsagen, abbrechen, kündigen, aufkündigen, zurückziehen, rückgängig machen, annullieren, für ungültig/nichtig erklären, ungeschehen machen, widerrufen, zurücknehmen, stornieren, canceln, streichen, tilgen, entwerten, keinen Wert mehr legen/verzichten auf, **3.** abschreiben, ablassen von, abtun, vergessen können, über Bord werfen, fallen lassen, absehen von, beerdigen, verloren geben, zu Grabe tragen, an den Nagel hängen, sausen lassen, sich entgehen lassen, abschminken; fahren lassen, dreingeben, schwinden lassen; Segel streichen, Hoffnung aufgeben, aufstecken, Waffen strecken, Handtuch werfen, resignieren, passen, kapitulieren, Flinte ins Korn werfen, am Ende sein, aus dem letzten Loch pfeifen, sich unterwerfen; Kehle hinhalten, **4.** Aufgabe stellen, aufbrummen.

123 aufheben 1. aufbewahren, verwahren, in Verwahr nehmen, unterbringen, unterstellen, einschließen, sichern, speichern, aufsparen, aufspeichern, sammeln, horten, lagern, einlagern, erhalten, behalten, hüten, bewahren, **2.** hochheben, aufsammeln, anheben, auflesen, aufklauben, aufnehmen, aufgreifen, **3.** zurückhalten, zurückbehalten, in der Hinterhand haben, in Reserve halten, **4.** abschaffen, beheben, annullieren.

auflehnen (sich) 1. sich aufstützen, **124** auflegen, anlehnen, stützen auf, **2.** aufbegehren, sich aufbäumen, wehren, widersetzen; Widerstand leisten, Front machen, opponieren, Kontra geben, Protest erheben, protestieren, sich empören; gegen den Strom schwimmen, Widerstand entgegensetzen, Paroli bieten, sich weigern; entgegentreten, entgegenstellen, sich quer legen, etwas nicht gefallen lassen; aufstehen, sich erheben; rebellieren, meutern, auf die Barrikaden gehen, Sturm laufen gegen, in Aufruhr geraten, revoltieren.

aufmerksam 1. gesammelt, konzen- **125** triert, angespannt, intensiv, bei der Sache, vertieft, versunken, andächtig, interessiert, dabei, unabgelenkt, offenen Auges, geistesgegenwärtig, auf dem Quivive, präsent, wach, mit wachen Sinnen, hellhörig, wachsam, stutzig, **2.** höflich, nett, zuvorkommend, hilfsbereit, rücksichtsvoll.

Aufnahme 1. Foto, Lichtbild, Bild, **126** Schnappschuss, Standfoto, Close-up, Take, Dreh; Bandaufnahme, Mitschnitt, Aufzeichnung, **2.** Registrierung, Erfassung, Zulassung, Einreihung, Eintragung, Immatrikulation, **3.** Empfang, Begrüßung, Willkomm, **4.** Zulass, Zutritt, Zugang, Annahme, Rezeption, Anmeldung, Anmelderaum, **5.** Einbürgerung.

aufnehmen 1. empfangen, willkommen heißen, beherbergen, unterbringen, Quartier geben, einquartieren, **2.** zulassen, annehmen, einschreiben, eintragen, einbeziehen, eingliedern, einschulen, immatrikulieren, **3.** aufsaugen, absorbieren, resorbieren, einsaugen, sich einverleiben; verdauen, verarbeiten, anverwandeln, rezipieren, **4.** aufgreifen, weiterspinnen, fortsetzen, **5.** protokollieren, niederlegen, zu Protokoll nehmen, mitschreiben, notieren, dokumentieren, fotografieren, filmen, auf Band nehmen, aufzeichnen, mitschneiden, **6.** einbürgern, naturalisieren, nostrifizieren, Staatsangehörigkeit/ Staatsbürgerschaft verleihen.

128 aufpassen 1. Acht geben, Obacht geben, Ohren spitzen, dabei sein, horchen, lauschen, zuhören, aufmerken, aufhorchen, **2.** beobachten, beaufsichtigen, bewachen, im Auge behalten, achten/Acht geben auf, **3.** Wacht halten, wachen, Wache/Posten stehen, Wache schieben, **4.** sich vorsehen; achtsam sein, sich hüten; ängstlich sein, auf Nummer Sicher gehen, sich in Acht nehmen; Vorsicht walten lassen.

129 aufregen (sich) 1. ärgern, erregen, erbittern, aufbringen, hochbringen, **2.** ängstigen, beunruhigen, beängstigen, erschrecken, unsicher machen, verunsichern, **3.** Staub aufwirbeln, Aufregung verursachen, Aufsehen erregen, in ein Wespennest stechen, Ärgernis erregen, **4.** umtreiben, zu schaffen machen, an die Nieren gehen, mitnehmen, angreifen, **5.** in Erregung/Wallung geraten, sich ereifern, empören, erzürnen, erhitzen, entrüsten; aufbegehren, explodieren, ausrasten, ausflippen, sich Luft machen.

130 aufregend 1. erregend, ergreifend, packend, erschütternd, angreifend, bewegend, spannend, elektrisierend, aufwühlend, aufpeitschend, dramatisch, rührend, aufrüttelnd, beunruhigend, überwältigend, umwerfend, **2.** ärgerlich, erbitternd, empörend, verstimmend, aufreizend, aufreibend, störend, nervenzermürbend, alterierend, nervend, entnervend, zum Verrücktwerden / Auswachsen, himmelschreiend, hanebüchen, unglaublich, bodenlos, skandalös, zu bunt, unerhört, starkes Stück, allerhand, happig, nicht zu glauben.

131 aufrichtig offen, ehrlich, grundehrlich, gerade, unverstellt, ohne Falsch/ Winkelzüge / Hintergedanken, unumwunden, unverhohlen, echt, redlich, verlässlich, aufrecht, wahrhaftig, wahrheitsliebend.

132 Aufschwung Aufwärtsentwicklung, Wachstum, Auftrieb, Fortschritt, Blüte, Prosperität, Konjunktur, Wirtschaftsaufschwung, Boom, Hoch, Hausse, Take-off, Hochkonjunktur, Wirtschaftsblüte.

133 Aufsicht 1. Beobachtung, Bewachung, Beaufsichtigung, Wacht, Überwachung, Kontrolle, Zensur, **2.** Wachhabender; Kontrolleur, Gefängniswärter, Beschließer, Polizist, Politesse, Korrektor, Revisor, Prüfer, Wirtschaftsprüfer, Steuerprüfer.

Aufstand 1. Erhebung, Revolte, Insurrektion, Rebellion, Kämpfe, Massenerhebung, Volksaufstand, Umsturz, **2.** Putsch, Staatsstreich, Handstreich, Coup d'État, Sturz, Militärputsch, Palastrevolution, Theatercoup, **3.** Aufruhr, Unruhen, Wirren, Tumult, Krawalle, Randale. **134**

Aufstieg 1. Beförderung, Rangerhöhung, Vorwärtskommen, Fortkommen, Emporkommen, Karriere, Laufbahn, Erfolg, Blitzkarriere, Steilflug, Traumkarriere, **2.** Anstieg, Besteigung, Ersteigung, Bergbesteigung, Bergfahrt, Bergwanderung; Ansteigen, Steigung. **135**

Auftrag 1. Bestellung, Buchung, Vormerkung, Abonnement, **2.** Anordnung, Anweisung, Direktive, Weisung, Geheiß, **3.** Berufung, Ruf, Bestallung, Aufgabe, Sendung, Entsendung, Mission, Beauftragung, Mandat, Befehl. **136**

Aufwand 1. Aufwendungen, Ausgaben, Unkosten, Auslagen; Nebenausgaben, Extraausgaben, Spesen, Tantiemen, Tagegeld, Diäten, **2.** Luxus, Verschwendung, Vergeudung, Ausstattung, Gepräge, Prunk, Pomp, Glanz, Staat, Überfluss; Umstände, Mühe. **137**

aufwärts nach oben, bergauf, Bergfahrt, hinauf, hinan, empor, himmelwärts, stromauf. **138**

aufziehen 1. großziehen, heranziehen, aufbringen, aufpäppeln, **2.** hochziehen, hissen, hochwinden, hieven, flaggen, beflaggen, **3.** aufmarschieren, antreten, sich aufstellen, formieren, **4.** spotten, foppen. **139**

Aufzug 1. Fahrstuhl, Paternoster, Personenaufzug, Lift, Lastenaufzug, Flaschenzug, Winde, Hebewerk, **2.** Auftritt, Szene, Bild, Akt. **140**

Augen Augapfel, Seher, Lichter, Fenster, Gucker, Seelenfenster; Glotzaugen, Glupscher, Froschaugen, Schielaugen, Silberblick, Kuhaugen, Katzenaugen, Mandelaugen; Adleraugen, Falkenaugen, Luchsaugen, Stielaugen; Blick. **141**

ausbrechen 1. losbrechen, sich entladen; hochgehen, detonieren, explodie- **142**

ren, bersten; aufflammen, aufflackern, entbrennen, manifest werden, zum Durchbruch kommen, **2.** losplatzen, losschreien, Nerven verlieren, **3.** türmen, auskneifen, fliehen; ausscheren, aussteigen.

143 Ausbruch 1. Entladung, Erguss, Explosion, Eruption, Detonation, Knall, Zündung, **2.** Wutanfall, Aufwallung, Wutausbruch, Zornausbruch, Raserei, Schimpfkanonade, Raptus, Rappel, Koller, Tobsuchtsanfall, **3.** Flucht, Entweichen, Entkommen, Stampede.

144 ausdauernd beständig, stetig, fest, gleichmäßig, geduldig, unermüdlich, konstant, beharrlich, zielstrebig, stet, insistierend, hartnäckig, zäh.

145 ausdehnen (sich) 1. entfalten, erweitern, ausweiten, expandieren, globalisieren, ausbreiten, verbreiten, vergrößern, ausbauen, aufstocken, erhöhen, **2.** zunehmen, anschwellen, sich entwickeln; ansteigen, übergreifen, sich erstrecken; anwachsen, sich häufen; breiter/stärker werden, **3.** hinziehen, in die Länge ziehen, auswalzen, breittreten, kein Ende finden, ins Detail gehen, **4.** sich ausbreiten, ausweiten; grassieren, um sich greifen, sich durchsetzen, einbürgern, Geltung verschaffen; Kreise ziehen, zur Gewohnheit werden, überhand nehmen, wuchern, überwuchern, üppig werden, ausarten, Formen annehmen, ins Kraut schießen, zur Landplage werden, wimmeln von.

146 Ausdehnung 1. Ausweitung, Ausbreitung, Zunahme, Vergrößerung, Erweiterung, Verbreiterung, Vermehrung, Anwachsen, Entfaltung, Expansion, Zuwachs, **2.** Ausmaß, Länge, Breite, Weite, Höhe, Tiefe; Dimension, Größe, Umkreis, Größenordnung, Reichweite, Spannweite, Weitläufigkeit, Unbegrenztheit, Unendlichkeit, Grenzenlosigkeit, Globalisierung.

147 Ausdruck 1. Bezeichnung, Benennung, Wortprägung, Formulierung, Formel, Wendung, Wort, Vokabel, Redewendung, Idiom, Terminus, Fachausdruck, Begriff, **2.** Miene, Gesichtsausdruck, Gesichtszüge, Physiognomie, Mienenspiel, Mimik; Gebärde, Gebärdensprache, Gebärdenspiel, Gestikulation, Gestik, **3.** Computerausdruck, Abzug, Korrekturabzug, Fahne.

ausgesucht 1. gewählt, erlesen, **148** handverlesen, exquisit, superb, erste Wahl, exzellent, edel, erstklassig, **2.** erwählt, erkoren, auserwählt, berufen, auserkoren, ausersehen, **3.** assortiert, zusammengestellt, gesammelt.

ausgezeichnet 1. vorzüglich, vor- **149** trefflich, hervorragend, außerordentlich, einmalig, überragend, formidabel, überdurchschnittlich, nicht mit Gold aufzuwiegen, famos, prima, super, bestens, meisterhaft, exzellent, glänzend, brillant, virtuos, **2.** schätzenswert, trefflich, preiswürdig, preisgekrönt, prämiiert, rühmlich, vorbildlich, nachahmenswert, beherzigenswert, exemplarisch, beispielgebend, beispielhaft, beispiellos, mustergültig, bewundernswert, verehrungswürdig, anbetungswürdig.

Ausgleich 1. Einebnung, Applanie- **150** rung, Angleichung, Ausgleichung, Begradigung, Nivellierung, Egalisierung, **2.** Einlösung, Erfüllung, Begleichung, Abrechnung, Deckung, **3.** Abtragung, Abzahlung, Bezahlung, Tilgung, Verrechnung, Ablösung, Entlastung, Rückzahlung, Entschuldung, Lösegeld, Loskauf, **4.** Übereinkommen, Vergleich, Kompromiss, Schlichtung, Bereinigung, Befriedung, Entspannung, Neutralisierung, Beschwichtigung, Appeasement, **5.** Gegengewicht, Gegenpol, Gleichgewicht, Balance.

ausgleichen 1. einebnen, applanie- **151** ren, glätten, nivellieren, egalisieren, begradigen, angleichen, **2.** löschen, tilgen, amortisieren, begleichen, ablösen, decken, bezahlen, erstatten, **3.** abtragen, abarbeiten, abdienen, abfeiern, ableisten, abwohnen, abbezahlen, abzahlen, abgelten, abstottern, **4.** anrechnen, aufrechnen, gutschreiben, verrechnen, entlasten, gutbringen, kompensieren, aufwiegen, wettmachen, bereinigen, **5.** balancieren, ausbalancieren, Waage halten, ins Gleichgewicht bringen, Gegengewicht bilden, ins Lot bringen, Gleichgewicht halten, neutralisieren.

auslassen 1. weglassen, fortlassen, **152** außer Acht lassen, überschlagen, überspringen, übergehen, ausblenden, übersehen, nicht erwähnen/vorsehen, unterschlagen, verschweigen, aussparen, offen/frei lassen, **2.** ausnehmen, Ausnahme machen, ausschließen, ausklammern, abstrahieren / absehen von, **3.** schmelzen, zum Schmelzen bringen, zerlassen, zerfließen lassen, **4.** länger machen, verlängern.

153 ausnutzen 1. nutzen, anwenden, **2.** ausbeuten, aussaugen, auspressen, auspowern, exploitieren, auspumpen, überfordern, Raubbau treiben, überbürden, überanstrengen, überlasten, überfrachten, das Letzte herausholen, ausschlachten, strapazieren, schröpfen, schlauchen, bluten lassen, melken, ausquetschen, rupfen, ausplündern, ausnehmen, Schindluder / Missbrauch treiben, **3.** absahnen, abzocken, herausschlagen, schmarotzen, schinden, nassauern, ganze Hand nehmen, vor seinen Wagen / Karren spannen, instrumentalisieren, funktionalisieren, missbrauchen.

154 Ausnutzung 1. Benutzung, Nutzung, Gebrauch, Verwendung, Anwendung, Nutzen, Verwertung, Auswertung, Auslastung, Ausschöpfung, Ausschlachtung; Gewinnung, Abbau, Förderung, Nutznießung, Nießbrauch, **2.** Exploitation, Ausbeutung, Missbrauch, Abusus, Überanstrengung, Strapazierung, Überforderung, Auspowerung, Auslaugung, Raubbau, Ausplünderung, **3.** Instrumentalisierung, Funktionalisierung.

155 ausscheiden absondern, sekretieren, abscheiden, abgeben, ausdünsten, ausschwitzen, ausstoßen, auswerfen, ausströmen, ausspucken, abhusten, Notdurft verrichten, kacken, scheißen, Wasser lassen, pissen, pinkeln, pischern, pieseln, strullen, urinieren.

156 Ausscheidung 1. Absonderung, Abscheidung, Aussonderung, Ausdünstung, Ausfluss, Auswurf, Expektoration, Schweiß, Sekret, Sekretion, Speichel, Spucke, Eiter, Schleim, Rotz, Sputum; Urin, Pisse, **2.** Flatulenz, Exkremente, Kot, Fäkalien, Stuhl, Stuhlgang, Dreck, Kacke, Scheiße, Losung, **3.** Dung, Dünger, Jauche, Mist, Pfuhl, Pudel, Addel, Gülle, **4.** Abgase, Abwässer, Fall-out.

157 ausschließlich einzig, allein, alleinig, eigens, nur.

158 aussehen wirken, ausschauen, anzusehen sein, Anblick bieten, sich ausnehmen; anmuten, Eindruck erwecken, Anschein haben, scheinen, riechen nach.

Aussehen Anblick, Äußeres, Erscheinung, Erscheinungsbild, Gestalt, Figur, Statur, Bau, Körperbau, Wuchs, Habitus, Form, Haltung, Kontur, Profil, Gepräge, Typ; Anstrich, Note, Anmutung, Air, Flair, Touch, Look; Anschein, Augenschein. **159**

Außenseiter 1. Einzelgänger, Original, Sonderling, Exzentriker, Kauz, Einsiedler, Bücherwurm, Stubenhocker, Eigenbrötler; Mauerblümchen, graue Maus, Aschenputtel; Außenstehender, Randseiter, **2.** Outsider, Underdog, Randexistenz, Marginal Man, Outcast, Outlaw, Ausgestoßener, Unterprivilegierter, Geächteter, Entrechteter, Rechtloser, Paria, Unberührbarer. **160**

außer 1. abgesehen von, ohne, ausgenommen, exklusive, ungerechnet, abzüglich, abgerechnet, bis auf, mit Ausnahme von, vermindert um, uneingerechnet, bar, mangels, sonder, **2.** außer wenn, es sei denn, dass. **161**

äußern 1. sagen, sprechen, reden, schreiben, etwas von sich geben, erklären, kundtun, Wort nehmen, sich zu Wort melden; Wort ergreifen, zur Diskussion sprechen, bemerken, feststellen, anmerken; einwerfen, einflechten, einfügen, einfließen lassen, zwischenwerfen, zwischenrufen, am Rande bemerken, mitreden, mitsprechen, vom Stapel lassen, verzapfen, zur Sprache bringen, sich auslassen, ausbreiten, **2.** ausdrücken, in Worte fassen, verbalisieren, aussprechen, formulieren, artikulieren, bezeichnen, benennen, **3.** bezeigen, erweisen, bezeugen, bekunden, manifestieren, offenbaren, fühlen lassen, zum Ausdruck bringen, an den Tag legen, zeigen, merken lassen, zu spüren geben, sich anmerken lassen; Gesicht / Miene machen. **162**

außerordentlich 1. ungewöhnlich, außergewöhnlich, extraordinär, bemerkenswert, hervorstechend, sui generis, singulär, besonders, einmalig, ohnegleichen, unvergleichlich, sondergleichen, über alle Maßen, unnachahmlich, beispiellos, eminent, ausnehmend, unbeschreiblich, unwahrscheinlich, konkurrenzlos, spektakulär, sensationell, Auf- **163**

sehen erregend, phänomenal, exorbitant, horrend, enorm, namenlos, epochal, Epoche machend, riesig, exzeptionell, unabsehbar, unendlich, immens, ungeheuer, unheimlich, ungemein, fulminant, schrecklich, **2.** ungeplant, außerplanmäßig.

164 Äußerung 1. Aussage, Feststellung, Auslassung, Erwähnung, Erklärung, Bescheid, Nachricht, Information, Stellungnahme, Kommentar, Beitrag, Darlegung, Ausführung, Redebeitrag, **2.** Bemerkung, Anmerkung, Zwischenruf, Zwischenfrage, Einwurf, Einlassung, Einrede, Gegenrede, Einwand, Richtigstellung, Einspruch, Widerrede, Randbemerkung, Ausspruch, **3.** Bekundung, Bezeigung, Erweis, Beteuerung, Demonstration, Bezeugung, Message, Botschaft.

165 Aussicht 1. Fernsicht, Fernblick, Blick, Sicht, Ausblick, Überblick, Vogelschau, Vogelperspektive, Überschau, Übersicht, Anblick, Panorama, Rundblick, Rundschau, Umschau, **2.** Chance, Möglichkeit, Perspektive, Aussichten, Lichtblick.

166 aussondern 1. aussortieren, auslesen, verlesen, sieben, sichten, Auswahl treffen, beiseite legen, herausfiltern, herauspicken, herauslösen, abtrennen, Spreu vom Weizen trennen, **2.** ausrangieren, ausmustern, verwerfen, nicht mehr verwenden, verschrotten, **3.** gesondert behandeln, entsorgen, **4.** ausgliedern, selektieren.

167 ausstatten 1. ausstaffieren, ausrüsten, equipieren, versehen, bestücken, versorgen mit, Mitgift geben, aussteuern, **2.** inszenieren, dekorieren, ausschmücken, aufmachen, herrichten, verpacken, putzen, schmücken, garnieren, herausputzen, stylen, **3.** bemannen, belegen, bewaffnen.

168 Ausstattung 1. Ausrüstung, Equipierung, Bestückung; Apparatur, Gerät, Equipment, **2.** Einrichtung, Möblierung, Innenausstattung, Interieur, Mobiliar; Bühnenbild, Set, **3.** Gestaltung, Verpackung, Äußeres, Hülle, Schale, Beiwerk, Drum und Dran, Einkleidung, Aufzug, Aufmachung, Ausstaffierung, Design, Dekor, Dekorum, Verzierung, Putz, Aufputz, Garnierung, Ausschmückung, Staffage, Toilette, Outfit, Styling, Aufmotzung, **4.** Aussteuer, Mitgift, Heiratsgut, Morgengabe.

Aussteiger Zivilisationsflüchtling, **169** Alternativer, Nonkonformist, Hippie, Beatnik, Punk, Außenseiter, Ausgeflippter, Freak.

Ausstellung 1. Schaufenster, Schau- **170** kasten, Vitrine, Auslage, **2.** Schau, Messe, Markt; Modenschau, Modevorführung; Exposition, Accrochage, Biennale, Weltausstellung, Expo, **3.** Panoptikum, Lachkabinett, Wachsfigurenkabinett.

Auswahl 1. Auslese, Elite, Selektion, **171** Sonderklasse, Spitzenklasse, **2.** Zusammenstellung, Sortiment, Kollektion, Portfolio, Mustersammlung, Warensortiment, **3.** Elitetruppe, Nationalmannschaft, Auswahlmannschaft, **4.** Almanach, Anthologie.

ausweichen 1. Platz machen, zur **172** Seite gehen, zurückweichen, aus dem Weg gehen, zurücktreten, Vortritt lassen, abbiegen, Bogen machen, herumgehen um, **2.** ausflüchte machen, sich nicht stellen, verschanzen; andere vorschieben, umgehen, hinhalten, ablenken, meiden, kneifen, sich nicht festlegen; offen lassen, sich winden, drehen und wenden, drücken, entziehen; lavieren.

ausweisen (sich) 1. ausstoßen, **173** verstoßen, verbannen, in die Verbannung schicken, ins Elend stoßen, des Landes verweisen, vertreiben, ausbürgern, abschieben, exilieren, aussiedeln, evakuieren, deportieren, abtransportieren, verbringen, verschicken; räumen lassen, ausquartieren, exkommunizieren, verfemen, brandmarken, ächten, **2.** sich legitimieren; Identität beweisen, sich identifizieren; Papiere vorlegen.

auszeichnen (sich) 1. Preis verlei- **174** hen, prämiieren, diplomieren, ehren, erhöhen, adeln, huldigen, Orden verleihen, dekorieren, kränzen, krönen, preiskrönen, **2.** sich hervortun, profilieren, herausheben; hervortreten, auffallen, von sich reden machen, sich einen Namen machen; Aufsehen erregen, herausragen, hervorstechen, glänzen, übertreffen, Vogel abschießen, Lorbeeren ernten, **3.** Preis festsetzen, beschildern, bezeichnen, auspreisen.

175 ausziehen (sich) 1. umziehen, verziehen, Wohnung aufgeben, Wohnsitz wechseln, sich verändern; fortziehen, weggehen, wegziehen, ziehen, umsiedeln, übersiedeln, räumen, auswandern; losziehen, auf die Wanderschaft gehen, **2.** ausreißen, herausziehen, ziehen, extrahieren, entfernen, ausrupfen, auszupfen, entwurzeln, roden, **3.** herausschreiben, Auszug machen, exzerpieren, **4.** entkleiden, auskleiden, entblößen, abstreifen, abwerfen, ablegen, sich der Kleider entledigen, frei machen, entblößen; Striptease machen, strippen, **5.** in die Länge/Breite/Höhe ziehen.

Autobiographie Memoiren, Lebensbericht, Lebensbeschreibung, Lebenserinnerungen, Lebensgeschichte, Biographie, Lebenslauf, Lebenstextur, Selbstbiographie, Selbstdarstellung, Selbstbekenntnis, Selbstzeugnis, Denkwürdigkeiten, Aufzeichnungen, Lebensrückblick, Lebensbeichte, Konfessionen, Memorabilia. **176**

avancieren aufsteigen, vorankommen, vorrücken, hochkommen, weiterkommen, sich hocharbeiten, verbessern; vorwärts kommen, aufrücken, Karriere machen, Erfolg haben, seinen Weg machen, es weit bringen, zu Ehren kommen. **177**

B

178 Bad 1. Badezimmer, Waschraum, Dusche, Nasszelle, Whirlpool, 2. Schwimmbad, Freibad, Hallenbad, Wellenbad, 3. Kurbad, Kurort, Badeort, Seebad, Heilbad, Luftkurort, 4. Moorbad, Solebad, Thermalbad, Dampfbad, Luftbad, 5. Vollbad, Baden, Säuberung.

179 bahnen 1. ebnen, glätten, glatt machen, glatt streichen, bauen, pflastern, asphaltieren, planieren, walzen, schlagen, hauen, spuren, gangbar machen, frei machen, 2. vorbereiten, erleichtern, fördern, begünstigen, protegieren.

180 bald gleich, demnächst, alsbald, nächstens, in Bälde/Kürze, binnen kurzem, jeden Augenblick, stündlich, kurzfristig, baldigst, über ein Kleines/kurz oder lang, dieser Tage, in nächster/absehbarer Zeit, über Nacht, heute oder morgen, in Sicht, steht vor der Tür, drauf und dran, steht zu erwarten/bevor.

181 Balkon Veranda, Loggia, Terrasse, Altan, Vorbau, Erker, Söller, Chörlein, Wintergarten.

182 banal gewöhnlich, alltäglich, selbstverständlich, abgedroschen, abgenutzt, abgebraucht, billig, verbraucht, abgestanden, abgegriffen, schal, flach, platt, öde, seicht, ausgeleiert, abgelutscht, gemeinplätzig, gedankenarm, geistlos, substanzlos, einfallslos, geistesarm, witzlos, hohl, inhaltslos, unbedeutend, epigonal, epigonenhaft, oberflächlich, nichts sagend, redundant, hausbacken, spießig, poesielos, ideenlos, phantasielos, geisttötend, nüchtern, prosaisch, trivial, aus zweiter Hand, aufgewärmt, konventionell, eklektisch, redensartlich, ohne Tiefgang, floskelhaft, formelhaft, phrasenhaft, profan, stereotyp, abgeschmackt, inflationär.

183 Banalität 1. Flachheit, Plattheit, Seichtheit, Trivialität, Abgedroschenheit, Abgeschmacktheit, Alltäglichkeit, Profanität, Profanierung, Gemeinplatz, Schlagwort, Phrase, Selbstverständlichkeit, Gemeinplätzigkeit, Epigonenhaftigkeit, Eklektizismus, Gedankenarmut, Geistlosigkeit, Substanzlosigkeit, Geschwätz, Redundanz, Geistesarmut, Einfallslosigkeit, Witzlosigkeit, Plattitüde, Phantasielosigkeit, Abziehbild, Binsenwahrheit, Binsenweisheit, 2. Spießertum, Spießigkeit, Spießbürgerlichkeit, Engstirnigkeit.

184 Bank 1. Sitzbank, Schulbank, Eckbank, Holzbank, Gartenbank, Steinbank, 2. Geldinstitut, Kreditanstalt, Ökobank, Kreditinstitut, Sparkasse, Darlehenskasse, Girobank, Hypothekenbank, Privatbank, Bankhaus, 3. Datenbank, Genbank.

185 Bankrott Zahlungseinstellung, Zahlungsunfähigkeit, Illiquidität, Nonvalenz, Insolvenz, Konkurs, Liquidierung, Falliment, Liquidation, Geschäftsaufgabe, Offenbarungseid; Pleite, Fiasko, Ruin, Zusammenbruch.

186 Barbar Kulturbanause, Kunstbanause, Wüstling, Sittenverderber, Rohling, Unmensch, Gewaltmensch, Zerstörer, Vernichter, Zornickel, Wüterich, Berserker, Verwüster, Vandale, Ungeheuer, Ungetüm, Unhold, Untier, Monstrum, Geißel, Gottesgeißel, Kujon, Quäler, Folterknecht, Mordbube, Sadist, Ausgeburt, Bluthund, Scheusal, Bestie, Biest, Tier, Vieh.

187 Bart Schnurrbart, Lippenbart, Schnauzbart, Spitzbart, Knebelbart, Kinnbart, Backenbart, Vollbart, Rauschebart; Bärtchen, Fliege, Ziegenbart, Zwirbelbart, Kaiser-Wilhelm-Bart; Stoppelbart, Dreitagebart, Stoppeln, Flaum, Milchbart.

188 basteln handwerkern, heimwerkern, selber machen, tüfteln, pusseln, fummeln, werkeln, herumpusseln, handarbeiten.

189 Bauer 1. Landwirt, Agronom, Farmer, Agrarier, Rancher, Viehzüchter, Gutsbesitzer, Gutsherr, Landmann, Landarbeiter, Siedler, Krauter, 2. Käfig, Vogelkäfig, Vogelbauer.

190 Bauernhof Hof, Wirtschaft, Landwirtschaftsbetrieb, Gut, Gutshof, Gehöft, Landgut, Domäne, Farm, Ranch, Latifundien, Hazienda, Plantage, Pflanzung.

191 Baumeister Architekt, Erbauer,

Bauplaner, Baukünstler, Entwerfer, Gestalter, Bauherr, Bauträger, Gründer.

192 Bauteil 1. Bauelement, Baustein, Element, Teil, Partikel, Komponente, Modul, Chip, **2.** Atom, Elementarteilchen, Teilchen, Masseteilchen, Korpuskel.

193 beachten 1. Acht haben, im Auge behalten, sich angelegen sein lassen; ernst nehmen, **2.** berücksichtigen, Rücksicht nehmen auf, in Betracht ziehen, bedenken, mit berücksichtigen, einbeziehen, anrechnen, einkalkulieren, einplanen, respektieren, Beachtung schenken, Rechnung tragen, in Rechnung stellen, in Anschlag bringen, beherzigen, befolgen.

194 Beamter Staatsbediensteter, Amtsträger, Amtsperson, Staatsdiener, Beschäftigter im öffentlichen Dienst.

195 beanspruchen 1. Anspruch erheben, prätendieren, Ansprüche geltend machen, einklagen, reklamieren, für sich haben wollen, Ansprüche stellen, verlangen, abverlangen, fordern, einfordern, abfordern, postulieren, wollen, heischen, trachten, ersuchen, pochen auf, sich ausbedingen, ausbitten, ausgebeten haben, anmaßen, erlauben; zumuten, sich vorbehalten; an sich reißen; bestehen auf, zur Bedingung machen, abhängig machen von, beanspruchen können, Anspruch / ein Recht haben auf, verlangen können, **2.** in Anspruch nehmen, mit Beschlag belegen, absorbieren, monopolisieren, **3.** anstrengen, anspannen, stressen, einspannen, bemühen, belasten, viel verlangen, in Atem halten, hetzen, herumjagen, herannehmen.

196 beanstanden aussetzen, einwenden, auszusetzen haben, nicht in Ordnung finden, tadeln, rügen, nörgeln, kritteln, quengeln, missbilligen, Haar in der Suppe finden, kritisieren, Anstoß nehmen, bemängeln, bemäkeln, monieren, anmahnen, reklamieren, ablehnen, nicht anerkennen / zufrieden sein, sich beschweren; Einspruch erheben, sich beklagen; klagen, ausstellen.

197 beantragen Antrag stellen / einbringen / einreichen / unterbreiten / vorlegen; vortragen, petitionieren, Eingabe machen, Gesuch einreichen, vorstellig werden, einkommen um.

198 bearbeiten 1. behandeln, ausarbeiten, ausführen, gestalten, abhandeln, **2.** durchackern, zurichten, durcharbeiten, überarbeiten, feilen, schleifen, ausfeilen, abschleifen, umschreiben, komprimieren, kürzen, glätten, verbessern, vervollkommnen, vervollständigen, letzte Hand anlegen, korrigieren, redigieren, **3.** umpflügen, beackern, bebauen, bepflanzen, anbauen, bewirtschaften, kultivieren, umpflanzen, umsetzen, pikieren, versetzen, verpflanzen, **4.** weiterverarbeiten, veredeln, raffinieren; aufbereiten, wieder verwenden, einschleusen, recyceln, **5.** beeinflussen, umstimmen, zusetzen, unter Druck setzen, weich machen, bedrängen, in die Mangel nehmen, **6.** dramatisieren, in Dramenform bringen, für die Bühne einrichten, in Szene setzen, verfilmen, auf die Leinwand bringen, filmisch umsetzen, Remake / Remix machen, orchestrieren.

199 bebildern illustrieren, mit Bildern versehen, Bilder beigeben, ausschmücken, aufmachen, auflockern, ausstatten, illuminieren, ausmalen.

200 bedecken abdecken, verdecken, umhüllen, einhüllen, verhüllen, bekleiden, umkleiden, verhängen, zuhängen, überdecken, behängen, bewerfen, zudecken, überlagern, überlappen, überkleben, bepflastern, beziehen, überziehen, bespannen, tapezieren, verschalen, verblenden, verputzen, verkleiden, übertünchen, furnieren, täfeln, paneelieren, vertäfeln, auskleiden, auslegen, Fußboden / Parkett legen, überwachsen, bewachsen, zuwachsen.

201 bedeuten 1. zu bedeuten haben, Bedeutung / Sinn haben, besagen, aussagen, meinen, heißen, ausdrücken, beinhalten, auf sich haben, sagen wollen, darstellen, verkörpern, repräsentieren, vorstellen, **2.** ins Gewicht fallen, etwas ausmachen, Gewicht haben, zählen, wiegen, von Belang sein, **3.** Geltung besitzen, jmd. sein, etwas darstellen / vorstellen, Achtung genießen, in Ansehen stehen, Ruf / Nummer haben, wichtig sein, geschätzt werden, Persönlichkeit / Faktor sein, **4.** gelten, gültig / in Kraft sein.

202 Bedeutung 1. Sinn, Gedanke, Gehalt, Bewandtnis, Semantik, **2.** Geltung, Gewicht, Belang, Ansehen, Berühmtheit, Öffentlichkeitswirksamkeit, Prominenz, **3.** Wichtigkeit, Gewichtigkeit, Interesse, Aktualität, Dringlichkeit, Relevanz, Tragweite, Bedeutsamkeit, Wert, Rang, Würde, Tiefe, Größe, Schwere, Erheblichkeit, Ernst, Stellenwert. **4.** Hintersinn, Nebensinn, Nebenbedeutung, Konnotation, Bedeutungsfeld, Sinnhorizont.

203 bedienen 1. handhaben, regulieren, betätigen, umgehen mit, hantieren, handeln, betreiben, manipulieren, schalten, steuern, führen, **2.** aufwarten, servieren, auftragen, auftischen, vorsetzen, vorlegen, bewirten; beliefern, Service leisten, abfertigen, besorgen, beschaffen.

204 Bedienung 1. Handhabung, Lenkung, Schaltung, Steuerung, Betreibung, Manipulation, Betätigung, Anwendung, Handling, Führung, Regulierung, **2.** Abfertigung, Behandlung, Betreuung, Aufwartung, Versorgung, Dienstleistung, Bewirtung, Servieren, Service. **3.** Kellnerin, Serviererin, Servierfräulein, Saaltochter, Zimmermädchen, Empfangsdame, Stewardess; Kellner, Ober, Oberkellner, Zimmerkellner, Etagenkellner, Weinkellner, Zahlkellner, Steward. **4.** Kundendienst, Service.

205 bedingt mit Vorbehalt, vorbehaltlich, nicht unbedingt, begrenzt, eingeschränkt, örtlich, lokal, partikular, regional, strukturell, unter Umständen, nicht in jedem Fall, eventuell, je nachdem, von Fall zu Fall, zweckgebunden, auf Abruf / Widerruf / Bewährung, bei Bedarf, auf Verlangen, falls; zeitbedingt, wetterbedingt, saisonbedingt.

206 Bedingtheit Relativität, Abhängigkeit, Determiniertheit, Bezüglichkeit; bedingte Geltung, Einschränkung, Eingeschränktheit.

207 Bedingung 1. Voraussetzung, Kondition, Prämisse, Annahme, Klausel, Einschränkung, Beschränkung, Vorbehalt, Vorbedingung, Eckpunkt, Grundbedingung, Conditio sine qua non, **2.** Bestimmung, Festsetzung, Auflage, Maßgabe.

208 beeinflussen Einfluss nehmen, bereden, bewegen, einreden, einflüstern, einflößen, einblasen, bearbeiten, suggerieren, manipulieren, indoktrinieren, infizieren, infiltrieren, verführen, zu bewegen

suchen, empfehlen, anempfehlen, Wort einlegen, zuraten, zusetzen, zureden, überreden, aufreden, aufschwatzen, beschwatzen, einwickeln, hypnotisieren, fernlenken, fernsteuern, impfen, einimpfen, programmieren, Floh ins Ohr setzen, schmackhaft machen, antichambrieren.

Befehl 1. Bestimmung, Auftrag, Geheiß, Gebot, Anweisung, Weisung, Direktive, Erlass, Anordnung, Edikt, Dekret, Kommando, Order, Befehlsgewalt, Diktat, Machtspruch, Ukas, **2.** Einberufung, Gestellungsbefehl, Aushebung. **209**

befestigen 1. anmachen, anbringen, festmachen, fixieren, anziehen, festzurren, anstecken, anheften, aufhängen, anmontieren, binden, stecken, heften, knoten, Knoten schürzen, verknoten, zusammenknoten, kleben, ankleben, anschlagen, festkleben, pappen, nageln, kitten, leimen, kleistern, schrauben, festschrauben, anschrauben, verschrauben; schnallen, anschnallen, festschnallen, Gurt anlegen, zuschnallen; spießen, aufspießen, feststecken, anpinnen, anstecken, dübeln, eindübeln, knöpfen, löten, verschweißen, anschmieden, eingipsen, anklammern, anketten, annageln, verklammern, **2.** festigen, stärken, erhärten, konsolidieren, verfestigen, versteifen, stabilisieren, stützen, zementieren, sichern, absichern, **3.** bekräftigen, verankern, vertiefen, festlegen. **210**

Befestigung 1. Anbringung, Verbindung, Verknüpfung, Verstrebung, Verkettung, Verankerung, **2.** Nagel, Stift, Schraube, Dübel, Pflock, Dalbe, Poller, Spund, Zapfen, Bolzen, Scharnier, Gelenk, Fuge, Angel, Pfriem, Dorn, Klammer, Spange, Öse, Schlinge, Schnalle, Haken, Sicherheitsnadel, **3.** Bindemittel, Klebstoff, Leim, Kleister, Kitt, Mörtel, Zement, **4.** Befestigungsanlage, Befestigungswerk, Bollwerk, Wehr, Verteidigungsanlage, Redoute, Schanze, Festungswall, Bastei, Bastion, Umwallung, Barrikade, Schützengraben, Unterstand, Geschützstand, Kasematte, Bunker, Schutzraum, Luftschutzkeller, Schutzzone, Cordon sanitaire; Feste, Festung, Burg, Kastell, Stadtfeste, Zitadelle, Fort, Wall, Mauer, Wand, Damm, Deich, Mole, Reede, Hafendamm, Staudamm. **211**

212 befinden, sich 1. sein, liegen, stehen, gelegen/zu suchen sein, sich erstrecken; daliegen, **2.** sich fühlen; ergehen, gehen, stehen mit, zumute sein, **3.** sich aufhalten; zu finden sein, wohnen, leben, stecken, verweilen.

213 befreien (sich) 1. losmachen, loslösen, loseisen, losbinden, freimachen, loslassen; freikommen, loskommen, loswerden, vom Halse schaffen, abwälzen, sich entledigen, entwinden, **2.** entbinden, entlasten, freistellen, freilassen, beurlauben, entpflichten, dispensieren, entheben, freigeben, suspendieren, **3.** entladen, entspannen, entfesseln, lösen, enthemmen, entriegeln, erleichtern, Herz ausschütten, sich abreagieren, aussprechen, **4.** sich freimachen, emanzipieren; selbständig werden, sich selbständig/unabhängig machen, abnabeln, freischwimmen, auf eigene Füße stellen; autonom / souverän werden, Joch / Knechtschaft abschütteln, **5.** Bresche schlagen, freikämpfen, entsatzen, heraushauen, freipressen, **6.** ausspannen, ausschirren, abhalftern, abzäumen, absatteln, **7.** sich bloßstrampeln, aufdecken, entblößen; Decke wegstoßen, bloßliegen.

214 befriedigen (sich) 1. genügen, erfreuen, dienen, nützen, Anforderungen entsprechen, zufrieden stellen, genugtun, Wünschen nachkommen, es recht machen, entschädigen; gefallen, ausfüllen, erfüllen, **2.** sich selbst befriedigen, einen runterholen; onanieren, masturbieren, wichsen.

215 befürworten empfehlen, anempfehlen, ans Herz legen, Lanze brechen, sich einsetzen, verwenden; sprechen/eintreten für, begrüßen, willkommen heißen, dafür sein, stimmen/votieren/plädieren für, gutheißen, billigen.

216 begeben, sich 1. sich verfügen nach, hinbegeben, wenden, wegbegeben; gehen / fliegen / laufen / fahren / wandern/reisen nach, **2.** geschehen, sich ereignen, zutragen, abspielen; erfolgen, vorfallen, passieren, zustoßen, widerfahren, hereinbrechen, eintreten, sich einstellen; bieten, vorkommen, unterkommen, begegnen, sich ergeben, fügen; nicht ausbleiben, unterlaufen, **3.** stattfinden, statthaben, vor sich gehen, abgehen, ablaufen, abrollen, vorgehen,

sich vollziehen; verlaufen, vonstatten/über die Bühne gehen, veranstaltet werden, seinen Lauf nehmen.

begehren 1. wollen, wünschen, anstreben, erstreben, beanspruchen, fordern, verlangen, heischen, trachten nach, ersehnen, brennen auf, zu tun sein um, sich reißen/bewerben um; Wert legen auf, wichtig nehmen, sich angelegen sein lassen; Wert beimessen, viel hermachen von, Gewicht beilegen, Anliegen sein, **2.** haben wollen, verlangen/hungern nach, Appetit/Lust haben auf, Wasser im Mund zusammenlaufen, Mund wässern, dürsten, lechzen, schmachten, fiebern, gieren, gelüsten nach, entbrennen; sich verzehren; buhlen, drängen/schmachten/jappen nach, vergehen vor, sich sehnen nach; nachtrauern, sich zurücksehnen. **217**

begehrlich 1. begierig, gierig, sinnlich, wild, lüstern, dürstend, lechzend, verlangend, unstillbar, erpicht, verrückt nach, versessen, scharf auf, genusssüchtig, **2.** hungrig, hungernd, ausgehungert, heißhungrig, esslustig, nimmersatt, verfressen, gefräßig; naschhaft, schleckrig, genäschig, leckerhaft, süßer Zahn, durstige Kehle, trinkfreudig, **3.** lebenshungrig, erlebnishungrig, lebensgierig, **4.** konsumorientiert, kauflustig, kaufversessen, im Konsumrausch, mediengeil, prominentengeil. **218**

begeistern (sich) 1. anregen, erwärmen, befeuern, anfeuern, beflügeln, entflammen, entzünden, mitreißen, entzücken, enthusiasmieren, erheben, hinreißen, trunken machen, elektrisieren, packen, aufregen, berauschen, antörnen, anmachen, **2.** anbeißen, Feuer fangen, sich einlassen auf; erglühen, sich erhitzen; mitgerissen werden, außer sich geraten, sich mitreißen lassen; in Fahrt kommen, Kopf verlieren, schwärmen, hingerissen/erfüllt / Feuer und Flamme sein, abheben/abfahren auf, ausflippen. **219**

begleiten 1. mitgehen, Geleit geben, geleiten, heimbringen, heimgeleiten, heimfahren, mitnehmen, eskortieren, Straße säumen, Spalier stehen, sich anschließen, zugesellen; mitkommen, **2.** einstimmen, mitspielen, mitsingen, untermalen, führen. **220**

beglücken 1. beseligen, entzücken, **221**

euphorisieren, bezaubern, Freude bereiten, erfreuen, erfüllen, ausfüllen, befriedigen, **2.** durchwirken, durchwalten, erleuchten, erwärmen, durchwärmen, besonnen, durchstrahlen, erhellen, mit Sinn erfüllen, **3.** beschenken, spenden.

222 Begriff Kategorie, Definition, gedankliche Einheit, Terminus, Term, Wort, Bezeichnung; Vorstellung, Idee, Anschauung, Bild.

223 Behälter Behältnis, Kiste, Kasten, Schachtel, Gefäß, Sack, Tonne, Tank, Kanister, Tube, Röhre, Kapsel, Büchse, Dose, Flasche, Vase, Hülle, Etui, Futteral, Scheide, Beutel, Ranzen, Koffer, Mappe, Korb, Bottich, Becken, Schale, Schüssel, Urne; Großbehälter, Sammelbehälter, Container.

224 behandeln 1. handhaben, verfahren, anpacken, umspringen/umgehen mit, **2.** ärztlich versorgen, verarzten, untersuchen, diagnostizieren, therapieren, betreuen, beistehen, **3.** erörtern, abhandeln, durchnehmen, zum Thema nehmen, schreiben über; thematisieren, zum Thema/Gegenstand haben, durchsprechen, handeln von, sich drehen um; handeln über, gehen um, beinhalten.

225 Behandlung 1. Handhabung, Gebrauch, Bedienung, Umgang, Thematisierung, Erörterung, Durchnahme; Ausarbeitung, **2.** Bearbeitung, Überarbeitung, Redaktion, Verbesserung, Korrektur, Ausbesserung, Retusche, **3.** Untersuchung, Diagnostik, ärztliche Versorgung, Betreuung, Therapie, Heilbehandlung, Heilmethode.

226 behaupten (sich) 1. versichern, hinstellen, ausgeben als, für wahr erklären, beteuern, betonen, bestehen/beharren auf, festhalten an, vertreten, bleiben bei, aufrechterhalten, nicht ablassen von, verteidigen, **2.** sich durchsetzen; Feld behaupten, standhaft bleiben, standhalten, sich tapfer halten; durchhalten, durchstehen, keep smiling, Ohren/Nacken steifhalten, auf dem Posten bleiben, ausharren, aushalten, bestehen, bei der Stange bleiben, nicht lockerlassen/aufgeben, sich nicht entmutigen lassen; nicht nachlassen, hart bleiben, sich bewähren, Sporen verdienen, durchbeißen; Rückgrat zeigen, reüssieren, **3.** widerstehen, sich entgegenstellen, auf die Hinterbeine

stellen, zur Wehr setzen; resistieren, Widerstand leisten.

beheimatet 1. ansässig, wohnhaft, **227** mit Sitz, sesshaft, einheimisch, endemisch, heimisch, eingesessen, alteingesessen, daheim, zu Hause, **2.** behaust, geborgen, geschützt, sicher.

beherrschen, sich zurückhalten, **228** mäßigen, zügeln, enthalten, bezwingen, disziplinieren, selbst besiegen, überwinden, bändigen, bemeistern, Zwang antun, an sich halten; Ruhe/Fassung/Contenance bewahren, sich zusammennehmen, in der Hand/in der Gewalt haben, in die Hand bekommen, am Riemen reißen, fassen; zu sich kommen; auf dem Teppich bleiben, sich nichts anmerken lassen; Zähne zusammenbeißen, sich zusammenreißen, nicht gehen lassen; Haltung bewahren, Gesicht wahren.

Beherrschung 1. Beherrschtheit, **229** Gefasstheit, Haltung, Contenance, Fassung, Gelassenheit, Selbstbeherrschung, Selbstüberwindung, Disziplin, **2.** Können, Qualifikation, Fähigkeit, **3.** Macht, Gewalt, Zwang.

Behörde Verwaltung, Administration, Beamtenschaft; Dienststelle, Amt, Bürokratie, Instanz. **230**

Beifall Beifallklatschen, Beifallsbekundung, Applaus, Klatschen, Händeklatschen, Ovation, Standing Ovations, Bad in der Menge, Dakaporufe, La Ola, Beifallssturm, Jubel, tosender/nicht enden wollender Beifall; Akklamation, Lob, Echo, Anerkennung. **231**

Beigeschmack Nebengeschmack, Nachgeschmack, Anflug, Spur, Unterton, Nuance, Beiklang, Nebenklang, Nebenbedeutung, Nebensinn, Hintersinn. **232**

beisetzen 1. begraben, beerdigen, **233** bestatten, zu Grabe tragen, zur letzten Ruhe betten, der Erde übergeben, letztes Geleit geben, letzte Ehre erweisen, unter die Erde bringen, einäschern, verbrennen, kremieren, seebestatten, erdbestatten, **2.** liegen, begraben sein/liegen, letzte Ruhestätte haben, sein Grab finden.

Beisetzung 1. Begräbnis, Beerdigung, Leichenbegängnis, Einsegnung, Bestattung, Grablegung, **2.** Einäscherung, Verbrennung, Feuerbestattung, Seebestattung, Erdbestattung. **234**

235 Beispiel Exempel, Paradigma, Musterbeispiel, Paradebeispiel, Schulbeispiel, Präzedenzfall, Musterfall, Vorbild, Beleg.

236 bekommen 1. erhalten, erlangen, empfangen, ergattern, kriegen, erreichen, zuteil werden, zufallen, anheim fallen, Zuschlag bekommen, zufließen, zufliegen, zulaufen, abkriegen, erben, abbekommen, mitkriegen, geschenkt bekommen, **2.** gut tun, wohl tun, zuträglich/verträglich sein, anschlagen, **3.** davontragen, sich infizieren, einfangen, holen, zuziehen, einhandeln.

237 belasten 1. beladen, bepacken, aufbürden, aufladen, voll laden, aufpacken, voll packen, füllen, befrachten, **2.** auferlegen, zumuten, aufhalsen, in Atem halten, ermüden, beanspruchen, stressen, schlauchen, hernehmen, überfordern, überanstrengen, strapazieren, **3.** zur Last fallen, auf der Tasche liegen, Mühe und Kosten verursachen, **4.** abziehen, als Schuld buchen, debitieren, anlasten, berechnen, anschreiben; besteuern, veranlagen, **5.** bedrücken, beschweren, beengen, einengen, drücken, quälen, betrüben, kränken, beschuldigen.

238 belehrend 1. lehrreich, aufschlussreich, instruktiv, informativ, veranschaulichend, verdeutlichend, beleuchtend, bildend, erhellend, interessant, wissenswert, **2.** erzieherisch, pädagogisch, lehrhaft, didaktisch; schulmeisterlich, dozierend, krittelig, mit erhobenem Zeigefinger, gouvernantenhaft, oberlehrerhaft, professoral.

239 beleidigend 1. kränkend, verletzend, gehässig, böswillig, ausfällig, persönlich, unsachlich, anzüglich, grob, unverschämt, ausfällig, ausfallend, **2.** ehrverletzend, ehrenrührig, beschämend, schändlich, sexistisch, schimpflich, schmählich, schandbar, diskriminierend, diffamierend, herabsetzend, entwürdigend, demütigend, erniedrigend.

240 Beleidigung Kränkung, Verletzung, Ausfall, Affront, Invektive, Injurie, Verbalinjurie, Ausfälligkeit, Beschimpfung, Polemik, Insult, Insultation, Anfeindung, Missachtung, Verunglimpfung, Ehrverletzung, Schmähung, Herabsetzung, Diskriminierung, Diffamierung, Verleumdung, Pöbelei, Tort, Infamie, Verlästerung, Demütigung, Entwürdigung, Erniedrigung, Sexismus.

241 beleuchten 1. erhellen, hell machen, illuminieren, bestrahlen, anstrahlen, bescheinen, anleuchten, anscheinen, beglänzen, belichten, erleuchten, besonnen, Licht anmachen/anknipsen/andrehen/anzünden/einschalten, ableuchten, ausleuchten, aufblenden, **2.** darstellen, darlegen, veranschaulichen, auslegen, deuten, erklären, interpretieren, kommentieren, herausstellen, hervorheben, pointieren.

242 beliebig nach Belieben/Wahl/Gutdünken/eigenem Ermessen, fakultativ, arbiträr, wahlweise, freistehend, nach Wunsch, wie es beliebt, ad libitum, wunschgemäß, nach Wohlgefallen, je nachdem, unbeschränkt, unbegrenzt, uneingeschränkt, irgendwie, wie gewünscht, nach Herzenslust, wahllos, x-beliebig, zufällig, willkürlich.

243 beliebt 1. geschätzt, bewundert, wohlgelitten, Stein im Brett, gut angeschrieben, gepriesen, umschwärmt, bejubelt, populär, volkstümlich, en vogue, in, modisch, **2.** gängig, gern gekauft, viel verlangt, gut eingeführt, gesucht, begehrt, gefragt, bekannt, **3.** besucht, frequentiert, anerkannt, gute Presse, häufig besucht, immer ausverkauft.

244 bellen 1. anschlagen, melden, Laut geben, kläffen, blaffen, belfern, heulen, jaulen, winseln, knurren, **2.** schimpfen, anfahren, giften.

245 bemühen (sich) 1. heranziehen, in Beschlag nehmen, zu Rate ziehen, **2.** sich interessiert zeigen; interessiert sein an, umwerben, buhlen, werben um, Interesse zeigen, ansuchen/anhalten um, zu bekommen trachten, sich anstrengen.

246 benutzen gebrauchen, brauchen, verwenden, anwenden, verwerten, sich bedienen, zunutze machen; nutzen, begehen, befahren, nießnutzen, nutzbar machen, auswerten, ausnutzen, Gebrauch machen von, in Gebrauch nehmen, Nutzen ziehen aus, Gelegenheit ergreifen, beim Schopfe fassen, zu Rate ziehen, besuchen, frequentieren.

247 beobachten 1. hinsehen, anschauen, zuschauen, zuhören, zusehen, betrachten; Acht geben/Acht haben/achten auf, aufpassen, Augen offen halten, ins Auge fassen, im Auge behalten, nicht aus den Augen lassen, jmdm. nachsehen, mit Blicken verfolgen, **2.** verfolgen, beschatten, überwachen, bespitzeln, observieren, kiebitzen, linsen, lugen, spähen, äugen, spitzen, luchsen, lauern, spionieren, nachspionieren, belauern, ausspähen, auf der Lauer liegen, beschnüffeln, nachschnüffeln, ausschnüffeln, belauschen, abhören, abhorchen.

248 Beobachter 1. Betrachter, Zuschauer, Augenzeuge, Zeuge, Zuhörer, Voyeur, Spanner, Schaulustiger, Gaffer, Zaungast, **2.** Aufpasser, Detektiv, Kundschafter, Späher, Spion, Undercover, Agent, Spitzel, Kiebitz, Lauscher, Horchposten, Schnüffler, Aushorcher, Informant.

249 Bequemlichkeit 1. Komfort, Annehmlichkeit, Wohnlichkeit, Behaglichkeit, Gemütlichkeit, Trautheit, Traulichkeit, Heimeligkeit, Stallwärme, **2.** Faulheit, Nachlässigkeit, Trägheit, Mundfaulheit.

250 berauscht 1. animiert, angesäuselt, angeheitert, beschwipst, beduselt, benebelt, einen in der Krone, schicker, weinselig, alkoholisiert, angetrunken, bezecht, voll des süßen Weines, voll, betrunken, im Tran/Rausch, granatenvoll, zu, sternhagelvoll, blau, schwer geladen, stockbetrunken, hackevoll, Schlagseite, besoffen, stockbesoffen, **2.** bekifft, stoned, high, psychedelisch; trunken, wonnetrunken, entrückt, in Trance, begeistert.

251 berechnen 1. rechnen, Berechnung anstellen, ausrechnen, durchrechnen, anrechnen, errechnen, bemessen, kalkulieren, veranschlagen, vorausberechnen, überschlagen, Voranschlag machen, schätzen, taxieren, fakturieren, saldieren, **2.** rechnen/spekulieren/sich spitzen auf; seinen Vorteil suchen, sich jmdn. warmhalten; Fuß in der Tür halten, erbschleichen, mit der Wurst nach der Speckseite werfen.

252 berechtigt 1. erlaubt, legal, gestattet, zugestanden, bewilligt, genehmigt, rechtens, rechtmäßig, statthaft, zulässig, unbestreitbar, unbeanstandet, unbenommen, unverwehrt, mit Fug und Recht, **2.** befugt, anerkannt, bestätigt, beglaubigt, bevollmächtigt, autorisiert,

legitimiert, ausgestattet, betraut mit, verliehen, bescheinigt, beauftragt, bestellt, bevorrechtet, privilegiert.

beredt 1. wortgewandt, sprachgewandt, redegewandt, beredsam; zungenfertig, mundfertig, nicht auf den Mund gefallen, schlagfertig, eloquent, **2.** gesprächig, wortreich, redselig, plapperhaft, geschwätzig, schwatzhaft, plauderhaft, ohne Punkt und Komma, deklamatorisch, monologisch. **253**

bereit 1. gesonnen, geneigt, gewillt, bereitwillig, willig, willens, erbötig, beflissen, gern, entgegenkommend, gefällig, willfährig, **2.** zur Hand, bei der Hand, zur Verfügung, verfügbar, zur Disposition, disponibel, parat, funktionsfähig, entstört, einsatzbereit, startklar, startbereit, in Bereitschaft, standby, **3.** im Begriff, drauf und dran, dabei, auf der Stelle, sofort, auf dem Sprung. **254**

Bereitschaft Bereitwilligkeit, Beflissenheit, Willigkeit, Willfährigkeit, Erbötigkeit, Entgegenkommen; Verfügbarkeit, Disponibilität. **255**

bereuen bedauern, beklagen, Reue empfinden, reuen, gereuen, schmerzen, sich zu Herzen nehmen; Leid tun, zu schaffen machen, sich schämen; am Herzen nagen, Gewissensbisse haben, an die Brust schlagen, moralischen Kater haben, Einkehr halten, in sich gehen, sich schuldig bekennen; abschwören, ungeschehen wünschen, verfluchen, sich Asche aufs Haupt streuen; in Sack und Asche gehen. **256**

Berg 1. Anhöhe, Erhöhung, Hügel, Buckel, Kuppe, Höcker, Kegel, Erhebung, Erdrücken, Bodenfalte, Höhenrücken, Vulkankegel, Bergkegel, Inselberg, **2.** Gebirge, Mittelgebirge, Hügelland, Hochgebirge, Schneegebirge, Bergkette, Gebirgszug, Gebirgsmassiv, Höhenzug, Fels, Gipfel, Kamm; Schroffen, Zacken, **3.** Menge, Masse. **257**

Bericht 1. Berichterstattung, Report, Reportage, Meldung, Mitteilung, Bulletin, Dossier, Rapport, Kommuniqué, Referat, Schilderung, Story, Beschreibung, **2.** Rundschreiben, Umlauf, Zirkular, Enzyklika, **3.** Rechenschaftsbericht, Tätigkeitsbericht, Augenzeugenbericht, Tatsachenbericht, Dokumentation, Erlebnisbericht. **258**

berichten Bericht erstatten/abstat- **259**

ten, informieren, melden, referieren, vortragen, rapportieren; aussagen, mitteilen, beschreiben, erzählen.

260 Berichterstatter 1. Reporter, Journalist, Zeitungsschreiber, Bildjournalist, Publizist, Zeitungsmann, Blattmacher, Zeitungsfritze, Tagesschriftsteller, Skribent, Redakteur, Schriftleiter, Glossenschreiber, Leitartikler, Kommentator, Kolumnist, Feuilletonist, Theaterkritiker, Musikkritiker, Filmkritiker, Korrespondent, Auslandskorrespondent, **2.** Erzähler, Augenzeuge, Informant, Zuschauer, Chronist, Geschichtsschreiber, Historiker, Referent, **3.** Redaktion, Schriftleitung, Redaktionsstab, Pressesprecher, Pressestelle.

261 beruhigen (sich) 1. besänftigen, beschwichtigen, gut zureden, dämpfen, mäßigen, abdämpfen, mildern, abschwächen, abmildern, abkühlen, ernüchtern, entspannen, entbittern, entgiften, entschärfen, Spitze abbrechen, klären, ausgleichen, begütigen, bereinigen, befrieden, beilegen, zur Besinnung bringen, abbiegen, abfedern, abpolstern, abfangen, auffangen, ausbügeln, Wogen glätten, normalisieren, einpendeln, einrenken, Frieden stiften, versöhnen, schlichten, ins Lot bringen, vermitteln, unter einen Hut bringen, aussöhnen, einigen, in Einklang bringen, harmonisieren, **2.** runterkommen, sich abregen, abkühlen, abreagieren; Dampf ablassen; sich entspannen, fassen; zur Ruhe kommen, **3.** abrüsten, entwaffnen, demobilisieren, entmilitarisieren, deeskalieren, sich versöhnen, vertragen, verständigen, vergleichen; Kriegsbeil begraben, Friedenspfeife rauchen, Frieden schließen, **4.** in den Schlaf wiegen/singen, einwiegen, einlullen, einschläfern, sedieren.

262 berühmt 1. bekannt, namhaft, populär, publik, stadtbekannt, Stadtgespräch, wohl bekannt, renommiert, umwittert, berüchtigt, in aller Munde, verbreitet, geläufig, viel besprochen, offenes Geheimnis, viel genannt, in allen Medien, öffentlichkeitswirksam, auf jedem Sender, **2.** groß, bedeutend, anerkannt, gefeiert, illuster, prominent, weltbekannt.

263 berühren 1. anfassen, anlangen, in die Hand nehmen, antasten, tasten, befühlen, betasten, abtasten, tasten/fühlen nach, befingern, betupfen, beklopfen; anrühren, begrapschen, **2.** angehen, nahe gehen, betreffen, tangieren, bewegen, anrühren, rühren, umtreiben, nicht gleichgültig/kalt lassen, erschüttern, zu Herzen gehen, ergreifen, **3.** sich berühren, überlappen, überschneiden; angrenzen, nebenliegen, anliegen, grenzen an, anrainen, anstoßen, anschließen, heranreichen an, **4.** streifen, touchieren, flüchtig berühren, antippen, anstupsen, erwähnen, andenken, anticken, anklicken.

beschädigen lädieren, in Mitleiden- **264** schaft ziehen, verschandeln, verschlimmbessern, verunstalten, verstümmeln, deformieren, verderben, verhunzen, verunzieren, entstellen, entwerten, abnutzen, abbrechen, abwetzen, verwetzen, blank wetzen, durchscheuern, durchwetzen, verschleißen, abtragen, verwahrlosen, verlottern, verludern, bös zurichten, verkommen lassen, anknacksen, anschlagen, ramponieren, demolieren, durchlöchern, zerkratzen, verschaben, verformen, verbiegen, verbeulen, verbilden, verkrümmen, überdrehen, verdrehen, überdehnen.

beschädigt 1. schadhaft, defekt, an- **265** geschlagen, angeknackst, wurmstichig, faul, vergammelt, morsch, abgegriffen, abgestoßen, zerkratzt, abgebraucht, abgenutzt, lädiert, wacklig, ramponiert, rostig, verrostet, angerostet, verstümmelt, unvollständig, bruchstückhaft, lückenhaft, fehlerhaft, mangelhaft, mitgenommen, verschandelt, verunziert, durchlöchert, löchrig, durchlässig, undicht, leck, vermodert, fleckig, scheckig, stockfleckig, verschimmelt; verbraucht, abgewetzt, abgeliebt, verschlissen, zerschlissen, verwetzt; schäbig, zerlumpt, zerfranst, verlottert, verludert, vernachlässigt, verwahrlost, verkommen; verrottet, verwohnt, abgeschliffen, dünn gerieben, zerfasert, verwischt; gebrochen, geknickt, verbogen, verformt, verdreht, verkrümmt, deformiert, **2.** geschädigt, beeinträchtigt, schwer vermittelbar, gehandikapt; versehrt, kriegsversehrt, behindert, entstellt, verunstaltet, verkrüppelt, verstümmelt, **3.** kaputt, entzwei, zerbrochen, zerborsten, in Scherben, zerfallen, verfallen, zertrümmert, eingefallen, eingestürzt, hin, zerbombt, unbewohnbar, ruiniert, verheert, verwüstet; geplatzt, zerrissen, zerfressen, zerlesen, zerfleddert, zerklüftet, zerfetzt; zerschmettert, zersprungen, zerstoßen, zersplittert; unbrauchbar, funktionsunfähig, abgestürzt, abgekackt, irreparabel, zerstört.

266 beschäftigen (sich) 1. anstellen, einstellen, engagieren, verpflichten, unterbringen, einsetzen, anheuern, **2.** arbeiten an, sich abgeben/befassen mit, zuwenden, verlegen auf, widmen, einlassen auf; schwanger gehen mit, kauen an, mit sich herumtragen, sich hineinknien, auseinander setzen mit, **3.** im Kopf herumgehen, zu schaffen machen, zu denken geben, nachgehen, in Beschlag nehmen, nicht loslassen/aus dem Sinn wollen, besetzen, absorbieren.

267 Beschlagnahme Einzug, Pfändung, Einziehung, Sperrung, Embargo, Konfiszierung, Konfiskation, Sicherstellung, Kaperung, Kaptur, Sequestration; Arrest.

268 beschönigen färben, frisieren, weichzeichnen, soften, retuschieren, ausschmücken, euphemisieren, schminken, verbrämen, verklären, idealisieren, schönen, vergolden, verniedlichen, idyllisieren, durch die rosa Brille sehen, schönreden, schönzeichnen, schönfärben, schönrechnen; klittern, verblümen, bemänteln, bagatellisieren, verharmlosen, herunterspielen, untertreiben.

269 Beschönigung Retuschierung, Retusche, Ausschmückung, Euphemismus, Verbrämung, Verklärung, Idealisierung, Hagiographie, Überhöhung, Verniedlichung, Idyllisierung, Schönreden, Schönzeichnen, rosa Brille, Hofberichterstattung, Schönfärberei, Schönrechnerei; Klitterung, Bemäntelung, Verharmlosung, Bagatellisierung, Untertreibung.

270 beschreiben 1. wiedergeben, darstellen, Beschreibung geben, ausführen, nachzeichnen, Bild entwerfen, schildern, charakterisieren, illustrieren, lebendig machen, verlebendigen, ausmalen, ausspinnen, ausphantasieren, **2.** erzählen, vortragen, zum Besten geben, sein Garn spinnen, dichten, fabulieren,

fabeln, gestalten, **3.** bekritzeln, beschmieren.

Besitz 1. Eigentum, Schatz, Besitztum, Kapital, **2.** Immobilien, Hausbesitz, Grundbesitz, Liegenschaften, Habe, Haus und Hof, Hab und Gut; Mobilien, bewegliche Habe, Sachwerte, Vermögenswerte, Wertsachen, Reichtümer, Habseligkeiten, Habschaft, **3.** Barschaft, Barvermögen, Geldmittel, Aktiva, flüssiges Kapital, Kapitalien, Geldkapital, Devisen; Reserven, Ressourcen, Rücklagen, Guthaben; Vermögensanlage, Wertpapiere, Investmentpapiere, Effekten, Anleihe, Aktie, Obligationen, Schatzbrief, Pfandbrief, Sparbrief. **271**

Besitzer Eigentümer, Eigner, Inhaber, Herr, Halter, Hausbesitzer, Vermieter. **272**

besonders 1. extra, gesondert, separat, für sich allein, eigens, speziell, namentlich, ausdrücklich, hauptsächlich, insbesondere, in Sonderheit, in erster Linie, vorwiegend, überwiegend, vor allem, vornehmlich, vorzugsweise, vor allen Dingen, vor allem andern, in der Hauptsache, **2.** bemerkenswert, eigenartig, spezifisch, ungewöhnlich, befremdend, befremdlich, auffallend, aus dem Rahmen fallend, sehenswert, **3.** persönlich, individuell, eigenständig, selbständig, kapriziös, mit Pfiff, eigenwillig, apart, originell. **273**

besorgen 1. beschaffen, herbeischaffen, beibringen, aufbringen, akquirieren, heranschaffen, heranholen, verschaffen, organisieren, auftreiben, vermitteln, verhelfen zu, zuschanzen, zuschieben, zuspielen, anschleppen, beibringen, mobilisieren, bereitstellen, flüssig machen, finanzieren, zaubern, herbeizaubern, **2.** kaufen, einholen, einkaufen, holen, abholen, anschaffen, mitbringen, Besorgung machen, **3.** tun, betreiben, bearbeiten, betreuen, verwalten, seines Amtes walten, versorgen, versehen mit, bedienen. **274**

Besorgung 1. Einkauf, Kauf, Einholen, Beschaffung, Vermittlung, Übermittlung, Erledigung, **2.** Botengang, Gang, Verrichtung; Versorgung, Verwaltung, Betreuung. **275**

besprechen (sich) 1. unterreden, beraten, beratschlagen, bereden, verhandeln, erwägen, hin und her wenden, von allen Seiten betrachten, wälzen, **276**

durchsprechen, ventilieren, erörtern, prüfen, untersuchen, **2.** beurteilen, begutachten, würdigen, rezensieren, kritisieren, schreiben über, ankündigen, behandeln, abhandeln, sich auslassen über; glossieren, **3.** sich beraten, auseinander setzen, austauschen, zusammensetzen, an einen Tisch setzen; Sitzung abhalten, konferieren, tagen, debattieren, disputieren, diskutieren, politisieren, palavern.

277 Besprechung 1. Erörterung, Beratung, Beredung, Beratschlagung, Verhandlung; Sitzung, Termin, Konsultation, **2.** Gespräch, Unterhaltung, Unterredung, Aussprache, Meinungsaustausch, Gedankenaustausch, Dialog, Zwiegespräch, Zwiesprache, Wechselrede, Diskurs, **3.** Wortwechsel, Diskussion, Auseinandersetzung, Kontroverse, Disput, Streitgespräch, Streit, Hin und Her, Palaver, **4.** Rezension, Kritik.

278 bestätigen 1. bescheinigen, konfirmieren, quittieren, signieren, bezeugen, testieren, attestieren, beurkunden, beglaubigen, **2.** bejahen, affirmieren, zustimmen, billigen, nicken, Hand aufheben, **3.** unterschreiben, unterzeichnen, Unterschrift geben, zeichnen, gegenzeichnen, abzeichnen, paraphieren, ratifizieren, **4.** ermutigen, gelten lassen, bestärken, unterstützen, ermuntern, **5.** bekräftigen, erhärten, festigen, sanktionieren, anerkennen, für gültig erklären, approbieren, sich verbürgen.

279 Bestätigung 1. Ausweis, Bescheinigung, Identifikationskarte, Kennkarte, Pass, Reisepass, Personalausweis, Passierschein, Visum, Passepartout, Identitätsbescheinigung; Zeugnis, Attest, Diplom, Patent, Nachweis, **2.** Bescheinigung, Quittung, Kassenzettel, Beleg, Empfangsbestätigung, Beglaubigung, Siegel, Brief und Siegel, Urkunde, **3.** Bekräftigung, Erhärtung, Sanktion, Anerkennung, **4.** Ratifizierung, Paraphierung, Paraphe, Stempel, Unterschrift, Unterzeichnung, Autogramm, **5.** Ermunterung, Ermutigung, Zuspruch, Zustimmung, Affirmation, Anerkennung, Bejahung, Bestärkung, Rückenstärkung, **6.** Beweis, Erweis, Nachweis, Wahrheitsnachweis.

280 bestellen 1. auftragen, beauftragen, in Auftrag geben, Auftrag erteilen, or-

dern, anfordern, machen/kommen lassen, **2.** abonnieren, halten, nehmen, beziehen, abnehmen, subskribieren, vorbestellen, buchen, **3.** auffordern, ersuchen, bescheiden, laden, vorladen, beordern, zitieren, **4.** hinterlassen, sagen, ausrichten, wissen lassen, benachrichtigen, überbringen, übermitteln, **5.** sein Haus bestellen/besorgen.

Besuch 1. Aufwartung, Visite, Arzt- **281** besuch, Einkehr, Besichtigung, Sightseeing, **2.** Gäste, Geselligkeit, Gesellschaft, Gastspiel, Gastrolle, Stippvisite, Höflichkeitsbesuch, Antrittsbesuch, Anstandsbesuch; Überfall, Heimsuchung.

besuchen 1. Besuch machen/abstat- **282** ten, zu Besuch kommen, Aufwartung machen, aufsuchen, vorsprechen, beehren, anklopfen, guten Tag sagen, sich blicken lassen; einkehren, auf einen Sprung kommen, hereinschauen, vorbeikommen, hereinschneien, aufkreuzen, sich einfinden; heimsuchen, überfallen, **2.** absteigen, logieren, wohnen, übernachten, nächtigen, **3.** frequentieren, häufig besuchen, verkehren, oft hingehen, Stammgast sein.

Besucher 1. Gast, Ankömmling, Ge- **283** ladener, Gastfreund, Tischgast, Logierbesuch, Besuch, Dauergast, Stammgast, **2.** Reisender, Durchreisender, Passagier, Fremder, Tourist, **3.** Zuschauer, Teilnehmer, Anwesender, Gasthörer, Hörer, Zuhörer, **4.** Auditorium, Publikum, Zuhörerschaft, Hörerschaft.

betäuben (sich) 1. anästhesieren, **284** narkotisieren, chloroformieren, hypnotisieren, einschläfern, in Trance versetzen, **2.** Gefühle abtöten/im Keim ersticken/unterdrücken/verdrängen, **3.** sich betrinken, einen Rausch antrinken, berauschen, bezechen, besäuseln; zu tief ins Glas schauen, sich beduseln; über den Durst trinken, saufen, sich einen ansaufen, voll laufen lassen, zusaufen; dem Alkohol frönen/Trunk verfallen, **4.** Drogen / Rauschgift nehmen, kiffen, drücken, fixen.

betäubend 1. narkotisierend, berau- **285** schend, sinnverwirrend, narkotisch, schmerzstillend, schmerzmildernd, schmerzlindernd, sedierend, einschläfernd, **2.** intensiv, zu stark.

betäubt narkotisiert, unter Narkose, **286**

bewusstlos, besinnungslos, in Trance, schmerzfrei, ohne Schmerzgefühl, schmerzlos, gefühllos, unempfindlich, taub, berauscht.

287 beteiligen teilnehmen/partizipieren lassen, zum Teilhaber nehmen, am Gewinn beteiligen, gemeinsame Sache machen, zusammenarbeiten.

288 beten bitten, erbitten, flehen, erflehen, fürbitten, anbeten, verehren, loben, preisen, lobpreisen, danken.

289 betreffen angehen, anbelangen, anbetreffen, sich beziehen auf; zusammenhängen mit, berühren, zu tun haben mit, teilhaben, mitbetroffen sein, gehen um, sich erstrecken auf, handeln/drehen um.

290 betreffend zu, dazu, darüber, davon, wegen, was das angeht, angehend, anlangend, bezüglich, in Bezug auf, diesbezüglich, dieserhalb, betrifft, betreffs, hinsichtlich, in puncto.

291 Betrieb 1. Geschäft, Arbeitsstätte, Werk, Fabrik, **2.** Umtrieb, Hochbetrieb, Arbeitsanfall, Betriebsamkeit, Geschäftigkeit, Lauferei, Wirbel, Kommen und Gehen, Hektik, Hast, Rumor, **3.** Verkehr, Treiben, Trubel, Gedränge, Gewimmel, Getümmel, Gewirr, Getriebe, Gewusel, Gewühl, Durcheinander, Hexenkessel, **4.** Rummel, Lustbarkeit, Kurzweil, Vergnügen, Zirkus, Klimbim, Trara, Tamtam, Jahrmarkt, Almauftrieb.

292 Betrug Schwindel, Betrügerei, Gaunerei, Bauernfängerei, Veruntreuung, Schummelei, Nepp, Mogelei, Mogelpackung, Zechprellerei, Schmu, Beschiss, Schiebung, Hinterziehung, Steuerhinterziehung, Steuerflucht, Hintergehung, Unterschlagung, Unterschleif, krumme Tour, fauler Zauber, Schwarzarbeit, Machenschaft, Hochstapelei, Fälschung, Täuschung; Selbstbetrug, Vogel-Strauß-Politik, Augenwischerei.

293 betrügen 1. täuschen, trügen, schwindeln, beschwindeln, hintergehen, hinterziehen, veruntreuen, unterschlagen, beiseite schaffen, schmuen, verdunkeln, übervorteilen, begaunern, benachteiligen; beschummeln, verschaukeln, bemogeln, betuppen, abkochen, behumpsen, übers Ohr hauen, über den Tisch ziehen, düpieren, übertölpeln, bescheißen; falsch spielen, her-

einlegen, zinken, türken, tricksen, mogeln, mauscheln, im Trüben fischen, prellen, bluffen, hinters Licht führen, ein X für ein U vormachen; beirren, verwirren, weismachen, anführen, anschmieren, lackmeiern, zum Narren halten, foppen, hochnehmen, irreführen, austricksen, unterschieben, andrehen; neppen, überfordern, überteuern, wuchern, ablisten, abluchsen, abschwindeln, abschwatzen, betören, einseifen, einwickeln, blenden, blauen Dunst vormachen, einen Vorteil erschleichen, corriger la fortune, Sand in die Augen streuen, **2.** schieben, verschieben, klüngeln, hehlen, verdunkeln, auf die falsche Fährte locken, abkarten, heimlich aushandeln, Vetternwirtschaft treiben, sich die Trümpfe zuspielen; unter einer Decke stecken, gemeinsame Sache machen, **3.** ehebrechen, Seitensprung machen, untreu sein, jmdn. hintergehen, swingen, fremdgehen, Hörner aufsetzen, zum Hahnrei machen, doppeltes Spiel treiben, **4.** aufs Glatteis führen/Kreuz legen, Grube graben, in den Hinterhalt locken, für dumm verkaufen, überlisten, Zeche prellen, Fell über die Ohren ziehen, veruntreuen, **5.** Recht verdrehen/beugen.

Betrüger 1. Gauner, Schwindler, Filou, falscher Fuffziger, Falschmünzer, Fälscher, Schieber, Gangster, Erpresser, Wucherer, Halsabschneider, **2.** Hochstapler, Defraudant, Falschspieler, Bauernfänger, Beutelschneider, Preller, Zechpreller, Heiratsschwindler, Bigamist, Erbschleicher, Mitgiftjäger, Blender, Bluffer, **3.** Quacksalber, Kurpfuscher, Scharlatan, Rattenfänger, **4.** Schmuggler, Schleichhändler, Schwarzhändler, Helfershelfer, Schlepper, Schleuser. **294**

Bett Schlafstelle, Liegestatt, Bettstelle, Bettstatt; Doppelbett, französisches Bett, Ruhebett, Wandbett, Bettcouch, Liege, Ausziehbett, Klappbett, Pritsche, Feldbett, Notbett; Wiege, Kinderbett; Körbchen, Falle, Koje, Klappe, Kahn, Nest. **295**

beugen 1. neigen, senken, abwinkeln, krümmen, biegen; sich vorbeugen, beugen über, vorneigen, neigen, vornüber neigen, **2.** kauern, hocken, in die Hocke gehen, sich hinhocken, niederbücken, **296**

3. konjugieren, flektieren, deklinieren, abwandeln.

297 Bevölkerung Population, Einwohnerschaft, Einwohner, Bewohnerschaft, Volk, Bewohner; Ureinwohner, Urbevölkerung, Aborigines, Autochthone, Ethnie.

298 bevorzugen 1. fördern, begünstigen, protegieren, befürworten, weiterhelfen, nachhelfen, aufbauen, gutes Wort einlegen, sich verwenden für; in den Sattel helfen, Weg ebnen, begönnern, lancieren, klüngeln, einschleusen, **2.** Vorzug geben, höher einschätzen, favorisieren, vorziehen, Priorität setzen bei, vorausstellen, obenan stellen, vorordnen, **3.** privilegieren, Vorrechte einräumen, bevorrechten.

299 bewährt erprobt, bekannt, anerkannt, eingeführt, gängig, gebräuchlich, lieb, probat, verlässlich, altgedient, altbewährt, vertraut, klassisch, empfehlenswert.

300 bewegen (sich) 1. sich regen; Lage verändern, Stellung wechseln, sich rühren; gehen, umhergehen, spazieren gehen, turnen, **2.** wogen, wellen, steigen, sinken, **3.** schieben, verschieben, befördern, transportieren, verrücken, rangieren, **4.** fahren, reisen, kutschieren, rumkommen, mit dem Schiff fahren, rudern, paddeln, gondeln, segeln, surfen, reiten, radeln, Rad fahren.

301 beweglich 1. gelenkig, geschmeidig, leichtfüßig, gewandt, geschickt, lebhaft, lebendig, anpassungsfähig, lernfähig, umstellungsfähig, wandelbar, wendig, wandlungsfähig, rasch, schnell, fix, rege, agil, mobil, elastisch, flexibel, **2.** ambulant, variabel, transportabel, zerlegbar, versetzbar, verstellbar; übertragbar, nicht an die Person gebunden.

302 Bewegung 1. Gang, Gangart, Trab, Trott, Schritt, Lauf, Galopp, **2.** Fortbewegung, Ortsveränderung, Transport, Beförderung, Fluktuation, **3.** Wirbel, Gestöber, Gestiebe, Gewoge, Strudel, Dünung, Seegang, **4.** Regung, Schwingung, Wellenbewegung, Vibration, Oszillation, Pendeln, Pendelbewegung, Schwingen, Schwung.

303 bewerben, sich sich bemühen um; Stellung suchen, vorsprechen, ansuchen, nachsuchen, einkommen um, kandidieren.

304 bezahlen 1. zahlen, begleichen, entrichten, abführen, Kosten tragen, aufkommen für, ausgeben, aufwenden, **2.** entlohnen, besolden, honorieren, Gehalt zahlen, vergüten, Lohn zahlen, auszahlen, ausbezahlen, **3.** hinlegen, blechen, bluten, berappen, hinblättern, löhnen, herhalten müssen, herausrücken, lockermachen, sich in Unkosten stürzen, **4.** tilgen, begleichen, bereinigen, abtragen, abdecken, finanzieren, einlösen, abstatten, sich einer Schuld entledigen; erfüllen, ablösen, erstatten, zurückgeben, überweisen, anweisen, ausgleichen; versteuern.

305 bezaubern 1. entzücken, begeistern, hinreißen, bestricken, berücken, betören, behexen, bezirzen, verzaubern, verhexen, um den Verstand bringen, berauschen, bannen, in Bann schlagen, faszinieren, bezwingen, verblenden, blenden, **2.** zaubern, hexen, beschwören, verwünschen, besprechen, Hokuspokus treiben, berufen.

306 Bibliothek Bücherei, Büchersammlung, Leihbibliothek, Präsenzbibliothek, Stadtbücherei, Universitätsbibliothek; digitale Bibliothek, Infothek.

307 bieten ermöglichen, eröffnen, darbieten, verschaffen, zur Verfügung stellen, versprechen, offerieren, geben, zu bieten haben, anbieten, in Aussicht stellen, gewährleisten, zeigen, vorführen, Belohnung ausschreiben/aussetzen.

308 Bild 1. Anblick, Erscheinung, Ansicht, Panorama, Aussicht, **2.** Abbild, Abbildung, Schaubild, Diagramm, Bildnis, Wiedergabe, Darstellung, Gemälde, Tafel, Zeichnung, Graphik, Holzschnitt, Aquarell, Pastell, Radierung, Gouache, Stich, Lithographie, Collage, Fresko, Relief, Ölbild; Skizze, Studie, Entwurf, Graffito, Cartoon, Comic, Faustskizze, Handskizze; Bildnis, Porträt, Konterfei, Selbstporträt, **3.** Foto, Aufnahme, Fotografie, Lichtbild, Schnappschuss, Standbild, Close-up, Momentaufnahme; Dia, Diapositiv, Abzug, Vergrößerung, Großaufnahme, Poster, Luftaufnahme, Satellitenaufnahme; Projektion, Übertragung, **4.** Bebilderung, Buchschmuck, Illustrierung, Illustration, Bildschmuck, Bildbeigaben, **5.** Sinnbild, Metapher, Allegorie, Parabel, Symbol, Gleichnis, Trope, Tropus.

309 Bildhauer Plastiker, Modellierer, Bildner, Skulpteur, Schnitzer, Holzschnitzer, Steinmetz.

310 bildlich 1. bildhaft, eidetisch, ikonisch, 2. sinnbildlich, symbolisch, gleichnishaft, allegorisch, figürlich, figurativ, figural, parabolisch, übertragen, zeichenhaft, bedeutungsvoll, hintergründig, metaphorisch, im Gleichnis, mit Verweischarakter, im Bild, verhüllt, vieldeutig, karikierend, persiflierend, 3. vergleichsweise, sozusagen, gewissermaßen, quasi.

311 Bildschirm Monitor, Screen, Bildröhre, Mattscheibe, Schirm, Display.

312 billig 1. preiswert, preisgünstig, kostengünstig, wohlfeil, nicht teuer, bezahlbar, erschwinglich, günstig, vorteilhaft, halb umsonst, fast geschenkt, für ein Butterbrot, verbilligt, herabgesetzt, reduziert, ermäßigt, zu einem Spottpreis, für einen Pappenstiel, spottbillig, nachgeworfen, 2. angemessen, zivil, reell, entsprechend, adäquat, zumutbar, vertretbar, berechtigt, in Ordnung, gebührend, recht und billig, 3. nichtig, nichts sagend, dünn, schwach, banal, ordinär, simpel, primitiv, trivial, inferior.

313 binden (sich) 1. anpflocken, festbinden, anbinden, fesseln, anketten, 2. festlegen, festnageln, beim Wort nehmen, verpflichten, nötigen, 3. sich festlegen, verpflichten; Bindung eingehen, Verpflichtung auf sich nehmen, sein Wort geben, Vertrag schließen, Handel eingehen, etwas ausmachen / festmachen, sich verschreiben; bürgen, haften, einstehen, gutsagen, sich verdingen, 4. zusammenbinden, zusammenwinden, zusammenfügen, knüpfen, schnüren, bündeln, 5. sich beschränken, spezialisieren, verlegen auf, vereinseitigen, 6. eindicken, legieren, sämig machen, 7. broschieren, einbinden, lumbecken, aufbinden.

314 bitte 1. freundlichst, gütigst, möglichst, gefälligst, tunlichst, liebenswürdigerweise, freundlicherweise, bitte schön, bitte sehr, 2. pardon, wie meinen, wie bitte, wie belieben, wie, was.

315 bitten 1. erbitten, wünschen, Wunsch äußern, ersuchen, auffordern, angehen, fragen, ansprechen, anfragen, nachsuchen, sich ausbitten; ansuchen, nahe legen, einkommen um; bestürmen, bedrängen, beschwören, anflehen, in den Ohren liegen, zusetzen, weismachen, löchern, bohren, betteln, flehen, winseln, kniefällig bitten, 2. abnötigen, abschmeicheln, abschwatzen, abknöpfen, abbetteln, abringen.

316 blasen 1. winden, säuseln, fächeln, flattern, rascheln, atmen, ziehen, pusten, hauchen, wehen, stürmen, wettern, schnauben, rasen, stieben, brausen, rauschen, sausen, heulen, johlen, fauchen, toben, tosen, schrillen, 2. trompeten, posaunen, schmettern, tuten, 3. jmdm. einen blasen, fellationieren, fellieren, Schwanz lutschen.

317 Blickfeld Gesichtskreis, Gesichtsfeld, Sehkreis, Reichweite, Sichtweite, Radius, Ausschnitt, Gesichtswinkel; Umkreis, Umfeld, Horizont.

318 blind 1. augenlos, blicklos, erblindet, mit Blindheit geschlagen, stockblind, geblendet, mit verbundenen Augen, nachtblind, farbenblind, 2. glanzlos, trübe, stumpf, matt, unklar, undurchsichtig, schmutzig, beschlagen, 3. vorgetäuscht, als Attrappe, zur Verzierung, fingiert, 4. uneinsichtig, kritiklos.

319 bloßstellen (sich) 1. sich eine Blöße geben, lächerlich machen, blamieren, desavouieren, kompromittieren, unmöglich machen, schlecht machen, diskreditieren; Gesicht verlieren, sich ein Armutszeugnis ausstellen, zum Gespött machen; keine gute Figur machen, Selbstdemontage betreiben, sich preisgeben, wegwerfen, entwürdigen, prostituieren, entpuppen; Maske fallen lassen, 2. beschämen, verspotten, auslachen, an den Pranger stellen, zum Gespött machen, brandmarken, anprangern, schlecht / verächtlich machen, in den Dreck ziehen, herabsetzen, heruntermachen, vorführen, desavouieren, 3. entlarven, enttarnen, demaskieren, Maske herunterreißen, enthüllen, aufdecken, entschleiern, Geheimnis lüften, aufklären, entmystifizieren, entmythologisieren.

320 Bordell Freudenhaus, Etablissement, Puff, Eroscenter, Stundenhotel, Kontakthof, Massagesalon, Sexclub, Rotlichtbezirk, öffentliches Haus.

321 borgen 1. entleihen, entlehnen, leihen, pumpen, anpumpen, um Geld angehen, anzapfen, Kredit aufnehmen, Konto überziehen, Schulden machen, beleihen, verpfänden, versetzen, Vorschuss nehmen, **2.** verleihen, ausleihen, geben, verborgen, anschreiben, verpumpen, aushelfen, vorlegen, vorhonorieren, vorfinanzieren, finanzieren, vorstrecken, auslegen, vorschießen, bevorschussen, beleihen, kreditieren, stunden.

322 böse 1. ärgerlich, gereizt, unmutig, indigniert, vergrämt, verbiestert, missmutig, missgestimmt, ingrimmig, missvergnügt, fuchsig, aufgebracht, in Fahrt, erbittert, zornig, auf hundertachtzig, furios, zähneknirschend, zürnend, erbost, siedend, wutentbrannt, wutschnaubend, wütend, fuchtig, unleidlich, affektgeladen, unwillig, unwirsch, alteriert, geladen, ungehalten, empört, entrüstet, zornentbrannt, verdrießlich, grimmig, zischend, schäumend, außer sich, grantig, grätig, vergrätzt, grollend, schmollend, rabiat, wütig, aus dem Häuschen, wild, fuchsteufelswild, stocksauer, **2.** beleidigt, säuerlich, sauer, gekränkt, verletzt, verstimmt, verärgert, getroffen, verschnupft, auf den Schlips getreten, eingeschnappt, pikiert, auf den Fuß getreten; in die falsche Kehle bekommen, verdrossen, **3.** schlecht, übel, schlimm.

323 boshaft 1. böse, bösartig, garstig, hämisch, hässlich, höhnisch, schadenfroh, gehässig, giftig, missgünstig, arg, böswillig, gallig, übel wollend, lieblos, ungut, infam, verletzend, niederträchtig, falsch, intrigant, link, schikanös, ränkesüchtig, Ränke schmiedend, diabolisch, teuflisch, verteufelt, infernalisch, satanisch, sardonisch, perfide, hundsgemein, klatschsüchtig, medisant, böses Mundwerk, scharfe Zunge, misswillig, verleumderisch, übel gesinnt, maliziös, **2.** hinterlistig, hinterhältig, hinterfotzig, tückisch, heimtückisch, hintertückisch, arglistig, meuchlings, hinterrücks, hintenrum.

324 Bosheit Lieblosigkeit, Böswilligkeit, Übelwollen, böser Wille, Gehässigkeit, Garstigkeit, Häme, Bösartigkeit, Boshaftigkeit, Gemeinheit, Schikane, Teufelei, Niederträchtigkeit, Infamie, Falschheit.

325 braten 1. anbraten, rösten, schmoren,

brutzeln, bräunen, backen, garen, überbacken, gratinieren, toasten, grillen, **2.** schwitzen, in der Sonne braten.

Brauch 1. Brauchtum, Tradition, **326** Überlieferung, Gebräuche, Landessitte, **2.** Gewohnheit, Gepflogenheit, Praxis, Sitte, Regel, Konvention, Konvenienz, Übereinkunft, Usus, Usance; Walze, alter Hut / Zopf, Tour, Mode, Leier, Schlendrian, **3.** Form, Förmlichkeit, Komment, Etikette, Zeremoniell, Kleiderordnung, Dresscode, Protokoll, Zeremonie, Kult, Ritus, Ritual.

brauchen nötig haben, benötigen, **327** begehren, bedürfen, Bedarf haben, haben müssen, nicht auskommen können ohne, angewiesen sein auf, nicht entbehren / entraten / missen können, gebrauchen können; gebrauchen, im Gebrauch haben, benutzen, verwenden.

brav 1. artig, wohlerzogen, manierlich, nett, gut zu haben, lieb, gefällig, gehorsam, lammfromm, **2.** tüchtig, tapfer, wacker, ordentlich, redlich, rechtschaffen, ehrenwert, achtbar, anständig, tugendhaft, ehrbar, unbescholten, aufrecht, kreuzbrav, **3.** bieder, zahm, einfältig, simpel, spießig, hausbacken, ehrpusselig, prüde.

brechen 1. krachen, knacken, bersten, knacksen, knicken, zerknicken, einknicken, abknicken, zerbrechen, springen, splittern, absplittern, in die Brüche gehen, durchbrechen, zerspringen, zerschellen, zerplatzen, zersplittern, auseinander brechen, entzweigehen, kaputtgehen, reißen, zerreißen, brocken, bröckeln, krümeln, zerkrümeln, in Stücke brechen, abbröckeln, **2.** abbrechen, aufgeben, abschließen mit, sich trennen von; lassen, sich zurückziehen; brechen/Schluss machen mit, Laufpass geben, jmdn. verlassen, Freundschaft aufkündigen, **3.** sich übergeben; erbrechen; speien, von sich geben, reihern, spucken, kotzen.

brennen 1. flammen, flackern, lodern, knistern, züngeln, lohen, glühen, gluten, flackern, zucken, glosen, schwelen, glimmen, wabern, **2.** in Brand geraten, anbrennen, anglimmen, sich entzünden; aufflammen, auflodern, aufflackern, entbrennen, ausbrechen, in Flammen stehen, lichterloh brennen, verbrennen, verkohlen, **3.** schmerzen, beißen, bitzeln, beizen, prickeln, reizen, kitzeln, **4.** sengen, ansengen, flämmen, abfackeln, abbrennen, **5.** destillieren, Schnaps brennen.

331 Brett 1. Latte, Planke, Diele, Bohle, Platte, Leiste, **2.** Regal, Bord, Bücherbrett, Büchergestell, Ständer, Etagere, Wandbrett, Fach, Stellage, Gestell, Konsole.

332 Brief Nachricht, Mitteilung, Benachrichtigung, Zuschrift, Schreiben, Auslassung, Zeilen, Epistel, Billett, Schrieb, Wisch, Post, offener Brief, Telebrief, E-Mail.

333 Brücke Steg, Hängebrücke, Bogenbrücke, Zugbrücke, Schiffbrücke, Seebrücke, Landungsbrücke, Landungssteg, Lände, Anlegestelle, Aquädukt, Gangway; Überbrückung, Viadukt, Überführung, Unterführung, Übergang, Überweg, Zebrastreifen, Bahnübergang.

334 brutal rücksichtslos, roh, gefühllos, gemütlos, krude, rabiat, grausam, erbarmungslos, unbarmherzig, geht über Leichen, zynisch, schonungslos, unmenschlich, inhuman, barbarisch, menschenverachtend, gewalttätig, drakonisch, mit der Knute, mit eiserner Faust, entmenscht, mörderisch, bestialisch, blutdürstig, blutgierig, mordgierig, viehisch, sadistisch, pervers.

335 Brutalität Rücksichtslosigkeit, Zynismus, Mitleidlosigkeit, Unbarmherzigkeit, Unerbittlichkeit, Unnachsichtigkeit, Schonungslosigkeit, Erbarmungslosigkeit, Gefühllosigkeit; Grausamkeit, Gewalttätigkeit, Unmenschlichkeit, Inhumanität, Barbarei, Vandalismus, Zerstörungswut, Rohheit, Verrohung, Menschenverachtung, Mordlust, Blutdurst, Mordgier, Bestialität, Sadismus, Perversität; Gräuel, Gräueltat, Scheußlichkeit, Ungeheuerlichkeit; Misshandlung, Quälerei, Marter, Peinigung, Tortur, Folterung, Folter.

336 Buch 1. Werk, Publikation, Veröffentlichung, Druckwerk, Titel, Band, Foliant, Wälzer, Schwarte, Schinken, Scharteke, Schmöker, **2.** Broschur, Broschüre, Druckschrift, Schrift, Taschenbuch, Paperback, **3.** Lektüre, Lesestoff, Literatur.

337 Buchstabe 1. Letter, Schriftzeichen, Versal, Rune, Hieroglyphe, Minuskel,

Majuskel; Type, **2.** Alphabet, Abc, Bilderschrift, Keilschrift.

Bürge Gewährsmann, Garant, Geisel, **338** Zeuge, Augenzeuge; Pate, Trauzeuge, Taufzeuge.

bürgen 1. sich verbürgen; Bürgschaft **339** stellen, haften, garantieren, einstehen, geradestehen, dafürstehen, gewährleisten, gutsagen, gutsprechen, sich verpflichten; verantworten, dazu stehen, Hand ins Feuer legen, Brief und Siegel geben, **2.** hinterlegen, sicherstellen, sichern, decken, verpfänden, verschreiben, Pfand geben, Sicherheit bieten, Kaution stellen, Kopf hinhalten.

Bürger 1. Kleinbürger, Großbürger, **340** Bourgeois; Citoyen, Zivilist, Bildungsbürger, **2.** Bürgertum, Mittelklasse, Mittelstand, Mittelschicht, Kleinbürgertum, Kleinbourgeoisie, Bourgeoisie, Großbürgertum, Großbourgeoisie; bürgerliche Gesellschaft, Kreise, **3.** Spießbürger, Spießer, Biedermann, Bonhomme, Schildbürger, Pfahlbürger, Hinterwäldler, Philister, Krämerseele, Michel, Kulturbanause, Kleingeist, Kirchturmpolitiker, Krähwinkler, **4.** Liberaler, Weltbürger, Kosmopolit, **5.** Staatsbürger, Einwohner, Mitbürger, Seele.

bürgerlich 1. solid, ordentlich, sicher, geordnet, zivil, gutbürgerlich, auskömmlich, ausreichend, **2.** kleinbürgerlich, mittelständisch, großbürgerlich, bourgeois, etabliert, **3.** bieder, kleinleutemäßig, spießig, spießerhaft, spießbürgerlich, banausenhaft, philiströs, eng, borniert, muffig, ohne Horizont, engstirnig, philisterhaft, kleinlich, konservativ, angepasst, konform, **4.** liberal, weltbürgerlich, kosmopolitisch.

Bürgschaft 1. Garantie, Gewähr, **342** Obligo, Haftung, Kaution, Sicherheit, Deckung, Pfand, Unterpfand, **2.** Verpflichtung, Einstandspflicht, Sicherung, Gewährleistung, Hinterlegung, Delkredere, Gutsagung, Affidavit.

Busch 1. Strauch, Staude, Hecke, Gebüsch, Buschwerk, Niederwald, Gehölz, Gesträuch, Gestrüpp, Unterholz, Dickicht, Dschungel, Urwald, Wildnis, Steppe, **2.** Buschen, Strauß, Gebinde, Bukett, Bündel, Bund; Kranz, Girlande, Gewinde, Gehänge, Gesteck; Büschel, Garbe.

Busen Brust, Büste, Brüste, Mammae; **344**

Möpse, Titten, Äpfel, Birnen, Glocken, Vorgebirge, Dekolleté, Ausschnitt.

345 büßen abbüßen, Buße tun, wieder gutmachen, sühnen, abbitten, Abbitte/ Schadenersatz leisten, kompensieren, entgelten, abgelten, entschädigen, einstehen für, Strafe verbüßen, ausbaden, Suppe auslöffeln, Kopf/Buckel hinhalten, herhalten/geradestehen für, wettmachen, gutmachen, ausgleichen, Folgen tragen, Konsequenzen auf sich nehmen, Genugtuung geben.

C

346 Charakter Wesen, Wesensart, Eigentümlichkeit, Eigenart, Charakterbildung, Anlage, Natur, Naturell, Typ, Gemütsart, Veranlagung, Disposition, Temperament, Sinnesart, Denkweise; Persönlichkeit, Steher.

347 charakterfest 1. standhaft, charakterstark, charaktervoll, fest, unbeirrbar, unbestechlich, zuverlässig, verlässlich, unparteiisch, gerecht, 2. verantwortungsbewusst, entschlossen, bestimmt, ernst, entschieden, von echtem Schrot und Korn, rocher de bronze, unerschütterlich.

348 charakteristisch 1. bezeichnend, signifikant, kennzeichnend, typisch, repräsentativ, echt, eigentümlich, eigenartig, unverkennbar, unverwechselbar, wesenseigen, wesensgemäß, spezifisch, symptomatisch, 2. ausgeprägt, prägnant, ausgesprochen, markant, in Reinkultur, sprichwörtlich, echt, unverfälscht, hundertprozentig.

349 charakterlos rückgratlos, haltlos, haltungslos, charakterschwach, ohne Rückgrat, labil, willensschwach, willenlos; skrupellos, windig, erbärmlich, gesinnungslos, verkommen, niederträchtig, gemein, schurkisch, gewissenlos, ehrlos, würdelos, korrupt.

350 Chip 1. Bon, Coupon, Jeton, Token, Gutschein, Wertmarke, Plakette, 2. Plättchen, Bauelement, Mikroprozessorchip, 3. Kartoffelstäbchen, Kartoffelschnitzel, Kartoffelchip.

351 chronologisch nach dem Zeitablauf, in der Zeitenfolge, im historischen Ablauf, aufeinander folgend, zeitlich geordnet.

352 Computer 1. Rechner, Rechenmaschine, Rechenautomat, Elektronengehirn, Großrechner, elektronische Datenverarbeitungsanlage, EDV, Mikrocomputer, Multimedia; Betriebssystem, Hardware, Programm, Software, 2. Personalcomputer, PC, Minicomputer, Laptop, Notebook, Homecomputer, Workstation, Netzcomputer.

D

353 Dampf 1. Rauch; Qualm, Rauchwolken, Gewölk, blauer Dunst, Schmauch, Rauchfahne, 2. Nebel, Dunst, Wasserdampf, Schleier, Nebelschwaden, Nebelbank, Unklarheit, Brodem, Schwaden, Waschküche, Dunstglocke, Smog.

354 dampfen qualmen, dunsten, rauchen, nebeln, Rauchwolken ausstoßen, wölken, trüben, verdunsten, verdampfen.

355 dankbar 1. dankerfüllt, verbunden, erkenntlich, zu Dank verpflichtet, 2. nützlich, lohnend, ergiebig, fruchtbar.

356 Dankbarkeit Dank, Vergeltung, Lohn, Erkenntlichkeit, Anerkennung, Gegenleistung, Schuldigkeit, Dankbarkeitsgefühl, Verpflichtung; Danksagung, Dankadresse, Dankschreiben.

357 danken 1. sich bedanken; Dank sagen / zollen / aussprechen / ausdrücken / abstatten / bekunden / bezeigen / wissen; sich erkenntlich zeigen; vergelten, sich dankbar erweisen, 2. verdanken, Dank schulden, zu danken haben, in jmds. Schuld stehen, hoch anrechnen, dankbar sein, sich glücklich preisen.

358 Darlehen Anleihe, Kredit, Vorschuss, Vorleistung, Borg, Pump, Entleihung, Vorauszahlung, Entlehnung, Beleihung, Verpfändung, Verschreibung, Hypothek.

359 darstellen (sich) 1. beschreiben, zeichnen, plotten, malen, skizzieren, porträtieren, aquarellieren, in Öl malen, aufnehmen, Büste/Plastik anfertigen, 2. in Ziffern darstellen, digitalisieren, 3. repräsentieren, sich zeigen, produzieren, zur Schau stellen, exhibitionieren, 4. spielen, mimen, Rolle spielen, interpretieren, 5. symbolisieren, einkleiden, versinnbildlichen, zeichenhaft/bildlich/ indirekt darstellen, verfremden, verweisen, verdunkeln, verunklaren, allegorisieren, in Bildern sprechen, verrätseln, karikieren, persiflieren.

360 Darsteller Mime, Interpret, Bühnenkünstler, Schauspieler, Akteur, Komödiant, Tragöde, Filmschauspieler, Sänger; Mannequin, Vorführdame, Modell, Fotomodell, Dressman, Model.

361 Darstellung 1. Beschreibung, Wiedergabe, Abbildung, Veranschaulichung, Darlegung, Entfaltung, Ausführung, Illustration, Illustrierung, Charakterisierung, Beleuchtung, Visualisierung, 2. Deutung, Interpretation, Exegese, Auslegung, Sinndeutung, Sinngebung; Symbolisierung, Allegorisierung, Verbildlichung, Verkörperung, Personifizierung, Personifikation, Inkarnation; Verfremdung, Verschleierung, Verdunkelung, Verrätselung, Versinnbildlichung, Verbrämung, Einkleidung, Zeichenhaftigkeit.

362 Dauer 1. Weile, Frist, Zeitraum, Zeitdauer, 2. Fortdauer, Bestand, Fortbestehen, Fortbestand, Fortgang, Permanenz, Kontinuität, kontinuierliche Entwicklung, lückenloser Fortgang, Stetigkeit, Beständigkeit, 3. Überdauern, Durchhalten, Durchstehen, Überstehen; Wertbeständigkeit, Zeitlosigkeit, Langlebigkeit, Haltbarkeit, 4. Dauererfolg, Evergreen, Longseller, Steadyseller, Dauerbrenner.

363 dauerhaft 1. haltbar, solid, unverwüstlich, unzerreißbar, unzerbrechlich, durabel, widerstandsfähig, unempfindlich, robust, langlebig, qualitätsvoll, wertbeständig, massiv, echt, stabil, strapazierfähig, lichtecht, kochecht, kochfest, farbecht, waschecht, lichtfest, rostfrei, wetterfest, bleibend, modeunabhängig, zeitlos, 2. haltbar gemacht, konserviert, eingemacht, eingeweckt, sterilisiert, eingepökelt, mariniert, tiefgekühlt, eingeschweißt, unverderblich, 3. präpariert, einbalsamiert, mumifiziert.

364 dauern 1. währen, bleiben, sich erhalten, halten; gleich bleiben, Bestand haben, 2. weitergehen, anhalten, andauern, fortgehen, fortdauern, fortwähren, sich hinziehen; kein Ende nehmen, nicht aufhören, 3. überdauern, überleben, weiterleben, überwinden, fortleben, fortbestehen, weiterwirken, fortwirken, 4. Leid tun, schmerzen, betrüben, erbarmen, Mitleid erregen.

365 dauernd 1. bleibend, während, verbleibend, bestehend, beständig, überdauernd, unentwegt, anhaltend, permanent, andauernd, unaufhörlich, fortdauernd, ununterbrochen, kontinuierlich, konstant, ohne Unterbrechung, chronisch, immer, **2.** traditionell, herkömmlich, gewohnheitsmäßig, **3.** immergrün, winterfest, perennierend, überwinternd, ganzjährig.

366 Demagoge Scharfmacher, Anstifter, Aufwiegler, Einpeitscher, Populist, Hetzer, Brunnenvergifter.

367 Demagogie Aufreizung, Anstiftung, Scharfmacherei, Populismus, Aufwiegelung, Hetze, Verhetzung, Brandrede, Hetzpropaganda, Verketzerung, Hexenjagd, Kesseltreiben, Pogrom.

368 demagogisch aufwieglerisch, aufreizend, hetzerisch, populistisch.

369 demokratisch liberal, freiheitlich, mehrheitlich, basisdemokratisch, laizistisch, rechtsstaatlich, polyvalent, offen, repressionsfrei; zivil, transparent.

370 Demonstration 1. Kundgebung, Demo, Manifestation, Protestkundgebung, Protestversammlung, politische Versammlung, Umzug, Protestmarsch, Massenkundgebung, Massenversammlung, Dienst nach Vorschrift, Bummelstreik, Streik, Boykott, Protestaktion, Kampagne, Fackelzug, Mahnwache, Lichterkette, Sit-in, Go-in, Teach-in, Love-in, Loveparade, Besetzung, Häuserbesetzung, Instandbesetzung, **2.** Veranschaulichung, Darlegung, Beweisführung.

371 denken 1. Verstand gebrauchen, reflektieren, nachdenken, sich Gedanken machen; durchdenken, **2.** überlegen, bedenken, in Betracht ziehen, erwägen, sich zurechtlegen; spekulieren, drehen und wenden, von allen Seiten betrachten, nachgrübeln, kauen an, nachsinnen, knobeln, grübeln, sich zergrübeln; brüten, sinnen, sinnieren, wägen, hin und her wenden, mitbedenken, betrachten, abwägen, ermessen, kombinieren, überdenken, sich durch den Kopf gehen lassen, den Kopf zerbrechen; Probleme wälzen, philosophieren, sich fragen; Für und Wider erwägen, sich mit dem Gedanken herumschlagen; mit sich ringen, herumrätseln, berechnen, ausklügeln, vernünfteln, deuten, phantasieren, spintisieren; ausdenken, aushecken, sich einfallen lassen, beikommen lassen; in Frage ziehen, hinterfragen, Schlüsse ziehen, sich vergegenwärtigen, vorstellen; meditieren, untersuchen, prüfen,

studieren, **3.** sich besinnen, sammeln; in sich gehen, Gedanken sammeln, mit sich zu Rate gehen, zu sich kommen, Gedanken nachhängen, in Gedanken versunken sein, **4.** sich vertiefen, versenken, hineinknien, konzentrieren; versinken; ausbauen, fundieren, weitertreiben, steigern, vertiefen, intensivieren.

372 Denker Philosoph, Theoretiker, Weiser, Gelehrter, Geistesarbeiter, Forscher, Erfinder, Kopfarbeiter, Wissenschaftler, Verstandesmensch, Intellektueller, kluger Kopf; Intelligenzler, Egghead, Verkopfter, Meisterdenker.

373 Denkmal Ehrenmal, Gedächtnismal, Mahnmal, Monument, Gedenkstein, Denkstein, Obelisk, Säule, Statue, Gedenkstätte, Erinnerungsort, Memorial; Grabstein, Stele, Grabmonument, Pantheon.

374 Denkspruch 1. Wahlspruch, Kernspruch, Merkspruch, goldene Regel, Sinnspruch, Leitsatz, Lebensweisheit, Sinngedicht, Kalenderweisheit, Sprichwort, Epigramm, Xenie, Volksweisheit, **2.** Devise, Schlagwort, Slogan, Sentenz, Spruch, Motto, Losung, **3.** Maxime, Aphorismus, Gedankensplitter.

375 Denkweise Denkungsart, Denkart, Weltbild, Weltanschauung, Ideologie, geistiger Standort, Grundeinstellung, Geisteshaltung, Sinnesart, Ethos, Gesinnung, Mentalität, Haltung, Anschauung, Einstellung.

376 derb 1. handfest, kräftig, stark, gesund, robust, drall, stramm, kernig, ungeschlacht, grobschlächtig, **2.** drastisch, grob, gröblich, unsanft, raubeinig, deutlich, faustdick, krass, krude, rüde, rau, harsch, barsch, ungehobelt, schroff, vulgär, saftig, deftig, **3.** bäuerlich, rustikal, ländlich, bäuerisch.

377 Deserteur Überläufer, Fahnenflüchtiger, Abtrünniger, Kollaborateur, Quisling.

378 deutlich 1. fühlbar, bemerkbar, spürbar, merklich, vernehmlich, einschneidend, unübersehbar, unüberhörbar, überdeutlich, klipp und klar, unverblümt, **2.** genau, artikuliert, scharf, klar erkennbar, leicht festzustellen, verständlich, präzis, prägnant, klar, ausdrücklich, ausgesprochen, profiliert, charakteristisch, fest umrissen, konturiert.

379 Diät 1. Fasten, Fastendiät, Heilfasten, Fastenkur, Nulldiät, Schlankheitskur, Abmagerungskur; Mastkur, **2.** Krankenkost, Schonkost, leichte Kost, Heilkost, Diätkost.

380 dicht 1. abgeschlossen, verschlossen, zu, unzugänglich; undurchdringlich, hermetisch, undurchsichtig, undurchlässig, imprägniert, waterproof, wasserdicht, abgedichtet, luftdicht, **2.** eng, gedrängt, gequetscht, gepresst, konzentriert, komprimiert, zusammengepresst, zusammengezogen, kompakt, fest gefügt, massiv, dichtmaschig; dicht bei dicht, gesteckt voll, wie in der Sardinenbüchse, wie die Heringe.

381 dick 1. stark, korpulent, stattlich, massiv, beleibt, wohlbeleibt, schmerbäuchig, rund, rundlich, dicklich, mollig, pummelig, wohlgerundet, füllig, vollschlank, gut gepolstert, stramm, drall, üppig, fett, feist, gut im Futter, fleischig, bullig, wohlgenährt, fettleibig, dickleibig, kugelrund, gemästet, prall, gewaltig, unförmig, übergewichtig, voll gefressen, **2.** angeschwollen, aufgedunsen, aufgeblasen, aufgetrieben, aufgebläht, schwammig, aufgeschwemmt, **3.** geschwollen, entzündet, wund, verdickt, **4.** schwellend, wulstig, aufgeworfen, gerundet, bauchig, vorgewölbt, gewölbt, herausstehend, vorstehend, überstehend, vorspringend, vorkragend, ausladend, kugelig.

382 dienen 1. Militärdienst leisten, einrücken, eingezogen werden, Wehrdienst leisten, **2.** dienen als, taugen zu, sich eignen zu; zu gebrauchen sein, benutzt werden, ersetzen, gute Dienste leisten, nützen.

383 Dienst 1. Amt, Amtspflicht, Funktion, Aufgabe, Obliegenheit, Arbeit, **2.** Gefallen, Gefälligkeit, Entgegenkommen, Liebesdienst, Freundschaftsdienst, Hilfeleistung, Besorgung, Verrichtung, Dienstleistung, Kundendienst, Service.

384 Dilettant 1. Liebhaber der Künste, Kunstfreund, Kunstjünger, Amateur, Laie, Nichtfachmann, Nichtkundiger, Autodidakt, **2.** Anfänger, Halbgebildeter, Ignorant, Nichtskönner, Besserwisser, Banause, Quacksalber, Kurpfuscher, Stümper, Pfuscher.

385 dilettantisch 1. kunstverrannt, kunstverliebt, kunsteifrig, wissenschaftseifrig, **2.** amateurhaft, laienhaft, autodidaktisch, halbgebildet, banausenhaft; ungenau, stümperhaft, unfachmännisch, unzulänglich.

386 Dilettantismus Liebhaberei, Spielerei, Laienarbeit, Laienhaftigkeit, Amateurhaftigkeit, Halbbildung.

387 Diplomat 1. Unterhändler, Geschäftsträger, Vertreter, Botschafter, Gesandter, Regierungsvertreter, Staatsrepräsentant, Legat, Nuntius, Konsul, Attaché, Ambassadeur, **2.** Taktiker, Politiker, Stratege, Schlaukopf, Pfiffikus, Schlauberger, Menschenkenner, Fuchs, Filou.

388 diskriminierend herabsetzend, ausgrenzend, benachteiligend, ungerecht, rassistisch, sexistisch.

389 Diskriminierung 1. öffentliche Herabsetzung, Benachteiligung, Ausgrenzung, Marginalisierung, Ungerechtigkeit, Diskreditierung, **2.** Rassismus, Sexismus, Überlegenheitswahn, Rassentrennung, Apartheid.

390 doppelt zweimal, zweifach, duplex, zwiefach, zwiefältig, verdoppelt, dual, paarig, zu zweit, paarweise, gepaart; zweiteilig, zweispaltig, beidseitig, doppelseitig, zweiseitig, bilateral, zweischneidig, beidhändig; bisexuell, stereo, zweigeschlechtig, doppelgeschlechtig, androgyn, gamin, zwittrig, gekreuzt, hybrid, hybridisch, doppelköpfig, janusköpfig.

391 drängen (sich) 1. schieben, pressen, zwängen, quetschen, schubsen, stoßen, drängeln, drücken, sich vordrängen, zwischendrängen; Ellenbogen gebrauchen, nachdrängen, zusammendrängen, pferchen, zusammenpferchen, zusammenpressen, zusammenknäueln, ballen, **2.** treiben, hetzen, scheuchen, jagen, Druck dahinter setzen, Dampf machen, nachhelfen, antreiben, zum Jagen tragen, anspitzen, in Bewegung bringen, aktivieren, in Schwung bringen, vorwärts treiben, auf Trab bringen, aufscheuchen, Hölle heiß machen, unter Druck setzen, auf Touren bringen, hochjagen, aufjagen, Beine machen, **3.** beschleunigen, forcieren, schneller werden, Tempo steigern/anziehen, auf die Tube drücken, Gas geben, durchstarten, Zahn zulegen, Sporen geben, das Letzte herausholen, **4.** bedrängen, drängen auf; sich drängen nach; in den Ohren liegen, nötigen, zusetzen, bestürmen, verfolgen, insistieren, löchern, bombardieren, eifern, keine Ruhe geben, bohren, nachbohren, **5.** umdrängen, umringen, auf den Leib rücken, auf jmdn. eindrängen/einstürmen, jmdn. belästigen/behelligen.

392 dranhalten, sich nicht nachlassen, hinterher sein, sich dahinter machen, ranhalten, dahinter klemmen; zumachen, unermüdlich sein, nicht müde werden, nicht ermüden, vor dem Wind segeln, Nase im Wind haben, Finger am Puls haben, auf dem Quivive sein.

393 draußen 1. im Freien, unter freiem Himmel, im Grünen, outdoors, an der Luft, in der Natur, **2.** außerhalb, anderswo, außer Landes, exterritorial, auswärts, auf Reisen, unterwegs, auf Fahrt/Wanderschaft / Achse, umherziehend, auf Walze/Tour/Tournee, **3.** unstet, unbehaust, ohne festen Wohnsitz, obdachlos, ohne Dach über dem Kopf/Unterkunft/Bleibe, wohnungslos, **4.** außen, äußerlich, auswendig, auf der Oberfläche.

394 Drehbuch Treatment, Filmmanuskript, Skript, Textbuch, Szenario, Storyboard, Continuity.

395 drehen (sich) 1. kreisen, kreiseln, wirbeln, rotieren, tanzen, schwirren, trudeln, umlaufen, zirkulieren, rollen, kugeln, kullern, umkreisen, schwenken, herumschwenken, strudeln; aufwirbeln, hochwirbeln, **2.** wickeln, aufwickeln, winden, aufwinden, drillen, zwirnen, haspeln, spulen, aufrollen, einrollen, kurbeln, zusammenrollen, **3.** aufdrehen, eindrehen, kräuseln, locken, wellen, ringeln, kringeln, sich kringeln, aufrollen; umstülpen, umklappen, **4.** krümmen, kurven, biegen, winden, schlängeln, mäandern, sich schlängeln, winden, krümmen, **5.** sich wälzen, suhlen, rollen, **6.** wenden, umwenden, umdrehen, umschwenken, abdrehen, beidrehen, zurücksetzen, zurückstoßen, umkehren, zurückfahren, kehrtmachen, zurückgehen, zurückkehren, wiederkehren, **7.** sich umdrehen, umwenden, herumdrehen, auf die andere Seite drehen, **8.** filmen, Film drehen.

396 Drehung 1. Umkehr, Rücklauf, Wen-

de, Kurve, Umlauf, Umdrehung, Pirouette, Rotation, Tour, Wirbel, Strudel, **2.** Drall, Effet.

Drogenabhängiger 1. Rauschgift- **397** abhängiger, Fixer, Junkie, User, Mainliner, Chippy, Kiffer, Alkoholiker, Trinker, **2.** Workaholic, Shopaholic.

drohen 1. ängsten, ängstigen, verängstigen, in Angst versetzen, Angst **398** machen, erschrecken, schrecken, beunruhigen, Bange machen, Schrecken einjagen, **2.** bedrohen, gefährden, gefährlich werden, Gefahr bringen, ans Leben gehen, an den Leib/Kragen gehen, um Kopf und Kragen gehen, am seidenen Faden hängen, schlecht stehen, **3.** androhen, Zähne zeigen, Messer wetzen, anfunkeln, Druck ausüben, unter Druck setzen, erpressen, einheizen, Hölle heiß machen, ins Bockshorn jagen, Pistole auf die Brust setzen; mit dem Säbel rasseln, mit Krieg drohen, Schneid abkaufen, einschüchtern, verschüchtern, terrorisieren, mobben, **4.** bevorstehen, dräuen, nahen, heraufziehen, zukommen auf, kriseln; sich zusammenziehen, zusammenbrauen, zusammenballen, bewölken; in der Luft liegen.

Drohung 1. Bedrohung, Beängstigung, Beunruhigung, Androhung, **399** Drohgebärde, Säbelrasseln, Einschüchterung, Erpressung, Ultimatum, Nötigung, Druck, Zwang, **2.** Gefahr, Lebensgefahr, Todesgefahr, Gefährlichkeit, Gefährdung, Fährnis, Klippe, Risiko, Krise, Damoklesschwert, Ernstfall, Notstand; dicke Luft, Drohkulisse, Gewitterwolke, Zündstoff, Sprengkraft, Brisanz, heißes Eisen.

Druck 1. Expansionskraft, Stoß, Stoß- **400** kraft, Schub, Schubkraft, Spannung, Tension, **2.** Schwere, Schwerkraft, Gewicht, Wucht, Last, **3.** Clinch, Zwang, Nötigung, Stress, **4.** Hoch, Hochdruckgebiet, Schönwetterzone; Tief, Tiefdruckgebiet, Schlechtwetterzone.

Druck, im in Schwierigkeiten/Bedrängnis / Zeitnot / Eile / einer Zwangs- **401** lage/einer Notlage/Schwulitäten/einer Krise/der Tinte/der Zwickmühle/Nöten/Verlegenheit, unter Druck, im Termindruck/Stress.

drücken 1. lasten, schwer wiegen, **402** wuchten, niederdrücken, belasten, beschweren, **2.** Druck ausüben, pressen, stauchen, quetschen, wringen, zwängen, auspressen, ausdrücken, entpressen, entsaften, zusammendrücken, zusammenpressen, zusammenzwingen, zusammenquetschen, platt/breit drücken, schnüren, einschnüren, einzwängen, abschnüren, Luft abdrücken, beengen, engführen, verengen, zusammenschnüren, Kehle zuschnüren, würgen, ersticken, umfassen, umspannen, umklammern, clinchen, **3.** beugen, niederhalten, am Boden halten, ducken, unten halten, **4.** sich entziehen; nicht teilnehmen/mitmachen/dranwollen, mauern, kneifen.

403 dumm 1. beschränkt, unbegabt, unbedarft, unintelligent, untalentiert, talentlos, unwissend, begriffsstutzig, verständnislos, unverständig, ungelehrig, schwer von Begriff, stupid, hat das Pulver nicht erfunden, dümmlich, flachsinnig, nicht bei Trost, geistesarm, geistesschwach, geistesschlicht, seelentaub, borniert, verbohrt, uneinsichtig, vernagelt, ignorant, unbelehrbar, resistent, schwachköpfig, blöde, dämlich, doof, debil, unterbelichtet, minderbemittelt, lange Leitung, Brett vor dem Kopf, auf dem Schlauch, kann nicht bis drei zählen, strohdumm, stockdumm, belämmert, behämmert, bescheuert, saudumm, saublöd, **2.** töricht, unklug, gedankenlos, kritiklos, unüberlegt, unvernünftig, unsinnig, sinnlos, vernunftwidrig; einfältig, leichtgläubig, naiv, vertrauensselig, gimpelhaft, nimmt alles für bare Münze, **3.** albern, läppisch, fad, kindisch, flapsig, lachhaft, lächerlich.

404 Dummheit 1. Beschränktheit, Unbegabtheit, Unbedarftheit, Geistesarmut, Flachsinn, Geistesschwäche, Geistlosigkeit, Borniertheit, Ignoranz, Stupidität, Dämlichkeit, Doofheit, Gedankenarmut, Unwissenheit, Begriffsstutzigkeit, Stumpfsinn, Dumpfheit, Seelentaubheit, Unverstand, Unvernunft, Blödheit, Verbohrtheit, Sturheit, **2.** Torheit, Gedankenlosigkeit, Unklugheit, Einfältigkeit, Harmlosigkeit, Naivität, Leichtgläubigkeit, Einfalt.

405 Dummkopf 1. Kindskopf, Quatschkopf, Knallkopf, Schafskopf, Kohlkopf, Döskopp, Hohlkopf, Strohkopf, Schwachkopf, Wirrkopf, Grützkopf,

Pfeifenkopf, Plattkopf, Flachkopf, Holzkopf, Gipskopf, Betonkopf, Quadratschädel, **2.** Spatzenhirn, Dummrian, Dummlack, Dummbart, Dussel, Knalltüte, Dumpfbacke, Simpel, Trottel, Depp, Ignorant, Tropf, Nulpe, Blödmann, Dummerjan, Heini, Blödian, Mondkalb, Hirni, doofe Nuss, trübe Tasse, **3.** Stiesel, Tölpel, Trampel, Trampeltier, Gimpel, Pinsel, Tollpatsch, Elefant im Porzellanladen, **4.** Idiot, Stümper, Spinner, Kretin, Armleuchter, Arsch, Arschloch, Flachwichser, Rindvieh, Rhinozeros, Hornochse, Hornvieh, Narr, Tor, Gans, Närrin, Pute, Törin, dumme Ziege/Kuh/Gans, dummes Huhn, Schaf, Luder, Tussi, **5.** Naivling, Einfaltspinsel, Hinterwäldler, Landpomeranze, Landei, Dorftrottel.

dumpf 1. dumpfig, feucht, modrig, **406** muffig, kellerhaft, schimmelig, stockig, stickig, miefig, ungelüftet, abgestanden, schlechte Luft, vermieft, **2.** schwül, feuchtwarm, erstickend, bedrückend, beklemmend, dämpfig, föhnig, drückend, gewittrig, **3.** unbewusst, undifferenziert, unterschwellig, unartikuliert, unausgesprochen, unterbewusst, stumpf, primitiv, stumpfsinnig, **4.** betäubt, gefühllos, teilnahmslos, apathisch, lethargisch, benommen, umnebelt, **5.** heiser, hohl, belegt, gedämpft, erstickt, krächzend, klanglos, matt, blechern, scheppernd, schnarrend.

dunkel 1. dämmerig, zwielichtig, **407** abendlich, schummerig, abends, nächtig, düster, schwarz, lichtlos, finster, stockfinster, schwarze Nacht, rabenschwarz, tiefschwarz, kohlschwarz, pechschwarz, stockdunkel, zappenduster, **2.** trüb, verhangen, verhüllt, verschleiert, diesig, neblig, wolkig, regnerisch, milchig, dunstig, getrübt, verfinstert, bezogen, bedeckt, schattig, umschattet, sonnenlos, **3.** unklar, undeutlich, unscharf, verhüllt, verschleiert, lichtarm, diffus, verschwommen, nebelhaft, nebulos, undurchsichtig, unbestimmt, vage, umrisshaft, **4.** rätselhaft, unverständlich, unverstanden, unlösbar, vieldeutig, unentwirrbar, unentschlüsselbar, zweideutig, orakelhaft, delphisch, undurchdringlich, ungreifbar, geheimnisumwittert, ungewiss, unsicher, unerkennbar, geheimnisvoll, hintergründig, abgründig, tief, dämonisch, magisch, zaubermächtig, mystisch, okkult, obskur, mysteriös, verrätselt, kryptisch, **5.** im Dunkeln, im Finstern, nachts, nächtens, nächtlich, **6.** dunkelhaarig, braunhaarig, brünett, bräunlich, nussbraun, schwärzlich, schwarz, **7.** düster, Unheil verkündend, schaurig, unheimlich, makaber.

408 Dunkelheit 1. Dämmerung, Dämmerstunde, Schummerstunde, blaue Stunde, Abendstunde, Einbruch der Nacht, Sonnenuntergang, sinkende Nacht; Abend, Tagesende, Halbdunkel, Zwielicht, schwindendes Licht, Einfall der Dunkelheit; Nacht, Düsterkeit, Dunkel, Finsternis, ägyptische Finsternis, Lichtlosigkeit, undurchdringliches Dunkel, Grabesdunkel, **2.** Schatten, Kernschatten, Schlagschatten, Trübung, Eintrübung, Verfinsterung, Verdüsterung, Bewölkung, Verdunklung, Verschleierung, Wolkenwand, Gewitterwand, Gewitterwolken, Sturmwolken, Wolkenhimmel, **3.** Unklarheit, Unverständlichkeit, Unverstehbarkeit, Unerkennbarkeit, Transzendenz, Unerklärlichkeit, Unergründlichkeit, Unfassbarkeit, Vieldeutigkeit, Zweideutigkeit, Zwielichtigkeit, Rätselhaftigkeit, Geheimnis.

409 dunkeln 1. dämmern, schummern, dunkel / Abend / Nacht / finster werden, nachten, finstern, **2.** sich trüben, verdunkeln, verfinstern, beziehen, bewölken, mit Wolken bedecken, eintrüben, verdüstern, umnebeln, vernebeln; Schatten werfen, überschatten, beschatten, **3.** nachdunkeln, bräunen, schwärzen.

410 dünn 1. fein, filigran, hauchdünn, durchscheinend, durchsichtig, alabasterhaft, perlmuttern, diaphan, **2.** mager, schlank, gertenschlank, rank und schlank, feingliedrig, zerbrechlich, zart, grazil, feenhaft, schmal, zierlich, knabenhaft, überschlank, hager, knochig, eckig, dürr, leibarm, klapperdürr, spindeldürr, abgemagert, abgezehrt, ausgemergelt, elend, **3.** spärlich, karg, knapp, gelichtet, schütter, dünn gesät, fipsig, fieselig, piepsig, mickrig, schmächtig, zum Umblasen, dürftig, wie eine Bohnenstange, Hering, Haut und Knochen, Strich in der Landschaft, **4.** dünnflüssig, fließend, laufend, rinnend, wässrig, ohne Konsistenz, schwach.

durchdringen 1. durchfeuchten, **411** durchnässen, durchweichen, eindringen, einsickern, infiltrieren, sich voll saugen, sättigen, durchtränken, tränken; schwängern, **2.** durchlassen, undicht sein, lecken, **3.** durchsickern, kundwerden, ans Licht kommen, ruchbar / bekannt werden, an die Öffentlichkeit dringen, herauskommen, laut werden, an den Tag kommen, aufkommen, verlaufen, publik werden, sich herumsprechen, **4.** durchwirken, durchweben, durchziehen, beseelen, beleben, innewohnen, **5.** erreichen, durchsetzen, ertrotzen, erzwingen, durchdrücken, durchpauken, durchboxen, durchfechten, durchpeitschen, durchbekommen, durchbringen, ans Ziel kommen, sich durchsetzen; Ziel erreichen, Terrain gewinnen, Feld behaupten, sich durchboxen, durchkämpfen; durchstoßen, sich nach vorn schieben.

durchgreifen energisch werden, **412** Nägel mit Köpfen machen, zeigen, was eine Harke ist, auf den Tisch schlagen, Schraube anziehen, nicht lange fackeln, Exempel statuieren, kurzen Prozess machen, mit eisernem Besen kehren, kein Federlesens machen, Machtwort sprechen, Ernst machen, auf Vordermann bringen, Riegel vorschieben, Remedur schaffen.

E

413 Echo 1. Hall, Schall, Gegenhall, Widerhall, Widerklang, Resonanz, Mitschwingen, Nachhall, Nachklang, Nachklingen, Rückschall, Wiederholung, 2. Zustimmung, Anklang, Gegenliebe, Applaus.

414 echt 1. unverfälscht, unvermischt, ursprünglich, genuin, idiomatisch, natürlich, original, im Wortlaut, originalgetreu, authentisch, eigenständig, eigengesetzlich, eigenwüchsig, 2. beständig, qualitätsvoll, gediegen, solid, reell, haltbar, stabil, gut, schier, hochkarätig, rein, astrein, lupenrein, pur.

415 Ecke 1. Winkel, Schnittpunkt, Kreuzung, Biegung, Knick, 2. Vorsprung, Spitze, Schnabel, Nase, Zacke, Bug, Knie, Überhang, Kante, Eck, Sims, Gesims.

416 edel 1. fein, kostbar, erlesen, exquisit, erstklassig, ausgesucht, gewählt, subtil, de Luxe, differenziert, raffiniert, ausgeklügelt, verfeinert, sublim, erhaben, ohne Fehl, untadelig, wohl beschaffen, rein, rassig, tadellos, guter Stall, 2. geprägt, geformt, elegant, schnittig, 3. nobel, edelmütig, ritterlich, hochherzig, vornehm.

417 Egoist Ichmensch, Egozentriker, Egotist, Narziss, Selbstverliebter, Selbstbesessener, Egomane.

418 ehe bevor, früher, noch nicht, als, vorher, es war einmal, noch bevor/vor.

419 Ehre 1. Ehrgefühl, Ehrliebe, Stolz, Würde, Selbstachtung, 2. Tribut, Reverenz, Hommage, Ehrung, Auszeichnung, Ehrengabe, Orden, Titel, Ehrenzeichen, roter Teppich, großer Bahnhof, Honneurs, Salut, Ehrenbezeigung, Ovation, Huldigung, Krönung.

420 ehren 1. feiern, hochhalten, achten, beehren, auszeichnen, erhöhen, adeln, nobilitieren, würdigen, loben, preisen, besingen, bedichten, glorifizieren, dekorieren, Orden verleihen, verherrlichen, huldigen, bejubeln, zujubeln, entgegenjubeln, rühmen; heiligen, heilig sprechen, vergotten, verklären, 2. zur Ehre gereichen, Ehre machen, Lob verdienen.

421 ehrgeizig hochfliegend, ambitioniert, leistungsbetont, karrierebetont, leistungswillig, eifrig, strebsam, zäh, streberhaft, leistungsfixiert, karrieresüchtig, karrierefixiert, karrieristisch, karrieregeil; geltungsbedürftig, krankhaft ehrgeizig, geltungssüchtig, ehrsüchtig, profilierungssüchtig, ruhmgierig, machtgierig, machtbesessen.

422 Eifer 1. Streben, Bestreben, Einsatz, Ehrgeiz, Regsamkeit, Betätigungsdrang, Tatendurst, Rührigkeit, Geschäftigkeit, Betriebsamkeit, Umtriebigkeit, Tatendrang, Tatenlust, Beflissenheit, Enthusiasmus, Ambitioniertheit, 2. Fleiß, Arbeitsfreude, Arbeitslust, Emsigkeit, Strebsamkeit, Arbeitseifer, Arbeitswut, Schaffenslust, Feuereifer, Bienenfleiß, Übereifer, Mordseifer, Unermüdlichkeit, Unverdrossenheit.

423 eifrig bestrebt, bemüht, motiviert, engagiert, strebsam, rührig, geschäftig, betriebsam, umtriebig, aktiv, tätig, beflissen, erpicht, aufmerksam, versessen, unverdrossen, unermüdlich, rastlos, leidenschaftlich, hoch motiviert, hingebungsvoll, mit Hingabe, emsig, flink, behände, übereifrig.

424 Eigenart 1. Individualität, Persönlichkeit, Stil, Profil, 2. Eigenschaft, Qualität, Wesensmerkmal, Wesenszug, Duftmarke, Zug, Charakterzug, Seite, Note, Eigenheit, Eigentümlichkeit, Originalität, Besonderheit, Ursprünglichkeit, Charakteristikum, Spezifikum, Spezialität, Merkmal, Kennzeichen, 3. Besonderheit, Sonderfall, Sonderklasse, Sonderstellung, Ausnahme, Seltenheit, Einmaligkeit, Einzigkeit, Einzigartigkeit, Spezialfall, Fall für sich, weißer Rabe, Solitär, Kuriosum, Kuriosität, Sehenswürdigkeit, Seltsamkeit, Abnormität, 4. Wunderlichkeit, Lächerlichkeit, Verdrehtheit, Schrulligkeit, Verschrobenheit, Absonderlichkeit, Exzentrizität, Abseitigkeit, Spleenigkeit; Vogel, Tick, Schrulle, Klaps, Spleen, Stich, Sparren, Fimmel, Macke, Rappel, Mucke, Meise, Marotte, Flitz, Grille, fixe Idee, 5. Eigengesetzlichkeit, Eigendynamik.

425 eigensinnig starrsinnig, halsstarrig,

querköpfig, hartköpfig, widerspenstig, bockig, bockbeinig, aufmüpfig, widerborstig, verbockt, mucksch, trotzig, kapriziös, trotzköpfig, störrisch, dickköpfig, hartnäckig, kratzbürstig, starrköpfig, obstinat, stur, verbohrt, verstockt, unbelehrbar, rechthaberisch; ungehorsam, aufsässig, renitent, widersetzlich, unbotmäßig, unfolgsam.

426 eigentlich 1. genau genommen, im Grunde, ursprünglich, von Rechts wegen, an sich, an und für sich, streng genommen, bei Licht betrachtet, 2. alias, in Wirklichkeit, auch ... genannt, gewissermaßen, sozusagen, so genannt.

427 Eile 1. Hast, Hetze, Hatz, Hetzjagd, Zeitmangel, Zeitnot, Hektik, Unrast, Jagd, Gejage, Gejagtheit, Getriebenheit, Hetzerei, Hochdruck, Gehetze, Rastlosigkeit, Friedlosigkeit, 2. Tempo, Eiltempo, Geschwindigkeit, Flinkheit, Fixigkeit, Zügigkeit, Schnelligkeit, Rasanz, Speed, Galopp, Geschwindschritt, Fahrt, Raschheit, Raserei, Karacho, Vollgas, Topspeed, Spitzengeschwindigkeit, Gerase, 3. Eilfertigkeit, Voreiligkeit, Übereifer, Übereilung, Verfrühung, Kopflosigkeit, Überstürzung, fliegender Wechsel, 4. Beschleunigung, Temposteigerung, Spurt, Endspurt, Finale, Finish.

428 eilen (sich) 1. ausgreifen, ausschreiten, laufen, rennen, hasten, fliegen, sausen, stürzen, jagen, brettern, galoppieren, traben, rasen, stürmen, hetzen, flitzen, spritzen, preschen, stieben, schwirren, huschen, fegen, pesen, düsen, jetten, wieseln, 2. sich beeilen; in Eile sein, sich sputen; keine Ruhe haben, sich keine Zeit lassen; keine Zeit verlieren, schnell/rasch machen, sich tummeln; Schritt zulegen, sprinten, spurten, Tempo steigern, beschleunigen, anziehen, 3. brennen, drängen, keinen Aufschub dulden, auf den Nägeln brennen, eilig sein, pressieren, dringlich sein, unaufschiebbar sein, 4. übereilen, überstürzen, überhasten, vorschnell handeln, unbedacht handeln, übers Knie brechen, sich überschlagen.

429 eilig 1. in Eile, hastig, gehetzt, gejagt, gedrängt, unruhig, rastlos, 2. eilends, sofort, im Nu, spornstreichs, auf der Stelle, stracks, flugs; eilfertig, vorschnell, überstürzt, voreilig, übereifrig,

fluchtartig, fieberhaft, 3. dringend, dringlich, pressant, drängend, brisant, unaufschiebbar, jetzt oder nie, vordringlich, brennend, schnellstens, so bald wie möglich, möglichst gleich/sofort, recht bald, nächstmöglich, express, schleunigst; in höchster Eile, auf den letzten Drücker, im letzten Augenblick, mit Blaulicht, in fliegender Hast, mit Hochdruck/Karacho/Vollgas/Volldampf, Hals über Kopf, holterdiepolter.

430 einbilden, sich 1. vorschweben, imaginieren, wähnen, sich vorstellen; Eindruck haben, mutmaßen, sich erträumen, erhoffen; annehmen, glauben, meinen, vermuten, sich einreden, 2. sich Illusionen machen, vorspiegeln; irrtümlich meinen, sich etwas vormachen, vorgaukeln, betrügen; Kopf in den Sand stecken, Luftschlösser bauen, 3. sich etwas einbilden; eingebildet sein, von sich eingenommen sein, dicktun, angeben, sich überbewerten, überheben, erhaben dünken, überschätzen, versteigen, anmaßen, aufspielen; auf dem hohen Ross sitzen, viel von sich halten, überheblich sein, heraushängen lassen, herabsehen auf, Nase hoch tragen, Rosinen im Kopf haben, sich für weiß was halten, für unwiderstehlich halten, ein Air/Ansehen geben; aufschneiden.

431 Einbürgerung Nationalisierung, Nostrifikation, Naturalisierung, Verleihung der Staatsangehörigkeit.

432 eindringen 1. einbrechen, Einbruch begehen, einsteigen, gewaltsam eindringen, Tür aufbrechen, Hausfriedensbruch begehen, Zutritt verschaffen, 2. sich eindringen, einschmeicheln, einschleichen, einschmuggeln, festsetzen, einnisten, 3. unterwandern, infiltrieren, einschleusen, durchsetzen, 4. hineindringen, gelangen in, penetrieren.

433 einfach 1. elementar, ungegliedert; einleuchtend, überschaubar, vereinfacht, verständlich, übersichtlich, begreiflich, unkompliziert, idiotensicher, unproblematisch, ohne Schwierigkeiten, volkstümlich, fasslich, eingängig, mühelos, 2. schlicht, unprätentiös, natürlich, kunstlos, ungekünstelt, unambitioniert, offen, gradlinig; naiv, ungebrochen, kindlich, kindhaft, harmlos, arglos, leichtgläubig, weltfremd, unkritisch, nicht wählerisch, urteilslos, kritiklos, einfältig, treuherzig, unbedarft, einfach gestrickt, pflegeleicht, sozial verträglich, **3.** bescheiden, frugal, ländlich, primitiv, spartanisch, ohne Aufwand; schmucklos, prunklos, glatt, unverziert, schnörkellos.

434 Einfachheit 1. Schlichtheit, Anspruchslosigkeit, Natürlichkeit, Offenheit, Geradlinigkeit, Freimut, Aufrichtigkeit, **2.** Einfalt, Bonhomie, Arglosigkeit, Harmlosigkeit, Unschuld, Naivität, Unbedarftheit, Gutgläubigkeit, Weltfremdheit, Treuherzigkeit, Leichtgläubigkeit, **3.** Unkompliziertheit, Undifferenziertheit, Klarheit, Verständlichkeit, Übersichtlichkeit, Fasslichkeit, Eingängigkeit, Volkstümlichkeit, **4.** Naturverbundenheit, Urwüchsigkeit, Ursprünglichkeit, Frugalität, Ländlichkeit, Primitivität.

435 einfallen 1. in den Sinn/auf den Gedanken kommen, anwandeln, aufblitzen, auf die Idee kommen, durchzucken, kommen, dämmern, Licht aufgehen, beifallen, beschleichen, anwehen, anfliegen, durch den Kopf schießen, sich erinnern, entsinnen, **2.** Ideen haben, schöpferisch denken, Einfälle haben, sich etwas einfallen lassen; auf etwas verfallen, **3.** ins Wort fallen, versetzen, einwerfen, einflechten, einstreuen, einfließen lassen, einfügen, einschalten, unterbrechen, entgegnen; einsetzen, mitsingen, aufnehmen, anheben, anfangen, beginnen.

436 Einfluss 1. Beeinflussung, Einwirkung, Einflussnahme, Lenkung, Formung, Überredung, Seelenmassage, Manipulation, Willenslenkung, Indoktrination, Suggestion, Hypnose, **2.** Vergünstigung, Verführung, Bestechung, Korruption, Korrumpierung; Bestechungsgeld, Schmiergeld, Handgeld, Bakschisch, Schweigegeld, **3.** Einflussbereich, Einflusssphäre, Einflussgebiet, Wirkungsbereich, Aktionsradius, Kompetenzbereich, Dienstbereich, Zuständigkeitsbereich, Geltungsbereich, Herrschaftsbereich, Machtbereich, Machtsphäre.

437 einführen (sich) 1. verbreiten, auf den Markt bringen, kommerzialisieren, lancieren, propagieren, promoten, machen, den Weg bereiten; importieren, aus dem Ausland beziehen; gehen, gefallen, einschlagen, sich verkaufen, **2.** einleiten, Vorrede schreiben, Vorwort verfassen, präludieren; eröffnen, Anfang machen; introduzieren, Beziehung knüpfen, Verbindungen aufnehmen, **3.** einschmuggeln, schmuggeln, einschleusen, einschleppen, **4.** taufen, konfirmieren, firmen, inaugurieren, **5.** anleiten, einweisen.

Einführung 1. Einleitung, Vorrede, **438** Introduktion, Vorwort, Vorbemerkung, Präambel, Geleitwort, Editorial, Vorspruch, Intro, Vorspann, Motto; Prolog, Vorspiel, Präludium, Ouvertüre; Präliminarien, Vorverhandlungen, Anbahnung; Vorstellung, Vorführung, Debüt, Antrittsbesuch; Vorspeise, Aperitif, **2.** Einsetzung, Inauguration, Amtsübergabe, Ernennung, Einweisung, Einstellung, Bestallung, Bevollmächtigung, Inthronisation, Initiation, Weihung, Konsekration, Ordination, Investitur, Taufe, Konfirmation, Firmung, Ritterschlag.

Eingeweide Innereien, innere Orga- **439** ne; Gekröse, Geschlinge, Därme, Kaldaunen, Plauze, Gescheide.

eingreifen einschreiten, dazwi- **440** schentreten, dazwischenfahren, vorgehen gegen, zuspringen, verhindern, ausgleichen, vermitteln, sich einschalten, einklinken, ins Mittel legen, zwischenschalten, einmischen; einhaken, intervenieren.

einhalten 1. aufhören, abbrechen, **441** stoppen, verschnaufen, ausruhen, pausieren, innehalten, unterbrechen, stocken, aussetzen, stillstehen, **2.** abziehen, zurückbehalten, einbehalten, abhalten, **3.** befolgen, sich richten nach, halten an; Folge leisten, beachten, Kurs halten.

Einheit 1. Ganzes, Ganzheit, Totali- **442** tät, Einheitlichkeit, Vollständigkeit, Unität, Geschlossenheit, Formation, Gesamtheit, Ungeteiltheit, Unteilbarkeit, Zusammengehörigkeit, System, Homogenität, Integralität, Monade, **2.** Gruppe, Abteilung, Heeresverband, Truppeneinheit, Kolonne, Zug, Schar, Truppe, Geschwader, **3.** innere Einheit, Identität, Selbst, Ich.

einig 1. gleich gesinnt, gleich ge- **443** stimmt, übereinstimmend, einhellig, einmütig, konform, einvernehmlich, im Einvernehmen, einträchtig, verbunden, seelenverwandt, im Bunde, ein Herz und eine Seele, verschmolzen, unzertrennlich; einverstanden, einverständig, einer Meinung, aus der Seele gesprochen, unisono, harmonisch, friedlich, einigend, verbindend, **2.** gemeinschaftlich, gemeinsam, geschlossen, solidarisch, vereint, einheitlich, Schulter an Schulter, verbündet, verschworen; einstimmig, ausnahmslos, ohne Ausnahme, mit einer Stimme.

444 Einigkeit Sympathie, Auskommen, Verträglichkeit, Einvernehmen, Übereinstimmung, Gleichgesinntheit, Einhelligkeit, Einklang, Harmonie, Chemie, Gleichklang, Seelenverwandtschaft, Gleichtakt, Friede, Eintracht; Zusammenhalt, Solidarität, Verbundenheit, Einverständnis, Konsens, Kompromiss, Schmalspurkonsens, kleinster gemeinsamer Nenner.

445 Einkehr 1. Insichgehen, Besinnung, Sammlung, Versenkung, Nachdenklichkeit, Besinnlichkeit, Beschaulichkeit, Umdenken, Selbstbesinnung, Sinnesfindung, Sinnesänderung, Sinneswandlung, Bekehrung, Läuterung, Katharsis, **2.** Besuch, Einquartierung.

446 einladen 1. laden, zu sich bitten, auffordern, herbitten, zu kommen bitten, bewirten, **2.** spendieren, freihalten, springen lassen, Spendierhosen anhaben, tief in die Tasche greifen, einen ausgeben.

447 einprägen (sich) 1. einschärfen, einhämmern, eintrommeln, eintrichtern, beibringen, einpauken, einpeitschen, einbläuen, einprügeln, einimpfen, unermüdlich predigen, **2.** eingraben, aufprägen, prägen, eindrücken, pressen, einpressen, stanzen, riefen, rillen, ätzen, gravieren, abdrücken, Spur hinterlassen, **3.** leicht zu behalten sein, ins Ohr gehen, sich einschmeicheln; im Gedächtnis haften.

448 einrichten (sich) 1. ausstatten, Wohnung einrichten, Hausstand gründen, möblieren, ausschmücken, sich installieren, **2.** sich behelfen, arrangieren, anpassen, schicken; zurechtkommen, sparen.

449 Einrichtung 1. Vorrichtung, Installierung, Installation, Anlagen, **2.** Hausrat, Hausgerät, Einrichtungsgegenstände, Inventar, Ausstattung, Interieur,

Möblierung, Meublement, Mobiliar, Mobilien, bewegliche Habe, Wohnungseinrichtung, **3.** Institution, Anstalt, Organisation.

einsam 1. allein, solo, verlassen, ab- **450** geschnitten, abgetrennt, abgeschlossen, isoliert, unverbunden, ohne Kontakt, ausgestoßen, ausgeschlossen, kontaktarm, kontaktlos, vereinsamt, freudlos, beziehungslos, desolat, mutterseelenallein, ohne Ansprache, vereinzelt, verwaist, fremd, entwurzelt, **2.** eingezogen, für sich, zurückgezogen, ungesellig, kontaktscheu, einsiedlerisch, abgesondert, leutescheu, menschenscheu, weltflüchtig, solitär, klösterlich, weltverloren, **3.** menschenleer, abgelegen, entlegen, abseitig, entfernt, weit weg, abgeschieden, abseits, unbewohnt, unbelebt, verödet, weltentrückt, weltfern, wie ausgestorben, gottverlassen, totenstill.

Einsamkeit 1. Verlassenheit, Allein- **451** sein, Vereinzelung, Vereinsamung, Absonderung, Isolierung, Isolation, Zurückgezogenheit, Eingezogenheit, Klausur, Abgeschlossenheit, Abschließung, Elfenbeinturm, Einsiedlerleben, Lonely Cowboy, Menschenscheu, Abkapselung, Ungesellligkeit, Ungastlichkeit, Beziehungslosigkeit, Fremdheit, Kontaktarmut, Kontaktscheu, **2.** Abgelegenheit, Einöde, Entlegenheit, Verborgenheit, Abgeschiedenheit, Abseitigkeit, Erdenferne, Erdenwinkel, Weltferne.

Einsatz 1. Einlage, Anlage, Kapital- **452** anlage, Investment, Investition, Input, **2.** Aufbietung, Aufwendung, Mobilisierung, Engagement, Eifer, Aufgebot, Aufwand, **3.** Einschub, Keil, Zwickel.

einschließlich mit, plus, inbegrif- **453** fen, mitgerechnet, inklusive, zugehörig, samt, nebst, eingeschlossen, eingerechnet, umfassend, außerdem, alles in allem, in Bausch und Bogen, ferner, zuzüglich, implizit, impliziert.

Einschränkung 1. Begrenzung, Be- **454** schränkung, Kürzung, Drosselung, Abbau, Abstrich, Verminderung, Verringerung, Rückgang, Schmälerung, Reduktion, Reduzierung, Verkürzung, Verkleinerung, Minderung, Streichung, Einsparung, Verknappung, Restriktion, Streichkonzert, Rationalisierung, Sparmaßnahme, Kostendämpfung, **2.** Einengung, Engführung, Spezialisierung, Festlegung, Verengung, Vereinseitigung, Fachidiotie, **3.** Vorbehalt, Bedingung, Klausel, Kautel, Nebenbestimmung, Nebenbedingung, Kleingedrucktes.

455 einseitig 1. voreingenommen, parteiisch, befangen, interessengeleitet, subjektiv, tendenziös, ideologisch, entstellt, vorurteilsvoll, verzerrt, eingleisig, eindimensional, vereinseitigt, **2.** unilateral, monolateral, partiell, auf eine Seite beschränkt.

456 einsteigen 1. hineinsteigen, besteigen, aufspringen, zusteigen, an Bord gehen, sich einschiffen, **2.** mitmachen; sich beteiligen; etwas Neues anfangen.

457 einzeln 1. für sich, allein, gesondert, getrennt, apart, gespalten, geteilt, abgetrennt, abgesprengt, versprengt, verstreut, verschlagen, vertrieben, zersplittert; separat, extra, eigen, besonders; einer nach dem andern, nacheinander, tröpfelnd, **2.** frei stehend, allein stehend, einzelstehend, vereinzelt, abgesondert, ungeleitet, unbegleitet, **3.** ledig, solo, getrennt lebend, geschieden, einspännig, frei, ungebunden, **4.** Punkt für Punkt, schrittweise, punktweise, im Einzelnen, ganz genau, en détail, detailliert.

458 einziehen 1. einfordern, einklagen, einnehmen, einsammeln, eintreiben, erheben, kassieren, beitreiben, pfänden, requirieren, konfiszieren, beschlagnahmen, **2.** ausheben, einberufen, einrücken, rekrutieren, mobil machen, mobilisieren, **3.** Wohnung beziehen, sich einmieten, einrichten, niederlassen.

459 eitel 1. putzsüchtig, gefallsüchtig, kokett, affig, geziert, neckisch, kleidernärrisch, prunksüchtig, dandyhaft, geckenhaft, stutzerhaft, snobistisch, **2.** eingebildet, dünkelhaft, von sich eingenommen, selbstherrlich, selbstverliebt, narzisstisch, selbstgefällig, selbstgerecht, überheblich, anmaßend, arrogant, herablassend, hybrid, blasiert, herrisch, hochmütig, hoffärtig, verblendet, vermessen, größenwahnsinnig, großschnäuzig, großmäulig, großtuerisch, großspurig, vollmundig, dummstolz, affektiert, gespreizt, aufgeblasen, wichtigtuerisch, kraftmeierisch, angeberisch,

prahlerisch, ruhmredig, **3.** leer, nichtig, umsonst, vergeblich.

460 Eitelkeit 1. Putzsucht, Gefallsucht, Koketterie, Starallüren, Affigkeit, Selbstgefälligkeit, Selbstherrlichkeit, Narzissmus, Eigenruhm, Selbstlob, Eigenlob, Selbstverliebtheit, Selbstüberhebung, Selbstbeweihräucherung, Dünkel, Einbildung, falscher Stolz, Aufgeblasenheit, Höhenkoller, Hochmut, Hybris, Überheblichkeit, Hochmütigkeit, Hoffart, Herablassung, Anmaßung, Arroganz, Blasiertheit, Gespreiztheit, Snobismus, Affektiertheit, Getue, Gehabe, Tuerei, Anstellerei, Geziertheit, Gezwungenheit; Wichtigtuerei, Effekthascherei, Angabe, Namedropping, Mediengeilheit, Prahlerei, Protzerei, Geschwollenheit, Aufschneiderei, Großspurigkeit, Großmäuligkeit, Kraftmeierei, **2.** Geltungsbedürfnis, Geltungsdrang, Geltungssucht, Profilierungssucht, Profilneurose, Großmannssucht, Größenwahn, Übermut, Überhebung, Vermessenheit, Cäsarenwahn, Imponiergehabe.

461 ekelhaft 1. abstoßend, Ekel erregend, eklig, widerwärtig, abscheulich, übel machend, scheußlich, grässlich, abschreckend, degoutant, widerlich, **2.** übel, übel riechend, ungenießbar, unappetitlich, faulig, stinkend, aasig, stinkig, pestilenzartig.

462 ekeln (sich) 1. abstoßen, anwidern, verabscheuen, ankotzen, Abscheu einflößen, anekeln, degoutieren, widerstreben, widerstehen, Ekel/ Übelkeit erregen, zuwider sein; Abscheu empfinden, sich schütteln, abwenden, grausen; zurückschaudern, zurückschrecken, nicht sehen können, seekrank werden, den Magen umdrehen; missfallen, gegen den Strich gehen, jagen können mit, **2.** verekeln, vermiesen, vergällen, versauen, verderben.

463 Element 1. Urstoff, Grundstoff, Stoff, Materie, Kraft, Faktor, **2.** Elemente, Naturgewalten, Urgewalten, **3.** Bestandteil, Einzelheit, Detail, Komponente, Bauteil, **4.** Fahrwasser, Lieblingsbeschäftigung, Leidenschaft, Passion, Hobby.

464 Eltern Vater und Mutter, Elternpaar, Erziehungsberechtigte, Elternteil, Bezugspersonen, Pflegeeltern, Adoptiveltern.

465 Empfang 1. Erhalt, Eingang, Ankunft, Eintreffen, Entgegennahme, Annahme, Übernahme, **2.** Willkomm, Aufnahme, Begrüßung, Audienz, Cour, offizieller Anlass, Staatsempfang, Gesellschaft, Festivität, **3.** Rezeption, Anmeldung.

466 empfangen 1. bekommen, erhalten, entgegennehmen, annehmen, übernehmen, **2.** vorlassen, Zutritt gewähren, begrüßen, willkommen heißen, entgegengehen, bewillkommnen, in Empfang nehmen, **3.** schwanger werden, Kind erwarten, hoffen, in Umstände kommen.

467 empfänglich 1. zugänglich, ansprechbar, aufnahmebereit, aufnahmefähig, aufnahmewillig, begeisterungsfähig, eindrucksfähig, sinnlich, **2.** wach, aufgeschlossen, interessiert, weltoffen, offen, hellwach, undogmatisch, reformorientiert, reformerisch, änderungswillig, unorthodox, querdenkerisch, **3.** beeinflussbar, bestimmbar, suggestibel, gelehrig, rezeptiv, überredbar, beeindruckbar, **4.** feinfühlig, feinsinnig, hellhörig, feinnervig, intuitionssicher, **5.** zart fühlend, einfühlsam, warmherzig, mitleidsfähig, mitleidig, weichherzig, gutmütig, nachgiebig, mild, mildtätig, mitfühlend, gemütvoll, **6.** hellseherisch, ahnungsvoll, hellsichtig, divinatorisch, medial.

468 Empfänglichkeit 1. Antenne, Witterung, Organ/Sinn für, feine Sinne/Nase, feines Ohr/Gespür, Intuition, Riecher, Feeling, Beobachtungsgabe, Fühler, Spürsinn, Instinkt, Hellhörigkeit, Unrechtsempfinden, Gerechtigkeitssinn, **2.** Zugänglichkeit, Ansprechbarkeit, Aufnahmefähigkeit, Aufnahmebereitschaft, Eindrucksfähigkeit, Sinnlichkeit, Begeisterungsfähigkeit, Aufgeschlossenheit, Aufmerksamkeit, Offenheit, Weltoffenheit, Wachheit, **3.** Delikatesse, Fingerspitzengefühl, Feingefühl, Feinsinn, Einfühlsamkeit, Empathie, Zartgefühl, Takt, Gefühl, Gemüt, Herz, Mitleidsfähigkeit, Mitgefühl, **4.** Ahnungsvermögen, prophetische Gaben, Divinationsgabe, Intuition, Medialität, Sehergabe, sechster Sinn, zweites Gesicht.

469 empfehlen (sich) 1. anbieten, anpreisen, anraten, befürworten, werben, loben, preisen, rühmen, herausstrei-

chen, über den grünen Klee loben, einladen/auffordern zu, animieren, hinweisen auf, **2.** zweckmäßig/zu erwägen sein, ratsam erscheinen, **3.** sich verabschieden, beurlauben; auf Wiedersehen sagen.

Empfehlung Angebot, Vorschlag, **470** Tipp, Anerbieten, Antrag, Aufforderung, Hinweis, Anzeige, Inserat, Offerte, Ausschreibung, Bewerbung, Befähigungsnachweis; Anraten, Anpreisung, Lob, Zuspruch, Rat; Fürsprache, Fürbitte, Befürwortung, Beziehungen, Referenzen.

empfindlich 1. zart, fein, delikat, ge- **471** fährdet, zerbrechlich, heikel, verletzlich, verletzbar, verwundbar, wehrlos, fragil, dünnhäutig, hautlos, feinnervig, sensibel, sensitiv, seismographisch, **2.** prädisponiert, anfällig, schwächlich, labil, nicht abgehärtet, zimperlich, verzärtelt, ohne Abwehrkräfte, disponiert, allergisch, wetterfühlig, schmerzempfindlich, wehleidig, **3.** leicht reizbar, nervenschwach, mimosenhaft, zart besaitet, überempfindlich, gefühlig, überfeinert, überzüchtet, dekadent; leicht beleidigt, schreckhaft, hypersensibel, überreaktiv, **4.** Zärtling, zarte Seele, Mimose, Kräutlein, Rührmichnichtan, Nervenbündel, Zappelphilipp, Prinzessin auf der Erbse.

Empfindlichkeit 1. Schmerzemp- **472** findlichkeit, Wehleidigkeit, Schwächlichkeit, Mangel an Abwehrkraft, Immunschwäche, Überempfindlichkeit, Überfeinerung, Überzüchtung, Dekadenz; Anfälligkeit, Disposition, Prädisposition, Schwachstelle, Sollbruchstelle, **2.** Sensibilität, Feinnervigkeit, Nervenschwäche, Reizbarkeit, Erregbarkeit, Animosität, Empfindelei, Zärtelei, **3.** Zartheit, Feinheit, Zerbrechlichkeit, Wehrlosigkeit, Verletzlichkeit, Verletzbarkeit, Verwundbarkeit, Dünnhäutigkeit, Weichheit, Weichherzigkeit, Gutmütigkeit, Mitgefühl, Milde.

empfindsam zartsinnig, gefühlsbe- **473** tont, gefühlsbestimmt, emotional, emotionell, irrational, affektiv, sensibel, gefühlvoll, gemütvoll, gefühlsreich, gefühlig, nostalgisch, leicht gerührt, überschwänglich, seelenvoll, schwärmerisch, lyrisch, romantisch, empfindungsreich, überströmend, gefühlsselig, rührselig, tränenselig, sentimental, überspannt, melodramatisch.

474 Empfindsamkeit Sensitivität, Zartsinnigkeit, Gemütstiefe, Gefühlstiefe, Sensibilität, Emotionalität, Gefühligkeit, Gefühlsseligkeit, Fühligkeit, Innerlichkeit, Nostalgie, Tränenseligkeit, Überschwang, Überschwänglichkeit, Sentimentalität, Gefühlsduselei, Tremolo, Rührseligkeit, Überspanntheit, Gefühlsbetontheit, Irrationalität.

475 enden 1. aufhören, beenden, beendigen, einstellen, abbrechen, abblasen, abpfeifen, unterbrechen, Halt machen, beiseite legen, zusammenpacken, zur Seite legen, einpacken, innehalten, abschließen, auflösen, heimschicken, nach Hause gehen, weglegen, aufgeben, aufstecken, an den Nagel hängen, Punkt/ Feierabend machen, Zelte abbrechen, schließen; hinlegen, niederlegen, Ende/ Schluss machen, Schlusspunkt setzen, Schlussstrich ziehen, Kram hinwerfen, ad acta legen, erledigen, **2.** ablaufen, auslaufen, münden, ausmünden, ausströmen, sich ergießen; einmünden, zu Ende sein, endigen, Ende haben, verrinnen, erlöschen, ausklingen, verebben, verhallen, erkalten, sterben, aussterben, ausgehen, versiegen, versickern, abreißen, zur Neige/zu Ende gehen, einschlafen, sich zerschlagen; in die Brüche gehen, nichts werden, abreißen, aufhören, stillstehen, ausgehen, Ende nehmen, zusammenbrechen, zum Erliegen/Stillstand kommen, sich neigen; abklingen, verklingen, auslaufen, auspendeln, zur Ruhe kommen.

476 endgültig unumstößlich, definitiv, beschlossen, besiegelt, entschieden, unabänderlich, unwiderruflich, ein für alle Mal, Punktum, basta, nichts zu machen; unumkehrbar, irreversibel, nicht revidierbar, nicht rückgängig zu machen, irreparabel.

477 endlich 1. abschließend, zusammenfassend, zum Abschluss/guten Schluss, als letzten Punkt, zuletzt, schließlich, letztlich, schließlich und endlich, mit einem Wort, kurz, zu guter Letzt, letzterdings, schlussendlich, **2.** erst, erst jetzt, in elfter Stunde/letzter Minute, kurz vor Toresschluss, mit letzter Kraft/Mühe und Not, im letzten Augenblick, **3.** hinten, zuhinterst, am Schluss/Ende/

Schwanz, achtern, **4.** begrenzt, irdisch, vergänglich.

478 Energie 1. Aktivität, Vitalität, Élan vital, Dampf, Dynamik, Agilität, Kraft, Spannkraft, Tatkraft, Unternehmungslust, Unternehmungsgeist, Tatendrang, Tatendurst, Erlebnishunger, Abenteuerlust, Entschlusskraft, Entschlossenheit, Resolutheit, Tüchtigkeit, Entschiedenheit, Wille, Willenskraft, Willensstärke, Initiative, Spontaneität, Durchsetzungsvermögen, Freiwilligkeit, Impulsivität, Feuer, Schwung, Schneid, Zunder, Emphase, Elan, Power, Fahrt, Vehemenz, Temperament, **2.** Treibstoff, Sprit, Kraftstoff, Benzin, Gas, Wasser, Öl, Strom, Atomenergie, Sonnenenergie, pflanzliche Energien, **3.** Motor, Maschine, treibende Kraft, Kraftquelle, Kraftwerk, Triebkraft, Sprengkraft, Explosivkraft, Brisanz, Schubkraft.

479 energisch tatkräftig, aktiv, vital, agil, handlungsorientiert, energiegeladen, resolut; entschieden, entschlossen, zielbewusst, zielsicher, zielstrebig, unbeirrbar, konsequent, willensstark, willenskräftig, entscheidungsstark, kraftvoll, unternehmend, geschäftstüchtig, tätig, beweglich, rührig, tüchtig, mitreißend, zupackend, betriebsam, schwungvoll, dynamisch, expansiv, tatenlustig, tatendurstig, forsch, stramm, draufgängerisch, fest, bündig, schneidig, dezidiert, bestimmt, ultimativ, vehement, strikt, befehlend, im Befehlston.

480 eng 1. beengt, knapp, schmal, begrenzt, winklig, verwinkelt, bescheiden, klein, eingeengt, eingeschränkt, zusammengedrängt, zusammengepresst, zusammengepfercht, eingepfercht, bedrängt, klaustrophobisch, beklommen, beklemmend, drangvoll, eingeklemmt, engmaschig, eingekeilt, dicht gedrängt, **2.** engherzig, kleinlich, engstirnig, illiberal, humorlos, kurzsichtig, beschränkt, provinziell, kleinkariert, ohne Horizont, distanzlos, begrenzt, borniert, unbelehrbar, philiströs, bigott, muckerisch, frömmlerisch, voreingenommen, unduldsam, intolerant, moralsauer, moralisierend, **3.** eng anliegend, hauteng, knapp, knapp sitzend, stramm, knalleng.

481 Enge 1. Einengung, Beengtheit, Bedrängnis, Gedrängtheit, Knappheit,

Raummangel, Raumnot, Platzmangel, Raumknappheit, **2.** Kurzatmigkeit, Atemnot, Beengung, Beklommenheit, Beklemmung, Platzangst, Klaustrophobie, **3.** Gedränge, Gewoge, Gewühl, Menschenansammlung, Übervölkerung, **4.** Engpass, hohle Gasse, Hohlweg, Klamm, Schlucht, schmale Stelle, Landenge, Einschnürung, Verengung, Hals, Kehle, Isthmus, **5.** Engherzigkeit, Kleinlichkeit, Humorlosigkeit, Engstirnigkeit, Beschränktheit, Scheuklappen, Provinzialität, Distanzlosigkeit, Borniertheit, Sturheit, Froschperspektive, Voreingenommenheit, Vorurteile, Einseitigkeit, Intoleranz, Unduldsamkeit, Bigotterie, Muckertum, Frömmelei; Fanatismus, Unbelehrbarkeit, Sturheit, Verblendung, Befangenheit, Verbohrtheit, Verranntheit.

482 entbehren ermangeln, entraten, nicht haben, vermissen; nichts haben, elend/in Armut leben, Mangel/Not leiden, von der Hand in den Mund leben, vegetieren, Leben fristen, keinen roten Heller besitzen, am Hungertuch nagen, auf dem Trocknen sitzen; hungern, dürsten, darben.

483 Enteignung Sozialisierung, Nationalisierung, Verstaatlichung, Kollektivierung, Expropriation, Säkularisation.

484 entfernen 1. beseitigen, eliminieren, wegnehmen, wegtun, weggeben, wegmachen, entsorgen, wegstoßen, wegschieben, fortschleppen; abbeizen, ablaugen, absaugen, abrasieren, enthaaren, abkratzen, abtupfen, abschaben, wegwischen, abwischen, abreiben, abstreifen; abhauen, abreißen, herunterreißen, wegreißen, entblättern, entlauben, abschütteln, **2.** weglegen, wegstellen, wegräumen, wegbringen, fortschaffen, wegschaffen, wegwerfen, fortwerfen, sich entledigen; Ordnung machen, Platz schaffen, aufräumen, entrümpeln, zusammenpacken, **3.** abräumen, abtragen, abdecken, freilegen, frei machen, wegziehen, **4.** einziehen, entwerten, aufheben, außer Kraft setzen; aus der Welt schaffen, ausräumen, aufräumen mit, beheben, abschaffen, in Ordnung bringen.

485 entfernen, sich 1. fortgehen, weggehen, gehen, aufbrechen, sich in Bewegung setzen; das Haus verlassen, ausge-

hen; losgehen, davongehen, von dannen gehen, enteilen, abhauen, abschwirren, abstieben, sich wegscheren, verziehen, fortmachen, trollen, verkrümeln, dünnmachen, verdrücken, abseilen, vom Acker/aus dem Staube machen; verschwinden, sich auf die Socken machen; Leine ziehen, Kurve kratzen, sich umdrehen, abkehren, wegtreten, kehrtmachen, zurücktreten, rückwärts schreiten, zurückweichen, weichen, sich zurückziehen, abwenden, **2.** verlassen, scheiden, sich verabschieden; Abschied nehmen, auf Wiedersehen/Lebewohl sagen, abrücken, abziehen, sich auf den Weg machen; aufbrechen, sich in Marsch setzen; ausrücken, abmarschieren, Zelte abbrechen, Feld räumen, sich aufmachen, zerstreuen, verteilen, verlaufen, **3.** abfahren, abreisen, verreisen, losziehen, wegfahren, auf Reisen gehen, Reise antreten, auslaufen, ausfahren, abfliegen, abfahren, **4.** auswandern, emigrieren, Land aufgeben, übersiedeln, umsiedeln, **5.** sich entfremden; einander fremd werden, Distanz setzen, auf Distanz gehen, sich distanzieren, auseinander leben, losmachen, ablösen, zurückziehen, nichts mehr zu sagen haben; von jmdm. abrücken, sich voneinander entfernen; einander aufgeben/lassen, sich trennen; auseinander gehen.

Entfernung 1. Abstand, Zwischenraum, Kluft, Distanz, Weite, Ferne, Strecke, **2.** Beseitigung, Tilgung, Eliminierung, Räumung, Reinigung, Säuberung, Leerung, Entrümpelung, Müllabfuhr; Annullierung, Streichung, Auflassung, Aufhebung, Löschung, Abschaffung, Extraktion, **3.** Abreise, Abschied, Scheiden, Lebewohl, Verabschiedung, Abfahrt, Aufbruch, Abzug, Start, Trennung, Ausfahrt, Auszug, Exodus, Abgang, Fortgehen, Weggang, Abmarsch, Ausreise, Einschiffung, Abflug, **4.** Abzug, Rückzug, Aufgabe, **5.** Auszug, Wegzug, Umzug, Wohnungswechsel, Übersiedlung, Ortswechsel, Ortsveränderung. **486**

entführen kidnappen, verschleppen, hijacken. **487**

Entführung Kidnapping, Kindesraub, Kindesentführung, Menschenraub, Verschleppung, Freiheitsberaubung, Flugzeugentführung, Hijacking. **488**

489 entgegenkommen 1. sich bequemen, herbeilassen; mit sich reden lassen, gelten lassen, anbieten, begünstigen, zuvorkommen, Gefälligkeit erweisen, gefällig sein, gern tun, beispringen, bereit/höflich/hilfsbereit sein, Güte haben, so freundlich sein; sich bereit finden; es möglich machen, Gefallen tun, goldene Brücken bauen, willens sein, sich anheischig machen, überschlagen, **2.** nachgeben, willfahren, erfüllen, klein beigeben, sich breitschlagen lassen; weich werden.

490 Entgegenkommen 1. Zuvorkommenheit, Goodwill, Gefälligkeit, Gefallen, Eifer, Kulanz, Gewogenheit, Konzilianz, Zugeständnis, Konzession, **2.** Liebenswürdigkeit, Verbindlichkeit, Freundlichkeit, Artigkeit, Gunstbezeigung, Wohlwollen, Aufmerksamkeit, Höflichkeit, Nettigkeit, Galanterie, Ritterlichkeit.

491 entgegenkommend zuvorkommend, hilfsbereit, gefällig, verbindlich, kulant, zu Diensten, bereitwillig, geneigt, nett, wohlwollend, liebenswürdig, freundlich, konziliant, beflissen, erbötig, willfährig.

492 entgehen 1. übersehen, nicht bemerken/beachten, ignorieren, überhören, verfehlen, **2.** entkommen, entwischen, durchwitschen, entschlüpfen, auskommen, entrinnen, durch die Lappen gehen; ausweichen, vermeiden, aus dem Wege gehen, sich ersparen; verschont bleiben, noch einmal Glück haben, **3.** entbehren müssen, versagt bleiben, abgehen, fehlen, **4.** sich retten; durchkommen, der Gefahr entgehen, Gefahr bannen, dem Tod entrinnen, Kopf aus der Schlinge ziehen, davonkommen.

493 enthalten fassen, bergen, beinhalten, innewohnen, einschließen, implizieren, einbegreifen, umfassen, einbeziehen, umschließen, umspannen, ausmachen, mitrechnen, mitzählen; bestehen aus, sich zusammensetzen aus.

494 entlasten (sich) 1. Arbeit abnehmen, beispringen, unter die Arme greifen, helfen, unterstützen; Ballast abwerfen, sich erleichtern; Dampf ablassen, sich Luft machen, **2.** billigen, zustimmen, bestätigen, gutheißen, gutschreiben, anerkennen, **3.** sich rechtfertigen; Unschuld beweisen, sich reinwaschen,

salvieren, rehabilitieren, verantworten, **4.** abrechnen, Rechnung legen, Rechenschaft ablegen.

Entlastung 1. Erleichterung, Unterstützung, Hilfe, **2.** Verteidigung, Pardon, Entschuldigung, Unschuldsbeweis, Rechtfertigung, Apologie, Rehabilitierung, Rehabilitation, Ehrenrettung, **3.** Bestätigung, Gutschrift, Abrechnung. **495**

entmutigen verleiden, ausreden, Wasser in den Wein gießen, Wind aus den Segeln nehmen, dämpfen, Dämpfer aufsetzen, lähmen, lahm legen, vermiesen, verekeln, demotivieren, abtörnen, decouragieren, madig/mies machen, schwarz malen, Freude vergällen, runterbringen, runterreißen, Hoffnung trüben/rauben, Spaß verderben, unken, schwarz sehen, Suppe versalzen, kalte Dusche verpassen, Lust nehmen, beeinträchtigen, bedrücken, verstimmen, niederdrücken, knicken, abwiegeln, niederschlagen, niederstimmen, niederschmettern, demoralisieren, einschüchtern, Moral untergraben, deprimieren, zermürben, zerschmettern, verdunkeln, verdüstern, trüben. **496**

entschädigen 1. belohnen, danken, vergelten, sich revanchieren; ersetzen, Scharte auswetzen, vergüten, zurückgeben, wiedergeben, rückerstatten, wiedererstatten, zurückzahlen, zurückbringen, wiederbringen, aufwiegen, wettmachen, **2.** wieder gutmachen, abfinden, abgelten, ablösen, kompensieren, rückvergüten, rekompensieren, Reparationen zahlen, Schadenersatz leisten, **3.** entschädigt werden, wiederbekommen, wiedererlangen, zurückerhalten, zurückerlangen, Entschädigung bekommen. **497**

Entschädigung 1. Belohnung, Lohn, Dank, Vergeltung, Entgeltung, Vergütung, Abgeltung, Ausgleich, Kompensation, Gegenleistung, Gegengabe, Revanche, **2.** Ersatz, Rückgabe, Erstattung, Rückerstattung, Wiedergutmachung, Wiedervergeltung, Rückzahlung, Rückvergütung, Satisfaktion, Genugtuung, **3.** Abfindung, Abstand, Schadenersatz, Lastenausgleich, Reparationen, Aufwandsentschädigung, Spesen, Diäten, Tagegeld, Sitzungsgeld, Schmerzensgeld, Trostpreis, Trostpflaster, Finderlohn. **498**

499 entscheiden (sich) 1. Entscheidung treffen, beschließen, bestimmen, losen, Los werfen/ziehen, abstimmen, anordnen, abmachen, festlegen, besiegeln, verfügen, **2.** sich entschließen; Entschluss fassen, sich schlüssig werden; Wahl treffen, auswählen, wählen, sich durchringen; zum Entschluss kommen, sich aufraffen, hochrappeln, aufrappeln, ermannen, einen Ruck geben, aufschwingen; in die Puschen kommen, den Arsch hochkriegen; mit sich ins Reine kommen, sich ein Herz fassen; Mut schöpfen, tief Luft holen, Anlauf nehmen, sich zusammenraffen, zusammenreißen, straffen.

500 Entschluss 1. Entscheidung, Dezision, Entschließung, Beschluss, Wille, Willenserklärung, Option, Votum, Wahl, Willensbekundung, Willensakt, Festlegung, Ratschluss, **2.** Urteil, Schiedsspruch, Resolution.

501 entschuldigen (sich) 1. um Verzeihung bitten, abbitten, Abbitte leisten, bedauern, **2.** verzeihen, vergeben, nachsehen, freisprechen, exkulpieren, begnadigen, amnestieren, Strafe erlassen, **3.** rechtfertigen, verteidigen, verantworten, entlasten, salvieren, klären, motivieren, erklären, begründen, verständlich machen, Gründe ins Feld führen, in Schutz nehmen, sich einsetzen; plädieren, fürsprechen, verfechten, Lanze brechen, argumentieren, aufklären, **4.** Nachsicht üben, Gnade vor Recht ergehen lassen, Auge zudrücken, durchgehen/fünf gerade sein lassen, durch die Finger sehen, zugute halten.

502 Entschuldigung 1. Abbitte, Bitte um Vergebung, Verzeihung, Erklärung, Motivierung, Begründung, Rechtfertigung, **2.** Ausflucht, Ausrede, Vorwand, Notlüge, Scheingrund, Vorspiegelung.

503 entsprechen 1. gleichen, gleichkommen, gleichwertig/gleichartig/gemäß/angemessen sein, genügen, behagen, gefallen, belieben, konvenieren, **2.** willfahren, nachkommen, sich anpassen; entgegenkommen, gehorchen, stattgeben, bewilligen, genehmigen, zusagen, **3.** passen, fitten, geeignet sein, reimen, stimmen, übereinstimmen, hingehören, korrespondieren, korrelieren.

504 entsprechend 1. angemessen, gemäß, getreu, genau wie, ähnlich, gleich, ungefähr gleich, geeignet, wie gemacht/auf den Leib geschrieben, konform, kongruent, korrespondierend, übereinstimmend, passend, kompatibel, zusammengehörig, adäquat, maßstäblich, proportional, parallel, analog; gebührend, geziemend, würdig, zustehend, angebracht, zukommend, gerechtfertigt, gehörig, geboten; anstandshalber, nach Gebühr, der Form wegen, rechtmäßig, billig, verdientermaßen, im richtigen Verhältnis, **2.** wunschgemäß, wie gewünscht, zufrieden stellend, zugeschnitten auf, **3.** diesbezüglich, in dieser Beziehung, in diesem Punkt, in puncto, dementsprechend, hierin, **4.** laut, nach, zu, betreffend.

505 Entsprechung 1. Gegenstück, Pendant, Korrelat, Parallele, **2.** Spiegelbild, Ebenbild, Gegenbild, Ähnlichkeit.

506 entstehen 1. werden, anfangen, beginnen, anheben, aufkommen, geschaffen/verursacht/kreiert werden, erstehen, sich bilden, formen; ins Dasein treten, **2.** keimen, sprießen, sprossen, knospen, ausschlagen, treiben, blühen, wachsen, erscheinen, zum Vorschein kommen, hervorkommen, herauskommen, hervorbrechen, ausbrechen, aufgehen, aufbrechen, aufkeimen, entsprießen, **3.** entspringen, entquellen, heraussprudeln, hervorsprudeln, seinen Ursprung haben, entfliehen, entströmen, ans Licht kommen, auftauchen, sichtbar werden, austreten, hervortreten, erscheinen, **4.** hervorgehen, erwachsen, sich entwickeln, ergeben, formen; Form/Gestalt annehmen, sich herauskristallisieren, herausbilden; zustande kommen, **5.** laut werden, verlauten, bekannt werden, aufkommen.

507 enttäuschen versagen, verwehren, verweigern, vereiteln, Hoffnung zunichte machen, frustrieren, ernüchtern, entmutigen, abkühlen, desillusionieren, entzaubern.

508 Enttäuschung Fehlschlag, gescheiterte Hoffnung, Nachsehen, Schlag ins Wasser, Strich durch die Rechnung, Pleite, Reinfall; Ernüchterung, Desillusionierung, Dusche, Dämpfer, Entzauberung, bittere Pille; Vereitelung, Durchkreuzung, Versagung, Verweigerung, Frustrierung, Frustration, Frust.

509 entwerten 1. lochen, abstempeln,

stempeln, knipsen, abreißen, ungültig machen, aufheben, außer Kraft setzen, kassieren, einziehen, aus dem Verkehr ziehen, außer Kurs setzen, **2.** herabsetzen, herabmindern, abwerten, abstufen, im Wert mindern, verkleinern, abqualifizieren, Ansehen mindern, schlecht machen, unterbelichten, niederziehen; verschlechtern, verschlimmern, Niveau senken, drücken, **3.** banalisieren, verflachen, breittreten, verballhornen, verkitschen, inflationieren, profanieren, **4.** schänden, entehren, entweihen, entwürdigen, verlästern, verspotten, verhöhnen.

510 entwickeln (sich) 1. werden, aufwachsen, schlüpfen, ausschlüpfen, auskriechen, Eierschalen abstreifen, den Kinderschuhen entwachsen, sich machen, mausern; geraten, heranwachsen, gedeihen, **2.** anwachsen, angehen, einwurzeln, wachsen, **3.** ausarbeiten, ausbauen, aufbauen, vergrößern, entfalten, weiterentwickeln, vervollständigen, vervollkommnen, **4.** fortkommen, vorwärts kommen, prosperieren, boomen, brummen, florieren, gut gehen, **5.** sich weiterentwickeln, weiterbilden, fortbilden; dazulernen, leben lernen, an sich arbeiten, reifen, sich verbessern.

511 Entwicklung 1. Veränderung, Prozess, Werden, Wachsen, Entfaltung, Gedeihen, Wachstum, Wuchs, Reifen, Fortgang, Zunahme, Aufstieg, Zuwachs, Steigerung, Fortschritt, **2.** Aufbau, Ausbau, Erweiterung, Vergrößerung, Verbesserung, Vervollständigung, Bereicherung, Vollendung, **3.** Entwicklungsprozess, Entwicklungsgang, Ontogenese; Entwicklungsstufe, Entwicklungsphase, Entwicklungsstand, **4.** Entwicklungsgeschichte, Evolution, Genese, Phylogenese.

512 Entzug 1. Entziehung, Entwöhnung, Abgewöhnung, Fading-out, **2.** Drogenentzug, Alkoholentzug, Nikotinentzug, Liebesentzug.

513 Erbe 1. Erbschaft, Nachlass, Hinterlassenschaft, Erbteil, Pflichtteil, ererbter Besitz, Altlasten, **2.** Nachfolge, Übernahme, Weiterführung, Fortführung; Überlieferung, Weitergabe, Vererbung, **3.** Nachkomme, Hinterbliebener, Überlebender, Nachfolger, Anwärter; Erbberechtigter, Haupterbe, Alleinerbe, Uni-

versalerbe, Miterbe, **4.** Testament, letzter Wille, Schenkung, Vermächtnis, Legat, Verfügung.

erben beerben, zufallen, zukommen, **514** zusterben, überkommen, Erbe antreten / übernehmen, Erbschaft machen / antreten, nachfolgen, nachrücken, Hinterlassenschaft antreten.

erfahren 1. erleben, Erfahrungen ma- **515** chen, sich aneignen; kennen lernen, durchleben, Zeitzeuge / Zeitgenosse sein, selbst sehen, mit ansehen, mitmachen, dabei sein, miterleben, Augenzeuge sein, **2.** zu spüren bekommen, Lehrgeld zahlen, sich die Hörner abstoßen; erleiden, zustoßen, abkriegen, auszustehen haben, am eigenen Leibe erfahren, **3.** hören, vernehmen, in Erfahrung bringen, Kenntnis erhalten, entnehmen, erkennen, aufschnappen, mitkriegen, mitbekommen, herausbekommen, läuten hören, zu Ohren kommen, dahinter kommen, entdecken.

erfahren (sein) 1. bewandert, be- **516** schlagen, weit gereist, herumgekommen, umgetan, weltläufig, gewandt, versiert, gewitzt, gewieft, gewitzigt, ausgebufft, mit allen Wassern gewaschen, in allen Sätteln gerecht, abgebrüht, sachkundig, sattelfest, firm, kundig, sachverständig, vom Fach / Bau, geschult, geübt, vorbereitet, gut unterrichtet, auf der Höhe, erprobt, gelernt, routiniert, bewährt, fit, sicher, qualifiziert, fähig, geeignet, im Bilde, ausgebildet, eingearbeitet; souverän, überlegen, lebensklug, lebenserfahren, welterfahren, weltklug, gereift, reif, **2.** sich zu helfen wissen; nicht zu verblüffen sein, Menschenkenntnis haben, die Menschen kennen / zu nehmen wissen, sich auskennen.

Erfahrung 1. Experiment, Beobach- **517** tung, eigene Anschauung, Empirie, Erkenntnis, Einsicht, Überzeugung, Verständnis, Begegnung, Erlebnis; Augenzeugenschaft, Zeitzeugenschaft, **2.** Übung, Schulung, Praxis, Erfahrungswert, Training, Routine, Beschlagenheit, Gewieftheit, Gewitztheit, Kundigkeit, Sicherheit, Background, Überlegenheit, Weitblick, Souveränität; Lebenspraxis, Lebenserfahrung, Welterfahrung, Weltläufigkeit, Weltgewandtheit, Weltklugheit, Weltweite, Weltkenntnis, Menschenkenntnis, Lebensklugheit, Weltwissen.

518 Erfolg 1. Aufstieg, Anerkennung, Fortuna, Fortune, Glück, Gelingen, Gedeihen, Erfüllung, Bewältigung, Durchstoß, Durchbruch, Erdrutsch, **2.** Coup, Meisterstück, Meisterstreich, Husarenstück, Überraschungserfolg, Griff, Schnapp, Schnitt; Glücksfall, Erfolgsstory, **3.** Zulauf, Zustrom, Zuspruch, Run, Beifall, Bombenerfolg, Meilenstein, Triumph, Ruhm, **4.** Treffer, Volltreffer, Einschlag, Trumpf, Hit, Bestseller, Verkaufsschlager, Selbstläufer, Heimspiel, Running Gag, Evergreen, **5.** Verwirklichung, Realisierung, Frucht, Ertrag, Produkt, Effekt, Trophäe, Ausbeute, Siegespreis, Fang, Beute.

519 ergänzen (sich) 1. vervollständigen, vervollkommnen, ausbauen, ausgestalten, abrunden, runden, anbauen, aufstocken, nachtragen, zufügen, hinzusetzen, auffüllen, nachfüllen, zugießen, nachgießen, hinzutun, hinzufügen, zugeben, voll machen, komplettieren, nachbessern, integrieren, **2.** beilegen, beifügen, beigeben, anfügen, beipacken, mitschicken, anfügen, beischließen, anheften, anlegen, nachliefern, nachschicken, nachsenden, nachzahlen, zuzahlen, zulegen, draufzahlen, aufrunden, **3.** nachwachsen, sich erneuern, regenerieren, **4.** zusammenpassen, harmonieren, **5.** beiliegen, anliegen, dazugehören, **6.** einfügen, einbauen, einarbeiten, implementieren, anpassen, einlassen, einweben, einschieben, zwischenschieben, einbetten, einflicken, hineinstellen, einblenden, einpassen, einschalten, einordnen, einrangieren, einreihen, einstufen, hineinstellen, **7.** zuleiten, zuführen, einströmen lassen; zulaufen, zuströmen, einströmen, zufließen, **8.** stückeln, anstückeln, zusammenstückeln, ansetzen, verlängern, einsetzen.

520 Ergänzung 1. Erweiterung, Vergrößerung, Vervollkommnung, Vervollständigung, Komplettierung, Perfektionierung, Hinzufügung, Ausbau, Zusatz, Abrundung, **2.** Nachtrag, Nachwort, Nachsatz, Anhang, Fußnote, Randnote, Anmerkung, Klausel, Novelle, Begleitwort, Erläuterung, Randbemerkung, Marginalie, Glosse, Nachschrift, Füllsel, Anhängsel, Postskriptum, **3.** Zugabe, Beifügung, Anlage, Beipack, Einschluss, Einlage, Zubehör, Supplement, Extras, Nachlieferung, Folge, Fortsetzung, Nachsendung; Nachzahlung, Zuzahlung, Zuschuss, Zulage, Beihilfe, Nebenverdienst, Nebeneinnahme, Zusatzverdienst, zusätzliche Einnahme, Nebeneinkünfte, Überstunden, **4.** Einbau, Anbau, Exkurs, Einschub, Einsprengsel, Parenthese, Einschiebsel, Einblendung, Einwurf, Zwischenruf, **5.** Zuleitung, Zufluss, Zustrom, Nebenfluss, Zuführung, Zulauf, Flussarm, Nebenarm, Seitenarm, **6.** Begleiterscheinung, Nebenwirkung, Randerscheinung, Randfigur, Epiphänomen, **7.** Zufuhr, Auffüllung, Zugang, Nachschub, Nachschlag, **8.** Zuleitung, Zufahrt, Auffahrt, Zufahrtstraße, Zubringer, **9.** Appendix, Blinddarm, Wurmfortsatz.

521 Ergebnis Resümee, Fazit, Resultat, Summe, Endsumme, Endbetrag, Bilanz, Ausgang, Lösung, Auflösung, Gesamtergebnis, Heerschau, Endergebnis, Endstand.

522 erhalten (sich) 1. bekommen, empfangen, kriegen, zuteil werden, geschenkt bekommen, abbekommen, mitbekommen, abkriegen, erlangen; zugehen, geschickt bekommen, **2.** haltbar machen, konservieren, tiefkühlen, einfrieren, frosten, einkochen, eindünsten, einmachen, einschweißen, sterilisieren, einwecken, keimfrei machen, pasteurisieren, evaporieren, verdampfen, entwässern, Wasser entziehen, kondensieren, verdichten; einlegen, beizen, einsalzen, einpökeln, selchen, marinieren, räuchern; kandieren, verzuckern, präparieren, dauerhaft machen, abkochen, auskochen, vor dem Verfall bewahren, **3.** sich ernähren, durchbringen, durchschlagen; Lebensunterhalt verdienen / bestreiten, durchkommen, leben von, sich durchs Leben schlagen; Leben fristen; durchhelfen, durchfüttern, am Leben halten, versorgen, versehen, unterhalten, aushalten, finanzieren, hineinpumpen, **4.** einbalsamieren, mumifizieren; konservieren, ausstopfen.

523 erheben (sich) 1. sich aufrichten, aufsetzen, hinstellen, auf die Füße stellen; aufstehen, **2.** sich heben, aufschwingen; aufgehen, aufsteigen, hochschnellen, aufschießen, hochschießen, steigen, abstieben, aufstieben, abheben, **3.** hochkommen, auftauchen, an die Oberfläche kommen; in Sicht kommen, sichtbar werden, sich über den Horizont erheben, **4.** erigieren, Ständer kriegen; sich versteifen, **5.** revoltieren, sich auflehnen.

524 erholen, sich 1. entspannen, ausspannen, ruhen, feiern, ausruhen, abhängen, ausschlafen, liegen/im Bett bleiben, Ferien machen, aussetzen, Urlaub nehmen, verschnaufen, erquicken, verpusten, rasten, Rast/Pause machen, pausieren, sich laben, kräftigen, stärken; abschalten, Atem schöpfen, Luft schnappen, aufatmen, **2.** gesund werden, gesunden, genesen, aufleben, aufkommen, erstarken, sich kräftigen; ausheilen, vernarben; sich machen; wieder aufstehen, geheilt werden, sich regenerieren, berappeln, **3.** sich aalen, sielen, rekeln; lotteln, relaxen, alle viere von sich strecken, auf der faulen Haut liegen, nichts tun, faul sein, neue Kräfte sammeln, auftanken; herumlungern, fläzen, flegeln, lümmeln, sich gehen lassen.

525 Erholung 1. Entspannung, Ausspannung, Atempause, Pause, Break, Siesta, Auszeit, Rast, Ruhepause, Mittagsschlaf, Mittagsruhe, Verschnaufpause, Mußestunde, Nichtstun, Erquickung, Erfrischung, Belebung, Regeneration, Freizeit, Urlaub, Ferien, Ruhe, Muße, Luftwechsel, Luftveränderung, Tapetenwechsel, Kur, Sommerfrische, **2.** Genesung, Besserung, Linderung, Rekonvaleszenz, Aufkommen, Gesundung, Wiederherstellung, Rehabilitation, Kräftigung, Heilung, Stärkung, Neubelebung, Jungborn, Aufschwung, Neugeburt, Jungbrunnen, Gesundbrunnen, **3.** Schlaf, Schlummer, Schläfchen, Nickerchen, Nachtruhe.

526 erinnern (sich) 1. sich entsinnen, besinnen; wieder einfallen, wieder erkennen, rekonstruieren, zurückdenken, zurückblicken, zurückschauen, nachträumen, sich zurückrufen, zurückversetzen; Revue passieren lassen, nacherleben, Vergangenheit lebendig machen, wieder auftauchen, wiederkommen, wieder erwachen, sich wieder einstellen; aktivieren, auffrischen, **2.** behalten, sich merken, einprägen; memorieren,

ins Gedächtnis schreiben, aufnehmen, sich zu Eigen machen, hinter die Ohren schreiben; denken an, **3.** gedenken, Andenken bewahren, eingedenk sein, **4.** anklingen, gemahnen, heraufrufen, erinnern an, **5.** erinnerlich sein, im Kopf haben, auswendig wissen, im Gedächtnis haben, gegenwärtig/lebendig/präsent/unvergessen/unverwischbar/unvergesslich sein, gegenwärtig haben, nachklingen, nachhallen.

Erinnerung 1. Gedächtnis, Mneme, **527** Erinnerungsvermögen, Gedächtniskraft, Merkfähigkeit, Angedenken, Gedenken, Rückschau, Rückblick, Rückblende, Reminiszenz, **2.** Gedenkrede, Nachruf, Nekrolog, Würdigung, Gedächtnisrede, Gedenkfeier, **3.** Denkzeichen, Merkzeichen, Merkzettel, Lesezeichen, Notizzettel, Terminkalender, Tagebuch, Diarium, Kalender, Chronik, Annalen; Andenken, Souvenir, Erinnerungsstück, Sehnsuchtsobjekt, Madeleine, Rosebud, **4.** Abglanz, Nachklang, Nachruhm, Nachglanz.

erklären 1. erläutern, auseinander legen, **528** entfalten, auseinander setzen, entwickeln, darlegen, darstellen, klarmachen, kommunizieren, verklaren, explizieren, exemplifizieren, dolmetschen, verdeutschen, klarlegen, rekonstruieren, zeigen, ausführen, aufzeigen, vorführen, demonstrieren, **2.** definieren, bestimmen, Begriff bilden, abgrenzen, festlegen, eingrenzen, determinieren, **3.** illustrieren, verdeutlichen, veranschaulichen, verlebendigen, beleuchten, greifbar/sichtbar machen, ausmalen, vor Augen führen, visualisieren, konkretisieren, anschaulich machen, bildlich darstellen, vergegenständlichen, verbildlichen, verdinglichen, interpretieren, deuten, ausdeuten, auslegen, herausarbeiten, kommentieren, **4.** aufklären, orientieren, unterrichten, einweihen, einführen, ins Bild setzen, Licht aufstecken, begründen, motivieren, erhellen, Streiflicht werfen auf, vertraut machen, nahe bringen, Verständnis wecken, **5.** deklarieren, beschriften, Bildunterschriften machen, texten, etikettieren, ausschildern.

Erklärung 1. Erläuterung, Darlegung, Explikation, Entfaltung, Auseinanderlegung, Ausführung, Aufschluss, **529**

Klärung, Demonstration, Vorführung, Einführung, Unterrichtung, Aufklärung, Information, Statement, **2.** Verdeutlichung, Illustrierung, Illustration, Konkretisierung, Veranschaulichung, Vergegenständlichung, Darstellung, Verbildlichung, Visualisierung, Interpretation, Deutung, Ausdeutung, Auslegung, Kommentierung, **3.** Definition, Begriffsbildung, Abgrenzung, Eingrenzung, Bestimmung, Festlegung, Determination, **4.** Unterschrift, Bildunterschrift, erklärender Text, Spruchband, Banderole, Beschriftung, Bezeichnung, Inschrift, Legende, **5.** Deklaration, Programm, Manifest; Grundsatzerklärung, Regierungserklärung, Parteiprogramm.

530 erkranken krank werden, kränkeln, etwas ausbrüten, unpässlich sein, sich anstecken; etwas fangen/erwischen/abkriegen/aufschnappen, sich erkälten, verkühlen; angefallen werden, sich etwas zuziehen; befallen, anfallen, anfliegen.

531 erlauben (sich) 1. gestatten, bewilligen, Einverständnis geben, anheim geben, sich einverstanden erklären; genehmigen, stattgeben, zuerkennen, erhören, Einsehen haben, freien Lauf/hingehen lassen, tolerieren, geschehen/fünf gerade sein/gelten lassen; einwilligen, gutheißen, zustimmen, zulassen, dulden, hinnehmen, sich gefallen lassen; durchgehen lassen, nachsehen, zubilligen, anheim stellen, freistellen, gönnen, vergönnen, zugeben, freie Hand lassen, einräumen, zugestehen, **2.** befugen, bevollmächtigen, ermächtigen, autorisieren, berechtigen, beglaubigen, privilegieren, konzedieren, sanktionieren, approbieren, Approbation erteilen, zulassen, Vollmacht/Prokura erteilen, Lizenz vergeben, lizenzieren, legitimieren, **3.** sich gestatten, die Freiheit nehmen, nicht scheuen/entblöden, unterfangen, herausnehmen; Lippe riskieren, **4.** sich herablassen; gnädig/huldreich sein, schmelzen; bereit/geneigt sein, sich bereit finden, bequemen, herbeilassen; geruhen.

532 Erlaubnis 1. Einwilligung, Zustimmung, Zusage, Zuschlag, Jawort, Bewilligung, Billigung, Duldung, Stillschweigen, Wohlverhalten, Hinnahme, Freigabe, Freistellung, Dispensierung, Dis-

pens, Zugeständnis, Plazet, Einverständnis, Einvernehmen, Beifall, Anerkennung, **2.** Ermächtigung, Vollmacht, Prokura, Blankovollmacht, Bevollmächtigung, Befugnis, Berechtigung, Genehmigung, Permission, Lizenzierung, Lizenz, Recht, Autorisierung, Einräumung, Konzession, Zulassung, Approbation, Bewilligung, Privileg, **3.** Freibrief, Freiheit, Befreiung; Erhörung, Gewährung, Bestätigung, Anerkennung, Sanktionierung; Sondergenehmigung, Sonderrecht.

erledigen 1. tun, machen, besorgen, **533** verrichten, vollführen, ausführen, durchführen, bewerkstelligen, daran arbeiten, in der Mache haben, abwickeln, abarbeiten, verwirklichen, vollziehen, vollstrecken, in die Tat umsetzen, tätigen, vollenden, erfüllen, abschließen, absolvieren, beendigen, fertig machen, beseitigen, abtun, zu Ende bringen, fertig werden mit, vollbringen, fertig stellen, ablegen, abheften, zu den Akten legen, hinter sich bringen, durchziehen, loswerden, sich entledigen, **2.** ausfertigen, unterschreiben, abzeichnen, abhaken, abfertigen, ausstellen, ausfüllen, ausschreiben, **3.** abschießen, liefern, stürzen, töten.

erledigt 1. ausgemacht, abgemacht, **534** fertig, fest, fix, abgeschlossen, getan, abgetan, gebongt, ausgeführt, erfüllt, spruchreif, geregelt, perfekt, vollzogen, unter Dach, vom Tisch, entschieden, besiegelt, beschlossene Sache, angenommen, akzeptiert, bezahlt, quitt, unwiderruflich, gebilligt, handelseinig, abgeliefert, ausgefertigt, unterschrieben, Brief und Siegel, zu den Akten, Schluss, in Ordnung, ad acta, Schwamm drüber, nichts mehr zu machen, **2.** bankrott, zahlungsunfähig, überschuldet, verschuldet, illiquide, insolvent, geplatzt, verkracht, gescheitert, gestrandet, geliefert, ruiniert, verloren, aufgeschmissen, im Eimer, zappenduster, zerrüttet, am Ende, ganz unten, fertig, vernichtet, zuschanden, gebrochen, geschlagen, unrettbar, verzweifelt, **3.** unten durch, in Misskredit / Ungnade, gesellschaftlich unmöglich, geschnitten, verfemt, verpönt, ausgeschlossen, ausgestoßen, verworfen, geächtet, bloßgestellt, unsterblich blamiert, stigmatisiert, gebrandmarkt, degradiert, gezeichnet, verachtet, kompromittiert, unmöglich gemacht, boykottiert, disqualifiziert, gerichtet, verurteilt, verdammt; am Boden, knock-out, k. o., schachmatt, ausgepunktet, ausgezählt, kampfunfähig, geschlagen, besiegt, vernichtend geschlagen, **4.** abgeblasen, abgebrochen, abgemeldet, gestrichen, gelöscht, annulliert, gestorben.

535 Erledigung 1. Ausführung, Durchführung, Abfertigung, Verrichtung, Bewerkstelligung, Tätigung, Besorgung, Beendigung, Absolvierung, Abwicklung, **2.** Abschluss, Bewenden, Erfüllung, Vollendung, Ablieferung, Ausfertigung, Unterschrift, Ablage.

536 ermitteln recherchieren, Ermittlungen/Nachforschungen anstellen, nachforschen, fahnden, ausfindig machen, erkunden, Informationen beschaffen, untersuchen, nachspüren, auskundschaften, Erkundigungen einziehen, ausforschen, in Erfahrung bringen, auf den Grund gehen, aufklären, ergründen.

537 Ermittlung Recherche, Nachforschung, Ausforschung, Erkundigung, Erkundung, Erforschung, Sondierung, Fahndung, Aufklärung.

538 ermöglichen 1. möglich machen, einrichten, Gelegenheit suchen, sehen, was man tun kann, zulassen, **2.** befähigen, Gelegenheit bieten, Weg ebnen, instand/in die Lage versetzen, vorbereiten, vorarbeiten, ausrüsten, ertüchtigen, Voraussetzung schaffen, präparieren, schulen, unterstützen, protegieren, unter die Fittiche nehmen.

539 ermüden 1. müde machen, anstrengen, erschöpfen, aufreiben, aushöhlen, entkräften, schwächen, überfordern, überanstrengen, hetzen, zermürben; krank machen, plagen, schlauchen; schwer fallen, Mühe machen, Schweiß kosten, aushöhlen, verzehren, **2.** müde werden, nachlassen, nicht mehr können, abfallen, erschlaffen, ermatten, erlahmen; sich überanstrengen, überfordern, übernehmen, schwer tun, zu viel zumuten, verausgaben, überarbeiten, abhetzen, abjagen, abrackern, abschinden, abarbeiten, fronen, placken; mutlos werden, Mut verlieren, blass/kraftlos werden, der Erschöpfung nahe sein, schlappmachen.

Ermüdung 1. Müdigkeit, Schläfrig- **540** keit, Schlafbedürfnis, Übermüdung, Mattigkeit, Schwächung, Schwunglosigkeit, Schlaffheit, Abspannung, Entkräftung, Ermattung, Erschlaffung, Erschöpfung, **2.** Überarbeitung, Überanstrengung, Überlastung, Überbürdung, Überforderung, Überspannung, Kräfteverfall, Zermürbung, Zusammenbruch.

ermuntern 1. aufmuntern, zureden, **541** zusprechen, anspornen, bereden, zu bewegen suchen, drängen, überreden, beeinflussen, antreiben, anstoßen, gut zureden, anraten, anempfehlen, **2.** ermutigen, Mut machen, anregen, animieren, Kick geben, Stoß versetzen, stimulieren, aufrütteln, aufrichten, beleben, stärken, aktivieren; bestärken, aufmöbeln, bestätigen, Nacken steifen, unterstützen, Rücken stärken.

Ernährung 1. Verköstigung, Verpfle- **542** gung, Atzung, Fütterung; Nahrung, Essen und Trinken, Kost, Speis(e) und Trank, Proviant, Mundvorrat, Wegzehrung, **2.** Nahrungsmittel, Lebensmittel, Naturalien, Viktualien, Fressalien, Esswaren.

erneuern (sich) 1. ausbessern, auf- **543** frischen, aufarbeiten, instand setzen, reparieren, Schäden beheben, umbauen, überholen, umarbeiten, renovieren, verändern, wenden, restaurieren, rekonstruieren, wiederherstellen, instand mogeln, wieder aufbauen, aufforsten, aufpolieren, tapezieren, neu gestalten, wieder herrichten, flottmachen, **2.** plombieren, füllen, kitten, leimen, löten, dicht machen, abdichten, zustopfen, gipsen, ausfüllen, sohlen, riestern, flicken, stopfen, Stücke einsetzen, **3.** reformieren, umorganisieren, umstrukturieren, reorganisieren, umgestalten, verbessern, revolutionieren, modernisieren, umwälzen, umwandeln, aktualisieren, **4.** wiederholen, bekräftigen, neu beleben, aktivieren, auffrischen, **5.** erfrischen, erquicken, sich verjüngen; aufblühen, aufleben; wieder aufflackern, auferstehen, wieder erstehen, wieder aufleben, Urständ feiern, wieder beleben, wieder auferstehen lassen, revitalisieren.

Erneuerung 1. Ausbesserung, Auf- **544** frischung, Instandsetzung, Renovierung, Restaurierung, Wiederherstellung, Reparatur, Änderung, Umarbeitung, Umbau, Aufarbeitung, Neugestaltung, Modernisierung, Rekonstruktion, Wiederaufbau, Aufforstung, **2.** Auferstehung, Wiedererstehung, Neuwerdung; Verjüngung, Regeneration, Wiedergeburt, Reinkarnation, Neugeburt, Wiedererweckung, Neubelebung, Wiederaufleben, Wiedererblühen, Wiederbelebung, Revival, Wiederaufnahme, **3.** Neufassung, Remake, Neuverfilmung.

545 ernst 1. ernsthaft, streng, entschieden, seriös, gesetzt, würdevoll, nüchtern, sachlich, aufrichtig, **2.** steif, humorlos, trocken, todernst, **3.** im Ernst, ernst gemeint, ohne Spaß, kein Scherz, allen Ernstes, **4.** bedenklich, bedrohlich, nicht ungefährlich, bitterernst, gravierend, ernstlich, Besorgnis erregend, kritisch.

546 ernten pflücken, abmachen, ablösen, abbrechen, abpflücken, zupfen, abzupfen, schütteln, herunterholen, herunternehmen, abnehmen, schneiden, lesen, mähen, einbringen, einfahren, in die Scheuer bringen, aufklauben, auflesen, einsammeln, nachlesen; hereinbringen, speichern, gewinnen, erzielen, einheimsen.

547 eröffnen 1. anfangen, beginnen, aufmachen, gründen, Grundstein legen, einrichten, etablieren, sich niederlassen; anlegen, **2.** weihen, einweihen, taufen, enthüllen, der Öffentlichkeit übergeben, **3.** erschließen, urbar/nutzbar/zugänglich machen, wirtschaftlich erschließen.

548 erregt 1. aufgeregt, beunruhigt, besorgt, unruhig, ruhelos, zappelig, vibrierend, mit Herzklopfen, kribbelig, bebend, zitternd, nervös, verstört, angespannt, hektisch, übererregt, atemlos, fiebrig, aufgeladen, übernervös, alteriert, outriert, überreizt, **2.** berührt, beeinflusst, beeindruckt, gerührt, ergriffen, emotionalisiert, affektiv, bewegt, gepackt, erschüttert, aufgewühlt, **3.** begeistert, gehoben, aufgekratzt, erfüllt, weg, entzückt, fasziniert, gebannt, feurig, glühend, in Fahrt, leidenschaftlich, passioniert, rauschhaft, verzückt, im siebten Himmel, entrückt, Feuer und Flamme, hochgestimmt, euphorisch, hymnisch, trunken, erhitzt, hingerissen,

außer sich, exaltiert, ekstatisch, schwärmerisch, bezaubert, verzaubert, verklärt, betört, gebannt, aufgelöst, berauscht, dionysisch, dithyrambisch, orgiastisch, überspannt, frenetisch, rasend, enthusiastisch, enthusiasmiert, mit fliegenden Fahnen.

549 Erregung 1. Aufregung, Erregtheit, Beunruhigung, Aufgeregtheit, Gemütsbewegung, Gemütserregung, Affekt, Gefühlsspannung, Wallung, Paroxysmus, Verstörtheit, Nervosität, Unruhe, Ungeduld, Schlaflosigkeit, Ruhelosigkeit, Hochspannung, Anspannung, Zappeligkeit, Herzklopfen, Herzflimmern, Lampenfieber, **2.** Ergriffenheit, Erschütterung, Bewegtheit, Emotion, Rührung, **3.** Begeisterung, Enthusiasmus, Entzücken, Entzückung, Rausch, Entrückung, Verzückung, Erhobenheit, Exaltiertheit, Hochgefühl, Trance, Entrücktheit, Besessenheit, Faszination, Bezauberung, **4.** Leidenschaft, Passion, Affekt, Feuer, Glut, Brand, Fieber, innerer Aufruhr, Überschwang, Höhenflug, Gärung, Aufwallung, Hochstimmung, Ekstase, Taumel, Trunkenheit, Trip, **5.** Kurzschlusshandlung, Affekthandlung, Verzweiflungstat.

550 Ersatz 1. Behelf, Notbehelf, Provisorium, Zwischenlösung, Interimslösung, Notlösung, Flickwerk, Notvorrat, eiserne Ration, **2.** Ersatzstoff, Surrogat, Substitut, Äquivalent, Ersatzmittel, Austauschstoff, Hilfsmittel, **3.** Prothese, künstliches Glied, Spenderorgan, Transplantat, Zahnersatz, Zahnprothese, Brille, Kontaktlinsen, Perücke, **4.** Ersatzmann, Reservemann, Stellvertreter, Auswechselspieler, Zweitbesetzung; Double, Stuntman, Stunt, Vertreter.

551 erstarren (lassen) 1. fest werden, sich verfestigen; gelieren, steif werden, gerinnen, eindicken, **2.** erkalten, auskühlen, abkühlen, frieren, gefrieren, zu Eis werden, vereisen, **3.** klumpen, flocken, sich zusammenballen; kristallisieren, verhärten, verkalken, verknöchern, zu Stein werden, petrifizieren, **4.** sich verkrampfen, versteifen, verspannen, verhärten; versteinern.

552 Erstaunen Verwunderung, Staunen, Aufsehen, Befremden, Befremdung, Irritation, Überraschung, Überrumpelung, Erstarrung, Betäubung, Verwirrung, Verblüffung, Bestürzung, Betroffenheit, Sprachlosigkeit, Fassungslosigkeit, Frappiertheit, Schreck, Schock; Eklat, Skandal, Sensation, Bombe; Blind Date, Überraschungsei, Wundertüte, Glückskarte.

553 erstaunlich verwunderlich, merkwürdig, auffallend, bemerkenswert, wunderbar, überraschend, verwirrend, verblüffend, bestürzend, erschreckend, schockierend, frappant, Aufsehen erregend, ausgefallen, wundersam, sonderbar, seltsam, befremdend, befremdlich, irritierend, staunenswert, phänomenal, bewundernswert, stupend, bewunderungswürdig.

554 erstklassig erstrangig, unübertroffen, uneinholbar, unerreicht, unnachahmlich, non plus ultra, prima, das Beste, optimal, eins a, super, vom Besten/Feinsten, allerfeinst, führend, allen überlegen, überragend, ausnehmend, sondergleichen; Spitzenleistung, Meisterstück, Spitze, Klasse, erste Sahne, Meisterleistung, Meisterwerk, Höchstleistung, Krone, Gipfel, erste Qualität, große Klasse, Spitzenklasse; obenan, ganz vorn, nicht zu schlagen, konkurrenzlos.

555 erwarten 1. annehmen, gewärtigen, entgegensehen, für sicher halten, nicht zweifeln, sicher sein, rechnen mit, spannen/setzen/zählen/bauen/vertrauen/gespannt sein/rechnen/Aussicht haben auf, sich verlassen, spitzen, freuen auf, etwas versprechen von; reflektieren, spekulieren auf, **2.** erhoffen, erträumen, erharren, Ausschau halten nach, den Mut nicht sinken lassen, hoffen auf, **3.** fürchten, befürchten, kommen sehen, vorhersehen, nichts Gutes ahnen, sich gefasst machen auf; voraussehen, vorausahnen, schwanen.

556 Erwartung 1. Annahme, Hoffnung, Glaube, Zuversicht, Traum, Ahnung, Vorgefühl, Vorfreude, Vorgeschmack, Kostprobe, Spannung, Ungeduld, **2.** Berechnung, Kombination, Spekulation, **3.** Aussicht, Chance, Möglichkeit, Gelegenheit, Silberstreifen, Lichtblick, Hoffnungsanker.

557 erwidern 1. antworten, beantworten, bescheiden, zurückschreiben, zurückrufen, Aufschluss geben, Rede stehen, eingehen auf, bestätigen, zusagen, absa-

gen, Bescheid geben, **2.** entgegnen, Gegenteil behaupten, widersprechen, einwenden, dagegenhalten, widerlegen, entkräften, zurückweisen, ad absurdum führen, dawiderreden, Widerworte geben, bekämpfen, Lügen strafen, Veto einlegen, Kontra geben, Bescheid stoßen, kontern, entgegenhalten, entgegensetzen, Angriff abfangen, Ball zurückspielen, einhaken, entgegenstellen, gegenüberstellen, versetzen, austeilen, replizieren, zurückgeben, nichts schuldig bleiben, sich verwahren gegen; Einspruch erheben, Einwände vorbringen, protestieren, bestreiten, widerstreiten.

Erwiderung 1. Antwort, Rückäuße- **558** rung, Beantwortung, Bescheid, **2.** Entgegnung, Replik, Retourkutsche, Widerspruch, Einrede, Einwand, Einwurf, Einspruch, Entkräftung, Gegenrede, Widerrede, Gegenäußerung, Anfechtung, Gegenargument, Gegenstimme, Gegenbeweis, Gegenvorschlag, Entgegenstellung, Gegenbehauptung, Antithese, Widerlegung.

Erzählung 1. Schilderung, Darstel- **559** lung, **2.** Geschichte, Story, Short Story, Kurzgeschichte, Novelle, Roman, Verserzählung, Versroman, Epos, Heldenepos, Epopöe, Legende, Sage, Fabel, Mythos, Märchen, Comic, Anekdote, Parabel.

erzeugen 1. schaffen, erschaffen, **560** hervorrufen, ans Licht rufen, hervorbringen, verursachen, entstehen lassen, generieren, kreieren, **2.** zeugen, bestäuben, besamen, befruchten, begatten, decken, **3.** herstellen, bereiten, machen, fertigen, anfertigen, verfertigen, produzieren, fabrizieren, erstellen, erarbeiten, **4.** bauen, erbauen, errichten, aufführen, hinstellen, aufrichten, konstruieren, **5.** säen, aussäen, besäen, setzen, pflanzen, anbauen, anpflanzen, bebauen, bestellen, bewirtschaften, kultivieren, pflegen, ziehen, züchten, **6.** erfinden, ersinnen, erdenken, erdichten, formen, bilden, gestalten, aushecken, ausbrüten.

Erzeuger Urheber, Gründer, Initiator, **561** Hersteller, Fertiger, Produzent, Verleger, Konstrukteur, Entwerfer, Designer, Modeschöpfer.

Erzeugnis Ergebnis, Produkt, Präpa- **562** rat, Fabrikat, Ware, Konsumgut, Gebrauchsgut, Serienprodukt.

563 Erzeugung 1. Zeugung, Erschaffung, Schöpfung, Urheberschaft, Vaterschaft, **2.** Produktion, Herstellung, Fabrikation, Fertigung, Anfertigung, Verfertigung, Serienproduktion, industrielle Herstellung, **3.** Aufbau, Aufrichtung, Errichtung, Erstellung, Bau, Konstruktion; Erfindung, Erdichtung, Kreation, **4.** Anbau, Anpflanzung, Bepflanzung, Saat, Aussaat, Bestellung, Bebauung.

564 erziehen formen, bilden, heranbilden, sozialisieren, einwirken, pädagogisch anleiten, fördern, mündig werden lassen.

565 Erziehung 1. Aufzucht, Brutpflege; Edukation, Sozialisation, Sozialisierung, Persönlichkeitsentwicklung, Bildung, Förderung, Mündigkeitshilfe; Formung, Zucht, Schliff, Kinderstube, **2.** Schulung, Anleitung, Anweisung.

566 essen 1. sich ernähren; Nahrung zu sich nehmen, Hunger stillen, sich sättigen; verzehren, aufzehren, verspeisen, löffeln, sich einverleiben; über das Essen herfallen, verdrücken, sich zuführen, stärken; vertilgen, mit vollen Backen kauen, sich voll stopfen; Bauch voll schlagen, futtern, mampfen, essen wie ein Scheunendrescher, sich hermachen über; verschlingen, hinunterschlingen, wegschroten, verspachteln; zu viel essen, sich den Magen verderben, überessen, **2.** speisen, tafeln, frühstücken, brunchen, lunchen, dinieren, vespern, soupieren, **3.** naschen, knabbern, leckern, picken, kosten, schnabulieren, sich laben, gütlich tun; schleckern, knuspern, schmausen, **4.** kauen, zerkleinern, zermalmen, abbeißen, hineinbeißen, in den Mund stecken/schieben, schlucken, hinunterschlucken, schnell essen, schlingen; nagen, abnagen, abessen, **5.** schmatzen, schlürfen, geräuschvoll essen, **6.** fressen, äsen, weiden, grasen, abweiden, abgrasen, kahl fressen.

Essenz 1. Wesen, Kern, das Wesentliche, Sosein, Mark, Quintessenz, Substanz, Inbegriff, Grundgedanke, springender Punkt, **2.** Extrakt, Konzentrat, Seim, Sirup, Auszug, Absud, Aufguss, Tinktur, Balsam, Elixier. **567**

Europa 1. Abendland, Okzident, Alte Welt, Westeuropa, Mitteleuropa, Osteuropa, Südeuropa, Nordeuropa, **2.** europäisch, abendländisch, okzidental, westeuropäisch, mitteleuropäisch, osteuropäisch, südeuropäisch, nordeuropäisch. **568**

Exemplar Einzelstück, Stück, Nummer, Ausfertigung, Muster, Probe, Band. **569**

Existenz Dasein, Sein, Leben, Vorhandensein, Vorkommen, Anwesenheit, Bestehen. **570**

F

571 Fach 1. Schubfach, Schubkasten, Gefach, Schublade, Lade, 2. Disziplin, Wissensgebiet, Fachgebiet, Sachgebiet, Sparte; Unterrichtsfach, Arbeitsgebiet, Ressort, Zweig, Spezialgebiet.

572 fachlich 1. beruflich, einschlägig, speziell, spezialistisch, wissenschaftlich, fachgemäß, fachmännisch, fachgerecht, zunftgerecht, zunftgemäß, waidmännisch, sachkundig, sachgemäß, zünftig, fachkundig, gekonnt, gelernt, meisterhaft, materialgerecht, werkgerecht, kunstgerecht, richtig, 2. kennerhaft, sachverständig, vom Bau/Fach, von Berufs wegen, professionell, qualifiziert, routiniert, ausgebufft, maßgebend, autoritativ, erfahren.

573 Fachmann Kenner, Sachverständiger, Sachkenner, Fachkraft, alter Hase, Profi, Insider, Routinier, Praktiker, Experte, Autorität, Kapazität, Spezialist, Fachgröße, Koryphäe, Größe, Kanone, große Nummer, Meister, Könner, Künstler, Virtuose, Leuchte, großes Licht.

574 fad 1. würzlos, ungewürzt, salzlos, ungesalzen, geschmacklos, unschmackhaft, gehaltlos, saftlos, matt, flau, schal, wässerig, abgestanden, labberig, nach nichts, leer, öde, duftlos, geruchlos, unaromatisch, 2. langweilig, charakterlos, ausdruckslos, unanschaulich, gesichtslos, dröge, abgezogen, unplastisch, reizlos, unansehnlich, unscheinbar, blutarm, unattraktiv, unerotisch, keimfrei, aseptisch, asexuell.

575 Faden 1. Bindfaden, Schnur, Kordel, Strick, Strippe, Leine, Seil, Strang, Tau, Trosse, 2. Garn, Nähfaden, Zwirn, Zwirnsfaden, Seidenfaden, Wollfaden, Strickgarn, Häkelgarn, 3. Faser, Fiber, Fussel, Fluse.

576 fähig 1. geeignet, qualifiziert, tauglich, befähigt, vermögend, imstande, geartet, veranlagt, begabt, geschaffen/geboren zu, prädestiniert für, begnadet, talentiert, geschickt, gewandt, anstellig,

tüchtig, brauchbar, patent, famos, praktisch, lebenstüchtig, leistungsfähig, verwendbar, einfallsreich, ideenreich, findig, experimentierfreudig, 2. aufgelegt, disponiert, gestimmt, gelaunt, zumute, gesonnen, in der Lage, 3. vorbereitet, vorgesehen, geschult, geübt, gewappnet, gerüstet, stark, schlagkräftig.

577 Fähigkeit Begabung, Talent, Befähigung, Vermögen, Können, Potential, Eignung, Tauglichkeit, Gabe, starke Seite, Anlage, Veranlagung, Zeug dazu, Ader, Qualifikation, Kraft, Potenz, Vielseitigkeit, Tüchtigkeit, die Voraussetzungen.

578 Fahrt 1. Reise, Tour, Flug, Rutsch, Trip, Streifzug, Ausflug, Abstecher, Partie, Landpartie, Törn, Spazierfahrt, Fahrt ins Blaue, Gesellschaftsreise, Kaffeefahrt, Vergnügungsfahrt, Butterfahrt, 2. Expedition, Entdeckungsreise, Exkursion, Forschungsreise, Bildungsreise, Dienstreise, Geschäftsreise, Safari, Weltreise, Tournee, 3. Überfahrt, Passage, Überquerung, 4. Raumfahrt, Weltraumfahrt, Astronautik.

579 Fahrzeug 1. Verkehrsmittel, Gefährt, Wagen, Kalesche, Karosse, Droschke, Kutsche, Fiaker, Vehikel, Karre, 2. Kraftfahrzeug, Auto, Automobil, PKW, Personenwagen, Straßenkreuzer, Kleinwagen, Kleinstwagen, Limousine, Jeep, Caravan, Van, Coupé, Spider, Roadster, Kabrio, Schlitten, Flitzer, Benziner, Diesel, Elektroauto, Solarauto, Geländewagen, Sportwagen, Rennwagen, Oldtimer; Taxe, Taxi, Mietwagen; Motorrad, Kraftrad, Motorroller, Moped, Mofa; Rad, Fahrrad, Bike, Rennrad, Drahtesel, Stahlross, Tandem, 3. Lastwagen, Laster, LKW, Fernlaster, Brummer, Brummi, Truck, Lieferwagen, 4. öffentliches Verkehrsmittel, Bus, Omnibus, Autobus, Obus, Postbus, Bahnbus, Kleinbus; Straßenbahn, Elektrische, Tram, Untergrundbahn, U-Bahn, Metro, Schwebebahn, Hochbahn, Luftkissenbahn, Seilbahn, Zahnradbahn, Bergbahn, Sesselbahn, Sessellift, Schilift; Eisenbahn, Zug, Dampfross, Kleinbahn, Lokalbahn, Triebwagen, Zubringer; Personenzug, Eilzug, D-Zug, IC = Intercity-Zug, ICE = Intercity-Express; TEE = Trans-Europa-Express, Magnetbahn, Transrapid, 5. Traktor, Schleppfahrzeug, Tieflader, Raupenfahrzeug, Kran, Gleitkettenfahrzeug, Baumaschinen, **6.** Schiff, Dampfer, Passagierschiff, Ozeandampfer, Luxusliner, Ozeanriese; Frachter, Kutter, Schoner, Unterseeboot; Galeere, Segelschiff, Klipper, Jolle, Jacht, Schnellsegler; Flotte, Flottille, Flottenverband, Schiffsverband, Konvoi, Geleitzug; Schlepper, Schleppzug; Fähre, Fährboot, Trajekt, Vaporetto, Barkasse, Hovercraft, Eisenbahnfähre; Gondel, Boot, Nachen, Kahn, Barke, Schaluppe, Beiboot, Motorboot, Ruderboot, Faltboot, Kanu, Kajak, Einbaum, Floß, **7.** Flugzeug, Flieger, Maschine, Verkehrsflugzeug, Passagierflugzeug, Jet, Düsenklipper, Düsenjäger, Senkrechtstarter, Airbus, Jumbo-Jet, Linienflugzeug, Chartermaschine, Shuttle, Hubschrauber, Helikopter; Zeppelin, Luftschiff, Ballon, Sportflugzeug, Segelflugzeug, **8.** Sänfte, Tragesessel, Tragstuhl, Rikscha, Pedicab, **9.** Aufzug, Lift, Elevator, Fahrstuhl, Paternoster, **10.** Raumfahrzeug, Raumkapsel, Raumstation, Skylab, Raumschiff, Raumlaboratorium, Raumsonde, Orbitalstation, Raumfähre.

580 Fall 1. Sturz, Absturz, Sturz in die Tiefe, Rutsch, Plumps, freier Fall, **2.** Angelegenheit, Sache, Frage, Umstand, Kasus, Rechtsfall, Rechtssache, Problem, Belange, Vorfall, Interessen, Konstellation, Tatsache, Ereignis, Begebnis, Begebenheit, Tatbestand, Affäre, Gegebenheit, Causa, Nummer.

581 fallen 1. stürzen, zu Fall kommen, hinfallen, zu Boden fallen, auf die Nase fallen, hinschlagen, lang/der Länge nach hinschlagen, hinfliegen, hinknallen, plumpsen; rutschen, ins Schleudern geraten, ausrutschen, abrutschen, Halt verlieren, ausgleiten, glitschen, stolpern, kippen, kentern, umkippen, hintenüberfallen, umstürzen, straucheln, Balance/Gleichgewicht verlieren, purzeln, hinpurzeln; niederstürzen, herabfallen, abstürzen, in die Tiefe stürzen, **2.** absinken, absacken, an Höhe verlieren, abschmieren, trudeln, ins Trudeln geraten, niedersinken, hinabsinken, wegsacken, sich senken; einsacken, einsinken, einfallen, sich durchbiegen; durchhängen, **3.** sterben.

582 falls wenn, für den Fall, im Falle, ge-

setzt den Fall, vorausgesetzt, dass, angenommen, sofern, insofern, wofern, sobald, notfalls, nötigenfalls, gegebenenfalls.

falsch 1. verkehrt, unrichtig, unkor- **583** rekt, inkorrekt, schief, fehlerhaft, verfehlt, danebengegangen, schief gelaufen, grundfalsch, völlig verkehrt, verfahren, nicht getroffen, unzutreffend, unrecht, mit den Tatsachen nicht übereinstimmend, unverwendbar, unbrauchbar, verpfuscht, **2.** unwahr, gelogen, erlogen, aus der Luft gegriffen, entstellt, erfunden, irrtümlich, trügerisch, lügenhaft, lügnerisch, geflunkert, unaufrichtig, **3.** gefälscht, unecht, nachgemacht, nachgeahmt, irreführend, imitiert, fingiert, missbräuchlich, illusorisch, vorgetäuscht, trügerisch, eingebildet, Simili, täuschend echt, simuliert, **4.** unehrlich, heuchlerisch, scheinheilig, scheinfromm, frömmlerisch, bigott, schmeichlerisch, zuckersüß, scheißfreundlich, pharisäisch, geheuchelt, gleisnerisch, verlogen, verstellt, glatt, aalglatt, doppelzüngig, süß, süßlich; arglistig, hinterhältig, intrigant, denunziatorisch, **5.** unhaltbar, widersinnig, unsinnig, irrig, sinnwidrig, folgewidrig, inkonsequent, unlogisch.

Falschheit 1. Falsch, Perfidie, Hin- **584** terlist, Verschlagenheit, Schadenfreude, Gehässigkeit, Arglist, Arg, Heuchelei, Hinterhältigkeit, Heimtücke, Tücke, Hinterfotzigkeit, Intriganz, Infamie, Doppelstrategie, Doppelspiel, doppeltes Spiel, Gleisnerei, Doppelzüngigkeit, Lippenbekenntnis, Unaufrichtigkeit, **2.** Scheinheiligkeit, Pharisäertum, Bigotterie, Frömmelei, Doppelmoral.

Falte 1. Falbel, Plissee, Krause, Rü- **585** sche, Volant, Bruch, Kniff, Kante, Knick, Eselsohr, Falz, Einschlag, Umschlag, Bügelfalte, Faltenwurf, **2.** Runzel, Krähenfüße, Rune, Knitter, Kerbe, Riefe, Rinne, Rille, Vertiefung, Furche; Lachfalte, Sorgenfalte, strenge Falte.

falten 1. zusammenlegen, ineinander **586** legen, zusammenfalten, zusammenklappen, zusammenschlagen, verschränken, **2.** umbiegen, einbiegen, falzen, knicken, kniffen, umschlagen, fälteln, plissieren, kräuseln, einreihen, einhalten, raffen, reihen, **3.** runzeln, rümpfen, zusammenziehen, furchen, zerknit-

tern, zerkrumpeln, zerdrücken, zerknüllen, zusammenknüllen, zusammenballen; knautschen, knüllen, knittern,
krumpeln.

587 faltig 1. gefaltet, in Falten gelegt, plissiert, gefältelt, gekräuselt, eingekraust,
faltenreich, eingehalten, kraus, bauschig, weit, schwingend, pluderig, **2.**
runzlig, knittrig, alt, **3.** zerknittert, zerknautscht, verkrumpelt, ungebügelt.

588 fangen 1. greifen, fassen, packen,
schnappen, haschen, kriegen, grapschen, auffangen, aufschnappen, **2.** einholen, einfangen, kaschen, erhaschen,
abfassen, abfangen, abschnappen, zu
fassen kriegen, erfassen, aufgreifen, zugreifen, zupacken, halten, finden, erwischen, **3.** erjagen, erbeuten, erlegen, angeln, fischen, Fische fangen, zur Strecke
bringen, ködern.

589 Farbe 1. Färbung, Farbgebung, Bemalung, Kolorierung, Kolorit, Buntheit,
Farbenpracht, Farbenspiel, Vielfarbigkeit, Couleur; Pigmentierung, Teint,
Ton, Gesichtsfarbe, **2.** Farbigkeit, Anschaulichkeit, Frische, Lebendigkeit,
Lebensnähe, Bildhaftigkeit, Wirklichkeitsnähe, Realismus, Plastizität, Körperlichkeit, **3.** Farbstoff, Färbemittel,
Naturfarbe, künstliche Farbe.

590 färben 1. einfärben, umfärben, Farbe
verändern / erneuern / geben / auffrischen, andere Farbe auftragen, röten,
bräunen, schwärzen, bläuen, **2.** malen,
pinseln, anmalen, anpinseln, tuschen,
antuschen, kolorieren, illuminieren,
schattieren, tönen, beizen, lackieren, **3.**
anstreichen, tünchen, streichen, über-
streichen, übertünchen, bemalen, ausmalen, **4.** braun werden, bräunen, anbräunen, **5.** klittern, beschönigen.

591 farbig 1. bunt, buntfarbig, farbenprächtig, mehrfarbig, vielfarbig, farbenreich, polychrom, farbenfreudig, farbenfroh, farbenprangend, schillernd,
frisch, buntscheckig, kunterbunt, leuchtend, satt, grell, knallig, poppig, knallbunt, schreiend, **2.** bemalt, getüncht,
gestrichen, koloriert, getönt, gemalt; illustriert, bebildert, **3.** nicht weiß, coloured, andersfarbig, dunkelhäutig,
schwarz.

592 farblos 1. weiß, schneeweiß, weißlich, gebrochenes Weiß, Eierschale, alabasterfarben, ungefärbt, matt, blass,

schneeig, bleich, fahl, falb, verblichen,
ausgeblichen, verschossen, vergilbt,
verblasst, verwaschen, entfärbt, grau in
grau, unfarbig, wächsern, käsig, kreide-
bleich, käseweiß, schneebleich, blutlos,
blutleer, geisterhaft, totenblass, leichen-
blass, **2.** fad, reizlos, langweilig.

593 Farblosigkeit Blässe, Bleichheit,
Entfärbung; Ausdruckslosigkeit, Un-
entschiedenheit, Neutrum, Fadheit,
Langweiligkeit, Reizlosigkeit.

594 faulenzen feiern, müßig gehen,
nichts tun, Hände in den Schoß legen,
Zeit totschlagen, sich einen schönen
Tag machen/die Zeit vertreiben; es sich
gut gehen lassen, untätig/faul/müßig
sein, bummeln, sich auf die faule Haut
legen; den lieben Gott einen guten
Mann sein lassen, Däumchen drehen,
dem lieben Gott die Zeit stehlen, sich
einen Lenz machen; ruhige Kugel schieben, gammeln, rumhängen, in den Tag
leben.

595 Faulenzer Nichtstuer, Müßiggänger,
Flaneur, Bummler, Faulpelz, Bummelant, Langschläfer, Drückeberger, Drohne, Eckensteher, Nachtwächter, Schlafmütze, Faultier, Bärenhäuter, fauler
Strick/Hund/Sack, Taugenichts.

596 Fäulnis Gärung, Verwesung, Moder,
Schimmel, Zerfall, Fäule.

597 federn 1. zurückschnellen, abprallen,
zurückprallen, zurückspringen, hochspringen; wippen, schnellen, springen,
schwingen, vibrieren, beben, prallen, **2.**
hüpfen, hopsen, hupfen, Sprünge machen, kobolzen, **3.** abfedern, polstern.

598 fehlen 1. nicht da sein, ausbleiben,
fortbleiben, wegbleiben, fernbleiben,
durch Abwesenheit glänzen, sich fern
halten; nicht kommen, vermisst werden, Lücke hinterlassen, nicht anwe-
send/zugegen sein, absent sein, **2.** mangeln, abgehen, gebrechen, hapern,
knapp sein, brauchen, vermissen, benötigen, Not tun, nötig sein, **3.** unterbleiben, nicht geschehen, ausfallen, wegfallen, abgesagt werden, fortfallen, nicht
stattfinden, ins Wasser fallen, **4.** verfehlen, nicht treffen, danebenschießen,
Ziel/Weg verfehlen, vom Weg abkom-
men, sich verirren, verlaufen, **5.** fehltreten, danebentreten, sich den Fuß vertre-
ten/verstauchen.

599 Fehler 1. Versehen, Verstoß, Unrichtigkeit, Bock, Schnitzer, Patzer, Rechenfehler, Verschreiben, Schreibfehler, Rechtschreibfehler, Tippfehler, Druckfehler, Hörfehler, Versprecher, Sprachschnitzer, Denkfehler, **2.** Lücke, Auslassung, Unvollständigkeit, Unvollkommenheit, Unstimmigkeit, Unzulänglichkeit, Defekt, Schwäche, Achillesferse, schwache Stelle, wunder Punkt, wunde Stelle, Schönheitsfehler, Manko, Minus, Macke, Schattenseite, Pferdefuß, Haken, Kehrseite, **3.** Irrtum, Missverständnis, Missgriff, Fehlgriff, Verwechslung, Fehlpass, Vermengung, Verkennung, Missdeutung, Zirkelschluss, Unterschätzung, Überschätzung, Fehlleistung, Fehlschluss, Trugschluss, Holzweg, Irrweg, Irrfahrt, Odyssee, falsche Fährte; Fehlurteil, Justizirrtum, Kunstfehler, Fehlspekulation, Milchmädchenrechnung, Reinfall; Fehlzündung, Fehlstart, **4.** Entgleisung, Ausrutscher, Formfehler, Ungeschicklichkeit, Fauxpas, Lapsus, Taktfehler, Taktlosigkeit, Ungeschick, Plumpheit, **5.** Mangel, Untugend, Schwäche, Makel, Odium, Blöße, Armutszeugnis.

600 feierlich 1. getragen, gemessen, gehoben, erhaben, gewichtig, nachdrücklich, bedeutsam, würdevoll, **2.** festlich, festtäglich, sonntäglich, galamäßig, weihevoll, erhebend, bewegend, solenn, stimmungsvoll, herzbewegend, packend, herzerhebend, olympisch, **3.** pastoral, pathetisch, majestätisch, gravitätisch, zeremoniell, salbungsvoll.

601 Feierlichkeit 1. Festlichkeit, Solennität, Erbauung, Erhebung, Ergriffenheit, Andacht, Ernst, Stille, Gemessenheit, Getragenheit, Erhabenheit, Würde, Weihe, **2.** Feierstunde, Festakt, Festversammlung, Zeremonie, Zeremoniell, Zelebration, Kulthandlung.

602 feiern 1. Fest geben, Feier veranstalten, festen, Fete machen, feten, **2.** sich vergnügen, belustigen, ergötzen; bummeln, schwärmen, durchmachen, einen draufmachen, durchschwärmen, schwiemeln, durchfeiern, versacken, **3.** blaumachen, krankfeiern, schwänzen, faulenzen.

603 Feigling Angsthase, Hasenfuß, Hasenherz, Memme, Drückeberger, Pantoffelheld, Schwächling, Waschlappen, Hampelmann, Schlaffi, Weichei, Weichling, Muttersöhnchen, Jammerlappen, Kümmerling, Hosenscheißer, Schisser.

Feind 1. Gegner, Widersacher, Widerpart, Angreifer, Aggressor, Erzfeind, Erbfeind, Todfeind, **2.** Menschenfeind, Misanthrop, Menschenverächter, Menschenhasser. **604**

feindlich feindselig, gegnerisch, verfeindet, animos, aggressiv, überworfen, zerstritten, verzürnt, unversöhnbar, unversöhnlich, spinnefeind, nicht kompromissbereit / verhandlungsbereit, hasserfüllt, zwieträchtig, auf Kriegsfuß, im feindlichen Lager; menschenfeindlich, fremdenfeindlich, xenophob. **605**

Feindseligkeit Feindschaft, Feindlichkeit, Gegnerschaft, Fronstellung; Unfriede, Hader, Zank, Streit, Zwist, Fehde; Groll, Hass, Neid, Animosität, Missgunst, Ressentiment, Bitterkeit, Rachsucht, Vergeltungsdrang, Rachgier, Unversöhnlichkeit, Verbitterung, Ranküne. **606**

Feinheit 1. Zartheit, Subtilität, Feinsinn, Anmut, Grazie, Erlesenheit, Gewähltheit, Distinktion, Vornehmheit, Noblesse, Exklusivität, **2.** Verfeinerung, Differenziertheit, Nuanciertheit, Dezenz, Raffinesse, Raffinement, Finesse, Überfeinerung, Ästhetizismus, Dekadenz. **607**

Feminismus Frauenbewegung, Frauenrechtsbewegung, Frauenpolitik, feministische Bewegung / Politik, Gleichberechtigungskampf, Gleichstellungskampf, Frauenbefreiung, Frauenautonomie, Women's Lib. **608**

Fernsehen 1. Fernsehapparat, Apparat, TV-Gerät, TV, Fernseher, Fernsehempfänger, Empfangsgerät; Schwarzweißgerät, Farbfernseher, Portable, Flachfernseher; Flimmerkiste, Heimkino, Pantoffelkino, Glotze, Mattscheibe, **2.** Fernsehanstalt, öffentlich-rechtliches Fernsehen, privates Fernsehen, öffentlicher Sender, Privatsender, Kabelfernsehen, Pay-TV, digitales Fernsehen, **3.** Fernsehprogramm, Sendefolge. **609**

fertig 1. erledigt, beendet, abgeschlossen, vollendet, ausgeführt, zu Ende, unter Dach und Fach, im Kasten, durch, geschafft, getan, ausgestanden, durchgestanden, in Ordnung, nichts einzuwenden, einverstanden, **2.** bereit, gerichtet, gerüstet, angezogen, gestie- **610**

felt und gespornt, fix und fertig, reisefertig, abfahrbereit, abmarschbereit, auf dem Sprung, startklar, **3.** zur Disposition, in Bereitschaft, disponibel, zur Verfügung, verfügbar, parat, zur Hand, griffbereit, **4.** gar, essbar, genießbar, tischfertig, durchgebacken, gekocht, zubereitet, angerichtet, serviert, aufgetragen, mundgerecht, **5.** fertig gekauft, von der Stange.

611 Fertigkeit Geschicklichkeit, Gewandtheit, Wendigkeit, Geschick, Fingerfertigkeit, Kunstfertigkeit, Können, Beherrschung, Routine, Übung, Technik, Praxis, Fähigkeit.

612 fest unbeweglich, starr, statisch, stabil, unlösbar, fest verankert, unverrückbar, fixiert, fix, stramm, straff.

613 Festigkeit 1. Dichte, Härte, Stabilität, Stärke, Robustheit, Zähheit, Zähe, Haltbarkeit, Solidität, Widerstandsfähigkeit, Resistenz, Unverwüstlichkeit, Unempfindlichkeit, Strapazierfähigkeit, Wertbeständigkeit, **2.** Unangreifbarkeit, Uneinnehmbarkeit, Unverwundbarkeit, Wehrhaftigkeit, Standfestigkeit, Widerstandskraft, Unbesiegbarkeit, **3.** Beständigkeit, Beharrlichkeit, Konsequenz, Charakterfestigkeit, Rückgrat, Charakterstärke, Stehvermögen, Beharrungsvermögen, Hartnäckigkeit, Zielstrebigkeit, **4.** Gleichmaß, Regelmäßigkeit, Stete, Stetigkeit, Ausdauer, Zähigkeit, Standfestigkeit, **5.** Treue, Zuverlässigkeit, Verlässlichkeit, Unverführbarkeit, Unbestechlichkeit, Standhaftigkeit, Unerschütterlichkeit, Unbeirrbarkeit, Loyalität, Nibelungentreue, Integrität, **6.** Fels, Pfeiler, Turm, Eiche.

614 feststellen 1. arretieren, fixieren, blockieren, **2.** konstatieren, festhalten, vermerken, notieren, auflisten, registrieren, belegen, diagnostizieren, identifizieren, sich überzeugen; klären, präzisieren, konkretisieren, festlegen, bestimmen, definieren, festsetzen, **3.** messen, ausmessen, abmessen, dosieren, vermessen, ausschreiten, abschreiten, bemessen, eichen, normen, lokalisieren, orten, kartografieren, loten, ausloten, wiegen, abwiegen, auswiegen.

615 Feststellung 1. Befund, Ergebnis, Resultat, Diagnose, Nachweis, Aussage, Angabe, Erklärung, Statement, Darlegung, Konstatierung, Beweisführung, **2.** Messung, Ausmessung, Vermessung, Auslotung, Lotung, Ortung, Kartografie.

feuchten 1. nässen, nass machen, **616** netzen, befeuchten, anfeuchten, einsprengen, einspritzen, benetzen; gießen, schütten, begießen, übergießen, überschütten, durchtränken, sprengen, besprengen, spritzen, bespritzen, besprühen, berieseln, überrieseln, betauen, tränken, wässern, beträufeln, vernebeln, zerstäuben, versprengen, verspritzen, versprühen, sprühen, sprayen, **2.** einweichen, durchtränken, durchfeuchten, bewässern, durchströmen, durchfließen, **3.** anlaufen, beschlagen, sich überziehen; nass/feucht werden.

Feuer 1. Flamme, Funke, Lohe, Glut, **617** Licht, Leuchten, Glimmen, Wabern, Lohen, **2.** Brand, Feuersbrunst, Flammenmeer, Flächenbrand, Großbrand, **3.** Salve, Feuerstoß, Kugelfeuer, Trommelfeuer, Feuergarbe.

Film 1. Überzug, Schutzschicht, **618** Schutzfilm, Emulsionsschicht; Belag, Ölfilm, Schmierfilm, **2.** Filmmaterial, Zelluloid, Streifen, Filmstreifen, Bildstreifen, Bildfolge, Filmrolle, Filmband, Videoband, Negativ, Positiv, Diapositiv, **3.** Kinofilm, Spielfilm, Movie, Dokumentarfilm, Experimentalfilm, Animationsfilm, Autorenfilm, Stummfilm, Tonfilm, Fernsehfilm; Kultfilm.

finden (sich) 1. entdecken, auffinden, gewahren, erblicken, sichten, ausfindig machen, stoßen auf, auftun, freilegen, ausgraben, auftreiben, aufstöbern, auflesen, aufspüren, ausbaldowern, ausmachen, eruieren, ergründen, erforschen, herausfinden, erkunden, sich durchfinden; wieder finden; fündig werden, Neuland entdecken, **2.** ertappen, erwischen, aufgabeln, abfassen, auf die Spur/Schliche kommen, enttarnen, **3.** sich ergeben, zeigen, herausstellen; vorfinden, sich gegenübersehen.

Fläche 1. Ebene, Tafel, Plattform, Plateau, **620** Tafelland, Flachland, Tiefland, Niederung, Tiefebene, Unterland, Aue, Wiesengrund, Flussaue; Hochebene, Hochplateau, **2.** Flächigkeit, Flachheit, Gestrecktheit, Plattheit, Weite, Ausdehnung.

fleißig tätig, emsig, arbeitsam, arbeitsfreudig, lerneifrig, unermüdlich, **621**

rastlos, schaffig, strebsam, unverdrossen, rührig, geschäftig, regsam, nimmermüde, immer im Dienst, bienenfleißig.

622 flexibel 1. dehnbar, elastisch, federnd, biegsam, schwank; knetbar, modellierbar, formbar, **2.** auffassungsschnell, wendig, helle, wandlungsfähig, gelenkig, geschmeidig.

623 Flexibilität 1. Dehnbarkeit, Elastizität, Nachgiebigkeit, Federkraft, Spannkraft, Plastizität, **2.** Gelenkigkeit, Schmiegsamkeit, Wendigkeit, Anpassungsfähigkeit, Wandlungsfähigkeit, Beweglichkeit, Geschmeidigkeit, Auffassungsgabe, Formbarkeit, Aufnahmefähigkeit, Frische, Schwung, Schnellkraft.

624 fliehen 1. entfliehen, flüchten, sich absetzen, abseilen; ausbrechen, entlaufen, sich absentieren; abhauen, weglaufen, davonlaufen, entwischen, ausreißen, wegrennen, fortlaufen, davongehen, verschwinden, sich aus dem Staube machen; auskneifen, wegschleichen, sich wegstehlen, in die Büsche schlagen; davonschleichen, sich verdrücken; entrinnen, durchbrennen, auskommen, ausbüxen, Fersengeld geben, sich dünnmachen, verdünnisieren; auf und davon gehen, verduften, sich davonmachen; türmen, abhauen, abziehen, abzischen, abrauschen, auskratzen, Flucht ergreifen, stiften gehen, das Weite suchen, sich fortstehlen, verflüchtigen; Reißaus nehmen; entschlüpfen, entfliegen, wegfliegen, **2.** meiden, umgehen, ausweichen, aus dem Wege gehen, scheuen, sich entziehen, fern halten; abrücken von, zurückweichen, zurückschrecken, fürchten, Manschetten haben vor.

625 fließen strömen, fluten, rinnen, triefen, rauschen, laufen, wogen, wallen, rieseln, sich ergießen; sprudeln, quellen, glucksen, plätschern, gurgeln, tröpfeln, tropfen, drippeln, träufeln, lenken, sickern, perlen, kullern, tränen, nässen.

626 flott schick, fesch, schmuck, adrett, alert, smart, schnittig, schnieke, geschniegelt, gestylt, durchgestylt; schnell.

627 Fluch Verwünschung, Verdammung, Verfluchung, Gottesstrafe, Lästerung, Schmähung, Gotteslästerung, Blasphemie; Kraftausdruck, Kraftwort, Drohwort, Schimpfwort.

628 fluchen verfluchen, lästern, verwünschen, verdammen, vermaledeien, zum Kuckuck/Teufel wünschen, etwas an den Hals wünschen, schimpfen, wettern.

629 flüstern leise sprechen, Stimme dämpfen, ins Ohr sagen, tuscheln, murmeln, zischen, zischeln, lispeln, brummeln, wispern, raunen, hauchen, flispern, fispeln, säuseln, flöten, piepsen, rascheln.

630 Folge 1. Reihenfolge, Aufeinanderfolge, Turnus, Sequenz, Ablauf, Abfolge, Verlauf, Hergang, Nacheinander, Gang, Lauf, Fluss, **2.** Fortsetzung, Serie, Reihe, Verkettung, Kettenreaktion, **3.** Konsequenz, Ergebnis, Resultat, Auswirkung, Frucht, Wirkung, Nachwirkung, Reaktion, Folgewirkung, Nachwehen, Spätfolgen, Spätschäden, Weiterungen, Nachspiel, Rattenschwanz, Bescherung, Salat, Ende vom Lied.

631 folgen 1. nachgehen, mitgehen, sich anschließen, anhängen, zugesellen, beigesellen; mitkommen, nachkommen, hinterherkommen, hinterhertrotten, hinterherzockeln, **2.** ergeben, erfolgen, sich auswirken; nach sich ziehen, im Gefolge haben, zur Folge haben, führen zu, **3.** nachfolgen, nacheifern, nachstreben, nachtun, nachleben, gleichtun, sich anzugleichen suchen, orientieren an, richten nach; in die Fußstapfen treten, **4.** drankommen, an die Reihe kommen, folgen auf, nachrücken, ablösen, übernehmen.

632 Form 1. Bau, Beschaffenheit, Gestalt, Art, Gefüge, Struktur, Aufbau, Formation, Anordnung, Organisation, Bauweise, Textur, Konstruktion, **2.** Gestaltung, Prägung, Stil, Charakter, Eigenart, Manier, Ausdruck, Formgebung, Formung, Ausprägung, Gepräge, **3.** Modell, Fasson, Matrize, Schnitt, Machart, Umriss, Kontur, **4.** Format, Zuschnitt, Proportion, Maß, Größe, Figur.

633 formlos 1. amorph, gestaltlos, ungeformt, ungestaltet, unstrukturiert, roh, im Naturzustand, unbehauen, ungefüge, **2.** stillos, stilwidrig, geschmacklos, unkünstlerisch, kitschig, **3.** nachlässig, bequem, nonchalant, lässig, hemdsärmelig, leger, salopp, ungezwungen, zwanglos, unförmlich, ohne Vordruck/ Formular.

634 Formsache 1. Formalität, Formalie, Förmlichkeit, Äußerlichkeit, Formkram, Instanzenweg, Dienstweg, Amtsschimmel, Papierkrieg, Papierkram, Routineangelegenheit, **2.** Formular, Fragebogen, Formblatt, Vordruck.

635 forschen experimentieren, untersuchen, erforschen, explorieren, durchforschen, erkunden, erheben, ergründen, nachforschen, sezieren, graben, wühlen, ausforschen, nachbohren, nachgraben, durchleuchten, ausloten, austüfteln, herausbringen; hinterfragen, nachspüren, nachgehen, rekognoszieren, unter die Lupe nehmen, auf den Grund gehen, Untersuchungen anstellen.

636 Forschung 1. Wissenschaft, Wissenschaftler, Science-Community, **2.** Experiment, Erhebung, empirische Forschung, wissenschaftliches Arbeiten, Analyse, Untersuchung, Theoriebildung, Spekulation, Problemlösung, **3.** Grundlagenforschung, freie Forschung, Industrieforschung, Meinungsforschung, Projektforschung.

637 Fortschritt Entwicklung, Fortgang, Fortentwicklung, Aufwärtsentwicklung, Progress, Progression.

638 Frage 1. Anfrage, Nachfrage, Erkundigung, Befragung, Anamnese; Fragerei, Ausfragerei, **2.** Zwischenfrage, Rückfrage, Gegenfrage, rhetorische Frage, Pseudofrage, Scheinfrage, Fangfrage, Gretchenfrage, Journalistenfrage, Scherzfrage, Entscheidungsfrage, Streitfrage, Zweifelsfrage, brennende Frage, **3.** Verhör, Vernehmung, Kreuzverhör, Kreuzfeuer, Inquisition, **4.** Problem, Problemstellung, Aufgabe, Thema, Kernfrage, Kernproblem, strittiger/ kritischer Punkt, Fragestellung, Forschungsgegenstand, Knackpunkt.

639 fragen 1. Frage stellen, nachfragen, sich erkundigen; anfragen, erfragen, antippen, auf den Busch klopfen, ventilieren, sondieren, vorfühlen, sich umtun, umhören; herumfragen, um Aufschluss bitten, sich informieren; um Rat fragen, konsultieren, **2.** befragen, verhören, vernehmen, ausfragen, ausholen, herausholen, abfragen, ins Kreuzverhör nehmen, aushorchen, ausquetschen,

auspressen, aus der Nase ziehen, examinieren, prüfen, entlocken, ins Gebet nehmen, zur Rede stellen, interviewen, Löcher in den Bauch fragen, löchern.

Frau weibliche Person, Dame, Madame, Lady, Grande Dame; Frauenzimmer, Weib, Weibsbild, Weibsperson, Weibsstück; Junggesellin, Witwe, allein stehende Frau, allein erziehende Mutter, Single, Hausfrau, Matrone, Karrierefrau. **640**

Frauenbilder Xanthippe, Megäre, Hyäne, Furie, Sirene, Lolita, Domina, Vamp, Venus, Sphinx, Blaustrumpf, Juno, Diana, schwaches Geschlecht, Hure, Heilige, Madonna, Muse, Engel, Fee, Göttin. **641**

frech 1. kess, burschikos, draufgängerisch, keck, verwegen, unbescheiden, aufmüpfig, respektlos, ungebührlich, **2.** vorlaut, vorwitzig, naseweis, übermütig, flapsig, neunmalklug, siebengescheit, schnippisch, **3.** unartig, ungezogen, unerzogen, verzogen, patzig, pampig, ungeraten, flegelhaft, lümmelhaft, rüde, krude, ungehobelt, schnodderig, rüpelhaft, ausfällig, dreist, dummdreist, nassforsch, unverfroren, unverschämt, impertinent, rotzig, rotzfrech. **642**

Frechheit 1. Keckheit, Naseweisheit, Vorwitz, Vorwitzigkeit, Flapsigkeit, Respektlosigkeit, **2.** Dreistigkeit, Ungezogenheit, Unverschämtheit, Unverfrorenheit, Impertinenz, Anmaßung, Prätotenz, Derbheit, Grobheit, Raubeinigkeit, Rüpelei, Krudität, Unerzogenheit, Hemdsärmeligkeit, schlechte Manieren, **3.** Unhöflichkeit, Taktlosigkeit, Unzartheit, Unliebenswürdigkeit, Kaltschnäuzigkeit, Unfreundlichkeit, Schroffheit, Ungebührlichkeit, Barschheit, Bissigkeit, Schärfe, Unbescheidenheit, Flegelei, Unart, Ungeheuerlichkeit, starkes Stück, Hammer, Bodenlosigkeit. **643**

frei 1. selbständig, emanzipiert, geistig unabhängig, mündig; ungebunden, souverän, eigenstaatlich, unabhängig, autonom, eigener Herr, selbstverantwortlich, selbsternannt, unbehindert, unbeschränkt, unbehelligt, unbelastet, ungestört, ungehindert, unbegrenzt, unangefochten, unverwehrt, unbeaufsichtigt, auf eigene Faust, unkontrolliert, **2.** frank, zwanglos, ungezwungen, gelockert, aufgelockert, gelöst, unver- **644**

krampft, cool, angstfrei, entspannt; aufgetaut, ungeniert, ungehemmt, ohne Förmlichkeit, unzeremoniell, formlos; offen, freimütig, unbefangen, ohne Scheu, frei von der Leber weg, **3.** aufgeklärt, liberal, frei denkend, freidenkerisch, freigeistig, libertär, offen, tolerant, weltaufgeschlossen, **4.** vakant, offen, unbesetzt; leer, unbenützt, zu haben, verfügbar, **5.** erlöst, befreit, entlastet, enthoben, erleichtert, entbunden, aller Bande ledig, los und ledig, freie Bahn, freigestellt, dispensiert, suspendiert, **6.** freiberuflich, freelance, freier Mitarbeiter.

645 Freiheit 1. Unabhängigkeit, Selbständigkeit, Selbstbestimmung, Liberalität, Willensfreiheit, geistige Selbständigkeit, Eigenverantwortlichkeit, Entscheidungsfreiheit, freie Wahl, Ungebundenheit, Handlungsfreiheit, Bewegungsfreiheit, Autonomie, Souveränität; Pressefreiheit, Meinungsfreiheit, Gedankenfreiheit, künstlerische Freiheit, **2.** Emanzipation, Freiheitsverlangen, Freiheitsliebe, Freiheitsdurst, Selbstbefreiung, Gleichberechtigung, **3.** Unbefangenheit, Natürlichkeit, Selbstverständlichkeit, Unbedenklichkeit, Ungeniertheit, Freimut, Freimütigkeit, Ungezwungenheit, Zwanglosigkeit, Leichtigkeit, Beweglichkeit, Unbekümmertheit, Narrenfreiheit, Blankoscheck, **4.** Befreiung, Erlösung, Errettung, Lossprechung, Freilassung, Entlassung; Entbindung, Entledigung, Absolution.

646 freiwillig ungezwungen, ungeheißen, spontan, unaufgefordert, aus eigenem Willen, gewollt, selbst gewählt, ohne Zwang/Druck, aus eigenem Antrieb, von selbst, aus freien Stücken, ohne Zutun, aus sich heraus, gern, aus eigener Initiative, auf eigene Faust/Verantwortung, unverlangt, ungefragt, ungebeten.

647 Freizeit freie Zeit, Erholungszeit; Arbeitspause, Ruhetag, Feiertag, Sonntag, Festtag, Wochenende, Feierabend; Ferienzeit, Urlaubszeit, Muße.

648 fremd 1. unbekannt, ungewohnt, unvertraut, anders, heterogen, verschieden, befremdlich, fremdartig, exotisch, wildfremd, **2.** ortsfremd, neu, nicht eingeführt, unkundig, uneingeweiht, **3.** in der Fremde, im Ausland, in der Emigration, in einer anderen Kultur.

Fremde 1. Ausland, Ferne, ferne Länder, weite Welt, unbekannte Länder, andere Kulturen; Exotik, Wildnis, **2.** Reisende, Touristen, Fremdlinge. **649**

Freude 1. Fröhlichkeit, Heiterkeit, Freudigkeit, Frohsinn, Humor, Aufgeräumtheit, Fidelität, gute Laune, Frohmut, Munterkeit, Lustigkeit, Vergnüglichkeit, Vergnügen, Stimmung, Laune, Belustigung, Erheiterung, Spaß, Fun, **2.** Gefallen, Behagen, Pläsier, Genuss, Ergötzen, Wohlgefallen, Herzensfreude, Beglückung, Zufriedenheit, Entzücken, Lust, Wonne, Lebenslust, Lebensgenuss, Lebensfreude, **3.** Jubel, Jubelruf, Freudenschrei, Jauchzen, Jauchzer, Freudengeheul, Lache, Lachen, Lächeln, Schmunzeln, Lachlust, Lachsalve, Gelächter, Hochstimmung, Freudentaumel, Frohlocken, Gejauchze, **4.** Übermut, Mutwille, Ausgelassenheit, Tollheit, Jux, Jokus, Gaudi. **650**

freuen (sich) 1. erfreuen, erheitern, Freude machen, gefallen, erbauen, erheben, beglücken, entzücken, froh machen, sich weiden an; Spaß machen, ergötzen, erquicken, behagen, glücklich machen, beseligen, genießen, sich delektieren, vergnügen, amüsieren, belustigen; lächern, zum Lachen bringen, **2.** lachen, lächeln, schmunzeln, grinsen, jubeln, frohlocken, jauchzen, jubilieren, sich freuen wie ein Schneekönig; aus dem Häuschen geraten, fröhlich/heiter/guter Dinge sein, scherzen, spaßen, strahlen, leuchten, glühen, glücklich sein. **651**

Freund Kamerad, guter Freund, Genosse, Gefährte, Vertrauter, Getreuer, Blutsbruder, Lebenstrabant, Weggenosse, Stecken und Stab, Herzensfreund, Begleiter, Gespiele, Bundesgenosse, Leidensgenosse, Verbündeter; Kumpan, Kumpel, Geschäftsfreund, Parteifreund, Intimus, Amigo, Spezi, Jugendfreund, Spielgefährte, Schulfreund. **652**

Freundin Gefährtin, Kameradin, Genossin, Vertraute, Gespielin, Lebenstrabantin, Begleiterin, Herzensfreundin, Busenfreundin, Verbündete, Jugendfreundin, Spielgefährtin, Schulfreundin. **653**

freundlich 1. liebenswürdig, entge- **654**

genkommend, zuvorkommend, herzlich, kordial, gewinnend, warm, höflich, aufmerksam, gefällig, nett, reizend, hilfsbereit, bereitwillig, verbindlich, konziliant, jovial, **2.** ansprechend, einnehmend, lieb, zutunlich, vertraulich, wohlmeinend, wohlwollend, wohlgesinnt, nachbarlich, gut gesinnt, gut gemeint, wohlgewogen, **3.** freundschaftlich, amikal, kameradschaftlich, schwesterlich, brüderlich, väterlich, mütterlich, kollegial, kumpelhaft, zum Pferdestehlen; befreundet, verbunden, gleich gesinnt, **4.** lachend, lächelnd, schmunzelnd, grinsend, strahlend.

655 Freundschaft 1. Kameradschaft, Gefährtenschaft, Busenfreundschaft, Brüderschaft, Blutsbrüderschaft, Freundschaftsbande, Partnerschaft; Kameraderie, Kumpanei, Männerbündelei, **2.** Vertrautheit, Verbundenheit, Eintracht, Brüderlichkeit, Sympathie, Kameradschaftlichkeit, Zusammengehörigkeit, Kollegialität.

656 Frieden 1. Vergleich, Ausgleich, Entspannung, Entwarnung, Befriedung, Kompromiss, diplomatische Lösung, Gewaltverzicht, Verständigung, Versöhnung, Aussöhnung, Harmonie, Ruhe, Eintracht, **2.** Friedfertigkeit, Friedlichkeit, Gewaltlosigkeit, Friedensliebe, Pazifismus.

657 Friedhof Kirchhof, Gottesacker, Begräbnisstätte, Gräberfeld, Gruft, Mausoleum, Katakombe, Krypta, Totenstadt, Nekropole, Pantheon; Grab, Grabstätte, Ruhestätte, letzte Ruhestätte.

658 friedlich 1. ausgleichend, versöhnlich, kompromissbereit, kompromissfähig, friedfertig, friedsam, friedvoll, friedliebend, pazifistisch, **2.** kampflos, defensiv, mit friedlichen Mitteln, gewaltlos, unblutig, gütlich, ohne Kampf, schiedlich.

659 frieren 1. frösteln, schaudern, erschauern, schuckern, vor Kälte zittern, schlottern, bibbern, Gänsehaut bekommen, mit den Zähnen klappern, **2.** gefrieren, überfrieren, erstarren, vereisen, sich mit Eis beziehen; zufrieren, Eisblumen/Eisdecke/Eisschollen bilden.

660 frisch 1. gesund, blühend, rosig, jugendlich, lebendig, jung, unverdorben, heiter, lebhaft, munter, **2.** neu, ungebraucht, unangebrochen, erntefrisch, röstfrisch, taufrisch.

Frisör(in) Friseuse, Coiffeur, Haar- **661** schneider, Haircutter, Haarkünstler, Haarstylist; Figaro, Barbier, Bartscherer, Bader.

Frivolität 1. Unschicklichkeit, Anspielung, Anzüglichkeit, Anstößigkeit, Unanständigkeit, Zweideutigkeit, Eindeutigkeit, Pikanterie, Schlüpfrigkeit, **2.** sexuelle Freizügigkeit, Ungeniertheit, Laszivität, Obszönität, Schamlosigkeit, Pornographie, **3.** Geschmacklosigkeit, Unflätigkeit, Zote, Zotigkeit, Vulgarität, Pöbelhaftigkeit, Perversität, Schweinerei, Sauerei.

fromm gottgläubig, gläubig, religiös, **663** gottgefällig, gottesfürchtig, glaubenssicher, glaubensüberzeugt, heilsgewiss, bekennend, bibelfest, orthodox, rechtgläubig, strenggläubig.

fruchtbar fruchtbringend, ergiebig, **664** ertragreich, produktiv, ersprießlich, lohnend, fett, gedeihlich, dankbar, einbringlich, einträglich, fertil, zeugungsfähig, fortpflanzungsfähig.

früh zeitig, morgens, in aller Frühe, im **665** Morgengrauen, vor Tau und Tag, bei Tagesanbruch / Sonnenaufgang, frühmorgens, frühzeitig, bald.

früher 1. ehedem, vordem, vorher, zuvor, einmal, damals, derzeit, ehemals, einst, dereinst, einstig, seinerzeit, einstmals, vor Jahr und Tag, vorzeiten, lange her, es war einmal, weiland, vormals, anno dazumal, lange gewesen, **2.** bisher, bislang, bis dato, bis jetzt.

Frühjahr Frühling, Lenz, Maienzeit, **667** frisches/erstes Grün.

fühlen 1. empfinden, spüren, tasten, **668** wahrnehmen, bemerken, merken, wittern, ahnen, Eindruck haben, Braten riechen, gewahr werden, innewerden, erfühlen, erspüren, Gefühle haben, Gefühl hegen, verspüren, sich bewusst werden; erleben, im Gefühl/Urin haben, **2.** sich vorkommen; das Gefühl haben, zumute sein.

führen 1. leiten, lenken, vorstehen, **669** vorsitzen, Vorsitz führen, präsidieren, **2.** Zügel ergreifen, Sache in die Hand nehmen, steuern, lotsen, einweisen, bugsieren, anführen, vorangehen, vorausgehen, an der Spitze gehen, Weg weisen, neue Wege zeigen, vorherrschen, überragen, dominieren, Oberhand / Vorhand / Übergewicht haben, überwiegen, Hauptrolle spielen, an erster Stelle stehen, dirigieren, Ton angeben, erste Geige/Meister spielen, Hosen anhaben, Heft in der Hand haben, das große Wort führen, an die Wand spielen, Zügel in der Hand halten, Führung innehaben, an der Spitze stehen, Spitze halten, **3.** vorstoßen, vorrücken, vortreiben, vorantreiben, nach vorn treiben, vorwärts treiben.

670 führend 1. leitend, lenkend, herrschend, dirigierend, dominant, **2.** bahnbrechend, fortschrittlich, progressiv, avantgardistisch, neutönerisch, progressistisch, wegweisend, richtungweisend, maßgebend, revolutionär, vorstoßend, initiativ, tonangebend, überragend, überlegen, beherrschend.

671 Führer 1. Kopf, Oberhaupt, Leader, **2.** Anführer, Bandenführer, Bandenchef, Rädelsführer, Stammesführer, Häuptling, Heerführer, Kriegsführer, Warlord, **3.** Fahrzeugführer, Fahrzeuglenker, Flugkapitän, Schiffskapitän, Zugführer, Lokführer, **4.** Reiseleiter, Reiseführer, Fremdenführer, Cicerone, **5.** Wegweiser, Ratgeber, Anleitung, Plan, Handbuch, Guide, Vademekum, Baedeker, **6.** Papst, Guru, Identifikationsfigur, Sektenführer; Lichtgestalt, Erwecker, Oberguru, Charismatiker, Ikone, Hohepriester, Messias, Erlöser; Doyen, Prinzipal, Macher, Architekt, Lotse, Drahtzieher, Wortführer, Neutöner, Meinungsführer, Meinungsmacher, Trendsetter, Strippenzieher, Marktführer, Vorturner.

672 Führungskraft Kader, Stab, Führungsstab, Management; Spitzenkraft, leitender Angestellter, Entscheider, Planer, Manager, Spitzenmanager, Topmanager, Leitung.

Fülle 1. Menge, Masse, Reichtum, Segen, Üppigkeit, Flut, Vielfalt, Überfluss, Übermaß, Luxus, Opulenz, Fruchtbarkeit, Volumen, **2.** Fülligkeit, Körperfülle, Korpulenz, Leibesfülle, Massigkeit, Beleibtheit, Fettleibigkeit, Übergewicht, Dicke, Wohlgenährtheit, Embonpoint, Bauch, Plautze, Wanst, Fettwanst, Bierbauch, Ranzen, Wamme, Wampe, Schmerbauch, Unförmigkeit. **673**

füllen 1. eingießen, einschütten, einfüllen, einschenken, anfüllen, abfüllen, voll gießen, voll schütten, nachfüllen, nachgießen, auffüllen, schöpfen, tanken, auftanken, voll tanken/machen, plombieren; beschicken, chargieren, **2.** laden, packen, aufladen, bepacken, befrachten, voll stopfen, hineinpressen, voll packen, voll pfropfen, ausstopfen, ausfüllen, spicken, **3.** sich füllen; voll/eng werden. **674**

Fund 1. Entdeckung, Ausgrabung, Auffindung, Freilegung, Enthüllung; Trouvaille, Glücksfund, Fundsache, gefundener Gegenstand, **2.** Lösung, Auflösung, Schlüssel. **675**

füttern 1. nähren, stillen, tränken, säugen, anlegen, Brust geben, zu trinken geben, Flasche geben, einflößen, eintrichtern, abfüttern, zu essen geben, päppeln, aufpäppeln, hochpäppeln; Futter/zu fressen geben, Futter vorwerfen, sättigen, atzen, eingeben, einlöffeln, stopfen, nudeln, mästen, voll stopfen, überfüttern, übersättigen, **2.** polstern, auslegen, abfüttern, auskleiden, unterlegen, wattieren, bekleiden, täfeln, paneelieren, kacheln. **676**

G

677 Gabe 1. Almosen, milde Gabe, Liebesgabe, Opfergabe, Scherflein, Obolus, Bakschisch, Trinkgeld, Tip, Botenlohn, Douceur; Gnadenbrot, Freitisch, Brosamen, 2. Geschenk, Präsent, Mitbringsel, Aufmerksamkeit, Bescherung, Gabenverteilung, Belohnung, Prämie, Preis, Gratifikation; Spende, Stiftung, Zuwendung, Dotation, 3. Widmung, Dedikation, Zueignung, 4. Begabung, Talent, Gnade.

678 gängig 1. gebräuchlich, geläufig, alltäglich, allgemein, gewöhnlich, kommun, hergebracht, einfach, schlicht, simpel, gewohnheitsmäßig, gemein, natürlich, selbstverständlich, vertraut, bekannt, eingefahren, konventionell, eingespielt, gewohnt, üblich, im Schwang, überliefert, überkommen, landesüblich, vorherrschend, landläufig, herkömmlich, traditionell, althergebracht, eingebürgert, normal, gang und gäbe, regulär, im Rahmen, durchschnittlich, stinknormal, 2. marktgängig, gangbar, gut zu verkaufen, verkäuflich, gesucht, gefragt, begehrt, gern gekauft, beliebt, eingeführt, viel verlangt, 3. stehend, formelhaft, stereotyp, nullachtfünfzehn, inflationär, 4. im Umlauf, umlaufend, gültig, kurant.

679 ganz 1. heil, unversehrt, wohlbehalten, unbeschädigt, vollständig, unangebrochen, einwandfrei, perfekt, intakt, unberührt, fehlerlos, komplett, lückenlos, umfassend, ganzheitlich, total, spurlos, rund, geschlossen, aus einem Guss, nahtlos, unfallfrei, 2. ganz und gar, gänzlich, mit Leib und Seele, völlig, vollständig, überhaupt, unbegrenzt, uneingeschränkt, unverkürzt, ungeteilt, samt und sonders, unvermindert; hundertprozentig, auf Gedeih und Verderb, durch und durch, von Grund auf, radikal, von oben bis unten, von Kopf bis Fuß, in Reinkultur, mit Haut und Haar, von A bis Z, mit Stumpf und Stiel, in Bausch und Bogen, von Anfang bis Ende, vollkommen, in jeder Hinsicht, in vollem Umfang, 3. einstimmig, vollzählig; alles zusammen, pauschal, alles in allem, ohne Ausnahme, vollends, alles, insgesamt, restlos, total, absolut, alles eingerechnet; in vollen Zügen, bis zur Neige, bis zum letzten Tropfen.

680 Garten Vorgarten, Hausgarten, Nutzgarten, Gemüsegarten, Obstgarten, Schrebergarten, Ziergarten, Lustgarten, Duftgarten, Baumgarten, Rondell; Anpflanzung, Pflanzung, Baumschule, Schonung; Anlage, Park, englischer/botanischer Garten, Grünanlage, Parkanlage, Stadtpark, Volkspark, grüne Lunge, Biotop.

681 Gasthaus 1. Gasthof, Gaststätte, Wirtshaus, Wirtschaft, Bierlokal, Ausschank, Schankstube, Trinkstube, Wirtsstube, Lokal, Eckkneipe, Kneipe, Destille, Schenke, Pinte, Kaschemme, Spelunke, Schwemme; Trattoria, Bistro, Pizzeria, Speisehaus, Restaurant, Restauration, Speisegaststätte, Speiserestaurant, Resto, Edelschuppen, Fresstempel, Weinhaus, Weinstube, Krug, Taverne; Gartenwirtschaft, Biergarten, Besenwirtschaft; Etablissement, Vergnügungsstätte, Amüsierlokal, Nightclub, Bar, Nachtlokal, Stripteaselokal, Bumslokal; Kaffeehaus, Café, Eiscafé; Kantine, Mensa, Messe, 2. Disko, Tanzschuppen, Tanzlokal; Spielbank, Kasino, Spielkasino, Spielhölle; Hotel, Motel, Herberge, Pension, Hospiz, Gästehaus, Raststätte, Rotel, Rasthaus.

682 gebären 1. niederkommen, entbinden, entbunden werden, ins Kindbett kommen, kreißen, Kind bekommen/zur Welt bringen, Leben schenken, in die Welt setzen, Mutter werden, in Wehen liegen, 2. brüten, ausbrüten, werfen, jungen, kalben, frischen, Junge bekommen.

683 geben 1. reichen, hinreichen, zureichen, darreichen, hinstrecken, entgegenstrecken, hinhalten, bieten, hinschieben, zuschieben, anreichen; anbieten, verabfolgen, einhändigen, aushändigen, verabreichen, 2. schenken, mitbringen, bedenken/beglücken mit, beschenken, bescheren, spenden, wohl tun, mitteilen, stiften, zeichnen, dotieren, zuwenden, aussetzen, zukommen lassen, angedeihen lassen, gönnen, überlassen, zur Verfügung stellen, übertragen, zedieren; austeilen, zuteilen, zustecken, in die Hand drücken, beisteuern, beigeben, mitgeben, **3.** widmen, verehren, darbringen, dedizieren, zueignen, weihen, übereignen, darbieten, zollen, **4.** verschenken, abgeben, überlassen, weggeben, hergeben, herausrücken.

684 Gebet Bitten, Flehen, Anrufung, Fürbitte; Andacht, Versenkung; Bittgebet, Dankgebet, Tischgebet, Morgengebet, Abendgebet, Nachtgebet, Stoßgebet.

685 Gebiet 1. Bezirk, Bereich, Revier, Distrikt, Raum, Sphäre, Platz, Stelle, Kreis, Reichweite, Umkreis, Ghetto, Bannkreis, Einzugsgebiet, Hoheitsgebiet, **2.** Areal, Fläche, Feld, Zone, Terrain, Territorium; Gemarkung, Breiten, Gelände, Landschaft, Gegend, Region, Landesteil, Landstrich, Gefilde, Himmelsstrich, Ecke, Kante, Winkel, **3.** Platz, Feld, Sportplatz, Spielplatz, Spielfeld, Spielfläche, Übungsgelände; Stadion, Manege, Ring, Kampfbahn, Aschenbahn, Fußballplatz, Rasen, Tennisplatz, Centrecourt.

686 geboren 1. gebürtig, von Geburt / Herkunft, **2.** neugeboren, auf der Welt, zur Welt gekommen, geworfen, geschlüpft, ausgekrochen, ausgebrütet.

687 Geburt Entbindung, Niederkunft, Kindbett, Wochenbett, Partus; schwere Stunde, freudiges Ereignis.

688 Geduld 1. Nachsicht, Langmut, Gelassenheit, Gleichmut, Ausdauer, **2.** Ergebung, Sichfügen, Fügsamkeit, Lammsgeduld, Engelsgeduld, Eselsgeduld, Resignation, Indolenz.

689 geduldig 1. nachsichtig, langmütig, zuwartend, friedfertig, versöhnlich, verträglich, gelassen, gelinde, gemach, **2.** ergeben, fügsam, gottergeben, klaglos, demütig, lammfromm, stoisch, resigniert, indolent.

690 gefährlich 1. gefahrvoll, bedrohlich, drohend, beängstigend, beunruhigend, kafkaesk, unheilvoll, nicht geheuer, unheildrohend, Unheil verkündend, unheilschwanger, spannungsgeladen, zugespitzt, kritisch, krisenhaft, heikel, brenzlig, auf der Kippe, auf Messers Schneide, am Rande des Abgrunds, drohend; explosiv, feuergefährlich, entzündlich, geladen, entsichert, **2.** aben-

teuerlich, gewagt, waghalsig, verwegen, riskant, zweischneidig, halsbrecherisch, Schwindel erregend, selbstmörderisch, **3.** brisant, heiß, Pulverfass, Zeitbombe, hochexplosiv, heißes Eisen, Wespennest, **4.** gefährdet, bedroht, in Gefahr, exponiert, fragwürdig, mulmig, dicke Luft; Gratwanderung, Zitterpartie, Hängepartie, **5.** ansteckend, infektiös, virulent, bösartig, epidemisch, übertragbar, schlimm, ernst, bedenklich, heimtückisch, übel, tödlich, todbringend, lebensgefährlich; bissig, angriffslustig, aggressiv, unberechenbar, gemeingefährlich; giftig, hochgiftig, **6.** unbewacht, ungesichert, unbeschrankt, unbeaufsichtigt.

gefallen 1. zusagen, entsprechen, **691** passen, konvenieren, behagen, belieben, mögen, schmecken, munden, goutieren, Geschmack finden, recht sein, genehm sein, angenehm sein, gelegen kommen, zupass kommen, gern hören, begrüßen, Gefallen finden, Geschmack abgewinnen; nach jmds. Geschmack, nach jmds. Herzen, jmds. Typ sein, auf jmdn. stehen, es jmdm. angetan haben, **2.** freuen, erfreuen, entzücken, Beifall erwecken, ansprechen, anheimeln, Anklang finden; Eindruck machen, faszinieren, betören, bezaubern, hinreißen, einschlagen, Erfolg haben, wirken.

Gefangenschaft 1. Verhaftung, **692** Festnahme, Inhaftierung, Gefangennahme, Untersuchungshaft, Freiheitsberaubung, Freiheitsentzug, Freiheitsstrafe, Arrest, Haft, Gewahrsam, Hausarrest, Abschiebehaft, **2.** Gefängnis, Strafanstalt, Strafvollzugsanstalt, Zuchthaus, Kittchen, Loch, Nummer Sicher, schwedische Gardinen, Käfig, Zwinger, Verlies, Knast, Kerker, Bau, Bunker; Kriegsgefangenschaft, Gefangenenlager.

Gefühl 1. Empfindungsvermögen, **693** Empfindungsfähigkeit, Sensualität, Empfinden, Empfindung, Emotion, Sentiment, Sensibilität, Affektivität, Emotionalität, Herz, Gemüt, Wärme, Empathie, Einfühlungsvermögen, **2.** Ahnung, Vorgefühl, Vorahnung, Eindruck, Impression, Wahrnehmung, **3.** Gespür, Empfindlichkeit, feine Nase, Spürsinn, Spürnase, Riecher, Instinkt, Witterung, Sensorium, Feeling, **4.** Innenwelt, Innenleben, Seelenleben, Psyche, Seele, Unterbewusstsein, das Unbewusste.

694 Gegensatz 1. Gegenläufigkeit, Gegenteil, Opposition, Gegensätzlichkeit, Polarität, Widersprüchlichkeit, Widerstreit, Widerspruch, Widerspiel, Kehrseite, Umkehrung, **2.** Unvereinbarkeit, Unüberbrückbarkeit, Unversöhnlichkeit, Inkompatibilität, Kontraproduktivität, Kontraindikation, Kontradiktion, Antagonismus, Dualismus, Dichotomie, Manichäismus.

695 gegensätzlich 1. uneins, uneinig, disharmonisch, unharmonisch, sich beißend, unstimmig, auf gespanntem Fuß, wie Hund und Katze, in Fehde, auf der Gegenseite, getrennt, überworfen, entzweit, zerstritten, verkracht, verfeindet, **2.** gegenüber, am anderen Ufer, auf der anderen Seite, jenseits, drüben, vis-à-vis, face to face, Auge in Auge, **3.** zweierlei, gegenläufig, gegenteilig, völlig anders, oppositionell, konträr, komplementär, polar, polarisiert, adversativ, antithetisch, widersprüchlich, widerstreitend, widerspruchsvoll, sich widersprechend, **4.** entgegengesetzt, unvereinbar, unüberbrückbar, unversöhnlich, inkompatibel, kontraproduktiv, kontraindikativ, wie Tag und Nacht, einander ausschließend, kontradiktorisch, diametral, wie Feuer und Wasser, disjunktiv, antagonistisch, entweder … oder, das eine oder das andere, schwarzweiß, so oder so, alles oder nichts, digital, binär, dualistisch, dichotomisch, dezisionistisch, manichäisch.

696 gegenseitig mutuell, reziprok, wechselseitig, wechselweise, abwechselnd, umschichtig, beiderseits, alternierend, im Turnus, einer für den andern, einander, untereinander, einer den anderen.

697 Gegenstand 1. Ding, Körper, Gebilde, Objekt, Sache, Etwas, Phänomen, **2.** Thema, Stoff, Motiv, Sujet, Angelegenheit, Gebiet, Frage, Punkt, Stoffgebiet, Faktum, Problem, Untersuchungsobjekt, Problemstellung; Gesprächsthema, Gesprächsstoff, Unterhaltungsstoff, Gesprächsgegenstand, Tagesordnungspunkt, **3.** Inhalt, Handlung, Fabel, Story, Plot.

698 Gegenwart 1. Jetztzeit, Jetzt, Heute, unsere Zeit, **2.** Anwesenheit, Teilnahme, Dabeisein, Mitwirkung, Beteiligung, Präsenz, Zugegensein.

gegenwärtig 1. augenblicklich, derzeit, derzeitig, im Moment, momentan, zurzeit, eben jetzt, heute, im Augenblick, zur Stunde, heutzutage, neuerdings, neuerlich, nun, nunmehr, jetzt noch, nicht mehr lange, **2.** jetzt, jetzig, heutig, heutzutage, gleichzeitig; aktuell, gegenwartsnah, akut, zeitgenössisch, mitlebend, zeitgemäß, modern, kontemporär, **3.** anwesend, zugegen, hier, bei uns, dabei, zur Stelle, am Platze, greifbar, zu erreichen, zur Hand, da, präsent, an Bord; im Beisein, in Gegenwart/Anwesenheit von. **699**

Gegner 1. Gegenspieler, Counterpart, Kontrahent, Gegenpart, Widerpart, Opponent, Antipode, **2.** Regimekritiker, Oppositioneller, Dissident, **3.** Rivale, Konkurrent, Gegenkandidat, Wettbewerber, Nebenbuhler, Duellant, Feind. **700**

Geheimlehre Geheimwissenschaft, Magie, Kabbala, Okkultismus, Esoterik, Spiritismus; Geheimkult, Voodoo, Mystagogie, mystische/magische Praktiken. **701**

Geheimnis 1. Mysterium, Arkanum, Rätsel, Palimpsest, Wunder, Mirakel, Übersinnliches, unerklärliches Phänomen, Dunkel, Nachtseite, **2.** Amtsgeheimnis, Betriebsgeheimnis, Geschäftsgeheimnis, Verschlusssache, Postgeheimnis. **702**

gehen 1. einen Fuß vor den andern setzen, sich fortbewegen, begeben, wenden, verfügen nach; Weg einschlagen/zurücklegen, hinter sich bringen, betreten, begehen, beschreiten, abschreiten, hin und her gehen, umhergehen, sich die Füße vertreten; zu Fuß gehen, **2.** schreiten, wandeln, ausschreiten, spazieren, spazieren gehen, Spaziergang machen, ins Freie gehen, promenieren, sich ergehen; lustwandeln, schlendern, streifen, bummeln, herumstreifen, flanieren; wandern, eilen, rennen, laufen, marschieren, stapfen, stiefeln, trotten, traben, schweifen, trippeln, dappeln, tänzeln, stelzen, stöckeln, gleiten, tappen, tasten, zotteln, zuckeln, schleichen, staksen, trödeln, trampeln, treten, stampfen, trappeln, schlurfen, tapsen, zockeln, latschen, **703**

tappeln, watscheln, hinken, **3.** fahren, verkehren, funktionieren.

704 gehorchen 1. folgen, hören, willfahren, sich fügen; parieren, Erwartungen nachkommen, Folge leisten, befolgen, spuren, sich unterstellen, unterordnen, nachordnen; Gehorsam leisten, Befehl ausführen, kuschen, nach der Pfeife tanzen, strammstehen, Haltung annehmen, Schwanz einziehen, duckmäusern, **2.** nachgeben, einknicken, hinnehmen, sich gefallen lassen; einlenken, Konzessionen machen, sich herbeilassen, ergeben, ducken, schicken; klein beigeben, Segel streichen, Nacken beugen, zu Kreuze kriechen, Rückzieher machen, **3.** sich unterwerfen, erniedrigen, demütigen; Kniefall machen, nach Canossa gehen.

705 gehorsam folgsam, fügsam, gefügig, lenksam, lenkbar, brav, beflissen, demütig, ergeben, dienstwillig, untertan, botmäßig, unterwürfig, willfährig, befehlsgewohnt, zahm, gezähmt, abgerichtet, domestiziert.

706 Gehorsam 1. Folgsamkeit, Fügsamkeit, Lenkbarkeit, Bravheit, Botmäßigkeit, Gefügigkeit, Untertänigkeit, Ergebenheit, **2.** Ergebung, Demut, Unterwürfigkeit, Willfährigkeit, Unterordnung, Unterwerfung, Devotion, Servilität, Subordination, Kadavergehorsam, blinder Gehorsam, Hörigkeit.

707 Geist 1. Spiritus, Logos, Denken, Vernunft, Bewusstsein, Intelligenz, Verstand, Denkvermögen, Reflexionskraft, Seele, **2.** Genius, Genie, Esprit, Einfallsreichtum, Köpfchen, Grips, Scharfsinn, Klugheit, Witz, Schlagfertigkeit, Geistesgegenwart, **3.** Geister, Gespenst, Golem, Dämon, Spuk, Phantom, Kobold, Erscheinung, Schemen, Alb, Mahr, Schreckgespenst, Nachtgespenst, Lemuren, Schimäre, **4.** Nixe, Undine, Wasserjungfrau, Seejungfer, Sirene, Wassergeist, Wassergöttin, Meergöttin, Quellengöttin, Flussgöttin, Seegöttin, Meerweib, Nymphe, Fee, Melusine, Najade; Gnom, Wichtelmann, Heinzelmann, Puck, Troll; Vampir, Werwolf, Wiedergänger, Zombie.

708 geisteskrank geistesgestört, schizophren, bewusstseinsgestört, bewusstseinsgespalten, paranoid, paranoisch, halluzinierend, zwanghaft, ichgestört, persönlichkeitsgestört; idiotisch, verrückt, umnachtet, irrsinnig, wahnsinnig.

709 Geisteskrankheit Geistesgestörtheit, Geistesstörung, Demenz, Idiotie; Bewusstseinsstörung, Schizophrenie, Bewusstseinsspaltung; Paranoia, Wahnidee, Halluzination, Zwangsvorstellung, Zwanghaftigkeit, Ichstörung, Persönlichkeitsstörung, Borderline; Knacks, Dachschaden, Verrücktheit, Umnachtung, Irrsinn, Wahnsinn, Phrenesie.

710 Geizhals Geizkragen, Geizdrache, Filz, Knauser, Pfennigfuchser, Knicker, Harpagon, Kümmelspalter, Spänbrenner; Neidhammel, Krämerseele.

711 Gelage Schwelgerei, Orgie; Fressgelage, Fresserei, Völlerei, Prasserei, Zechgelage, Zecherei, Saufgelage, Sauferei, Besäufnis, Kommers, Trinkgelage, Bacchanal.

712 Geld 1. Zahlungsmittel, Währung, Banknote, Bargeld, Papiergeld, Geldschein, Münzen, Kleingeld, Silbergeld, Hartgeld, Plastikgeld, Eurogeld, **2.** Wirtschaftsgeld, Taschengeld, Haushaltsgeld, **3.** Moneten, Groschen, Kies, Moos, Mäuse, Zaster, Knete, Kröten, Lappen, Eier, Kohle, Piepen, Koks, Taler, Schotter, Asche, Pulver, Rubel, Mücken, Heu, Peseten, Penunze, Zechinen, Flocken, **4.** Falschgeld, Blüten.

713 Geliebte Bekannte, Freundin, Favoritin, ständige Begleiterin, Herzensdame, Buhle, Angebetete, Flamme, Girlfriend, Dulzinea, Feinsliebchen, Liebste, Liebhaberin, Auserwählte, Mätresse, Gespielin; Lover, Schatz, Herzblatt, Bettschatz, Bettgenossin, Gspusi, Darling, Augapfel, Liebling.

714 Geliebter Bekannter, Freund, Verehrer, Kavalier, ständiger Begleiter, Liebhaber, Günstling, Galan, Seladon, Cicisbeo, Boyfriend, Amant, Hausfreund, Liebster, Auserwählter, Einziger, Gespiele, Lover, Bettgenosse, Kerl, Macker, Scheich.

715 gelingen 1. glücken, geraten, gut ausgehen/ausfallen, fertig werden, von der Hand gehen, flutschen, funken, funktionieren, klappen, laufen, gut gehen; fertig bringen, schaffen, zustande bringen, zuwege bringen, auf die Beine stellen, hinkriegen, schultern, wuppen, schmeißen, schaukeln, zurande kommen, bewältigen, bewerkstelligen, deichseln, drehen, glatt gehen, hinhauen, **2.** Glück/Erfolg haben, erfolgreich sein, Dusel/Schwein haben, zu Geld kommen, gewinnen, reich werden, zu etwas kommen, vorwärts kommen, es zu etwas bringen, es sich richten, es weit bringen, reüssieren, es schaffen, ans Ziel gelangen, obenauf schwimmen, zwei Fliegen mit einer Klappe schlagen.

716 Geltung 1. Einfluss, Gewicht, Autorität, Bedeutung, Maßgeblichkeit, Stellung, Rang, **2.** Reputation, Leumund, Image, Renommee, Ruf, Ansehen, Prestige, Name, Bonität, Kredit, Wertschätzung, Goodwill, Standing, Credit, Performance, **3.** Bekanntheit, Beliebtheit, Popularität, Volkstümlichkeit, Achtung, Hochachtung, Verehrung, Nimbus, Ruhm, Glanz, Glorie, Charisma, Weltruhm, Vergötterung, **4.** Gültigkeit, Kurs, Wirksamkeit, Verbindlichkeit, Wirkungsdauer.

717 Gemeinschaft 1. Miteinander, Zusammenleben, Zusammenwirken, Zusammenschluss, Verbindung; Kommunität, Sozietät, Kollektiv, Kollektivität, Gruppe, **2.** Zweckgemeinschaft, Hausgemeinschaft, Wohngemeinschaft, Interessengemeinschaft.

718 gemustert 1. gestreift, kariert, getupft, getüpfelt, gepunktet, gepünktelt, geflammt, flamboyant, gefleckt, getigert, gescheckt, genoppt, geblümt, floral, gemasert, geädert, gewürfelt, genarbt, narbig, gestromt, gesprenkelt, meliert, marmoriert, scheckig, **2.** schillernd, irisierend, changierend, opalisierend, moiriert, gewässert, stonewashed.

719 gemütlich behaglich, zwanglos, salopp, ungezwungen, familiär; bequem, komfortabel, kommod, wohnlich, anheimelnd, lauschig, heimelig, traulich, wohlig, pudelwohl, mollig, traut, urgemütlich, stallwarm.

720 gemütskrank seelenkrank, psychisch/seelisch gestört, nervenkrank; psychopathisch, neurotisch, psychotisch, depressiv, manisch, manisch-depressiv, melancholisch, zwangsneurotisch, hysterisch.

721 Gemütskrankheit Seelenkrankheit, Psychopathie, psychische/seelische Störung, Nervenkrankheit; Neurose, Zwangsneurose, Angstneurose, Melancholie, Depression, Manie, manische Depression.

genau 1. ordentlich, sorgsam, sorgfältig, gewissenhaft, korrekt, akkurat, exakt, fehlerlos; peinlich, penibel, pingelig, übergenau, minuziös, haarklein, haargenau, perfektionistisch, akribisch; pünktlich, auf die Minute, genau gehend, **2.** präzis, prägnant, treffend, wohl gezielt, ins Zentrum, treffsicher, zielgenau, chirurgisch, punktgenau, haarscharf, aufs Haar, auf den Punkt, messerscharf, ins Schwarze, den Nagel auf den Kopf, schlagend, **3.** gründlich, tief schürfend, umfassend, grundlegend, von der Pike/von Grund auf, reiflich, fundiert, vollständig, profund, tief, auf Herz und Nieren, intensiv, tiefenscharf, **4.** ausführlich, episch, umschweifig, langatmig, weitschweifig, überdehnt, umständlich, weitläufig, breit, eingehend, einlässlich; wörtlich, detailliert, mit allen Einzelheiten, erschöpfend, wortgetreu, wortwörtlich, buchstäblich, buchstabengetreu, Wort für Wort, **5.** genau genommen, dem Buchstaben nach, zahlenmäßig, ziffernmäßig, der Zahl nach, gezählt, in Zahlen/Ziffern, im Grunde, aus der Nähe betrachtet, bei Licht besehen, im strengen Sinne, buchmäßig, rechnerisch, arithmetisch, auf dem Papier, unter die Lupe genommen, **6.** genau passend, fest sitzend, wie angegossen, faltenlos, wie Hand und Handschuh. — **722**

genesen 1. gesunden, gesund werden, rekonvaleszieren, auf die Beine kommen, geheilt werden, wiederhergestellt sein, aufkommen, sich erholen; auskurieren, wieder auf den Beinen/genesen/wieder gesund sein, **2.** heilen, abklingen, besser werden, nachlassen, zurückgehen, sich bessern; abheilen, verheilen, vernarben, sich verwachsen; ausheilen, **3.** sich kräftigen; Kur machen, kuren, rehabilitiert werden. — **723**

Genie 1. Genius, Schöpfergeist, schöpferische Persönlichkeit, Universalgenie, Liebling der Götter, Geistesgröße, Phänomen, Wunderkind, **2.** Genialität, Erfindungsgabe, schöpferische Kraft, Ingenium, Begnadung, Berufung, Götterfunke, Dämon. — **724**

725 genießen sich erfreuen, ergötzen, delektieren, erbauen, begeistern; schlemmen, schwelgen, es sich schmecken lassen, frönen, in die Vollen gehen, sich etwas gönnen / reinziehen, gütlich tun, nichts abgehen lassen; zu leben wissen, etwas vom Leben haben, sich ausleben; es sich wohl sein lassen, Leben genießen, voll auskosten.

726 Genießer 1. Lebenskünstler, Genussmensch, Epikureer, Hedonist, Weltkind; Kenner, Connaisseur, Schöngeist, Ästhet, Sybarit, Phäake, Genüssling, Schwelger, Schlaraffe, **2.** Feinschmecker, Gourmet, Weinkenner, Schlemmer, Lukull, kein Kostverächter, feiner Gaumen, feine Zunge, Kochkünstler, Leckermaul, Naschkatze, **3.** Gourmand, Vielfraß, Lüstling, Fresser, Prasser, Zecher, Nimmersatt.

727 genießerisch feinschmeckerisch, kulinarisch, genussfähig, genüsslich, kennerhaft, wählerisch, kundig, lukullisch, schlemmerhaft, schwelgerisch, schlaraffisch, epikureisch, sybaritisch, üppig, schleckig, genäschig, verschwenderisch, prasserisch, lustvoll, sinnlich, bacchantisch, trinkfest, trinkfreudig, weinselig, sauflustig, ausschweifend.

728 genug genügend, ausreichend, zureichend, hinreichend, zulänglich, hinlänglich, auskömmlich, zufrieden stellend, befriedigend, zur Zufriedenheit, es geht, besser als nichts; satt, sattsam, genugsam, vollauf, zur Genüge, es reicht, mehr als genug, basta, Sense.

729 genügen 1. reichen, langen, hinreichen, Bedarf decken, ausreichen, befriedigen, zureichen, tun, gehen, angehen, auslangen, ausreichen, **2.** genug haben, auskommen, hinkommen, herumkommen, fertig werden, Auskommen haben, zufrieden sein, sich zufrieden geben; genug sein lassen.

730 Genuss 1. Behagen, Lust, Vergnügen, Wohlgefühl, Annehmlichkeit, Labsal, Wonne, Ergötzen, Entzücken, Augenweide, Augenschmaus, Ohrenschmaus, Gaumenkitzel, Sinnenfreude, Sinnenreiz, **2.** Schwelgerei, Prasserei, Völlerei, Schlemmerei, Tafelfreuden, Hochgenuss, Festessen, Schmaus, **3.** Kochkunst, feine Küche, Schlemmerküche, Gastronomie, Esskultur, Feinschmeckerei, Gastrosophie.

731 geordnet 1. geregelt, in Ordnung, im Lot, aufgeräumt, gesäubert, gestopft, geflickt, ausgebessert, instand, repariert, gerichtet, beziehbar; gefaltet, gestapelt, zusammengelegt, eingeräumt; gepackt, eingepackt, abgepackt, verpackt, abgewogen, **2.** ordnungsmäßig, ordentlich, legitim, legal, rechtmäßig, vorschriftsmäßig, ordnungsgemäß, wie es sich gehört, bürgerlich, **3.** organisiert, gegliedert, untergliedert, strukturiert, systematisiert, systematisch, differenziert, klassifiziert, unterteilt, aufgeteilt, gestaffelt, methodisch, planmäßig, durchdacht, wohl gegliedert, wohl überlegt, wohlerwogen, organisch, sinnvoll, übersichtlich.

732 gerade 1. aufrecht, gerade gewachsen, kerzengerade, wie eine Eins, aufgerichtet, stehend, hoch aufgerichtet, rank, strack, schlank, straff, gestrafft, **2.** senkrecht, lotrecht, fallrecht, vertikal, steil, ragend, rechtwinklig, waagerecht, eben, schnurgerade, linear, geradlinig.

733 Gerät Apparat, Apparatur, Gerätschaft, Utensil, Material, Vorrichtung, Instrument, Automat, Arbeitsgerät, Werkzeug, Ausrüstung; Recorder, Kassettenrecorder, Videorecorder, Aufnahmegerät.

734 Geräusch 1. Laut, Ton, Hall, Schall, Klang, **2.** Klingeln, Läuten, Schellen, Bimmeln, Gebimmel; Klirren, Geklirr, Poltern, Gepolter, Gerumpel, Geklapper, Klappern, Geknatter, Geriesel, Geplätscher, Glucksen, Klatschen, Dröhnen, Gedröhn, Rasseln, Gerassel, Prasseln, Geprassel, Rauschen, Gerausche, Brausen, Gebrause, Sausen, Heulen, Donnern, Getöse, Tosen, Krachen, Grollen, Wettern, Brummen, Gebrumm, Summen, Gesumm, Surren, Tropfen, Tröpfeln, Rieseln, Klopfen, Pochen, Ticken, Ticktack, Zirpen, Piepsen, Fiepen, Zischen, Zischeln, Flüstern, Geflüster, Lispeln, Gelispel, Wispern, Getuschel, Tuscheln; Knirschen, Knistern, Rascheln, Geraschel, Geraune, Murmeln, Gemurmel, Geplapper, Gequietsche, Quietschen, Lachen, Gelächter, Gezeter, **3.** Lärm, Getöse, Dröhnen, Radau, Krach, Spektakel, Krawall, Rumor, Krakeel, Geschrei, Gebrüll, Brüllen, Zetergeschrei, Johlen, Stimmengewirr, Wortschwall, Donnergepolter; Explosion, Detonation, Knall, Schlag, Bums, Schuss, Kanonenschuss, Donnerschlag, Einschlag; Straßenlärm, Verkehrslärm, Maschinenlärm, Höllenlärm, **4.** Bellen, Gebell, Kläffen, Gekläffe, **5.** Zwitschern, Gezwitscher, Schlagen, Tirilieren, Singen, Gesang, Schmettern, Jubilieren, Flöten, Quinquilieren, Ziepen.

735 gerecht (sein) 1. sachlich, objektiv, repräsentativ, unbeeinflusst, unparteiisch, überparteilich, neutral, ausgewogen, ohne Ansehen der Person, unvoreingenommen, vorurteilslos, fair, gerechtigkeitsliebend, unbestechlich, **2.** wohlverdient, verdientermaßen, verdient, angemessen, gebührend, gerechtfertigt, **3.** jmdm. gerecht werden, richtig beurteilen, Gerechtigkeit widerfahren lassen, mit gleicher Elle messen.

736 Gerechtigkeit Sachlichkeit, Unbestechlichkeit, Unparteilichkeit, Objektivität, Überparteilichkeit, Vorurteilslosigkeit, Fairness, Unvoreingenommenheit, Unbefangenheit, Neutralität.

737 Gerede 1. Gerücht, Rederei, Geflüster, Tuscheln, Zischeln, Getuschel, Raunen, Geraune, Fama, Gemunkel, Klatsch, Klatscherei, Tratsch, Quatscherei, Stadtgespräch, Klatschgeschichte, offenes Geheimnis, Lästerei, Ondit, Zuträgerei, **2.** Geplauder, Geschwätz, Altweibergeschwätz, Geplapper, Schnack, Gebabbel, Geplätscher, Gelaber, Geschnatter, Geschwafel, Gequassel, Gewäsch, Blabla, Palaver, Wischiwaschi, heiße Luft, leeres Stroh, Schaumschlägerei, Phrasendrescherei, Gerüchtemacherei, Gerüchteküche, Giftküche, Kolportage, Latrinenparole, Gefasel, Schmarren, Faselei, Larifari, Schmus, Sermon, Schwadronade, Gesülze, Unsinn.

738 gern 1. bereitwillig, ohne weiteres, anstandslos, willig, geneigt, freudig, **2.** natürlich, selbstverständlich, allemal, freilich, selbstredend, versteht sich, gewiss, schön, gut, gemacht, einverstanden, erwünscht, willkommen, ein Fest, mit Vergnügen / Kusshand / Freude, von Herzen, mit Interesse, liebend gern.

739 Gesang 1. Singen, Summen, Singsang, Schmettern, Trillern, Tönen, Gedudel, Dudelei, Tirilieren, Zwitschern, Pfeifen, Jubilieren, **2.** Vokalstück, Vo-

kalkomposition, Gesangsstück, Canto, Cantus, Lied, Sang, Weise, Melodie, Strophenlied, Arie, Volkslied, Kunstlied, Lieddichtung, Rhapsodie, Kanon, Kanzone, Kantilene, Bänkelsang, Brettl-Lied, Countrysong, Moritat, Chanson; Schlager, Gassenhauer, Song, Hit, Ohrwurm, Evergreen; Kirchenlied, Choral, Madrigal, Spiritual, Gospel, Kantate, Hymne, Psalm, Nänie.

740 Geschäft 1. Betrieb, Firma, Haus, Unternehmen, Handelsgesellschaft, Gesellschaft, **2.** Laden, Kaufladen, Shop, Magazin, Detailgeschäft, Gemischtwarenladen, Krämerladen, Tante-Emma-Laden, Dritte-Welt-Laden, Fachgeschäft, Boutique, Secondhandladen, Trödler, **3.** Geschäftslokal, gewerblicher Raum, Geschäftsstelle, Büro, Kontor, Kanzlei, Werkstatt, Werkstätte, Ordination, Praxis, Labor, Laboratorium, **4.** Verkaufsstelle, Kiosk, Bude, Verkaufshäuschen, Büdchen, Verkaufsstand, Stand, Pavillon, **5.** Kaufhaus, Kaufhalle, Warenhaus, Selbstbedienungsladen, Supermarkt, Discountladen, Einkaufszentrum, Ladenstraße, Passage, Shopping-Center, Pall-Mall, Erlebniscenter, **6.** Deal, Handel.

741 Geschäftsmann Kaufmann, Händler, Einzelhändler, Ladenbesitzer, Ladeninhaber, Gewerbetreibender, Großhändler, Grossist, Zwischenhändler, Großkaufmann, Importeur, Exporteur, Vermieter, Immobilienhändler, Makler, Banker, Börsianer, Unternehmer, Businessman, Geschäftemacher.

742 Geschehen 1. Ereignis, Begebenheit, Begebnis, Geschehnis, Vorgang, Handlung, Vorkommen, Vorfall, Vorkommnis, **2.** Ablauf, Lauf, Verlauf, Entwicklung, Fortgang, Hergang, Abfolge, Chronologie, Zeitenfolge, Zeitlauf, Zeitläufe, Weltlauf, **3.** großes Ereignis, Politikum, Meilenstein, Haupt- und Staatsaktion, Knüller, Sensation, Spektakel, Tagesgespräch, Medienereignis, Event.

743 Geschicklichkeit 1. Wendigkeit, Vielfältigkeit, Anstelligkeit, Geschick, Gewandtheit, Fingerfertigkeit, technische Begabung, Geschicktheit, Treffsicherheit, sichere Hand, Geläufigkeit, Geübtheit, **2.** Diplomatie, Verhandlungsgeschick, Cleverness, Schlauheit,

Pfiffigkeit, Taktik, Strategie, Berechnung, Findigkeit, Gerissenheit, Gewitztheit, Raffinesse; Glätte, Schläue, Listigkeit, Abgebrühtheit, Durchtriebenheit, Verschlagenheit.

744 geschickt 1. praktisch, handfertig, fingerfertig, treffsicher, anstellig, verwendbar, vielseitig, kunstfertig, routiniert, Axt im Haus, weiß sich zu helfen, **2.** gewandt, wendig, agil, beweglich, trainiert, geübt, geschmeidig, glatt, diplomatisch, taktisch, strategisch, eloquent, geschliffen, anpassungsfähig, findig, flexibel, parkettsicher, aalglatt, smart, mit allen Wassern gewaschen, clever, stromlinienförmig.

745 geschlossen 1. zu, versperrt, zugesperrt, abgeschlossen, unzugänglich, verschlossen, unbetretbar, verriegelt, vernagelt, verrammelt, verbarrikadiert, außer Betrieb, **2.** ungeöffnet, unangebrochen, neu, verpackt, versiegelt, plombiert, eingeschweißt, **3.** nicht öffentlich, privat, exklusiv, **4.** einheitlich, einig.

746 Geschmack 1. Formgefühl, Formsinn, Kunstsinn, Kunstverstand, Kunstverständnis, Qualitätsgefühl, Schönheitssinn, ästhetisches Empfinden, Farbensinn, Kennerschaft, Fingerspitzengefühl, Kultur, Stil, Stilgefühl, Lebensart, Eleganz, Schick, Sinn für Harmonie, Proportionen, **2.** Geschmackssinn, Gaumen, Gusto, Zunge, Nase, **3.** Aroma, Schmackhaftigkeit.

747 Geschöpf 1. Kreatur, Lebewesen, Wesen, Tier, **2.** Schachfigur, Puppe, Marionette, Kreatur, Figur, Wachsfigur.

748 gesellig 1. umgänglich, zugänglich, aufgeschlossen, ansprechbar, unterhaltsam, unterhaltend, amüsant, ungezwungen, zwanglos, fidel, vergnügt, **2.** leutselig, sozial, soziabel, kontaktfähig, kontaktfreudig, interessiert, extrovertiert, extravertiert, **3.** gastlich, gastfrei, gastfreundlich, freigebig, spendabel, generös, großzügig.

749 Geselligkeit 1. Kontaktfähigkeit, Kontaktfreude, Leutseligkeit, Aufgeschlossenheit, Extrovertiertheit, Extravertiertheit, Soziabilität, **2.** Gesellschaft, Festlichkeit, Einladung, Empfang, Beisammensein, Festivität, Ball, Tanz, Tanzerei, Tanzvergnügen, Veranstaltung, Essen, Geburtstagsfest, Freu-

denfest, Party, Cocktailparty, Fest, Fete, Feier, Sause, Budenzauber, Grillparty, Gartenfest, Straßenfest, Volksfest, **3.** Umgang, Verkehr, gesellschaftlicher Umgang, offenes Haus, Gastlichkeit, Gastfreiheit, Gastfreundlichkeit, Gastfreundschaft.

Gesetz 1. Recht, Verfassung, Lex, **750** Satzung, Vorschrift, Verfügung, Verordnung, Sollbestimmung, Erlass, Gebot, Dekalog, Bestimmung, Statut, Paragraph, Weisung, Diktat, Order, Edikt, Maßnahme, Richtlinie, **2.** Gesetzmäßigkeit, Regelmäßigkeit, Regel, Norm, Grundsatz, Prinzip, Dogma, Dekalog.

gesetzmäßig 1. gesetzlich, rechtlich, richterlich, behördlich, amtlich, **751** staatlich, **2.** rechtsgültig, rechtskräftig, rechtsverbindlich, legal, dem Gesetz entsprechend, **3.** juristisch, nach dem Gesetz, de jure, nach den Paragraphen; rechtskundig, rechtswissenschaftlich, **4.** rechtmäßig, legitim, gesetzlich anerkannt, zulässig, vorschriftsmäßig, kanonisch, ordnungsgemäß, regelgerecht, erlaubt, gestattet, berechtigt, nach Recht und Gesetz, von Rechts wegen, mit Fug und Recht, rechtens, zu Recht, mit Recht, **5.** vorgeschrieben, angeordnet, verordnet, obligatorisch, verpflichtend, bindend, gültig, verbindlich.

Gesicht 1. Angesicht, Antlitz, Physiognomie, Züge, Gesichtszüge, Zifferblatt, Visage, Fratze, Fresse, **2.** Aussehen, Ausdruck, Miene, Anblick, Ansicht, Ansehen, Anmutung.

Gesindel Gelichter, Brut, Gezücht, **753** Bagage, Plebs, Mob, Pack, Pöbel, Kroppzeug, Gesindel, Geschmeiß, Gelump; Schlangenbrut, Otterngezücht, Teufelsbrut, Satansgelichter, Gesocks, Abschaum, Lumpenpack, Lumpengesindel, Kanaille.

gesinnungslos käuflich, bestechlich, feil, korrupt, gewissenlos, verräterisch, hinterhältig, heimtückisch; rückgratlos, prinzipienlos, charakterlos, haltlos, opportunistisch.

Gesinnungslosigkeit Käuflichkeit, Bestechlichkeit, Korruptheit, Gewissenlosigkeit, Hinterhältigkeit, Heimtücke; Rückgratlosigkeit, Prinzipienlosigkeit, Charakterlosigkeit, Treulosigkeit, Verrat, Haltlosigkeit, Opportunismus.

756 gestalten formen, bilden, schaffen, kreieren, Form geben, erschaffen, entwerfen, konstruieren, konzipieren, skizzieren, modeln, prägen, strukturieren, kneten, modellieren, meißeln, bildhauern, aushauen, aus dem Stein hauen, herausmeißeln, behauen, schnitzen; fassonieren, ausarbeiten, durcharbeiten, durchbilden, durchformen, stilisieren, ausformen, ausgestalten, arrangieren, einrichten, verdichten; in Form bringen, formieren, layouten, umbrechen; zurechtformen, zurechtstutzen, zustutzen, drechseln.

757 gesund 1. wohl, wohlauf, frisch, gut, auf dem Damm, bei guter Gesundheit, munter, fit, in Form, abgehärtet, auf der Höhe/dem Posten, blühend, strotzend, gut beieinander/ernährt/dran, kerngesund, pudelwohl, normal, wohlbehalten, rüstig, **2.** heil, geheilt, genesen, wiederhergestellt, gesundet, erholt, bei Kräften, **3.** gesundheitsförderlich, bekömmlich, nahrhaft, gedeihlich, leicht verdaulich, leicht, nicht belastend, schonend, aufbauend, kräftigend, zuträglich, gut verträglich, abhärtend, biologisch, **4.** heilsam, nützlich, wohltätig, wohltuend, heilend, kurierend, heilkräftig, kühlend, lindernd, durstlöschend, durststillend, mildernd, lösend, abführend, schweißtreibend, befreiend, helfend, rettend, wirksam, Kraft spendend; pflegend, kosmetisch, verjüngend, **5.** erwerbsfähig, arbeitsfähig, beruflich integrationsfähig.

758 Gesundheit Frische, Wohlbefinden, Wohlergehen, Wohl, Wohlsein, Vollkraft, Erwerbsfähigkeit, gute Verfassung, guter Zustand, Rüstigkeit, Fitness, gutes Allgemeinbefinden.

759 Getränk 1. Trank, Trunk, Drink, Glas, Gläschen, Schluck, Tropfen, Flüssigkeit; Stoff, Gesöff, Gebräu, Plörre, **2.** Alkoholika, Spirituosen, scharfe Sachen, harte Getränke, **3.** Erfrischungsgetränk, Saft, Limonade, Sprudel, Heilwasser; Kaffee, Tee, Schokolade, Kakao, Milch.

760 Gewässer 1. Bach, Rinnsal, Wässerchen, Quelle, Wasserlauf, Wasserader, Fluss, Strom, Wasserstraße, Kanal, Wasserweg, **2.** Lache, Pfütze, Wasserloch, Tümpel, Teich, See, Weiher, Stausee, Baggersee, Binnengewässer, **3.** Wasserstelle, Tränke, Becken, Bassin, **4.** Meer, See, Ozean, Weltmeere.

761 gewinnen 1. Gewinn erzielen, Profit machen, profitieren, verdienen, einnehmen, herausholen, herausbekommen, herausschlagen, einheimsen, einsacken, einstreichen, Geld machen/scheffeln, Schnitt machen, sich bereichern, **2.** erlangen, erzielen, erreichen, erwischen, erhaschen, erjagen, sich beschaffen; erwerben, erkaufen, erarbeiten, erwirken, zufallen, zuteil werden, zukommen, erobern, erkämpfen, erstreiten, erstürmen, erbeuten, erringen, abringen, erzwingen, abzwingen, abgewinnen, wegschnappen, ergattern, angeln, kapern, entern, aufbringen, abnehmen, erraffen, an sich bringen; einstecken, ernten, sich einverleiben; Rahm abschöpfen, Vogel abschießen, trumpfen, Trumpf ausspielen, Oberwasser haben, im Vorteil sein, Rückenwind haben, **3.** an Wert gewinnen, besser/schöner werden, sich entwickeln, machen.

762 Gewissen innere Stimme, Überich, besseres Ich, kategorischer Imperativ, inneres Gebot, Unrechtsbewusstsein, Unrechtsempfinden, moralische Instanz, Ethos, Moral; gutes/reines/schlechtes Gewissen, Gewissensbisse.

763 gewöhnen (sich) 1. Gewohnheit werden, sich einbürgern; einführen, zur Selbstverständlichkeit werden, sich einfahren; einreißen; sich einspielen; vertraut werden, sich aneinander gewöhnen, zusammenraufen, **2.** sich angewöhnen; Gewohnheit annehmen, zur Gewohnheit machen, zu tun pflegen, sich anverwandeln; sich zu Eigen machen, einarbeiten, eingrooven, hineinfuchsen; auf den Geschmack kommen, Gefallen finden an.

764 Gewöhnung Eingewöhnung, Habitualisierung, Einarbeitung, Anpassung.

765 Gezeiten Tiden, Ebbe, Flut, Hochflut, Springflut, Sturmflut, Brandung.

766 geziert manieriert, gespreizt, gestelzt, unnatürlich, affig, zickig, puppig, gezwungen, krampfig, erkünstelt, unecht, gesucht, gekünstelt, affektiert, gemacht, gewunden, überfrachtet, geschraubt, hochgestochen, prätentiös, überambitioniert.

767 Gipfel 1. Kuppe, Spitze, Höhe, Scheitel, Kamm, Pik, Zinken, Zacke, Zacken,

Grat, Wipfel, Krone, Giebel, First, Mauerkrone, Zinne, **2.** Höhepunkt, Zenit, Gipfelpunkt, Kulminationspunkt, Kulmination, Klimax, Orgasmus, Siedepunkt, Scheitelpunkt, Wendepunkt, Umkehrpunkt, **3.** Optimum, Höchstmaß, Höchststand, Höchstwert, Höchststufe, Maximum, Höchstleistung, Rekord, Glanzleistung, Meisterleistung, Spitzenleistung, Spitze, Bombenerfolg, Bestleistung, Bestseller, Welterfolg, **4.** Blütezeit, Glanzzeit, Hauptgeschäftszeit, Hauptverkehrszeit, Stoßzeit, Stoßverkehr, Rushhour, **5.** Clou, Attraktion, Glanzpunkt, Glanzstück, Highlight, Knalleffekt, Glanznummer, Krönung, Hauptattraktion, Galanummer, Zugnummer, Zugstück, Kassenmagnet, Aushängeschild, **6.** Gipfeltreffen, Gipfelkonferenz, Treffen auf höchster Ebene, **7.** Vollendung, Vollkommenheit, Perfektion, Virtuosität, Bravour, Meisterschaft, Finish, letzter Schliff, i-Punkt, Tüpfelchen auf dem i, Sahnehäubchen, Nonplusultra, Superlativ.

768 glatt 1. flach, eben, plan, gerade, wasserpass, horizontal, flach verlaufend, flächig, tellereben, platt, gebahnt, gewalzt, **2.** blank, blinkend, strahlend, schimmernd, poliert, gewachst, gewichst, gebohnert, spiegelnd, glänzend, spiegelblank, lackiert, lasiert, geschliffen, geglänzt, satiniert, **3.** haarlos, unbehaart; strähnig, ungewellt, ungelockt, **4.** quitt, wett, ausgeglichen, erledigt, abgerechnet, paletti, bezahlt, getilgt, schuldenfrei, gestrichen, gelöscht, abgetan, los und ledig, **5.** angenehm, ohne Zwischenfälle / Komplikationen, reibungslos, ungestört, störungsfrei, wie am Schnürchen, zügig, wie geschmiert, folgenlos, ungehindert, unbehindert, **6.** glitschig, schleimig, schlüpfrig, ölig, fettig, schmierig, speckig, seifig, glibbrig, geschmiert, geölt, gefettet; vereist, spiegelglatt, rutschig, Aquaplaning, **7.** gebügelt, gemangelt, knitterarm, knitterfrei.

769 glätten 1. ebnen, nivellieren, walzen, pflastern, asphaltieren, bahnen, **2.** plätten, bügeln, glatt streichen, ausbügeln, gerade biegen, ausstreichen, straffen, steifen, stärken, glatt ziehen, spannen, heißmangeln, dämpfen, entrunzeln, mangeln, **3.** polieren, wachsen, boh-

nern, wichsen, firnissen, laminieren, lacken, lackieren, satinieren, Glanz geben, lasieren, glasieren, abschleifen, schleifen, abhobeln, abfeilen, glatt hobeln, schmirgeln, runden, abrunden, feilen, hobeln, peelen, rasieren, **4.** schmieren, einschmieren, ölen, fetten, einölen, einpinseln, einreiben, salben, einfetten.

glauben 1. gläubig / überzeugt sein, **770** wähnen, vermeinen, finden, meinen, denken, **2.** Glauben schenken, für bare Münze nehmen, für wahr / richtig halten, abnehmen, abkaufen.

gleich 1. übereinstimmend, konform, **771** ebenso, genauso, dasselbe, nicht zu unterscheiden, deckungsgleich, austauschbar, ununterscheidbar, geklont, kein Unterschied, identisch, einer wie der andere, zum Verwechseln, wie ein Ei dem andern / aus dem Gesicht geschnitten / er leibt und lebt, aufs Haar gleich, gleichnamig, gleich lautend, gleichaltrig, derselbe Jahrgang, **2.** gleichförmig, einförmig, eintönig, monoton, im selben Tonfall, ohne Abwechslung; uniform, uniformiert, livriert, gleich gekleidet, Partnerlook, Unisex, einheitlich; im selben Trott, schematisch, nach Schema F, zwei rechts, zwei links, schablonenhaft, stereotyp, formelhaft, über einen Leisten geschlagen, feststehend, immer gleich, ständig wiederkehrend; gleichmacherisch, nivellierend, **3.** sofort, auf der Stelle, unverzüglich, augenblicklich, umgehend, ad hoc, sogleich, unverweilt, ohne Verzug, postwendend, kurzerhand, stehenden Fußes, frischweg, wie er geht und steht, ohne weiteres, stracks, brühwarm, gesagt – getan, auf den ersten Blick, von Anfang an, von vornherein, **4.** gleichartig, ähnlich, artverwandt, affin, verwandt, vergleichbar, kommensurabel, analog, sinngemäß, entsprechend, erinnernd, anklingend an, sich berührend mit, kongenial, wesensgleich, geistesverwandt, sinnverwandt; sinngleich, synonym, gleichsinnig, gleichbedeutend, bedeutungsgleich.

gleichgültig 1. neutral, leiden- **772** schaftslos, über den Dingen, unparteiisch, uninteressiert, interesselos, unbetroffen, unbeteiligt, unbewegt, kühl, indifferent, teilnahmslos, ungerührt, unberührt, unerschüttert, **2.** passiv, nicht betroffen, abwartend, unentschieden, **3.** apathisch, unbeeindruckt, lethargisch, phlegmatisch, indolent, träge, untätig, inaktiv, leidend, duldend, widerstandslos, nachgiebig, ergeben, **4.** blasiert, gelangweilt, lasch, stumpf, lax, lässig, lauwarm, nicht Fisch noch Fleisch, mattherzig, achselzuckend, nicht aus der Ruhe zu bringen, gefühllos, unempfindlich, desinteressiert, froschblütig, fischblütig, wurstig, **5.** egal, kein Beinbruch, kein Hahn kräht danach, gehüpft wie gesprungen, Jacke wie Hose, schnuppe, schnurz, piepe, alles eins, scheißegal.

773 gleichgültig lassen nicht berühren, kalt lassen, kalt bleiben, über den Dingen stehen, sich nicht anfechten lassen; Abstand wahren, auf sich beruhen lassen, Achseln zucken, nichts anhaben können, sich nicht scheren; den Teufel scheren, gern haben können.

774 gleichsam gewissermaßen, sozusagen, quasi, als ob, wie, etwa, entsprechend, vergleichbar, ähnlich, sich nähernd; anklingend, erinnernd, gemahnend, wie wenn.

775 gleichwertig ebenbürtig, äquivalent, ebenso gut, gleich, in Augenhöhe, vollwertig, gemäß, entsprechend, gleichstehend, gleichrangig, ranggleich, satisfaktionsfähig, passend, auf gleicher Höhe, wert, würdig, auf gleicher Stufe, konkurrenzfähig, konvertierbar, wettbewerbsfähig, gleichberechtigt, partnerschaftlich, gleichgestellt, paritätisch.

776 gleichzeitig zur selben Zeit, im selben Augenblick / Atemzug, auf einen Schlag, zu gleicher Zeit, zeitgleich, zugleich, simultan, koinzident, synchron, gleich laufend, zeitlich übereinstimmend, gemeinsam, zusammenfallend; während, indem, inzwischen, mittlerweile, dieweil, solange.

777 gleiten 1. rutschen, ausrutschen, abrutschen, abwärts gleiten, glitschen, flutschen, schliddern, schleifen, sich lautlos bewegen; schleichen, geistern, sachte tun, leise machen, auf leisen Sohlen gehen, huschen, schlüpfen, **2.** kriechen, krauchen, krabbeln, robben, **3.** schweben, fliegen, segeln.

778 Glied 1. Körperteil, Extremität, Arm, Bein, Hand, Finger; Pfote, Tatze, Klaue,

Pranke, Huf, Kralle, **2.** Penis, Phallus, männliches Glied, Geschlechtsteil, Lingam, Geschlecht, Gemächt; Zipfel, Rute, Schwanz, Rohr.

Gliederung Aufbau, Bau, Struktur, **779** Einteilung, Unterteilung, Ordnung, Aufteilung, Staffelung, Aufgliederung, Untergliederung, Differenzierung, Hierarchie; Anordnung, Gefüge, Zuordnung, Zusammenstellung, Arrangement, Koordinierung, Gruppierung, Aufstellung, Choreographie, Disposition, Bauplan, Plan, Komponierung, Konzertierung, Komposition, Konfiguration.

Glück 1. Gunst der Verhältnisse, Güte **780** des Geschicks, günstige Fügung, Bonheur, Füllhorn, guter Stern, Glücksstern, Fortuna; Erfolg, Gedeihen, Gelingen, Segen, Dusel, Schwein, Lottogewinn, Jackpot, Geschenk des Himmels, Massel, Glückssträhne, Sternstunde, Glücksfall, Glückssache, Glücksgriff, **2.** Beglückung, Beglücktheit, innere Befriedigung, Erfüllung, Hochstimmung, Freude, Seligkeit, Beseligung, Entzücken, Wonne, Euphorie, Tage der Rosen, goldene Zeit, Honigmond, Flitterwochen, Sonnenseite, Butterseite.

glücklich (sein) 1. glückselig, be- **781** glückt, erfüllt, beseligt, beflügelt, beschwingt, hingerissen, freudig, selig, freudevoll, wunschlos, zufrieden, überglücklich, glückstrahlend, wonnetrunken, verklärt, im siebten Himmel, hochgestimmt, euphorisch, high, happy, **2.** begünstigt, erfolgreich, arriviert, gemacht, anerkannt, vorwärts gekommen, vom Glück begünstigt, lucky, wohlbestallt, fruchtbar, gedeihlich, erstrebenswert, gesegnet, beneidenswert, dornenlos, wolkenlos, ungetrübt, sorgenlos, sorgenfrei, schattenlos, auf der Sonnenseite, aussichtsreich, zukunftsfreudig, hell, besonnt, segensreich, Segen bringend, gnädig, **3.** angenehm, erfreulich, hocherfreulich, beglückend, beseligend, befriedigend, ausfüllend, erfüllend, schön, paradiesisch, himmlisch, elysisch, herzerfreuend, wonnevoll, wonnesam, wonnig, **4.** glücklicherweise, zum Glück, durch einen glücklichen Zufall, erfreulicherweise, gottlob, Gott sei Dank, **5.** sich glücklich fühlen / schätzen / preisen; auf Wolken gehen, nichts zu wünschen haben.

782 Glückskind Hans im Glück, Goldmarie, Sonntagskind, Liebling der Götter, Günstling des Glücks, Hahn im Korb, Liebling, Glückspilz, Erfolgsmensch, Senkrechtstarter, Shootingstar, Gewinner, Nutznießer, Begünstigter, Favorit, Günstling.

783 Glücksspiel Lotto, Lotterie, Vabanquespiel, Toto, Verlosung, Wette, Wettspiel, Quiz, Tombola; Bingo, Bakkarat, Roulette, Poker, Würfelspiel, Zufallsspiel, Hasardspiel.

784 Gnade 1. Erbarmen, Milde, Nachsicht, Schonung, Vergebung, Verzeihung, Barmherzigkeit, Begnadigung, Absolution, Ablass; Pardon, Amnestie, Straferlass, Nachlass, Dispens, 2. Begnadung, Segen, Gottesgabe, Begabung, 3. Gunst, Huld, Güte; Gnädigkeit, Jovialität, Gönnerhaftigkeit.

785 Gott 1. Allmächtiger, Schöpfer, Demiurg, Weltenlenker, Höchster, Herrgott, Herr, Gottvater, himmlischer Vater, Vater im Himmel, Allwissender, Allgütiger, lieber Gott, Allerbarmer; Gottheit, Halbgott, göttliches Wesen, Numen, 2. Herr Zebaoth, Jahwe, Jehova, Allah, Brahma, Buddha, Schiwa, Wischnu, Zeus, Wotan, Manitu, 3. Magna Mater, Große Mutter, Demeter, Isis, Shakti.

786 Götzenverehrung Götzendienst, Götzendienerei, Idolatrie, Abgötterei, Bilderanbetung, Fetischismus, Teufelsdienst, Dämonenkult, Baalsdienst.

787 graben 1. höhlen, aushöhlen, ausheben, ausschachten, ausbaggern, wühlen, buddeln, schippen, baggern, schaufeln; umgraben, ackern, furchen, pflügen, umpflügen, umbrechen, schanzen, bohren, schürfen, unterminieren, untertunneln, unterhöhlen, aufgraben, anbohren, ausbohren, 2. ausgraben, exhumieren, ausbuddeln, zutage fördern.

788 Grad Intensität, Ausmaß, Stufe, Stärke, Rang, Ausbreitung; Temperatur, Wärmegrad, Kältegrad.

789 gravieren eingraben, einritzen, einschneiden, rillen, riefen, einritzen, ritzen, stechen, ätzen, ziselieren, eingravieren.

790 Grenze Staatsgrenze, Landesgrenze, Zollgrenze, Grenzlinie, Demarkationslinie, Trennlinie, Rubikon, Schlagbaum, grüne Grenze, Abgrenzung, Schranke, Rand, Scheide.

groß 1. hoch gewachsen, hochwüchsig, stattlich, hoch, lang, aufgeschossen, übergroß, überlang, übermannsgroß, übermannshoch, überlebensgroß, überdimensional, hünenhaft, riesig, haushoch, gigantisch, ungeheuer, überragend, kolossal, grandios, turmhoch, mächtig, titanisch, stark, gewaltig, 2. bedeutend, ansehnlich, ausgedehnt, erheblich, beträchtlich; geräumig, voluminös, unendlich, unermesslich, astronomisch, unabsehbar, unvorstellbar, weit, immens, 3. erhaben, hehr, Achtung gebietend, majestätisch, feierlich, ehrwürdig, imposant, imponierend, großmächtig, 4. hervorragend, prominent, ausgezeichnet, bedeutend, hoch stehend, überlegen, berühmt, 5. hochgespannt, weit reichend. **791**

Größe 1. Vektor, Faktor, Variable, Kaliber, Dimension, Konstante, Parameter, Format, Körpermaß, Ausdehnung, Weite, Geräumigkeit, Weiträumigkeit, Großflächigkeit, 2. Bedeutung, Erhabenheit, Großartigkeit, Monumentalität, Majestät, Hoheit, Grandezza; Geistesgröße, Seelengröße, Seelenstärke, 3. Großmacht, Hypermacht, Supermacht, Reich, Großreich, Imperium, Weltmacht. **792**

großzügig 1. nobel, nicht kleinlich, neidlos, generös, freigebig, offene Hand, spendabel, spendierfreudig, kulant, verschwenderisch, splendid, gebefreudig, 2. großmütig, nachsichtig, verständnisvoll, tolerant, großdenkend, human, weitherzig, nicht nachtragend. **793**

Grund 1. Ursache, Anlass, Veranlassung, Triebfeder, Ansporn, Antrieb, Anstoß, Anreiz, Stachel, Beweggrund, Movens, Agens, tiefster Grund, entscheidender Anlass, Wurzel, Warum, Motor, treibende Kraft, 2. Begründung, Motivierung, Motivation, Motiv, Argument, Beweisführung, Argumentation, Fundierung, Untermauerung, 3. Boden, Acker, Land, Erdreich, Erde, Krume, Erdboden, Ackerland, Feld, Flur. **794**

Grundbesitz Grundstück, Gelände, Stück Land, Terrain, Areal, Parzelle, Länderei, Bauplatz, Baugrund, Bauland; Immobilie, Liegenschaft, Landbesitz, Grund und Boden, Grundeigentum. **795**

Grundlage 1. Untergrund, Unterla- **796**

ge, Fundament, Boden, Grundstein, Basis, Plattform, Unterbau, Sockel, Fuß, Postament, Piedestal, **2.** Voraussetzung, Basis, Ausgangspunkt, Ausgangsbasis, Ansatzpunkt, Ansatz, Nährboden, **3.** Grundstock, Fundus, Fonds, Bestand, Reserve, Rücklage, Stock, **4.** Grundbegriffe, Elementarbegriffe, Allgemeinbegriffe, Elementarkenntnisse, Vorkenntnisse, Grundlagenwissen, Anfangsgründe, Elementartechniken, Kulturtechniken, **5.** Diskussionsgrundlage, Paper, Hand-out.

797 grundlos unbegründet, ohne Grund, ohne Anhaltspunkt, aus der Luft gegriffen, frei erfunden, erfunden, eingebildet, unmotiviert, zufällig, ungerechtfertigt.

798 Grundsatz 1. Richtlinie, Richtsatz, Richtschnur, Richtmaß, Maßstab, Maxime, Generalbass, Leitlinie, Leitgedanke, Grundprinzip, Grundidee, Grundvorstellung, Hauptgedanke, Grundgedanke, Grundmotiv, Leitmotiv, roter Faden, Tenor, Leitsatz, Grundregel, Vorsatz, Motto, goldene Regel, **2.** Behauptung, Axiom, Prinzip, Apriori, Theorem, Lehrsatz, These, Glaubenssatz, Dogma, Lehrmeinung, Doktrin, Postulat.

799 grundsätzlich grundlegend, fundamental, prinzipiell, a priori, theoretisch, in der Regel, eigentlich.

800 Gruppe 1. Abteilung, Fraktion, Sezession, Block, Kreis, Zirkel, Klub, Gesellschaft, Runde, Ring, **2.** Arbeitsgemeinschaft, Ausschuss, Team, Arbeitsgruppe, Projektgruppe, Kollektiv, Gesprächsgruppe, Gesprächsrunde, Kollegium; Beraterstab, Expertengruppe, Brain-Trust, Think-Tank, **3.** Ensemble, Truppe, Orchester, Kapelle, Chor, Balletttruppe, Compagnie, **4.** Band, Musikgruppe, Combo, Rockband, Popgruppe, Jazzband, **5.** Bande, Schar, Trupp, Horde, Blase, Gang, Schwarm, Pulk, Volk, Traube, Haufen, Meute, Rotte, Korona, **6.** Lager, Sippe, Sippschaft, Clique, Klüngel, Seilschaft, Clan, Sekte, **7.** Initiativgruppe, Bürgerinitiative, Selbstinitiative, Ini, Aktionsgruppe, **8.** Tafelrunde, Stammtisch, Kegelklub, Kränzchen,

Damenkränzchen, **9.** Mannschaft, Besatzung, Bemannung, Crew, Cast, Staffel, Equipe, Stab, Riege.

Gruß 1. Begrüßung, Grußformel, **801** Empfang, Willkomm; Lebewohl, Abschied, Verabschiedung, Empfehlung, **2.** Händedruck, Handschlag, Handkuss, Kuss, Umarmung, Verneigung, Verbeugung, Bückling, Diener, Knicks, Reverenz, Kratzfuß, Kotau, Fußfall, Kniefall, **3.** Ehrenbezeigung, Honneurs, Salut, Vivat, Hochruf, Hoch, großes Hallo, Ständchen, Tusch, Ansprache, Trinkspruch, Toast, **4.** Grußadresse, Grußbotschaft, Glückwunsch, Glückwunschadresse, Glückwunschkarte, Gratulationsbrief, Gratulation.

grüßen 1. begrüßen, willkommen **802** heißen, hallo sagen, winken, zuwinken, zunicken, nicken, sich verbeugen, verneigen; Bückling/Diener machen, dienern, knicksen, Hut abnehmen/ziehen/lüften, Hand schütteln/geben/reichen/bieten/drücken, Grüße übermitteln/überbringen/senden, **2.** strammstehen, salutieren, präsentieren, Spalier stehen.

günstig 1. vorteilhaft, gedeihlich, **803** aussichtsreich, viel versprechend, rosig, Glück verheißend, verheißungsvoll, hoffnungsvoll, Erfolg versprechend, zukunftsträchtig; opportun, empfehlenswert, angezeigt, ratsam, rätlich, geraten, klug, zupass, richtig, gelegen, **2.** positiv, lobend, anerkennend, bejahend, wohlwollend, wohlmeinend, wohlgesinnt, **3.** kleidsam, tragbar; geeignet, passend, preiswert, billig.

gut 1. gutartig, gutherzig, gutmütig, **804** ohne Falsch, herzensgut, seelengut, **2.** geglückt, gelungen, wohlgeraten, gut geworden/gemacht/getroffen/geraten/ausgefallen, wohlgetan, ins Schwarze getroffen, in Ordnung, o. k., okay, bestens, sehr zufrieden, vorzüglich, prima, vortrefflich, top, nicht ohne/schlecht/von schlechten Eltern/übel/uneben, **3.** gütig, anständig.

Güte Gütigkeit, Liebenswürdigkeit, **805** Herzenswärme, Herzensgüte, Grundgüte, Warmherzigkeit, Hilfsbereitschaft, Gutmütigkeit, Zuwendung, Zuneigung, Selbstlosigkeit.

H

806 Haar 1. Haupthaar, Kopfhaar, Haarschopf, Tolle, Wuschelkopf, Mähne, Wolle, Zotteln, Pelz, Borsten, Schopf, Strähnen, Wellen, Locken, Dauerwellen, **2.** Frisur, Haartracht, Haarschnitt, Schnitt, Fassonschnitt, Styling, Look, **3.** Haarteil, Perücke, Toupet, Haarersatz, Kunsthaar, transplantiertes Haar.

807 haben (sich) 1. besitzen, sein Eigen nennen, innehaben, zu Eigen/in Händen haben, eignen, gehören, genießen, sich freuen an; verfügen über, zu Gebote stehen, vorrätig/auf Lager haben, aufweisen; angehören, zugehören, **2.** es gut haben, gut dran sein, nichts zu klagen haben, nicht klagen können, im Fett/in der Wolle sitzen, aus dem Vollen schöpfen, im Geld schwimmen, Geld wie Heu haben, gut/in guten Verhältnissen leben, **3.** sich zieren, gerieren, anstellen; Geschichten machen, sich nötigen lassen, genieren, sträuben; Sperenzien machen.

808 habgierig habsüchtig, raffgierig, berechnend, erpicht, filzig, geldgierig, gewinnsüchtig, besitzgierig, besitzsüchtig, materialistisch, unersättlich, vom Stamme Nimm, konsumorientiert, konsumgeil, konsumversessen.

809 halb zur Hälfte, halb und halb, hälftig, halbiert, zweigeteilt, halbseitig, halbpart, fifty-fifty, zu gleichen Teilen, brüderlich; halbwegs, in der Mitte, auf halbem Wege, zwischenliegend, dazwischen, zwischen, gleich weit entfernt, inmitten, auf halber Strecke.

810 Halt 1. Belastbarkeit, Festigkeit, Bindekraft, **2.** Anhalt, Stütze, Anker, Stecken und Stab, Hoffnung, Eckstein, Rückhalt, Basis, Fundament, Stützpunkt, Standbein, **3.** Balken, Träger, Säule, Pfeiler, Grundpfeiler, Eckpfeiler, Tragstütze, Pilaster, Pflock, Pfahl, Pfosten, Stange, Schiene, Sparren, Mast, **4.** Spalier, Gerüst, Balkenwerk, Stützwerk; Gerippe, Skelett, Knochengerüst, Rückgrat, Wirbelsäule, **5.** Lehne, Arm-

lehne, Fußstütze, **6.** Haltestelle, Stoppstelle, Haltepunkt, Station, Bahnhof; Aufenthalt, Zwischenstopp, Fahrtunterbrechung, Zwischenlandung, Stopp, Pause, Stillstand.

halten 1. anhalten, stehen bleiben, **811** ausbremsen, innehalten, Halt machen, stoppen, landen, anlegen, zum Stehen kommen, stocken, abbrechen, unterbrechen, einhalten, aussetzen, Station/ Zwischenstopp machen, **2.** festhalten, zurückhalten, nicht loslassen, behalten, nicht hergeben, besetzt halten, **3.** lesen, abonnieren, beziehen.

Halter 1. Griff, Handgriff, Heft, **812** Schaft, Kolben, Stiel, Henkel, Türgriff, Klinke, Schnalle, Drücker, Knauf, Knopf, Anfasser, Greifer, Klipp, Klips, Klemme, Klammer, Pinzette, Zange, Greifwerkzeug; Hebel, Taste, Kurbel, **2.** Träger, Hosenträger, Gurt, Gürtel, Hüfthalter, Straps; Schlaufe, Riemen.

Handarbeit 1. Handwerk, Manufak-**813** tur, Kunsthandwerk, Kunstgewerbe; Einzelarbeit, Einzelstück, Entwurf, Modell, Maßarbeit, **2.** Heimarbeit, Bastelarbeit, Nadelarbeit, Knüpfarbeit, Webarbeit.

Handel 1. Warenverkehr, Warenaus-**814** tausch, Güterverkehr, Güteraustausch, Handelsverkehr, Warenzirkulation, Geschäftsverkehr, Geschäftsleben, Warenvertrieb, Umsatz, Umschlag, Markt, Kommerz; Handelsbeziehungen, Wirtschaftsbeziehungen, **2.** Geschäft, Tausch, Tauschhandel, Tauschgeschäft, Abschluss, Transaktion, Deal, **3.** Einzelhandel, Großhandel, Engroshandel; Import, Einfuhr; Export, Ausfuhr, Außenhandel, Transithandel, Effektenhandel.

handeln 1. tun, machen, operieren, **815** vorgehen, verfahren, agieren, tätig sein, wirken, arbeiten, zu Werke gehen, **2.** Handel treiben, Geschäfte machen, kaufen und verkaufen, einführen, importieren, ausführen, exportieren, zwischenhandeln, dealen, **3.** feilschen, schachern, Preis drücken, abhandeln, herunterhandeln, wuchern, übervorteilen.

Händler 1. Verkäufer, Trödler, Kauf-**816** mann, Krämer, Handeltreibender, Höker, Straßenhändler, **2.** Broker, Börsianer, Börsenmakler, Jobber, Trader, Börsenspekulant, Fixer, Aktienhändler, **3.**

Vertreter, Handelsvertreter, Agent, Werber.

817 handwerklich 1. handwerksmäßig, fachgerecht, zunftgerecht, kunstgerecht, sachgerecht, werkgerecht, materialgerecht, **2.** handgemacht, händisch, handgearbeitet, handgefertigt, manuell, hausgemacht.

818 Harmonie 1. Wohlklang, Wohllaut, Zusammenklang, Akkord, Stimmigkeit, Einklang, Zusammenspiel, Orchestrierung, **2.** Ausgeglichenheit, Ausgewogenheit, Gleichgewicht, Gleichmaß, Ebenmaß, Abgewogenheit, Abgestimmtheit, Ebenmäßigkeit, gute Proportion.

819 harmonisch 1. wohllautend, wohlklingend, wohltönend, stimmig, zusammenstimmend, abgestimmt, konzertiert, harmonisiert, gleich gestimmt; vielstimmig, mehrstimmig, polyphon; übereinstimmend, abgewogen, im Gleichgewicht, gleichgewichtig, **2.** zusammenpassend, einander entsprechend, geistesverwandt, **3.** ausgewogen, ausgeglichen, ausbalanciert; gleichmäßig, ebenmäßig, wohlgeformt, wohlgegliedert, wohlproportioniert, im richtigen Verhältnis, abgewogen.

820 hart 1. fest, steif, starr, unelastisch, spröde; hölzern, erzen, ehern, metallen, felsenhart, steinern, steinhart; eckig, kantig; trocken, ausgetrocknet, ausgedörrt, verhärtet, verknöchert, versteinert, stählern, marmorn, stahlhart, steinhart, knüppelhart, **2.** herzlos, hartherzig, hartleibig, mitleidslos, kalt, gefühllos, eisig, eiskalt, ungerührt, lieblos, gefühlskalt, unzugänglich, unnachgiebig, nicht ansprechbar, nicht zu erweichen, keinen Bitten zugänglich, **3.** streng, unnachsichtig, schonungslos, rücksichtslos, rau, kategorisch, eisern, beinhart, rigoros, unerbittlich, unbarmherzig, unversöhnlich, kompromisslos, gnadenlos, erbarmungslos, exemplarisch, abschreckend, drakonisch.

821 hassen 1. ablehnen, nicht mögen, unsympathisch finden, Abneigung empfinden, Dorn im Auge sein, Aversion hegen, nicht gewogen/grün sein, missliebig sein, missfallen, verabscheuen, nicht sehen/riechen/ausstehen können, rotes Tuch/zuwider sein, gefressen haben, **2.** anfeinden, Hass/Feindschaft/ Feindseligkeit / Groll / Ressentiment / Rachsucht empfinden, blind ablehnen, mit Hass verfolgen.

822 hässlich 1. unschön, unansehnlich, unästhetisch, unvorteilhaft, plump, garstig, abscheulich, gräulich, scheußlich, fratzenhaft, grimassenhaft, verzerrt, entsetzlich, furchtbar, schlecht gebaut, verunstaltet, schief, schauerlich, schaurig, abstoßend, abschreckend, widerlich, widerwärtig, ekelhaft, monströs, potthässlich, **2.** dissonant, misstönig, falsch klingend, kakophonisch.

823 Hauptsache Angelpunkt, Pol, Drehpunkt, Mittelpunkt, Zentrum, Epizentrum, Kardinalpunkt, Schwerpunkt, Kern, Kernpunkt, A und O, Kernstück, Mark, Herzstück, Quintessenz, Inbegriff, springender Punkt, Pudels Kern, Gehalt, Pointe, das Wesentliche/Wichtigste/Entscheidende/Ausschlaggebende, Zünglein an der Waage, Nerv, Nervus Rerum, Lebensader, Lebensfaden, Leitfaden, Leitgedanke, roter Faden, Dreh- und Angelpunkt.

824 Haus 1. Gebäude, Bau, Bauwerk, Baulichkeit, Wohnhaus, Mietshaus, Mietskaserne, Einfamilienhaus, Fertighaus, Häuschen, Reihenhaus; Hochhaus, Wolkenkratzer; Hütte, Kate, Baracke, Baude, Datscha, Ferienhaus, Sommerhaus, Bungalow, Landhaus, Chalet, Villa, Palais, Palast, Schloss, Burg, **2.** Heim, Daheim, Eigenheim, vier Wände, Heimstätte, Domizil, Dach, Nest, Privatsphäre, persönlicher Bereich, Zuhause.

825 Haushalt 1. Hausstand, Hauswesen, Haushaltung, Haushaltsführung, **2.** Budget, Etat, Finanzplan, Haushaltsplan, Finanzen, Staatshaushalt, Wirtschaftsführung.

826 Hauspersonal 1. Dienerschaft, Dienstpersonal, Hausangestellte, Bedienstete, Dienstboten, Domestiken, Gesinde, Hausgesinde, **2.** Mädchen, Hausmädchen, Kraft, Housekeeper, Dienstmädchen, Dienstmagd, Haushaltshilfe, Haushaltsgehilfin, Stubenmädchen, Zimmermädchen; Hilfe, Stütze, Perle; Haushälterin, Wirtschafterin, Gesellschafterin, Hausdame, Gouvernante; Köchin, Küchenhilfe, Zugehfrau, Putzfrau, Putzhilfe, Auf-

wartefrau, Stundenfrau, Reinemachfrau, **3.** Kinderfräulein, Kindermädchen, Kinderfrau, Kinderbetreuer, Babysitter, Au-pair-Mädchen, **4.** Hausdiener, Hausgehilfe, Hausbursche, Page,
Boy, Dienstbote, Diener, Butler, **5.** Portier, Concierge, Pförtner, Hauswart,
Hausmeister, Hausmaier.

827 heben 1. aufheben, lupfen, liften, anheben, aufnehmen, hochnehmen, hochheben, stemmen, wuchten, schultern,
buckeln; raffen, schürzen, aufstecken,
hochbinden, **2.** Augen erheben, Blick
heben, aufschauen, aufsehen, aufblicken, hochblicken, Augen aufschlagen,
Blick gen Himmel richten, Lider heben.

828 Heft 1. Schulheft, Notizheft, Schreib-
heft, Kladde, Schmierheft, Sudelbuch,
Kollegbuch, **2.** Büchlein, Broschüre,
Faszikel, Heftchen.

829 heftig 1. intensiv, stark, kräftig, wuchtig, massiv, gewaltig, kraftvoll, mit aller
Macht/Kraft, **2.** feurig, leidenschaftlich,
hitzig, heißblütig, vulkanisch, mitreißend, schwungvoll, unbändig, ungestüm, impulsiv, stürmisch, enthemmt,
turbulent, vehement, frenetisch, wild,
hemmungslos, tumultuarisch; fanatisch, besessen, abgöttisch, passioniert,
gewaltsam, forciert, eifernd, eifervoll, **3.**
hitzköpfig, explosiv, cholerisch, reizbar,
erregbar, aufbrausend, auffahrend, jähzornig, violent, zornmütig, wütend, rasend, von Sinnen, überschäumend, toll.

830 Heftigkeit Vehemenz, Wucht, Kraft,
Intensität, Eifer, Temperament, Heiß-
blütigkeit, Wildheit, Hemmungslosigkeit, Raserei, Besessenheit, Tollheit,
Verbissenheit, Unbändigkeit, Ungebärdigkeit, Unbeherrschtheit, Turbulenz,
Ungestüm, Leidenschaft, Leidenschaftlichkeit, Feuer, Glut, Jähzorn, Zornmütigkeit, Reizbarkeit, Erregbarkeit, Hitzköpfigkeit, Radikalität, Streitbarkeit,
Militanz, Streitlust, Aggressivität, Angriffslust, Streitsucht, Händelsucht,
Zanksucht, Gewaltsamkeit, Gewalttätigkeit, Violenz.

831 heilen 1. abheilen, verheilen, heil werden, ausheilen, gesund werden, **2.** verarzten, therapieren, kurieren, gesund
machen, wiederherstellen, rehabilitieren.

832 Heiligenschein Gloriole, Aureole,
Nimbus, Strahlenkranz, Mandorla.

Heim 1. Herberge, Hort, Obdach, Zu- **833**
hause, Reich, Wohnung, Haus, **2.** Anstalt, Wohnheim, Blindenheim, Obdachlosenheim, Studentenwohnheim,
Altersheim, Altenheim, Seniorenheim;
Kinderheim, Schullandheim, Internat,
Erziehungsanstalt; Frauenhaus.

heimlich 1. insgeheim, im Verborge- **834**
nen/Stillen, unbemerkt, unbeobachtet,
unter der Hand, hinter den Kulissen,
unter Ausschluss der Öffentlichkeit,
hinter verschlossenen Türen, stiekum,
inoffiziell, ohne Aufsehen/Zeugen, verstohlen, still und leise, klammheimlich,
klandestin, bei Nacht und Nebel, auf
Schleichwegen, schwarz, abgekartet,
hintenherum, hinterrücks, meuchlings,
2. inkognito, pseudonym, anonym; geheim, geheimdienstlich, topsecret.

heiter 1. froh, frohmütig, frohgemut, **835**
freudig, erfreut, munter, optimistisch,
daseinsfreudig, lebenslustig, unbeschwert, lebensfroh, sonnig, fröhlich,
zufrieden, ungetrübt, beschwingt, angeregt, beflügelt; freudestrahlend, lachend, lächelnd, schmunzelnd, grinsend, **2.** lustig, amüsant, ergötzlich,
zum Lachen, humoristisch, humorig,
humorvoll, spaßig, spaßhaft, kurzweilig, unterhaltend, unterhaltsam, pläsierlich, vergnüglich, köstlich, belustigend,
erheiternd, zerstreuend, **3.** vergnügt,
munter, obenauf, auf der Höhe, guter
Dinge, guten Mutes, seelenvergnügt,
stillvergnügt, belustigt, erheitert, wohl-
gemut, gut gelaunt, aufgeräumt, gut
aufgelegt, übermütig, mutwillig, spitz-
bübisch, schalkhaft, schelmisch, verschmitzt, pfiffig, neckisch, drollig, fidel,
launig; aufgedreht, aufgekratzt, kregel,
feuchtfröhlich, närrisch, ausgelassen,
außer Rand und Band, **4.** komisch, gelungen, witzig, ulkig, köstlich, gottvoll,
possierlich, grotesk, burlesk, possenhaft, schwankhaft, lächerlich, putzig,
schnurrig, urkomisch, zwerchfellerschütternd, zum Schießen, unbezahlbar, **5.** idyllisch, arkadisch, bukolisch,
anakreontisch, ländlich, malerisch.

Heizung Heizanlage, Feuerung, Bren- **836**
ner, Heizkessel; Zentralheizung, Fern-
heizung, Etagenheizung, Gasheizung,
Kohleheizung, Ölheizung, Ofenheizung, Solarheizung, Nachtspeicherheizung, Heizkörper, Strahler, Radiator.

837 helfen (sich) 1. Hilfe leisten, unterstützen, beistehen, beispringen, mit anfassen, zur Hand gehen, zufassen, zuspringen, einspringen, aushelfen, überbrücken, sich nützlich machen, zur Verfügung stellen / halten; in die Bresche springen, Beistand leisten, sich erbarmen; Hilfestellung geben, stützen, zur Seite stehen, unter die Arme greifen, bereitstehen, zur Verfügung stehen, Rücken stärken, Steine aus dem Weg räumen, **2.** mitarbeiten, mithelfen, mitwirken, mitmachen, behilflich sein, beraten, informieren, entlasten, assistieren, zuarbeiten, sekundieren, Hand anlegen, **3.** zuschießen, beisteuern, zusteuern, subventionieren, beihelfen, sponsern, beitragen, dazutun, nachhelfen, hineinpumpen, **4.** abhelfen, befreien, retten, Abhilfe schaffen, tragen, sanieren, Karre aus dem Dreck ziehen, **5.** einsagen, einhelfen, soufflieren, in die Feder diktieren, vorsagen, **6.** sich selbst helfen, zu helfen wissen; zurückgreifen auf, seine Zuflucht nehmen zu.

838 Helfer 1. Retter, Nothelfer, Sozialarbeiter, Samariter, Beistand, Stütze, Begleiter, Berater, Beschützer, Beschirmer, guter Engel / Geist, rettender Engel, Engel in der Not, Schutzengel, Schutzgeist, Erretter, Erlöser, Heiland, Messias; Deus ex Machina, Batman, Zorro; Geber, Finanzier, Sponsor, **2.** Gehilfe, rechte Hand, Assistent, Famulus, Mesner, Küster; Mädchen für alles, Faktotum; Aushilfe, Diener, Hilfe, Handlanger, Hilfsarbeiter, Tagelöhner, Zeitarbeiter, Vertretung, **3.** Souffleur, Einsager, Einhelfer.

839 hell 1. licht, lichtvoll, luzide, lichterfüllt; taghell, bei Tag / Tageslicht, **2.** strahlend, glänzend, funkelnd, schimmernd, scheinend, gleißend, glitzernd, blitzend, blendend, leuchtend, blank, schneeig, blütenweiß, silbrig, **3.** rein, klar, freundlich, sonnig, besonnt, wolkenlos, unbewölkt, ungetrübt, **4.** erleuchtet, beleuchtet, erhellt, angestrahlt, bestrahlt, illuminiert, **5.** hell klingend, hell tönend, silberhell, glockenhell, glockenrein, glockenklar, **6.** blond, hellblond, strohblond, goldblond, platinblond.

840 herablassend gnädig, leutselig, jovial, wohlwollend, huldvoll, hoheitsvoll, gönnerhaft, von oben herab, süffisant, selbstgefällig, dünkelhaft, onkelhaft.

herabsetzen (sich) 1. diffamieren, **841** diskreditieren, demontieren, abqualifizieren, degradieren, entwerten, herabwürdigen, erniedrigen, demütigen, entwürdigen, beschämen, niederziehen, beugen, ducken, beleidigen, kränken, schmähen, ins Herz / Mark treffen, verletzen, anpöbeln, **2.** sich etwas vergeben, gemein machen, kompromittieren, klein machen; Understatement betreiben, Licht unter den Scheffel stellen, sich unter Wert verkaufen, **3.** verkleinern, senken, verringern, vermindern, abmildern, abschwächen, bagatellisieren, reduzieren, untertreiben, unterbewerten.

herausfordernd provokant, provokativ, provokatorisch, ketzerisch, rebellisch, querdenkerisch, kämpferisch, streitbar, konfliktfreudig; demonstrativ, ostentativ. **842**

Herausforderung 1. Provokation, **843** Brüskierung, Affront, Anrempelung, Behelligung, Belästigung, Anmache, Androhung, Drohung, Kampfansage, Duell, Fehdehandschuh, Kriegserklärung, **2.** Zündstoff, Reizthema, Drachensaat, vermintes Gelände, hochsensibler Punkt, **3.** Anforderung, Forderung, Vorgabe, Vorlage, Steilvorlage, Reiz, Anspruch.

herb 1. sauer, säuerlich, ungesüßt, trocken, zusammenziehend, angegoren, stichig, angesäuert, gegoren, vergoren, übergegangen, essigsauer, gekippt, **2.** scharf, salzig, gepökelt, gewürzt, rezent, pikant, süßsauer, würzig, gepfeffert, ätzend, beißend, brennend, prickelnd, bitter, gallig, gallebitter, kratzig. **844**

Herd Feuerstelle, Ofen, Kohleherd, **845** Gasherd, Ölofen, Elektroherd; Kochgelegenheit, Kochherd, Küchenherd, Platte, Kocher, Mikrowellenherd, Mikrowelle; Heim, Mitte, Zentrum.

Herkunft 1. Abkunft, Herkommen, **846** Ursprung, Deszendenz, Stammbaum, Geburt, Familie, Wurzeln, Hintergrund, Stall, **2.** Nationalität, Volkszugehörigkeit, Staatsangehörigkeit, ethnische Zugehörigkeit.

Herrschaft 1. Macht, Gewalt; Herrschaftsgewalt, Hoheitsgewalt, Regierungsgewalt, Regentschaft, Regime, **847**

Exekutive, Herrschaftsapparat, Nomenklatura, Herrschaftssystem, **2.** Vorherrschaft, Vormachtstellung, Vorrangstellung, führende Rolle, Regiment, Regie, Dominanz, Hegemonie, **3.** Alleinherrschaft, Absolutismus, Autokratie; Willkürherrschaft, Gewaltherrschaft, Despotie, Tyrannei, totalitäres System, Diktatur, Despotismus, Zwangsregiment, Terrorregime, Schreckensherrschaft, Terrorherrschaft, Schreckensregiment.

848 herrschen 1. beherrschen, gebieten, regieren, befehlen, befehligen, kommandieren, politische Führung haben, Herrschaft/Macht ausüben/besitzen/innehaben, Steuer / Heft / Zügel in der Hand haben, Sagen haben, **2.** vorherrschen, dominieren, bestimmen, walten.

849 Herrscher Souverän, Gebieter, Hegemon, Herr, Landesherr, Regent, Präsident, Machthaber, Potentat, Imperator, Kaiser, König, Monarch, Dynast, Fürst, Zar, Sultan, Scheich, Kalif, Emir, Mogul, Großmogul, Tenno, Negus, Cäsar, Duce, Führer, Caudillo; Alleinherrscher, Autokrat, absoluter Herrscher, Diktator, Despot, Tyrann, Politgangster.

850 heruntergekommen 1. verarmt, abgestiegen, deklassiert, aus der Bahn geworfen, elend, auf den Hund gekommen, abgerissen, auf Trebe, obdachlos, depraviert, **2.** seelisch verwahrlost, verödet, verwildert, verroht, verkommen, ausgebrannt, gebrochen, ausgeblutet; verbummelt, verlottert, versackt, verlumpt, verludert, **3.** geschwächt, entnervt, abgezehrt, abgemagert, ausgemergelt, Schatten seiner selbst, Wrack, verwüstet, verlebt, **4.** abgetakelt, verbraucht, erneuerungsbedürftig, reparaturbedürftig, verrottet.

851 hetzen 1. jagen, pirschen, verfolgen, nachsetzen, nachjagen, wegjagen, treiben, bedrängen, scheuchen, **2.** eilen, hasten, rennen, sich abhetzen, abjagen; immer auf Touren sein, keine Ruhe finden, immer im Druck sein, **3.** stänkern, wühlen, aufbringen, anstiften, stacheln, anstacheln, aufstacheln, aufwiegeln, schüren, Unfrieden stiften, unterminieren, untergraben, aufreizen, aufrühren, agitieren, aufpeitschen, verhetzen, verketzern, fanatisieren, scharfmachen, aufputschen, böses Blut machen, Hass

säen, Öl ins Feuer gießen, anblasen, anfachen, aufhetzen.

852 Heuchler Gleisner, Mucker, Frömmler, Pharisäer, Leisetreter, Schneeschleicher, Duckmäuser, Tartüff, Schlitzohr, Schleicher, Wolf im Schafspelz, Lügner, Lügenmaul, Lügenbeutel, Schwindelhuber, Erbschleicher, Simulant.

853 hier da, an dieser Stelle, an diesem Ort, hierzulande, daselbst, anwesend.

854 Hilfe 1. Beistand, Unterstützung, Gefälligkeit, Erleichterung, Entlastung, Aushilfe, Mithilfe, Hilfeleistung, Beratung, Information, Service, Dienstleistung, Hilfestellung, Zutun, Handreichung, Mitwirkung, Assistenz, Beihilfe, Beitrag, Zuschuss, Subvention, Fundraising, Sponsoring, Überbrückung; Förderung, Begünstigung, Vorschub, Beschaffungsnetz, Beschaffungssystem, **2.** Rettung, Bergung, Abhilfe, Entsatz; Feuerwehr, Notbremse, **3.** Denkhilfe, Eselsbrücke, Gedächtnisstütze, Merkhilfe, Merkspruch.

855 Hilferuf Notruf, Notschrei, Notsignal, Alarm, Sirene, SOS-Ruf, Aufruf, Appell, Signal.

856 hilflos 1. schwach, krank, leidend, kraftlos, hilfsbedürftig, pflegebedürftig, schutzbedürftig; unselbständig, auf andere angewiesen, dem Leben nicht gewachsen, ichschwach, unsicher, abhängig, anlehnungsbedürftig, hilfebedürftig, wehrlos, ohnmächtig, **2.** ratlos, unschlüssig, verzweifelt, hoffnungslos, aufgeschmissen, festgefahren, verrannt, in einer Sackgasse, desperat, in Not/Nöten, im Druck, in Bedrängnis/Verlegenheit, in der Klemme/Patsche, auf dem Trocknen, mit dem Latein/der Weisheit am Ende, **3.** ausgeliefert, preisgegeben, rechtlos, **4.** unversorgt, herrenlos, verlassen, unbeschützt, unbehütet, ausgesetzt.

857 hindern 1. hemmen, zurückhalten, fern halten, aufhalten, abhalten, abschrecken, zurückschrecken, eindämmen, ersticken, beschränken, unterdrücken, lahm legen, sperren, bremsen, zügeln, mäßigen, knebeln, steuern, wehren, drosseln, dämpfen, abgrenzen, engführen, eingrenzen, lokalisieren, begrenzen, beruhigen, im Zaume halten, Zügel anlegen, an die Kandare nehmen, bekämpfen, angehen gegen, ankämpfen gegen, **2.** Halt gebieten, in den Weg treten, sich in den Weg stellen; entgegentreten, Weg verlegen/versperren, Steine in den Weg legen, in den Arm fallen, Knüppel zwischen die Beine werfen, entgegenarbeiten, inhibieren, behindern, beengen, Hände binden, Grenzen setzen, zurückpfeifen, **3.** verhindern, hintertreiben, abwiegeln, verbauen, fesseln, auflaufen lassen, konterkarieren, sabotieren, boykottieren, torpedieren, verhageln, versalzen, durchkreuzen, vereiteln, Punkt machen, Ende setzen, Gegenmaßnahmen ergreifen, unterbinden, zuvorkommen, abblocken, abschmettern, in die Pfanne hauen, platt machen, handicapen, abwehren, Einhalt gebieten, entgegenwirken, erschweren, Handwerk legen, Riegel vorschieben, dazwischentreten, unschädlich/Strich durch die Rechnung/zunichte/zuschanden machen, außer Gefecht setzen, aushebeln, abbügeln, Wasser abgraben, kippen, Spiel verderben, zu Fall bringen, **4.** belagern, blockieren, einkreisen, umzingeln, umstellen, einschließen, einkesseln, abschneiden, abschnüren, absperren, abriegeln.

858 Hindernis 1. Hemmklotz, Hemmschuh, Bremse; Fessel, Kette, **2.** Einengung, Einschränkung, Erschwerung, Vereitelung, Hintertreibung, Durchkreuzung, Verhinderung, Erschwernis, Hemmnis, Unterbindung, Lähmung, Drosselung, Knebelung, Stau, Stauung, Stockung, Verstopfung, **3.** Belagerung, Einkreisung, Umzingelung, Einkesselung, Absperrung, Abschnürung, Umklammerung, **4.** Hürde, Wall, Drahtverhau, Barriere, Schranke, Blockade, Sperre, Absperrung, Kordon; Graben, Spalte, Kluft, Abgrund, **5.** Handicap, Nachteil, Behinderung, Benachteiligung, Beeinträchtigung.

859 Hintergrund 1. Grund, Folie, Rahmen, Fond, Tiefe, Background, graue Eminenz, Kulisse, Prospekt, Geräuschkulisse, Untermalung, Hintergrundmusik, **2.** Hintergedanke, Nebenabsicht, Nebenzweck, unbewusste Absicht, **3.** Voraussetzung, Prämisse, Bedingung.

860 Hinweis 1. Ankündigung, Mitteilung, Bekanntmachung, Anschlag, Wegweiser, Verweis, Link, **2.** Anspielung, Andeutung, Bemerkung, Wink, Fingerzeig,

Deut, Tipp, Geheimtipp; Gebärde, Geste, Zeichen, Handzeichen, Handbewegung.

hinweisen 1. zeigen, deuten, hindeuten, verweisen, mit dem Finger zeigen, aufmerksam machen, auf die Spur/Fährte bringen, Hinweis geben, auf die Sprünge helfen, mit der Nase darauf stoßen, zu verstehen geben, andeuten, anspielen, durchlassen, erwähnen, streifen, rühren an, nicht näher eingehen auf, durchblicken lassen, beibringen, stecken, einflüstern, einblasen, warnen, nahe legen, durch die Blume sprechen, umschreiben, abheben/abzielen auf, Wort fallen lassen, bedeuten, sticheln, Anspielung machen, mit dem Zaunpfahl winken, Wink geben, **2.** sich profilieren, in den Vordergrund schieben; auf sich aufmerksam machen. **861**

hoch 1. oben, droben, in der Höhe, hoch in der Luft, auf, über, oberhalb, zu Häupten, von oben, aus der Luft/Vogelperspektive, **2.** hoch stehend, hoch gestellt, übergeordnet, hochrangig, in leitender Stellung, höher gestellt, **3.** hoch ragend, aufragend, vielstöckig, himmelhoch, alles überragend, haushoch, turmhoch, **4.** obenauf, zuoberst, ganz oben; auf dem Gipfel, auf höchster Ebene, **5.** happig, horrend, gepfeffert, gesalzen, unverschämt, sündhaft. **862**

hoffentlich 1. wahrscheinlich, vermutlich, wohl, voraussichtlich, denkbar, anzunehmen, zu erwarten, sicherlich, kaum anzuzweifeln, mutmaßlich, aller Voraussicht / Wahrscheinlichkeit nach, **2.** wünschenswert, erwünscht, zu wünschen. **863**

höflich zuvorkommend, aufmerksam, rücksichtsvoll, wohlerzogen, verbindlich, liebenswürdig, gewandt, freundlich; ritterlich, galant, ladylike, gentlemanlike, chevaleresk, artig. **864**

Homosexualität Homophilie, Homoerotik, gleichgeschlechtliche Liebe, Amour bleu. **865**

homosexuell gleichgeschlechtlich, homophil, homoerotisch, schwul, gay, lesbisch. **866**

Homosexuelle(r) Homo, Schwuler, Fag, Gay; Lesbe, Schwester, kesser Vater, KV, Dyke. **867**

hören 1. lauschen, horchen, aufhorchen, vernehmen, wahrnehmen, verste- **868**

hen, erfahren, entnehmen, mitkriegen, aufschnappen, erlauschen, zu Ohren kommen, sich sagen lassen; erzählt bekommen, **2.** anhören, zuhören, hinhören, Gehör schenken, Ohren spitzen, belauschen.

869 hübsch nett, reizend, gefällig, genrehaft, ansprechend, angenehm, erfreulich, bildhübsch, frisch, knusprig, sauber, adrett, allerliebst, goldig, süß, niedlich, herzig, schmuck, proper, flott, fesch, alert, nett anzusehen.

870 Hülle 1. Umhüllung, Verpackung, Packmaterial, Packpapier; Papier, Bogen, Pappe, Pappdeckel, Wellpappe, **2.** Schale, Rinde, Pelle, Haut, Fell, Pelz, Kruste, Schwarte, Borke, Panzer, Kokon, Balg, **3.** Verputz, Bewurf, Tünche, Tapete, Wandbekleidung, Wandbespannung, Verkleidung, Umkleidung, Mantel, Verschalung, Täfelung, Paneel, Getäfel, Furnier, Behang, Wandbehang, Wandteppich, Gobelin; Auskleidung, Futter, Fütterung, Wattierung, Polsterung, **4.** Einband, Cover, Schuber, Deckel, Umschlag, Buchhülle; Briefumschlag, Kuvert, **5.** Tuch, Halstuch, Schultertuch, Umschlagtuch, **6.** Gardine, Store, Rollo, Vorhang, Portiere; Blende, Markise, Laden, Klappladen,

Rollladen, Jalousie, Fensterladen, **7.** Wandschirm, Ofenschirm, spanische Wand, Paravent, **8.** Tasche, Mappe, Aktenmappe, Kollegmappe; Handtasche, Beutel; Koffer, Handkoffer, Reisekoffer, Boardcase, Sack, Bündel, Matchsack, Kulturbeutel; Etui, Futteral, Hülse, Köcher, **9.** Decke, Zudecke, Steppdecke, Wolldecke, Tagesdecke; Deckbett, Plumeau; Bettbezug, Überzug, **10.** Tüte, Papiersack, Plastikbeutel, Plastiktüte; Schlauch, Wassersack.

Hund Rüde, Vierbeiner; Haushund, **871** Hofhund, Jagdhund, Leithund, Wachhund, Kettenhund, Polizeihund; Rassehund, Mischling, Bastard, Promenadenmischung; Kläffer, Töle, Köter, Fiffi, Bello, Wauwau, Schoßhund.

hungern 1. Hunger haben, nichts zu **872** essen / beißen haben, Appetit haben, darben, entbehren, Not leiden, am Hungertuch nagen, **2.** verlangen, schmachten, gieren, **3.** fasten, sich enthalten; Diät halten, Hungerkur machen, im Hungerstreik sein.

hüten schützen, warten, hegen, pfle- **873** gen, aufpassen, betreuen, bewachen, achten auf, beaufsichtigen, beschirmen, beschützen, versorgen, sorgen für, sich kümmern um; weiden/grasen lassen.

I

874 Ideal 1. Beispiel, Muster, Idee, Hoffnungsträger, Leitstern, Leitbild, Hochziel, Vollendung, Ziel, Krönung, Krone, Gipfel, Höhepunkt, Ichideal, Übervater, Vorbild, Inbegriff, Maßstab, **2.** Idol, Götze, Fetisch, Abgott, Schwarm, Kultfigur, Ikone, **3.** Wunschbild, Wunschziel, Wunschtraum, Phantasiebild, Musterbild, Traumbild, Idealbild, Denkbild.

875 Idealismus 1. Glaube an Ideale, Enthusiasmus, Opferbereitschaft, **2.** Romantik, Schwärmerei, Verstiegenheit, Überspanntheit, Purismus, Weltfremdheit, Donquichotterie.

876 Idealist 1. Optimist, Enthusiast, Himmelstürmer, Schwarmgeist, Traumtänzer, Bekenner, Träumer, Visionär, **2.** Romantiker, schöne Seele, Schwärmer, Phantast, Illusionist, Utopist, Zukunftsträumer, Zukunftsgläubiger, Ideologe, Weltverbesserer, Eiferer, Purist, Fanatiker, Zelot.

877 idealistisch 1. schwärmerisch, begeistert, enthusiastisch, hochfliegend, voller Ideale, **2.** träumerisch, romantisch, unwirklich, phantastisch, verstiegen, unrealistisch, irreal, verschwärmt, wirklichkeitsfremd, utopisch, lebensfremd, in höheren Sphären, weltfremd, wirklichkeitsblind, ohne Boden unter den Füßen, ideologisch.

878 Idee 1. Erscheinung, Gestalt, Eidos, Bild, Form, Begriff, Gedanke, Abstraktion, Denkmöglichkeit, Entwurf, Grundgedanke, Plan, Denkmodell, Idealvorstellung, **2.** Einfall, Impuls, Überlegung, Eingebung, Erleuchtung, Gedankenblitz, Geistesblitz, Geistesfunke, Intuition, Inspiration, Funke, **3.** Hauch, Spur, Kleinigkeit.

879 ideell gedanklich, gedacht, geistig, auf einer Idee beruhend, kategorial, begrifflich, vorgestellt, spekulativ, abgezogen, abstrakt, Kopfgeburt, am grünen Tisch, theoretisch, ideologisch, ungegenständlich, unkörperlich, immateriell, metaempirisch, metaphysisch, unwirklich, imaginär.

Illusion 1. Einbildung, Wahn, Wahn- **880** vorstellung, fixe Idee, Zwangsvorstellung, Wahnwelt, Halluzination, Imagination, Fieberwahn, Phantomschmerz, Hirngespinst, Phantasma, Phantasmagorie, Phantasiegebilde, Fiebertraum, Traumwelt, Traumbild, Traumgesicht, **2.** Sinnestäuschung, Gaukelspiel, Vision, Erscheinung, Gesicht, Fata Morgana, Luftspiegelung, Vexierbild, Trugbild, Blendwerk, **3.** Wunschtraum, Glückstraum, Traum, Träumerei, Luftschloss, Wolkenkuckucksheim, Herzenswunsch, Wunschbild, Wunschvorstellung, Zukunftsmusik, Utopie, Zukunftstraum, frommer Wunsch, Selbsttäuschung, Selbstbetrug, Augenwischerei, **4.** Fiktion, Scheinwelt, virtuelle Welten, Bildschirmwelt, Simulation, Virtual Vision, Cyberspace.

imitieren 1. nachahmen, nachbilden, **881** nachmachen, nachformen, kopieren, abgucken, nachäffen, nachbeten, nachplappern, nachschwätzen, nachtun, lernen von, **2.** abschreiben, abkupfern, abklatschen, spicken, entlehnen, sich anlehnen, mit fremden Federn schmücken, **3.** nachdrucken, fälschen, plagiieren.

immer 1. ständig, stets, stets und stän- **882** dig, dauernd, beständig, unaufhörlich, immer während, immerfort, immerzu, permanent, allewege, alle Mal, ewig, anhaltend, fortwährend, fortlaufend, ununterbrochen, andauernd, fortgesetzt, unablässig, ohne Ende/Unterlass, pausenlos, ständig, ewig und drei Tage, laufend, ohne Punkt und Komma, fortdauernd, Tag für Tag, tagtäglich, jeden Tag, alle Tage, täglich, den ganzen Tag, von früh bis spät, vom Morgen bis zum Abend, Sommer wie Winter, unausgesetzt, in einem fort, in einer Tour; immerdar, zeitlebens, ein Leben lang; lebenslänglich, auf lange Sicht, in alle Ewigkeit, kein Ende abzusehen, endlos, unendlich, nonstop, Open End, **2.** für immer, auf Dauer, für und für, fort und fort, allezeit, jederzeit, jahrein, jahraus, das ganze Jahr, jedes Jahr, alljährlich; stündlich, alle Stunden, jede Stunde; jedes Mal, bei jedem Wetter, **3.** regelmäßig, gleichmäßig, konstant, unentwegt, immer wieder, wieder und wieder, alle naslang, **4.** schon immer, von jeher, von Anfang/von der Wiege an, seit Adam und Eva, seit eh und je, von Kindesbeinen an, von klein auf, mein Lebtag.

883 immun 1. geschützt, gefeit, ungefährdet, widerstandsfähig, abwehrfähig, resistent, unempfänglich, unbedroht, geimpft, **2.** unangreifbar, unantastbar, Immunität genießend, immunisiert, tabuisiert.

884 imponieren beeindrucken, Eindruck machen, Achtung einflößen, Staunen erregen, auffallen, einschüchtern, faszinieren, Bewunderung erwecken, blenden, Aufsehen erregen, gute Figur machen.

885 imponierend imposant, eindrucksvoll, beeindruckend, repräsentativ, majestätisch, erhaben, Achtung gebietend, einschüchternd, stattlich, enorm, großartig, monumental.

886 individuell 1. subjektiv, persönlich, unverwechselbar, unvergleichbar, einzig, singulär, sui generis, besonders, **2.** verschieden, jedes Mal anders, personenbezogen, personabhängig.

887 Inhalt 1. Gehalt, Kern, Wesen, Thema, Sachinhalt, Forminhalt, **2.** Fülle, Füllung, Inneres, Füllsel, Füllmasse.

888 innen 1. im Innern, intern, drinnen, binnen, innerhalb, darin, drin, im Haus/Raum, **2.** inwendig, innerlich, innewohnend, im Herzen, in der Brust, Seele, zuinnerst, zutiefst, im tiefsten Innern, im Gemüt, seelisch, psychisch, gefühlsmäßig, emotional, endogen.

889 Insel Eiland, Atoll, Werder, Hallig, Schäre, Holm, Flussinsel; Inselkette, Inselgruppe, Archipel; Bohrinsel, Rettungsinsel; Refugium.

890 intelligent 1. vernunftbegabt, klug, begabt, gescheit, geweckt, aufgeweckt, lernfähig, hell, wach, scharfsinnig, das Wesentliche erfassend, blitzgescheit, nicht auf den Kopf gefallen, auffassungsschnell, befähigt, fix, findig, behänd, gewitzt, mit Köpfchen, **2.** besonnen, überlegt, klar blickend, klarsichtig, umsichtig, bedacht, weit schauend, weit blickend, scharfsichtig, weitsichtig, verständig, herzensklug, vorausschauend.

891 intensiv 1. penetrant, durchdringend, stechend, beißend, streng, scharf,

stark, **2.** angespannt, angestrengt, konzentriert, gesammelt, gründlich, aufmerksam, mit aller Kraft, **3.** kräftig, leuchtkräftig, ausdrucksvoll, ausdrucksstark, **4.** nachhaltig, tief, eindringlich, nachdrücklich, unvergesslich, unverwischbar, unauslöschlich, **5.** gesättigt, angereichert, hochprozentig, konzentriert.

interessant 1. fesselnd, packend, **892** anregend, reizvoll, spannend, aufregend, spannungsreich, atemberaubend, mitreißend, unwiderstehlich, faszinierend, nicht loslassend, unterhaltend, unterhaltsam, kurzweilig, **2.** bemerkenswert, beachtlich, besonders, sehenswert, erzählenswert, wissenswert, gibt zu denken, lohnend, erwähnenswert, lesenswert, lehrreich, instruktiv, innovativ, informativ, bedeutungsvoll, beachtenswert, merkwürdig, seltsam, wunderbar, bedeutsam, eigenartig, ungewöhnlich, aufschlussreich, Fundgrube, Steinbruch.

Interesse Aufmerksamkeit, Augen- **893** merk, Anteilnahme, Gespanntheit, Beteiligung, Wissensdrang, Wissbegierde, Forschungstrieb, Forschergeist, Lernbegierde, Lerneifer, Wissensdurst, Neugier; Nachfrage, Vorteil, Nutzen, Reiz, Attraktivität.

interessieren (sich) 1. fesseln, an- **894** regen, Interesse erwecken, Anteilnahme erregen, spannen, gefangen nehmen, packen, unterhalten, bannen, Beachtung verdienen, **2.** aufhorchen, aufmerksam werden, Lust bekommen, neugierig werden; Beachtung schenken, bei der Sache sein, Interesse haben für, interessiert sein an, an jmds. Lippen hängen, sich erwärmen, begeistern, **3.** neugierig/indiskret sein, seine Nase in alles stecken, Augenmerk richten auf, **4.** spekulieren/reflektieren auf, haben wollen.

interessiert 1. gefesselt, gespannt, **895** dabei, gebannt, fasziniert, im Bann, konzentriert, aufmerksam, erwartungsvoll, wissbegierig, lernbegierig, aufgeschlossen, forschend, fragend, beteiligt, **2.** neugierig, schaulustig, sensationslüstern, indiskret, wunderfitzig, vorwitzig.

international überstaatlich, multi- **896** national, multiethnisch, transnational, zwischenstaatlich, staatenübergreifend, grenzüberschreitend, weltumspannend, weltpolitisch, weltweit, global, universal, allgemein.

897 Intrigant Zuträger, Einflüsterer, Ränkeschmied, Giftmischer, Heimtücker, Filou, Drahtzieher, Unheilstifter, Verleumder, böse Zunge, Hintermann, Anstifter, Spin Doctor.

898 Intrige List, Ränke, Kabale, Intrigenspiel, Ränkespiel, Schliche, Machenschaft, Arglist, Machination, Manöver, Ranküne, abgekartetes Spiel, Einflüsterung, Ohrenbläserei; Komplott, Verschwörung, Konspiration.

899 intuitiv gefühlsmäßig, emotionell, instinktiv, eingegeben, einfühlend, divinatorisch, unbewusst, nachtwandlerisch, schlafwandlerisch.

900 Inventar 1. Einrichtung, Ausstattung, Möbel, Mobiliar, Bestand, Vorrat, Lager, Lagerbestand, Fundus, Bestandsmasse, 2. Inhaltsverzeichnis, Bestandsverzeichnis, Bestandsliste, Register, Verzeichnis.

901 irren (sich) 1. abirren, fehlgehen, irregehen, Weg verfehlen, sich verirren, verlaufen; vom Weg abkommen, sich verfahren, versteigen, verfranzen, 2. danebentreten, fehltreten, abknappen, 3. Fehler machen, verfehlen, danebenhauen, sich verhauen, verrechnen, verzählen, verschreiben, vertippen, verlesen, vergreifen; verwechseln, sich versehen, verhören; falsch verstehen, fehlgreifen, verpatzen, verbocken, versieben, Bock

schießen, danebenschießen, Ziel verfehlen; hereinfallen, in die Falle gehen, auf den Leim kriechen, ins Netz gehen, Rechnung ohne den Wirt machen, Pferd am Schwanz aufzäumen, sich dumm anstellen, 4. sich täuschen; missdeuten, falsch auslegen, missverstehen, verkennen; sich missverstehen; aneinander vorbeireden, auslegen, 5. sich verkaufen; fehlspekulieren, sich verspekulieren, verkalkulieren; schief liegen, Katze im Sack kaufen, Bock zum Gärtner machen, auf der falschen Fährte / dem Holzweg sein, schief gewickelt sein, sich in Sicherheit wiegen; Eigentor schießen, auf einen selbst zurückfallen, sich schneiden, betrügen, 6. verkennen, unterschätzen, unterbewerten, überschätzen, 7. sich versprechen, verplappern, verschnappen, im Ausdruck vergreifen, den Mund / die Zunge verbrennen.

Irrtum 1. Fehler, Versehen, Fehlschluss, Fehlleistung, Fehlgriff, Verwechslung, falsche Fährte, Lapsus, Missgriff, Missverständnis, Trugschluss, Täuschung, Holzweg, Sackgasse, Zirkelschluss, 2. Eigentor, Scheinsieg, Pyrrhussieg, Bumerang, Bärendienst. **902**

irrtümlich irrig, fälschlich, versehentlich, aus Versehen, zu Unrecht, irrigerweise, fälschlicherweise, in der irrigen Annahme. **903**

J

904 Jagd Jägerei, Weidwerk, Hatz, Hetzjagd, Treibjagd, Hetze, Pirsch, Großwildjagd.
905 Jäger 1. Weidmann, Nimrod, Jägersmann, Förster, Heger, Wildhüter, Jagdaufseher, Trapper, Hunter, Fallensteller,
Pelzjäger, Großwildjäger, **2.** Wilddieb,
Wilderer, Wildschütz.
906 Jubiläum Gedenktag, Gedenkfeier,
Jahresfest, Jahrestag, Ehrentag, Erinne-
rungstag, Gründungstag, Eröffnungstag.
907 jucken 1. beißen, ätzen, brennen, kitzeln, kribbeln, bitzeln, prickeln, stechen, reizen, irritieren, stören, **2.** kratzen, scharren, reiben.
908 Jugend 1. Kindheit, Kindertage, Kinderzeit, Kindesalter, Kinderjahre, Lebensmorgen; Adoleszenz, Jugendjahre,
Jugendzeit, Jugendalter, Entwicklungs-
jahre, Wachstumsjahre, Übergangsalter,
Pubertät; Flegeljahre, Sturm-und-
Drang-Zeit, Lenz, Lebensfrühling, **2.**
junge Generation/Leute, junges Volk/
Gemüse, Nachwuchs, Jugend von heute, Popgeneration, Hipgeneration, Generation X, **3.** Kids, Jugendliche, Heranwachsende, Halbwüchsige, Youngs-
ters, Teenager, Teenies, Teens, Twens.

jung 1. klein, kindlich, jung an Jahren, **909**
blutjung, kindhaft, halbwüchsig, heranwachsend, jugendlich, adoleszent, juvenil, **2.** unreif, grün, kindisch, infantil,
unausgewachsen, unvergoren, pubertär,
unerfahren, **3.** frisch, blühend, knackig,
unverbraucht.
Junge 1. Sohn, Filius, Junior, Sohne- **910**
mann, Ältester, Stammhalter, Jüngster,
Benjamin, **2.** Kind, Knabe, Bub, Bengel,
Range, Kleiner, Kerlchen, Zwerg, Jungchen, Knirps, Dreikäsehoch, Wicht,
Steppke; Hüpfer, Heranwachsender,
junger Dachs, Bursche, Jüngling, Bubi,
Milchbart, Milchgesicht, Füllen, Grünschnabel, junger Mann.
Jury 1. Preisrichterkollegium, Preisge- **911**
richt, Schiedsgericht, Kampfgericht,
Prüfungsausschuss, Prüfungskollegium,
Komitee, Gremium, Rat, Kommission,
Beirat, Ausschuss, Kuratorium, Ge-
schworenengericht, **2.** Prüfer, Begutachter, Preisrichter, Schiedsmann, Om-
budsmann, Schiedsrichter, Kampfrichter, Unparteiischer; Geschworene, Laienrichter.
Justiz 1. Rechtspflege, Rechtswesen, **912**
Gerichtswesen, Gericht, Gerichtsbarkeit, Kadi, Rechtsbehörde, Rechtsprechung, Jurisdiktion, **2.** Jurist, Rechtsgelehrter; Justitiar, Rechtsbeistand, Notar,
Anwalt, Rechtsanwalt, Rechtsvertreter,
Rechtspfleger, Rechtsberater, Konsulent, Advokat, Verteidiger; Richter,
Staatsanwalt, Ankläger, **3.** Jura, Jurisprudenz, Rechtswissenschaft, Rechtslehre, Rechtskunde, Jus, Juristerei.

K

913 kahl 1. haarlos, unbehaart, glatzköpfig, kahlköpfig, **2.** entlaubt, entblättert, baumlos, vegetationslos, nackt.

914 kalt 1. frisch, kühl, fröstelig, frostig, schuckrig, klamm, feuchtkalt, bitterkalt, eisig, starr, gefroren, erstarrt, winterlich, schneebedeckt, vereist, polar, bereift, frostklirrend, lausig kalt, eiskalt, **2.** fröstelnd, frierend, zitternd, bibbernd, schaudernd, zähneklappernd, schlotternd, durchfroren, unterkühlt, **3.** fischblütig, froschblütig, gefühllos, kaltherzig, gemütskalt, kühl, leidenschaftslos, cool, gefühlskalt, gefühlsarm, gemütsarm, frigid, temperamentlos, dürftig, unzärtlich, ohne Zärtlichkeit/Wärme, wärmelos, liebeleer, lieblos, undankbar, unempfindlich, unempfänglich, unnahbar, **4.** kalt lächelnd, unbewegt, herzlos, abgebrüht, kaltschnäuzig, schnöde.

915 Kälte 1. Kühle, Frische, Frost, Eis, tiefe Temperatur, Winter, Winterkälte, kalte Jahreszeit, Erstarrung, Todesstarre, Hundekälte, Lausekälte, **2.** Gefühlskälte, Kaltherzigkeit, Unempfindlichkeit.

916 Kamera 1. Fotoapparat; Polaroidkamera, Kompaktkamera, Pocketkamera, Spiegelreflexkamera, Sucherkamera, Systemkamera; Großbildkamera, Kleinbildkamera, **2.** Filmkamera, Filmapparat, Super-8-Kamera, Schmalfilmkamera, Videokamera, Camcorder, Fernsehkamera; Handkamera, Studiokamera, Camkamera, **3.** Fotokopierer, Kopierer, Scanner.

917 Kampf 1. Anstrengung, Tour de Force, Kraftakt, Klimmzug, Gewalttour, Gewaltmarsch; Ringen, Tauziehen, Rivalität, Konflikt, Wettstreit, **2.** Fehde, Strauß, Streit, Konfrontation, Auseinandersetzung, Handgemenge, Zweikampf, Kugelwechsel, Showdown, Duell, **3.** Wettkampf, Fight, Ringkampf, Clinch, Boxkampf, **4.** Freiheitskampf, Untergrundkampf, Widerstandskampf, **5.** Todeskampf, Agonie.

kämpfen 1. sich einsetzen; ringen **918** um, fighten, sich engagieren, stark machen; eintreten/einstehen für, **2.** konkurrieren, rivalisieren, wetteifern, es mit jmdm. aufnehmen, sich mit jmdm. messen; Wettkampf austragen, wettkämpfen, wettstreiten, ringen, boxen, **3.** anfeinden, befeinden, angehen, ankämpfen gegen, zu bezwingen suchen, bekämpfen, befehden, bekriegen, zu Felde ziehen, mit Krieg überziehen; Einspruch erheben, anfechten, bestreiten; Widerstand leisten, sich zur Wehr setzen; abwehren, verjagen, vertreiben, hinschlachten, hinmorden, niedermachen, **4.** schießen, abziehen, abdrücken, feuern, **5.** Krieg führen, zu den Waffen greifen, ins Feld ziehen, angreifen, kriegen, dreinschlagen, dreinhauen, **6.** sich schießen, duellieren; fechten, sich schlagen.

Kämpfer 1. Streiter, Krieger, Soldat, **919** Schütze, **2.** Draufgänger, Heißsporn, Kämpfernatur, Satanskerl, Haudegen, **3.** Streetfighter, Streetgang, Stadtguerilla, **4.** Gladiator, Stierkämpfer, Torero, Toreador, Matador, **5.** Rebell, Empörer, Bilderstürmer, Meuterer, Revolutionär, Widerstandskämpfer, Untergrundkämpfer, Partisan, Guerillero, Terrorist, Putschist.

kämpferisch engagiert, eifernd, **920** kühn, unverzagt, stark, heldenmütig, beherzt, wagemutig, couragiert, mutig, hitzig, draufgängerisch, auseinandersetzungsfreudig, auseinandersetzungsstark, konfliktfähig, streitbar, kombattant, kampfesmutig, kampfesfreudig.

Kasse 1. Ladenkasse, Registrierkasse, **921** Geldladen, Geldkasten, Geldbehälter, Geldschrank, Panzerschrank, Tresor, Schließfach, Safe, Sparbüchse, Strumpf, schwarze Kasse, **2.** Zahlstelle, Zahlschalter, Bankomat, Kassenautomat, Kassenschalter, Bankschalter, **3.** Portemonnaie, Geldbeutel, Beutel, Börse, Tasche, Brieftasche, **4.** Krankenkasse, Krankenversicherung.

Kassette 1. Schatulle, Kästchen, **922** Schmuckschatulle, Schmuckkästchen; Geldkassette, **2.** Tonbandkassette, Videokassette, Musikkassette, Audiokassette, Tape, Tonträger.

Kauf Ankauf, Erwerb, Bezug, Abnahme, Übernahme; Kaufabschluss, Ein- **923**

kauf, Erwerbung, Erstehung, Anschaffung; Gelegenheitskauf, Schnapp, Schnäppchen; Shopping, Teleshopping, Versandkauf, Leasing, Ratenkauf.

924 kaufen 1. einkaufen, Einkaufsbummel machen, Shopping gehen, sich eindecken, versorgen mit; anschaffen, erstehen, erwerben, beschaffen, sich zulegen, **2.** beziehen, abnehmen, nehmen, übernehmen, abkaufen, ankaufen, leasen, aufkaufen, ersteigern, erhandeln; schnappen, ramschen, zugreifen, zuschlagen, schießen, **3.** bestechen, schmieren, korrumpieren.

925 Käufer Konsument, Verbraucher, Abnehmer, Kunde, Endabnehmer, Interessent, Besteller, Bezieher, Abonnent; Kaufbesessener, Dauerkäufer, Zwangskonsument, Shopaholic.

926 kaum 1. selten, schwerlich, wenig, unmerklich, unmessbar, fast gar nichts, vereinzelt, nur, ab und zu, alle Jubeljahre, so gut wie nie, gelegentlich, kommt vor, im Ausnahmefall, manchmal, knapp, **2.** nicht anzunehmen, unwahrscheinlich, kaum denkbar, schwer vorstellbar.

927 Kavalier Gentleman, Ehrenmann, Ritter, Weltmann, Grandseigneur, Gesellschaftslöwe, Salonlöwe, Galan, Kümmerer, Courmacher, Charmeur, Plauderer, Causeur, Unterhalter.

928 kennen 1. Bekanntschaft gemacht haben, bekannt / begegnet / befreundet / vertraut sein mit, **2.** sich auskennen; wissen.

929 kenntnisreich gelehrt, kundig, studiert, unterrichtet, geschult, fundiert, belesen, gescheit, klug, gebildet, beschlagen, versiert, bewandert, informiert, firm, sicher, sattelfest, sachkundig, wohl unterrichtet; wissend, vertraut, eingeweiht.

930 Kennzeichen 1. Merkmal, Spezifikum, Charakteristikum, Attribut, Zug, Eigentümlichkeit, Besonderheit, Wesenszug; Zeichen, Kriterium, Symptom, Anzeichen, Prüfstein, Indikator, **2.** Kennzeichnung, Charakterisierung, Charakteristik; Steckbrief, Täterprofil, Suchmeldung; Benennung, Namensgebung, Betitelung, Adresse, Anschrift, Personalien, Daten, Angaben zur Person; Unterschrift, Signatur, Namenszug, Namenszeichen, Monogramm, Insignien, Nummernschild, Autokennzeichen, **3.** Aufdruck, Stempel, Siegel, Fabrikmarke, Label, Logo, Gütezeichen, Wasserzeichen, Etikett, Schutzmarke, Markenzeichen, Gütesiegel, Handelszeichen, Warenzeichen; Schild, Aushängeschild, Wappen, Wappenschild, Emblem, Kokarde, Signum, Signet, Plakette, Abzeichen, Token, Vignette, Aufkleber, Medaille, Plombe; Zeichen, Pfeil, Piktogramm, Marke, Wegweiser, Wegemarke, Richtungsanzeiger, Markierung, Boje, **4.** Name, Anrede, Titel, Titulatur; Vorname, Rufname, Taufname, Eigenname, Zuname, Familienname, Nachname, Spitzname, **5.** Kennwort, Kennziffer, Kennzahl, Codeziffer, Codewort, Passwort, PIN, Geheimzahl, Wählwort, Stichwort, Schlagwort, Chiffre, Erkennungszeichen, Fingerabdruck, Daktylogramm, Genabdruck, Muttermal, Tätowierung, Brandmal; Losungswort, Geheimzeichen, Erkennungswort, Schibboleth, **6.** Zahl, Ziffer, Zahlzeichen, Nummer, Zahlwort, Seitenzahl, **7.** Überschrift, Titel, Titelzeile, Schlagzeile, Scoop, Headline.

931 kennzeichnen 1. bezeichnen, beschreiben, schildern, charakterisieren, darstellen, illustrieren, definieren, qualifizieren, **2.** beschriften, adressieren, etikettieren, beschildern, datieren, **3.** prägen, stempeln, abstempeln; ausschildern, beschildern; markieren, einkringeln, umkringeln, unterschlängeln, einklammern, ankreuzen, unterstreichen, anstreichen, anzeichnen; punktieren, knipsen, lochen, nummerieren, paginieren, beziffern, signieren, unterschreiben, zeichnen, unterzeichnen, firmieren, beurkunden, siegeln, **4.** tätowieren, einmeißeln, gravieren, aufdrucken, bedrucken, aufprägen, Stempel aufdrücken, **5.** benennen, benamsen, betiteln, titulieren, heißen, nennen, taufen; umbenennen, anderen Namen geben.

932 Ketzer Andersgläubiger, Apostat, Abtrünniger, Abweicher, Dissident, Bekenner, Rebell, Nonkonformist; Sponti.

933 ketzerisch andersgläubig, apostatisch, abtrünnig, abweichend, undogmatisch, antidogmatisch, dissidentisch, rebellisch, nonkonformistisch.

934 keusch enthaltsam, zölibatär, entsagend, platonisch, jungfräulich, züchtig.

935 Keuschheit Enthaltsamkeit, Entsagung, Zölibat, Jungfräulichkeit.

936 Kind 1. Neugeborenes, Säugling, Baby, Wickelkind, Frühchen, Wurm, Wiegenkind, Kleines, Nesthäkchen, Kleinkind, Hemdenmatz, Hosenmatz, Abc-Schütze, Schulkind, **2.** Nachwuchs, Nachkommenschaft, Nachfahren, Kindersegen, Fleisch und Blut, Abkömmling, Nachkomme, Erbe, Spross, Stammhalter, Deszendent, Sprössling, uneheliches / außereheliches Kind, Stiefkind, Pflegekind, Waisenkind, Findelkind, Adoptivkind, Mündel.

937 Kino Filmtheater, Lichtspiele, Lichtspieltheater, Lichtspielhaus, Filmbühne, Filmpalast, Autokino, Drive-in-Kino, Cinemax; Kintopp.

938 Kirche 1. Glaubensgemeinschaft, Religionsgemeinschaft, **2.** Gotteshaus, Kultstätte, Betsaal, Tempel, Moschee, Synagoge, Kapelle, Kathedrale, Dom, Münster, **3.** Gottesdienst, Kult, Kulthandlung, Kultus, Ritus, Ritual, **4.** Klerus, Priesterschaft, Priesterstand, Kleriker, **5.** Kirchengemeinde, Kirchspiel, Parochie, Gemeinde, Sprengel.

939 Kirchenmann 1. Pfarrer, Priester, Geistlicher, Seelenhirte, Prediger, Kanzelredner, Pastor, Pfarrherr, Kleriker, Seelsorger, Pfaffe; Pope, Rabbi; Rabbiner, Vorbeter, Mullah, Allma, **2.** Mönch, Klosterbruder, Ordensmann, Kuttenträger, Bettelmönch; Einsiedler, Klausner, **3.** Küster, Mesner, Sakristan.

940 Kitsch 1. Geschmacklosigkeit, Geschmacksverirrung, klischierter Stil, Stillosigkeit, Stilwidrigkeit, Schwulst, Plattheit; Hausgräuel, Tand, Nippes, Firlefanz, Kinkerlitzchen, wertloses Zeug, Talmi, Ramsch, Schund, Andenkenkitsch, Edelkitsch, Disneyland, **2.** Schmarren, Schmachtfetzen, Schnulze, Elaborat, Rührstück, **3.** Sentimentalität, Gefühlsverlogenheit, Sacharin, Süßlichkeit, Rührseligkeit, Tränenseligkeit, Betroffenheitskitsch.

941 kitschig unecht, verblasen, verlogen, abgeschmackt, anempfunden, schmalzig, süßlich, schwülstig, platt, schnulzig, banal, sentimental, falsche Töne, rührselig, verkitscht, unkünstlerisch, ni-

veaulos, klischiert, klischeehaft, pseudo, allzu schön, gefühlsverlogen.

942 Kitzler Klitoris, Genital, weibliches Geschlechtsteil, Clito.

943 Klage 1. Anklage, Anzeige, Beschwerde, Bezichtigung, Anschuldigung, Meldung, Beschuldigung, Strafantrag, **2.** Schrei, Jammer, Seufzer, Stoßseufzer, Stoßgebet, Stöhnen, Weh und Ach, Wimmern, Wehklagen, Lamentieren, Gewimmer, Jammern, Gejammer, Gequengel, Quengelei, Jammergeschrei, Zetergeschrei, Geheul; Schmerzensschrei, Tränen, Zähren, Tränenströme, Geschrei, Wehgeschrei, Lamento, Wehklage, Totenklage, Beweinung, Kaddisch, Klagelied, Klagegesang.

944 klagen 1. anzeigen, melden, verklagen, angeben, sich beschweren; Anzeige erstatten, Klage einreichen, anschuldigen, beschuldigen, zur Last legen, verantwortlich machen, zeihen, bezichtigen, verdächtigen, belangen, zur Rechenschaft ziehen, beklagen, anklagen, **2.** Klage / Beschwerde führen, haftbar machen, einklagen, Prozess machen/anstrengen, Rechtsweg beschreiten, Gesetz anrufen, prozessieren, **3.** sein Leid klagen, sich beklagen über; Herz ausschütten, jammern, weinen, in Tränen ausbrechen, Träne zerdrücken / vergießen, in Tränen schwimmen, schluchzen; wimmern, winseln, jaulen, greinen, Ohren volljammern, quengeln, seufzen, stöhnen, krächzen, ächzen, wehklagen, lamentieren, knatschen, heulen, schreien, plärren, quäken, maunzen, **4.** trauern, beweinen, betrauern, bejammern, nachtrauern, nachweinen.

945 klar 1. hell, durchsichtig, einfach, sauber, ungetrübt, unbewölkt, wolkenlos, heiter, transparent, glashell, gläsern, kristallen, lauter, geklärt, geläutert, gereinigt, **2.** klipp und klar, eindeutig, deutlich, präzis, artikuliert, unmissverständlich, unverblümt, unbemäntelt, unzweideutig, ungeschminkt, phrasenlos, ohne Umschweife, **3.** sichtbar, augenfällig, evident, unverkennbar, unverhüllt, handgreiflich, manifest, unübersehbar, offenbar, offensichtlich, offenkundig, einsichtig, eklatant, einleuchtend, auf der Hand liegend, untrüglich, flagrant, sonnenklar, glasklar, verräterisch, mit Händen zu greifen, zweifellos, schlüssig, logisch, folgerichtig, sinnfällig, **4.** erkennbar, berechenbar, ersichtlich, vorauszusehen, zu erwarten; lesbar, leserlich, entzifferbar; übersichtlich, abgegrenzt, umrissen.

946 klären (sich) 1. regeln, ordnen, entwirren, bereinigen, einrenken, reinen Tisch machen, klare Bahn schaffen, richtig stellen, klarlegen, klarstellen, ausbügeln, geradebiegen, zurechtbiegen, zurechtrücken, ins Reine bringen, klarkriegen, aus der Welt schaffen, aufklären, abklären, ausdiskutieren, durchdiskutieren, erhellen, erleuchten, **2.** entziffern, dechiffrieren, decodieren, lösen, enträtseln, Lösung finden, entsiegeln, **3.** läutern, raffinieren, reinigen, sublimieren, abschäumen, ablagern, sichten, sieben, sintern, seihen, filtern, filtrieren, klarspülen, ausschwemmen, spülen, **4.** aufheitern, aufklären, entwölken, aufhellen, sich lichten; aufklaren, **5.** berichtigen, belehren, korrigieren, verbessern, dementieren, rehabilitieren, eines Besseren belehren, revidieren.

947 Klarheit 1. Deutlichkeit, Durchsichtigkeit, Sauberkeit, Transparenz, Luzidität, Sicht, Schärfe; Anschaulichkeit, Evidenz, Augenschein, Eindeutigkeit, Gewissheit, Verständlichkeit, Fassbarkeit, Übersichtlichkeit, **2.** Ordnung, Logik, Schlagkraft, Beweiskraft, Schlüssigkeit, Prägnanz, Folgerichtigkeit, Einsichtigkeit, **3.** Geistesschärfe, Urteilskraft, Nüchternheit, **4.** Klärung, Klarstellung, Richtigstellung, Dementi.

948 klatschen 1. tratschen, sich die Mäuler zerreißen; Gerücht verbreiten, raunen, verraten, zutragen, schwatzen, wiedersagen, weitersagen, weitererzählen, weitertragen, nicht dichthalten, hinterbringen, zuflüstern, tuscheln, munkeln, ausplaudern, ausstreuen, aussprengen, ausposaunen, herumtragen, an die große Glocke hängen, verbreiten; durchhecheln, schlecht machen, anschwärzen, austragen, in aller Munde bringen; sich herumsprechen; herumkommen, in aller Munde sein, sich wie ein Lauffeuer verbreiten; Staub aufwirbeln, **2.** applaudieren, Beifall spenden, ehren, bejubeln, beklatschen, zujubeln, Beifall klatschen, Ovationen bereiten, feiern, herausrufen, herausklatschen, vor den Vorhang rufen.

949 Kleidung 1. Bekleidung, Garderobe, Textilie, Kleidungsstücke, Kleider, Gewandung, Dress; Klamotten, Fummel, Zeug, Hülle, Schale, Aufzug, Putz, Staat, Montur, **2.** Amtstracht, Tracht, Uniform, Ornat, Robe, Kluft, Kutte.

950 klein 1. winzig, zwergenhaft, kurz geraten, putzig, zollhoch, verschwindend, klitzeklein, minimal, mikroskopisch, submikroskopisch, **2.** gering, minder, nichtig, nebensächlich, unbedeutend, untergeordnet, nachgeordnet, inferior, zweiter Ordnung, unwichtig, unerheblich, belanglos, geringfügig, **3.** niedrig, nieder, flach, seicht, handhoch, zentimeterhoch.

951 Kleinigkeit 1. Geringfügigkeit, Bedeutungslosigkeit, Marginalität, Bagatelle, Lappalie, Läpperei, Nichtigkeit, Kleinkram, Klein-Klein, Quisquilien, Nebensache, Nebensächlichkeit, Petitesse, Beiläufigkeit, Beiwerk, Unwichtigkeit, Belanglosigkeit, Lächerlichkeit, Lachnummer, Pappenstiel, Wehwehchen, Quark, Dreck, Batzen, Heller, Pfifferling, Jota, Deut, kleiner Fisch, **2.** Bissen, Brocken, Happen, Häppchen, Eckchen, Stückchen, Bisschen, Splitter, Span, Bruchteil, Wenigkeit, Klacks, Klecks, Kleckschen; Minimum, fast nichts, Quäntchen, Prise; Kostprobe, Mund voll, Schluck, Hand voll, Schuss, Spritzer, Messerspitze; Idee, Andeutung, Hauch, Fingerhut, Stäubchen, Korn, Körnchen, Gran, Anflug, Spur, homöopathische Dosis, **3.** Augenblick, Sekunde, Minute, Moment, **4.** Wenigkeit, Kleinkram, Spielerei, Kinderspiel, leichtes Spiel, Krimskrams, Kram, Siebensachen.

952 Kloster Abtei, Stift, Konvent, Einsiedelei, Zelle, Gehäuse, Monasterium, Kartause.

953 Klüngel Clique, Kamarilla, Cliquenwirtschaft, Vetternwirtschaft, Männerbündelei, Nepotismus, Günstlingswirtschaft, Filzokratie, Filz, Sumpf, Verfilzung, Ämterhäufung, Parteiklüngel, Seilschaft, Sippschaft, Mischpoke, Blase, Mafia, Clan.

954 knapp 1. spärlich, karg, dünn, schütter, licht, gelichtet, ausgelichtet, dünn gesät, **2.** kärglich, mager, wenig, schmalbrüstig, ärmlich, dürftig, kümmerlich, beengt, beschränkt, eingeengt, eng, notdürftig, kaum genug, nur eben; eben noch, nur eine Nasenlänge, Spitz auf Knopf, mit Hängen und Würgen, Kopf an Kopf, mit Mühe/knapper Not, um Haaresbreite, Zitterpartie, Hängepartie.

955 Knüppel Stock, Prügel, Knüttel, Keule, Knute, Klopfer, Rute, Gerte, Peitsche.

956 kochen 1. sieden, brodeln, dampfen, aufwallen, 2. brauen, aufgießen, aufbrühen, brühen, überbrühen, dünsten, dämpfen, abbrühen, blanchieren, garen, gar kochen/werden lassen, 3. Essen machen/zubereiten.

957 Köder 1. Lockspeise, Kadaver, Aas, Luder, Anreiz, Reizmittel, Zugmittel, Lockmittel; Lockvogel, Lockspitzel, Undercover, 2. Magnet, Blickfang, Aufmachung; Attraktion, Attraktivität, Zugstück, Appeal.

958 kommen 1. herkommen, herbeikommen, herannahen, nahen, bevorstehen, sich nähern; im Anzug sein, sich ankündigen, abzeichnen; auf jmdn. zukommen, sich bemerkbar machen; zu erwarten/gewärtigen sein, ausstehen, Schatten vorauswerfen, sich vorbereiten; geschehen, eintreten, zutage treten, Wirklichkeit werden, zum Vorschein kommen, aufkommen, 2. erscheinen, Ziel erreichen, anfangen, ankommen, eintreffen, in Erscheinung treten, auftreten, sich zeigen, einfinden, einstellen; auftauchen, antreten, sich melden; zufliegen, zulaufen, einfallen, 3. herauskommen, erscheinen, veröffentlicht/gebracht/gedruckt/verlegt werden, an die Öffentlichkeit treten, bekannt werden, hervortreten.

959 kommerziell geschäftlich, wirtschaftlich, ökonomisch, merkantil, kaufmännisch, gewerblich, gewerbsmäßig, professionell; gewinnorientiert, profitorientiert, auf Gewinn bedacht, commercial.

960 Komödie Lustspiel, Schwank, Klamotte, Boulevardkomödie, Comedy, Soap-Opera, Seifenoper, Burleske, Posse, Possenspiel, Farce, Travestie, komische Oper, Operette, Tragikomödie.

961 Komplize Mittäter, Mitwisser, Mitschuldiger, Helfershelfer, Mitläufer, Informant, Gehilfe, Handlanger, Verbündeter, Mitbeteiligter, Spießgeselle, Kumpan, Konsorte, Hehler.

Konkurrenz 1. Rivalität, Kampf, **962** Gegnerschaft, Nebenbuhlerschaft, Wettbewerb, Wettstreit, Wetteifer, Wettkampf, 2. Wettspiel, Wettsport, Wettlauf, Wettrennen, Wettfahrt, Rallye, Regatta, Race; Grand Prix, Cup, Match, Turnier, Olympiade, 3. Wirtschaftskampf, Konkurrenzkampf, Kampf um Märkte/Marktanteile.

können 1. vermögen, imstande/in der **963** Lage/fähig sein, verstehen, wissen, beschlagen/sattelfest sein, beherrschen, meistern, bemeistern, weghaben, loshaben, draufhaben, Handwerk verstehen, einer Sache mächtig sein, im Griff haben, gerecht werden, gewachsen sein, sich verstehen auf; Bescheid wissen, Dreh heraushaben, wissen, wie es gemacht wird, seine Sache verstehen, 2. dürfen, berechtigt/befugt sein, Macht/Erlaubnis haben, freistehen, 3. sich leicht tun; aus dem Ärmel schütteln, leicht fallen, zufliegen; sich zu helfen wissen; findig sein.

konstruieren 1. zusammensetzen, **964** zusammenfügen, zusammenbauen, montieren; planen, entwerfen, aufbauen, errichten, formen, 2. annehmen, unterstellen, voraussetzen, Fall setzen, erfinden, zusammenspinnen, Gespenster sehen.

Konstruktion 1. Aufbau, Gerüst; **965** Zusammensetzung, Zusammenbau, Montage, Verfertigung, Bau, 2. Entwurf, Erfindung, Konzept, Plan, 3. Annahme, Hypothese, Fiktion, Unterstellung, Konstrukt.

Kontakt 1. Berührung, Verbindung, **966** Anschluss, Konnex, Zusammenhang, Gedankenübertragung, 2. Annäherung, Anschluss, Fühlungnahme, Kontaktaufnahme, Flirt, Flitterwochen, Kennenlernen, Näherkommen, Kommunikation, Umgang, 3. Briefkontakt, Schriftkontakt, Korrespondenz, Briefwechsel, Schriftwechsel, elektronische Post, Internet.

kontrastieren 1. entgegenstellen, **967** gegenüberstellen, in Gegensatz stellen, 2. abstechen, sich abheben; Gegensatz bilden, im Gegensatz stehen, Kontrast bilden, entgegenstehen, sich unterscheiden; differieren, auseinander gehen, divergieren, abweichen, sich widersprechen.

968 konventionell 1. üblich, herkömmlich, hergebracht, redensartlich, formelhaft, klischeehaft, unoriginell, altgewohnt, anerkannt, wohl bekannt, eingefahren, vorschriftsmäßig, gebräuchlich, alltäglich, allgemein, gang und gäbe, **2.** unpersönlich, förmlich, korrekt, kühl, nichts sagend, steif, formell, offiziell.

969 Konzentrationslager Internierungslager, Deportationslager, Arbeitslager, Vernichtungslager, Massenvernichtungslager, KZ, Todeslager.

970 Kopf 1. Haupt, Schädel, Dach, Dez, Birne, Hirnkasten, Hirnschädel, Oberstübchen, Rübe, Kürbis, Melone, Ballon, **2.** Vorstand, Leitung.

971 Kopfbedeckung Hut, Hütchen, Mütze, Kappe, Käppchen, Barett, Baskenmütze, Birett, Haube, Kapuze, Schute, Kopftuch, Turban, Fes; Strohhut, Homburg, Melone, Zylinder, Strohhut, Panama, Kreissäge; Helm, Sturzhelm.

972 Kopie 1. Vervielfältigung, Fotokopie, Farbkopie, Xeroskopie, Fax, Fernkopie, Telefax, Telekopie, Mikrokopie, Mikrofiche, **2.** Raubkopie, Raubdruck, Bootleg.

973 Körper 1. Korpus, Leib, Body, Organismus, Soma, Physis, Anatomie, Körperbau, Knochengerüst, Skelett, Wuchs, Statur, Gestalt, Körperlichkeit, Leiblichkeit, **2.** Toter, toter Körper, Leichnam, Leiche, Mumie, Gebeine, sterbliche Überreste/Hülle; totes Tier, Kadaver, Aas, **3.** Klangkörper, Resonanzkörper.

974 korrespondieren 1. Briefe austauschen, schriftlich verkehren, in Briefkontakt / Schriftwechsel / Briefwechsel stehen, mailen, **2.** übereinstimmen, zusammenstimmen, konvergieren.

975 kostbar wertvoll, edel, erlesen, selten, unbezahlbar, rar, unersetzlich, unschätzbar, nicht mit Gold aufzuwiegen, von hohem Wert, hochwertig, lieb und teuer, heilig.

976 Kostbarkeit 1. Wertgegenstand, Wertobjekt, Wertsachen; Schatz, Kleinod, Wertstück, Prachtstück, Schaustück, Prunkstück, Erinnerungsstück, Zierstück, antikes Stück, Reliquie, Devotionalie, Altertum, Antiquität, Rarität, Seltenheit, Unikum, Einzelstück, Unikat, Rarissima, seltene Stücke; Inkunabel, **2.** Juwelen, Edelsteine, Dia-

manten, Brillanten, Perlen, Gold, Silber, Platin, Edelmetall; Schmuckstücke, Schmuck, Pretiosen, Geschmeide, Schmuckwaren, Schmuckgegenstände, Zierrat, Putz, **3.** Augapfel, Heiligtum, größter Schatz, Gral, Kultgegenstand, Kultobjekt.

977 kosten 1. betragen, ausmachen, ergeben, sich belaufen auf; machen, beziffern auf; Preis haben, wert sein, erfordern, **2.** probieren, versuchen, verkosten, schmecken, durchprobieren, abschmecken, begutachten; nippen, naschen, Kostprobe nehmen, auf der Zunge zergehen lassen.

978 Kosten 1. Auslagen, Unkosten, Ausgaben, Aufwendungen, Kostenpunkt; Nebenkosten, Nebenausgaben, Belastungen, Lebenshaltungskosten, **2.** Herstellungskosten, Produktionskosten, Selbstkosten, Fixkosten, Fertigungskosten, Vertriebskosten, Werbungskosten, Folgekosten.

979 Köstlichkeit Delikatesse, Spezialität, Leckerbissen, Leckerei, Feinkost, Gaumenfreude, Süßigkeit, Goody, Schleckerei, Naschwerk, Göttermahl, Schmankerl, Hochgenuss, Pikanterie, Gaumenkitzel, lukullische/kulinarische Genüsse, Ambrosia, Manna, Erfrischung, Labe, guter Tropfen, Göttertrank.

980 Kraft 1. Stärke, Körperkraft, Muskelkraft, Mumm, Arbeitskraft, Leistungsvermögen, Arbeitsvermögen, Arbeitsleistung, Tatkraft, Fähigkeit, Potenz, Potential, Können, **2.** Schubkraft, Stoßkraft, Zugkraft, Schwerkraft, Gravitation, Anziehung, Anziehungskraft, Gewicht, Tension, Wirkung.

981 kräftig 1. stark, kraftvoll, kraftstrotzend, kernig, herzhaft, markig, muskulös, sehnig, drahtig, blutvoll, abgehärtet, wetterhart, wetterfest, leistungsfähig, belastbar, tragfähig, athletisch, baumstark, stählern, stahlhart, stabil, hart im Nehmen; lebenskräftig, lebensfähig, widerstandsfähig, resistent, zählebig, überlebensfähig; mannhaft, standfest, handfest, Mumm in den Knochen, kampffähig, fit, durchtrainiert, in Form, trainiert, tauglich, qualifiziert, schlagkräftig, **2.** rüstig, ungebeugt, ungebrochen, zäh, vital, lebensvoll, vollblütig, **3.** untersetzt, gedrungen, breit, breitschultrig, stämmig, kompakt, bullig, **4.** lebhaft, saftig, farbig, leuchtend, intensiv, satt, voll, warm, **5.** konfliktfähig, auseinandersetzungsfähig, psychisch stabil, ichstark.

982 Kraftmensch Muskelprotz, Athlet, Bulle, Stier, Bombenkerl, Bodybuilder, Herkules, Samson, Kraftmeier, Rambo.

983 Krankenhaus Hospital, Klinik, Heilstätte, Spital, Lazarett, Klinikum, Ambulatorium, Charité Poliklinik, Heilanstalt, Psychiatrie, Sanatorium, Kurklinik, Rehabilitationsstätte.

984 Krankheit 1. Erkrankung, Infekt, Ansteckung, Übertragung; Übel, Leiden, Beschwerden, Siechtum, Bettlägerigkeit, Schwäche, Gebrechen, chronisches Leiden, Gebrechlichkeit, Hinfälligkeit, **2.** Seuche, Epidemie.

985 Krankheitserreger Bazillen, Erreger, Bakterien, Mikroben, Mikroorganismen, Spaltpilze, Viren, Keime, Schmarotzer, Kleinlebewesen, Umweltfaktoren.

986 Kredit Anleihe, Darlehen, Hypothek, Beleihung, Belehnung, Verschreibung, Vorschuss, Vorleistung, Vorauszahlung, Überziehungskredit, Pump.

987 Krieg 1. bewaffnete Auseinandersetzung, bewaffneter Konflikt, kriegerische Handlung, militärische Auseinandersetzung, Kampfhandlung, Kampfgetümmel, Gefecht, Feuergefecht, Schießerei, Scharmützel, Waffengang, Schlacht, Feldschlacht, Feldzug, Kriegszug, Kriegshandlung, Bodenkrieg, Luftkrieg, Militärschlag, Erstschlag, Orlog, Blutvergießen, Schlacht, Gemetzel, **2.** Bürgerkrieg, Guerillakrieg, Partisanenkrieg, Sezessionskrieg, Revolutionskrieg; Weltkrieg, Atomkrieg, Krieg der Sterne.

988 Krise 1. Zuspitzung, Ruhe vor dem Sturm, Eskalation, Krisis, Höhepunkt, Gefahr, Tanz auf dem Vulkan, Tiefpunkt, Wendung, Wende, Volte, Kehrtwende, Wendepunkt, Umschlag, Umschwung, Erdrutsch, Peripetie, **2.** Störung, Schwierigkeit, Engpass, Zwangslage, Zwickmühle, Klemme, Dilemma, Verunsicherung, Midlifecrisis, **3.** Wirtschaftskrise, Depression, Rezession, Stagnation, Abschwung, Tief, Baisse.

989 Kritik 1. Prüfung, Wertung, Beurteilung, Urteil, Würdigung, Gutachten,

Auslassung, Stellungnahme, Besprechung, Rezension, **2.** Beanstandung, Anstände, Bemängelung, Reklamation, Einwand, Missbilligung, Einwendung, Einspruch, Ablehnung, **3.** Lob, Anerkennung, Beifall, lobende Erwähnung, gute Kritik, Bombenkritik; Verriss, Polemik, Medienschelte, Pamphlet, Prügel, Schmährede, Brandrede, vernichtendes Urteil, Zensur, Schmähung, Rufmord, **4.** Krittelei, Nörgelei, Genörgel, Gemecker, Meckerei, Mäkelei, Beckmesserei, Besserwisserei, Kritikastertum.

990 Kritiker 1. Beurteiler, Rezensent, Kunstkritiker, Literaturkritiker, Musikkritiker, Theaterkritiker, Filmkritiker, Zensor, Kunstrichter, **2.** Krittler, Deutler, Nörgler, Querulant, Meckerer, Mäkler, Kritikaster, Beckmesser, Spötter, Zyniker, Satiriker, Ironiker, Lästerer, Lästerzunge, Lästermaul, Verächter, Schmähredner, Spottvogel.

991 Kritiklosigkeit Blindgläubigkeit, Urteilslosigkeit, Wahllosigkeit, Bedenkenlosigkeit, Beliebigkeit, Gläubigkeit, Gutgläubigkeit, Leichtgläubigkeit, Blauäugigkeit, Naivität, Autoritätsgläubigkeit, Denkfaulheit; Blindheit, Realitätsverlust, Realitätsblindheit.

992 krumm 1. gebogen, konkav, konvex, gewunden, gekrümmt, geschweift, verzogen, verschnörkelt, schnörkelig, verbogen, verdreht, gewölbt, barock, schwellend, geschwungen, üppig; kurvenreich, kurvig, **2.** schief, verwachsen, bucklig, gebeugt, **3.** windschief, baufällig, wackelig, **4.** lockig, gelockt, gekräuselt, wellig, kraus, gewellt, spiralig, **5.** krummbeinig, O-beinig, dackelbeinig, **6.** verästelt, gegabelt, verzweigt, geästelt, vielarmig.

993 Küche Kochnische, Kochgelegenheit, Kombüse; Vorratskeller, Vorratskammer, Speisekammer; Kochkunst, Gastronomie, Feinschmeckerei.

994 Kugel 1. Ball, Knäuel; Globus, Erdball, Erdkugel, Himmelskugel, **2.** Geschoss, Patrone, Pistolenkugel, blaue Bohne, Gewehrkugel, Projektil, Kanonenkugel, Granate.

995 kühlen 1. abkühlen, auskühlen, erkalten lassen, kalt stellen, auf Eis legen; abschrecken, frappieren, **2.** fächeln, fächern, wedeln, blasen, pusten, Ventilator anstellen.

996 kultiviert 1. erschlossen, urbar gemacht, entwickelt, **2.** kulturvoll, urban, zivilisiert, verfeinert, gebildet, gehoben, niveauvoll, feinsinnig, sublim, geschmackvoll, ästhetisch, kunstsinnig, kunstempfänglich, kunstverständig, urteilsfähig, urteilssicher, künstlerisch, musisch, belesen, schöngeistig, **3.** stilvoll, wählerisch, gewählt, erlesen, elegant, vornehm, dezent, distinguiert, exklusiv, weltmännisch, differenziert, mit Esprit, mondän.

997 Kultur 1. Kulturkreis, Kulturkomplex, Zivilisation; kulturelle Eigenart, kulturelles Muster, Deutungsmuster, Erbe, **2.** Zeitgeist, Zeitstil, Zeitgepräge, Lebensform, Lebensstil, Lifestyle, **3.** Kulturproduktion, Bewusstseinsindustrie, Meinungsindustrie, Medienkultur, Konsumkultur, **4.** Umweltgestaltung, Umweltpflege, Umweltschutz.

998 kündigen 1. abgehen, austreten, weggehen, ausscheiden, aufkündigen, gehen, hinwerfen, Stellung aufgeben, wechseln, sich verändern; abdanken, zurücktreten, demissionieren, abtreten, Dienst quittieren, Rücktritt erklären, Abschied nehmen, Amt/Posten niederlegen, aus dem Amt scheiden, seinen Hut nehmen; sich pensionieren lassen; in Pension gehen, in den Ruhestand treten, aus dem Dienst ausscheiden, in Rente gehen, **2.** abbauen, entlassen, freistellen, abheuern, abmustern, fortschicken, wegschicken, fortjagen, schassen, feuern, hinauswerfen, vor die Tür/an die Luft/auf die Straße setzen; der Ämter entheben, abservieren, auf ein totes Gleis schieben, ausmanövrieren, absetzen, entthronen, abberufen, verabschieden, stürzen, absägen, abschießen, Abschied geben, kassieren, Laufpass geben, Stuhl vor die Tür setzen, abhalftern, ausbooten, abtakeln, ausschalten, kaltstellen, abhängen, abwickeln, hinausekeln, wegloben, zum alten Eisen werfen, ausmustern, **3.** ausschließen, aussperren, ausstoßen, entfernen, disqualifizieren, rote Karte zeigen, **4.** pensionieren, in den Ruhestand versetzen, suspendieren, emeritieren.

999 Kündigung 1. Ausscheiden, Rücktritt, Austritt, Abgang, Weggang, Abschied, Verzicht, Abdankung, Pensionierung, Emeritierung, Demissionierung, Suspendierung, Freistellung, Zwangsfreistellung, **2.** Entlassung, Abbau, Absetzung, Abberufung, Ausschaltung, Entthronung, Verabschiedung, **3.** Ausschluss, Enthebung, Rausschmiss.

Kundschaft 1. Auftraggeber, Besteller, Abnehmer, Käufer, Kunde, Kundenkreis, Stammkunden, **2.** Klienten, Klientel, Mandanten, Patienten, **3.** Abonnenten, Bezieher, Dauermieter, Platzmieter, Dauerbezieher; Gäste, Besucher, Stammgäste. **1000**

kunstgerecht künstlerisch, kunstfertig, zünftig, schulgerecht, nach allen Regeln der Kunst, werkgerecht, fachmännisch, gekonnt, gelernt, geschult, akademisch, schulmäßig. **1001**

künstlich synthetisch, unecht, chemisch, naturidentisch, unnatürlich, aus der Retorte, aus dem Labor, artifiziell. **1002**

Kunstliebhaber 1. Kunstkenner, Kunstfreund, Kunstexperte, Ästhet; Mäzen, Gönner, Förderer, Sammler, Sponsor, Bewunderer, Verehrer, Anhänger, **2.** Liebhaber, Dilettant, Amateur, **3.** Bücherfreund, Bücherliebhaber, Büchernarr, Bücherwurm, Bibliophile, Büchersammler, Bibliomane. **1003**

Kurve Bogen, Biegung, Abbiegung, Kehre, Schwenkung, Wendung, Wende, Drehung, Richtungsänderung, Windung, Krümmung, Knick, Knickung, Beugung, Haken, Schleife, Schlinge, Spirale, Serpentine, Schlangenlinie, Haarnadelkurve, Schraubenwindung, Gewinde; Wellenlinie, Slalom; Verästelung, Gabelung, Verzweigung. **1004**

kurz 1. klein, gestutzt, abgeschnitten, verkürzt, gekürzt, abgehackt, beschnitten, verschnitten, kupiert, gekappt, **2.** kurz angebunden, wortkarg, schmallippig, bündig, barsch, knapp, schroff, mufflig, bärbeißig, brüsk, mundfaul, lakonisch, karg, abweisend, stoßweise, abrupt, **3.** mit drei Worten, im Telegrammstil, kurz und bündig, lapidar, in aller Kürze, kurzweg, mit einem Federstrich, summarisch, zusammengefasst, verallgemeinert, abgekürzt, gedrängt, in gedrängter Form, präzis, prägnant, gerafft, gestrafft, verdichtet, komprimiert, verknappt, **4.** kurzlebig, vergänglich, flüchtig, zwischen Tür und Angel, kurzzeitig, kurzfristig, auf einen Sprung/Au- **1005**

genblick, **5.** anekdotisch, skizzenhaft, aphoristisch, epigrammatisch.

1006 Kürze 1. Gedrängtheit, Verknapptheit, Verdichtung, Präzision, Prägnanz, **2.** Flüchtigkeit, Vergänglichkeit, Kurzlebigkeit.

1007 kürzen 1. abschneiden, verkürzen, zurechtstutzen, wegschneiden, abtrennen, abhacken, abzwicken, abschlagen, abhauen, beschneiden, stutzen, kupieren, kappen, abkürzen, **2.** verkleinern, minimieren, minimalisieren, vermindern, verringern, schmälern, Abstriche machen, abstreichen, dezimieren; lichten, auslichten, ausdünnen, ausholzen, reduzieren; subtrahieren, abziehen, zurückbehalten, **3.** einschränken, beschränken, einengen, abbauen, kleiner setzen, abzwacken, beschneiden, drosseln, zurückschrauben, verknappen, wegstreichen, zusammenstreichen, einsparen, **4.** verdichten, komprimieren, straffen, konzentrieren, kondensieren.

kürzlich vor kurzem, jüngst, neulich, **1008** unlängst, dieser Tage, in letzter Zeit, neuerlich, neuerdings, letzthin, letztens, seit kurzem, noch nicht lange her, eben, gerade, jetzt, just, vorhin, soeben.

L

1009 **lachen** 1. lächeln, in sich hineinlachen, schmunzeln, in den Bart lachen; strahlen, anstrahlen, anlächeln; grinsen, grienen, feixen, 2. kichern, gickeln, gibbeln, gicksen, prusten, losprusten, in Gelächter ausbrechen, Gelächter anstimmen, Lache anschlagen, loslachen, herausplatzen, losplatzen, losprusten, das Lachen nicht halten können, sich das Lachen verbeißen; hell auflachen, aus vollem Halse lachen, sich ausschütten vor Lachen, kringeln; schallend lachen, wiehern, brüllen vor Lachen, sich kugeln, die Seiten halten, biegen vor Lachen; Tränen lachen, sich nicht zu lassen wissen, kaputtlachen, schieflachen, totlachen, kranklachen, krummlachen, scheckig lachen.

1010 **Lage** 1. Ort, Punkt, Position, Standort, Stellung, 2. Situation, Sachlage, Sachstand, Sachverhalt, Tatbestand, Ausgangslage, Stand der Dinge, augenblicklicher Zustand, Umstand, aktueller Stand, 3. Verhältnisse, Lebenslage, Drum und Dran, Stand, Status, Stellung, Zusammenhänge, Gegebenheiten, Konstellation, Umstände, Bedingungen, Großwetterlage.

1011 **Lager** 1. Camp, Feldlager, Biwak, Zeltlager, Ferienlager, Lagerplatz, 2. Vorrat, Stock, Bestand, Rücklage, eiserne Ration, Reserve, Speicher, 3. Bett.

1012 **Lampe** 1. Lichtquelle, Beleuchtungskörper, Leuchte, Licht, Neonlicht; Deckenlicht, Hängelampe, Stehlampe, Arbeitslampe, Schreibtischlampe, Nachttischlampe; Scheinwerfer, Strahler, Taschenlampe, Punktstrahler, Spot, Spotlight, Discokugel, Flutlicht, Laterne, Glühbirne, Gaslampe, Gasstrumpf, Tranlampe, Öllampe, Lampion, Ampel, 2. Leuchter, Kandelaber, Armleuchter, Kronleuchter, Kristallleuchter, Lüster, Kerzenleuchter.

1013 **lang** 1. gedehnt, ausgedehnt, gestreckt, lang gestreckt / gezogen, länglich, extensiv, 2. meterlang, meilenlang, ellenlang, endlos, unendlich, nicht abzusehen, unabsehbar; lange, langfristig, unaufhörlich, geraume Weile, Wochen, Monate, Jahre, langjährig, tagelang, jahrelang, wochenlang, stundenlang, lebenslang, lebenslänglich, auf immer, ewig, eine Ewigkeit, auf lange Zeit; lang dauernd, langwierig, verlängert, sich hinziehend; abendfüllend.

1014 **Langeweile** Gleichförmigkeit, Eintönigkeit, Ereignislosigkeit, Öde, Alltag, Tretmühle, Trott, Leerlauf, Fadheit, Stumpfheit, Monotonie, Stumpfsinn, Alltäglichkeit, Wiederkäuen, Einförmigkeit, alte Leier, olle Kamellen, Einerlei, Überdruss, Übersättigung, Sattheit, Ekel, innere Leere, Ennui.

1015 **langsam** 1. gemach, gemächlich, sachte, lento, gemütlich, bedächtig; schleppend, stockend, zögernd, zaudernd, kriechend, schleichend, im Schneckentempo / Schritttempo, in Zeitlupe; pomadig, träge, betulich, 2. nach und nach, en suite, allmählich, allgemach, schrittweise, Schritt für Schritt, stufenweise; graduell, gradweise, in Etappen, in Abschnitten; nacheinander, einer nach dem andern, im Gänsemarsch, nach der Reihe, einzeln, grüppchenweise, sukzessiv, stückweise, portionenweise, truppweise, ratenweise, in Raten, peu à peu, abschnittsweise, scheibchenweise, kleckerweise, tropfenweise, tröpfelnd.

1016 **langweilen (sich)** 1. ermüden, anöden, alte Geschichten aufwärmen, einschläfern, monologisieren, ennuyieren, 2. nichts zu tun haben, unbeschäftigt sein, erschlaffen, sich öden, mopsen; Zeit totschlagen, Däumchen drehen, nichts anzufangen wissen, sich für nichts interessieren; unausgefüllt sein, vor Langeweile umkommen.

1017 **langweilig** 1. eintönig, monoton, ereignislos, ermüdend, geisttötend, steril, spannungslos, akademisch, staubtrocken, einschläfernd, nervtötend, ledern, bleiern, stieselig, langatmig, weitschweifig, umständlich, pedantisch, steifleinen, witzlos, zum Auswachsen / Einschlafen, fad, nüchtern, unergiebig, sterbenslangweilig, stinklangweilig, 2. ausdruckslos, reizlos, öde, dröge, farblos, trist, desolat, uninteressant, ohne Spannung / Stimmung / Abwechslung, schläfrig, lahm, nichts sagend, stumpfsinnig, belanglos, leer, redundant, kalter Kaffee, Schnee von gestern, alte Leier, tote Hose.

1018 lärmen 1. laut sprechen, schreien, brüllen, johlen, kreischen, gellen, schmettern, Schreie ausstoßen; poltern, Radau, Krach machen, krakeelen, spektakeln, Lärm machen, rumoren, Nachtruhe stören, Geschrei machen, randalieren, Allotria veranstalten, **2.** rütteln, knattern, rappeln, tuckern, klopfen, pochen, krachen, klirren, scheppern, dröhnen, donnern, grollen, rollen, gewittern, rattern, rumpeln, rasseln, klappern, tönen, schallen, hallen, trommeln, hämmern, hupen, **3.** ballern, feuern, knallen, schießen, böllern, bullern, detonieren.

1019 lassen 1. loslassen, in Ruhe/ungeschoren lassen, freigeben, freilassen, fortlassen, gehen lassen, nicht halten/binden, lockerlassen, gewähren/freien Lauf/geschehen/laufen lassen, **2.** nicht tun, bleiben/sein lassen, unterlassen, weglassen, belassen, aufgeben, Abstand nehmen/absehen/abstehen von, bewenden lassen, abkommen von, ablassen/abgehen von, Finger davonlassen, sich nicht einlassen; auf sich beruhen lassen, **3.** frei/offen/unbesetzt/unbebaut lassen, aussparen.

1020 Last 1. Belastung, Bürde, Gewicht, Druck, Ballast, Gepäck, Ladung, Packen, Zentnerlast, Schwere, Fracht, Beschwerung, Wucht, **2.** Beschwer, Beschwerlichkeit, Unbequemlichkeit, Umstände; Mühe, Qual, Druck, Mühsal, Hypothek, Sorge, Alp, Alpdruck, Joch, Mühlstein, Elend, Fron, Plackerei, Bedrückung, Kreuz, Crux, Schinderei, Strapaze, Plage, Anstrengung, Schufterei, Schwerstarbeit, Herkulesarbeit, Maloche, Stress, Schraube ohne Ende, Geacker, Schlauch, Überforderung, Anspannung, Überanstrengung, Überlastung, Vereinnahmung.

1021 lästig 1. hinderlich, hemmend, belastend, beschwerlich, unangenehm, ärgerlich, unerfreulich, anstrengend, ermüdend, strapaziös, drückend, unbequem, mühevoll, mühsam, mühselig, **2.** ungelegen, verquer, widrig, misslich, störend, Ärgernis erregend, ungebeten, ungeladen, sekkant, **3.** aufdringlich, zudringlich, penetrant, zu bunt, zeitraubend, langwierig.

1022 laut hörbar, vernehmbar, vernehmlich, deutlich, weithin hörbar, lautstark, lauthals, unüberhörbar, durchdringend, überlaut, lärmend, geräuschvoll, dröhnend, polternd, ohrenbetäubend, schreiend, markerschütternd, mit voller Lautstärke, aus voller Kehle, marktschreierisch, schrill, spitz, hoch, scharf, grell, gellend, hallend, schallend, fortissimo.

1023 lavieren 1. manövrieren, jonglieren, taktieren, finassieren, seiltanzen, Eiertanz vollführen, sich durchschlängeln, durchwinden, durchzwängeln, durchstehlen, hindurchwinden, durchschleichen, durchlavieren, durchmanövrieren, durchmogeln, nicht festlegen, den Rücken freihalten, **2.** drum herum reden, sich drehen und wenden, winden; Ausflüchte machen, sich herausreden, herausschwindeln, herausmogeln, herauswinden, herauslügen, rein waschen, weißwaschen.

1024 leben 1. sein, da sein, atmen, vorhanden/lebendig sein, existieren, bestehen, am Leben sein, Leben führen/verbringen/hinbringen, dahinleben, überleben, sich durchschlagen, vegetieren, **2.** wohnen, weilen, sich aufhalten; sitzen, ansässig sein, stecken, hingekommen sein, verschlagen worden sein, verbringen, verleben, zubringen, hausen, nisten, heimisch sein; residieren, logieren, Wohnsitz haben.

1025 Leben 1. Dasein, Existenz, Sein; Erdenleben, Erdentage, Erdendasein, Lebenszeit, Lebensdauer, **2.** Lebensreise, Lebensbahn, Lebenslauf, Lebensweg, Werdegang, Lebensgeschichte, Vita, **3.** Atem, Lebenslicht, Beseelung, Lebenssaft, Lebensfaden, Menschenleben, Herzblut, **4.** Lebensbedingungen, Lebenslage, Lebensform, Lebensweise, Existenzform, Lebensgestaltung, Lebensplan, Lebensentwurf, Selbstentwurf, Lebensstandard, Existenzniveau, Lebensführung, Lebenszuschnitt, Lebenswandel, Lebensstil, Lebensgewohnheit, Tun und Lassen, Lebenshaltung, Lebensgefühl, Einstellung zum Leben, **5.** Existenzkampf, Daseinskampf, Lebensdrang, Selbsterhaltungstrieb, **6.** Lebendigkeit, Lebensenergie, Lebensfunke, Beseeltheit, Lebensgeister, Vitalität, Schwung, Elan, Élan vital, Lebensnerv, Lebenskraft, Lebensfülle.

1026 lebendig 1. lebend, am Leben, auf der Welt, leibhaftig, belebt, beseelt, fassbar, zum Anfassen, körperlich, greifbar, wirklich, real, **2.** lebhaft, lebensvoll, beweglich, mobil, rege, munter, geschäftig, aufgeweckt, betriebsam, unternehmend, unternehmungslustig, ausgeschlafen, reiselustig, tatenlustig, tatendurstig, aufgeschlossen, interessiert, eifrig, dabei, elektrisiert, rührig, regsam, agil, wach, in Fahrt/Schwung, auf Touren/vollen Touren, **3.** temperamentvoll, quicklebendig, übersprudelnd, schwungvoll, flott, dynamisch, impulsiv, wach, fit, auf Draht, quick, auf der Höhe, up to date, vif, alert, kregel; quecksilbrig, quirlig, vital, schmissig, **4.** farbig, bunt, nuanciert, prall, lebensecht, ausdrucksvoll, natürlich, saftig, spritzig, funkelnd, quellend, sprudelnd, frisch, **5.** flammend, lodernd, wabernd, lohend; fliegend, wiegend, tanzend, kreiselnd, schwebend, flatternd, wehend, wallend, wogend.

1027 Lebensunterhalt 1. Existenz, Auskommen, Lebenshaltungskosten, Unterhaltskosten, Haushaltungskosten, **2.** Unterhalt, Arbeit, Beruf, tägliches Brot, Erwerbsmittel, Subsistenzmittel, Einkommensquelle, Lebensgrundlage.

1028 leer 1. ausgetrunken, geleert, entleert, ausgegossen, ausgeschüttet, verbraucht, konsumiert, aufgebraucht, aus, alle, ausverkauft, kahl, geräumt, **2.** ausgeflogen, verlassen, menschenleer, leer gefegt, unbemannt, **3.** eitel, müßig, nichtig, windig, gehaltlos, dünn, nichts dahinter, hohl, wertlos, Schall und Rauch, inhaltslos, banal, substanzlos, bedeutungslos, nichts sagend, ohne Sinn, sinnlos, geistiges Fastfood, **4.** leer stehend, unbewohnt, frei, unbesetzt, zu vermieten/haben, vakant; unbeschrieben, unbedruckt, unausgefüllt, **5.** verausgabt, ausgesogen, ausgelutscht, ausgesaugt, ausgepowert, ausgepumpt, ausgebrannt, burned out.

1029 leer ausgehen in den Mond/die Luft gucken, in den Kamin/Wind schreiben, verlieren, einbüßen, Nachsehen haben, zubuttern, zuzahlen, in die Röhre gucken, der Dumme sein, den Letzten beißen die Hunde.

leeren (sich) 1. abladen, auspacken, **1030** entladen, löschen, ausschiffen, ausladen, räumen, ausräumen, Kehraus machen, ausverkaufen, Raum schaffen, Platz machen, **2.** ausschütten, ausleeren, ausgießen, abgießen, abschütten, wegschütten, entleeren, ablassen, ausschöpfen **3.** trinken, austrinken, kippen, hinunterstürzen, auslöffeln, ausessen, auskratzen, vertilgen, aufessen, auf ex trinken, **4.** zapfen, abzapfen, leer pumpen, abziehen, abfüllen, umgießen, umfüllen; melken, ausquetschen, auspumpen, **5.** auslaufen, ausrinnen, leer werden, ausströmen, entweichen, aussickern, sich entleeren; entströmen, ausfließen, herauslaufen, leer laufen, sich ergießen; wegfließen, austreten, abfließen, bluten, ausbluten, verbluten.

Leerung Entleerung, Abfüllung, Ausräumung, Ausladung, Ausschiffung, Löschung. **1031**

Lehrbuch Lehrwerk, Schulbuch, Fibel, Fachbuch, Sachbuch, Vademekum, Abriss, Handreichung, Repetitorium, Katechismus, Glossar, Leitfaden, Handbuch, Unterrichtswerk, Übungsbuch, Kompendium, Lexikon, Ratgeber, Lehrkassetten, Wörterbuch, Enzyklopädie, Nachschlagewerk, Thesaurus, Konversationslexikon. **1032**

Lehre 1. Anleitung, Einführung, Anweisung, Belehrung, Schulung, Unterweisung, Instruktion, Unterricht, Training, Coaching, **2.** Lehrzeit, Lehrjahre, Ausbildung, Bildungsgang, Wanderjahre, Praktikum, Volontariat, Fachausbildung, Studium, Telekolleg, Fernstudium; Lehrgang, Seminar, Kurs, Kursus, Workshop, Vorlesung, Projektstudium, Crashkurs, **3.** Lektion, Denkzettel, Mahnung, Erfahrung, Richtschnur, Regel, Ratschlag, **4.** These, Theorem, Hypothese, Lehrsatz, Lehrmeinung, Theorie, Richtung, Schule, Schulmeinung, Lehrgebäude, Doktrin. **1033**

lehren 1. unterrichten, belehren, beibringen, durchnehmen, geben, lesen, Wissen vermitteln, erschließen, orientieren; eintrichtern, pauken, einpauken, dozieren, **2.** anleiten, anlernen, einarbeiten, einführen, anweisen, unterweisen, einweisen, schulen, ausbilden, instruieren, trainieren, coachen, zeigen, vorbereiten, erklären. **1034**

1035 Lehrer 1. Schullehrer, Lehrkraft, Magister, Assessor, Studienrat, Hochschullehrer, Universitätsprofessor, Professor, Tutor, Dozent; Pädagoge, Schulmeister, Präzeptor, Erzieher, Pauker; Hauslehrer, Hofmeister, Mentor, Erzieherin, **2.** Instrukteur, Ausbilder, Coach, Trainer; Bändiger, Züchter, Zähmer, Dompteur, **3.** Weisheitslehrer, Wanderprediger, Guru, Meister, Lehrmeister, Eingeweihter.

1036 leicht 1. gewichtlos, federleicht, hopfenleicht, schwerelos; Leichtgewicht, Federgewicht, Fliegengewicht, **2.** einfach, mühelos, unschwer, spielend, bequem, im Schlaf, ohne Schwierigkeit; kinderleicht, Kinderspiel, kein Kunststück, unkompliziert, leicht zu verstehen, **3.** bekömmlich, leicht verdaulich, gut zu vertragen, zuträglich; locker, flaumig, flockig, schaumig, duftig, luftig, flüchtig, ätherisch, beschwingt, aufgelockert, **4.** leichtherzig, unbeschwert, sorglos, fröhlich, unbesorgt, unbekümmert, unbedenklich, ungezwungen, einfach, lebensfroh, lebensbejahend, zwanglos, kein Kind von Traurigkeit, positiv, optimistisch, weltfreudig, **5.** leichtfüßig, schnell, behände, federleicht, wie eine Gazelle/Antilope/Feder/Flaumfeder/Flocke.

1037 leichtfertig 1. oberflächlich, gedankenlos, obenhin, schnellfertig, ungenau, unzuverlässig, nachlässig, fahrlässig, flatterhaft, blindlings, übereilt, unachtsam, unbedacht, überstürzt, unüberlegt, von ungefähr, unvorsichtig, unbesonnen, sprunghaft, vorschnell, bedenkenlos, verantwortungslos, unbedenklich, **2.** leichtsinnig, leichtblütig, sorglos, lebenslustig, genussfreudig, frivol, leichtlebig, sinnenfroh, verspielt, spielerisch, unernst, unbesorgt, unbekümmert, leichte Ader, leichte Schulter, locker, lose, lax; unsolide, verschwenderisch, vergnügungssüchtig, unseriös.

1038 Leichtsinn 1. Leichtlebigkeit, leichtes Blut, Sorglosigkeit, Unbesorgtheit, Unbeschwertheit, Unverkrampftheit, Leichtigkeit, Flatterhaftigkeit, **2.** Unvorsichtigkeit, Fahrigkeit, Unaufmerksamkeit, Unachtsamkeit, Flüchtigkeit, Achtlosigkeit, Fahrlässigkeit, Nachlässigkeit, Unbesonnenheit, Unbedachtsamkeit, Leichtfertigkeit.

1039 leid sein 1. sich verleiden/vermiesen lassen; leid werden, satt bekommen, **2.** genug haben, überhaben, überdrüssig/übersättigt sein, nicht mehr mögen/sehen/hören können, müde sein, es satt/dick haben, die Nase/Schnauze voll haben, zum Halse heraushängen, lästig fallen, überkriegen, lebensmüde sein.

1040 leiden 1. Schmerzen haben/fühlen, zu klagen haben, dulden, erdulden, ertragen, erleiden, ausstehen, tragen, durchmachen, aushalten, durchstehen, **2.** schlucken, hinnehmen, über sich ergehen lassen, sich beugen; hinunterschlucken, einstecken, wegstecken, sich fügen; resignieren, sich schicken, ducken, gefallen lassen, abfinden; Folgen tragen/auf sich nehmen, Konsequenzen tragen, Brei auslöffeln, Suppe aufessen, **3.** krank sein, kränkeln, kranken, schlecht gehen, darniederliegen, liegen müssen, auf der Nase liegen, klagen über, leiden an, befallen sein von, behaftet sein mit, herumlaborieren, siechen, fiebern, phantasieren, in Lebensgefahr schweben, mit dem Tode ringen, **4.** sich grämen, quälen, verzehren; schwer haben/nehmen, trauern, sich härmen, abhärmen; in sich hineinfressen, nicht hinwegkommen über, Schmerzliches erleben, zu leiden haben, viel ausstehen, drinstecken, im Dreck stecken, heimgesucht werden, verzweifeln, zerbrechen an.

1041 Leiden 1. Übel, Unbehagen, Missbehagen, Übelbefinden, Krankheit, Unpässlichkeit, Unwohlsein, Beschwerde, Störung, Schmerzen, Qualen, Pein, Plage, Marter, Leidensweg, Heimsuchung, Leidenskelch, Martyrium, **2.** Masochismus, Leidenslust, süßes/vergnügtes Leiden.

1042 leidend 1. krank, erkrankt, befallen von, behaftet mit, infiziert, indisponiert, nicht aufgelegt, in schlechter Verfassung, nicht auf dem Damm, arbeitsunfähig, marode, angegriffen, angekränkelt, angekratzt, malade, kränklich, fiebrig, erbarmungswürdig, mitgenommen, angeschlagen, angezählt, kodderig, verkatert, schlecht, übel, flau, mau, mies; ungesund, anfällig, elend, hundeelend, hundsmiserabel, miserabel, durchsichtig, bleich, eingefallen, hohlwangig, abgezehrt, sterbenskrank, todkrank, in Lebensgefahr, schwer/lebensgefährlich erkrankt, chronisch/unheilbar/unrettbar krank, todgeweiht, **2.** gebrechlich, gelähmt, hinfällig, bettlägerig, siech, hilflos, pflegebedürftig, altersschwach, **3.** verletzt, verwundet, versehrt, gepeinigt, gequält, **4.** gemütskrank, nervenleidend, psychisch/psychosomatisch krank, **5.** auf Entzug, turkey.

1043 leider schade, jammerschade, bedauerlich, unglücklicherweise, bedauerlicherweise, unerfreulicherweise, zu jmds. Bedauern/Leidwesen.

1044 leise gedämpft, lautlos, unhörbar, tonlos, geräuschlos, ruhig, still, piano, pianissimo, auf leisen Sohlen/Samtpfoten/Katzenpfoten / Zehen / Fußspitzen, mäuschenstill, schweigend, stumm, wortlos, schweigsam, schleichend; halblaut, flüsternd, mit gedämpfter Stimme, schwach, getragen, verhalten, erstickt.

1045 leisten (sich) 1. tun, schaffen, wirken, vollbringen, erfüllen, bringen, fertig bringen, vollführen, bewerkstelligen, bewirken, funktionieren, arbeiten; Leistungen vorweisen, sich verdient machen; Verdienste erwerben, **2.** sich gönnen, erlauben, genehmigen, gestatten, kaufen.

1046 Leistung 1. Tat, Verdienst, Werk, Œuvre, Opus, Gesamtwerk, Schöpfung, Wurf, Großtat, Arbeitsleistung, Ergebnis, Ausstoß, Output, Produkt, Erfolg, Rekord, **2.** Kunstwerk, Kunstgegenstand, Artefakt, Meisterwerk, Meisterstück, Opus magnum, Meisterleistung, Meilenstein.

1047 Leiter 1. Stehleiter, Trittleiter, Tritt, Treppchen, Strickleiter, Fallreep, **2.** Betriebsleiter, Direktor, Chef, Patron, Generaldirektor, Prokurist, Geschäftsführer, Bevollmächtigter, Abteilungsleiter; Versammlungsleiter, Diskussionsleiter, Gruppenleiter; Dienststellenleiter, Vorsteher, Schulleiter, Rektor, Polier, Ressortleiter, Chefarzt, Oberin; Intendant, Spielleiter, Konzertmeister, Kapellmeister, Dirigent, Orchesterleiter, Chorleiter, Kantor, Generalmusikdirektor, Bandleader.

1048 Leitung 1. Führung, Lenkung, Planung, Steuerung, Kontrolle; Kopf, Spitze, Zentrale, Schlüsselstellung, Direktion, Geschäftsleitung, Geschäftsführung, Stab, Direktorium, Vorstand, Chefetage, Management, Projektmanagement; Intendanz, Regie, Aufnahmeleitung, **2.** Bevormundung, Entmündigung, Gängelei, Gängelband, Leine, Gängelung, Kuratel, Aufsicht, Oberaufsicht. **3.** Schlauchleitung, Rohrleitung, Pipeline; Verbindungsschnur, Draht, Kabel.

1049 lernen 1. sich aneignen; erlernen, Kenntnisse erwerben, sich qualifizieren, informieren, schlau machen; studieren, sich präparieren, vorbereiten, schulen; memorieren, sich einprägen, plagen; büffeln, ochsen, pauken, bimsen, sich auf den Hosenboden setzen, eintrichtern; Schule besuchen, Schulbank drücken, **2.** hören, belegen bei; sich bilden, unterrichten, fortbilden, ausbilden, weiterbilden; dazulernen, Kenntnisse erweitern, **3.** learning by doing, Superlearning, computergestütztes Lernen, **4.** beherzigen, zur Einsicht kommen, Vernunft annehmen, sich gesagt sein lassen; Lehre ziehen.

1050 lesen 1. buchstabieren, entziffern, flüchtig durchsehen, durchblättern, blättern, stöbern, anlesen, hineinschauen, überfliegen, querlesen, schmökern, diagonal lesen, durchgehen, durchlesen, durcharbeiten, studieren, verschlingen, fressen, sich in Bücher vergraben, **2.** Vorlesung halten, Lesung abhalten, vorlesen, vortragen.

1051 leugnen 1. abstreiten, verneinen, ableugnen, bestreiten, in Abrede stellen, anfechten, Einspruch erheben, von sich weisen, zurückweisen, **2.** widerrufen, zurücknehmen, zurückziehen, verleugnen, dementieren, revozieren, Rückzieher machen, **3.** übersehen, wegsehen, nicht sehen/wahrhaben wollen, Augen verschließen, Auge zudrücken, Kopf in den Sand stecken, Scheuklappen tragen.

1052 Licht 1. Helligkeit, helle Beleuchtung, Erleuchtung, Tageslicht, Tageshelle, Sonne, Sonnenlicht, Sonnenschein, **2.** Schein, Lichtschein, Lichtreflex, Lichteffekt, Lichtkegel, Strahl, Glanz, Schimmer, Flimmer, Gefunkel, Glast, Geflimmer, Leuchten, Strahlung, Funke, Glut, Kerzenlicht, Kerzenschein, Strahlen, Feuer, Strahlkraft, Illumination, Festbeleuchtung, Lichtermeer, Rampenlicht, Flutlicht.

1053 **Lichtung** Schneise, Blöße, Kahlschlag, Rodung, Flurbereinigung, Durchtrieb, Waldlichtung.

1054 **lieb** 1. angenehm, erwünscht, erfreulich, recht, willkommen, 2. teuer, wert, unentbehrlich, wichtig, bedeutungsvoll, geschätzt, hoch geschätzt, vergöttert, angebetet, verhätschelt, verwöhnt, geliebt; sympathisch, ans Herz gewachsen, lieb geworden, nah, vertraut, hold, gewogen, zugetan, geneigt, gut gesinnt, eingenommen, 3. zutraulich, anschmiegend, anschmiegsam, weich, 4. liebevoll, zärtlich, liebesfähig, herzlich, herzenswarm, gefühlswarm, warmherzig, gemütvoll, wärmend, warm, innig, gütig, hilfsbereit, mitfühlend.

1055 **Liebe** 1. Neigung, Zuneigung, Geneigtheit, Zuwendung, Hang, Vorliebe, Anhänglichkeit, Sympathie, Faible, Zugetanheit, Verbundenheit, Gewogenheit, Gunst, Wohlgefallen, Vertraulichkeit, Intimität, Liebe auf den ersten Blick, Liebesbande, 2. Eros, Erotik, Liebeskunst, Ars amandi, Minne, Leidenschaft, Verliebtheit, Besessenheit, Vergötterung, Anbetung, Verlangen, Begehren, Passion, Ekstase, Liebesglut, Verzückung, Rausch, 3. Zärtlichkeit, Liebkosung, körperliche Liebe, Kosen, Vorspiel, Petting, Kuss, Umarmung, Beischlaf, Geschlechtsverkehr, Geschlechtsakt, Akt, Liebesvereinigung, Intimverkehr, Beilager, Liebesvollzug, Sex, Vereinigung, Koitus, Quickie, Nummer, Vögeln, Fick, 4. Liebschaft, Flirt, Schwärmerei, Spielerei, Liebelei, Techtelmechtel, Plänkelei, Geplänkel, Schäkerei, Getändel, Tête-à-tête, Liaison, Bettgeschichte, Affäre, Eskapade, Eroberung, Abenteuer, Amouren, Romanze, Liebesgeschichte, Lovestory, Liebesbeziehung, Liebesbund, Verhältnis, Beziehung, Beziehungskiste, Episode, Seitensprung, Amour fou, Schäferstündchen, One-Night-Stand.

1056 **lieben** 1. angetan/zugetan/eingenommen sein, Schwäche haben für, Sympathien hegen, jmdn. mögen/sympathisch finden/leiden mögen/gern haben, Neigung haben, sich hingezogen fühlen, etwas aus jmdm. machen; schätzen, gewogen sein, lieb gewinnen/haben, ver-

bunden sein, aneinander hängen, ins Herz schließen, 2. tändeln, sich verlieben, vergucken, verknallen, verschießen, vernarren; entbrennen, erglühen, Feuer fangen, in Flammen stehen, sich an jmdn. verlieren; vergehen vor Liebe, jmdm. verfallen/hörig sein, anbeten, bewundern, verehren, vergöttern, auf Händen tragen, zu Füßen liegen, anhimmeln, anschwärmen, anschmachten, glühen, entbrannt sein für, huldigen, 3. hätscheln, schnäbeln, turteln, liebkosen, küssen, streicheln, aneinander schmiegen, herzen, kosen, schmusen, umarmen, umfangen, umhalsen, umfassen, umschlingen, umschließen, beischlafen, sich lieben; Liebe machen, Sex haben, intim sein, ins Bett gehen, miteinander schlafen, bumsen, vögeln, schnackseln, ficken.

Liebeskummer Liebesschmerz, Liebespein, Liebesleid, Liebesnöte, Herzeleid, Herzweh, Herzschmerz, Trennungsangst, Verlustangst, Trennungsschmerz; Beziehungsknatsch, Beziehungskrise, Ehetragödie. **1057**

Linie 1. Strich, Gerade, Zeile, Verbindungslinie, Durchmesser, Radius, Kreismesser, Tangente, Diagonale, 2. Kontur, Umriss, Silhouette, Schattenriss, Profil, Umrisslinie; Skyline, Horizontlinie, Grenzlinie, 3. Verkehrsstrecke, Buslinie, Bahnlinie, Metrolinie, Straßenbahnlinie, 4. Abstammungsreihe, Ahnenreihe, Geschlechterfolge, Dynastie, 5. schlanke Linie, Schlankheit, gute Figur. **1058**

links 1. zur Linken, linker Hand, linksseitig, backbord, auf der linken Seite, auf der Herzseite, linkshändig, 2. innen, Abseite, Rückseite, 3. im linken Spektrum, gesellschaftskritisch, sozialkritisch, sozialistisch, kommunistisch, rot. **1059**

List 1. Schachzug, Winkelzug, Trick, Tücke, Angel, Falle, Fallgrube, Fallstrick, Grube, Fußangel, Schlinge, Garn, Netz, Finte, Haken, Köder, Hinterhalt, 2. Machenschaften, Kabale, Ränke, Manöver, Intrige, Machination, abgekartetes Spiel, Komplott, Verschwörung, Konspiration. **1060**

Literatur Lesestoff, Lektüre, Schrifttum, Schriftgut, Buch; Sprachkunstwerk, Dichtkunst, Belletristik, schöne **1061**

Literatur, Kunstdichtung, Dichtung, Poesie, Lyrik, Epos, Drama, Unterhaltungsliteratur, Trivialliteratur.

1062 Lob 1. Anerkennung, Billigung, Zustimmung, Bewunderung, Vorschusslorbeeren, Streicheleinheit, Beifall, Anklang, **2.** Belobigung, Auszeichnung, Preis, Ehrung, Lorbeeren, Huldigung, Würdigung, Anpreisung, Empfehlung, **3.** Loblied, Lobgesang, Lobrede, Laudatio, Hymne, Verherrlichung, Glorifizierung, Erhöhung, Überhöhung, Hagiographierung, Verklärung, **4.** Schmeichelei, Flatterie, Schmus, Augendienerei, Süßholz, Gesülze, Lobhudelei.

1063 loben 1. anerkennen, belobigen, lobend erwähnen, rühmen, preisen, herausstreichen, herauskehren, empfehlen, anpreisen, werben für, lobpreisen, lobsingen, würdigen, nachrühmen, Gutes nachsagen, Loblied singen, über den grünen Klee loben, hochjubeln, emporstilisieren, Kult treiben mit, **2.** Verdienste anerkennen/würdigen, Orden verleihen, auszeichnen, dekorieren.

1064 löschen 1. auslöschen, ausmachen, abschalten, ausdrehen, ausknipsen; ausblasen, auspusten, ausdrücken, ersticken, **2.** tilgen, ausgleichen, erlassen, schenken, aufheben, **3.** streichen, auswischen, wegwischen, durchstreichen, ausradieren, Daten löschen.

1065 lose 1. locker, gelockert, wackelig, wackelnd, brüchig, lottelig, schlotterig, **2.** faserig, saugfähig, porös, weitmaschig, durchlässig, grobfädig, **3.** unverpackt, einzeln, offen, nicht abgepackt, nach Gewicht; abnehmbar, beweglich, **4.** hangend, hängend, baumelnd, schlackend, schlaff, schlotternd, **5.** frech, kess.

1066 lösen (sich) 1. loslösen, herauslösen, ablösen, losmachen, losbinden, abtrennen, aufschrauben, abschrauben, entfernen, **2.** zerlassen, verflüssigen, weich machen, schmelzen, aufweichen, einweichen, tauen, zergehen, zerfließen, zerrinnen, zerlaufen, auseinander laufen, auseinander fallen, zerfallen; abtauen, entfrosten, auftauen, **3.** raten, erraten, enträtseln, herausbringen, auflösen, entsiegeln, herausfinden, herausbekommen, Lösung finden, lösen können, knacken, entziffern, dechiffrieren, entschlüsseln, dekodieren, dahinter kommen, aufdröseln, **4.** aufmachen, aufhaken, lockern, frei machen, **5.** sich trennen, loslösen, selbständig machen, abnabeln, emanzipieren; eigene Wege gehen, **6.** lockern, erleichtern, entkrampfen, abführen; auflockern, aufschütteln, **7.** abreißen, abgehen, abplatzen, abspringen, losgehen, abbröckeln, bröckeln, zerbröckeln, abschilfern, morsch werden, vermorschen, **8.** fasern, fusseln, dünn/schäbig werden, **9.** entsichern, schussbereit machen, **10.** schälen, abschälen, häuten, schuppen, pellen, palen, abbalgen, entgräten, enthülsen, abblättern, abhäuten.

Lücke 1. Spalt, Ritze, Spalte, Lakune, **1067** Leerstelle, Space, Bresche, Hohlraum, Zwischenraum, Durchschuss, **2.** unbesetzter Platz, Parklücke, unbesetzte/offene Stelle, Vakanz, Verlust, **3.** Forschungslücke, Desiderat, Defizit, blinder Fleck, Gap.

Luft 1. Atmosphäre, Lufthülle, Äther, **1068** **2.** Luftströmung, Luftstrom, Luftzug, Ventilation, Lüftung, Belüftung, Luftzufuhr, Ventilator, Klimaanlage, Aircondition, **3.** Frischluft, Meeresluft, Abendluft, Nachtluft, Morgenluft, Frühlingslüftchen.

lüften entlüften, auslüften, Luft hereinlassen, durchlüften, Durchzug machen, belüften. **1069**

luftig 1. windig, stürmisch, böig, auffrischend, zugig, bewegt, frisch, **2.** flüchtig, ätherisch, gasförmig, duftig, **3.** gelüftet, lüftbar; hoch gelegen, dem Wind ausgesetzt. **1070**

Lüge 1. Unwahrheit, Entstellung, Verdrehung, Verzerrung, Verfälschung, Falschinformation, Desinformation, **2.** Schwindel, Schwindelei, Geflunker, Ausflucht, Vorwand, Scheingrund, Trug, blauer Dunst, Unrichtigkeit, Lügengewebe, Hochstapelei, Amtsanmaßung, **3.** Meineid, Wortbruch, Vertrauensbruch, Eidbruch, Falschaussage, **4.** Erfindung, Erdichtung, Fabelei, Ente, Falschmeldung, Lügenmärchen, Hirngespinst, Räuberpistole, Flausen, Jägerlatein, Seemannsgarn, Ammenmärchen, fromme Lüge, Lug und Trug, **5.** Geschichtsklitterung, Mythenbildung, Legendenbildung. **1071**

lügen Unwahrheit sagen, schwindeln, verkohlen, beschwindeln, anlügen, koh- **1072**

len, flunkern, täuschen, Bären aufbinden, belügen, weismachen, aus der Luft greifen, es mit der Wahrheit nicht genau nehmen, entstellen, verdrehen, desinformieren, verfälschen, beschönigen, übertreiben, verzerren, falsch darstellen, falsches Bild geben, vortäuschen, erfinden, erdichten, fingieren, vorgeben, simulieren, sich in Widersprüche verwickeln, widersprechen; mit zwei Zungen reden, sich ausgeben als; fabeln, fabulieren; heucheln, sich verstellen; Gefühle vortäuschen, Krokodilstränen vergießen, erschleichen, erbschleichen, hochstapeln; falsch schwören, Meineid schwören.

1073 Lust 1. Regung, Hang, Stimmung, Bock, Laune, Neigung, Appetit, Verlangen, Gelüst, Begehrlichkeit, **2.** Genuss, Genussfreude, Sinnenfreude, Lustgefühl, Sinnenlust, Sinnenrausch, Sinnentaumel, **3.** Begehren, Begierde, Gier, Sinnlichkeit, Lüsternheit, Fleischeslust, Libido, Erregtheit, Stimuliertheit, Geilheit, Laszivität, Wollust, Brunst, Leidenschaft, Fieber, Kupidität, Liebestollheit, Liebeswut, Erotomanie, Pornophilie, Sexbesessenheit.

lüstern begehrlich, begierig, gierig, gieprig, libidinös, sinnlich, leidenschaftlich, erregt, stimuliert, erotisiert, sexualisiert, wollüstig, brünstig, lasziv, voluptuös, buhlerisch, faunisch, geil, scharf, heiß, spitz, erotoman, mannstoll, weibstoll, liebeshungrig, liebestoll, sexhungrig, pornophil, sexbesessen.   **1074**

M

1075 Macho Chauvinist, Chauvi, Machist, Sexist, Macker, Pascha, Alpha-Männchen, Haustyrann, Männlichkeitsprotz, Männlichkeitsfanatiker, Latin Lover, Papagallo.

1076 Macht 1. Machtstellung, Dominanz, Potenz, Machtbefugnis, Entscheidungsmacht, Sanktionsgewalt, Allgewalt, Allmacht, Omnipotenz, 2. Machtstreben, Machtdrang, Machthunger, Machtgier, Machtbesessenheit, Machtwahn, Megalomanie, 3. Einfluss, Herrschaft, Hegemonie.

1077 mächtig 1. machtvoll, stark, kräftig, kraftvoll, durchsetzungsfähig, beherrschend, hegemonial, dominant, 2. einflussreich, angesehen, vermögend, viel vermögend, potent, wichtig, gewichtig, maßgebend, tonangebend, autoritativ, 3. allmächtig, allgewaltig, omnipotent, uneingeschränkt, absolut, schrankenlos.

1078 Mädchen 1. Tochter, Filia, Jüngste, Älteste, Nesthäkchen, 2. Kind, Kleine, Küken, Göre, Dirn, Mädel, junges Ding, Biene, Käfer, Puppe, Fratz, Krabbe; Heranwachsende, Jugendliche, Backfisch, Teenager, Teenie, Girl, Girlie, junge Dame.

1079 Magnet Anziehungspunkt, Blickfang, Attraktion; Zugstück, Zugnummer, Galanummer, Glanznummer, Glanzpunkt, Hauptattraktion, Blockbuster, Sensationsnummer, Sensation, Kassenschlager, Kassenknüller, Kassenmagnet; Reißer, Schlager, Hit, Knüller, Hammer, Bombe, Mekka, Faszinosum, Hype.

1080 Mahlzeiten 1. Essen, Speise, Gericht, Schmaus; Fraß, Fressen, Schlangenfraß, 2. Frühstück, Morgenimbiss, Morgenkaffee, Brotzeit, Gabelfrühstück, Frühschoppen, Brunch, 3. Vorgericht, Vorspeise, Horsd'œuvre, Entree, Appetithappen, 4. Mittagessen, Mittagsmahl, Mittagsbrot, Lunch, Diner, 5. Dessert, Nachtisch, Nachspeise, Süßspeise, 6. Nachmittagskaffee, Tee, Fünfuhrtee, Jause, Vesper, 7. Abendbrot, Abendessen, Nachtessen, Nachtmahl, Souper, Dinner, 8. Zwischenmahlzeit, Imbiss, Bissen, Happen, Fastfood, Snack, Stärkung, Erfrischung, Picknick, 9. Menü, Speisefolge, Gänge, 10. Tafel, Esstisch, Speisetisch, Table d'hôte, Mahl, Gastmahl, Festmahl, Festessen, Bankett.

1081 mahnen 1. ermahnen, zu bewegen suchen, anraten, zusetzen, zureden, beschwören, ins Gewissen reden, betroffen machen, bedrängen, 2. anhalten, anspornen, einschärfen, drängen, treiben, auf die Seele binden, ans Herz legen, ins Stammbuch schreiben, Vorhaltungen machen, 3. erinnern, anmahnen, abmahnen, monieren, reklamieren, appellieren, vorknöpfen, ins Gedächtnis rufen, Rippenstoß geben, zur Ordnung rufen, bei der Ehre packen, am Portepee fassen, zur Räson bringen, zurechtstauchen, schütteln, zur Besinnung bringen, zurechtstoßen, zurechtweisen, Kopf waschen, predigen, moralisieren, zu bekehren suchen, missionieren.

1082 Mahnung 1. Reklamation, wiederholte Aufforderung, Erinnerung, Monitum, Mahnbrief, Mahnverfahren; Wink, Rippenstoß, Ermahnung, Anmahnung, Abmahnung, Zureden, Beschwörung, 2. Memento, Menetekel, Vorwarnung, 3. Appell, Anruf, Zuruf, Aufruf, Ordnungsruf, 4. Predigt, Sermon, Moralpredigt, Strafpredigt, Gardinenpredigt, Rüge, Tadel, Schelte.

1083 Maler 1. Kunstmaler, Porträtist, Aquarellist, Freskenmaler, 2. Anstreicher, Malermeister, Tüncher, Weißbinder, Lackierer, Tapezierer; Pinsler, Kleckser.

1084 Mann männliche Person, Mannsperson, Mannsbild, Kerl; Mann von Welt, Gentleman, Herr; Junggeselle, allein stehender Mann, Single, Witwer, Hausmann.

1085 männlich männlichen Geschlechts, maskulin, viril, male.

1086 Markt 1. Messe, Umschlagplatz, Börse, Basar, Wochenmarkt, Flohmarkt, Jahrmarkt, Marktplatz, Forum, Handelsplatz, 2. Absatzgebiet, Absatzmarkt, Binnenmarkt, Inlandsmarkt, Auslandsmarkt, Finanzmarkt, interna-

tionaler Markt, Weltmarkt, Schwarzmarkt, Arbeitsmarkt, Heiratsmarkt.

1087 Marktforschung Marktbeobachtung, Marktanalyse, Research, Fieldresearch, Fieldwork, Bedarfsforschung,
Bedarfsanalyse, Käuferanalyse, Produktanalyse, Absatzforschung, Käuferbefragung, Verbraucherbefragung.

1088 Maschine Apparat, Aggregat, Motor,
Maschinerie.

1089 Maß 1. Mäßigkeit, Beherrschung, Zu-
rückhaltung, **2.** Ausmaß, Abmessung,
Ausdehnung, Dimension, Längenmaß,
Flächenmaß, Hohlmaß, **3.** Maßstab,
Skala, Norm, Standard, Grundsatz,
Richtmaß, Richtschnur, Wertmesser,
Wertskala, Gradmesser, Maßeinheit,
Zeitmaß, Takt, Rhythmus, Tempo, **4.**
Verhältnis, Beziehung, Proportion, Grö-
ßenverhältnis, **5.** Größe, Stärke, Num-
mer; Klasse, Gewichtsklasse, Lautstär-
ke, Schallpegel.

1090 Massaker Blutbad, Gemetzel, Metzelei, Amoklauf, Gewaltorgie, Abschlach-
tung, Schlächterei, Schlacht, Vernichtung, Massenmord, Massenvernichtung, Holocaust, Völkervernichtung.

1091 mäßig 1. maßvoll, mit Maßen, gemäßigt, moderat, gemessen, gebändigt, beherrscht, gezügelt, **2.** mittelmäßig, mittel, nicht besonders, durchschnittlich,
alltäglich, bescheiden, ausreichend,
nicht berauschend, gerade eben, erträglich, genügend, hinlänglich, passabel,
ziemlich, leidlich, mediocker, einigermaßen, durchwachsen, mit Mühe und Not,
mit Ach und Krach, nichts Halbes und
nichts Ganzes, nicht überwältigend,
ganz nett, nicht übel, mittelprächtig, genießbar, halbwegs, soso, nicht aufregend, geht an, so lala, schlecht und
recht, treu und brav, **3.** lau, lauwarm,
handwarm, mild, temperiert, überschlagen.

1092 Mäßigung 1. Maßhalten, Beherrschung, Zurückhaltung, Selbstbeherrschung, Selbstdisziplin, Askese, **2.** Beruhigung, Begütigung, Beschwichtigung, Besänftigung, Dämpfung, Befriedung, Milderung, Linderung, Abschwächung, Begrenzung, Schadensbegrenzung, Abmilderung, Herabminderung,
Senkung; Dusche; Ernüchterung,
Dämpfer, Desillusionierung, Abkühlung, Entdramatisierung.

maßlos 1. unmäßig, ohne Maß, **1093**
schrankenlos, **2.** unbeherrscht, unkontrolliert, undiszipliniert, unberechenbar, disziplinlos, regellos, ungezügelt,
ungezähmt, zügellos, **3.** hemmungslos,
haltlos, enthemmt, besessen, getrieben,
süchtig, manisch, ausschweifend, orgiastisch, schwelgerisch, prasserisch, unersättlich, exzessiv, extremistisch, ohne
Maß und Ziel, exaltiert, outriert, übertrieben.

Maßnahme Maßregel, Bestimmung, **1094**
Anordnung, Richtlinie, Aktion, Rege-
lung, Vorgehen, Unternehmung, Tat,
Handlung, Entscheidung, Zugriff,
Handlungsweise.

Mäzen Förderer, Gönner, Fürspre- **1095**
cher, Stifter, Spender, Wohltäter,
Schirmherr, Protektor, Sponsor, Geldgeber, Sammler, Kunstliebhaber.

mechanisch 1. automatisch, ma- **1096**
schinell, fabrikmäßig, industriell, serienmäßig, seriell, mechanisiert, maschinenmäßig, technisch, **2.** gedankenlos,
gewohnheitsmäßig, unbewusst, unwillkürlich, wie von selbst, zwangsläufig, **3.**
unbeseelt, seelenlos, unbelebt, leblos,
fühllos, tot.

Medien Massenmedien, Kommunika- **1097**
tionsmedien, Printmedien, Fernsehen,
Rundfunk, Film, Multimedia, neue Medien, Online.

Medizin 1. Heilkunde, Heilkunst, **1098**
Humanmedizin, Veterinärmedizin, **2.**
Heilmittel, Arznei, Medikament, Präpa-
rat, Pharmazeutikum, Remedium, Arz-
neimittel, Droge, Tablette, Pharmakon,
Therapeutikum.

meinen wähnen, denken, finden, für **1099**
richtig halten, dafürhalten, vermuten,
vermeinen, glauben, auf dem Standpunkt stehen, Standpunkt vertreten, annehmen, erachten, mutmaßen, rechnen
mit, für möglich halten.

Meinung 1. Ansicht, Auffassung, An- **1100**
schauung, Dafürhalten, Erachten, Ermessen, Gutdünken; Überzeugung,
Weltanschauung, Kredo, Glaube, Gewissheit, Bewusstsein, Einstellung, **2.**
Gesichtspunkt, Standort, Blickpunkt,
Blickwinkel, Aspekt, Perspektive, Warte, Standpunkt, **3.** Vorstellung, Vermutung, Gedanke, Mutmaßung, Annahme,
4. Behauptung, Bekräftigung, Beteuerung, Aussage, Stellungnahme, Äuße-

rung, Meinungsäußerung, Stimme, Votum.

1101 meistens größtenteils, meist, fast immer, meistenteils, zumeist, in der Mehrzahl der Fälle, zum überwiegenden Teil, weitaus am meisten.

1102 Menge 1. Anzahl, Anteil, Zahl, Ausmaß, Posten, Häufung, Cluster, Quantität, Quantum, Schnittmenge, **2.** Fülle, Masse, Haufen, Berg, Brocken, Klumpen, Klotz, **3.** Menschenmenge, Menschenansammlung, Volksmenge, Menschenlawine, Menschengewimmel, Auflauf, Gewühl, Gewimmel, Getümmel, Rudel, Schwarm, Schwall, Heerscharen, Legionen, Armee, Pulk, Herde, Scharen, Unzählige, Riesenmenge, Myriaden, **4.** Vielzahl, Unzahl, Unsumme, Unmenge, **5.** Mehrzahl, Mehrheit, Majorität, größere Zahl, größerer Teil, Löwenanteil, das Gros; Minorität, Minderheit, Minderzahl, Unterzahl, **6.** Mann auf der Straße, Leute, breite Masse, jedermann, gewöhnlicher Sterblicher, kleiner Mann, Otto Normalverbraucher, schweigende Mehrheit.

1103 Mensch 1. Geschöpf, menschliches Wesen, Homo sapiens, Herr der Schöpfung; Sterblicher, Erdenbürger, Erdgeschöpf, Erdbewohner, Zweibeiner, Erdengast; Menschengeschlecht, Menschheit, **2.** Subjekt, Person, Individuum, der Einzelne, Jemand, Selbst, Persönlichkeit, Individualität.

1104 menschlich 1. human, allgemein menschlich, humanitär, menschenwürdig, menschengerecht, menschenliebend, philantropisch, menschenfreundlich, altruistisch, **2.** sterblich, irdisch, leiblich, unvollkommen, staubgeboren, erdgeboren, allzu menschlich.

1105 Menschlichkeit Humanität, Humanitas, Humanum, Menschenwürde, menschliches Maß, Humanismus, Menschenliebe.

1106 Messer Klinge, Schneide, Tafelmesser, Küchenmesser, Buttermesser, Brotmesser, Klappmesser, Taschenmesser, Stilett, Dolch.

1107 Migrant Emigrant, Auswanderer, Flüchtling, Vertriebener, Ausgebürgerter, Ausgewiesener, Heimatvertriebener, Exilant, Heimatloser, Aussiedler, Umsiedler; Immigrant, Einwanderer, Asylsuchender, Asylant.

Migration Wanderung, Auswanderung, Einwanderung, Umsiedlung, Abwanderung, Wohnsitzwechsel. **1108**

mild 1. gelinde, lind, weich, sanft, lau, sacht, behutsam, sorgsam, schonungsvoll, unmerklich, **2.** harmlos, unschädlich, schonend, umweltfreundlich, gefahrlos, ungefährlich, **3.** nicht scharf, ungesalzen, bekömmlich, **4.** nachsichtig, verständnisvoll, gütig, nicht streng, verwöhnend, benigne, sanftmütig, duldsam, mildherzig, gnädig. **1109**

Milde Sanftmut, Güte, Weichheit, Zartheit, Nachgiebigkeit, Sachtheit, Sanftmütigkeit, Sanftheit, Schonung, Gnädigkeit, Duldsamkeit, Weitherzigkeit, Versöhnlichkeit, Verträglichkeit. **1110**

Militär 1. Soldat, Rekrut, Wehrpflichtiger, Berufssoldat, Offizier, Legionär; Kommisskopf, Landsknecht, Landser, **2.** Streitkraft, Streitmacht, Atomstreitkraft, bewaffnete Macht, Heeresverband, Armee, Heer, Truppe, Volksarmee, Volksheer, Berufsheer, Bürgerwehr; Reichswehr, Bundesheer, Wehrmacht, Miliz; Soldateska, Soldatenhauf, paramilitärische Einheit; Kommiss, Barras, Bund. **1111**

mischen 1. mengen, vermengen, rühren, verrühren, unterrühren, verquirlen, schlagen, vermischen, unterarbeiten, kneten, verkneten, unterkneten, untermengen, durcheinander wirken, durchkneten; zusammengießen, zusammenbrauen, mixen, schütteln; versetzen mit, manschen, **2.** verbinden, legieren, verquicken, beimischen, zusetzen, beimengen, beifügen, beigeben, zugeben, melieren, **3.** kreuzen, bastardieren. **1112**

Mischung 1. Gemisch, Gemenge, Konglomerat, Promenadenmischung, Melange, Mixtum, Mixtur, Mixgetränk, Cocktail, Gebräu, Mischmasch, Panscherei, Gepansche, **2.** Verdünnung, Verwässerung, Verfälschung, Verschnitt; Legierung; Beimischung, Zusatz, Beigabe, **3.** Sammelsurium, Mosaik, Puzzle, Ragout, Potpourri, Quodlibet, Mixtum compositum, Vermischtes, Vielerlei, buntes Allerlei, dies und das, Charivari, Pelemele, Tuttifrutti, **4.** Verbindung, Dispersion, Vermischung, Vermengung, Klitterung, Stilmischung, Cross-over, Fusion, Mixed Media, Gemengelage, Streulage, Eklektizismus, **1113**

Verschmelzung, Vereinigung, Synkretismus, **5.** Mittelding, Zwischending, Zwitterding, Zwitter, Hermaphrodit, Hybride, Intersex.

1114 missachten 1. verachten, nicht achten, gering achten, gering schätzen, diskriminieren, verschmähen, ungerecht behandeln, beeinträchtigen, jmdm. unrecht tun, herabblicken, für wertlos halten, verfemen, verpönen, Nase rümpfen, nicht für voll/nicht ernst nehmen, verkennen, von oben herab behandeln, zurücksetzen, ausgrenzen, unberücksichtigt lassen, hintansetzen, hintanstellen, vom Tisch wischen, übergehen, überfahren, benachteiligen, vernachlässigen, übervorteilen, prellen, **2.** sich nichts daraus machen; pfeifen/nicht hören auf, auf die leichte Schulter nehmen, in den Wind schlagen, Achseln zucken; schändlich behandeln, mit Füßen treten, Schindluder treiben, mit Verachtung strafen.

1115 Missachtung Benachteiligung, Zurücksetzung, Ausgrenzung, Nichtbeachtung, Vernachlässigung, Beeinträchtigung, Abschätzigkeit, Hintansetzung, Brüskierung, Diskriminierung, Geringschätzung, Herabsetzung, Nichtachtung, Verachtung; Achselzucken, Naserümpfen.

1116 Misserfolg Verlust, Schlappe, Pech, Fehlschlag, Rückschlag, Rohrkrepierer, Totgeburt, Durchfall, Niete, Fiasko, Panne, Reinfall, Schlag ins Wasser/ Kontor, Schiffbruch, Kalamität, Blamage, Korb, Abfuhr, Auspfiff, Absage, Ablehnung, Konkurs, Bankrott, Flop, Pleite, Debakel, Desaster, Waterloo, Niederlage.

1117 missmutig lustlos, unlustig, null Bock, griesgrämig, sauertöpfisch, übellaunig, miesepetrig, mies, verdrossen, misslaunig, verdrießlich, missgelaunt, missgestimmt, schlecht gelaunt, schwarzgallig, knurrig, mürrisch, überdrüssig, grämlich, missvergnügt, zerknittert, verstimmt, verkehrt, mit dem linken Fuß zuerst aufgestanden, quengelig, ungenießbar, verquer.

1118 Missstimmung Unbehagen, Missbehagen, Missmut, Unmut, Lustlosigkeit, Bedrücktheit, Beklommenheit, Beklemmung; schlechte Laune, dicke Luft, Tief, Misslaune, Verdrießlichkeit, Unzufriedenheit, Verdrossenheit, Verstimmtheit, Verstimmung, Morosität, Verdruss, Ärger, Übellaunigkeit, Unlust, Unwille, Groll, Bitterkeit, Bitternis, Missvergnügen, Trübsinn, Überdruss, Ekel; Katzenjammer, moralischer Kater, Nachwehen, Hang-over.

1119 Mitte 1. Herz, Seele, Herzstück, das Innerste, **2.** Zentrum, Piazza, Marktplatz, Plaza, **3.** Zentrale, Hauptgeschäftsstelle, Sammelpunkt, Sammelbecken, Sammelstelle, Center, Hochburg, **4.** Hälfte, halbe Strecke, halber Weg, Mitte des Weges, Wegmitte, Mittelstreifen; Halbzeit, Spielwechsel; Mittag, Zenit, Lebenshöhe, Lebensmitte, **5.** inmitten, mitteninne, zentral, im Zentrum/ Mittelpunkt/Kern, mittendrin, mittenmang, **6.** Mittelpunkt, Fokus, Schnittpunkt, Knotenpunkt, Kern, Nukleus, Herd, Sitz, Scheitel, Nabel, Achse, Rückgrat, Angelpunkt, Zentralpunkt, Schwerpunkt, Brennpunkt; goldene Mitte, Mittelweg.

1120 mitteilen 1. melden, bestellen, sagen, ausrichten, benachrichtigen, informieren, kommunizieren, unterrichten, verständigen, wissen/vernehmen lassen, Nachricht/Bescheid/Auskunft geben, vermelden, berichten, referieren, in Kenntnis/ins Bild setzen, aufklären, vertraut machen mit, heranbringen an, hinweisen, **2.** anmelden, ankündigen, signalisieren, annoncieren, anzeigen, ansagen, eröffnen, angeben, bekunden, dartun, aussagen, zeugen, bezeugen, enthüllen, **3.** weitersagen, weitergeben, weiterleiten, hinterbringen, durchsagen, durchgeben, übermitteln, veröffentlichen, publizieren, bekannt geben/ machen, kundtun, kundmachen, verlautbaren, in Umlauf setzen, verbreiten, kundgeben, publik machen, verkünden, unter die Leute bringen, kolportieren, **4.** ausrufen, ausschellen, aushängen, ausschreiben, verkündigen, proklamieren, hinterlegen, hinterlassen, mailen.

1121 mitteilsam kommunikativ, kontaktfreudig, aufgeschlossen, äußerungswillig, gesprächig, rückhaltlos, mitteilungsbedürftig, offen, ohne Hemmungen, freimütig, offenherzig, unverhohlen, redefreudig, redselig, wortreich, sprudelnd, schwatzhaft, geschwätzig, plauderhaft, quasselig, plapprig.

1122 Mitteilung Benachrichtigung, Bescheid, Auskunft, Information, Info, Berichterstattung, Bericht, Meldung, Unterrichtung, Eröffnung, Verlautbarung, Verkündung, Ankündigung, Durchsage, Durchgabe, Bekanntgabe, Kundgabe, Veröffentlichung, Publizierung, Publikation, Verkündigung, Proklamation.

1123 Mittel 1. Hilfsmittel, Hilfsquelle, Geldmittel, Material, Werkzeug, Gerät, Medium, **2.** Möglichkeit, Handhabe, Methode, Wege, Mittel und Wege, **3.** Machtmittel, Druckmittel, Zwangsmittel.

1124 mittelbar 1. indirekt, vermittelt, abgeleitet, **2.** auf Umwegen, gerüchteweise, andeutungsweise, aus zweiter Hand, zwischen den Zeilen, verschleiert, verstohlen, hinter vorgehaltener Hand, verhohlen, verkappt, verbrämt, verblümt, durch die Blume, verhüllt, verklausuliert, hintenherum, auf Schleichwegen, über die Bande, **3.** mittels, vermittels, vermöge, anhand von, kraft, mit Hilfe von, dank, durch, über, durch Vermittlung/auf Veranlassung von, per, seitens, vonseiten, mit, von, hierdurch, dadurch, **4.** brieflich, schriftlich, bargeldlos, durch Überweisung, per Scheck, **5.** vom Hörensagen, dem Namen nach, nicht persönlich.

1125 Mode 1. Zeitgeschmack, Zeitstil, Zeitgeist, Zeitströmung, Zug der Zeit, Strömung, Tendenz, Trend, Welle, Hauptströmung, Mainstream, Fashion, Allerweltsgeschmack, Massengeschmack, Zeiterscheinung, Tagesgeschmack, das Allerneuste, letzter Schrei, Dernier Cri, neuester Look, **2.** Modeschöpfung, Haute Couture, Kreation, Kollektion, Prêt-à-porter.

1126 modern 1. neu, modisch, nach der Mode, der Mode entsprechend, modebewusst, modesüchtig, fashionable, trendy, hip, **2.** trendsetting, auf der Höhe der Zeit/dem neuesten Stand, neuzeitlich, von heute, hochmodern, in, zeitgemäß, aktuell, up to date, im Schwang; zeitgebunden, der Mode unterworfen, betont modern, modernistisch, neumodisch.

1127 mögen 1. etwas abgewinnen, etwas übrig haben für, nicht abgeneigt sein, angetan sein, Gefallen/Geschmack finden an, Lust haben auf, sich etwas machen aus; gefallen, Geschmack abgewinnen, gewogen sein, gern haben, schätzen, lieben, billigen, bevorzugen, **2.** neigen, tendieren, sich hingezogen fühlen; hinneigen zu, sympathisieren.

1128 möglich 1. potentiell, virtuell, virtual, hypothetisch, denkbar, annehmbar, erwägenswert, diskutabel, erdenklich, zu erwägen, nicht ausgeschlossen, vorstellbar, angängig, ausführbar, gangbar, durchführbar, erzielbar, menschenmöglich, machbar, praktikabel, lösbar, anwendbar, vereinbar, zumutbar, zuzumuten, vertretbar, akzeptabel, **2.** erträglich, auszuhalten, tragbar, überwindbar, bezwingbar, besiegbar, erreichbar, erfüllbar, bezahlbar, reparabel, heilbar, wieder gutzumachen, **3.** möglicherweise, allenfalls, vielleicht, unter Umständen, eventuell, nicht auszuschließen, vermutlich, wohl, kann sein, im Bereich des Möglichen, womöglich, gegebenenfalls, wer weiß, je nachdem.

1129 Möglichkeit Potentialität, Eventualität, Durchführbarkeit, Machbarkeit, gangbarer Weg; Opportunität, Gelegenheit, Aussicht, Chance.

1130 müde 1. ermüdet, schläfrig, ruhebedürftig, schlafbedürftig, gähnend, dösig, übernächtig, übermüdet, halb tot, schlapp, matt, bleiern, bettreif, bettschwer, hundemüde, sterbensmüde, todmüde, im Stehen, mit offenen Augen schlafend, verschlafen, schlaftrunken, **2.** abgekämpft, abgespannt, abgemattet, entnervt, abgeschlagen, abgeschlafft, abgearbeitet, abgehetzt, überlastet, überanstrengt, überbürdet, überfordert, überarbeitet, stressgeplagt, am Rande, übernommen, durchgedreht, marode, urlaubsreif, reif für die Insel, geschafft, entkräftet, verbraucht, mitgenommen, erschöpft, ab, erschlagen, k. o., zerschlagen, erschossen, groggy, am Ende, aufgerieben, entkräftet, zermürbt, schachmatt, fertig, erledigt.

1131 Mund Lippen, Lippenpaar, Schnabel, Schnäuzchen, Schnute, Mäulchen, Kussmund, Schmollmund; Klappe, Rand, Flappe, Mundwerk, Maul, Schnauze, Gosche, Fresse.

1132 mürbe 1. morsch, brüchig, rissig, wackelig, zerfallend, verwittert, abbruchreif, **2.** zart, fein, morbid, weich, locker, bröselig, krümelig.

1133 **Musik** 1. Klang, Ton, Tonfolge, Tonrelation, Intervall, Melodie, 2. Tonkunst, Komposition, Tondichtung, Tonschöpfung, Musikwerk, Musikstück, Arrangement, 3. klassische Musik, ernste Musik, E-Musik, Unterhaltungsmusik, U-Musik, Tanzmusik, Discomusik, Jazzmusik, Jazz, Popmusik, Volksmusik, Filmmusik, Soundtrack, Hintergrundmusik, Funktionsmusik; Instrumentalmusik, Vokalmusik, elektronische Musik, Scratching, Soundsystem.

1134 **Musiker** 1. Komponist, Tonsetzer, Tondichter, Tonschöpfer, Tonkünstler, Arrangeur, 2. Interpret, Musikant, Spieler, Virtuose, Solist, Barmusiker, Orchestermusiker, Klavierspieler, Pianist, Geiger, Violinist, Streicher, Cellist, Bassist, Blasmusiker, Klarinettist, Flötist, Posaunist, Saxophonist, Trompeter, Schlagzeuger, Trommler, Drummer, Gitarrist, Percussionist, Keyboarder.

1135 **müssen** sollen, obliegen; sich verantwortlich/verpflichtet/bemüßigt fühlen, genötigt/gezwungen sehen; für nötig/erforderlich/unabdingbar halten, gehalten/gezwungen/genötigt/verpflichtet/verantwortlich sein, unter Druck stehen, nicht anders können, nicht umhinkönnen, keine Wahl/Alternative haben, in den sauren Apfel beißen, dran glauben müssen.

1136 **Muster** 1. Verzierung, Dekor, Dessin, Musterung, Ornament, Arabeske, Schmuckform, Aufdruck, Zeichnung, 2. Beispiel, Probe, Warenprobe, Sample, Versuchsstück, Musterstück, Vorführstück, Mustersendung, 3. Modell, Entwurf, Riss, Plan, Vorlage, Vorgabe, Schnitt, Schnittmuster, Schnittbogen, Schnittvorlage, Strickmuster, 4. Form, Mater, Model, Schablone, Urbild, Phänotyp, Archetyp, 5. Streifen, Punkte, Pünktchen, Sprenkel, Tupfen, Tüpfchen, Kringel, Karo, Blumen, Blüten, Maserung, Moiré.

mustern 1. bemustern, bedrucken, **1137** bemalen, tüpfeln, sprenkeln, übersäen, blümen, streifen, ringeln, karieren, 2. studieren, abschätzen, prüfen, kritisch betrachten, taxieren.

Mut Kühnheit, Tapferkeit, Schneid, **1138** Bravour, Courage, Zivilcourage, Unerschrockenheit, Mumm, Beherztheit, Traute, Herz, Furchtlosigkeit, Unverzagtheit, Heldenmut, Heroismus, Löwenmut, Wagemut, Verwegenheit, Tollkühnheit, Waghalsigkeit.

mutig 1. kühn, beherzt, furchtlos, wacker, tapfer, heldenhaft, starkherzig, **1139** forsch, heroisch, bravourös, unerschrocken, löwenherzig, unverzagt, couragiert, 2. verwegen, unbedenklich, wagemutig, waghalsig, risikofreudig, freihändig, ohne Netz, ungesichert, draufgängerisch, tollkühn, unbesonnen, todesmutig, vor nichts zurückschreckend.

Mutter 1. Elternteil, Erziehungsberechtigte, leibliche Mutter, Adoptivmut- **1140** ter, Ziehmutter, Amme, Pflegemutter, Stiefmutter, Bezugsperson, allein erziehende Mutter, Leihmutter, 2. Mama, Mutti, Mami, Mom, Muttchen, Mütterchen, Mütterlein, alte Dame, Großmutter, Oma, 3. Initiatorin, Begründerin, Stifterin, Oberin, Alma Mater, Nährmutter.

N

1141 **Nachahmer** Imitator, Kopist, Abschreiber, Plagiator, Epigone, Nachbeter, Papagei, Eklektiker, Fälscher.

1142 **Nachahmung 1.** Nachdruck, Faksimile, Rekonstruktion, Nachbildung, Reproduktion, Entlehnung, Remake, Anleihe, Imitation, Ersatz, Aufguss, Surrogat, Attrappe, Abziehbild, Nachmacherei, Plagiat, geistiger Diebstahl, Nachäfferei, Mimikry, Parallelaktion, Abklatsch, Kopie, Simili, Talmi, **2.** Fälschung, Falsifikat, Falschgeld, Falschmünzerei.

1143 **Nachbar 1.** Mitmensch, Nächster, der andere, Mitbürger, **2.** Mitbewohner, Zimmernachbar, Wohnungsnachbar, Hausgenosse, Mitmieter, Untermieter, Anrainer, Anlieger, Anwohner, Umgebung, Nachbarschaft, Umfeld, **3.** Gegenüber, Visavis, Nebenmann, Tischnachbar, Vordermann, Hintermann.

1144 **Nachdruck** Betonung, Ton, Akzent, Aplomb, Unterstreichung, Hervorhebung; Ernst, Gewicht, Bedeutsamkeit, Emphase, Nachdrücklichkeit, Eindringlichkeit, Intensität, Inständigkeit, Inbrunst, Pathos, Schwung, Wucht, Vehemenz, Schärfe, Bündigkeit, Entschiedenheit, Bestimmtheit, Festigkeit, Strenge, Stimmaufwand, Massivität.

1145 **nachdrücklich 1.** betont, mit Nachdruck, akzentuiert, pointiert, zugespitzt, gewichtig, bedeutsam, ostentativ, demonstrativ, dezidiert, bestimmt, pronounciert, unüberhörbar, deutlich, unmissverständlich, ultimativ, energisch, geharnischt, vehement, massiv, **2.** angelegentlich, eifrig, eindringlich, kniefällig, flehentlich, aus tiefster Seele, inständig, bittend, flehend, innigst; ausdrücklich, beschwörend, dringlich, ernstlich, sehnlich, inbrünstig, stürmisch, ausdrucksvoll, eindrücklich, intensiv, pathetisch, emphatisch, bedeutungsvoll, groß geschrieben.

1146 **nachfolgend** nachstehend, im Folgenden, weiter unten.

1147 **Nachfrage** Bedarf, Bedürfnis, Interesse, Zuspruch, Kaufinteresse, Käuferinteresse, Demand, Absatz.

1148 **nachholen 1.** nachlernen, nacharbeiten, aufarbeiten, aufholen, nachziehen, einholen, gleichkommen, gleichziehen, **2.** zurückgreifen auf, ausholen, Vorgeschichte berichten, rückblenden, zurückkommen auf.

1149 **nachlassen 1.** zurückgehen, absinken, abklingen, abebben, abflauen, abschwellen, abschwächen, abnehmen, erlahmen, erschlaffen, ermatten, bergab gehen mit, sich verbrauchen, abnutzen, **2.** abkühlen, auskühlen, erkalten, **3.** bleichen, entfärben, aufhellen, gilben, falben, Farbe verlieren, abblassen, auslaufen, ausgehen, ausbleichen, verblassen, verschießen; eingehen, einlaufen, schrumpfen, **4.** altern, älteln, ergrauen, vergreisen, verkalken, einrosten, kümmern, verfallen, vertrotteln, nicht mehr mitkönnen, nicht mehr Schritt halten, zurückbleiben, abbauen, abspinnen, abwirtschaften, hinfällig/kraftlos werden, erlöschen, **5.** ermäßigen, heruntergehen, herabsetzen, senken, zurücksetzen, verbilligen.

1150 **nachlässig 1.** leichthin, obenhin, ungenau, flüchtig, inakkurat, unkorrekt, fahrig, flusig, fluderig, schludrig, **2.** faul, bequem, träge, säumig, unaufmerksam, **3.** lax, leger, nonchalant, salopp, lässig, **4.** schlampig, unordentlich, schlunzig, ungepflegt, vernachlässigt, lotterig, zerknittert, zerknautscht, krumpelig, zerknüllt, derangiert, zerzaust, ungekämmt, strubbelig, unfrisiert, ungepflegt.

1151 **Nachlässigkeit** Achtlosigkeit, Schludrigkeit, Oberflächlichkeit, Flüchtigkeit, Unachtsamkeit, Unordentlichkeit, Ungenauigkeit, Säumigkeit, Lieblosigkeit, Lässigkeit, Vergesslichkeit, Bequemlichkeit, Unaufmerksamkeit, Laxheit.

1152 **nachtragend** grollend, schmollend, verbiestert, bitter, übelnehmerisch, ressentimentgeladen, rachsüchtig, unversöhnlich, rachedurstig, rachegierig.

1153 **nachträglich** rückwirkend, im Nachhinein, hintennach, retrospektiv, rückblendend, rückblickend, hinterher.

1154 **nackt 1.** unbekleidet, unbedeckt, bloß, ohne, ausgezogen, entkleidet, hül-

lenlos, entblößt, textilfrei, im Adams-
kostüm/Evakostüm, entblättert, split-
ternackt, pudelnackt, splitterfaser-
nackt, **2.** unbeschuht, ohne Schuhe und
Strümpfe, nacktbeinig, barfuß, barfüßig; barbusig, busenfrei, oben ohne,
topless, rückenfrei, bauchfrei.

1155 nah 1. neben, daneben, zuseiten, nebeneinander, seitlich, seitwärts, längs,
entlang, **2.** nebenan, nebenliegend, nahebei, juxta, in der Nähe, unweit, dicht
dabei, benachbart, umliegend, in nächster Umgebung, ganz nah, nebenan,
nächste Tür, anliegend, angrenzend,
eng beieinander, hart dabei, in Hörweite, um die Ecke, zum Greifen, vor der
Nase, in Rufweite, Katzensprung, auf
Tuchfühlung, **3.** im Anzug, kommend,
anrollend, sich nähernd, im Anmarsch,
bevorstehend, in nächster Zeit, **4.** nahe
stehend, nachbarschaftlich, vertraut,
verbunden.

1156 Nähe 1. Erreichbarkeit, Hörweite,
Reichweite, Rufweite, Armeslänge;
Umgebung, Umgegend, Umkreis, Um-
feld, **2.** Vertrautheit, Verbundenheit, Fa-
miliarität, Nachbarschaft.

1157 nähern, sich 1. nahen, herankommen, näher kommen, kommen, zukom-
men/zulaufen auf, anmarschieren, im
Anmarsch sein, herannahen, sich heranpirschen; näher treten, herantreten, entgegengehen, herangehen, auf jmdn. zu-
gehen/zutreten/lossteuern; herbeieilen,
anreisen, zu erwarten sein, anrücken,
anrollen, **2.** aufziehen, heraufziehen,
bevorstehen, sich anzeigen, abzeichnen,
anmelden, **3.** ansteuern, antreiben, anspülen, anschwemmen, **4.** sich näher
kommen; auf Tuchfühlung gehen, das
Eis brechen, Kontakt aufnehmen, Bekanntschaft schließen, in Beziehung treten, Beziehung aufnehmen/knüpfen,
sich kennen lernen, nahe kommen; in
Berührung kommen, Fühlung nehmen,
sich annähern; näher bringen/rücken,
warm werden, sich einlassen mit; zu-
sammenrücken, sich anfreunden, befreunden; Freundschaft schließen, sich
lieb gewinnen; vertraut werden, zueinander finden, sich zusammenfinden;
Brüderschaft trinken.

1158 nahrhaft sättigend, füllend, nährstoffreich, kalorienreich, Kraft spendend, kräftigend, deftig, herzhaft, nach-

haltig, kräftig, gehaltvoll, handfest, fett,
schwer, mächtig.

1159 naiv arglos, ohne Arg, vertrauensselig,
gutgläubig, treuherzig, offen, unbedarft, blauäugig, aus dem Mustopf, ahnungslos, unerfahren, ursprünglich, natürlich, kindlich, ungebrochen, einfältig, treudoof.

1160 nämlich denn, das heißt, sozusagen,
gewissermaßen, genau gesagt, wie man
weiß, folgendermaßen, mit anderen
Worten, und zwar.

1161 Nase Geruchsorgan, Riechorgan, Zinken, Kolben, Gurke, Knollennase, Adlernase, Hakennase, Kartoffel, Stupsnase, Himmelfahrtsnase, Römernase;
klassische Nase, Riecher, Rüssel, Riechkolben, Gesichtserker, Triefnase, Rotznase.

1162 nass 1. vollgesogen, durchweicht,
durchtränkt, triefend, durchnässt, pu-
delnass, klatschnass, patschnass, tropfnass, zum Auswringen, nass bis auf die
Haut, **2.** schwimmend, überschwemmt,
überflutet, unter Wasser, sumpfig, moorig, **3.** feucht, regnerisch, dämpfig,
modrig, regenreich, verregnet, feuchtkalt, nasskalt, **4.** benetzt, betaut, tauig,
beträufelt, bewässert, begossen, **5.** ge-
taut, aufgetaut, geschmolzen, zerronnen, aufgelöst, verflüssigt, flüssig, zerflossen, dünnflüssig, wässerig.

1163 Nationalismus 1. Patriotismus, Nationalgefühl, Nationalstolz, Nationalpatriotismus, Hurrapatriotismus, Lokalpatriotismus, Volkstümelei, Ethnozentrismus, **2.** Chauvinismus, Rechtsextremismus, Rassismus, Fremdenphobie.

1164 Natur 1. Stoff, Substanz, Materie; natürlicher Zustand, natürliche Beschaffenheit, **2.** Naturreich, Mutter Natur,
Flora, Fauna, Tierwelt, Pflanzenwelt,
Gewässer, Gesteine, Vegetation, unberührte Landschaft, Wald, Feld, Flur.

1165 Naturkatastrophe 1. Erdbeben,
Beben, Seebeben, Meeresbeben, Erdstoß, Bergrutsch, **2.** Hochwasser, Über-
schwemmung, Überflutung, Springflut,
Land unter, **3.** Vulkanausbruch, Eruption.

1166 natürlich 1. ursprünglich, genuin,
authentisch, original, echt; biologisch,
naturgemäß, organisch, unverfälscht,
naturrein, naturbelassen, ohne Konservierungsstoffe, **2.** unverbildet, unverbo-

gen, urwüchsig, urtümlich, urig, elementar, ungekünstelt, ungeziert, selbstverständlich, **3.** naturnah, naturliebend, naturverbunden, **4.** naturgetreu, nach der Natur, naturalistisch.

1167 **nebenbei** **1.** beiläufig, am Rande, übrigens, nebenbei bemerkt, apropos, was ich sagen wollte, bei dieser Gelegenheit, nicht zu vergessen, ohnehin, im Übrigen/Vorbeigehen, en passant, **2.** leichthin, obenhin, unbetont, parenthetisch, in Parenthese.

1168 **nehmen** **1.** an sich nehmen, greifen, packen, fassen, zur Hand nehmen, erfassen, festhalten, zugreifen, in die Hand nehmen, ergreifen, Besitz ergreifen, schnappen, **2.** wegnehmen, stehlen, entwenden, rauben, abnehmen, davontragen, abjagen, entreißen, beiseite bringen, sich vergreifen an; einstecken, mitnehmen, wegholen, wegschleppen, wegstehlen, wegtragen, entführen, an sich bringen; bestehlen, gripsen, mopsen, mausen, klauen, klemmen, stibitzen, wegfinden, einstreichen, einsacken, mitgehen lassen, abstauben, organisieren, besorgen, filzen, lange Finger machen, verschwinden lassen, **3.** entziehen, entreißen, expropriieren, enteignen, aberkennen, verstaatlichen, annektieren, requirieren, konfiszieren, ausspannen, entwinden, sich bemächtigen; aneignen, berauben, plündern, wildern, rupfen, schröpfen, ausrauben, **4.** annehmen, entgegennehmen, sich schenken lassen, nicht zweimal sagen lassen, **5.** entnehmen, herausnehmen, einnehmen, zu sich nehmen, **6.** adoptieren, als Kind annehmen.

1169 **Neid** Missgunst, Abgunst, Scheelsucht, Futterneid, Brotneid, Eifersucht, Konkurrenzneid.

1170 **neiden** missgönnen, beneiden, nicht gönnen, eifersüchtig/missgünstig sein, schielen nach, vor Neid erblassen/platzen.

1171 **neidisch** missgünstig, neidig, abgünstig, scheelsüchtig, eifersüchtig, neiderfüllt, neidzerfressen, futterneidisch.

1172 **Neigung** **1.** Lust, Hang, Sinn, Sympathie, Regung, Wunsch, Geneigtheit, Interesse, **2.** Anlage, Vorliebe, Zug, Tendenz, Schwäche, Faible, Steckenpferd, Hobby, **3.** Hang, Inklination, Senke.

nein keineswegs, keinesfalls, nicht im **1173** Mindesten, durchaus/überhaupt/ganz und gar nicht, in keiner Weise, nicht im Geringsten, auf keinen Fall, keine Spur, kein Gedanke daran, mitnichten, weit entfernt, auch nicht, ebenso wenig, weder … noch, ausgerechnet, auch das noch, umgekehrt, im Gegenteil, nicht, nicht doch.

nennen **1.** bezeichnen, heißen, tau- **1174** fen, benennen, benamsen, rufen, betiteln, anreden, ansprechen, titulieren, apostrophieren, **2.** erwähnen, angeben, vorschlagen, bestimmen, nominieren, zitieren, anführen, aufführen, aufzählen, **3.** heißen, Namen führen, genannt werden, lauten.

nett **1.** freundlich, liebenswürdig, ge- **1175** fällig, höflich, aufmerksam, angenehm, sympathisch, einnehmend, ansprechend, **2.** artig, brav, wohlerzogen.

Netz **1.** Maschenwerk, Maschennetz, **1176** Geflecht, Gewebe, Flechtwerk, Fangnetz, Fischernetz, Haarnetz, **2.** Vernetzung, Netzwerk, Verbund, Verbundnetz, Bahnnetz, Verkehrsnetz, Streckennetz, Schienennetz; Fernschreibnetz, Leitungsnetz, Teletex, Telex, **3.** Network, multimediales Netz, Compunetz, Internet, Datenhighway, Worldwide Web, **4.** Absicherung, soziales Netz, Sozialfürsorge, Wohlfahrt.

neu **1.** nagelneu, ungebraucht, unbe- **1177** nutzt, unberührt, unbeschrieben, frisch, brandneu, funkelnagelneu, neu gebacken, frisch gebacken, neugeboren, ungetragen, fabrikneu, neuwertig, neu erbaut, **2.** ungewohnt, unbekannt, noch nie gesehen/da gewesen, erstmalig, gewöhnungsbedürftig, **3.** neuartig, originell, apart, eigenartig, unvergleichlich, ungewöhnlich, **4.** erneuert, neu belebt, erfrischt, wie neugeboren, wiederhergestellt, restauriert, verändert, verwandelt, hergerichtet, gerichtet, aufgefrischt, aufpoliert, renoviert, geflickt, instand gemogelt, runderneuert, wie neu, **5.** neu zu entdecken, unerforscht, unbetreten, unerschlossen, jungfräulich, Terra incognita.

Neugierde Neugier, Interesse, Wiss- **1178** begier, Erkenntnisinteresse, Wissbegierde, Wissensdrang, Wissensdurst, Erkenntnisdrang, Forschertrieb, Fragelust; Ungeduld, Gespanntheit, Sensationslust, Schaulust, Klatschlust, Naseweisheit, Vorwitz, Schnüffelei, Ausfragerei, Schlüssellochguckerei, Voyeurismus.

1179 Neuheit 1. Novität, Aktualität, Novum, Errungenschaft, Neubildung, Neues, Neuartiges, Innovation, Neuerung, Neuerwerbung, Nouveauté, Dernier Cri, 2. Neuerscheinung, Erstveröffentlichung, Erstdruck, Neudruck.

1180 nichts 1. gar nichts, nicht das Mindeste, kein bisschen, null, kein Stäubchen, nicht die Spur/Bohne, keinen Deut, kein Sterbenswörtchen/Hauch, keine Silbe, nicht das Geringste, keinerlei, 2. nirgends, nirgendwo, an keinem Ort, weder nah noch fern.

1181 Nichts 1. Leere, Vakuum, luftleerer Raum, Nullpunkt, Stillstand, Auflösung, 2. Null, Niemand, unbekannte Größe, Anonymus, Mr. Nobody, Nobody, 3. Chimäre, leerer Dunst, Illusion.

1182 niedergeschlagen 1. bedrückt, mutlos, gedrückt, deprimiert, verletzt, gehemmt, down, belastet, beladen, beschwert, bepackt, entmutigt, depressiv, trübselig, trübsinnig, verzagt, lebensmüde, mit sich und der Welt zerfallen, Häufchen Elend, niedergeschmettert, unglücklich, trübsinnig, freudlos, weltschmerzlich, zerschmettert, enttäuscht, verbittert, bitter, getroffen, geknickt, niedergedrückt, 2. kleinmütig, flügellahm, weinerlich, klagend, larmoyant.

1183 Niederlage 1. Aufgabe, Ergebung, Übergabe, Entwaffnung, Zusammenbruch, Kapitulation, 2. Misserfolg, Scheitern.

1184 niederlassen (sich) 1. siedeln, ansiedeln, Fuß fassen, Zelte aufschlagen, Wurzeln schlagen; vor Anker gehen, landen, einwurzeln, Wohnsitz nehmen, nisten, sich einnisten, festsetzen; verwachsen mit, Wohnung nehmen, unterkommen, unterschlüpfen, einziehen, einwandern, zuwandern, zuziehen, 2. sich setzen, hinsetzen; Platz nehmen, es sich bequem machen, bleiben, verweilen, sich häuslich niederlassen, 3. Geschäft gründen/eröffnen, Praxis eröffnen, sich etablieren; settln, 4. niedergehen, niedergleiten, anfliegen, anfliegen, einschweben, aufsetzen; einlaufen, anlegen, ankern, 5. senken, hinunterlas-

sen, hinablassen, eintauchen, einsenken, versenken, tauchen, untertauchen, abseilen, zu Tal bringen, hinablassen, 6. ablagern, sich absetzen, niederschlagen; Schicht/Bodensatz bilden, sedimentieren.

Niederlassung 1. Siedlung, Ansiedlung, Gründung, Settlement, 2. Zweigstelle, Filiale, Dependance, Außenstelle, Nebenstelle, Geschäftsstelle, Agentur. **1185**

Niederschlag 1. Tau, Dampf, Nebel, Dunst, Nässe, Feuchtigkeit, Regen, Sprühregen, Nieselregen, Landregen, Platzregen, Gewitterregen, Wolkenbruch, Regenfälle, Guss, Schutt, Dusche, Schauer, Strichregen, Schnürlregen, Wetter, Gewitter, Unwetter, Ungewitter, 2. Reif, Raureif, Hagel, Graupeln, Schnee, Schlackerschnee, Schneefall, Schneegestöber, Schneesturm, Pulverschnee, Harsch, 3. Ablagerung, Sediment, Bodensatz, Patina, Edelrost, Kalk, Kalkschicht, Kesselstein, Sinter, Fall-out. **1186**

Niederschrift 1. Aufzeichnung, Notizen, Notat, Manuskript, Konzept, Druckvorlage, Satzvorlage, 2. Protokoll, Mitschrift, Stenogramm, Bandaufnahme, Mitschnitt. **1187**

niemand keiner, kein Mensch/Einziger, nicht einer, keine Seele, nicht ein Schatten, kein Bein/Schwanz/Aas. **1188**

Nonne Ordensschwester, Ordensfrau, Klosterfrau, Laienschwester, Begine, Eremitin, Klausnerin. **1189**

Not 1. Mangel, Bedürftigkeit, gedrückte Verhältnisse, missliche Umstände, Dürftigkeit, Mittellosigkeit, Misere, Elend, Armut, Verarmung, Verelendung, Ärmlichkeit, Armseligkeit, Entbehrung, Knappheit, Geldverlegenheit, Zahlungsschwierigkeit, Zwangslage, Geldsorgen, Geldklemme, Ebbe in der Kasse, 2. Missstand, Notstand, Notzeit, Übelstand, Notlage, Notfall, Härtefall, Misslichkeit, Malaise, Beschwer, Mühsal, Drangsal, Ungemach, Bedrängnis, Wohnungsnot, Hungersnot. **1190**

notwendig 1. nötig, erforderlich, unentbehrlich, unabkömmlich, obligat, zwingend, unbedingt, geboten, unerlässlich, vonnöten, dringend, dringlich, wichtig, wesentlich, lebenswichtig, lebensnotwendig, 2. notwendigerweise, zwangsläufig, gesetzmäßig, unvermeid- **1191**

lich, unumgänglich, unausweichlich, unentrinnbar, unabwendbar, unabänderlich, unausbleiblich.

1192 Notwendigkeit 1. Erfordernis, Bedingung, Unentbehrlichkeit, Unerlässlichkeit, Unumgänglichkeit, notwendiges Übel, **2.** Selbstverständlichkeit, Pflicht, Gebot, Muss, Zwang, Gebot der Stunde, **3.** Zwangsläufigkeit, Unabwendbarkeit, Gesetzmäßigkeit, Unausweichlichkeit, Unabänderlichkeit, Schicksal.

1193 Nuance Zwischenton, Einschlag, Schattierung, Ton, Schatten, Touch, Hauch, Spur, Anflug, Stich, Schuss, Schimmer, Einschuss.

1194 nur nichts als, niemand als, ausschließlich, just, höchstens, allein, lediglich, niemand sonst, kein anderer, nichts anderes.

1195 Nutzen 1. Gewinn, Ertrag, Profit, Vorteil, Ausbeute, Rentabilität, **2.** Rendite, Reingewinn, Nettogewinn, Nettoertrag, Gewinnspanne, Schnitt, Marge, Überschuss, Verdienst, Plus, Surplus, **3.** Effekt, Leistung, Arbeitsleistung, Wirkung, **4.** Nützlichkeit, Nutzbarkeit, Brauchbarkeit, Verwendbarkeit, Verwendungsmöglichkeit, Verwertbarkeit, Zweckmäßigkeit, Zweckdienlichkeit.

1196 nützen 1. sich lohnen, rechnen, auszahlen; Gewinn bringen, einbringen, abwerfen, eintragen, fruchten, tragen, ergeben, erbringen, Frucht tragen; Nutzen/Ertrag bringen, frommen, dienen, helfen, von Nutzen sein, sich bezahlt machen; gute Dienste leisten, zugute/zustatten kommen, sich verlohnen, verzinsen, rentieren, amortisieren; herausspringen, dienlich/verwendbar sein, Zweck erfüllen, Vorteil/Zinsen bringen, nützlich/nütze/brauchbar/wertvoll/der Mühe wert sein, Mühe lohnen, **2.** nutzen, Chance ergreifen/beim Schopfe packen, Gelegenheit nutzen, Vorteil wahrnehmen/ziehen aus, Eisen schmieden, im Kielwasser/Windschatten segeln, sich zunutze machen; Nutzen ziehen, sich schadlos halten; Schäfchen ins Trockene bringen, Vorteil wahren; profitieren, investieren, anlegen, **3.** ausbeuten, abbauen, verwerten, verwenden, auswerten, ausnutzen.

nützlich 1. brauchbar, verwendbar, **1197** zu gebrauchen, verwertbar, geeignet, zweckmäßig, sinnvoll, hilfreich, dankenswert, segensreich, wohltuend, tauglich, nutze, förderlich, dienlich, sachdienlich, konstruktiv, zielführend, **2.** lohnend, vorteilhaft, einbringlich, einträglich, ertragreich, ergiebig, nutzbringend, ersprießlich, Gewinn bringend, wirtschaftlich, dankbar, rentabel, ökonomisch, rationell, lukrativ, **3.** angezeigt, ratsam, heilsam, geraten, klug, richtig, geboten, empfehlenswert, erstrebenswert, der Mühe wert.

O

1198 Oberfläche 1. Außenseite, Hülle, Schale, Überzug, Haut, Kleid, Decke, **2.** Äußeres, Erscheinung, Exterieur, Außenansicht, Gesicht, Vorderseite, Fassade, **3.** Schein, Anschein, Tünche, **4.** Wasserspiegel, Wasseroberfläche, Meeresspiegel, Erdoberfläche.

1199 oberflächlich 1. äußerlich, außen, peripher, nebensächlich, **2.** gedankenlos, ohne Tiefe, uninteressiert, unbeteiligt, vordergründig, ohne Tiefgang, seicht, nichts dahinter/sagend, flach, leichthin, **3.** diagonal, quer, flüchtig, skizzenhaft, skizziert, hingeworfen, angedeutet, umrisshaft, obenhin, in groben Zügen, in Umrissen, ungründlich, ungenau, kaum, **4.** spielerisch, unernst, halb.

1200 Oberflächlichkeit Vordergründigkeit, Äußerlichkeit, Spielerei, Banalität.

1201 Oberschicht 1. herrschende/politische/besitzende Klasse, Upperclass, **2.** feine Gesellschaft, die reichen Leute, Geldadel, Reiche, Creme, Highsociety, Hautevolee, die oberen zehntausend, Upperten, die große Welt, Spitzen der Gesellschaft, die gute Gesellschaft, die ersten Familien, Establishment, Ortsgrößen, Notabeln, Honoratioren, die Arrivierten, die vornehme Gesellschaft, Mandarine, **3.** Highsnobiety, Jetset, Happy Few, Schickeria, Schickimicki, Jeunesse dorée, Kaschmirkinder, Yuppies; Prominenz, Proms, Promis, VIPs.

1202 obgleich obwohl, obschon, obzwar, zumal, zwar, wenngleich, selbst wenn, wiewohl, wenn auch, ob auch immer, sei es, dass, was auch immer, dennoch, gleichwohl, trotzdem, ungeachtet, unbeschadet.

1203 Obrigkeit Staat, Regierung, Staatsgewalt, Administration, Apparat, Verwaltung, Nomenklatura.

1204 öde 1. leer, wüst, kahl, steinig, felsig, zerrissen, zerklüftet, zerschrundet, wild, karg, brach, unbebaut, ungenutzt, unergiebig, trist, unwirtlich, traurig, trostlos, einsam, verlassen, eintönig, monoton, desolat, **2.** verödet, versteppt, verwildert.

1205 Öde 1. Kahlheit, Kargheit, Rauheit, Trockenheit, Dürre, Unfruchtbarkeit, Unergiebigkeit, Sterilität, **2.** Einförmigkeit, Eintönigkeit, Monotonie, Fadheit, Mattheit, Farblosigkeit, Stumpfheit, Glanzlosigkeit, Unwirtlichkeit, **3.** Verödung, Versteppung, Erosion, **4.** Wüste, Steppe, Wüstenei, Einöde, Ödland, Brachland, Karst, Tundra.

1206 oder beziehungsweise, respektive, entweder ... oder, so oder so, andernfalls, oder aber, oder auch.

1207 offen 1. unverschlossen, unversperrt, auf, gähnend, klaffend, sperrangelweit; geöffnet, eröffnet, zugänglich, freigegeben, begehbar, betretbar, befahrbar, unbeaufsichtigt, unbewacht, unüberwacht, unkontrolliert, **2.** offenherzig, freimütig, geradezu, freiheraus, rundheraus, rundweg, ohne Umschweife, auf Deutsch, ungeschminkt, unverblümt, unbeschönigt, unbemäntelt, klipp und klar, frank und frei, direkt, **3.** schwebend, ungeklärt, dahingestellt, ungewiss, unentschieden, fraglich, strittig, ungelöst, anhängig, anstehend, steht aus, unerledigt, zweifelhaft, in der Schwebe, im Raum stehend, ausstehend, im Fluss, ungetan, unbeantwortet, unbewältigt, unaufgearbeitet, ungesühnt, unerfüllt, **4.** fällig, zahlbar, zu zahlen/leisten, unausgeglichen, offen stehend, **5.** unausgefüllt, blanko, unbeschrieben, frei, leer, **6.** unverbindlich, ohne Gewähr, nach Möglichkeit, wenn möglich, **7.** irgendwann, früher oder später, eines Tages.

1208 offenbaren (sich) 1. bloßlegen, enthüllen, aufdecken, entblößen, entschleiern, klarlegen, dekuvrieren, entlarven, outen, an den Tag/ans Licht bringen, offen legen, entdecken, sichtbar machen, Dunkel lichten, **2.** kundtun, zeigen, Zeichen geben, aufklären, eröffnen, unterrichten, in Kenntnis setzen, stecken, Augen öffnen, aufhellen, orientieren, ins Bild setzen, aufmerksam machen, beibringen, beibiegen, zutage fördern, Licht bringen in, zutage treten, ans Licht/zum Vorschein kommen, offenbar werden, sich zeigen; offen liegen, offen zutage liegen, sich manifestieren, **3.** bekennen, sich entdecken; gestehen, kein Hehl machen, sich outen; Geständnis ablegen, geständig sein, Schweigen brechen, mit der Wahrheit herausrücken, Katze aus dem Sack lassen, zugeben, Flagge zeigen, der Wahrheit die Ehre geben, Ross und Reiter nennen, Karten aufdecken, beichten, Geheimnis anvertrauen, einweihen, aus dem Herzen keine Mördergrube machen, Kummer abladen, alle Schleusen öffnen, seinen Gefühlen freien Lauf lassen, nichts zurückhalten, reinen Wein einschenken, eingestehen, einbekennen, sich aussprechen; Herz ausschütten.

1209 **Offenbarung 1.** Eröffnung, Mitteilung, Kundgabe, Manifestation, Aufdeckung, Offenlegung, Coming-out, Outing, Entdeckung, Enthüllung, Demaskierung, Entschleierung, Entlarvung, **2.** Bekenntnis, Geständnis, Beichte, Generalbeichte, Eingeständnis, Herzensergießung, Selbstbekenntnis, Schuldbekenntnis, Seelenstriptease.

1210 **Offenheit 1.** Ehrlichkeit, Aufrichtigkeit, Wahrhaftigkeit, Wahrheitsliebe, Offenherzigkeit, Freimütigkeit, Geradheit, Freimut, Rückhaltlosigkeit, **2.** Mitteilsamkeit, Gesprächigkeit, Plauderhaftigkeit, Redseligkeit, Schwatzhaftigkeit, Schwatzsucht, Logorrhöe, Geschwätzigkeit, Zungendrescherei.

1211 **öffentlich 1.** allen/jedermann zugänglich, für die Öffentlichkeit bestimmt; für jedermann sichtbar, vor aller Augen/Welt, coram publico, auf offener Straße, in aller Öffentlichkeit, im Rampenlicht, in den Medien, veröffentlicht, publik, **2.** transparent, durchschaubar, nachvollziehbar, überprüfbar, kontrollierbar, demokratisch.

1212 **Öffentlichkeit 1.** Allgemeinheit, Gesamtheit, die Leute, alle Welt, die Gesellschaft, öffentliche Sphäre, öffentliche Meinung, veröffentlichte Meinung, öffentliches Leben, öffentlicher Diskurs, Forum, Plattform, Publikum, **2.** Transparenz, Glasnost, Durchschaubarkeit, Einsehbarkeit, Zugänglichkeit, Überprüfbarkeit, Kontrollierbarkeit, **3.** Bekanntheit, Berühmtheit, Publicity, Publizität; Rampenlicht, **4.** Meinungsträger, Meinungsmacher, Opinionleader, Meinungsführer, Meinungslenker,

Meinungsbildner; Massenmedien, Kommunikationsmedien.

offiziell 1. amtlich, behördlich, staatlich, dienstlich, gültig, beeidet, beschworen, maßgebend, maßgeblich, verbindlich, offiziös, halbamtlich, aus gut unterrichteten Kreisen, **2.** förmlich, feierlich, gesellschaftlich, formal, formell, zeremoniell, zeremoniös, unpersönlich, in aller Form, **3.** vertraglich, vertragsgemäß, notariell, protokollarisch, unterschrieben, besiegelt, gestempelt. **1213**

öffnen (sich) 1. aufmachen, aufschließen, auftun, aufsperren, einlassen, hereinlassen; hinauslassen, herauslassen, ins Freie lassen, aufstoßen, aufhalten, offen halten/lassen, aufreißen, aufbrechen, erbrechen, eindrücken, einreißen, niederreißen, einschlagen, sprengen, stürmen, knacken, gewaltsam öffnen, aufbrechen; durchstoßen, aufstechen, durchstechen, durchbohren, durchdringen, lochen, durchlöchern, perforieren, **2.** entfalten, entrollen, aufrollen, auspacken, auswickeln, entkorken, anbrechen, anschneiden, anstechen, anzapfen, anreißen, aufklappen, aufdrücken, aufklinken, aufknacken, aufknöpfen, aufknoten, entknoten, aufkriegen, aufmeißeln, aufschlitzen, aufschnüren, aufschrauben, aufschneiden, **3.** aufgehen, aufblühen, sich entfalten, erschließen, auftun; bersten, springen, platzen, aufspringen, **4.** gähnen, klaffen, offen stehen. **1214**

Öffnung 1. Tür, Tor, Pforte, Portal, Eingang, Einfahrt, Einstieg, Zugang, Ausgang, Auslass, Ausfahrt, Notausgang, Ausstieg, Hintertür, Hinterausgang, Schlupfloch, **2.** Einlass, Eintritt, Zutritt, Zufahrt, Zulass, **3.** Loch, Riss, Ritz, Öhr, Öse, Nadelöhr, Lücke, Schlitz, Luke, Düse, Pore; Guckloch, Sprung, Fuge, Bresche, Leck, **4.** Passage, Durchfahrt, Durchlass, Durchgang, Verbindungsweg, Pass, Übergang; Durchreiche, Schalter; Schleuse, Furt, **5.** Fenster, Oberlicht, Lichtschacht, Luftloch, **6.** Ventil, Klappe, Auspuff, Ablauf, Abfluss, Ausfluss, Ablass, Ausguss, Gully; Überlauf, **7.** Rinne, Traufe, Ausguss, Tülle, Spundloch, **8.** Tunnel, Durchstich, Kanal. **1215**

oft öfter, öfters, des Öfteren, oftmals, **1216**

oftmalig, häufig, alle naslang, wiederholt, immer wieder, vielfach, mehrmals, viele Male, vielmals, x-mal, verschiedentlich, nicht selten, einige/unzählige Mal, zuweilen, mehrfach, gehäuft, tausendfach.

1217 Ohr Hörorgan, Ohrwaschel, Lauscher, Löffel, Schlappohren, Segelohren.

1218 operieren Eingriff vornehmen, unters Messer nehmen, schneiden, entfernen, amputieren, abtrennen, Glied abnehmen, ektomieren, resezieren; transplantieren, verpflanzen, überpflanzen, übertragen, implantieren, cyborgen.

1219 Opfer 1. Tribut, Gabe; Verzicht, Bauernopfer, Guttat, Liebestat, **2.** Betroffener, Geschädigter, Leidtragender, Verfolgter, Benachteiligter, Pechvogel, Unglücksrabe, Unglückswurm, Geisel, Versuchskaninchen, Hinterbliebener, Verkehrsopfer, Unfallopfer, Märtyrer, Blutzeuge, **3.** Opferhandlung, Sakrifizium, Opferung, Opferdienst, Schlachtopfer, Brandopfer, Sühneopfer, Gabenopfer, Messopfer.

1220 opfern (sich) 1. teilen, hingeben, darangeben, preisgeben, aufopfern, Opfer bringen, Verzicht leisten, verzichten, sich absparen; verteilen, abtreten, verausgaben, verschenken, weggeben; sich hingeben, verschenken, entäußern, verschwenden, verausgaben, aufopfern; das Letzte hergeben, sich verschreiben; aufgehen in, **2.** Kastanien aus dem Feuer holen, Drecksarbeit erledigen, Reste essen, **3.** preisgeben, rücksichtslos/sinnlos einsetzen, verheizen.

1221 Opportunist unsicherer Kantonist, Konjunkturritter, Wendehals, Windfahne, Wetterfahne, Rohr im Wind, schwankendes Rohr, Spielball, Chamäleon, Kopfnicker, Jasager, Mitläufer, Claqueur, Schatten, Unterling, Nachbeter, Trittbrettfahrer, Radfahrer, Hofschranze, Marionette, Lakai, Kriecher, Arschkriecher, Schleimscheißer, Speichellecker, Steigbügelhalter, Gesinnungslump.

1222 Optimismus Hoffnung, Hoffnungsfreude, Zuversicht, Zuversichtlichkeit, Lebensbejahung, Lebenszuversicht, Lebensvertrauen, Urvertrauen, Urbehagen, Lebensfreude, Unbeschwertheit, Lebenslust, Lebensmut, Glaube an das Gute, Zukunftsglaube, Fortschrittsglaube, Fortschrittsgläubigkeit, Ungebrochenheit, rosa Brille, Sonne im Herzen, positives Denken.

1223 Optimist Fortschrittler, Zukunftsgläubiger, Pragmatiker, Frohnatur, Stehaufmännchen, Strahlemann.

1224 optimistisch zukunftsgläubig, zuversichtlich, positiv, bejahend, unverzagt, guten Mutes, lebensfroh, fortschrittsgläubig, lebensbejahend, positiv denkend.

1225 ordentlich 1. penibel, tadellos, aufgeräumt, in Ordnung, im Lot, geordnet, alles am rechten Platz, an Ort und Stelle, übersichtlich, klar, **2.** auf Ordnung haltend, ordnungsliebend, genau, **3.** feste, viel, tüchtig, anständig, gründlich, nach Strich und Faden, gehörig, richtig, herzhaft, kräftig, nicht zu knapp, nach Herzenslust.

1226 ordnen 1. regeln, organisieren, richten, in Ordnung bringen, klären, gerade richten/rücken, zurechtrücken, zurechtsetzen, zurechtlegen, aufräumen, Grund reinbringen, beiseite räumen, wegräumen, sauber machen, ausmisten, Ordnung/Remedur schaffen, in Schuss bringen, **2.** gliedern, phrasieren, gruppieren, sortieren, einteilen, rubrizieren, aufteilen, unterteilen, untergliedern, periodisieren, strukturieren, staffeln, klassifizieren, katalogisieren, systematisieren, assortieren, zusammenstellen, fächern, einordnen, abstimmen, koordinieren, zuordnen, formatieren, anordnen, unterordnen, nachordnen, hineinstellen, einreihen, eingliedern, nummerieren, einrangieren; kodifizieren, verzeichnen, zusammenfassen, schematisieren, reglementieren, **3.** arrangieren, disponieren, einrichten, deichseln, schmeißen, hinkriegen, einstellen, justieren, aussteuern, regulieren, kanalisieren, begradigen, ausrichten, formieren, aufstellen, postieren, **4.** legalisieren, legitimieren, rechtmäßig machen, verrechtlichen.

1227 Organisation 1. Aufbau, Anordnung, Gliederung, Anlage, Gefüge, Komplex, System, Einteilung, Disposition, **2.** Einrichtung, öffentliche Einrichtung, Organ, Institution, Vereinigung, Verband, Gesellschaft, Verein, Klub, Körperschaft, Korporation, Genossenschaft, Gewerkschaft, Partei,

Gilde, Innung, Zunft, Interessenvertretung, Lobby.

1228 organisch 1. belebt, körperlich, leiblich, physisch, anatomisch, somatisch, **2.** Einheit bildend, zusammenhängend, zusammenwirkend.

1229 organisieren (sich) 1. einrichten, installieren, aufbauen, ausbauen, gliedern, ausgestalten, koordinieren, vorbereiten, planen, anordnen, managen, planmäßig durchführen, veranstalten, **2.** beschaffen, deichseln, besorgen, **3.** sich assoziieren, vereinigen, zusammenschließen; kooperieren, Organisation bilden, sich anschließen; beitreten, Mitglied werden, eintreten.

1230 Original 1. Handschrift, Manuskript, Urschrift, Erstschrift, Urfassung, Urtext; Originaltext, Originalton; Originalausgabe, Erstausgabe, erste Ausgabe, erster Druck, Erstdruck; Inkunabel, Wiegendruck, **2.** Type, Kauz, Sonderling.

originell 1. eigenartig, eigen, besonders, eigengeprägt, unverwechselbar, eigentümlich, spezifisch, ursprünglich, schöpferisch, erfinderisch, einfallsreich, ideenreich, phantasievoll, phantasiebegabt, **2.** apart, neu, nicht alltäglich, bizarr, ungewöhnlich, einmalig, **3.** witzig, komisch, geistreich, treffend. **1231**

Ort 1. Ortschaft, Örtlichkeit, Dorf, Stadt, **2.** Platz, Stelle, Lokalität, Punkt, Sitz, Stätte, Statt, Standort, Drehort, Location, Ecke, Winkel, Fleck, **3.** Standpunkt, Position, Plattform, Forum, Ebene, Basis. **1232**

P

1233 packen 1. bewegen, begeistern, berühren, aufregen, aufrühren, aufwühlen, aufrütteln, nachgehen, rühren, fesseln, erschüttern, zu Herzen gehen, ergreifen, ans Herz greifen, übermannen, überwältigen, überkommen, mitnehmen, zu Tränen rühren, Mitleid erregen, durch Mark und Bein gehen, angreifen, Eindruck machen, umwerfen, umschmeißen, wachrütteln, **2.** einpacken, einhüllen, umhüllen, einwickeln, einschlagen, verpacken, bündeln, zusammenpacken, verschnüren, zuschnüren, zubinden, zusammenbinden, zusammenschnüren, umschnüren, umwickeln, transportfähig/versandfähig machen, Koffer packen, verstauen, unterbringen, **3.** nehmen, greifen, anpacken, zugreifen, zupacken, zufassen, festhalten, sich bemächtigen; umklammern, an sich reißen, grapschen, beim Wickel nehmen, beim Kragen packen, beim Schlafittchen nehmen, **4.** kuvertieren, in den Umschlag stecken, frankieren, freimachen.

1234 Paradies Eden, Garten Eden, Garten Gottes, Elysium, Gefilde der Seligen, Arkadien, Schlaraffenland, Gelobtes Land, Land, wo Milch und Honig fließt, Traumland, Zauberland, Märchenland, Dorado, Olymp, Orplid, Utopia, Wunderwelt, Märchenwelt, Idyll, goldenes Zeitalter, Himmelreich, Jenseits, himmlisches Jerusalem.

1235 Partner 1. Teilhaber, Geschäftspartner, Mitinhaber, Kompagnon, Sozius, Kommanditist, Gesellschafter, Komplementär, **2.** Mitspieler, Spielpartner, Gesprächspartner, Kollege, **3.** Liebespartner, Lebenspartner, Lebensgefährte, Lebensabschnittspartner, **4.** Ehepartner, Eheleute, Ehepaar, Paar, Mann und Frau, Gespann, Vermählte, Verheiratete; Verlobte, Braut, Ehefrau, Frau, Weib, Gattin, Gemahlin, Angetraute, Eheliebste, Ehegespons, bessere Hälfte, Hausfrau, Hausherrin; Verlobter, Bräu-

tigam, Ehemann, Mann, Gatte, Gemahl, Angetrauter, Ehehälfte, Hausherr, Göttergatte, **5.** Ex, Exfrau, Exmann, Vorfrau, Vormann.

passieren 1. vorbeigehen, vorübergehen, vorbeifahren, vorbeiziehen, defilieren, **2.** sich durchschlängeln, vorbeidrücken; durchschlüpfen, durchwitschen, durchkommen, nicht auffallen/bemerkt werden, übersehen werden, unbemerkt bleiben, **3.** passieren lassen, Auge zudrücken, es nicht genau nehmen, nicht hinsehen, durch die Finger sehen. **1236**

pathologisch krankhaft, abnorm, anormal, deviant, denaturiert, unnatürlich, abartig, pervertiert. **1237**

Patient Klient, Kranker, Behandlungsbedürftiger, Pflegebedürftiger, Hilfsbedürftiger, Leidender, Schmerzgeplagter, Bettlägeriger, Pflegefall; Verwundeter, Verletzter, Verunglückter. **1238**

Pedant 1. Kleinigkeitskrämer, Haarspalter, Paragraphenreiter, Prinzipienreiter, Krämerseele, Umstandskrämer, Schulmeister, Besserwisser, Beckmesser, Kritikaster, Krittler, Meckerer, Deutler, Nörgler, Quengler, Silbenstecher, Splitterrichter, Korinthenkacker, Erbsenzähler, Kümmelspalter, Wortklauber, Tüftler, Disputierer, Rechthaber, Rabulist, Wortverdreher, Bürokrat, Amtsschimmel, Schulfuchs; Langweiler, Wiederkäuer, Klugschwätzer, Schlaumeier, Federfuchser, **2.** Moralist, Moralprediger, Sittenrichter, Tugendbold, Tugendwächter, Sittenwächter, Philister, Moralapostel, Bußprediger. **1239**

Pedanterie 1. Ordnungsliebe, Penibilität, Ordnungsversessenheit, Kleinlichkeitskrämerei, Umstandskrämerei, Ordnungsfanatismus, **2.** Wortklauberei, Haarspalterei, Spitzfindigkeit, Rabulistik, Sophistik, Sophisterei, Silbenstecherei, Besserwissertum, Rechthaberei, Tadelsucht, **3.** Spießbürgerlichkeit, Philistertum, Tugendwächterei. **1240**

pedantisch 1. kleinlich, übergenau, hyperkorrekt, pinselig, pingelig, penibel, betulich, umständlich, bürokratisch, pinnig, spinös, tippelig, tüftelig, peinlich genau, schulmeisterlich, silbenstecherisch, haarspalterisch, **2.** überspitzt, spitzfindig, sophistisch, jesuitisch, kasuistisch, begriffsklauberisch, rabulistisch, wortklauberisch, besser- **1241**

wisserisch, tadelsüchtig, rechthaberisch, Paragraphen reitend, übergescheit, Weisheit mit Löffeln gefressen, 3. philisterhaft, philiströs, spießbürgerlich, moralinsauer, kleinkariert, kleinlich, kleinkrämerisch, engherzig, engstirnig.

1242 peinigen (sich) 1. plagen, placken, malträtieren, piesacken, kujonieren, sekkieren, triezen, schurigeln, mobben, drangsalieren, tyrannisieren, zwiebeln, schikanieren, übel mitspielen; zusetzen, Leben verbittern/versauern/zur Hölle machen, keine Ruhe geben, belästigen, bedrängen, schlecht behandeln, vergrämen, 2. beleidigen, kränken, ärgern, Wunden schlagen, wehtun, Leid zufügen, bekümmern, heimsuchen, verwunden, verletzen, 3. bohren, zerren, beißen, nagen, zehren, wurmen, alte Wunden aufreißen, 4. kitzeln, kneifen, zwicken, zwacken, 5. warten/zappeln lassen, auf die Folter spannen, 6. zu nahe treten, in Verlegenheit bringen, beschämen, wunden Punkt berühren, Finger auf die Wunde legen, 7. misshandeln, foltern, martern, quälen, schinden, treten, schlagen, peitschen, auspeitschen, psychisch foltern.

1243 peinlich 1. unangenehm, genierlich, ärgerlich, lästig, verdrießlich, unerfreulich, unerquicklich, misslich, widerwärtig, widrig, beschämend, blamabel, fatal, zum In-den-Boden-Sinken, hochnotpeinlich, 2. heikel, bedenklich, kritisch, mulmig, prekär, diffizil.

1244 persönlich 1. menschlich, individuell, subjektiv, 2. selbst, selber, leibhaftig, in eigener Person, personaliter, höchstpersönlich, in natura, eigenhändig, direkt, mündlich, gesprächsweise, von Mensch zu Mensch, unmittelbar, von Angesicht zu Angesicht, 3. privat, außerdienstlich, nicht amtlich, öffentlich, vertraulich, vertrauensvoll, privatim, unter vier Augen, im engsten Kreise, 4. an die Person gebunden, nicht übertragbar, 5. unsachlich, unangenehm, taktlos, ausfallend, anzüglich, beleidigend.

1245 Pessimist Verächter, Miesmacher, Defätist, Schwarzseher, Unheilsprophet, Unkenrufer, Neinsager, Weltverneiner, Geist, der stets verneint, Griesgram, Kopfhänger, Spielverderber, Schwarzmaler, Menschenverächter, Muffel, Hypochonder.

1246 pessimistisch düster, schwarzseherisch, trübe, trübsinnig, lebensunfroh, melancholisch, trostlos, hoffnungslos, kopfhängerisch, weltverneinend, defätistisch, negativ, negativ denkend, abwertend, absprechend, Unheil verkündend.

1247 Pferd Gaul, Ross, Mähre, Klepper, Rosinante, Schindmähre, Ackergaul, Stute, Hengst, Wallach, Füllen, Fohlen, Schimmel, Rappe, Fuchs, Brauner, Schecke, Falbe, Vollblut, Halbblut, Kaltblut, Pony; Reitpferd, Rennpferd.

1248 Pflege 1. Fürsorge, Sorge, Betreuung, Schutz, Hut, Obhut, Umhegung, Hege, Wartung, Versorgung, 2. Erhaltung, Bewahrung, Konservierung, Unterhaltung, Instandhaltung, 3. Sauberkeit, Hygiene, Körperpflege, Gesundheitspflege, Schönheitspflege, Kosmetik.

1249 pflegen (sich) 1. sauber/in Ordnung halten, hüten, schonen, warten, hegen, pfleglich behandeln, umsorgen, umhegen, betreuen, bemuttern, betun, 2. zu tun pflegen, gewohnt sein, meistens/im Allgemeinen tun, die Gewohnheit haben, 3. konservieren, bewahren, instand halten, schützen, 4. trockenlegen, baden, pudern, salben, windeln, wickeln, 5. sich zurechtmachen; verschönern, richten, herrichten, schminken, frisieren, maniküren, pediküren, zur Kosmetikerin gehen; rasieren, barbieren.

1250 Pflicht Auflage, Verpflichtung, Eingebundensein, Gebot, Schuldigkeit, Verbindlichkeit, Notwendigkeit, Gewissenssache, Ehrensache, Haftung, Belastung, Last, Zwang.

1251 Pfusch Flickwerk, Halbheit, Stümperei, Murks, Pfuscharbeit, Flickschusterei, Patzer, Sudelei, Kleckserei, Hudelei, Schluderei, Pfuscherei, Stückwerk, Fehlkonstruktion, Ausschuss.

1252 pfuschen schummeln, falsch spielen, hudeln, stümpern, huscheln, klimpern, dilettieren, murksen, schustern, doktern, patzen, quacksalbern, schludern, schlampen, fünf gerade sein/schleifen lassen, sudeln, klecksen, schmieren, zusammenhauen, zusammenschustern, zusammenstoppeln, schlecht arbeiten, verpfuschen, verpatzen.

1253 Phantasie Vorstellungsvermögen, Vorstellungskraft, Einbildungskraft, Erfindungsgabe, Anschauungsvermögen, Einfühlungsgabe, Schöpferkraft, schöpferisches Denken, Einfälle, Einfallsreichtum, Ideenreichtum, schöpferisches Gestalten, Imagination, Originalität, künstlerische Ader, Kreativität, Experimentierfreude.

1254 phantastisch 1. fabelhaft, märchenhaft, nicht zu glauben, unvorstellbar, unbeschreiblich, blendend, brillant, Schwindel erregend, unwahrscheinlich, unglaublich, sagenhaft, wunderbar, toll, super, geil, oberaffengeil, ultimativ, **2.** unwirklich, surreal, surrealistisch, traumhaft, phantasmagorisch, Science-Fiction, Sci-Fi, **3.** grotesk, kurios, schnurrig, närrisch, barock, überspannt, verstiegen, bizarr, seltsam, wunderlich, kauzig, skurril, schrullig.

1255 Phlegmatiker Gemütsmensch, Stoiker, die Ruhe selbst, Langweiler, Phlegma, Fischblut, Froschblut, Schlafmütze, Schlaftablette, Schnarchhuhn, Nachtwächter, Transuse, Trantüte, Schnecke, Tranfunzel, träger Mensch.

1256 Phrase 1. Redensart, feste Wendung, Idiom, Floskel, Formel, Mantra, Redewendung, Zitat, geflügeltes Wort, Schlagwort, Slogan, Binsenwahrheit, Binsenweisheit, Gemeinplatz, Klischee, Plattitüde, Banalität, **2.** Schwulst, Bombast, Wortgeklingel, Wortemacherei, Redeblume, Gerede, Schnack, Geschwätz, Sprüche, Schmus, Sums, Tiraden, hohles Pathos, Deklamation, Wortgeklapper, Wortgeröll, Worthülse, Sprechblase, leeres Stroh, Geflunker, Flausen, **3.** Figur, Passage, Kantilene, Motiv.

1257 Pionier 1. Aufklärer, Freidenker, Freigeist, Reformer, Neuerer, Fortschrittler, Reformator, Umgestalter, **2.** Anreger, Initiator, Initiant, Wegbereiter, Spurer, Vorhut, Anführer, Bahnbrecher, Schrittmacher, Trendsetter, Trendscout, Frühadapter, Scout, Talentsucher, Headhunter, Entdecker, Kolumbus, Vorreiter, Vorbereiter, Vorbote, Vorgänger, Vorläufer, Vorkämpfer, Testfahrer, Testpilot, Avantgardist, Vordenker, Spiritus Rector, Querdenker, Grenzgänger, Führer.

1258 Plan 1. Vorhaben, Absicht, Intention, Hintergedanke, Projekt, Agenda, Vorsatz, Vorgabe, Programm, Zielsetzung, Ziel, Masterplan, **2.** Aufriss, Entwurf, Skizze, Gedankenaufriss, Gedankenspiel, Faustskizze, Exposé, Konzept, Konzeption, Konzipierung, Überblick, Übersicht, Riss, Grundriss, Bauplan, Studie, Planspiel, Versuchsanordnung, Szenario, Simulation, **3.** Voranschlag, Budget, Haushaltsplan, Kalkulation, Kostenaufstellung, Etat, Kostenvoranschlag, Kostenplan, Zeitplan, Kalkül, Finanzierungsplan, **4.** Überlegung, Vorbedacht, Voraussicht, Planung, Strategie, Taktik, Planen, Plänemachen, **5.** Programm, Strategie, Taktik, Logistik.

1259 planen 1. beabsichtigen, wollen, intendieren, sich vornehmen; vorhaben, ins Auge fassen, projektieren, im Sinn haben, beschließen, zu tun gedenken, erwägen, vorsehen, Vorsatz fassen, in Aussicht nehmen, zum Ziel setzen, Plan machen, Pläne schmieden, avisieren, anlegen, sich mit dem Gedanken tragen; mit dem Gedanken spielen, im Schilde führen, in Aussicht stellen, **2.** anstreben, bezwecken, abzielen, hinzielen, erstreben, trachten nach, hinsteuern, **3.** entwerfen, konzipieren, aufsetzen, skizzieren, umreißen, aufreißen, Konzept machen, ins Unreine schreiben, organisieren, inszenieren, simulieren.

1260 planmäßig 1. planvoll, methodisch, überlegt, bewusst, systematisch, klug, bedacht, durchdacht, nach Plan, programmmäßig, berechnet, gezielt, gelenkt, vorbereitet, wohlerwogen, durchorganisiert, wohlbewusst, sinnvoll, zielbewusst, taktisch, strategisch, wissenschaftlich, rational, **2.** plangemäß, programmgemäß, erwartungsgemäß, wie geplant.

1261 plastisch hervortretend, erhaben, reliefartig, abgehoben, heraustretend, räumlich, perspektivisch, modelliert, körperhaft, getrieben, geprägt, bildhauerisch; knetbar, formbar.

1262 platzen 1. bersten, krachen, zerspringen, zerplatzen, explodieren, hochgehen, zerkrachen, losgehen, knallen, verpuffen, springen, splittern, knacken, **2.** wild werden, Wände hochgehen, zu viel kriegen, **3.** auffliegen, publik werden, sich zerschlagen; misslingen.

1263 plötzlich auf einmal, mit einem

Male, mit eins, unvermittelt, unversehens, mit einem Schlag, schlagartig, blitzartig, wie aus der Pistole geschossen, aus heiterem Himmel, Knall auf Fall, ohne Vorwissen, von heute auf morgen, fristlos, ruckartig, Hals über Kopf, unerwartet, unvorhergesehen, unvorhersehbar, über Nacht, von einem Augenblick zum andern, ohne Übergang, übergangslos, abrupt, urplötzlich, angeflogen, unvermutet, mir nichts, dir nichts, ungeahnt, überrascht, überraschend, unverhofft, jäh, spontan, unangemeldet, in flagranti, auf frischer Tat.

1264 plump 1. schwerfällig, unförmig, vierschrötig, ungeschlacht, grobgliedrig, ungefüge, massig, ungeschmeidig, schwer beweglich, grobschlächtig, derb, bollig, klobig, klotzig, ungelenk, ungewandt, olber, Elefant im Porzellanladen, steif, eckig, ungraziös, anmutlos, hölzern, unschick, unelegant, ohne Stilgefühl, unkultiviert, unzivilisiert, **2.** taktlos, ungeschliffen, unzart, unfein, unhöflich, grob, unkultiviert, unmanierlich, ungehobelt, massiv, unbehauen, **3.** undiplomatisch, untaktisch, unpolitisch, plump vertraulich.

1265 poetisch 1. dichterisch, schöpferisch, gestaltet, geformt, geprägt, literarisch, metaphorisch, symbolisch, allegorisch, verfremdet, verdichtet, dicht, formvollendet, anschaulich, lyrisch, episch, dramatisch, bilderreich, stilisiert, **2.** idyllisch, gefühlvoll, künstlerisch, musisch, romantisch, träumerisch, unwirklich, ideal, dichterisch frei, fiktiv.

1266 Polizei 1. Polizist, Polizeibeamter, Polyp, Cop, Bulle, Flic, Bobby, **2.** Polizeibehörde, Kommissariat, Polizeikräfte, Polente; Polizeiwache, Wache, Polizeirevier, Revier.

1267 Post 1. Postamt, Poststelle, Postdienststelle, **2.** Posteingang, Eingang, Einlauf, Zugang; Sendung, Postsendung, Postgut, Briefsendung, **3.** Brief, Drucksache, Einschreiben, Nachnahme, Paket, Päckchen, Warensendung, Wertbrief, **4.** elektronische Post, E-Mail.

1268 prächtig glänzend, prachtvoll, glanzvoll, herrlich, wirkungsvoll, triumphal, glorreich, glorios, pompös, prunkvoll, prunkend, prangend, prunkhaft, aufwendig, üppig, protzig.

prahlen 1. angeben, protzen, paradie- **1269** ren, stolzieren, brillieren, glänzen, auftreten, großtun, wichtig tun, sich wichtig machen; posieren, sich in Szene/Positur setzen; zur Schau stellen, inszenieren, Show abziehen, sich ein Air geben; dicktun, sich aufblasen, aufplustern, aufblähen, aufspielen, spreizen, vordrängen, brüsten, herausstreichen, rühmen; Wind machen, sich überheben; auf die Pauke hauen, aufschneiden, den großen Zampano spielen, übertreiben, renommieren, **2.** den Mund voll nehmen, kannegießern, bramarbasieren, salbadern, tönen, große Töne reden, schwafeln, leeres Stroh/Phrasen dreschen, für die Galerie sprechen.

Preis 1. Betrag, Summe, Gegenwert, **1270** Geldwert, Marktwert, Handelswert, Entgelt, **2.** Taxe, Tarif, Gebühr, **3.** Verkaufspreis, Kaufpreis, Marktpreis, Ladenpreis, Engrospreis, Einkaufspreis, Selbstkostenpreis, Nettopreis, Listenpreis, Richtpreis, Preisempfehlung, Endpreis, **4.** Gewinn, Hauptgewinn, Haupttreffer, Losgewinn, Siegespreis, Trophäe, Pokal, Cup, Auszeichnung, Medaille, Trostpreis.

Presse 1. Pressewesen, Zeitungswe- **1271** sen, Journalismus, Journaille; Sensationsjournalismus, **2.** Printmedien, Medien, Zeitung, Zeitschrift, Periodikum; Morgenblatt, Morgenzeitung, Tagblatt, Tageszeitung, Abendblatt, Abendzeitung; Blätterwald, Fachpresse, Boulevardpresse, Regenbogenpresse, Yellowpress, Sensationspresse, **3.** Kritik, Rezension, Beurteilung, Presseecho, Presserummel, Medienhype.

Primitivling 1. Raubein, Grobian, **1272** Murrkopf, Klotz, Kloben, Bauer, Mollenkopf, ungehobelter Kerl, Stoffel; Flegel, Lümmel, Bengel, Rotznase, Rotzlöffel, Rüpel, Prolo, Proll, Gassenjunge, Straßenjunge, Rowdy, Hooligan, **2.** Raufbold, Schläger, Rabauke, Zänker, Krakeeler, Krachmacher, Stänker, Polterer, Kampfhahn, Streitsucher, Haudegen, Streitmichel, Streithammel, Prozesshansel, **3.** Hitzkopf, Brausekopf, Querkopf, Dickschädel, Starrkopf, Choleriker, Zornnickel, Wüterich, Unhold, Fanatiker, Eiferer, Aufwiegler.

problematisch 1. fragwürdig, un- **1273** entschieden, kritisch, schwierig, zweifelhaft, strittig, umstritten, ungeklärt, ungelöst, anfechtbar, **2.** dubios, undurchschaubar, unverständlich, verdächtig, nicht geheuer, beunruhigend, mulmig.

1274 Produktivität 1. Schöpferkraft, Schöpfertum, Gestaltungskraft, Gestaltungsfreude, Gestaltungstrieb, Gestaltungsvermögen, Schaffensdrang, Schaffenslust, Schaffenskraft, Schaffensfreude, Schöpferlust, Genie, Erfindungsgabe, Spielfreude, Darstellungskraft, Originalität, schöpferische Eigenart, Phantasie, **2.** Fruchtbarkeit, Potenz, Fertilität; Ertragsfähigkeit, Ertragskraft, Ergiebigkeit, Leistungsfähigkeit, Potential, Produktivkraft, Arbeitsvermögen, Leistungsvermögen, Manpower, Synergie.

1275 Profitgeier Wucherer, Beutelschneider, Halsabschneider, Abzocker, Schacherer, Spekulant, Schieber, Absahner, Ausbeuter, Blutsauger, Vampir, Aasgeier, Finanzhyäne, Währungsspekulant, Immobilienhai, Wohnungsspekulant, Miethai, Kredithai, Kriegsgewinnler.

1276 Prophet Warner, Mahner, Rufer, Deuter, Seher, Künder, Unheilverkünder, Unheilprophet, Kassandra, Verkündiger, Weissager, Verkünder, Wahrsager, Wahrschauer, Hellseher, Spökenkieker, Gedankenleser, Zauberer, Medizinmann, Haruspex, Druide, Schwarzkünstler, Magier, Hexer, Gespensterseher, Zeichendeuter, Geisterseher, Astrologe, Handleserin, Kartenlegerin, Schicksalskünderin, Augur, Schicksalsgöttin, Norne, Sibylle, weise Frau.

1277 prophetisch hellseherisch, ahnungsvoll, vorausschauend, vorhersehend, vorausahnend, hellsichtig, divinatorisch, orakelhaft, visionär, seherisch, verkündend, weissagend.

1278 prophezeien ahnen, hellsehen, orakeln, wahrsagen, vorausschauen, voraussehen, weissagen, verkünden, voraussagen, vorhersagen, vorhersehen, vorausahnen.

1279 prostituieren, sich als Prostituierte(r) arbeiten, sich verkaufen, anbieten; auf den Strich gehen, anschaffen, Prostitution betreiben, huren.

1280 Prostituierte Dirne, Hure, Nutte, Freudenmädchen, Straßenmädchen, Callgirl, Strichmädchen, Stricherin,

Flittchen; Kokotte, Hetäre, Domina, Odaliske.

1281 Prostituierter Stricher, Strichjunge, Lustknabe, Callboy.

1282 Prostitution ältestes Gewerbe der Welt, horizontales Gewerbe, käuflicher Sex, Telefonsex, Hurerei, Dirnenwesen, gewerbsmäßiger Sex, Strich, Straßenstrich, Straßenprostitution, Autostrich, Beschaffungsstrich, Drogenstrich.

1283 Prozess 1. Gerichtsverfahren, Gerichtssache, Verhandlung, Gerichtsverhandlung, Rechtshandel, Rechtsfall, Rechtsangelegenheit, Rechtsfrage, Rechtssache, juristisches Problem, Klagesache, Streitsache, Strafprozess, Strafsache, Strafverfahren, Rechtsstreit, Rechtsvorgang, Rechtsverfahren, Rechtsweg, Klageweg, **2.** Vorgang, Entwicklung, Verlauf, Ablauf, Hergang, Fortgang, Prozedur, Verfahren, Gang, Lauf, Vorgehen, Geschehen, Ereigniskette, **3.** Entwicklungsprozess, Lernprozess, Produktionsprozess.

1284 prüfen 1. examinieren, befragen, abprüfen, abhören, wiederholen, aufsagen lassen, abfragen, unter die Lupe nehmen, auf Herz und Nieren prüfen, nachsehen, durchgehen, durchsehen, kontrollieren, inspizieren, zensieren, Note geben, ins Auge fassen, untersuchen, abwägen, auf Tauglichkeit prüfen, sondieren, revidieren, durchrechnen, sich vergewissern; nachprüfen, überprüfen, nachfassen, nachmessen, nachzählen, nachlesen, gegenlesen, checken, nachrechnen, nachwiegen, ausmitteln, **2.** anprobieren, anpassen, ausprobieren, probieren, **3.** auf die Probe stellen, testen, austesten, erproben, auf den Zahn fühlen, ins Röhrchen blasen lassen, ins Kreuzverhör nehmen.

1285 Prüfung 1. Befragung, Test, Klausur; Abschlussprüfung, Examen, Rigorosum, Reifeprüfung, Abitur, **2.** Untersuchung, Feststellung, Kontrolle, Überprüfung, Durchgang, Durchsicht; Musterung, Tauglichkeitsprüfung; Begutachtung, Überwachung, Supervision, Durchsuchung, Erforschung, Visitation, Inspektion, Revision, Nachprüfung; Patrouille, Streife, Rundgang; Besichtigung, Begehung, Beschau, Beschauung, Sondierung, Check, **3.** Erprobung, Probe, Stichprobe, Geduldsprobe, Feuerprobe, Nervenprobe, Nagelprobe, Machtprobe, Zerreißprobe, Belastungsprobe, **4.** Nachbereitung, Evaluation, Auswertung, Manöverkritik.

1286 Prunk 1. Gepränge, Pomp, Prachtentfaltung, Aufwand, Üppigkeit, Luxus, Schaustellung, Parade, Tamtam, Staat, Gala, Wichs, große Aufmachung, Kleiderpracht, Putz, **2.** Pracht, Glanz, Schönheit, Schmuck, Reichtum, Fülle, Blüte.

1287 prunken 1. Pracht entfalten, Staat machen, Aufwand treiben, im Luxus leben, Luxus zeigen, auf großem Fuß leben, Reichtum zur Schau stellen, paradieren, stolzieren, brillieren, glänzen, **2.** prangen, strotzen, blühen, in Blüte stehen, leuchten, strahlen, Blicke auf sich ziehen.

1288 Pseudonym Deckname, Künstlername, Nom de Guerre/de Plume, Wahlname, Tarnname, falscher/angenommener Name.

1289 Pulver Staub, Mehl, Puder, Talkum, Sand, Krümel; Schießpulver, Schrot.

1290 pünktlich 1. rechtzeitig, beizeiten, zeitig, zurecht, zur rechten/vereinbarten Zeit, frühzeitig, auf die Minute, zur Zeit, termingemäß, fristgemäß, wie vereinbart, fahrplanmäßig, ohne Verspätung, mit dem Glockenschlag; exakt, genau, **2.** prompt, sofort, umgehend, gleich, postwendend, ungesäumt, unverzüglich, unverweilt, flugs, stehenden Fußes, stracks, schnell, rasch.

1291 Putz 1. Schmuck, Geschmeide, Schmucksachen, Juwelen, Pretiosen, Kostbarkeiten, Bijouterie, Klunker, **2.** Verzierung, Ausputz, Ausschmückung, Dekoration, Ornament, Schmuckform, Zier, Zierwerk, Zierde, Schnörkel, Beschlag, Zierrat, Garnitur, Garnierung, Zutat, Besatz, Verschönerung, Aufmachung, Ausstattung, Aufputz, Accessoires, Drum und Dran, Zubehör, **3.** Flitter, Firlefanz, Kinkerlitzchen, Klimbim, Krimskrams, Brimborium; Spielsachen, Spielwerk, Spielzeug, **4.** Tresse, Litze, Borte, Bordüre, Klunker, Bommel, Troddel, Quaste, **5.** Schmucknadel, Brosche, Agraffe, Ziernadel, Spange, Schmuckspange, Fibel, Schnalle, **6.** Band, Haarband, Haarschleife, Zierband, Bindeband, Samtband, Seidenband, Bändchen, Schleife, Masche, **7.** Krawatte, Binder, Schlips, Fliege, Lavallière, Halstuch, Schal, Cachenez, Brusttuch, Busentuch, **8.** Spitze, Einsatz, Zwischensatz, Stickerei, **9.** Aufschlag, Revers, Spiegel; Ärmelaufschlag, Stulpe, Manschette.

putzen (sich) 1. schmücken, zieren, **1292** verzieren, ausputzen, dekorieren, ausschmücken, verschönern, betressen, verbrämen, beschlagen; garnieren, bekränzen, beflaggen, illuminieren, **2.** sich fein machen, schön machen, in Gala werfen, herausputzen; Toilette machen, Staat anlegen, sich schniegeln, in Schale schmeißen, auftakeln, **3.** striegeln, kardätschen, trimmen, scheren, strählen, **4.** sauber machen, säubern.

Q

1293 quälend 1. nagend, beißend, bohrend, peinigend, brennend, ziehend, stechend, zehrend, folternd, marternd, schmerzhaft, schmerzend, höllisch, **2.** betrüblich, traurig, kränkend, verletzend, grausam, verzehrend, herb, bitter, herzbrechend, herzzerreißend, schlimm, leidvoll, peinvoll, gramvoll, kummervoll, **3.** beklemmend, belastend, bedrückend, bedrohlich, bedrohend, ängstigend, kräftezehrend.

1294 Qualität 1. Eigenschaft, Beschaffenheit, **2.** Güte, Echtheit, Wert, Niveau, Art, Marke, Klasse, Rang, Sorte, Güteklasse, Preislage, Wertstufe; Kreszenz, Lage, Jahrgang, Wachstum, **3.** Qualitätsware, Feinarbeit, Präzisionsarbeit, Wertarbeit, Qualitätsarbeit, Maßarbeit.

1295 Quantum 1. Menge, Maß, Pack, Partie, Posten, Packen, Stoß, Schicht, Lage, Haufen, Stapel, Beuge, Bündel, Paket, Packung, Runde, Ballen, Batterie, Scheffel, Schock, Block, Schlag, Schub, Strang, Strähne, Lieferung, Fuhre, Fuder, Wagenladung, **2.** Portion, Ration, Dosis, Gabe, Zuteilung, Anteil, Pensum, Teil, Kontingent, Quote, Deputat, Rate, Teilbetrag, Anzahl, Zahl, Anfall, Zuweisung, Bemessung, Quantität.

1296 Quelle 1. Quell, Bronn, Born, Brunnen, Bach, **2.** Ursprung, Anfang, Wiege, Nest, Wurzel, Ausgangspunkt, **3.** Fundgrube, Fundort, Fundstelle, Beleg, Original, Bezugsquelle.

1297 quellen aufgehen, aufquellen, sich voll saugen; schwellen, anschwellen.

1298 queren 1. überqueren, überschreiten, durchschreiten, durchreisen, durchschweifen, durchziehen, durchwandern, durchstreifen, durchmarschieren, überfliegen; kreuzen, traversieren, durchqueren, **2.** übersetzen, überfahren, hinübergelangen, durchschiffen, durchfahren, **3.** überbrücken, überspannen, sich spannen; schwingen, hinüberführen.

1299 Querschnitt 1. Durchschnitt, Durchschnittswert, Mittel, Schnitt, Mittelmaß, Mittelwert, **2.** Übersicht, Überblick, Zusammenschau, Zusammenfassung, Kompendium, Auszug, Abriss, Thesen, Extrakt, Quintessenz, Resümee, Inhaltsangabe, Kürzung, Komprimierung, Abstract, Briefing.

R

1300 **radikal** konsequent, bis zum Äußersten, bis in die Wurzel, mit der Wurzel, wurzeltief, tiefgreifend, von Grund auf, kompromisslos, auf Biegen oder Brechen/Gedeih und Verderb, extrem, zugespitzt, rücksichtslos, fanatisch, fundamentalistisch, unerweichbar, bedingungslos, unbedingt, starr, extremistisch.

1301 **Rahmen 1.** Umrahmung, Einrahmung, Umrandung, Fassung, Einfassung, Leiste; Fahrgestell, Chassis, **2.** Sphäre, Szene, Lebenssphäre, Lebensbereich, Umgebung, Umkreis, Umwelt, Milieu, Atmosphäre, Klima, Hintergrund, Folie, Plattform, Forum, Basis, Ebene.

1302 **Rang 1.** Rangstufe, Listenplatz, Dienstrang, Dienstgrad, Grad, Stand, Platzanweisung, Stufe, Charge, Stellung, Position, Platz, Platzierung, Wertung, Titel, Niveau, Profil, Klasse, Schießklasse, Liga, Format, Höhenlage, **2.** Galerie, Empore, Balkon, Tribüne, Olymp.

1303 **Rangfolge** Rangordnung, Stufenfolge, Skalierung, Rangtabelle, Chart, Ranking, Hierarchie, Hackordnung.

1304 **Rat 1.** Ratschlag, Vorschlag, Hinweis, Tipp, Empfehlung, Ermunterung, Ermutigung, Mahnung, Belehrung, **2.** Ratsversammlung, Gremium, Ausschuss, Komitee, Kommission, Beirat, Kuratorium, **3.** Beratung, Kundenberatung, Firmenberatung, Konsultation, Consulting.

1305 **raten 1.** anraten, anempfehlen, empfehlen, beraten, Rat geben, hinweisen, vorschlagen, bestärken, ermuntern, anregen, zuraten, nahe legen, **2.** rätseln, sich den Kopf zerbrechen; grübeln, knobeln, herumraten, vor einem Rätsel stehen, herumrätseln, im Dunkeln tappen, **3.** erraten, lösen, finden, ausfindig machen, ergründen, ausklamüsern, enträtseln, durchschauen, auflösen, herausbringen, herausfinden, aufdecken,

entschlüsseln, herausbekommen, herauskriegen, dahinter kommen.

1306 **rationalisieren** mechanisieren, technisieren, automatisieren, computerisieren.

1307 **rau 1.** uneben, holperig, steinig; hügelig, wellig, **2.** haarig, behaart, borstig, bärtig, zottig, zottelig, ruppig, struppig, stoppelig, stachelig; narbig, schuppig, räudig, schrundig, spröde, schorfig; ausgefranst, fransig, fusselig, **3.** heiser, krächzend, belegt, kratzig, quäkend, knarrend, **4.** verarbeitet, verschafft, schwielig, rissig, aufgesprungen, **5.** frisch, kalt, scharf, windig, stürmisch, wüst, öde, unfreundlich, schneidend.

1308 **rauchen** qualmen, dunsten, nebeln, dampfen, wölken, Dampfwolken ausstoßen, räuchern, einräuchern, Rauchfahne entwickeln, blaken, glimmen, schwelen; paffen, schmauchen, kiffen, Raucher/Kettenraucher/Gelegenheitsraucher sein.

1309 **Raum 1.** Räumlichkeit, Zimmer, Stube, Gemach, Gelass, Wohnraum, Kammer, Mansarde, Dachkammer, Bude, Gehäuse, Klause, Kabuff, Bruchbude, Kabinett, Kemenate, Salon, Boudoir, Saal, **2.** Platz, Weite, Luft, Auslauf, freies Feld, freie Bahn, Bewegungsfreiheit, Tummelplatz, Spielraum, Erfahrungsraum.

1310 **Rausch 1.** Betrunkenheit, Berauschtheit, Trunkenheit, Weinlaune, Schwips, Zacken, Affe, Dusel, Tran, Suff, Vollrausch, Delirium; Konsumrausch, Konsumtrip, **2.** Drogenrausch, Trip, Kick, Run, Flash, Horrortrip, Freak-out.

1311 **Rauschgift** Rauschmittel, Droge, Suchtmittel, Narkotikum, Betäubungsmittel, Aufputschmittel, Dope, Halluzinogen, Opiat, Amphetamin, Stoff; Haschisch, Hasch, Joint, Gras, Shit, Marihuana, Kokain, Koks, Schnee, Heroin, LSD, Crack, Speed, Ecstasy, Poppers, Designerdroge, Psychedelikum, Dröhnung.

1312 **Rauschgifthändler** Drogenhändler, Dealer, Pusher.

1313 **reagieren** Reaktion zeigen, antworten, erwidern, Zeichen geben, schalten, zurückgeben, zurückschlagen, kontern, anspringen auf; Wirkung zeigen, wirken, ansprechen.

1314 **Reaktion 1.** Antwort, Folge, Erwiderung, Gegenwirkung, Rückwirkung, Feedback, Gegenstoß, Gegenzug, Rückstoß, Reflex, Wirkung, Effekt, Gegenschlag, Gegendruck, Rückprall, Gegenströmung, Gegenverhalten, **2.** Gegenrevolution, Gegenaufklärung, Ancien Régime, Konterrevolution, Restauration, Rollback, Gegenbewegung, Rückschrittlichkeit.

1315 Realist Pragmatiker, Verstandesmensch, kühler Kopf, Rationalist, Materialist.

1316 Rechenschaft 1. Bilanz, Abrechnung, Kassensturz, Kasse, Rechnungslegung, Schlussabrechnung, Schlussrechnung, Jahresabschluss, Saldierung, **2.** Begründung, Rechtfertigung, Entlastung, Tätigkeitsbericht, Rechenschaftsbericht.

1317 recht 1. gut, schön, in Ordnung, fehlerlos, einwandfrei, zufrieden stellend, tadellos, vortrefflich, gut gemacht, goldrichtig, **2.** richtig, wahr, zutreffend, logisch, klar, regelrecht, folgerichtig, ordnungsgemäß, sachgemäß, reell, solide, **3.** rechtmäßig, rechtens, angemessen, recht und billig, mit Recht, rechtlich, regulär, legal, legitim.

1318 Recht 1. Anrecht, Anspruch, Claim, Berechtigung, Befugnis, Lizenz, Copyright, Urheberrecht, **2.** Gerechtigkeit, Rechtmäßigkeit, Gesetzmäßigkeit, Legalität, Legitimität, **3.** Naturrecht, positives Recht, Grundrecht, Menschenrecht, Selbstbestimmungsrecht, Völkerrecht, Bürgerrecht, Stimmrecht, Wahlrecht, **4.** Privileg, Sonderrecht, Vergünstigung, Freibrief, Vorrecht, Alleinrecht, Monopol.

1319 rechtlos entrechtet, ausgeliefert, vogelfrei, verfemt, schutzlos, geächtet, ausgestoßen, ausgeschlossen, verbannt, exiliert, unterdrückt, versklavt, unterjocht, leibeigen, unterworfen, hörig.

1320 rechts 1. zur Rechten, rechter Hand, rechtsseitig, steuerbord, auf der rechten Seite, rechtshändig, **2.** im rechten Spektrum, konservativ, traditionalistisch, restaurativ, schwarz, rechtslastig.

1321 Reflexion Überlegung, Berechnung, Erwägung, Abwägung, Betrachtung, Spekulation, Assoziation, Nachdenken, Denken, Nachsinnen, Sinnen, Grübeln, Grübelei, Kopfzerbrechen; Gedanke, Gedankenarbeit, Denkarbeit, Gedan-

kenfolge, Gedankengang, Gedankenfülle, Gedankentiefe, Gedankenverknüpfung, Denkprozess.

1322 Regel 1. Norm, Maß, Ordnung, Grundsatz, Richtschnur, Maßstab, Vorschrift, Bestimmung, Richtlinie, Prinzip, **2.** Gepflogenheit, Gewohnheit, Sitte, Brauch, Usus, Konvention, das Normale, Normalfall, Standard, Stereotyp, Normalität, Übereinkunft, Spielregel, Faustregel, Reglement, Verhaltenskodex, Verhaltensregel, Verhaltensnorm, **3.** Durchschnitt, Mittelmaß, Mittelmäßigkeit, Schema, Dutzendware, **4.** Regelblutung, Menstruation, Zyklus, Monatsregel, Periode, Tage.

1323 regelmäßig 1. gleichmäßig, in gleichen Abständen, periodisch, zyklisch, rhythmisch, taktmäßig, im Takt, in steter Folge, immer zur selben Zeit, nach der Uhr, wiederkehrend, turnusgemäß, turnusmäßig, **2.** gleichförmig, gewohnheitsmäßig, **3.** symmetrisch, spiegelbildlich, spiegelgleich, gleichseitig.

1324 Regelmäßigkeit 1. Gleichmaß, Gleichmäßigkeit, Wiederholung, Wiederkehr, Turnus, Gleichtakt, Rhythmus, Takt, Periodizität, Zyklus, Symmetrie, Intervall, **2.** Gleichförmigkeit, Uniformität, Einförmigkeit, Eintönigkeit, Einerlei, Öde, Monotonie.

1325 regnen tröpfeln, nässen, feuchten, nieseln, spritzen, sprühen, drippeln, fisseln, schauern, rieseln, rinnen, träufen, plätschern, gießen, pladdern, schütten, strömen, prasseln, schiffen, seichen, planschen, triefen; schneien, hageln.

1326 reiben 1. frottieren, rubbeln, bürsten, schrubben, scheuern, kratzen, scharren, **2.** raspeln, hobeln, schaben, schrappen, raffeln, feilen, **3.** abreiben, trockenreiben, massieren, durchkneten, durchwalken, **4.** schrammen, rauen, aufrauen, aufreiben, wund reiben, aufschrammen, aufschürfen.

1327 reich 1. vermögend, begütert, besitzend, wohlhabend, wohl / gut situiert, wohlbestallt, betucht, zahlungskräftig, flüssig, bei Kasse, solvent, kaufkräftig, kapitalkräftig, finanzkräftig, finanzstark, einkommensstark, bemittelt, mit Glücksgütern gesegnet, sorgenfrei, neureich, in guten Verhältnissen, mehr als genug, übergenug, steinreich, Geld wie Heu; Goldfisch, gute Partie, **2.** reichhaltig, vielfältig, mannigfaltig, ansehnlich, bildgewaltig, beträchtlich, enorm, umfangreich, gewaltig, umfassend, wohl assortiert, große Auswahl, wohlversehen, **3.** gehaltvoll, inhaltsreich, ergiebig, lohnend, ertragreich, **4.** reichlich, üppig, quellend, strömend, strotzend, herrlich und in Freuden, vollauf, opulent, ausgiebig, sattsam, feudal, überladen, in Hülle und Fülle, jede Menge, tonnenweise, scheffelweise.

1328 reif 1. vollreif, erntereif, gereift, überreif, schlachtreif, abgelagert, **2.** erwachsen, herangewachsen, ausgewachsen, groß, flügge, aus den Kinderschuhen, kein Kind mehr, volljährig, großjährig, mündig, entwickelt, geschlechtsreif, voll entwickelt, **3.** gereift, ausgereift, fertig, ausgearbeitet, durchdacht, ausgefeilt, ausgeklügelt, **4.** gesetzt, lebensklug, lebenskundig, erfahren, geformt, geprägt, gefestigt, abgeklärt, weise.

1329 Reihe 1. Folge, Abfolge, Sequenz, Reihung, Aufeinanderfolge, Aneinanderreihung, Kette, Schnur, Zeile, Linie; Anzahl, Zahl, **2.** Serie, Satz, Sammlung, Set, Service, Garnitur, Kombination, **3.** Aufmarsch, Front, Spalier, Gänsemarsch, Schlange, Zug, Phalanx, Riege, Kolonne, Trupp, Prozession, Korso.

1330 Reinigung 1. Kleiderreinigung, Wäscherei, **2.** Klärung, Läuterung, Raffinierung, **3.** Säuberung, Wäsche, Waschung, Dusche, Bad; Hausputz, Reinemachen, Großreinemachen, Frühjahrsputz, **4.** Entleerung, Entschlackung, Blutreinigungskur, Purgierung, Blutwäsche, Dialyse.

1331 reisen 1. verreisen, Reise machen, auf die Reise gehen, unterwegs sein, umherreisen, ausfliegen, umherziehen, sich die Welt ansehen; herumfahren, herumgondeln, Tour / Trip / Rutsch / Tournee machen, touren, herumkommen, auf große Fahrt gehen, herumkutschieren, pilgern, **2.** abenteuern, vagabundieren, stromern, walzen, streunen, strolchen, trampen, hitchhiken, slacken, trekken.

1332 Reisender 1. Passagier, Besucher, Fremder, Durchreisender, Reisegenosse, Reisegefährte, Reisebekanntschaft, Mitreisender, Tourist, Urlauber, Ausflügler, Sommerfrischler, Sommergast, Kurgast, Feriengast, Zugvogel, Traveller, Pilger, Vagant, blinder Passagier,

Zeitreisender, Forschungsreisender, Globetrotter, Weltenbummler, Abenteurer, Weltreisender, Abenteuertourist, Entdeckungsreisender, **2.** Hobo, Landstreicher, Vagabund, Stromer, Streuner, Herumtreiber, Tramp, Tippelbruder, Stadtstreicher; Nichtsesshafter, Obdachloser, Wohnungsloser.

1333 Reiz Anregung, Anreiz, Stimulus, Kitzel, Sinnesreiz, Anziehung, Anziehungskraft, Charme, Flair, Fluidum, Appeal, Aura, Bezauberung, Betörung, Berückung, Verlockung, Verführung, Verzauberung, Zauber, Verführungszauber, Bann, Bindungskraft, Magnetismus, Unwiderstehlichkeit.

1334 reizen 1. aufreizen, anreizen, anfachen, anblasen, erregen, stimulieren, entflammen, anziehen, aufregen, begeistern, **2.** ärgern, herausfordern, anrempeln, Streit vom Zaun brechen, anspitzen, wider den Stachel löcken, stacheln, aufstacheln, anstacheln, hetzen, Fehdehandschuh hinwerfen, provozieren, brüskieren, fordern, **3.** belästigen, anmachen, fixieren, anstarren, durchbohren, zu nahe treten, ansprechen, anquatschen, anquasseln, anbaggern, nachsteigen, **4.** anlocken, ködern.

1335 reizvoll anziehend, attraktiv, gewinnend, einnehmend, ansprechend, reizend, entzückend, bezaubernd, betörend, herzbetörend, faszinierend, magnetisch, elektrisierend, berückend, bannend, berauschend, entflammend, lockend, verlockend, sexy, begehrenswert, blendend, hinreißend, bestechend, entwaffnend, bezwingend, unwiderstehlich, verführerisch, verwirrend, bestrickend.

1336 relativ verhältnismäßig, vergleichsweise, verglichen mit, im Vergleich / Verhältnis zu, mehr oder minder, ziemlich, leidlich, bedingt, entsprechend, bezüglich.

1337 Religion 1. Konfession, Bekenntnis, Glaubensbekenntnis, Glaubenslehre, Weltanschauung, Glaubensrichtung, **2.** Glaube, Gläubigkeit, Religiosität, Gottesfürchtigkeit, Gottvertrauen, Frommheit.

1338 Rente 1. Einkommen, Anteil, Ertrag, Zinsen, Gewinn, Dividende, Tantieme, arbeitsloses Einkommen, Pfründe, Sinekure, Apanage, **2.** Pension, Ruhegehalt,

Ruhegeld, Vorruhegeld, Altersversorgung, Alterssicherung.

1339 **reservieren** vormerken, buchen, sicherstellen, zurücklegen, zurückstellen, vorbehalten, offen halten, vormerken, belegen, freihalten, anzahlen, vorbestellen, die Hand legen auf.

1340 **Rest** 1. Überbleibsel, Überrest, Brosamen, Krümel, Brotkrumen, Schlacke, Asche, Schnitzel, Stückchen, Stummel, Stumpf, Stümpfchen, Fetzen, Lappen, Stück, Neige, Schlückchen, 2. Unerledigtes, Restbetrag, Fehlbetrag, Schuld; Restbestand, Restposten; Restrisiko, 3. Relikt, Restform, Fossil, Bruchstück, Rudiment, Rückstand, Kaffeesatz, Bodensatz, Residuum, 4. Spreu, Hülsen, Spelze, Abfall, 5. Zipfel, Ende, Endstück.

1341 **Reue** Bedauern, Schmerz, Gram, Reumütigkeit, Reuegefühl, Bußbereitschaft, Zerknirschung, Zerknirschtheit, Gewissensbisse, Selbstanklage, Selbstvorwurf, Selbstverurteilung, Selbstverdammung, Einkehr, Scham; Besserungswille, tätige Reue, Wiedergutmachungswille, Sühne.

1342 **reumütig** einsichtig, reuig, reuevoll, zerknirscht, beschämt, bußfertig, schuldbewusst, gefügig, guten Willens, windelweich.

1343 **Revolution** 1. Umwälzung, Umsturz, Umbruch, Umwertung, Umschwung, Wende, Neubeginn, Stunde null, Erneuerung, Neuordnung, Neugestaltung, Umgestaltung, 2. Kulturrevolution, industrielle / technische / wissenschaftliche / sexuelle / digitale / samtene Revolution.

1344 **riechen** 1. duften, Wohlgeruch, Duft ausströmen, Duftwolken verbreiten, 2. stinken, Luft verpesten, muffeln, miefen, Gestank verbreiten, Umwelt verschmutzen, 3. schnuppern, schnüffeln, beschnüffeln, beriechen, beschnuppern, beschnobern, schnobern, wittern.

1345 **Riese** Hüne, Goliath, Gigant, Koloss, Titan, Zyklop; langer Lulatsch, Riesenkerl, Kaventsmann, Ungeheuer.

1346 **Ring** Reif, Gürtel, Kreis, Kringel, Zirkel, Rund, Runde, Rundung, Peripherie.

1347 **Rolle** 1. Besetzung, Casting; Figur, Partie, Part, Hauptrolle, Titelrolle, Titelpartie, Titelpart, Hauptfigur, Haupt-

darsteller, Hauptperson, Protagonist, tragende / zentrale Rolle, Nebenrolle, Charge, Gastrolle, Statist, Kleindarsteller, stumme Rolle, 2. Spule, Walze, Röllchen, Trommel, 3. Überschlag, Purzelbaum, Looping.

Rückgang 1. Niedergang, Abstieg, **1348** Abnahme, Rückschritt, Rückschlag, Nachlassen, Schwund, Verschlechterung, Abbau, Einbuße, Verlust, Verschlimmerung, rückläufige Entwicklung, Krebsgang, Verfall, Rückfall, Atavismus, Rückbildung, 2. Entartung, Dekadenz, Degeneration, Verfall, Verkümmerung, 3. Verminderung, Verringerung, Minderung, Reduzierung, Reduktion, Dämpfung, Herabminderung, Prestigeverlust, Demontage, Selbstdemontage, Schmälerung, Aderlass, Fortfall, 4. Abnahme, Gewichtsabnahme, Gewichtsverlust, Abmagerung, Abhagerung, Entfettung, Auszehrung, Kräfteverfall, 5. Abschwung, Krise, Baisse, Depression, Geldentwertung, Entwertung, Inflation, Deflation, Kurssturz, Börsensturz, Börsenkrach, Börsencrash, 6. Sittenverfall, Entmenschlichung, Enthumanisierung, Verrohung, Barbarisierung, 7. Abkühlung, Temperaturrückgang, Wettersturz, Wärmeverlust, Klimasturz, Eiszeit, Kälteperiode, Vereisung, Vergletscherung, Klimakatastrophe, 8. Ebbe, fallendes Wasser, Niederwasser, Niedrigwasser, 9. Verkleinerung, Bonsai, Taschenformat, Miniformat, 10. Abrüstung, Demilitarisierung.

Rückkehr 1. Rückweg, Heimweg, **1349** Weg zurück, Heimreise, Rückreise, Nachhauseweg, Umkehr, Kehrtwende, Heimkehr, Rückkunft, 2. Wiederkehr, Wiederkunft, Wiedererscheinen, Wiederauftreten, Rückfall, Rezidiv, Comeback, Wiederaufnahme, Reprise.

Rückseite Kehrseite, Abseite, Hin- **1350** terseite, Schattenseite, Rücken, Revers, Innenseite, Nachtseite; Hinterteil, Gesäß, Steiß, Po, Popo, Arsch, Hintern.

Rücksicht Rücksichtnahme, Auf- **1351** merksamkeit, Behutsamkeit, Schonung, Vorsicht, Berücksichtigung, Achtsamkeit.

rückwärts entgegengesetzt, gegen- **1352** läufig, nach hinten, hintenüber, rücklings, retour, zurück, back, umgekehrt, umgedreht, spiegelverkehrt.

1353 **Ruf** 1. Berufung, Beauftragung, Lehrauftrag, Auftrag, Einsetzung, Ernennung, 2. Aufruf, Appell, Anruf, Weckruf, Zuruf, Telefonanruf, Fernruf, Rückruf, Warnruf, 3. Leumund, Ruch, Ansehen.

1354 **rufen** 1. ausrufen, mit lauter Stimme sprechen, anrufen, aufrufen, zurufen, rufen nach, um Hilfe rufen, alarmieren, 2. zusammenrufen, herbeirufen, heranrufen, herbeizitieren, zusammentrommeln, ausrufen lassen, 3. berufen, Amt/Stellung antragen/übertragen, einsetzen.

1355 **Ruhe** 1. Stille, Lautlosigkeit, Schweigen, Stillschweigen, Stummheit, Funkstille, 2. Gelassenheit, Beschaulichkeit, Muße, Besinnlichkeit, Ausgeglichenheit, Gleichmaß, Gleichgewicht, Seelenfriede, Gleichmut, Gefasstheit, Besonnenheit, Seelenruhe, Kontemplation, Gemütsruhe, Stoizismus, 3. Unerschütterlichkeit, Sitzfleisch, Trägheit, Passivität, Inaktivität, Phlegma, Fatalismus, 4. Windstille, Flaute, Reglosigkeit, Unbewegtheit, Bewegungslosigkeit, Stillstand.

1356 **ruhen** 1. rasten, pausieren, Siesta halten, innehalten, einhalten, verweilen, ausruhen, abschlaffen, entspannen, Seele baumeln lassen, sich verschnaufen, zurückziehen, hinlegen, ausstrecken, langlegen, langmachen, niederlegen, es sich bequem machen; liegen, sich Ruhe gönnen; Hände in den Schoß legen, zur Ruhe kommen, abschalten, stillhalten, sich nicht regen; nichts tun, 2. in sich ruhen, sich Zeit lassen; Zeit nehmen, nichts übereilen/überstürzen, kühlen Kopf/Ruhe/Nerven bewahren, etwas überschlafen, 3. unterbrechen, aussetzen, auf Eis liegen, lahm liegen, brachliegen.

ruhig 1. still, lautlos, leise, unhörbar, **1357** mäuschenstill, schweigend, ruhend, schlafend, bewegungslos, friedlich, klösterlich, 2. geruhsam, bedächtig, bedachtsam, behutsam, gemach, nachdenklich, besinnlich, überlegt, abwägend, abwartend, geduldig, 3. beherrscht, gelassen, entspannt, beruhigt, gefasst, gemessen, gesetzt, fatalistisch, klaglos, ausgeglichen, gleichmäßig, phlegmatisch, würdevoll, ohne Eile/Hast, zurückhaltend, seelenruhig, ungerührt, unerschütterlich, stoisch, gleichmütig, 4. kontemplativ, beschaulich, innerlich, versonnen, versunken, vertieft, träumerisch, verträumt, versponnen, selbstvergessen, in Gedanken versunken, introvertiert, nach innen gerichtet, besinnlich, 5. geistesgegenwärtig, kaltblütig, 6. ruhend, latent, verborgen, nicht in Erscheinung tretend, 7. windstill, im Windschatten, reglos, regungslos, ohne Bewegung/einen Hauch, totenstill.

S

1358 sachlich 1. objektiv, unparteiisch, neutral, vorurteilslos, vorurteilsfrei, unvoreingenommen, unbeeinflusst, unbefangen, unverblendet, uninteressiert, leidenschaftslos, emotionsfrei, **2.** klar, real, nüchtern, logisch, rational, verstandesmäßig, realistisch, prosaisch, poesielos, unpersönlich, unpoetisch, trocken, pragmatisch, sachbezogen, praktisch orientiert.

1359 saftig 1. fruchtig, fleischig, feucht, saftstrotzend, safttriefend, erfrischend, prall, voll, üppig, strotzend, satt, **2.** stark, unanständig, deftig, derb, **3.** hoch, übersteigert, unverschämt, gepfeffert.

1360 Saison Jahreszeit, Hauptbetriebszeit, Erntezeit, Reisezeit, Hauptreisezeit, Hochkonjunktur, Hauptgeschäftszeit, Konzertsaison, Theatersaison, Ballsaison, Veranstaltungssaison.

1361 sammeln (sich) 1. einsammeln, zusammenlesen, aufsammeln, aufheben, aufklauben, zusammenbringen, zusammentragen, Sammlung anlegen, kompilieren, **2.** scheffeln, anhäufen, zusammenraffen, zusammenkratzen, zusammenscharren, zusammenschleppen; stapeln, aufstapeln, stauen, lagern, einlagern, häufen, türmen, massieren, horten, schichten, aufschichten, akkumulieren, aufeinander schichten, aufeinander setzen, bündeln, schachteln, **3.** zentralisieren, konzentrieren, zusammenfassen, zusammenziehen, **4.** speichern, erfassen, aufnehmen, magazinieren, katalogisieren, bibliographieren, mikrofotografieren, auf Band nehmen, auf Festplatte/Diskette speichern, **5.** zu sich kommen, sich fassen; zur Ruhe kommen, sich konzentrieren; Gedanken sammeln/zusammenhalten.

1362 Sammlung 1. Ernte, Lese, Anhäufung, Ansammlung, Hortung, Vorrat, Schatz, **2.** Bildersammlung, Gemäldesammlung, Kuriositätensammlung, Raritätensammlung, Kunstsammlung, Privatsammlung, Büchersammlung, Bibliothek, Plattensammlung, Museum, Kunsthalle, Pinakothek, Galerie, Glyptothek, Videothek, Bestiarium, **3.** Sammelwerk, Anthologie, Blütenlese, Brevier, Kodex, Almanach, Album, Auswahlband, Digest, Sammelband, Sampler, CD-ROM, **4.** Aufnahme, Erfassung, Datenerfassung, Speicherung, Archivierung, Datensammlung, Datenbank, **5.** Konzentration, innere Sammlung/Vorbereitung.

1363 Sänger(in) 1. Bass, Bariton, Tenor, Kammertenor, Kastrat, Countertenor; Opernsänger, Operettensänger, Kammersänger, Konzertsänger, Chorsänger, Schlagersänger, Röhre, Rocksänger, Bluessänger, Popsänger; Chansonnier, Barde, Liedermacher, Balladensänger, Moritatensänger, Bänkelsänger, Troubadour; Vokalkünstler, Vokalist, **2.** Alt, Sopran, Mezzosopran, Opernsängerin, Operettensängerin, Kammersängerin, Konzertsängerin, Chorsängerin, Chansonnette, Troubadourin, Soubrette, Liedermacherin, Bluessängerin.

1364 satt 1. gesättigt, pappsatt, genudelt, voll gegessen, voll gestopft, voll gefressen, überfressen, **2.** befriedigt, zufrieden, saturiert, zufrieden gestellt, wunschlos, **3.** tief, voll, warm, kräftig, intensiv, leuchtend, **4.** leid, über, verleidet, vermiest, überdrüssig, angewidert, angeekelt, angeödet, gelangweilt, müde.

1365 sauber 1. gewaschen, blank, gereinigt, geputzt, gesäubert, gescheuert, frisch gewaschen, fleckenlos, blitzblank, peinlich sauber, hygienisch, keimfrei, steril, pieksauber, wie geleckt, schmuck, proper, tipptopp, wie aus dem Ei gepellt, picobello, **2.** rein, unvermischt, rückstandsfrei, naturrein, schier, unversetzt, pur, klar, lauter, ungetrübt, unverfälscht, geklärt, destilliert, geläutert, raffiniert, schlackenlos, bar, hochkarätig, lupenrein; stubenrein, **3.** drogenfrei, clean.

1366 Sauberkeit 1. Fleckenlosigkeit, Reinheit, Reinlichkeit, Gepflegtheit, Frische, Hygiene, **2.** Naturreinheit, Unverfälschtheit, Ungetrübtheit, Echtheit.

1367 säubern (sich) 1. rein machen, reinigen, putzen, sauber machen, stöbern, Hausputz halten, fegen, kehren, abfegen, abkehren, scheuern, schrubben, aufwaschen, aufwischen, aufnehmen, wischen, abstauben, Staub wischen, staubsaugen, entstauben, **2.** bürsten, ausbürsten, abbürsten, reiben, wegwischen, abwischen, abwaschen, entflecken; ausschütteln, ausschwenken, ausklopfen, klopfen; wichsen, bohnern, blank reiben, **3.** waschen, einseifen, abseifen, baden, Bad nehmen, duschen, brausen, abbrausen; abwaschen, Geschirr spülen, spülen, abspülen, Wäsche waschen/machen, **4.** jäten, roden, Unkraut entfernen, auszupfen, ausziehen, **5.** desinfizieren, entkeimen, keimfrei machen; entschlacken, purgieren, entseuchen, entgiften, dekontaminieren.

1368 Schaden 1. Nachteil, Verlust, Einbuße, Schwund, Abbruch, Abgang, Ausfall, Wegfall, Panne, Unfall, Defekt, Pech, Bruch, Sachschaden, Schädigung, Beschädigung, Gesundheitsschädigung; Pleite, Misserfolg, **2.** Benachteiligung, Diskriminierung, Zurücksetzung, Missachtung.

1369 schaden (sich) 1. Schaden zufügen, Unheil anrichten, schädigen, beeinträchtigen, benachteiligen, diskriminieren, zurücksetzen, in den Schatten stellen, hemmen, überrumpeln, sabotieren, Verluste beibringen, Wasser abgraben, etwas antun, Böses/Arges zufügen, sich in den Weg stellen; eins auswischen, bösen Streich spielen, Strick drehen, ins Unglück/in Misskredit bringen, Ruf schädigen, Suppe versalzen, Bein stellen, zu Fall bringen, austricksen, ausbooten, **2.** bekümmern, betrüben, Schmerz bereiten, Sorgen machen, Leid zufügen/antun, Herz brechen, verletzen, verwunden, **3.** sich verletzen; zu Schaden kommen, sich schädigen, **4.** Schaden erleiden, Pech haben, ins offene Messer laufen, Zeche bezahlen, den Kürzeren ziehen, zu kurz kommen, Nachsehen haben, schlecht wegkommen, zurückgesetzt/benachteiligt/beeinträchtigt werden, nicht zum Zuge kommen, vom Regen in die Traufe kommen, sich in die Nesseln setzen, den Mund verbrennen, ins eigene Fleisch schneiden; ins Fettnäpfchen treten, Porzellan zerschlagen, in Misskredit/ein schiefes Licht geraten, guten Ruf verlieren/verspielen, sich im Licht stehen, eine Suppe einbrocken; in ein Wespen-

nest stechen, gegen sich einnehmen, sich unbeliebt/unmöglich machen; in Ungnade fallen, es verderben, sich sein eigenes Grab schaufeln; alles aufs Spiel setzen, **5.** zum Schaden gereichen, sich ungünstig/nachteilig/negativ auswirken; nachteilig/schädlich sein, krank machen, in Mitleidenschaft ziehen.

1370 Scham 1. Schamgefühl, Schamhaftigkeit, Scheu, Schüchternheit; Schamesröte, Reue, **2.** Schamhügel, Venushügel.

1371 schämen, sich 1. Scham empfinden, in Verlegenheit geraten, Augen niederschlagen, sich genieren; erröten, rot werden, erglühen; verlegen/schüchtern sein; sich zieren; fremdeln, sich winden, nötigen lassen, anstellen, haben; Geschichten machen, **2.** zu schüchtern sein, sich scheuen; nicht den Mut/die Stirn haben, sich nicht trauen.

1372 Schande 1. Schmach, Makel, Unehre, Schimpf, Blamage, Gesichtsverlust, Beschämung, Bloßstellung, Desavouierung, Skandal, Misskredit, übler Leumund, üble Nachrede, Verruf, Kompromittierung, Missachtung, Demütigung, dunkler Punkt, **2.** Schändung, Entweihung, Entwürdigung, Frevel, Schandfleck, Schandmal.

1373 scharf 1. schneidend, geschliffen, gewetzt, geschärft, spitz, spitzig, gezackt, gezähnt, schartig, dornig, stachelig, eckig, kantig, scharfkantig, **2.** rau, kalt, durchdringend, harsch, grimmig, **3.** zugespitzt, überscharf, überspitzt, penetrant, ätzend, bissig, beißend, schonungslos, **4.** schrill, spitz, befehlend, schneidend, barsch, kategorisch; durchbohrend, stechend, **5.** klar, deutlich, gut zu erkennen, tiefenscharf.

1374 schärfen 1. wetzen, abziehen, schleifen, dengeln, spitzen, anspitzen, feilen, **2.** sich verschärfen, verschlimmern, verschlechtern, zuspitzen; zu einer Entscheidung drängen, ernst werden, eskalieren, **3.** Blick schärfen/üben/schulen/verbessern.

1375 schätzen 1. achten, ehren, anerkennen, bewundern, verehren, hochhalten, hoch achten, zu würdigen wissen, hohen Begriff haben, große Stücke auf jmdn. halten, für wertvoll halten, **2.** bewerten, werten, prüfen, begutachten, beurteilen, einschätzen, taxieren, abschätzen, überschlagen, abwägen, wägen, veranschlagen, ermessen, erachten, ansetzen, auswerten, kalkulieren, über den Daumen peilen, durchspielen, vermuten, annehmen.

1376 schäumen 1. gären, brausen, kochen, sieden, wallen, sprudeln, zischen, rauschen, gischten, branden, perlen, moussieren, prickeln, Schaum bilden, Gischt aufwerfen, 2. aufbrausen, wüten, sich aufregen.

1377 Schauplatz Bühne, Forum, Szenerie, Arena, Stadion, Manege, Podium, Kampfplatz, Tatort, Ring, Rennbahn, Ort der Handlung/des Geschehens.

1378 Schauspiel 1. Bühnenstück, Bühnenwerk, Spiel, Theaterstück, Stück, Lehrstück, Festspiel, Mysterienspiel, Passionsspiel, Drama, Komödie, Tragödie, 2. Anblick, Vorgang, Ereignis, Spektakel, Vorfall.

1379 Scheide 1. Vagina, Vulva; Muschi, Pussi, Möse, 2. Wasserscheide, Scheidewand, Scheidemünze, Schwertscheide, 3. Etui, Futteral, Behälter.

1380 scheinbar angeblich, vorgeblich, fiktiv, fingiert, pro forma, zum Schein, vorgetäuscht, trügerisch, täuschend, fragwürdig, fälschlich, vorgegeben, vermeintlich, irrtümlich.

1381 scheinen 1. aussehen, vorkommen, Anschein haben, erscheinen, dünken, wirken, anmuten, sich anfühlen; blenden, täuschen, Anschein erwecken, Schein/Dekorum wahren, so tun als ob, 2. leuchten, strahlen, brennen, flackern, lodern, glühen, gluten, blinken, aufblitzen, blitzen, wetterleuchten, aufscheinen, flimmern, glitzern, funkeln, glänzen, gleißen, schimmern, schillern, glimmen, flirren, flittern, spielen, spiegeln, erglänzen, aufleuchten, aufzucken, erstrahlen, erglühen, ausstrahlen, aussenden, ausströmen, abstrahlen, verbreiten, 3. durchscheinen, durchschimmern, Licht durchlassen, 4. phosphoreszieren, fluoreszieren, changieren, glimmern, schillern, moirieren, flammen.

1382 Scheinwelt Simulation, Bildschirmwelt, virtuelle/fiktionale Realität, digitale Welt, Virtual Vision, Cyberspace.

1383 scheitern 1. fehlschlagen, misslingen, missglücken, danebengehen, schief gehen, auffliegen, zuschanden werden, in die Brüche/Binsen gehen, zunichte machen, sich zerschlagen; zusammenkrachen, verunglücken, missraten, platzen, missfallen, durchfallen, 2. Pech haben, Ziel verfehlen, versagen, Fiasko erleiden, zu nichts/auf keinen grünen Zweig kommen, straucheln, stolpern, Vermögen verlieren, zu Fall kommen, baden gehen, ins Unglück rennen, stranden, Schiffbruch erleiden, zerbrechen an, untergehen, abstürzen, 3. unterliegen, erliegen, zu Boden gehen, kapitulieren, Handtuch werfen, auf verlorenem Posten kämpfen, weiße Flagge aufziehen, 4. hereinfallen, auf den Leim/ins Garn/in die Schlinge gehen, 5. abblitzen, abfahren, Korb bekommen, sich eine Abfuhr holen; sitzen gelassen/versetzt/abgewiesen werden, aufsitzen, auflaufen, 6. in den Wind reden, tauben Ohren predigen, auf Granit beißen, sich die Zähne ausbeißen; verkannt/nicht verstanden werden, auf Unverständnis stoßen.

1384 Schelm 1. Schalk, Schäker, Spaßmacher, Spaßvogel, Witzbold, Type, Possenreißer, Faxenmacher, lustiger Kauz, Eulenspiegel, Münchhausen, Komiker, Clown, Buffo, Hanswurst, Kasperle, Harlekin, Bajazzo, Wurstel, 2. Schlingel, Racker, Strolch, Strick, Frechdachs, Lausejunge, Lausebengel, Lausbub.

1385 Schelte 1. Schimpfe, Zornausbruch, Donnerwetter, Anschnauzer, Abreibung, Anpfiff, Ungewitter, Scheltworte, Schimpfworte, Zigarre, Krach, Gebelfer, Gebell, Gekeife, Schimpferei, Schimpfkanonaden, Anschiss, Gardinenpredigt, Kapuzinerpredigt, Moralpredigt, Sermon, Standpauke, Philippika, Epistel, Lektion, Strafpredigt, 2. Anwurf, Vorwurf, Anschuldigung, Vorhaltung, Rüge, Rüffel, Maßregelung, Zurechtweisung, Tadel, Ordnungsruf, Monitum, Verweis, Mahnung.

1386 Scheusal Vogelscheuche, Monstrum, Monstrosität, Popanz, Schreckgespenst, Ungetüm, Untier, Ungeheuer, Ausgeburt, Spottgeburt, Ekel, Gräuel, Widerling, Biest, Kotzbrocken, Brechmittel, Miststück.

1387 Schicht 1. Überzug, Belag, Film, 2. Arbeitsschicht, Nachtschicht, Tagesschicht, Teilschicht, Doppelschicht, 3. Gesellschaftsschicht, soziale Schicht, Bevölkerungsschicht; Unterschicht, Mittelschicht, Oberschicht.

1388 schicken 1. senden, entsenden, delegieren, abordnen, 2. befördern, spedieren, transportieren, verfrachten, verladen, verschiffen, umschlagen, 3. liefern, zuführen, überführen, zustellen, zuschicken, zusenden, ausfahren, bringen, zugehen lassen, zuleiten, abliefern, ausliefern, übermitteln, beliefern, 4. einstecken, einwerfen, expedieren, abschicken, wegschicken, aufgeben, zur Post geben, absenden, versenden, verschicken, zustellen.

1389 Schicksal 1. Geschick, Fatum, Los, Bestimmung, Fügung, Schickung, Verhängnis, Kismet, Moira, Tyche, Parzen, 2. Providenz, Vorsehung, Prädestination, Vorherbestimmtheit, höhere Gewalt, Notwendigkeit, Sterne, Zufall, Zusammentreffen von Umständen, Koinzidenz der Fälle, Gunst/Ungunst der Verhältnisse, Tücke des Geschicks, Self-fulfilling Prophecy.

1390 schicksalhaft vorbestimmt, vorherbestimmt, prädestiniert, schicksalsbedingt, verfügt, zubestimmt, unwiderruflich, unentrinnbar.

1391 schimpfen 1. schelten, tadeln, zanken, brummen, knottern, raunzen, motzen, knurren, murren, kollern; anschnauzen, anfahren, ausschelten, ausschimpfen, auszanken, aufs Dach steigen, Abreibung erteilen, beschimpfen, unsachlich werden, an den Karren fahren, grob kommen, anfauchen, anzischen, anpfeifen, anranzen, verdonnern, eins draufgeben, Marsch blasen, ins Gebet nehmen, Kopf waschen, Hühnchen rupfen, anblasen, anherrschen, eins auf die Nase geben, vom Leder ziehen, Theater/Szene machen, den Text lesen, 2. toben, explodieren, platzen, bersten, schreien, fauchen, schnauben, poltern, schnauzen, giften, zischen, donnern, wettern, wüten, bellen, kläffen, keifen, geifern, zetern, rasen, donnerwettern, fluchen, lästern.

1392 schlafen 1. schlafen/ins Bett gehen, sich ins Bett legen; zu Bett gehen, sich zur Ruhe begeben, 2. einschlafen, einnicken, entschlummern, in Schlaf fallen/sinken, dämmern, duseln, nicken, dösen, schlummern, pennen, pofen, ratzen, schnarchen, sägen, im Schlaf liegen, fest/tief schlafen, 3. nicht aufpassen, mit den Gedanken woanders sein,

träumen; unaufmerksam/nicht bei der Sache sein, 4. schlafen legen, zu Bett bringen, ins Bett legen, hinlegen, betten.

Schlag 1. Ohrfeige, Nasenstüber, Backenstreich, Backpfeife, Maulschelle, Watsche, Dachtel, Kopfnuss, Katzenkopf; Streich, Hieb, Klaps; Hiebe, Kloppe, Prügel, Haue, Senge, Tracht Prügel, Abreibung, Dresche, Keile, Schläge; Treffer, Schwinger, Boxhieb, Kinnhaken, 2. Schlägerei, Balgerei, Boxerei, Handgemenge, Keilerei, Holzerei, Prügelei, Rauferei, Handgreiflichkeit, Tätlichkeit, 3. Blitzschlag, Blitz aus heiterem Himmel, Donnerschlag, Schicksalsschlag, 4. Gehirnschlag, Schlaganfall, Schlagfluss, Apoplexie. **1393**

schlagen (sich) 1. hauen, prügeln, verwalken, durchhauen, durchwichsen, verhauen, Tracht Prügel verabreichen, durchbläuen, Fell gerben, zausen, verbimsen, bimsen, beuteln, übers Knie legen, Hosen stramm ziehen, verwamsen, versohlen, verdreschen; Klaps geben, patschen, eins hintendrauf geben, eins verpassen, ohrfeigen, eine langen/herunterhauen/knallen, 2. handgreiflich/handgemein/tätlich werden, zu Leibe gehen, Schlägerei beginnen, sich raufen; holzen, keilen, boxen, zusammenschlagen, niederschlagen, zu Boden schlagen, unterkriegen, überwältigen, zur Strecke bringen, niederwerfen, niederzwingen, bezwingen, zu Boden strecken, kleinkriegen, ausknocken, knockout schlagen, durch Knock-out besiegen, obsiegen, auspunkten, besiegen, 3. überrunden, ausstechen, überbieten, punkten, Punkte machen, übertreffen, toppen, überflügeln, Rang ablaufen, überholen, überragen, übertrumpfen, hinter sich lassen, zurücklassen, abhängen, in den Schatten stellen, in die Tasche stecken, an die Wand drücken/spielen, besser/überlegen sein, 4. fällen, schlagen, umschlagen, umhauen, abholzen, abschlagen. **1394**

schlagend drastisch, erdrückend, unwiderleglich, frappant, verblüffend, überraschend, beweiskräftig, evident, handgreiflich, stichhaltig, triftig, schlagkräftig, durchschlagend, schlüssig, logisch, zwingend, unabweislich, wohl begründet, unbezweifelbar, überzeu- **1395**

gend, suggestiv, eindringlich, hieb- und stichfest, wasserdicht.

1396 schlau 1. gerissen, gerieben, gewieft, clever, gewitzigt, durchtrieben, mit allen Wassern gewaschen, füchsisch, vigilant, verschlagen, listig, pfiffig, verschmitzt, findig, bauernschlau, raffiniert, schlitzohrig, smart, mit allen Hunden gehetzt, trickreich, ausgepicht, fintenreich, ausgekocht, gewitzt, **2.** siebengescheit, oberschlau, überschlau, neunmalklug, obergescheit, superklug, superschlau.

1397 schlecht 1. wertlos, nichts wert, minderwertig, nichts dran, unbrauchbar, unverwendbar, nutzlos, drittklassig, letztklassig, spottschlecht, unter aller Kritik / Kanone, gering, nichtig, zu nichts zu brauchen; miserabel, lausig, keinen roten Heller / Pfifferling wert, spottet jeder Beschreibung, beschissen, saumäßig, grottenschlecht, verheerend, mies, flau, mau, mäßig, dürftig, **2.** misslungen, missraten, verfehlt, verpatzt, missglückt, verkorkst, ungeraten, schief gegangen, schief gelaufen; schlecht sitzend, nicht passend, schlecht gearbeitet, zu eng, zu weit, vermurkst, vergeigt, **3.** schlecht geworden, verdorben, gammelig, angefault, verschimmelt, schimmelig, ranzig, stichig, gekippt, vergoren, angesäuert, sauer geworden, wurmstichig, wurmig, madig, faul, faulig, angebrannt, verkohlt, verbrannt, ungenießbar, **4.** schlimm, übel, arg, unheilvoll, bedenklich, gefährlich; infiziert, verseucht, vergiftet, verstrahlt, kontaminiert, **5.** gemein, niedrig, nichtswürdig, verwerflich, ehrlos, schimpflich, schofel, würdelos, perfide, schandbar, abscheulich, ruchlos, miserabel, jämmerlich, verächtlich, schurkig, schuftig, kriminell, verbrecherisch, niederträchtig, hundsgemein, böse, schändlich, verächtlich, verabscheuenswert, verderbt, erbärmlich, verdammenswert, ungeheuerlich, unerhört, schreit zum Himmel; fragwürdig, nicht einwandfrei, ehrenrührig, charakterlos, **6.** ungültig, entwertet, verfallen, abgewertet, außer Kurs, abgelaufen, ausgelaufen, gegenstandslos, hinfällig, verjährt, null und nichtig.

1398 Schlechtigkeit Gemeinheit, Verderbtheit, Verdorbenheit, Verworfen- heit, Perfidie, Gewissenlosigkeit, Niedertracht, Nichtswürdigkeit, Verruchtheit, Verderbnis, Verkommenheit, Schuftigkeit, Schurkerei, Verächtlichkeit, Nichtsnutzigkeit, Schändlichkeit, Schandbarkeit, Sittenlosigkeit, Würdelosigkeit, Unmoral.

schließen 1. zumachen, zuziehen, **1399** zuschlagen, zuklappen, zuknallen, zuwerfen, ins Schloss werfen, zuhalten, den Schlüssel umdrehen, abschließen, zuschließen, verschließen, zusperren, absperren, versperren, verstellen, blockieren, zuriegeln, abriegeln, verriegeln, verrammeln, vergittern, verbarrikadieren, **2.** verkorken, stöpseln, zustöpseln, verkapseln, zudrücken, Deckel schließen, verschrauben, zuschrauben, zubinden, zukleben, verkleben, zudrehen, abdrehen, zuknöpfen, zuhaken, verstopfen, versiegeln, plombieren, **3.** folgern, Schluss ziehen, zu dem Schluss kommen, zusammenfassen, Folgerung/ Fazit ziehen, zurückführen auf, erklären mit, erkennen, entwickeln, ableiten, urteilen, entnehmen, ersehen, herleiten, deduzieren, nachweisen, feststellen, finden, argumentieren, kombinieren, verknüpfen, rekapitulieren, **4.** abblenden, abdunkeln, Vorhang schließen / zuziehen, Fenster verhängen / zuhängen, verdunkeln, die Läden schließen, finster machen, **5.** sich schließen; zufallen, ins Schloss fallen, einschnappen, zuschnappen, zuschlagen, einrasten.

Schluss 1. Ende, Abschluss, Voll- **1400** endung, Schließung, Beendigung, Abbruch, Ausgang, Auslauf, Mündung, Delta; Ausläufer, letzter Teil, Schwanz, Schwanzende, Schlussteil, Endstück, **2.** Nachwort, Schlusswort, Zusammenfassung, Rückblick, Abgesang, Epilog, Ausklang, Schlussakkord, Schwanengesang, Nachspiel; Kehraus, guter Ausgang, Happyend; Schlusspunkt, Nullpunkt, Endpunkt, Schlussakt, Torschluss, Endstation, Matthäi am Letzten; Nachhut, Rüste, Neige, Finale, Schlusssatz, Koda, Endstadium, Exitus, Totentanz, Danse macabre, **3.** Folgerung, Schlussfolgerung, Denkergebnis, Konsequenz, Ableitung, Deduktion, Konklusion, Analogieschluss, Syllogismus, **4.** Quintessenz, Nutzanwendung,

Ergebnis, Fazit, Moral, **5.** Endkampf, Spurt, Endspurt, Finish, Endspiel, Endrunde, Schlussrunde.

1401 schmeicheln schönreden, süßreden, Süßholz raspeln, flattieren, beweihräuchern, Weihrauch streuen, hofieren, einwickeln, einseifen, lobhudeln, um den Bart gehen, bauchpinseln, Schleppe tragen, zu Gefallen reden, scharwenzeln, nachlaufen, schöntun, liebedienern, katzbuckeln, sich einschmeicheln; umwerben, umschmeicheln, umbuhlen, sich lieb Kind machen; kriechen, Kotau machen, heucheln.

1402 Schmeichler 1. Augendiener, Lobredner, Schönredner, Schöntuer, Hofmacher, Claque, Claqueur, Courschneider, Heuchler, Bauchpinsler, Gleisner, Leisetreter, Schranze, Wasserträger, Kofferträger, Kriecher, Sklavenseele, Liebediener, Süßholzraspler, Nachbeter, Ohrenbläser, Zuträger, Kreatur; Schmeichlerin, Schmeichelkatze, **2.** Schmarotzer, Parasit, Schädling, Nutznießer, Nassauer, Schnorrer, Abstauber, Vasall, Satellit.

1403 Schmerz 1. Leid, Kummer, Gram, Weh, Seelenschmerz, Jammer, Herzeleid, Herzweh, **2.** Schmerzen, Schmerzempfinden, Schmerzgefühl, Leiden, Beschwerden, Pein, Pfahl im Fleisch, Qual, Marter, Folter, Plage, Tortur, Peinigung, Quälerei, Nervenprobe, Höllenpein, Höllenqualen, Martyrium, Tantalusqualen, Hölle, Inferno, Weltuntergang.

1404 schmerzen 1. wehtun, Schmerzen verursachen, brennen, bohren, beißen, stechen, pochen, ziehen, schneiden, durch Mark und Bein gehen, quälen, martern, **2.** Leid tun, Kummer machen, bereuen, reuen, bedrücken, zu schaffen machen, Gewissensbisse verursachen.

1405 schmückend verschönernd, hebend, putzend, zierend, ziervoll, dekorativ, malerisch, wirkungsvoll.

1406 Schmutz 1. Dreck, Unrat, Unflat, Staub, Matsch, Schlamm, Morast, Sumpf, Schmutzlache, Pfuhl, Schmiere, Schlieren, Schmutzstreifen, **2.** Verunreinigung, Verschmutzung, Schweinerei, Sauerei, Flecken, Verfleckung, Verdreckung, Kleckse, Gesudel, Sudelei, **3.** Schund, Schundliteratur, Regenbogenpresse.

1407 Schmutzfink Schmierfink, Dreckspatz, Ferkel, Schweinigel, Schwein, Sau, Saubär, Säunickel, Wutz, Drecksau, Schlunze, Schlamper, Schlampe.

1408 schmutzig unsauber, ungewaschen, dreckig, schmuddelig, ungepflegt, liederlich, schweißig, verschwitzt, durchgeschwitzt; verunreinigt, befleckt, besudelt, beschmutzt, verschmutzt, verdreckt, verfleckt, fleckig, schmierig, versifft, verstaubt, staubig, staubüberzogen, rußig, verrußt, rußbedeckt; sandig, erdig; speckig, fettig, voll Fettflecken; schlammig, kotig, matschig, lehmig, morastig, glitschig, sudelig, sumpfig, grundlos.

1409 schneiden (sich) 1. zerkleinern, zerschneiden, in Stücke schneiden, tranchieren, aufschneiden, zerteilen, teilen, abschneiden, abtrennen, absäbeln, herunterschneiden, schnippeln, schnipseln, absägen, **2.** kürzen, Teile entfernen, auf die richtige Länge/in die richtige Form bringen, cutten, **3.** schnitzen, schnitzeln, fitzen, spänen; kerben, einkerben, einschneiden, zacken, auszacken, **4.** verletzen, beschneiden, verwunden, pieken, stechen, **5.** verleugnen, meiden, aus dem Weg gehen, übersehen, hindurchschauen, nicht sehen wollen, wegsehen, übergehen, überhören, nicht hinhören/zuhören, ignorieren, boykottieren, keine Notiz nehmen, links liegen lassen, verpönen, verfemen, umgehen, abrücken, wie Luft behandeln, keines Wortes würdigen, brüskieren, kalte Schulter zeigen, nicht beachten, nicht zur Kenntnis nehmen, missachten, totschweigen, nicht mehr kennen, sich abwenden; Rücken zuwenden, **6.** sich kreuzen, treffen; zusammentreffen, sich begegnen, **7.** sich schaden, ins eigene Fleisch schneiden.

1410 schnell 1. rasch, geschwind, flink, wieselig, behände, hurtig, eilig, rapid, blitzschnell, blitzartig, fix, affenartig, flott, zügig, schwungvoll, mit Schwung, im Geschwindschritt / Galopp / Schweinsgalopp, fluchtartig, mit einem Sprung, Tempo, rasant, stürmisch, flugs, prompt, wie der Wind/aus der Pistole geschossen, mit Volldampf, holterdiepolter, im Laufschritt, wie ein Wiesel / Lauffeuer, in Windeseile, schnellstens, auf dem schnellsten Weg, ehestens, schleunigst, **2.** augenblicklich, gleich, eilends, sofort, unverweilt, ungesäumt, im selben Augenblick, stehenden Fußes, so bald wie möglich, recht bald, möglichst umgehend, überstürzt, im Nu, stracks, spornstreichs, auf der Stelle, eilfertig, im Handumdrehen.

1411 **schon** bereits, längst, früher als erwartet/gedacht, schon lange, seit langem.

1412 **schön 1.** entzückend, reizend, klassisch, formvollendet, ebenmäßig, harmonisch, wunderschön, stilvoll, geschmackvoll, bildschön, herrlich, vollendet, makellos, unvergleichlich, strahlend, blendend, traumhaft, wunderbar, zauberhaft, wundervoll, märchenhaft, göttlich, göttergleich, reizvoll, **2.** gut gewachsen, wohlgestaltet, wohlbeschaffen, wohlproportioniert, gut gebaut, stattlich, wohlgeformt, blendende Figur.

1413 **schonen (sich) 1.** sorgsam behandeln, hüten, hegen, nicht strapazieren, pfleglich behandeln, **2.** verschonen, bewahren/behüten vor, ersparen, mit Samthandschuhen anfassen, **3.** Milde walten lassen, Auge zudrücken, durch die Finger sehen, fünf gerade sein lassen, Nachsicht üben, nicht entgelten lassen, **4.** sich pflegen; langsam/kurz/kürzer treten, auf seine Gesundheit achten, Anstrengungen vermeiden.

1414 **Schönheit 1.** Liebreiz, Wohlgestalt, Harmonie, Vollendung, Anmut, Formvollendung, Ebenmaß; Köstlichkeit, Erlesenheit, Pracht, Herrlichkeit, **2.** Schöne, Beauté, Schaufrau, Covergirl, Werbeschönheit; Beau, Adonis, Model.

1415 **schöpferisch** schaffend, genial, gestaltend, bildend, produktiv, gestaltungskräftig, geistesmächtig, erfinderisch, einfallsreich, ideenreich, originell, eigenwüchsig, ingeniös, dichterisch, poetisch, musisch, gestalterisch, fruchtbar, kreativ, phantasievoll.

1416 **Schöpfung 1.** Genesis, Erschaffung der Welt, Schöpfungsakt, **2.** Werk, Kunstwerk, Opus, Œuvre, Kreation.

1417 **schräg 1.** quer, diagonal, transversal, kursiv, überquer, übereck, **2.** geneigt, abfallend, abschüssig, abgedacht, sich senkend/neigend; abböschend, abgeschrägt, **3.** steigend, ansteigend, steil, aufsteigend, abfallend, **4.** querbeet, mit-

tendurch, querfeldein, **5.** schräge, ausgefallen, befremdlich, misstönend.

Schrank Kasten, Kleiderschrank, **1418** Wohnzimmerschrank, Schrankwand, Buffet, Sideboard, Glasschrank, Vitrine, Hängeschrank, Geschirrschrank, Anrichte; Küchenschrank, Küchenbuffet, Vorratsschrank, Spind; Eisschrank, Kühlschrank, Tiefkühlschrank, Bücherschrank, Kommode, Truhe.

Schranke Sperre, Barriere, Absperrung, **1419** Hürde, Zaun, Gitter, Gatter, Geländer, Reling, Brüstung; Bahnschranke, Verkehrsschranke, Grenze.

schrecklich 1. grässlich, fürchter- **1420** lich, katastrophal, desaströs, furchtbar, entsetzlich, grauenhaft, alptraumartig, grauenvoll, verheerend, vernichtend, schauderhaft, schreckensvoll, abschreckend, drohend, dräuend, ängstigend, beängstigend, schaudervoll, Schauder erregend, Grauen erregend, Furcht erregend, Horror, horribel, **2.** schauerlich, schaurig, geisterhaft, gespenstig, grausig, unheimlich, gothic, haarsträubend, zum Fürchten, gruselig, spukhaft, nicht geheuer, finster, düster, ein Graus, angstbesetzt, Angst erregend.

schreiben 1. zu Papier bringen, auf- **1421** schreiben, niederschreiben, niederlegen, schriftlich fixieren, zur Feder greifen; notieren, aufzeichnen, festhalten, vermerken, Notiz machen, eintragen, einschreiben, verzeichnen, **2.** aufsetzen, konzipieren, Skript schreiben, ins Unreine schreiben, **3.** formulieren, verfassen, abfassen, ausarbeiten, texten, **4.** pinseln, malen, kritzeln, schmieren, klecksen, sudeln, krakeln; tippen, Maschine schreiben.

Schrift 1. Schreibschrift, Druck- **1422** schrift, Blockschrift, Schrifttypen, Schriftzeichen; Handschrift, Schriftzüge, Klaue, Pfote, Gekrakel, Gekritzel, Geschmiere, **2.** Zeichensystem, Bilderschrift, Gegenstandsschrift, Wortschrift, Silbenschrift, Buchstabenschrift, Alphabet, Lautschrift, Umschrift, Transkription; Schönschrift, Kalligraphie.

Schriftsteller Autor, Verfasser, **1423** Dichter, Poet, Literat, Homme de Lettres, Mann der Feder, Prosaschriftsteller, Prosaist, Erzähler, Epiker, Romancier, Romanschriftsteller, Novellist, Essayist,

Lyriker, Dramatiker, Stückeschreiber, Dramendichter, Theaterdichter, Theaterautor; Drehbuchautor, Drehbuchschreiber, Skriptautor, Skriptschreiber, Scripter; Tagesschriftsteller, Texter, Glossenschreiber, Feuilletonist, Schreiberling, Vielschreiber, Verseklopfer, Verseschmied.

1424 Schuld 1. Makel, Fehler, Verschulden, Schuldigkeit, Kerbholz, Sündenregister, **2.** Verpflichtung, Schulden, Verbindlichkeit, Rückstand, Passiva, Belastung, Verschuldung, Schuldenlast, Restanten, Überschuldung, **3.** Schuldgefühle, Schuldbewusstsein, Skrupel, schlechtes Gewissen, Gewissensangst, Gewissensnot, Gewissensbisse, Gewissenspein, Gewissensqual, Schuldkomplex, Selbstanklage, Selbstvorwurf, Selbstekel.

1425 schulden 1. in der Schuld stehen, zu zahlen haben, im Rückstand/schuldig sein, in Verzug geraten, in der Kreide stehen, Schulden haben, in den roten Zahlen/verschuldet sein, auf Pump leben; Schuldner/Debitor/Kreditnehmer sein, **2.** verdanken, verpflichtet sein, zu danken haben, **3.** sich schuldig/verantwortlich fühlen, schuldig bekennen, etwas zuschulden kommen lassen, schuldig machen; Schuld auf sich laden, Schuld haben, schuld sein, verschuldet haben, verantwortlich sein, zu verantworten haben, geradestehen müssen, es gewesen sein/getan haben, auf dem Kerbholz haben.

1426 schuldig 1. rückständig, in der Kreide, im Verzug, zahlungspflichtig, im Rückstand, restant, verschuldet, überschuldet, mit Schulden überlastet, **2.** schuld, schuldbeladen, Dreck am Stecken, Leiche im Keller, in Schuld verstrickt, schuldhaft, mitschuldig, belastet, straffällig, schuldig gesprochen, verurteilt, schuldbewusst.

1427 Schule 1. Lehranstalt, Erziehungsstätte, Bildungsstätte, Bildungsanstalt; Volksschule, Hauptschule, Gesamtschule, Realschule, Gymnasium, College, Ganztagsschule, Schulversuch; Penne, Quetsche, **2.** Schulgebäude, Schulhaus, Schulkomplex.

1428 Schüler 1. Pennäler, Schulkind, Abc-Schütze, Schulanfänger, Erstklässler, Hauptschüler, Oberschüler, Gymnasiast, Abiturient, **2.** Hörer, Student, Stu-

dierender, Hochschüler, **3.** Jünger, Nachfolger, Adept, Anhänger, **4.** Lehrling, Stift, Auszubildender (Azubi), Volontär, Praktikant, Anlernling, Hospitant, Debütant, Trainee.

1429 Schurke 1. Schelm, Schlitzohr, Bube, Lotterbube, Spitzbube, Haderlump, Halunke, Gauner, Filou, Schubiack, Subjekt, Windbeutel, **2.** Finsterling, Galgenvogel, fieser Finger, Schuft, Bösewicht, Lump, Bandit, Ganove, Falschspieler, Betrüger, **3.** Heckenschütze, Meuchelmörder, Mordbube, Mordbrenner, Aufwiegler, Verräter, Judas, Denunziant, Spitzel, Blockwart.

1430 schützen (sich) 1. decken, bedecken, zudecken, einhüllen, einmummeln, umhüllen, einpacken, abdecken, überdecken, überdachen, einwickeln, schirmen, wahren, bewahren, sichern, unter Dach/in Sicherheit bringen, bergen; decken gegen, abwenden von, breiten über, ausbreiten, beschirmen, behüten, bewachen, wachen über, beschützen, bewahren vor, fern halten, **2.** feien, sichern, flankieren, unter die Fittiche nehmen, Hand halten über, gutes Wort einlegen, protegieren, **3.** verteidigen, Partei ergreifen, entlasten, Lanze brechen, beispringen, parieren, auffangen, Rücken decken, **4.** sich unterstellen, decken; in Deckung gehen, Deckung nehmen, **5.** vorbauen, vorbeugen, Prophylaxe betreiben, impfen, verhüten, imprägnieren.

1431 Schützling Schutzbefohlener, Protegé, Liebling, Günstling, Favorit, Klient, Mündel, Schoßkind, Kronprinz, Mandant, Pflegling, Pflegekind.

1432 schwach 1. kraftlos, marklos, saftlos, blutarm, blutlos, blutleer, anämisch, zittrig, schwachnervig, schwächlich, schlapp, lahm, lendenlahm, pflaumenweich, knochenlos, matt, schlaff, verzärtelt, verweichlicht, wehleidig, kläglich, weichlich, weichmütig, **2.** labil, auffällig, kränklich, hinfällig, entkräftet, schwach auf den Beinen, klapprig, gebrechlich, erschöpft, **3.** charakterlos, willenlos, haltlos, rückgratlos, weich, lasch, energielos, entscheidungsschwach, willensschwach, widerstandslos, unselbständig, wankelmütig, willfährig, nachgiebig, gefügig, verführbar, **4.** unterernährt, abgezehrt, ausgehungert, **5.** machtlos, entmachtet, ohnmächtig, beraubt, unterlegen, drittklassig.

1433 Schwäche 1. Schwachheit, Marklosigkeit, Kraftlosigkeit, Widerstandslosigkeit, Verführbarkeit, Labilität, innerer Schweinehund, Willensschwäche, Entscheidungsschwäche, Entschlusslosigkeit, Energielosigkeit, Willenlosigkeit, Willfährigkeit, Rückgratlosigkeit, Wankelmut, Unentschlossenheit, Unentschiedenheit, Weichheit, **2.** Blutleere, Blutarmut, Bleichsucht, Blutlosigkeit, **3.** Ohnmacht, Autoritätsverlust, Machtlosigkeit, Einflusslosigkeit, Führungsschwäche.

1434 schwächen beeinträchtigen, entkräften, erschöpfen, ermüden, zehren, lähmen, lahm legen, paralysieren, aufreiben, entwaffnen, entmutigen, demotivieren, demoralisieren, untergraben, verweichlichen, verzärteln, verhätscheln.

1435 schwanken 1. wanken, wackeln, taumeln, torkeln, kippeln, Schlagseite haben, unsicher auf den Beinen sein; rollen, schlingern, dümpeln, wogen, schaukeln, tanzen, **2.** unschlüssig sein, sich nicht entschließen können; zaudern, zweifeln, mit sich ringen, wankend, schwankend werden, ins Schwimmen geraten.

1436 Schwätzer Schwadroneur, Wichtigtuer, Neuigkeitskrämer, Zungendrescher, Alleswisser, Klugschwätzer, Quasselstrippe, Kannegießer, Biertischpolitiker, Fabulant, Gernegroß, Angeber, Aufschneider, Renommist, Großtuer, Prahlhans, Bramarbas, Großmaul, Papiertiger, Möchtegern, Radikalinski, Revoluzzer, Dauerredner, Vielschwätzer, Redelöwe, Wortemacher, Phrasendrescher, Blender, Maulheld, Schreihals, Schaumschläger, Windbeutel, Bildungsprotz, Klatschbase, Klatschweib, Waschweib, Schwatzbase, Klatschmaul, Plaudertasche, böse Zunge, Tratschtüte.

1437 schweben 1. fliegen, sich tragen lassen; segeln, gleiten, treiben, getragen werden, kreisen, sich wiegen; rütteln, flattern, streichen, schaukeln, wirbeln, schwirren, umherschwirren, **2.** schwimmen, treiben, flottieren, driften, obenauf schwimmen, dahintreiben.

schweigen 1. nicht sprechen, stumm **1438** bleiben, nichts entgegnen / erwidern, verstummen, sich ausschweigen; Mund halten, keinen Ton herausbringen, **2.** Schweigen bewahren, dichthalten, für sich behalten, geheim halten, nichts sagen, seine Zunge im Zaum halten, stillschweigen, sich in Schweigen hüllen; keinen Laut von sich geben, nichts verraten, kein Wort verlieren, schweigen wie eine Auster/ein Grab.

schweigsam 1. schweigend, stumm, **1439** still, wortlos, sprachlos, wortkarg, wortarm, nicht gesprächig, mundfaul, wortfaul, einsilbig, verschlossen, zurückhaltend, zugeknöpft, reserviert, nicht mitteilsam, verschwiegen, diskret, **2.** ohne Worte, unausgesprochen, stillschweigend, ungesagt, mimisch, pantomimisch.

schwer 1. erdrückend, lastend, **1440** schwer wiegend, gewichtig, massig, bleiern, bleischwer, wuchtig, gewaltig, kaum zu heben/bewegen, **2.** beschwerlich, anstrengend, ermattend, aufreibend, ermüdend, mühevoll, mühsam, erschöpfend, betäubend, niederschmetternd, schwer erträglich; erschwerend, gravierend, schwerwiegend, belastend.

schwierig 1. kompliziert, verwickelt, **1441** verzwickt, verzwackt, kraus, vertrackt, verworren, verteufelt, umständlich, unübersichtlich, unklar, verwirrend, **2.** tiefsinnig, schwer zugänglich, kaum zu begreifen, schwer, komplex, verflochten, verschlungen, beziehungsreich, verzweigt, schwer verständlich, problematisch, schwer zu entziffern, diffizil, heikel, knifflig, subtil, dornig, **3.** schwer zu behandeln, unzugänglich, unansprechbar, nicht pflegeleicht.

schwimmen 1. baden, tauchen, **1442** kraulen, planschen, **2.** ins Schwimmen geraten, treiben.

schwingen 1. werfen, schleudern, **1443** schmeißen, pfeffern, schmettern, zuwerfen; schwenken, ausschwenken, ausschütteln, **2.** pendeln, hin und her schwingen, baumeln, hängen, sich wiegen; bammeln, schlenkern, flattern, schaukeln, wogen, **3.** schwänzeln, wackeln, wedeln, fächeln, **4.** vibrieren, mitschwingen, pulsieren, oszillieren, fluktuieren, hin und her bewegen.

Schwingung Pendelbewegung, **1444**

Schwingen, Oszillieren, Schwankung, Fluktuation, Wellenbewegung, Vibration; Swing, Schwingungen, Vibrations.

1445 schwitzen 1. in Schweiß/ins Schwitzen geraten, schmoren, braten, dampfen, sieden, kochen, transpirieren, ausdünsten, fließen, **2.** beschlagen, anlaufen.

1446 Schwung 1. Drall, Stoß, Stups, Schub, Anlauf, Wucht, Schuss, Fahrt, **2.** Brio, Elan, Schmiss, Feuer, Biss, Begeisterung, Dynamik, Drive, Antrieb, Verve, Pep, Leben, Impuls, Impetus, Temperament, Lebhaftigkeit, Beweglichkeit, Initiative, Unternehmungsgeist.

1447 Seele 1. Psyche, Innenleben, Inneres, Unterbewusstsein, das Unbewusste, Seelenleben, Gefühlswelten, **2.** Spiritus Rector, Seele der Organisation/des Betriebs, gute Seele.

1448 Seemann Matrose, Maat, Steuermann, Lotse, Janmaat, Schiffsjunge, Schiffsmann, Bootsmann, Kapitän, Smutje, Seefahrer, Küstenfahrer, Kanalschiffer, Schiffsfahrer, Schiffer; Seebär, fliegender Holländer.

1449 Segen 1. Segnung, Benediktion, Segensspruch, Segenswunsch, **2.** Gnade, Gunst, Heil, Fülle, Lohn, Glück, Wohl, Seelenheil, **3.** Absegnung, Zustimmung, Erlaubnis, Einverständnis.

1450 segnen 1. Segen spenden/sprechen, dem Himmel empfehlen, weihen, **2.** begnaden, auszeichnen, begaben, beglücken, beschenken.

1451 sehen bemerken, erblicken, erschauen, schauen, blicken, gewahren, wahrnehmen, ansichtig werden, erspähen, erkennen, sichten, entdecken, finden, gewahr werden, ausmachen, innewerden, spitzen, äugen, lugen, spähen, gucken, ansehen, beobachten; den Dingen ins Gesicht sehen.

1452 sehr 1. gewaltig, heftig, happig, mächtig, enorm, äußerst, in hohem Maß, erdrutschartig, eminent, zutiefst, hochgradig, weitgehend, mordsmäßig, mörderisch, höllisch, horrend, teuflisch, tierisch, wahnsinnig, bis über die Ohren/zur Halskrause, volle Kanne, bass, stark, höchst, höchlich, beachtlich, überaus, extra, erstaunlich, weidlich, erheblich, ganz besonders, ausnehmend, überaus, richtiggehend, ungeheuer, ungemein, unsäglich; die-

bisch, schrecklich, sündhaft, verteufelt, verflucht, namenlos, unsagbar, mega, ultra, hyper, unbeschreiblich, unendlich, unaussprechlich, empfindlich, fühlbar, schmerzlich, arg, **2.** höchstens, längstens, größtmöglich, optimal, maximal.

1453 selbstbewusst sicher, selbstsicher, von sich überzeugt, seines Wertes sicher, stolz, selbstgewiss, selbstkritisch.

1454 Selbstbewusstsein 1. Selbstvergewisserung, Selbsterkenntnis, Selbstkritik, **2.** Selbstvertrauen, Selbstsicherheit, Selbstwertgefühl, Selbstachtung, Stolz, Selbständigkeit.

1455 Selbstsucht Egoismus, Eigennützigkeit, Eigennutz, Ichsucht, Eigensucht, Ichbezogenheit, Egotrip, Selbstbesessenheit, Selbstherrlichkeit, Selbstverliebtheit, Selbstvergötterung, Narzissmus, Egozentrik, Nabelschau, Egotismus, Eigenlob, Selbstbeweihräucherung, Selbstinszenierung.

1456 selbstsüchtig selbstisch, egoistisch, ichsüchtig, eigennützig, eigensüchtig, vorteilsüchtig, rücksichtslos, kaltschnäuzig, mit Ellbogen, durchsetzerisch, unsozial, unkollegial, berechnend, nur auf den eigenen Vorteil bedacht, geht über Leichen; ichbezogen, selbstbezogen, egozentrisch, selbstherrlich, solipsistisch, autistisch, monoman, egoman, selbstbesessen, narzisstisch, selbstverliebt.

1457 selten 1. rar, dünn gesät, kostbar, gesucht, ungewöhnlich, unalltäglich, ungebräuchlich, unüblich, kaum vorkommend, vereinzelt, sporadisch, ausgefallen, außergewöhnlich, besonders, **2.** im Ausnahmefall, ausnahmsweise, kaum, nur manchmal, fast gar nicht, ab und zu, spärlich, nur gelegentlich, hie und da, alle Jubeljahre.

1458 Sexualdelikt geschlechtliche Unterdrückung, sexuelle Belästigung, Zudringlichkeit, sexuelles Vergehen, sexuelle Nötigung, Misshandlung, Ausbeutung, sexueller Missbrauch, Kindesmissbrauch, Unzucht mit Abhängigen, Vergewaltigung, Stuprum, Zwangsprostitution, Kinderprostitution, Mädchenhandel, Frauenhandel.

1459 Show Varieté, Tingeltangel, Revue, Striptease, Unterhaltungsshow, Spieleshow, Gameshow, Actionspielshow,

Quizshow, Gewinnshow, Talkshow, Lateshow, Rockshow, Peepshow, Erotikshow.

1460 **sicher** 1. zutreffend, ganz sicher, todsicher, bombensicher, zweifelsfrei, gewiss, höchstwahrscheinlich, vorprogrammiert, wie das Amen in der Kirche, stimmt, nicht daran zu zweifeln, nicht zu leugnen, unleugbar, 2. gefahrlos, ungefährlich, gesichert, ungefährdet, risikolos, unbedenklich; etabliert, unkündbar, in sicherer Stellung, in Lebensstellung, krisenfest, 3. geborgen, geschützt, beschirmt, behütet, beschützt, betreut, bewacht, bewahrt, unbedroht, gefeit, gut aufgehoben; in Sicherheit, gerettet, davongekommen, außer Gefahr, 4. beglaubigt, beurkundet, urkundlich, besiegelt, verbrieft, schwarz auf weiß, beweisbar, beweiskräftig, garantiert, eidesstattlich, beschworen, amtlich, offiziell; unanfechtbar, unanzweifelbar, unwiderleglich, unstreitig, unbestreitbar, unbestritten, beweiskräftig, begründet, bewiesen, stichhaltig, nachgewiesen, gesichert, erwiesen, verlässlich, aus sicherer Quelle/gut unterrichteten Kreisen, unwidersprochen, unwidersprechlich, unangefochten, nachweislich, hieb- und stichfest, niet- und nagelfest, bekanntlich, offenkundig, erfahrungsgemäß, erprobt, empirisch, experimentell bewiesen, wie jeder weiß, 5. feststehend, unverrückbar, unwiderruflich, unabänderlich, vertraglich, vertragsgemäß, patentiert, beschlossen, abgemacht, 6. unangreifbar, unverwundbar, unverletzlich, windgeschützt, feuersicher, kugelsicher; unerschütterlich, unerschüttert, unbeirrbar, unbeirrt, entschieden, entschlossen, 7. gesichert, gespeichert, unverlierbar, unlöschbar, 8. taktfest, taktsicher, auftrittsicher, sattelfest, sicher auf dem Parkett.

1461 **Sicherheit** 1. Gewissheit, Bestimmtheit, Überzeugung, 2. Sicherung, Protektion, Schutz, Beschützung, Beschirmung, Abschirmung, Deckung, Bedeckung; Obhut, Patronage, Zuflucht, Hut, Hort, Hafen, Asyl; Gesichertsein, Geborgenheit, Geborgenheitsgefühl, 3. Garantie, Immunität, Prophylaxe, Verhütung.

1462 **sichern (sich)** 1. fundieren, fundamentieren, untermauern, konsolidieren, unterbauen, stützen, abstützen, unterlegen, unterstellen, tragen, halten, 2. sicherstellen, garantieren, patentieren, zusichern, decken, 3. sich schützen, absichern; Deckung/Unterstützung verschaffen; sich anschnallen, festschnallen, anseilen, 4. absperren, abriegeln, beschranken, 5. einschließen, unter Verschluss bringen, wegsperren, wegschließen.

siegen 1. Nase vorn haben, Sieg davontragen/erringen, durchs Ziel gehen, gewinnen, Spiel/Rennen machen/gewinnen, ans Ruder kommen, triumphieren, 2. überrennen, niederringen, übermannen, überwältigen, Oberhand gewinnen, zur Strecke bringen, in die Knie zwingen, niederwerfen, besiegen, obsiegen, matt setzen. **1463**

Sieger 1. Bezwinger, Eroberer, Triumphator; Gewinner, Erster, Finalist, Preisträger, Preisgekrönter; Olympiasieger, Champion, Nummer eins, Held, Recke, Heros, 2. Besatzung, Besatzungsmacht, Besatzer, Siegermacht. **1464**

singen 1. summen, trällern, dudeln, leiern, Lied anstimmen, vortragen, erschallen lassen, intonieren, psalmodieren, tremolieren; einstimmen, einfallen, mitsingen, 2. schmettern, schreien, grölen, plärren, jubilieren, trillern, jodeln, 3. pfeifen, zwitschern, tirilieren, tschilpen, flöten, schlagen, zirpen, piepen, quinkelieren, ziepen, 4. ausplaudern, verraten. **1465**

sinnlich 1. mit den Sinnen erfahrbar, sensualistisch, wahrnehmbar, spürbar, fühlbar, sichtbar, hörbar, 2. genussfreudig, genussfähig, sinnenhaft, lustbetont, genießerisch, schwelgerisch, sinnenfreudig, hedonistisch, 3. erotisch, leidenschaftlich, lüstern. **1466**

Sinnlichkeit Sinnenlust, Sinnenfreude, Eros, Genussfähigkeit, Genussfreudigkeit, Hedonismus; Erotik, Fleischeslust, Fleischlichkeit, Sexualität, Lüsternheit, Lust. **1467**

sinnvoll 1. angebracht, angemessen, vernünftig, ratsam, anzuraten, geraten, 2. bedeutsam, inhaltsreich, inhaltsschwer, erfüllt, tief, viel sagend, sinnreich, beziehungsvoll, beziehungsreich, 3. systematisch, planmäßig, planvoll, geplant, überlegt, organisch, folgerichtig, geordnet, methodisch, einheitlich, **1468**

zielführend, vorbedacht, wohl überlegt, durchdacht.

1469 sitzen 1. sich setzen, hinsetzen, niederlassen; Platz nehmen, auf einen Stuhl fallen, **2.** im Gefängnis sein, einsitzen, brummen, absitzen, festsitzen, hinter Gittern / Stacheldraht / gefangen sein, **3.** dasitzen, hängen, kleben, dahocken, kauern, hocken, **4.** passen, keine Falten werfen, stimmen, guten Sitz / gute Passform haben, wie angegossen sitzen.

1470 Sitzmöbel 1. Sitzgelegenheit, Stuhl, Küchenstuhl, Polsterstuhl, Gartenstuhl, Armstuhl, Klappstuhl, Drehstuhl, Hocker, Schemel, **2.** Sessel, Ohrensessel, Schaukelstuhl, Polstermöbel, Garnitur, Sofa, Couch, Kanapee, Chaiselongue, Ottomane, Diwan; Bank, Sitzbank, Eckbank.

1471 Sklave 1. Galeerensklave, Helot, Paria, Leibeigener, Fronknecht, Höriger, Knecht, Untertan, Unfreier, Gemeiner, Abhängiger, Willenloser, Odaliske, **2.** Masochist, Bettsklave, Liebessklave.

1472 Skulptur Bildwerk, Statue, Plastik, Figur, Standbild, Bildsäule, Büste, Torso, Herme, Statuette, Figurine.

1473 so derart, derartig, solchermaßen, dergestalt, dermaßen, ebenso, genauso, in diesem Ausmaß / Umfang, in dieser Form / Weise, mit diesen Worten, gleichermaßen, folgendermaßen, wie folgt; gleichwie, also, nun, denn, so oder so, wie auch immer.

1474 Sorge Kummer, Bürde, schlaflose Nächte, Sorgenlast, Kümmernisse, Bekümmernis, Besorgtheit, Besorgnis, Bedenken, Beklemmung, Beklommenheit, Ungewissheit, Unsicherheit, Angst, Befürchtung, Beunruhigung, Zweifel.

1475 Sorgfalt 1. Sorgfältigkeit, Sorgsamkeit, Genauigkeit, Gründlichkeit, Präzision, Schärfe, Exaktheit, Akkuratesse, Akribie, Gewissenhaftigkeit, Abbildungstreue, **2.** Achtsamkeit, Behutsamkeit, Obacht, Besonnenheit, Bedachtsamkeit, Bedacht, Umsicht.

1476 sorgsam 1. behutsam, schonungsvoll, schonend, sorgfältig, achtsam, bedachtsam, wohl überlegt, sorglich, fürsorglich, besorgt, pfleglich, mit Bedacht, wachsam, aufmerksam, zuverlässig, peinlich, akkurat, genau, exakt, gründlich, akribisch, **2.** umsichtig, überlegt, vorsorglich, mit Vorbedacht,

wohl vorbereitet, von langer Hand, bedacht, gewissenhaft, weislich, wohlerwogen, vorausschauend, beschützend, bergend, beschützerisch, overprotecting.

Soße Lake, Beize, Marinade, Tunke, **1477** Brühe; Salatsoße, Mayonnaise, Dressing, Stippe, Dip, Bratensaft, Fond.

Spannung 1. Erwartung, Gespannt- **1478** heit, Interesse, Neugier, Erregung, Gespanntsein, Lampenfieber, Vorfreude, Ungeduld, gespannte Erwartung, Aufregung, Hochspannung, Nervenkitzel, Dramatik, Action, Suspense, **2.** Spannungen, Knatsch, gespanntes Verhältnis, Anspannung, Druck, Verstimmung, Ärger.

sparen 1. beiseite / auf die hohe Kante **1479** legen, ersparen, erübrigen, ansparen, zurücklegen, zusammenbringen, zusammenscharren, zusammenraffen, aufsparen, anhäufen, hamstern, horten, **2.** knausern, geizen, filzen, knapsen, abknapsen, sich vom Munde absparen; Daumen draufhalten, knapp halten, kurz halten, kargen, zwacken, knickern, **3.** haushalten, zusammenhalten, rechnen, wirtschaften, einteilen, rationieren, zirkeln, **4.** sich einschränken, bescheiden, beschränken; kürzer treten, kurz treten, einsparen, schrumpfen, runterfahren, tiefer hängen, absparen, abzwacken, sich begnügen, zufrieden geben, behelfen; Brotkorb höher hängen, Gürtel / Riemen enger schnallen, Pflöcke zurückstecken, vorlieb nehmen, verschlanken, abspecken.

sparsam 1. haushälterisch, mäßig, **1480** kleinlich, filzig, knauserig, geizig, knickrig, schäbig, schofel, **2.** verbrauchsgünstig, wirtschaftlich, ökonomisch, rationell, lean, Energie sparend, umweltfreundlich.

Sparsamkeit Wirtschaftlichkeit, **1481** Ökonomie, genaues Rechnen, Einteilen, Kleinlichkeit, Knauserei, Pfennigfuchserei, Knickerigkeit, Knauserigkeit, Geiz.

spät 1. verspätet, unpünktlich, säu- **1482** mig, saumselig, im Rückstand / Verzug, überfällig, zu spät, fünf nach zwölf, **2.** höchste Zeit, keine Zeit zu verlieren, in letzter Minute, kurz vor Toresschluss, fünf vor zwölf, im letzten Augenblick, höchste Eisenbahn, **3.** nach Jahren / langer Zeit/Jahr und Tag, postum, nach dem Tod, **4.** zu später/vorgerückter Stunde, ziemlich spät, am späten Abend, spätabends, zu nachtschlafender Zeit, nachts.

1483 später 1. danach, darauf, nachmalig, nachmals, hinterher, hernach, nach, hierauf, nachher, dann, hiernach, noch nicht, von ... ab, seit, seitdem, seither, **2.** künftig, in Zukunft, späterhin, fernerhin, zu einem späteren Zeitpunkt, fortan, dereinst, eines Tages, ein andermal, über kurz oder lang, früher oder später, fortab, zukünftig, hinfort, von jetzt an, **3.** angehend, zukünftig, kommend, in spe.

1484 Speicher 1. Dachboden, Dachkammer, Abstellraum, Rumpelkammer, **2.** Depot, Lagerhaus, Magazin, Warenlager, Stapelplatz, Arsenal, Zeughaus; Schober, Stadel, Silo, Schuppen, Scheuer, Scheune, Schatzkammer, Hamsterkiste, **3.** Archiv, Bildarchiv, Tonarchiv, Filmarchiv, Kinemathek, **4.** Computerspeicher, Festplatte, Diskette, Sampler, Zip-Diskette, CD-ROM.

1485 Spezialität 1. Interessengebiet, Domäne, Sondergebiet, Spezialgebiet, Fachgebiet, Fachrichtung, Fachbereich, Fachgeschäft, Fachhandel, Sparte, **2.** Steckenpferd, Liebhaberei, Hobby, Faible, Flitz, Lieblingsbeschäftigung, Stärke, **3.** Leibgericht, Leibspeise, Hausgericht, Hausmachergericht, Leib- und Magengericht, Leckerbissen, **4.** Eigentümlichkeit, Kuriosität, Besonderheit, Eigenart, Spezifikum.

1486 spiegeln (sich) 1. in den Spiegel sehen, sich betrachten, ansehen, prüfen, **2.** wiedergeben, reflektieren, zurückwerfen, widerspiegeln, zeigen, **3.** glänzen, gleißen, blenden, **4.** widerhallen, nachhallen, nachklingen, echoen.

1487 spielen 1. Theater spielen, schauspielen, auftreten, Rolle spielen, kreieren, Partie singen; erscheinen als, personifizieren, Leben verleihen, lebendig machen, figurieren, abgeben, geben, verkörpern, mimen, darstellen, agieren, doubeln, **2.** aufführen, vorführen, inszenieren, einstudieren, Regie führen, auf die Bühne bringen, geben, zeigen, herausbringen, in Szene setzen, über die Bretter gehen lassen, **3.** musizieren, aufspielen, klimpern, begleiten, blasen,

pfeifen, flöten, trompeten, posaunen, geigen, harfen, trommeln, pauken, Klavier spielen, konzertieren, Konzert geben, **4.** liebäugeln mit, denken an, kokettieren mit, **5.** losen, Los ziehen, werfen, tippen, wetten, würfeln, zocken, Karten spielen, karteln, Glücksspiele machen, hasardieren, vom Spielteufel besessen sein, **6.** improvisieren, extemporieren, aus dem Stegreif spielen, **7.** abspielen, laufen lassen.

1488 Sport Gymnastik, Körperübung, Leibesübung, Körpererziehung, Körperertüchtigung, Körperkultur; Leistungssport, Profisport, Massensport, Modesport.

1489 Sportler Wettkämpfer, Sporttreibender, Athlet, Leichtathlet, Turner, Schwerathlet, Amateursportler, Sportsmann, Amateur, Berufssportler, Berufsspieler, Profi, Spitzensportler, Meistersportler, Sportskanone, Olympiateilnehmer, Champion, Crack, Youngster.

1490 sportlich 1. sportiv, kräftig, gewandt, trainiert, fit, in Form/Hochform, athletisch, durchtrainiert, olympiaverdächtig, drahtig, sehnig, muskulös, **2.** zweckmäßig, bequem, leger, wetterfest.

1491 Spott 1. Neckerei, Ulk, Spaß, Schabernack, **2.** Stichelei, Gestichel, Spitze, Anspielung, Uzerei, Hänselei, Frotzelei, Hechelei, **3.** Schadenfreude, Hohn, Hohngelächter, Ironie, Galgenhumor, Süffisanz, Sarkasmus, Zynismus, beißender Spott, Malice, Bissigkeit, Bosheit, boshafte Anspielung, Bemerkung, Hieb, Nadelstich, Seitenhieb, Sottise, Verspottung, Verhöhnung, **4.** Karikatur, Spottbild, Scherzzeichnung, Persiflage, Satire, Parodie, Travestie, Groteske, Pasquill, **5.** Spitzname, Spottname, Scherzname, Neckname.

1492 spotten 1. aufziehen, hochnehmen, anspielen, sticheln, uzen, anpflaumen, verulken, necken, auf den Arm nehmen, frotzeln, foppen, hänseln, flachsen, narren, zum Besten halten, Streich spielen, an der Nase herumführen, spötteln, sich mokieren; witzeln, sich lustig machen; spaßen, Scherz/Spott treiben, sich belustigen über; zum Narren halten, auf die Schippe nehmen, belächeln, bespötteln, am Narrenseil führen, nasführen, veralbern, veräppeln, verarschen, **2.** höhnen, verhöhnen, verspotten, verlachen, Schnippchen schlagen, sich ins Fäustchen lachen; auslachen, lächerlich machen, der Lächerlichkeit preisgeben, hohnlachen, **3.** karikieren, verzerren, verzeichnen, persiflieren, ins Lächerliche ziehen, ironisieren, parodieren, travestieren.

1493 spöttisch 1. anzüglich, ironisch, sarkastisch, sardonisch, zynisch, beißend, satirisch, bissig, spitz, maliziös, mokant, höhnisch, ätzend, scharf, verletzend, schneidend, mit spitzer Zunge, scharfzüngig, spitzzüngig, süffisant, spottsüchtig, **2.** neckend, schmunzelnd, frotzelnd, im Scherz, scherzhaft, im Spaß, spaßeshalber, parodistisch, satirisch, komisch, kabarettistisch, grotesk, **3.** ironisierend, als Zitat, campy.

1494 Sprache 1. Sprachvermögen, Sprachkompetenz, sprachliches Handeln, Sprachbewusstsein, Sprechhandlung, Sprechakt, sprachliche Kommunikation; Sprechfähigkeit, Stimme, Laut, Zunge, **2.** Wortschatz, Sprachschatz, Vokabular, Zeichensystem, Terminologie; Diktion, Redeweise, Vortragsweise, Sprechweise, Ausdrucksweise, Stilistik, Sprechstil, Sprachgebrauch, Sprachverwendung, Darstellungsweise, Sprachgefühl, Sprachfeeling, Sprachintuition; Aussprache, Tonfall, Timbre, Artikulierung, Artikulation, Intonation, Klang, Betonung, **3.** Sprachgewandtheit, Rednergabe, Redegabe, Zungenfertigkeit, Suada, Redekunst, Redefluss, Dialektik, Rhetorik, Beredsamkeit, Beredtheit, Eloquenz, Sprechbegabung, Formulierungsgeschick; Sprachspiel, **4.** Schriftsprache, Hochsprache, Literatursprache, Bühnensprache, Kanzleistil; Alltagssprache, Umgangssprache, Volkssprache, Idiom; Landessprache, Muttersprache, Fremdsprache, Esperanto, Lingua franca; Dialekt, Mundart, Platt, Jargon, Slang, Soziolekt, Idiolekt, Sexlekt, Gossensprache, Vulgärsprache, Fäkalsprache, Koprolalie, Rotwelsch, Kauderwelsch, Gaunersprache, Szenesprache, Milieusprache, Insidersprache, **5.** Fachsprache, Funktiolekt, Nomenklatur, mathematische/künstliche Sprache, Codiersprache, Programmiersprache, Computersprache, Maschinensprache, synthetische Sprache, Welthilfssprachen.

sprechen 1. reden, sagen, äußern, **1495** verbalisieren, artikulieren, zum Ausdruck bringen, Ausdruck geben, bezeichnen, nennen, aussprechen, erwähnen, **2.** Sprache handhaben, Worte setzen/wählen, Schweigen brechen, anheben, laut werden/verlauten lassen, vortragen, meinen, sagen wollen, kommunizieren, **3.** schwatzen, schwätzen, Herz auf der Zunge tragen, plaudern, schnattern, plappern, labern, sülzen, palavern, besoffen reden, durcheinander reden, daherreden, leiern, Blech/dummes Zeug reden, faseln, schwafeln; klug reden/schwätzen, gackern, babbeln, quasseln, ohne Punkt und Komma reden, monologisieren, tratschen, quatschen, sprudeln, sprühen, heraussprudeln, ausstoßen, herausstoßen; kauderwelschen, radebrechen, näseln, brabbeln, lallen, blubbern, nuscheln.

spröde 1. mürbe, krachig, knusprig, **1496** kross, knackig, ofenfrisch, rösch, krosch, bissfest, **2.** bröckelig, brüchig, gläsern, unelastisch, zerbrechlich, splitterig, trocken, fettarm, rissig, rau, aufgesprungen, schilfrig, schrundig, strohig, altbacken, krümelig, bröckelig, bröselig, **3.** abweisend, zurückhaltend, unzugänglich, prüde, süßsauer, herb, zickig, zimperlich, geziert, genant, tuntig, altjüngferlich.

Sprung 1. Riss, Spalt, Bruchstelle, **1497** Knick, Knacks, Haarriss, Einriss, Ritz, Hautriss, Kratzer, Schrunde, Schramme, **2.** Satz, Absprung, Hopser, Hüpfer, Luftsprung, Hechtsprung, Kopfsprung, Salto, Salto mortale, Todessprung.

Spur 1. Fährte, Fußspur, Fußstapfen, **1498** Tritt, Geläuf, Abdruck, Fingerabdruck; Reifenspur, Furche, Kielwasser, Rauchfahne, **2.** Zeichen, Indiz, Anflug, Beweis, Beleg, Anhaltspunkt, **3.** Schienen, Schienenstrang, Geleise; Trasse, Trassierung, Linie, Linienführung, Loipe.

spürbar merklich, einschneidend, tief **1499** gehend, gravierend, fühlbar, ernstlich, schmerzlich, empfindlich, bemerkbar, wahrnehmbar, sichtbar, hörbar, erkennbar, greifbar, sichtlich, deutlich, nachhaltig, erheblich, beträchtlich, beachtlich.

Stadt 1. Ort, Ortschaft, Gemeinde; **1500** Städtchen, Kleinstadt, Landstadt, Provinzstadt, Kreisstadt, Residenzstadt,

Residenz, Universitätsstadt, Stadtstaat, Großstadt, Hauptstadt, Kapitale, Metropole, Weltstadt, Megacity, **2.** Dorf, Kaff; Moloch, Asphaltschluchten, Steinschluchten, Pflaster, **3.** Stadtgebiet, Stadtteil, Stadtviertel, Viertel, Siedlung, Gegend, Wohngegend, Quartier, Kiez, City, Zentrum, Altstadt, Fußgängerzone, Innenstadt, Wohnblock, Block, Häuserviertel, Straßenzug; Kunstmeile, Museumsinsel, Kulturmeile, **4.** Randgebiet, Vorstadt, Stadtrand, Peripherie, Suburb, Trabantenstadt, Wohnstadt, Bürostadt, Schlafstadt; Slum, Favela, Zeltstadt, Elendsviertel; Villenviertel, Speckgürtel, Ballungsraum.

1501 Star 1. Sternchen, Starlet, Diva, Primaballerina, Primadonna, Göttin, Filmstar, Filmheld, Rockstar, Popstar, Rockheroe, Topmodel, Schaufrau, Medienstar, Megastar, Champion, Matador, Crack, Ass, Kultfigur, Ikone, Topstar, Superstar, **2.** Berühmtheit, Mittelpunkt, Prominente(r); Größe, Koryphäe, Meister, Kapazität.

1502 Stärke 1. Können, Vermögen, Kraft, Macht, **2.** Widerstandskraft, Resistenz, Widerstandsfähigkeit, Belastbarkeit, Tragfähigkeit, Zähigkeit, Zählebigkeit, **3.** Umfang, Durchmesser, Dicke, Grad, Kaliber, Intensität, Konzentration, **4.** Kapazität, Fassungsvermögen, Aufnahmefähigkeit, Speichervermögen, Speicherkapazität, Byte, **5.** starke Seite, besondere Begabung, Talent, Spezialität, **6.** Stärkemittel, Imprägnierung.

1503 stärken (sich) 1. sich kräftigen; etwas zu sich nehmen, sich wappnen, stählen, ertüchtigen, abhärten; trainieren, **2.** aufrichten, ermuntern, ermutigen, Rücken stärken; erquicken, laben, beleben, ergötzen, erfrischen, **3.** härten, festigen, steifen, verdichten, erhärten, verstärken, versteifen.

1504 Stärkung 1. Erfrischung, Imbiss, Erquickung, Belebung, Labung, **2.** Trost, Zuspruch, Aufrichtung, Ermunterung, Ermutigung, Erbauung, **3.** Festigung, Bekräftigung, Konsolidierung, Stabilisierung, Verstärkung, **4.** Kräftigung, Erholung, Erstarkung, Abhärtung.

1505 starr 1. steif, reglos, bewegungslos, unbeweglich, unveränderlich, tot, leblos, vereist, gefroren, hart, unempfind-

lich, herzlos, unduldsam, kalt, eisig, stumpf, taub, ungerührt, unbewegt, wächsern, stier, versteinert, maskenhaft, marmorn, stocksteif, **2.** stur, unflexibel, unnachgiebig, uneinsichtig, verbohrt, verrannt, eisern, gepanzert, autoritär, intransigent, rigide, unbelehrbar, borniert, starrsinnig, verknöchert, altersstarr, sklerotisch, hartköpfig, monomanisch, obsessiv, **3.** erstaunt, verwundert, perplex, bass erstaunt, verdutzt, sprachlos, überrumpelt, verdonnert, befremdet, staunend, platt, verblüfft, fassungslos, wie vom Blitz getroffen, wie eine Salzsäule, angewurzelt, schreckensstarr, erstarrt, stier, überrascht, vom Donner gerührt, regungslos, erschreckt, erschrocken, entsetzt, bestürzt, betroffen, betreten, verwirrt, verstört, wie vor den Kopf geschlagen, aus dem Lot, von der Rolle, durcheinander, ganz stumm, entgeistert, erschlagen, geschmissen, baff, stutzig, konsterniert, geschockt, verdattert, unverwandt, **4.** fanatisch, unbeeinflussbar, einseitig, verbissen, uneinsichtig, verblendet, blind, von Vorurteilen besessen, ideologisch, dogmatisch, doktrinär, fundamentalistisch.

statt anstatt, an Stelle von, für, stell-   **1506** vertretend, gegen, Ersatz für, als, an … Statt, pro loco.

stattlich 1. ansehnlich, imposant,   **1507** kräftig, gewichtig, imponierend, repräsentabel, herrschaftlich, Achtung gebietend, eindrucksvoll, pompös, stolz, kapital, **2.** füllig, korpulent, vollschlank, rundlich, üppig, umfänglich, junonisch, **3.** erklecklich, erheblich, beträchtlich.

stehen 1. dastehen, aufrecht/auf den   **1508** Beinen stehen, sich befinden; basieren, fußen; stehen müssen, **2.** sich erheben; ragen, aufragen, sich auftürmen; hochragen, **3.** anhalten, halten, stoppen, verharren, stocken, stillstehen, **4.** anstehen, kleiden, passen zu, geeignet sein für, zu Gesicht stehen, schmeicheln, verschönern, **5.** stehen zu, vertreten, verteidigen, Farbe bekennen, dazu stehen.

steigen 1. ansteigen, bergauf führen;   **1509** hochsteigen, schäumen, überschäumen, überlaufen, **2.** bergauf gehen, aufsteigen, aufwärts gehen, besteigen, klettern, erklettern, erklimmen, klimmen, kraxeln, hochsteigen, **3.** aufsteigen, abheben, sich hochschrauben, in die Luft schwingen, emporheben, **4.** anziehen, sich erhöhen, verteuern; hochgehen, hinaufgehen, hinaufschnellen, sich heben; eskalieren, explodieren.

1510 **steigern (sich)** **1.** sich zuspitzen, verschärfen, verschlimmern, verschlechtern, erhöhen; eskalieren, **2.** mehr leisten, zulegen, sich verbessern, **3.** sich mehren, summieren, ansammeln, anhäufen, vervielfältigen, potenzieren, vervielfachen, verdoppeln, verdreifachen; anschwellen, sich läppern, häufen, anstauen, auftürmen, zusammenläppern; zunehmen, anwachsen, auflaufen, wuchern, eins zum anderen kommen.

1511 **Steigerung** **1.** Erhöhung, Hebung, Anhebung, Aufbesserung, Aufschwung, Aufstieg, Zulage, Zuschlag, **2.** Aufschlag, Verteuerung, Teuerung, Preiserhöhung, Preissteigerung, Inflation, Überteuerung, Preistreiberei, Kostenexplosion, **3.** Ausbreitung, Vergrößerung, Erweiterung, Vermehrung, Hinzugewinn, Wachstum, Zunahme, Zuwachs, Anwachsen, Anschwellen, Potenzierung, Crescendo, Vervielfältigung, Vervielfachung, **4.** Förderung, Besserung, Verbesserung, Intensivierung, Verstärkung, Entwicklung, Weiterentwicklung, Entfaltung, Fortschritt, Progression, **5.** Zuspitzung, Verschlechterung, Verschlimmerung, Verschärfung, Eskalation.

1512 **stellen (sich)** **1.** hinstellen, abstellen, niederstellen, zu Boden lassen, absetzen, hinsetzen; aufstellen, platzieren, postieren, stationieren, **2.** in die Enge treiben, sich vorknöpfen; zum Geständnis bringen, auf den Kopf zusagen, zur Rechenschaft ziehen, Aufklärung verlangen, in den Weg treten, **3.** antreten, parieren, standhalten; kandidieren, sich aufstellen lassen, zur Wahl stellen, bewerben, mitbewerben; konkurrieren, rivalisieren, sich messen, einlassen; bereit sein, **4.** Geständnis ablegen, zugeben, sich bezichtigen, melden, ausliefern, **5.** sich aufstellen, aufrichten; zu Berge stehen, sich sträuben, aufplustern.

1513 **sterben** **1.** entschlafen, verlöschen, erlöschen, verscheiden, heimgehen, hinübergehen, ausatmen, aushauchen,

Geist aufgeben, aus dem Leben scheiden, Welt verlassen, Augen schließen, das Zeitliche segnen, zu Staub werden, abscheiden, hinscheiden, einschlafen, erblassen, versterben, ableben, abberufen werden, **2.** ins Gras beißen, zu Tode kommen, Löffel abgeben, in die ewige Jagdgründe eingehen, sich zu seinen Vätern versammeln; dahingehen, vergehen, enden, verröcheln, **3.** dran glauben müssen, über die Klinge springen, eingehen, krepieren, verenden, absterben, zugrunde gehen, verrecken, abkratzen, hopsgehen, verderben, verhungern, verdursten, verschmachten, ersticken, verbluten, erfrieren, ertrinken, **4.** fallen, bleiben, dahinraffen, verunglücken, umkommen, nicht wiederkommen, draufgehen, Hals/Genick brechen, etwas zustoßen/passieren, **5.** hingerichtet/ermordet/umgebracht werden.

1514 **Stern** Planet, Fixstern, Himmelskörper, Erdtrabant, Mond, Sonne, Himmelslicht, Gestirn, Sternenhimmel, Sternenzelt, Firmament, Milchstraße, Galaxis, Galaxie, Sternsystem, Sternbilder, Sternschnuppe, Meteor, Nordlicht, Polarlicht.

1515 **Steuer** **1.** Steuerrad, Lenker, Lenkrad, Volant, Lenkstange, Steuerknüppel, Steuerrad, Ruder, Leitwerk, **2.** Besteuerung, Abgabe, Taxe, Kontribution, Akzise; Lohnsteuer, Gewerbesteuer, Mehrwertsteuer, Umsatzsteuer; Zehnt, Zoll; Versteuerung, Veranlagung.

1516 **steuern** **1.** führen, fahren, lenken, lotsen, **2.** zielen, tendieren, anpeilen, richten, **3.** gegensteuern, entgegenwirken, unterbinden, verhindern.

1517 **Stiel** **1.** Stängel, Schaft, Halm, Stamm, Rohr, **2.** Griff, Handgriff, **3.** Strunk, Stubben, Stumpen, Stumpf, Stummel.

1518 **Stil** **1.** Art, Ausdrucksweise, Ausdrucksform, Gepräge, Duktus, Diktion, Schreibweise, Schreibe, Technik, Arbeitsweise, Linienführung, Pinselstrich, **2.** Kunstform, Kunstrichtung, Bauart, Baustil, Zeitstil, Epochenstil, Individualstil, **3.** Lebensweise, Lebensstil, Lebensform, Existenzform, Lebenszuschnitt, **4.** Selbstdarstellung, Verhalten, Habitus, Haltung, Look, Outfit, Styling.

1519 **Stillstand** Stockung, Halt, Unterbrechung, Stau, stop and go, Stauung, Pause, Einhalt, Ende, Stopp, Baisse, Nullpunkt, toter Punkt, Gefrierpunkt, Stagnation; Sauregurkenzeit.

1520 Stimmung 1. Laune, Verfassung, Gemütszustand, Gefühlslage, Gemütsbeschaffenheit, Seelenlage, Seelenverfassung, Gemütsverfassung, Gemütsstimmung, Grundgefühl, Gestimmtheit, Disposition, Tagesform, Disponiertheit, Aufgelegtsein, Mood, 2. Lust, Neigung, Anwandlung, Regung, Wallung, Einfall, Kaprice, Affekt, Grille, Laune, Exzentrizität, Marotte, Kateridee.

1521 stocken 1. innehalten, sich unterbrechen; aussetzen, streiken, abbrechen, anhalten, stehen bleiben, nicht weiterkommen, hängen bleiben, nicht vorwärts kommen, eingekeilt sein, aufgehalten werden, nicht vom Fleck kommen; haften, kleben, festkleben, festhängen, festsitzen, nicht loskommen, sich nicht lösen können; sitzen bleiben, kleben bleiben, hocken, kein Ende finden, 2. stottern, stammeln, drucksen, nicht weiterwissen, Faden verlieren, ins Stocken geraten, schwimmen, verstummen, erlahmen, 3. an die Substanz/ans Eingemachte gehen, Substanz angreifen, von der Substanz zehren, sich nicht weiterentwickeln; zurückbleiben, keine Fortschritte machen, auf der Strecke bleiben, Ziel nicht erreichen, sich festfahren; aufgeschmissen/ratlos sein, 4. stehen, stagnieren, versiegen, versanden, versumpfen, versickern.

1522 Stoff 1. Materie, Masse, Substanz, Ding, Element, 2. Material, Stofflichkeit, Mittel, Baustoff, Baumaterial, Rohstoff, Grundstoff, Rohmaterial, Werkstoff, Bodenschätze, 3. Gewebe, Gewirk, Geflecht, Gespinst, Tuch, Flor, Baumwolle, Textil, Leinwand, Leinen, Seide, Wolle, Samt, Tüll, Filz, 4. Sujet, Thema, Fabel, 5. Droge, Rauschgift.

1523 stören 1. ablenken, zerstreuen, unterbrechen, behelligen, lästig fallen, aufhalten, inkommodieren, genieren; zuwiderlaufen, unpassend sein, verquer kommen, hinderlich sein, ungelegen kommen, belästigen; im Weg stehen, ins Gehege/in die Quere kommen; sich breit machen; bedrängen, sich aufdrängen; Tür einrennen, hereinplatzen, bombardieren, löchern, 2. durchkreuzen, zwischenfunken, quer schießen, quer treiben, dazwischenreden, ins

Wort fallen, reinreden, nicht ausreden lassen; sich einmengen, einmischen; seine Nase in alles stecken, 3. sabotieren, lahm legen, blockieren, hindern.

Störenfried Eindringling, Ruhestörer, Unruhestifter, Quälgeist, Plagegeist, Landplage, Nervensäge, Nervtüte, Labertante. **1524**

Störung Unterbrechung, Aufenthalt, Zwischenfall, Ablenkung, Belästigung, Behelligung, Abhaltung, Behinderung, Verhinderung, Verzögerung, Erschwerung, Einmischung, Intervention. **1525**

Stoß Ruck, Rucker, Erschütterung, Beben, Anprall, Aufprall, Aufschlag, Einschlag, Anstoß, Schub, Stupser, Stups, Stips, Schlag, Tritt, Fußtritt, Puff, Rippenstoß, Rempelei. **1526**

stoßen schubsen, puffen, knuffen, Puff versetzen, anstoßen, stupsen, anrempeln, rucken, rütteln, rappeln, erschüttern, schütteln, ins Wanken bringen, umschmeißen, umstoßen, umwerfen, zu Boden werfen, über den Haufen rennen, zusammenstoßen, zusammenprallen; treten, vor sich her stoßen, dribbeln, kicken. **1527**

Straße Gasse, Allee, Promenade, Boulevard, Ringstraße, Prachtstraße, Damm, Einbahnstraße, Sackgasse, Nebenstraße, Seitenstraße; Hauptstraße, Geschäftsstraße, Verkehrsader; Bürgersteig, Trottoir, Gehweg, Fahrweg, Fahrbahn, Fahrstraße, Fahrdamm; Landstraße, Chaussee, Heerstraße, Bundesstraße, Schnellstraße, Autobahn, Zubringerstraße, Auffahrt, Ausfahrt. **1528**

streben 1. anstreben, ausgehen/reflektieren/aus sein/abzielen auf, erstreben, wollen, eifern, sich angelegen sein lassen; zu erreichen suchen, sich zum Ziel setzen; drängen nach, tendieren, trachten, fahnden, angeln, gieren, lechzen, süchteln, alles dransetzen, sich reißen um, 2. aufstreben, vorwärts streben; hoch hinauswollen, nach den Sternen greifen. **1529**

Streber Musterknabe, Klassenprimus, Ehrgeizling, Perfektionist, Primus, Radfahrer, Karrierist, Stellenjäger, Postenjäger. **1530**

strecken (sich) 1. wachsen, größer werden, aufschießen, 2. dehnen, ausdehnen, vergrößern, weiten, verlängern, ausweiten, weiter/länger machen, **1531**

längen, Saum herauslassen, lang ziehen, straffen, recken, spannen, ziehen, zerren, reißen, **3.** sich erstrecken, ausbreiten, dehnen, hinziehen, **4.** entspannen, abspannen, sich recken, dehnen, rekeln; stretchen.

1532 Streik Arbeitsniederlegung, Arbeitseinstellung, Ausstand, Arbeitskampf, Warnstreik, Bummelstreik, Solidaritätsstreik, Generalstreik.

1533 streiken 1. Arbeit niederlegen/verweigern/einstellen, in Streik/Ausstand treten, **2.** versagen, stocken.

1534 Streit 1. Auseinandersetzung, Unstimmigkeit, Kontroverse, Entzweiung, Meinungsverschiedenheit, Zwietracht, Unfriede, Uneinigkeit, Zwiespalt, böses Blut, Disharmonie, Reiberei, Reibung, Missklang, Dissonanz, Stunk, Zoff, Gezerre, Verzwistung, Konflikt, Spannungen, Zerwürfnis, Differenzen, Zwistigkeit, Zwist, Querele, Knatsch, Hader, Zänkerei, Misshelligkeit, **2.** Krach, Szene, Disput, Wortstreit, Zank, Kabbelei, Reibungen, Krakeel, Wortwechsel, Reiberei, Streiterei, Streitgespräch, Scharmützel, Renkontre, Zusammenstoß, Zusammenprall, Konfrontation, Auftritt, Strauß, Händel, Streitigkeit, Gefecht, Kampf; Streit um Worte, Streit um des Kaisers Bart, Gezänk, Polemik, Federkrieg, Hin und Her, Tauziehen, zähes Ringen, Nervenkrieg, Schlammschlacht, **3.** Ehekrach, Ehekrieg, Geschlechterkrieg, Rosenkrieg.

1535 streiten (sich) 1. entzweien, verzwisten, überwerfen, verfeinden, auseinander kommen, aneinander geraten, in den Haaren liegen, zanken, hadern, erzürnen, befehden, bekriegen; kabbeln, flachsen, anbinden, sich anlegen mit; über Kreuz kommen, sich reiben; schimpfen, **2.** sich auseinander setzen; polemisieren, rechten, Streit anfangen, sich in die Haare kriegen, in die Wolle geraten; Strauß ausfechten, zusammenstoßen, zusammenprallen, krachen, sich verzanken, fetzen, verkrachen, beknirschen, überwerfen; debattieren, disputieren, erörtern, prozessieren.

1536 streng 1. fest, konsequent, straff, entschieden, bündig, strikt, bestimmt, barsch, schroff, eisern, unwidersprechlich, hart, gestreng, rigoros, autoritativ, scharf, kompromisslos, unnachgiebig,

unerbittlich, **2.** asketisch, enthaltsam, puritanisch, sittenstreng, sittenrichterlich, **3.** autoritär, inquisitorisch, apodiktisch, gebieterisch, herrisch, diktatorisch, drakonisch, spartanisch, strenggläubig, despotisch, tyrannisch, disziplinarisch.

1537 Strenge 1. Festigkeit, Konsequenz, Entschiedenheit, Ernst, Energie, Bestimmtheit, Nachdruck, Unnachgiebigkeit; Härte, Unnachsichtigkeit, Schonungslosigkeit, Rigorismus, Rigidität, Unerbittlichkeit, Kompromisslosigkeit, **2.** Schärfe, Schroffheit, Barschheit, Herbheit, Kühle, Unzugänglichkeit, Unnahbarkeit, Verschlossenheit, **3.** Steifheit, Prüderie, Zimperlichkeit, **4.** Sittenstrenge, Verständnislosigkeit, Humorlosigkeit.

1538 Strömung 1. Richtung, Neigung, Bewegung, Trend, Tenor, Tendenz, Kurs, Welle, Mode, Schule, Stil, **2.** Dünung, Zug, Sog, Flut, Schwall, Brandung, Gischt, Brecher, Sturzwelle, Woge, Welle, Drift, Trift, Strudel, Wirbel.

1539 Struktur Bau, Gefüge, Aufbau, Gliederung, Konstruktion, Beschaffenheit, Zusammensetzung, Lagerung, Schichtung, Organisation, Bauweise, Grammatik, Gestaltung; Textur, Gewebe, Maserung, Faserung, Raster.

1540 Stück 1. Ende, Strecke, Endchen, Ecke, Teil, Bahn, **2.** Fetzen, Lappen, Zipfel, Schnipsel, Flicken, Stückchen, Fetzchen, Eckchen, Streifen, Abschnitt, Rest, Bruchstück, Coupon, **3.** Schnitte, Scheibe, Tranche, Fladen, Brocken, Bissen, Happen, **4.** Exemplar, Ausfertigung, **5.** Theaterstück, Bühnenwerk, **6.** Scheit, Klotz, Trumm, Oschi, Brocken, Kaventsmann, Kloben, Splitter, Span, Spreißel, **7.** Zettel, Blatt, Bogen, Seite, Wisch; Buchseite, Papierbogen, Briefbogen, Pagina.

1541 stumpf 1. unscharf, abgestumpft, abgenutzt, schartig, **2.** glanzlos, matt, mattiert, beschlagen, gebrochen, **3.** unempfindlich, unempfänglich, phantasielos, phlegmatisch, lethargisch, schlafmützig, indolent, dumpf, taub, abgestumpft, reduziert, **4.** teilnahmslos, ungerührt, gleichgültig, herzlos, unlebendig, unansprechbar, unzugänglich, verständnislos, **5.** abgebrüht, stoisch, wurstig, unerschütterlich.

1542 stunden aufschieben, anstehen lassen, befristen, terminieren, Zahlungsaufschub gewähren, Frist verlängern, prolongieren.

1543 Sturm 1. Windsbraut, Sturmwind, Orkan, Taifun, Tornado, Hurrikan, Wirbelsturm, Windhose, Trombe, Zyklon, Schneesturm, Blizzard, Sandsturm, **2.** Andrang, Ansturm, Run.

1544 stützen (sich) 1. Halt geben, unterfahren, stabilisieren, unterfangen, untermauern, verstreben, fundieren, festigen, abstützen, **2.** helfen, aufhelfen, unterstützen, auf die Beine stellen; sich gegenlehnen, abstützen, anlehnen; Arm nehmen, sich aufstützen; bauen auf, sich verlassen auf, halten an, beziehen/berufen auf.

1545 Stutzer Elegant, Dandy, Gent, Geck, Lackel, Fant, Modenarr, Gigerl, Affe, Laffe, Zierbengel, Modepuppe, Lackaffe, Schönling, Schnösel, Promenadenhengst.

1546 Subkultur 1. Sonderkultur, Nebenkultur, zweite Kultur, schichtspezifische/altersspezifische Kultur, Gruppenkultur, Szenekultur, Szene, Soziotop, Nische, Meile, Alternativkultur, Alternativszene, Gegenkultur, Protestbewegung, **2.** Beatniks, Beat Generation, Gammler, Hippies, Flower-Power, Popgeneration, Autonome, Punk, Raver, Slacker, Poppers, Mods, Computerfreaks, Netsurfer, Technologiemönche.

1547 Sublimation Vergeistigung, Verinnerlichung, Überhöhung, Sublimierung; Kompensation, Verdrängung, Verschiebung, Übertragung.

1548 sublimieren 1. vergeistigen, verfeinern, veredeln, entmaterialisieren, spiritualisieren, hochstilisieren, ins Erhabene steigern, **2.** kompensieren, unterdrücken, verdrängen.

1549 Substanz Wesen, Materie, Stoff; Kern, Gehalt, Sinn, Bedeutung, Inhalt, Mark, Hauptsache, Inbegriff, das Wesentliche/Bleibende, Essenz.

suchen 1. forschen, fahnden, Ausschau halten, sich umsehen/umschauen nach; um sich blicken, hinter sich schauen, sich umdrehen; in alle Richtungen schauen, ausschauen, spähen, sich umtun; ermitteln, recherchieren, nachforschen, einer Sache nachgehen; nachgraben, graben, wühlen, kramen, das Unterste zuoberst kehren, herumsuchen, nesteln, stöbern, durchsuchen, durchkämmen, absuchen, durchstöbern, Haussuchung machen, Razzia veranstalten, filzen, visitieren, **2.** auf der Suche sein, nachjagen, verfolgen, hinterher sein, angeln, fischen nach; Netze auswerfen, tauchen, gründeln, **3.** spüren, tasten, tappen, Fühler ausstrecken, Witterung nehmen, **4.** nachschlagen, durchsuchen, surfen, heraussuchen, aufsuchen. **1550**

Sucht 1. Gewöhnung, Abhängigkeit, Süchtigkeit, Verfallensein, Hörigkeit, Trieb, Manie, Besessenheit, **2.** Suchtmittelabhängigkeit, Drogenabhängigkeit, Tablettenabhängigkeit, Alkoholabhängigkeit, **3.** Alkoholismus, Trunksucht, Alkoholsucht, Nikotinsucht, Drogensucht, Schlafmittelabhängigkeit, Abhängigkeit von Stimulantien, **4.** Arbeitssucht, Konsumsucht, Wettsucht, Spielsucht, Fresssucht, Magersucht, Bulimie. **1551**

Sumpf 1. Moor, Morast, Ried, Bruch, Marsch, Fenn, Rohr; Modder, Schlamm, Matsch, Lehm, Pfuhl, Schmutz, Gosse, Dreck, Siff, Schlick, Brühe. **1552**

System 1. strukturiertes Ganzes, Zusammenhang, Regelhaftigkeit, Einheit, **2.** Systematik, Vorgehensweise, Methode, Methodik, Planmäßigkeit, Programm, Ordnungsprinzip, **3.** Lehrgebäude, Denkmodell, Gedankengebäude, **4.** Wirtschaftsform, Regierungsform, Gesellschaftsform. **1553**

T

1554 tadeln 1. aussetzen, beanstanden, einwenden, reklamieren, ausstellen, monieren, bemängeln, mäkeln, missbilligen, nörgeln, meckern, kritteln, ankreiden, 2. rügen, rüffeln, schulmeistern, schurigeln, Vorhaltungen machen, räsonieren, verweisen, abkanzeln, runterputzen, zurechtweisen, zusammenstauchen, herunterputzen, Zigarre erteilen, vorwerfen, maßregeln, zur Ordnung rufen, Rüge/Tadel erteilen, Leviten lesen, ins Gericht gehen, Mores lehren, Gardinenpredigt halten.

1555 taktisch 1. planvoll, überlegt, klug, berechnet, wohl vorbereitet, vorbedacht, zweckhaft, zweckvoll, strategisch, logistisch, 2. diplomatisch, geschickt, schlau, gerissen, raffiniert, gewieft, glatt, aalglatt, glattzüngig, doppelzüngig.

1556 taktlos indiskret, aufdringlich, indezent, neugierig, instinktlos, unhöflich, pietätlos, rücksichtslos, unangebracht, deplatziert, ungehörig, unpassend, geschmacklos, plump.

1557 tätig 1. fleißig, emsig, schaffig, unermüdlich, rastlos, unverdrossen, umtriebig, immer auf dem Posten, 2. aktiv, in Aktion, rege, agil, unternehmend, unternehmungslustig, energisch, betriebsam, rührig, geschäftig, tüchtig, regsam, tatkräftig, 3. arbeitend, berufstätig, erwerbstätig, werktätig, 4. beschäftigt, viel beschäftigt, voll beschäftigt, in Anspruch genommen, beansprucht, ausgelastet, ausgebucht.

1558 Tatsache 1. Faktum, Fakt, Tatbestand, Sachlage, Gegebenheit, Gewissheit, Sachverhalt, Umstand, vollendete Tatsache, Fait accompli, 2. Tatsächlichkeit, Faktizität, Wirklichkeit, Realität.

1559 Täuschung 1. Irreführung, Täuschungsmanöver, Verwirrspiel, Spiegelfechterei, Deckmantel, Tarnung, Lug, Trug, Bluff, Farce, Fake, Übertölpelung, Ablenkungsmanöver, Überlistung, Vorwand, Ausrede, Verstellung,

Scharlatanerie, Katz-und-Maus-Spiel, Schwindel, List, Trick, Betrug; Lippenbekenntnis, Krokodilstränen, Nebenschauplatz, Briefkastenfirma, Etikettenschwindel, 2. Schein, Anschein, Mogelpackung, Vorspiegelung, Vortäuschung, Ghostwriting, Playback, Fiktion, Mystifikation; Kulisse, Attrappe, Fassade, Dekorum, Augentäuschung, Trompe-l'Œil, Sinnestäuschung, potemkinsches Dorf, Staffage, Camouflage, Maske, Maskierung, Larve, Larvierung, Verhüllung, Verlarvung, Kostümierung, Verkleidung, Maskerade, Narrenkleid, Mummenschanz, Schminke, Tünche, Verstellung, Verstellungskunst, 3. Fastnacht, Fasnacht, Fasching, Karneval, Mardi gras, 4. Verheimlichung, Verdunkelung, Verfälschung, Verzeichnung, Verdrehung, Verzerrung, Entstellung, Verschleierung, Beschönigung, Übertreibung, Überzeichnung, Desinformation.

1560 Tausendsassa Allroundtalent, Multitalent, Joker, Hansdampf, Hansdampf in allen Gassen, Allerweltskerl, Teufelskerl, Allroundman, Superman, Meister des Universums, Global Player.

1561 Teil 1. Bruchteil, Portion, Brocken, Teilgebiet, Parzelle, Strecke, Teilstrecke, Etappe, Segment, Sektor; Abschnitt, Kapitel, Absatz, Passage, Passus, Ausschnitt, Auszug, Exzerpt, Partie, Stelle, Vers, Strophe, 2. Bruchstück, Stück, Teilstück, Torso, Fragment, Trakt, Flügel, Seitenteil, Rudiment, 3. Bestandteil, Komponente, Ingredienz, Detail, Einzelheit, Element, Teilchen, Zelle, Partikel, Molekül, Atom, Quant, Quark, 4. Wange, Backe, Flanke.

1562 teilen (sich) 1. in Stücke schneiden, zerteilen, zerschneiden, zersägen, durchsägen, zerhauen, zerlegen, zerstückeln, tranchieren, splittern, auseinander nehmen, zergliedern, sezieren, abschneiden, abtrennen, spalten; unterteilen, gliedern, fächern, auffächern, rubrizieren; zerschnipseln, atomisieren, 2. zuteilen, zumessen, bemessen, zusprechen, einteilen, aufteilen, verteilen, austeilen, ausgeben, parzellieren, abteilen, abzweigen, dosieren, abwiegen, rationieren, kontingentieren, 3. Kräfte teilen, sich in Stücke reißen; zersplittern, zwei Herren dienen, allen gerecht werden wollen, sich verzetteln; auf zwei

Hochzeiten tanzen, **4.** halbieren, hälften, zweiteilen, brüderlich teilen, **5.** sich gabeln, verästeln, verzweigen.

1563 Teilnahme 1. Anteilnahme, Beistand, Interesse, Sinn für, innere Beteiligung, Rührung, Ergriffenheit, Mitgefühl, Mitempfinden, Mitleid, Mitfreude, **2.** Anwesenheit, Beteiligung, Mitwirkung, Mitarbeit, Partizipation, Teilhaberschaft, Mitgliedschaft.

1564 teilnehmen 1. sich beteiligen; beteiligt sein, partizipieren, einsteigen, teilhaben, mitbenutzen, Hand im Spiel haben, mitmischen, mitbestimmen, vertreten sein, Anteil haben, dazugehören, Stimme haben, mitreden können, **2.** dabei/anwesend sein, miterleben, mitmachen, mittun, mitwirken, mitziehen, mitarbeiten, mithalten, mithören, dabeistehen, beiwohnen, zugegen sein, **3.** mitfühlen, nachfühlen, nachempfinden, interessiert sein, mitempfinden, bemitleiden, mitleiden, mittrauern, Anteil nehmen; Beileid aussprechen, Mitgefühl bekunden, kondolieren, **4.** beglückwünschen, gratulieren, sich mitfreuen.

1565 teilnehmend 1. anteilnehmend, mitfühlend, mitempfindend, teilnahmsvoll, mitleidend, mitleidig, gerührt, ergriffen, **2.** teilhaftig, beteiligt, interessiert, engagiert, betroffen, mitbetroffen, einbezogen, mitbeteiligt, hineinverwickelt, involviert.

1566 Teilnehmer 1. Anwesende, Besucher, Zuschauer, Zuhörer, Publikum, Hörer, Zuhörerschaft, Hörerschaft, Auditorium, **2.** Beteiligte, Interessenten, Mitwirkende, Mitglieder, Mitspieler, Gesprächsteilnehmer, Diskussionsteilnehmer, Kursteilnehmer, Mitfahrer.

1567 teils teilweise, zum Teil, partiell, einerseits, einesteils, auf der einen Seite, halb und halb, teils ... teils, nicht unbedingt, auszugsweise, strichweise, streckenweise, durchwachsen.

1568 Telefon Fernsprecher, Apparat, Handy, Mobile, Bildtelefon, Kartentelefon.

1569 telefonieren anrufen, anklingeln, durchklingeln, anläuten, fernsprechen, an der Strippe hängen.

1570 Tendenz 1. Neigung, Disposition, Hang, Richtung, Strömung, Zug, Zeitgeist, Trend, **2.** Einschlag, Ausrichtung, Orientierung.

1571 tendenziös einseitig, gefärbt, voreingenommen, parteilich, parteiisch, befangen, unsachlich, zweckbestimmt, entstellt, verdreht.

1572 Teppich Läufer, Brücke, Matte, Perser, Vorleger; Bodenbelag, Auslegeware, Teppichboden; Wandteppich, Bildteppich, Gobelin, Wandbehang.

1573 Termin Zeitpunkt, Stichtag, Fälligkeitstag, Deadline, Zahlungstag, Liefertag, Gerichtstermin.

1574 teuer kostspielig, aufwendig, gepfeffert, gesalzen, unerschwinglich, geht ins Geld, kommt teuer, unbezahlbar; lieb und teuer, wichtig.

1575 Teufel Satan, Höllenfürst, Luzifer, Beelzebub, Urian, Mephisto, Versucher, Verderber, Widersacher, Verführer, böser Geist, Gottseibeiuns, der Leibhaftige, die alte Schlange, Dämon, Inkubus, Sukkubus, Diabolus, Fürst der Finsternis, Antichrist, Scheitan, gefallener Engel, Behemoth, Leviathan; Deibel, Deubel.

1576 Text Wortlaut, Korpus, Partitur, Zeichensystem; Schriftwerk, literarischer Text, Sachtext, Gebrauchstext, Werbetext, Liedtext, Rollentext, Bildtext, Fließtext.

1577 Theater 1. Bühne, Schaubühne, Wanderbühne, Spielstätte, Schmiere, Straßentheater, Kleinkunstbühne, Kabarett; Theateraufführung, Stück, Vorstellung, Spiel, Performance, Körpertheater, Sprechtheater, Tanztheater, **2.** Schauspielhaus, Festspielhaus, Opernhaus, Skala; Musentempel, **3.** Gehabe, Verstellung, Heuchelei.

1578 Ticket Fahrschein, Fahrausweis, Fahrkarte, Bahncard, Bordkarte, Flugschein; Eintrittskarte, Billett, Entree, Eintrittspreis, Eintrittsgeld, Karte.

1579 tief 1. tief liegend, in der Tiefe, tief/weit unten, **2.** grundlos, bodenlos, klaftertief, abgründig, abgrundtief.

1580 tiefgründig tief schürfend, tiefsinnig, faustisch, grüblerisch, selbstquälerisch, skrupulös; gedankenreich, viel sagend, feinsinnig, differenziert, profund, spekulativ, hintersinnig, hintergründig, unergründlich.

1581 Tisch Küchentisch, Esstisch, Speisetisch, Tafel, Schreibtisch, Arbeitstisch, Sekretär, Pult, Tischchen, Beistelltisch, Toilettentisch, Frisiertisch.

1582 Tod 1. Ende, Sterben, Exitus, ewiger Schlaf, Todesschlaf, Hingang, Heimgang, Hinscheiden, Ableben, Verscheiden, Erblassen, Entschlafen, Erlöschen, Lebensende, Abberufung, **2.** Todesfall, Verlust, Trauerfall, Sterbefall, **3.** Gevatter Tod, Todesengel, Schnitter Tod, Knochenmann, Sensenmann.

1583 Toilette 1. Klosett, Klo, WC, Lokus, Abort, Abtritt, Örtchen, Null-Null, Kabinett, Häuschen, Pissoir, Latrine, Donnerbalken, Scheißhaus, **2.** Sichankleiden, Sichfrisieren, Sichzurechtmachen.

1584 Ton 1. Laut, Klang, Schall, Sound, **2.** Klangfarbe, Klangart, Timbre, Betonung, Intonation, Modulation, Tonart, Färbung, Kolorit, **3.** Umgangston, Umgangsform, Ton, der die Musik macht, **4.** Tonfall, Stimmlage, Stimmfärbung, **5.** Klangwirkung, Klangverhältnisse, Akustik, Schallwirkung, Resonanz, **6.** Mergel, Kaolin, Lehm.

1585 tönen 1. ertönen, erklingen, schwingen, lauten, schallen, hallen, erschallen, ans Ohr dringen, sich vernehmen lassen, **2.** läuten, klingeln, schellen, bimmeln, anschlagen, scheppern, klirren, schrillen; klappern, klötern, brummen, summen, surren, sirren, schwirren, schnarren, quietschen, piepsen, schreien, kreischen, grillen; ticken, tacken, klatschen, knistern, rascheln, prasseln, zischen, brutzeln, **3.** blöken, bähen, mähen, muhen, wiehern, quaken, quarren, quieken, quieksen, röhren, schnurren, krähen, knirschen, zischen, fauchen, schnalzen, schnippen, gackern, schnattern, gurren, kollern, **4.** rauschen, tosen, gischten, branden, brodeln, sieden, gurgeln, gluckern, glucksen, murmeln, blubbern, schwappen, strudeln, quirlen, **5.** klingen, sich anhören; vorkommen wie, den Eindruck erwecken.

1586 tot 1. gestorben, verstorben, dahin, abgeschieden, heimgegangen, hinüber, dahingegangen, verschieden, entseelt, verblichen, gefallen, geblieben, mausetot, hin, **2.** unbelebt, anorganisch, unbeseelt, leblos, ausgestorben, leer, öde; ausgebrannt, erloschen, aus, ausgegangen; empfindungslos, fühllos, abgestorben.

1587 töten (sich) 1. umbringen, ermorden, morden; erschlagen, totschlagen, keulen, umlegen, zusammenschießen,

niederschießen, abknallen, abstechen, erdolchen, erstechen, erdrosseln, erwürgen, ertränken, ersäufen, vergiften, überfahren, steinigen, lynchen, niedermetzeln, abschlachten; kaltmachen, meucheln, unter die Erde bringen, über die Klinge springen lassen, Lebenslicht ausblasen, Garaus machen, zur Strecke/um die Ecke bringen, aus dem Weg schaffen, Rest geben, abmurksen, killen, liquidieren, beseitigen, massakrieren, vernichten, **2.** hinrichten, erschießen, an die Wand stellen, exekutieren, füsilieren, standrechtlich erschießen, enthaupten, guillotinieren, hängen, erhängen, aufknüpfen, vergasen, **3.** schlachten, erlegen, schießen, abschießen, **4.** abtöten, sterilisieren, keimfrei machen, ausrotten, austilgen, **5.** sich umbringen; Selbstmord/Suizid begehen, seinem Leben ein Ende/Schluss machen, von eigener Hand sterben, Hand an sich legen, sich entleiben, das Leben nehmen, etwas antun; Freitod wählen.

1588 Tötung 1. Ermordung, Mord, Tötungsdelikt, Bluttat, Mordtat, Meuchelmord, Attentat, **2.** Todesstrafe, Hinrichtung, Exekution, Erschießung; Schlachten, Schächten, **3.** Freitod, Selbstmord, Suizid, Selbsttötung.

1589 tragen 1. befördern, transportieren, mit sich führen, mitführen, bei sich haben; schleppen, sich aufladen; auf dem Rücken/huckepack tragen, auf die Schulter nehmen, **2.** anhaben, aufhaben, umhaben, am Leibe/auf dem Kopf haben, spazieren führen, sich bewegen in, kleiden mit, **3.** ertragen, aushalten, leiden, durchstehen, erdulden, schwer tragen an, zu tragen/Päckchen zu tragen haben, **4.** Frucht bringen, ergeben, einbringen, nützen, bringen, **5.** schwanger/in Umständen sein, hoffen, erwarten, guter Hoffnung sein.

1590 Transport 1. Beförderung, Verschickung, Verfrachtung, Verladung, Umladung, Versand, Spedition, Versendung, Verschiffung, Zustellung, Lieferung, Ablieferung, Auslieferung, Übermittlung, Überführung, Zuleitung, Weiterleitung, Expedierung, Expedition, **2.** Fracht, Fuhre, Ladung, Last, Tracht, Sendung, Schub, Fahrt, Lieferung.

1591 träumen 1. Traum/Traumgesichte

haben, 2. phantasieren, in den Wolken schweben, sich wünschen, ausmalen; Luftschlösser bauen, hoffen, sich Illusionen machen, 3. nicht bei der Sache/ abwesend/in Gedanken versunken sein, mit halbem Ohr zuhören.

1592 Traurigkeit Freudlosigkeit, Mutlosigkeit, Niedergeschlagenheit, Tief, Trübsinnigkeit, Trübseligkeit, Bekümmertheit, Kümmernis, Betrübnis, Betrübtheit, Wehmut, Wehmütigkeit, Weltschmerz, Tristesse, Verdüsterung, Depression, Düsterkeit, Trübsal, Schmerz, Kummer, Gram, Leid, Trauer, Blues, Melancholie, Schwermut, Trostlosigkeit, Ungetrostheit, Verzweiflung, Lebensüberdruss, Weltekel, Untergangsstimmung.

1593 treffen (sich) 1. begegnen, wieder sehen, sich sehen; zusammenkommen, sich versammeln; zusammentreffen, zusammentreten, tagen, konferieren, **2.** aufeinander treffen, zusammenstoßen, zusammenprallen, kollidieren, aufeinander stoßen, **3.** ins Schwarze/Nagel auf den Kopf treffen, richtig liegen; zutreffen, stimmen, sich als richtig erweisen, **4.** antreffen, zu Hause finden, nicht verfehlen, Glück haben, **5.** einmünden, einströmen, zufließen, zusammenströmen, zusammenlaufen, zusammenfließen, sich vereinigen, **6.** kränken, verletzen, **7.** sich fügen; passen, zupass/gelegen kommen, hinhauen.

1594 Treffen 1. Begegnung, Zusammenkunft, Wiedersehen, Beisammensein, Verabredung, Rendezvous, Date, Besprechung, Termin, **2.** Sitzung, Tagung, Versammlung, Zusammentritt, Meeting, Konferenz, Kongress, Kolloquium, Symposium, Workshop, Synode, Konklave, Konzil; Parteitag, Delegiertenkonferenz, Ideenkonferenz, Brainstorming, **3.** Treffpunkt, Schnittpunkt, Knotenpunkt, Überschneidung, Kreuzung, Zusammenfluss, Einmündung, Mündung, **4.** Telefonkonferenz, Telekonferenz, Computerkonferenz.

1595 trennen (sich) 1. scheiden, auseinander gehen, Abschied nehmen, sich verabschieden; weggehen, auseinander laufen, absplittern; sich loslösen, losmachen, lösen, lossagen, überwerfen; Brücken hinter sich abbrechen, voneinander gehen, Tischtuch zerschneiden, sich

scheiden lassen; Ehe auflösen, sich losreißen; aufgeben, verlassen, brechen, abbrechen, Schluss machen, Schlussstrich ziehen, **2.** entzweien, auseinander dividieren, auseinander bringen, abspalten, absondern, sondern, spalten, zersetzen, separieren, aufspalten, sprengen, Keil treiben zwischen, voneinander/auseinander reißen, Zwietracht säen, Verbindung unterbrechen, stören; unterbrechen, abschalten, abbrechen, abkoppeln, entflechten, dezentralisieren, aufteilen, aufgliedern, **3.** entmischen, aussortieren, verlesen, Spreu vom Weizen trennen, Auswahl treffen; entfernen, wegnehmen, **4.** auftrennen, zertrennen, aufschneiden, abbinden, abschnüren, Nabelschnur durchtrennen, abnabeln, durchschneiden, durchschlagen, zerhauen, durchhauen, **5.** aufdröseln, spleißen, spalten.

1596 Trennung 1. Abschied, Scheiden, Auseinandergehen, Lösung, Lockerung, Entzweiung, Entfremdung, Distanzierung, Loslösung, Zwiespalt, Bruch, Uneinigkeit, Streit, Spaltung, Schisma, Schlussstrich, Scheidung, Abbruch, **2.** Sonderung, Aufspaltung, Dezentralisation, Separierung, Separation, Aufgliederung, Auffächerung, Unterteilung, Halbierung, Zweiteilung, **3.** Teilung, Zerteilung, Zerlegung, Tranchieren; Abtrennung, Abnabelung, Abspaltung, Sezession, Zersplitterung, Zerstückelung, Durchtrennung, **4.** Timesharing, Jobsharing.

1597 Treppe Aufgang, Stiege, Stufen, Freitreppe, Wendeltreppe, Stiegenhaus, Treppenhaus.

1598 Trick Kunstgriff, Kunststück, Kniff, Masche, Pfiff, Dreh, Finesse.

1599 Trieb 1. Instinkt, Naturtrieb, Naturantrieb, Triebhaftigkeit, Geschlechtstrieb, **2.** Reis, Spross, Schössling.

1600 triebhaft 1. triebmäßig, triebgemäß, instinktbedingt, animalisch, instinktiv, **2.** gejagt, gehetzt, rastlos, fiebernd.

1601 trinken 1. schlucken, Durst löschen, Glas leeren, Durst stillen, sich erquicken, laben, erfrischen; die Kehle anfeuchten, **2.** schlürfen, kippen, nippen, hinunterstürzen, zu sich nehmen, anstoßen, genehmigen, heben, kümmeln, picheln, zechen, bechern, schnapsen, hinter die Binde gießen, einen schmettern/

heben, süffeln, tanken, saufen, sich betrinken.

1602 Trinker Zecher, Schnapsdrossel, Schluckspecht, Zechbruder, Saufbruder, Saufkumpan, Saufbold, Sumpfhuhn, Liederjan, Liedrian, Trunkenbold, Säufer, Quartalssäufer, Gewohnheitstrinker, Alkoholiker, Alkoholkranker.

1603 trocken 1. entwässert, durstig, altbacken, ausgetrocknet, ausgedörrt, dehydriert, pelzig, verdorrt, dürr, welk, verwelkt, staubtrocken, pulvertrocken, knochentrocken, verschmachtet, vertrocknet, zusammengeschrumpft, eingeschrumpft, eingeschnurrt, verhutzelt, hutzelig, verholzt, holzig; sandig, staubig, staubbedeckt; gedörrt, getrocknet, **2.** ungeschmiert, unbelegt, ohne Getränk, alkoholfrei, **3.** langweilig, nüchtern, ledern, akademisch, lebensfern, praxisfern, steril, saftlos, kopflastig, **4.** regenlos, regenarm, niederschlagsarm, wasserarm.

1604 trocknen 1. abwischen, abreiben, abtrocknen, trockenreiben, frottieren, föhnen, **2.** absorbieren, einsaugen, aufsaugen, versickern, ablaufen, verdunsten, trocken werden; erhärten, hart/fest werden, austrocknen, abtropfen lassen, Wasser entziehen, dehydrieren, entwässern, **3.** dörren, darren, konservieren, rösten, **4.** trockenlegen, entsumpfen, entwässern, drainieren, ableiten, **5.** vertrocknen, eintrocknen, verschmachten, vergehen, eingehen, verdorren, veröden, versteppen, versanden, ausdörren, **6.** welken, gilben, verwelken, abblühen, verblühen, kümmern, verküm-

mern, eintrocknen, schrumpfen, verschrumpeln, verhutzeln, zusammenschrumpfen, zusammengehen, zusammenfallen, absterben.

Trost Ermutigung, Ermunterung, Zuspruch, Aufrichtung, Tröstung, Trostworte, Linderung, Stärkung, Aufmunterung, Erheiterung, Hilfe, Lichtblick, Balsam, Labsal, Beruhigung.   **1605**

trösten (sich) 1. ermuntern, ermutigen, aufmuntern, aufheitern, aufhellen, Mut zusprechen, Trost spenden, zureden, aufrichten, aufbauen, lindern, beschwichtigen, mäßigen, stillen, helfen, Tränen trocknen, Balsam auf die Wunde träufeln, besänftigen, beruhigen, **2.** sich ablenken; wieder aufleben, Mut schöpfen.   **1606**

tröstlich lindernd, besänftigend, mildernd, erleichternd, befreiend, erlösend, ermutigend, ermunternd, erquickend, belebend, stärkend, entspannend, hilfreich, trostreich, trostvoll, Trost bringend, aufrichtend, wärmend.   **1607**

trotz 1. obwohl, obgleich, obschon, wenngleich, wiewohl, wenn auch, ungeachtet, unbeschadet, **2.** trotzdem, dennoch, doch, gleichwohl, trotz allem, dessen ungeachtet, nichtsdestoweniger, nichtsdestotrotz.   **1608**

Trotz Trotzreaktion, Widerspenstigkeit, Widerborstigkeit, Bockigkeit, Bockbeinigkeit.   **1609**

Turm 1. Ausguck, Auslug, Warte, Aussichtsturm, Kirchturm, Glockenturm, Campanile, Minarett, Wachturm, Funkturm, Fernsehturm, **2.** Kompaktanlage, Hi-Fi-Turm.   **1610**

U

1611 üben wiederholen, memorieren, pauken, sich einprägen; auswendig lernen, proben, durchproben, probieren, einstudieren, einüben, bimsen, schulen, trainieren, trimmen, dressieren, drillen, exerzieren, abrichten, schleifen.

1612 überall 1. allerorten, allerwege, allerenden, allenthalben, allerwärts, nah und fern, weit und breit, im ganzen Land, kreuz und quer, an allen Enden, landauf, landab, wo auch immer, auf der ganzen Welt/Schritt und Tritt, wo man hinguckt, generell, allgegenwärtig, omnipräsent, **2.** rundum, ringsum, ringsumher, rundherum, rings.

1613 Überblick 1. Übersicht, Rundschau, Zusammenschau, Zusammenfassung, Aufriss, Querschnitt, Abriss, Synopse, Inhaltsangabe, **2.** Rückblick, Rückschau, Rekapitulation, **3.** hohe Warte, Beherrschung, Verständnis.

1614 Überbringer 1. Bote, Dienstmann, Laufbursche, Austräger, Postbote, Briefträger, Zusteller, Lieferant, **2.** Abgesandter, Emissär, Geschäftsträger, Kurier, Melder, Läufer, **3.** Unglücksbote, Unheilbringer, Hiobsbote.

1615 übereinstimmen 1. sich decken; zusammenfallen, zusammengehen, zusammentreffen, auf denselben Tag fallen, zusammenpassen, kongruieren, zusammenstimmen, sich entsprechen; korrespondieren, parallel laufen, **2.** einig sein, einig/konform gehen, gleichliegen, gleicher Meinung sein, Auffassung teilen, dasselbe meinen, harmonieren, konvergieren, **3.** ähneln, gleichen, gleichsehen, sich ähnlich sehen; aussehen wie, erinnern/gemahnen an, nachschlagen, nachgeraten, arten nach.

1616 übereinstimmend 1. zusammenfallend, konvergierend, kongruent, korrespondierend, kompatibel, **2.** konform, entsprechend, stimmig, gleichgeordnet, harmonisch, einhellig, einmütig.

1617 Übereinstimmung 1. Gleichheit, Identität, Deckungsgleichheit, Deckung, Tautologie, Kongruenz, Kompatibilität, Gleichartigkeit, Parallelismus, Parallelität, Gleichlauf, **2.** Zusammenfall, Koinzidenz, Zusammentreffen, Zwillingsgeschehen, Duplizität, Doppelereignis, Gleichzeitigkeit, **3.** Gleichwertigkeit, Gleichrangigkeit, Ebenbürtigkeit, Parität, Konkurrenzfähigkeit, Wettbewerbsfähigkeit, Gleichrang, Gleichstand, Patt, Remis; Gleichberechtigung, Gleichstellung, Vollwertigkeit, Konvertierbarkeit, Austauschbarkeit, Auswechselbarkeit, **4.** Gleichklang, Gleichtakt, Gleichmaß, Harmonie, Entsprechung, Korrespondenz, Stimmigkeit, Kongenialität, **5.** Konsens, Konvergenz, Identifikation, Ausrichtung, Normierung, Nivellierung, Uniformierung, Konformität, Gleichschritt, Gleichschaltung, Sprachregelung, Political Correctness, **6.** Sinngleichheit, Pleonasmus; Sinnähnlichkeit, Synonym, Sinnverwandtschaft.

1618 übergeben verabfolgen, aushändigen, geben, abgeben, abliefern, zustellen, überreichen, ausliefern, überbringen, übermitteln, überstellen, übertragen; weiterleiten, weitergeben.

1619 überlaufen 1. überquellen, überfließen, überschäumen, überborden, über die Ufer treten, überfluten, überströmen, ausufern, voll Wasser laufen, hereinbrechen über, überschwemmen, unter Wasser setzen, wegschwemmen, mitreißen, ertränken, ersäufen, **2.** überwechseln, übergeben, übertreten, konvertieren, desertieren, abfallen.

1620 Übermaß 1. Zuviel, Überfülle, Unmenge, Unmaß, Überhang, Überschuss, Redundanz, Überreife, Überproduktion, Überangebot, Überfluss, Übersteigerung, Überhitzung, Reizüberflutung, Überwucherung, Gigantismus, Ausuferung, Auswuchs, **2.** Zügellosigkeit, Maßlosigkeit, Haltlosigkeit, Hemmungslosigkeit, Ungehemmtheit, Übertreibung, Unmäßigkeit, Ausschweifung, Unersättlichkeit, Orgie, Exzess.

1621 überraschen 1. verblüffen, in Erstaunen setzen, Freude bereiten, frappieren, bestürzen, konsternieren, Sprache verschlagen, befremden, aus der Fassung bringen, vom Hocker/vom Stuhl hauen, verwirren, verdutzen, erstaunen, verwundern, auffallen, **2.** ertappen, erwischen, abfassen, überrumpeln, auf den Kopf zusagen, in flagranti erwischen, stellen, überführen, auf frischer Tat erwischen, **3.** unerwartet kommen, ins Haus fallen, hereinplatzen, hereinschneien, vor der Tür stehen, unangemeldet erscheinen, auftauchen, dastehen, überfallen.

1622 übertragen 1. überantworten, delegieren, beauftragen, vergeben, auslagern, outsourcen, zuweisen, zuschreiben, anvertrauen; überliefern, weiterreichen, weitergeben, **2.** vererben, hinterlassen, vermachen, abtreten, übereignen, zum Erben einsetzen, überschreiben, überlassen, testieren, bedenken mit, verschreiben, **3.** infizieren, anstecken, **4.** senden, ausstrahlen, über den Sender geben, beamen, bringen, aussenden, **5.** projizieren, transponieren, transkribieren, **6.** telegraphieren, kabeln, funken, drahten, fernschreiben, tickern, morsen, telefonieren, faxen, telefaxen, Daten übertragen / fernübertragen, mailen, smsen, **7.** übersetzen, chiffrieren, kodieren, verschlüsseln, kryptieren, **8.** umspulen, überspielen, kopieren, scannen.

1623 übertreiben 1. überspannen, übersteigen, überspitzen, überbetonen, zu viel Gewicht beilegen, zu wichtig nehmen; überladen, überorganisieren, aufblähen, aufplustern, überdrehen, überreagieren, zum Äußersten kommen lassen, auf die Spitze treiben, **2.** überschätzen, überhöhen, zu hoch veranschlagen, falsch einschätzen, idealisieren, **3.** überhäufen, überschütten, des Guten zu viel tun, sich überschlagen; das Maß überschreiten, es zu weit treiben, zu weit gehen, **4.** dramatisieren, hochspielen, aus einer Mücke einen Elefanten machen, aufbauschen, ausschmücken, dick auftragen, große Worte / Aufhebens machen; chargieren, dem Affen Zucker geben, überdeutlich machen, übertrieben darstellen, **5.** aufdonnern, aufputzen, überladen, behängen, auftakeln, protzen.

1624 Übertreibung 1. Übersteigerung, Überspanntheit, Exaltiertheit, Outriertheit, Schwulst, Bombast, Pathetik, Melodramatik, Überschwang, Überschwänglichkeit; Geschnörkel, Schnörkelei, Theatralik, Getue, Tuerei, Overstatement, **2.** Windmacherei, Sensationsmache, Dramatisierung, Panikmache.

1625 übertrieben 1. übermäßig, unmäßig, zu viel, maßlos, ausschweifend, unersättlich, exzessiv, nimmersatt, verschwenderisch, extravagant, aufgebläht, allzu viel, exorbitant, unverhältnismäßig, über Gebühr, unnötig, uferlos, übermenschlich, extrem, too much, allzu sehr, over, **2.** überbetont, überspitzt, krass, übersteigert, überspannt, exaltiert, verstiegen, outriert, manieriert, manieristisch, überhitzt, überhöht, überzogen, hypertroph, **3.** aufgedonnert, aufgeputzt, überladen, aufgetakelt, stutzerhaft, geckenhaft, dandyhaft, gigerlhaft, affektiert, aufgemotzt, aufgebrezelt, overdressed, overstyled, **4.** krankhaft, krampfig, verbissen, gewaltsam, angestrengt, überanstrengt, **5.** überschwänglich, deklamatorisch, hochtönend, bombastisch, geschraubt, ziseliert, gedrechselt, gewollt, überkandidelt, superlativistisch, theatralisch, **6.** überschätzt, verklärt, überhöht, zu hoch gegriffen.

1626 überwiegend vorwiegend, vorherrschend, hervorstechend, hauptsächlich, vornehmlich, in erster Linie, größtenteils, mehr als die Hälfte, in der Mehrzahl, in hohem Maße, mehrheitlich.

1627 überzeugen (sich) 1. bekehren, bereden, bewegen, bestimmen, überreden, einsichtig machen, eines Besseren belehren, umstimmen, herumkriegen, gewinnen, zur Einsicht bringen, erweichen, bearbeiten, bequatschen, voll quatschen, zuballern, beschwatzen, einwickeln, breitschlagen, erweichen, weich machen, einnehmen für, missionieren, **2.** sich vergewissern; überprüfen, sich versichern; nachsehen, kontrollieren, **3.** sich bewähren; keinen Zweifel zulassen, durchschlagen, sich durchsetzen; Erfolg haben; glaubwürdig / stichhaltig / überzeugend sein, Vertrauen genießen, Anklang / Glauben finden.

1628 übrig 1. verbleibend, übrig geblieben, verblieben, überzählig, zurückbleibend, restlich, unverkauft, unverkäuflich, Ladenhüter, unverwendet, unverwendbar, lästig, zu viel, überflüssig, redundant, überschüssig, über, übrig gelassen, **2.** mehr als genug, sattsam, reichlich, üppig, vollauf, entbehrlich, **3.** übrig lassen, übrig haben, stehen lassen, dalassen, zurücklassen.

1629 **Übung** Einübung, Schulung, Fingerübung, Denkübung, Patterndrill, Training, Drill, Schliff, Dressur, Abrichtung; Manöver, Probe.

1630 **Ufer** Saum, Gestade, Küste, Kante, Rand, Strand, Uferstreifen, Kai, befestigtes Ufer, Anlegestelle.

1631 **Umfang** Stärke, Dicke, Größe, Ausmaß, Volumen, Körperumfang.

1632 **Umfrage** Befragung, Erhebung, Interview, Survey, Enquete; Meinungsumfrage, Publikumsumfrage, Teleskopie, Leserumfrage, Hörerumfrage, Zuschauerumfrage, Wählerumfrage, Politbarometer.

1633 **umgeben** **1.** umziehen, einfassen, rahmen, säumen, rändern, umranden, umspannen, bekränzen, **2.** umranken, umrahmen, umwinden, einrahmen, **3.** Umgebung bilden, umliegen, nah liegen; umringen, umdrängen, **4.** einzäunen, einfrieden, einfriedigen, umgrenzen, eingrenzen, einhegen, abstecken, umreißen, begrenzen, abgrenzen, umzäunen, umziehen, abzäunen, absperren, **5.** umkreisen, einkreisen, umzingeln, einschließen.

1634 **umgehen** **1.** sich drücken; meiden, vermeiden, ausweichen, nicht dranwollen, sich entziehen; aus dem Wege gehen, sich verleugnen lassen, **2.** umgehen mit, Umgang haben / pflegen, verkehren, in Verbindung stehen, Beziehungen unterhalten, sich beschäftigen mit, **3.** spuken, geistern, gespenstern, irrlichtern, nicht mit rechten Dingen zugehen / geheuer sein, rumoren, erscheinen, **4.** umlaufen, kursieren, in Umlauf / in aller Munde / Tagesgespräch sein, Runde machen.

1635 **umsonst** **1.** gratis, franko, unberechnet, unentgeltlich, kostenlos, für lau, zum Nulltarif; unverdient, ohne eigenes Verdienst, zugefallen, geschenkt, gebührenfrei, zollfrei, steuerfrei, um Gotteslohn, unbezahlt, ehrenhalber, ehrenamtlich, freiwillig, **2.** vergeblich, nutzlos.

1636 **Umwelt** **1.** Außenwelt, Umgebung, Peristase, natürlicher Lebensraum, **2.** Lebenssphäre, soziales Umfeld, Umfeld, Milieu, kultureller Lebensraum, Lebensbereich, Lebenskreis, Mitwelt, **3.** Umweltfaktoren, ökologische Faktoren.

umweltfreundlich **1.** umweltgerecht, umweltverträglich, umweltschonend, ökologisch, abbaubar, Energie sparend, **2.** abgasarm, schadstoffarm, schadstoffreduziert, schadstofffrei. **1637**

unangenehm **1.** misslich, peinlich, schwierig, ärgerlich, fatal, dumm, betrüblich, haarig, blöde, ungelegen, verdrießlich, lästig, leidig, beschwerlich, beschämend, blamabel, unbequem, unbehaglich, ungemütlich, unwohnlich, **2.** unerträglich, unzumutbar, untragbar, unmöglich, unerfreulich, unerquicklich, unerwünscht, unlieb, unliebsam, unwillkommen, **3.** unsympathisch, unleidlich, unausstehlich, zuwider, widrig, odiös, missliebig, antipathisch, ätzend, verhasst, widerwärtig, abstoßend, missfällig, Dorn im Auge, Stein des Anstoßes, Pfahl im Fleisch, unbeliebt, ungenießbar. **1638**

unaufmerksam **1.** zerstreut, unkonzentriert, abgelenkt, nicht bei der Sache, abwesend, geistesabwesend, entrückt, verträumt, träumerisch, in den Wolken, verdöst, gedankenverloren, vertieft, versunken, verspielt, schläfrig, verschlafen, im Tran, unbeteiligt, uninteressiert, nachlässig, konfus, vergesslich, fahrig, zerfahren, schusselig, kopflos, **2.** gedankenlos, unüberlegt, unbesonnen, unvorsichtig, unbedacht, unachtsam, achtlos, gleichgültig, blind, rücksichtslos. **1639**

unbedeutend belanglos, untergeordnet, nachgeordnet, zweitrangig, sekundär, unmaßgeblich, nichtig, minder, geringfügig, minimal, kaum, nebensächlich, beiläufig, unbeträchtlich, unwichtig, peripher, unerheblich, bedeutungslos, nicht der Rede wert, abseitig, fern liegend, nicht entscheidend / ausschlaggebend, irrelevant, klein, Peanuts, gleichgültig, unwesentlich, gegenstandslos, nichts sagend, dürftig, ausdruckslos, farblos, fade, leer, Schall und Rauch, unbedarft, unscheinbar, unansehnlich, mickrig. **1640**

unbedingt **1.** bedingungslos, unabdingbar, auf jeden Fall, auf alle Fälle, **1641**

koste es, was es wolle, unter allen Umständen, auf Biegen oder Brechen, schlechterdings, allerdings, durchaus, absolut, partout, um jeden Preis, komme, was da wolle, notfalls mit Gewalt, schlechthin, ohne weiteres, wie auch immer, vorbehaltlos, uneingeschränkt, ohne Vorbehalt/Einschränkung, voraussetzungslos, unabhängig von, unweigerlich, fraglos, unbesehen, unumschränkt, **2.** ausgemacht, eingefleischt, ausgesprochen, unbekehrbar, konsequent, bis zum bitteren Ende.

1642 unbekannt 1. namenlos, anonym, No-Name, ungenannt, unentdeckt, unerkannt, inkognito, übersehen, unbeachtet, verkannt, unbeschriebenes Blatt, unbedeutend, ungedruckt, unveröffentlicht, übergangen, **2.** fremd, nie gesehen/gehört/begegnet.

1643 uneben 1. hügelig, gebirgig, wellig, bergig, höckrig, bucklig, felsig, zerklüftet, **2.** holperig, hubbelig, schotterig; grobkörnig, narbig, borkig, schorfig, grindig, gerieft, gefurcht, gerillt, gekerbt, rissig, schrundig, zackig, gezackt, gezähnt, **3.** knollig, klumpig, bollig, knorrig, **4.** unegal, ungleich lang, zipfelig.

1644 uneigennützig mitmenschlich, altruistisch, unegoistisch, hilfsbereit, karitativ, sozial, sozial engagiert, idealistisch, selbstlos, wohltätig, mildtätig, gütig, barmherzig, hochherzig, gebefreudig, großmütig, erbarmend, mitleidig, mitfühlend, opferbereit, opferwillig, aufopferungsvoll.

1645 Uneigennützigkeit Nächstenliebe, Mitmenschlichkeit, Altruismus, Hilfsbereitschaft, Fürsorglichkeit, Fürsorge, Selbstlosigkeit, Großzügigkeit, Freigebigkeit, Großmut, Edelmut, Gemeinsinn, Edelsinn, Hochherzigkeit, Wohltätigkeit, Mildtätigkeit, Opferbereitschaft, Opfermut, Aufopferungsfähigkeit, Selbstaufopferung.

1646 unempfindlich 1. gefühllos, stumpf, passiv, abgestumpft, apathisch, unempfänglich, herzensträge, gleichgültig, dickfellig, **2.** empfindungslos, abgestorben, fühllos, eingeschlafen, betäubt, narkotisiert, bewusstlos, ohnmächtig, besinnungslos, somnambul, in Trance, hypnotisiert, gedopt.

1647 Unempfindlichkeit 1. Gefühllo-

sigkeit, Stumpfheit, Sturheit, Dickfelligkeit, Unempfänglichkeit, Unbeeindruckbarkeit, **2.** Gleichgültigkeit, Neutralität, Uninteressiertheit, Teilnahmslosigkeit, Ungerührtheit, Kühle, Kälte, Phlegma, Passivität, Indolenz, Indifferenz, Indifferentismus, Kaltschnäuzigkeit, Leidenschaftslosigkeit, Coolness, Unerschütterlichkeit, Hartherzigkeit, Wurstigkeit, Undank, Desinteresse, **3.** Betäubung, Narkose, Rausch, Schlaf, Ohnmacht, Bewusstlosigkeit, Trance, Entrückung, Hypnose, Somnambulismus, **4.** Lethargie, Apathie, Gefühlskälte, Frigidität, Froschblut, Frostigkeit, Gefühlsarmut, Seelenblindheit, Unbewusstheit, Dumpfheit, Stumpfheit, Primitivität, **5.** Starrheit, Starre, Steifheit, Erstarrung.

unendlich 1. unbegrenzt, unermesslich, unzählbar, zahllos, unerschöpflich, unerschöpft, grenzenlos, schrankenlos, unbeschränkt, ohne Grenze, unlimitiert, **2.** endlos, ohne Ende, Open End, unaufhörlich, ewig, nicht endend, bis ins Unendliche, und so fort, bis ins Aschgraue, nicht enden wollend, auf immer, bis in alle Ewigkeit, unabsehbar, bis zum Abwinken.   **1648**

Unendlichkeit Unbegrenztheit, Unbeschränktheit, Endlosigkeit, Unerschöpflichkeit, Unermesslichkeit, Zeitlosigkeit, Unvergänglichkeit, Unveränderlichkeit, Unzerstörbarkeit, Unsterblichkeit, Grenzenlosigkeit, Ewigkeit, Endlosschleife.   **1649**

unentschieden 1. unentschlossen, unschlüssig, von Zweifeln geplagt, hin und her gerissen, zweifelnd, schwankend, inkonsequent, wankend, zaudernd, im Zweifel, mit gemischten Gefühlen, am Scheideweg, ausweichend, hinhaltend, zögernd, verschleppend, dilatorisch, zuwartend, halb und halb, heute so, morgen so, zwiespältig, ambivalent, variabel, veränderlich, labil, entschlusslos, **2.** punktgleich, patt, remis, ausgeglichen, **3.** fließend, ineinander übergehend, gleitend, transitorisch, im Übergang, an der Schwelle, offen, nicht festgelegt, eindeutig, schwebend, über sich hinausweisend, **4.** nichts Halbes und nichts Ganzes, nicht Fisch noch Fleisch.   **1650**

Unfall Unglücksfall, Unglück, Ver-   **1651**

kehrsunfall, Verkehrsunglück, Betriebsunfall, Bruchlandung, Karambolage, Kollision, Massenkarambolage, Zusammenstoß, Zusammenprall, Frontalzusammenstoß; Schiffbruch, Havarie, Entgleisung, Störfall, GAU.

1652 unfrei 1. willenlos, getrieben, hörig, zwanghaft, fixiert auf, abhängig, unselbständig, süchtig, verfallen, **2.** gefangen, hinter Gittern, verhaftet, der Freiheit beraubt, im Kerker, in Gewahrsam, gefangen genommen, eingesperrt, hinter schwedischen Gardinen / Schloss und Riegel, auf Nummer Sicher, interniert, festgesetzt, eingelocht, eingebuchtet, **3.** gehandikapt, festgenagelt, verstrickt, an der Leine, unter der Fuchtel/dem Pantoffel, gefesselt, geknebelt, in Banden, unter der Knute, leibeigen, versklavt.

1653 unfreiwillig 1. unbeabsichtigt, unabsichtlich, versehentlich, reflexhaft, unbewusst, ungewollt, unwillkürlich, von selbst, irgendwie, **2.** ungern, der Not gehorchend, wider Willen, widerwillig, unwillig, nolens volens, notgedrungen, gezwungenermaßen, pflichtschuldigst, zwangsweise, wohl oder übel, widerstrebend, im Schlepptau, gegen die Überzeugung, unter Druck, zähneknirschend, lustlos, mit Todesverachtung.

1654 unfruchtbar 1. unergiebig, brachliegend, ungenutzt, öde, karg, dürr, trocken, brach, unrentabel, nutzlos, nicht lohnend, kümmerlich, dürftig, ohne Ertrag, bringt nichts, ertragsunfähig, **2.** unschöpferisch, unproduktiv, ohne Einfälle, einfallslos, phantasielos, unkreativ, ideenlos, schematisch, ohne Phantasie, nach Schema F, unoriginell, aus zweiter Hand, nachschaffend, nachgestaltend, nachahmend, nachschöpferisch, reproduktiv, epigonenhaft, epigonal, plagiatorisch, **3.** zeugungsunfähig, impotent, steril, infertil.

1655 ungefähr 1. fast, beinahe, nahezu, annähernd, nach Augenmaß, abgerundet, bald, gegen, zirka, rund, etwa, praktisch, sagen wir, vielleicht, aufgerundet, stark, gut, gar, schier, um ein Haar, um Haaresbreite/Fadenbreite, **2.** etwa, dem Sinne nach, sinngemäß, nicht wörtlich, sinnentsprechend, analog, **3.** ungenau, allgemein, verschwommen, dehnbar, schwammig, diffus, unpräzise, verwaschen.

ungenügend 1. mangelhaft, unbefriedigend, unvollständig, unzulänglich, lückenhaft, unzureichend, knapp, kaum ausreichend, Tropfen auf einem heißen Stein, notdürftig, unvollkommen, nicht zufrieden stellend, defizitär, schwach, ungeeignet, unbrauchbar, insuffizient, dürftig, spärlich, **2.** unfähig, unvermögend, außerstande, untüchtig, beschränkt, begrenzt.   **1656**

ungerecht parteiisch, mutwillig, voreingenommen, stiefmütterlich, einseitig, befangen, unobjektiv, unsachlich, unbillig, undankbar, mit zweierlei Maß, unfair, unsportlich, unkameradschaftlich; unredlich, unreell, unsauber.   **1657**

ungeschickt (sein) 1. linkisch, unbeholfen, zwei linke Hände, unpraktisch, umständlich, stoffelig, tollpatschig, tapsig, täppisch, **2.** Pferd am Schwanz aufzäumen, mit der Tür ins Haus fallen, zweiten Schritt vor dem ersten tun, es dumm anfangen, sich dumm anstellen.   **1658**

Unglück Unheil, Verhängnis, Verderb, Unsegen, Unstern, Geißel, Kreuz, Plage, Prüfung, Last, Bürde, Ungemach, Unbilden, Widrigkeit, Missgeschick, Fatum, Fatalität, Debakel, Desaster; Hiobsbotschaft, Schrecknis, Schreckensbotschaft, Schreckensnachricht; Schicksalsschlag, harter Schlag, Fluch; Krankheit, Siechtum, Misere, Krebs, Krebsgeschwür, Elend, Übel, Seuche, Landplage, Verderben, Vernichtung, Absturz, Untergang; Pech, unglückliche Fügung, Missgriff, Malheur; Drama, Tragödie, Trauerspiel, Tragik.   **1659**

unglücklich 1. traurig, leidend, leidtragend, leidvoll, betrübt, deprimiert, schmerzerfüllt, ungetrost, trostlos, todunglücklich, todtraurig, kreuzunglücklich, untröstlich, hoffnungslos, in Sack und Asche, schmerzbewegt, wehmütig, fassungslos, geschlagen, desolat, verzweifelt, gebrochen, verzagt, elend, melancholisch, schwermütig, depressiv, elegisch, überdrüssig, lustlos, freudlos, bedrückt, bekümmert, nicht gut drauf, geknickt, enttäuscht, heimgesucht, gebeutelt, getroffen, mutlos, entmutigt, down, im Keller, gebeugt, schwer geprüft, niedergebeugt, kummervoll,   **1660**

gramgebeugt, geschlagen, zerrissen, selbstzerstörerisch, zerquält, gramerfüllt, vergrämt, verhärmt, sorgenvoll, **2.** weinend, schluchzend, tränenüberströmt, in Tränen, mit Tränen in den Augen, tränenden Auges, händeringend, mit Leichenbittermiene, **3.** bedauernswert, bedauerlich, bejammernswert, bemitleidenswert, liebebedürftig, anlehnungsbedürftig, beklagenswert, Mitleid erregend, kläglich, erbärmlich, erbarmungswürdig, leidvoll, freudeleer, freudearm, umschattet, unfroh, **4.** schmerzlich, hart, betrüblich, erschütternd, arg, qualvoll, verhängnisvoll, fatal, schicksalhaft, tragisch, katastrophal, schlimm, unglückselig, unselig, **5.** entmutigend, enttäuschend, schade, jammerschade, niederdrückend, niederschmetternd, hoffnungslos, niederziehend, aussichtslos, ausweglos, schwarz, dunkel, düster, verdüstert, sinister, **6.** betrogen, getäuscht, hintergangen, hereingelegt; gehörnt, sitzen gelassen, im Stich gelassen.

1661 ungünstig 1. ungelegen, lästig, störend, widrig, entgegen, unzeitig, zur Unzeit, im falschen Augenblick, **2.** unpassend, unratsam, unangebracht, ungeeignet, undienlich, unhandlich, unzweckmäßig, ungeschickt, unbrauchbar, unverwendbar, sperrig, platzraubend, unpraktisch, unvorteilhaft, unbequem, unangemessen, **3.** nachteilig, abträglich, untunlich, misslich; schädlich, hinderlich, hemmend, ungesund, gesundheitswidrig, unbekömmlich, unverdaulich, unzuträglich, **4.** aufwendig, unrationell, unwirtschaftlich, unökonomisch, unrentabel, unökologisch.

1662 unhöflich 1. unfreundlich, unaufmerksam, ungefällig, unliebenswürdig, kurz angebunden, unwirsch, muffig, schroff, abweisend, ungastlich, barsch, harsch, brüsk, unzart, rücksichtslos, **2.** flegelhaft, ungezogen, schnippisch, grob, lümmelhaft, unmanierlich, ungehobelt, ungeschliffen, rüde, krude, unverschämt, patzig, pampig, ruppig, respektlos, unflätig, **3.** unpassend, ungehörig, unmöglich, taktlos, ungebührlich, unangebracht, unangemessen, unschicklich, verfehlt, deplatziert, fehl am Platz, ungalant, unritterlich, kein Gentleman.

Unkenntnis Unwissenheit, Ahnungslosigkeit, Unbelehrtheit, Bildungslücke, Nichtbegreifen, Unverständnis, Erfahrungsmangel, Wissensmangel, Unvertrautheit, Unerfahrenheit, Ungeübtheit, Ungeschultheit, Unbelesenheit, böhmische Dörfer, Unverstand, Ignoranz, Borniertheit, Banausenhaftigkeit, Unaufgeklärtheit, Aberglaube. **1663**

unmittelbar 1. direkt, aus erster Hand/Quelle, **2.** geradeaus, der Nase nach, ohne Umweg, in Luftlinie, umweglos, geradlinig, straight, stracks, schnurstracks, querfeldein, quer durch; durchgehend, ohne Unterbrechung/Aufenthalt/Verzögerung/Zwischenstation, ohne weiteres/Zögern/Zaudern, spornstreichs, **3.** bar, in barer Münze, cash, auf die Hand, **4.** mündlich, wörtlich, verbal, in direkter Rede, persönlich, original, **5.** live, direkt übertragen, keine Konserve. **1664**

unmöglich undenkbar, unausführbar, undurchführbar, unerreichbar, aussichtslos, hoffnungslos, ausgeschlossen, undiskutabel, unerfüllbar, nicht durchführbar / machbar / praktikabel / drin, unrealisierbar, nicht zu machen, wie verhext, geht/will nicht, nicht daran zu denken, kommt nicht in Frage, unter keinen Umständen, nie und nimmer, bestimmt nicht, keinesfalls, zu keiner Zeit, weder jetzt noch später, am Nimmerleinstag; unannehmbar, nicht zu ändern, unüberwindlich, ausweglos. **1665**

Unmöglichkeit Undenkbarkeit, Unüberwindlichkeit, Undurchführbarkeit, Unlösbarkeit, Hoffnungslosigkeit, Nadel im Heuhaufen, Ausweglosigkeit, Aporie, Quadratur des Kreises, Perpetuum mobile. **1666**

unnötig entbehrlich, überflüssig, überzählig, abkömmlich, ersetzbar, ersetzlich; hinfällig, nicht mehr nötig, wertlos, Eulen nach Athen, vergeblich. **1667**

unordentlich 1. ungeordnet, unaufgeräumt, durcheinander, wirr, verworren, verheddert, verwurstelt, das Unterste zuoberst, chaotisch, nichts zu finden, wüst, **2.** unsystematisch, unorganisiert, unmethodisch, regellos, systemlos, wie es kommt, ziellos, planlos, ungeplant, aufs Geratewohl, auf gut **1668**

Glück, ins Blaue, **3.** turbulent, tumultuarisch, drunter und drüber.

1669 Unordnung 1. Chaos, Labyrinth, Irrgarten, Wirrwarr, Gewirr, Tohuwabohu, Achterbahn, Hin und Her, Wust, Konfusion, Desorganisation, Zickzackkurs, Planlosigkeit, Systemlosigkeit, Ziellosigkeit, **2.** Durcheinander, Schlamperei, Unordentlichkeit, Kuddelmuddel, Lotterwirtschaft, Saustall, Gehudel, Nachlässigkeit, Vernachlässigung, Liederlichkeit, Lotterleben, **3.** Verwirrung, Verfilzung, Verwicklung, Verwerfung, Schieflage, Verworrenheit, **4.** Tumult, Getümmel, Ausschreitung, Panik, Massenhysterie, Hexenkessel.

1670 Unrecht 1. Unterlassung, Versäumnis, Gerechtigkeitslücke, Unbill, Verfehlung, Kavaliersdelikt, Ungerechtigkeit, Fehltritt, Versündigung, Entgleisung, Übergriff, Willkür, Gemeinheit, **2.** Vergehen, Delikt, Rechtsbeugung, Rechtsverdrehung, Rechtsbruch, Unrechtmäßigkeit, Rechtswidrigkeit, Rechtsverletzung, Gesetzwidrigkeit, Ungesetzlichkeit, Gesetzesübertretung, kriminelle Handlung, Illegalität, Illegitimität.

1671 unreif 1. unausgereift, noch nicht reif, sauer, halb reif, unausgegoren, verfrüht, **2.** grün, nicht trocken hinter den Ohren, halb gar, kindhaft, kindisch, bübchenhaft, infantil, pubertär, halbwüchsig, unmündig, unausgewachsen, unfertig, unentwickelt, unerwachsen.

1672 unruhig 1. rastlos, ruhelos, schlaflos, ohne Schlaf, ungeduldig, nervös, zappelig, friedlos, quecksilbrig, wuselig, wirbelig, kein Sitzfleisch, Hummeln im Hintern, auf Nadeln, auf glühenden Kohlen, hektisch, fieberhaft, auf dem Sprung, in Eile, eilig, unstet, umgetrieben, dynamisch, **2.** flackernd, flackrig, zuckend, hin und her springend, Discolicht, **3.** Quirl, Quecksilber, Wirbelwind, Zappelphilipp, Flippie.

1673 unschuldig 1. schuldlos, nicht schuldig, ohne Schuld, schuldfrei, unverschuldet, ohne eigenes Verschulden, frei von Schuld, **2.** straflos, straffrei, freigesprochen, amnestiert.

1674 unsicher 1. unverbürgt, unbestätigt, nicht belegt, dahingestellt, offen, unerwiesen, bestreitbar, fraglich, widerlegbar, umstritten, strittig, **2.** unabgesi-

chert, unversorgt, von der Hand in den Mund, ohne festes Einkommen/Rückhalt, freischwebend, **3.** sagenumwoben, legendenumwoben, legendär, sagenhaft, mythisch, **4.** unsicher auf den Beinen, haltlos, schwankend, wankend, torkelnd, wackelig, taumelnd, taumelig, mit Schlagseite, **5.** gehemmt, unfrei, verklemmt, scheu, schüchtern, ohne Selbstbewusstsein, verunsichert, **6.** gefährlich, nicht geheuer.

Unsinn 1. Unfug, Nonsens, Quatsch, **1675** Blech, Schmarren, Stuss, Senf, Zinnober, Humbug, Makulatur, Kohl, Kauderwelsch, Schmonzes, Krampf, Mist, Bockmist, Kokolores, Fisimatenten, Albernheit, Faxen, Faselei, Farce, Getue, Narretei, dummes Zeug, Flausen, Possen, Mumpitz, Narrheit, Verrücktheit, Unsinnigkeit, Widersinn, Ungereimtheit, Tollheit, Kinderei, Unklugheit, **2.** Schwank, Streich, Schelmenstück, Schabernack, Ulk, Spaß, Klamauk, Eulenspiegelei, Jux, Allotria, Lausbüberei, Dummejungenstreich, Donquichotterie, Schwabenstreich, Schelmenstreich, Schildbürgerstreich, **3.** dummer Streich, Dummheit, Torheit, Eselei, Eskapade, Jugendsünde, Verrücktheit, Affentheater, Blödsinn, Kateridee, Schnapsidee, Kapriolen, Wahnsinn, Wahnwitz, Aberwitz, Irrenanstalt, Irrenhaus, Klapsmühle, Klapse, Narrenhaus, Tollhaus.

untätig 1. müßig, träge, bequem, **1676** faul, schläfrig, unlustig, kein/null Bock, tatenlos, bummelig, saumselig, trödelig, denkfaul, gedankenträge, schlafmützig, **2.** inaktiv, passiv, phlegmatisch, abwartend, zuwartend, meditativ, mußevoll, entspannt.

Untätigkeit 1. Müßiggang, Nichts- **1677** tun, Lotterleben, Zeitvergeudung, Zeitverschwendung, Drohnendasein, Tagedieberei, Drückebergerei, Bummelei, Trödelei, Faulheit, Trägheit, Bequemlichkeit, **2.** Muße, Meditation, Kontemplation, Otium, Dolcefarniente, Inaktivität, Passivität, Tatenlosigkeit, Phlegma, Lethargie.

unten 1. in der Tiefe, drunten, am **1678** Grunde, zuunterst, untendrunter, auf dem Boden/der Erde, **2.** parterre, ebenerdig, zu ebener Erde, im Erdgeschoss/Souterrain/Keller, **3.** unterprivilegiert, marginalisiert, am unteren Ende der Pyramide, **4.** unter, unterhalb, darunter, unter der Oberfläche, gesunken, versunken, untergegangen.

1679 Unterbrechung 1. Abbruch, Aussetzen, Störung, Interruption, Einschnitt, Zäsur, Absatz, Hiatus, Lücke, Pause, Halbzeit, Denkpause, Ruhepause; Halt, Station, Zwischenlandung, **2.** Episode, Zwischenspiel, Intermezzo, Intermedium, Intervall, Zwischenzeit, Interim, Interimszustand, Provisorium, **3.** Zwischenfrage, Interpellation, Zwischenruf, Zwischenbemerkung, Einwurf, Zwischenfall.

1680 unterdrücken 1. klein halten, niederhalten, unten / am Boden halten, nicht aufkommen lassen, lähmen, ducken, unterbuttern, paralysieren, knechten, knuten, versklaven, Fuß auf den Nacken setzen, unter das Joch beugen, unterjochen, terrorisieren, tyrannisieren, **2.** ersticken, auslöschen, dämpfen, **3.** verhalten, zurückhalten, nicht merken lassen, verbergen, verstecken, hinunterschlucken, abtöten, Zähne zusammenbeißen, sich beherrschen, zusammennehmen; verdrängen, **4.** beherrschen, bevormunden, gängeln, bestimmen, Heft aus der Hand nehmen, entmündigen, entrechten, unter Kuratel stellen.

1681 Unterhalt 1. Lebensunterhalt, Auskommen, tägliches Brot, Lebensnotwendiges, Haushaltungskosten, Lebenshaltungskosten, Aufwendungen, **2.** Alimente, Unterhaltszahlungen, Apanage.

1682 unterhalten (sich) 1. erhalten, ernähren, durchfüttern, durchbringen, versorgen, instand/in Gang halten, aufrechterhalten, **2.** Gesellschaft leisten, Zeit vertreiben, zerstreuen, amüsieren, belustigen, ablenken, erheitern, aufmuntern, auf andere Gedanken bringen, **3.** Gespräche führen, sich austauschen, unterreden, besprechen, erzählen; diskutieren, Konversation machen, plaudern, schwatzen, klönen, quatschen, ratschen, palavern, parlieren, **4.** sich vergnügen; Spaß haben / machen, scherzen, spaßen, Quatsch machen, Unsinn reden, witzeln, blödeln, kalbern, herumalbern, Dummheiten machen, ulken, kalauern, **5.** tanzen, schwofen, abhotten.

1683 Unterhalter 1. Entertainer, Animateur, Conférencier, Moderator, Talkmaster, Showmaster, Ansager, Alleinunterhalter, Kabarettist, Diseuse, Reiseanimateur, Discjockey, Deejay, DJ, Newsjockey, **2.** Stimmungsmacher, Betriebsnudel, Spaßmacher, Pausenclown, Spaßvogel, Jeck, Hallodri, bunter Hund.

1684 Unterhaltung 1. Gespräch, Dialog, Plauderei, Gedankenaustausch, Geplauder, Konversation, Meinungsaustausch, Zwiesprache, Dialog, Diskussion, Besprechung, Aussprache; Schwatz, Schwätzchen, Plausch, Smalltalk, Talk, Chat, **2.** Amüsement, Vergnügen, Pläsier, Entertainment, Infotainment, Zeitvertreib, Lustbarkeit, Spaß, Zerstreuung, Abwechslung, Ablenkung, Belustigung, Erheiterung, Fidelität, Gaudi, Betrieb, Trubel, Rummel, Geselligkeit, Highlife, Halligalli, **3.** Spaß, Witz, Scherz, Drolerie, Drolligkeit, Jux, Faxen, Fez, Ulk, Jokus, **4.** Witze, Anekdote, witzige Bemerkung, Witzwort, Aperçu, Bonmot, Wortspiel, Gag, Kalauer, **5.** Spiel, Ratespiel, Brettspiel, Psychospiel, Wettspiel, Telespiel, Computerspiel, **6.** Theater, Kino, Tingeltangel, Fernsehen, Show.

1685 unternehmen 1. anfangen, beginnen, angreifen, anpacken, anfassen, in die Hand nehmen, drangehen, sich dranmachen; aufziehen, organisieren, vorgehen, managen, gründen, ins Werk setzen, aufbauen, schaffen, tätigen, veranstalten, **2.** handeln, Hand anlegen, aktiv werden, tun, sich einschalten; in Aktion treten, funktionieren, an die Arbeit gehen, in Gang setzen, Initiative ergreifen, in die Wege leiten.

1686 Unternehmen 1. Betrieb, Firma, Gesellschaft, Konzern, **2.** Tat, Werk, Leistung, Unternehmung, Handlung, Aktion, Akt, Operation, Transaktion, **3.** Unterfangen, Coup, Handstreich, Husarenstück, Meisterstreich, Meisterstück, Bravourstück, Kunststück, Geniestreich.

1687 Unternehmer 1. Fabrikant, Hersteller, Produzent, Producer, Fabrikant, Industrieller, Geschäftsmann, Kapitalist; Tarifpartner, Arbeitgeber, Brötchengeber, **2.** Großindustrieller, Industriemagnat, Industriekapitän, Finanzmagnat, Großaktionär, Großbankier, Börsenmagnat, Marktführer, Medienzar, Mogul, **3.** Bonze, Geldaristokrat, Krösus, Nabob, Plutokrat, Tycoon.

1688 **unterscheiden (sich)** 1. auseinander halten/kennen, Unterschied machen, differenzieren, **2.** kontrastieren, abstecken, differieren, divergieren, abheben von, abweichen.

1689 **Unterschied** Verschiedenheit, Differenz, Divergenz, Kontrast, Abweichung, Ungleichheit, Unähnlichkeit, Abstand, Intervall, Tonschritt, Distanz, Gefälle, Kluft, Diskrepanz.

1690 **Unterwelt** 1. Gangstertum, Gangstermilieu, Verbrecherwelt, Milieu, Halbwelt, Mafia, **2.** Schattenreich, Schattenwelt, Hades, Orkus, Totenreich, Tartarus, Hölle, Inferno.

1691 **unterwürfig** 1. devot, ergeben, demütig, fügsam, dienstwillig, servil, subaltern, inferior, untertänig, **2.** domestikenhaft, duckmäuserisch, kriecherisch, lakaienhaft, kniefällig, fußfällig, sklavisch, knechtisch, liebedienerisch, gesinnungslos, ohne Stolz, speichelleckerisch, hündisch.

1692 **unverbesserlich** unbelehrbar, eingefleischt, abgebrüht, verstockt, verhärtet, hartgesotten, halsstarrig, unbekehrbar, unbußfertig, verblendet, hoffnungsloser Fall, Hopfen und Malz verloren, rückfällig.

1693 **unverständlich** 1. unbegreiflich, unerfindlich, unerklärlich, unfasslich, ungreifbar, unbestimmbar, unerklärbar, nicht zu verstehen, unlesbar, schwer zu entziffern, unleserlich, missverständlich, rätselhaft, Buch mit sieben Siegeln, höhere Mathematik, schwierig, hieroglyphenhaft, spanisch, böhmisch, **2.** undeutlich, unklar, nebelhaft, nebulos, schleierhaft, verhüllt, undurchsichtig, undurchdringlich, undefinierbar, unfassbar, unwägbar, unbestimmbar, unartikuliert, wirr, dunkel, unaufgeklärt, schattenhaft, unscharf, unbestimmt, vage, ungenau, andeutungsweise, schemenhaft, dubios, zu hoch, **3.** sinnlos, sinnwidrig, töricht, verrückt, abwegig, unvernünftig, beziehungslos, ungereimt, widersinnig, unsinnig, toll, absurd, abstrus, hanebüchen, **4.** überempirisch, übersinnlich, übernatürlich, überwirklich, metaphysisch, transzendent, unergründlich, unerkennbar, un-

erklärbar, unausforschlich, unnennbar, unaussprechlich, mysteriös, mystisch, unberechenbar; himmlisch, überirdisch, jenseitig, göttlich, numinos, **5.** unheimlich, unirdisch, verwunschen, geisterhaft, gespenstisch, spukhaft, dämonisch.

Unvollkommenheit 1. Unzulänglichkeit, Ungenügen, Insuffizienz, Schwäche, Fehlbarkeit, **2.** Unvollständigkeit, Lückenhaftigkeit, Mängel, Fehlerhaftigkeit, Schadhaftigkeit, Stückwerk, Minderwertigkeit, Halbheit, Unabgeschlossenheit.   **1694**

unvollständig 1. unvollendet, unbeendet, unfertig, nicht abgeschlossen, halb fertig, ergänzungsbedürftig, bruchstückhaft, rhapsodisch, torsohaft, rudimentär, fragmentarisch, abgebrochen, lückenhaft, schadhaft, minderwertig, beschädigt, defizitär, defekt, **2.** unvollkommen, fehlerhaft, fehlbar, mangelhaft, unzulänglich, nur gebrochen, nicht fließend, ungenau, ungenügend, schülerhaft, **3.** halb gar, ungar, nicht durchbacken.   **1695**

unvorbereitet 1. unausgerüstet, unausgestattet, unerfahren, unversehen, **2.** unbedacht, unüberlegt, unorganisiert, ungeplant, planlos, sorglos, gedankenlos, **3.** auf Anhieb, aus dem Stegreif, frei, frisch drauflos, aus dem Handgelenk/Kopf/Gedächtnis, improvisiert, auswendig, prima vista, vom Blatt, freihändig, ohne Vorlage/Noten, **4.** blindlings, automatisch, ohne Nachdenken, wild drauflos, auf gut Glück, von ungefähr, reflexartig.   **1696**

unwissend 1. unkundig, ungeschult, ununterrichtet, unbelehrt, unbelesen, nichts wissend, unbeschlagen, unvertraut, uneingeweiht, ahnungslos, unaufgeklärt, uninformiert, unberaten, überfragt, unverständig, ungeübt, ungelernt, ungelehrt, unbekannt mit, keine Ahnung, schimmerlos, desorientiert, falsch unterrichtet, keinen Dunst, **2.** ungebildet, unerfahren, unbewandert, unbedarft, ignorant.   **1697**

unzufrieden unbefriedigt, unausgefüllt, leer, missvergnügt, missmutig; geknickt, sauertöpfisch, mäkelig, verdrießlich, verdrossen, griesgrämig, verbittert, eingeschnappt, übelnehmerisch, zu kurz gekommen.   **1698**

1699 unzuverlässig 1. unbeständig, wankelmütig, wechselhaft, wetterwendisch, leicht verführbar, unstet, unberechenbar, launenhaft, launisch, labil, flatterhaft, heute so, morgen so, unsicherer Kantonist, **2.** unverlässlich, ungenau, unkorrekt, pflichtvergessen, unaufrichtig, vergesslich, unpünktlich, unglaubwürdig, nimmt den Mund voll.

1700 Unzuverlässigkeit 1. Unbeständigkeit, Wankelmut, Wechselhaftigkeit, Launenhaftigkeit, Launischkeit, Labilität, Flatterhaftigkeit, Unstetigkeit, Unberechenbarkeit, **2.** Unkorrektheit, Ungenauigkeit, Flüchtigkeit, Vergesslichkeit, Unpünktlichkeit, Unglaubwürdigkeit, Strohfeuer, Indiskretion, Unaufrichtigkeit, Unlauterkeit, Säumigkeit, Unverlässlichkeit, **3.** Opportunismus, Illoyalität, Wetterwendischkeit, Verführbarkeit, Beeinflussbarkeit.

1701 Urteil 1. Standpunkt, Meinung, Stellungnahme, Beurteilung, Ermessen, Entscheidung, Stimme, Gutachten, Begutachtung, Votum, Würdigung, Kritik, Diktum, Spruch, Note, Zensur, Prädikat, Wertung, Bewertung, Werturteil, Schätzung, Einschätzung, Befund, Feststellung, **2.** Urteilskraft, Klarsicht, Weitblick, Scharfsicht, **3.** Entscheidung, Urteilsspruch, Rechtsspruch, Richterspruch, Gerichtsentscheid, Schiedsspruch, Verurteilung, Aburteilung, Verdikt.

1702 urteilen 1. sich ein Urteil bilden; zu einem Urteil gelangen, befinden über, beurteilen, bewerten, Stellung nehmen, begutachten, würdigen, werten, besprechen, rezensieren, kritisieren, zensieren, benoten, abschätzen, ermessen, **2.** Urteil fällen / sprechen, richten, verurteilen, aburteilen, verdonnern, verknacken, Stab brechen, entscheiden, befinden, Recht sprechen, zu Gericht sitzen, bemessen, **3.** unterscheiden, auseinander halten, auseinander kennen.

1703 utopisch ausgedacht, konstruiert, erträumt, visionär, unverwirklichbar, unmöglich, unrealistisch, wirklichkeitsübersteigend.

V

1704 Variation Variante, Varietät, Abänderung, Abwandlung, Modifikation, Modulation, Abweichung, Abstufung, Besonderheit, Sonderfall, Abart, Lesart, Spielart, Version.

1705 Vater 1. Elternteil, leiblicher Vater, Erzeuger, allein erziehender Vater, Pflegevater, Stiefvater, Ziehvater, Adoptivvater, Bezugsperson, Erziehungsberechtigter, **2.** Papa, Papi, Vati, Daddy, alter Herr, Alter, **3.** geistiger Vater, Stifter, Gründer, Begründer, Initiator.

1706 verallgemeinern generalisieren, übertragen, abstrahieren, formalisieren, typisieren, schematisieren, verabsolutieren.

1707 Verallgemeinerung Generalisierung, Übertragung, Abstrahierung, Abstraktion, Simplifizierung, Simplifikation, Vereinfachung, Schematisierung, Normierung, Typisierung, Formalisierung, Verabsolutierung.

1708 veraltet unmodern, altmodisch, aus der Mode, passé, out, überholt, überlebt, altbacken, angestockt, abgestanden, rückständig, zeitfremd, gestrig, vorgestrig, verstaubt, aus der Mottenkiste, anachronistisch, obsolet, hinterwäldlerisch, kalter Kaffee, Schnee von gestern, megaout, abgetan, nicht mehr gefragt, altfränkisch, tümelnd, altväterisch, verzopft, unzeitgemäß, altertümlich, antiquiert, vorsintflutlich, antediluvianisch.

1709 verändern (sich) 1. ändern, abändern, umarbeiten, verwandeln, umwandeln, umändern, wenden, umdrehen; umformen, abwandeln, modifizieren, variieren, modulieren, Tonart wechseln, umschneiden, umtexten, umschreiben, ummodeln, umschmelzen, verwandeln, umgestalten, anders machen, auf den Kopf stellen, das Unterste zuoberst kehren, aus den Angeln heben, umkrempeln, umstülpen, umbilden, reformieren, umstoßen, umwerfen, umstürzen, revolutionieren, umorganisieren, umstrukturieren, umprogrammieren, umfunktionieren; veränderlich sein, sich ändern; anders werden, umschlagen, sich wenden, bessern, verschlechtern; umsetzen, verpflanzen; verlagern, umbesetzen, neu besetzen, umwidmen, umdeklarieren, übertragen, transponieren; umwerten, umdeuten, ummünzen, anderen Sinn geben, uminterpretieren, umdefinieren, umformulieren, reformulieren, anders sehen, Blickwinkel ändern; einschränken, relativieren, begrenzen, **2.** umräumen, verrücken, umstellen, verschieben, versetzen, **3.** Stellung/Beruf wechseln, umsatteln, umschulen, umsteigen, **4.** mutieren, pubertieren, **5.** sich wandeln, ändern, häuten; anderen Sinnes werden, sich entfalten, entwickeln; anders besinnen, umdenken, sich umstellen; umschalten, sich verwirklichen, finden, verlieren, **6.** sein Aussehen ändern, sich runderneuern, umstylen.

Veränderung 1. Änderung, Verwandlung, Abänderung, Umarbeitung, Umformung, Umbildung, Umbau, Reform, Umorganisation, Umgestaltung, Umstrukturierung, Modifikation, Neuerung, **2.** Wandel, Wandlung, Umwandlung, Wendung, Wende, Umschlag, Umschwung, Revolution, Schwenk, Verlagerung, Umkehr, Umkehrung, Schwankung, Fluktuation, Wechsel, Schwanken, Hin und Her, Auf und Ab, Ups and Downs, Umstellung, Übergang, Umbruch. **3.** Sinneswandel, Sinnesänderung, Häutung, Umstellung, Entfaltung, Reifung, Selbsterkundung, Selbstfindung, Verwirklichung, **4.** Lebenswende, Lebenskrise, Selbstverlust, Ummünzung, Umdeutung, Uminterpretation, Umwertung. **1710**

veranlassen 1. anregen, initiieren, induzieren, verursachen, bewirken, zeitigen, herbeiführen, heraufbeschwören, auslösen, hervorbringen, heraufrufen, hervorrufen, verschulden, anstiften, erzeugen, ins Leben rufen, nach sich ziehen, mit sich bringen, zur Folge haben, **2.** in Gang setzen, ankurbeln, anlassen, starten, einschalten, anklicken, anwerfen; managen, in die Wege leiten, zustande bringen, in die Gänge kriegen, anzetteln, einfädeln, in Bewegung bringen. **1711**

1712 veranstalten 1. arrangieren, anordnen, einrichten, aufziehen, geben, unternehmen, ausrichten, durchführen, verwirklichen, vollziehen, abhalten, bringen, 2. inszenieren, organisieren, ins Werk/in Szene setzen, auf die Beine stellen, über die Bühne gehen lassen, fertig bringen, bewerkstelligen, managen.

1713 Veranstaltung 1. Ausrichtung, Abhaltung, Abwicklung, Durchführung, Organisierung, 2. Aufführung, Vorführung, Darbietung, Nummer, Auftritt, Vorstellung, Performance, Session, Konzert, Matinee, Soiree, Lesung, 3. Festlichkeit, Festivität, Festival, Festspiele, Festwochen, Kulturereignis, Großveranstaltung, Spektakel, Event.

1714 verarbeiten 1. aufnehmen, verkraften, bewältigen, verschmerzen, verwinden, überwinden, hinwegkommen über, sich abfinden; fertig werden mit, wegstecken, verdauen, sich fassen; zu sich kommen, Abstand gewinnen, Gras wachsen lassen über, 2. durchdenken, sich aneignen, zu Eigen machen; rezipieren, 3. bearbeiten, entwickeln, weiterverarbeiten, verwerten.

1715 verbergen (sich) 1. verheimlichen, tarnen, kaschieren, verhehlen, vorenthalten, unter den Teppich kehren, zudecken, verdecken, verstecken, dem Blick entziehen, vertuschen, vernebeln, verschleiern, geheim halten, verschweigen, für sich behalten, unerwähnt lassen, mit Schweigen übergehen, totschweigen, überspielen, hinweggehen über, nicht merken lassen, im Unklaren lassen, seinen Mund halten, 2. maskieren, verkleiden, kostümieren, verlarven, vermummen, verbrämen, verhüllen, mystifizieren, 3. wegschließen, einschließen, wegstecken, einstecken, 4. sich verstecken, verkriechen, verschanzen, verbarrikadieren, verborgen halten; untertauchen, abtauchen, in den Untergrund gehen, von der Bildfläche/spurlos/in der Versenkung verschwinden, nicht aufzufinden sein, sich in nichts auflösen.

1716 verbessern (sich) 1. bearbeiten, kultivieren, überarbeiten, korrigieren, verfeinern, verschönern, glätten, nachbessern, nachlegen, intensivieren, retuschieren, verschlimmbessern, 2. entfalten, veredeln, kultivieren, heben, vertie-

fen, bereichern, optimieren, steigern, erhöhen, fördern, befördern, vorwärts bringen, mehren, entwickeln, ausbauen, erweitern, weiterentwickeln, verstärken, vorwärts treiben, forcieren, weiterbringen, vervollkommnen, anheben, hinaufschrauben, aufwerten, 3. weiterhelfen, besser stellen, Gehalt erhöhen, zulegen, aufbessern, 4. versüßen, vergolden, verzuckern, angenehmer machen, 5. anreichern, düngen, jauchen, kompostieren, meliorieren, 6. aufsteigen, avancieren.

Verbesserung 1. Korrektur, Retusche, Berichtigung, Nachbesserung, Klarstellung, 2. Veredelung, Kultivierung, Verfeinerung, Vervollkommnung, Bereicherung, Verschönerung, Aufwertung, 3. Anreicherung, Bodenverbesserung, Melioration. **1717**

verbinden (sich) 1. Verbindung knüpfen, Beziehung herstellen, Brücke schlagen, sich befreunden, anfreunden, zugesellen, einlassen, engagieren, verbrüdern; fraternisieren, zueinander finden, zusammenwachsen, 2. vereinigen, amalgamieren, vereinen, paaren, koppeln, knüpfen, schlingen, knoten, verkoppeln, verkuppeln, zusammenkoppeln, zusammenbringen, verquicken, zusammenfügen, montieren, zusammenbauen, zusammenführen, in Verbindung bringen, verschränken, zusammenlegen, verketten, verkabeln, sich einloggen; vernetzen, verkitten, zusammensetzen, verknoten, verschlingen, verknüpfen, aneinander fügen, kombinieren, verzahnen, verzapfen, vernieten, verfugen, verschmelzen, zusammenschmieden, verschweißen, zusammenkleben, zusammenflechten, zusammenketten, zusammenwerfen, verweben, überbrücken, überspannen, überleiten, 3. zusammenarbeiten, zusammenwirken, Team bilden, sich zusammentun, zusammenschließen, einigen, vereinigen, verbünden; fusionieren, verflechten, assoziieren, integrieren, unieren, kooperieren, konföderieren, liieren, paktieren, koalieren, angliedern, beitreten, eintreten, Mitglied werden, 4. verschwören, konspirieren, verstricken, Komplott schmieden, 5. sich verloben, verheiraten, vermählen; Ehe schließen, heiraten, freien. **1718**

1719 Verbindung 1. Kontakt, Verknüpfung, Verkabelung, Vernetzung, Verkoppelung, Koppelung, Verkettung, Verflechtung, Verzahnung, Verquickung, Verschlingung, Verschmelzung; Zusammensetzung, Kombination, Aggregat, Mischung, Synthese, Band, Nexus, Schiene, Brücke, Zusammenhang, Junktim, Relation; Verflochtenheit, Verbundenheit, Zusammengehörigkeit, Schulterschluss, **2.** Assoziation, Gedankenverbindung, roter Faden, Referenz, Bezug, Anknüpfungspunkt, Anschlussstelle, Schnittstelle, Berührungspunkt; Gedankenbrücke, Eselsbrücke, **3.** Bindungen, Gemeinsamkeiten, Verbindungen, Beziehungen, Connections, Kanäle, Draht, Netzwerk, Vitamin B, richtiges Parteibuch, **4.** Studentenverbindung, Burschenschaft, Corps, Landsmannschaft, Loge, Bruderschaft, Kongregation, Orden, **5.** Beziehung, Verhältnis, Bindung, Einbindung, Partnerschaft, Lebensgemeinschaft, Verlobung, Verlöbnis, Ehe, Ehebund, Vermählung, Eheschließung, **6.** Vereinigung, Assoziierung, Zusammenschluss, Koalition, Fraktion, Liga, Bund, Bündnis, Allianz, Föderation, Union, Fusion, Fusionierung, Kartellierung, Kartell, Konzern, Syndikat, Trust, Elefantenhochzeit.

1720 verborgen 1. unmerklich, unsichtbar, unbemerkt, unerkannt, unkenntlich, verhüllt, unter der Oberfläche, untergründig, latent, unterschwellig, subkutan, verkappt, verhohlen, verdeckt, versteckt, verkleidet, maskiert, verlarvt, vermummt, **2.** esoterisch, okkult, nur für Eingeweihte, nicht mitteilbar.

1721 Verbot 1. Untersagung, Interdikt, Zensur, Verwehrung, Einspruch, Verweigerung, Versagung, Relegation, Widerspruch, Veto, Tabu, Bann, Beschwörung, Beschwörungsformel, **2.** Platzverweis, Hausverbot, Hausarrest, Ausgangsverbot, Fahrverbot, Parkverbot, Sperrstunde, Prohibition.

1722 verboten untersagt, unerlaubt, off limits, verwehrt, gesetzwidrig, ungesetzlich, illegal, vorschriftswidrig, rechtswidrig, strafbar, strafwürdig, ordnungswidrig, verfassungswidrig, illegitim, widerrechtlich, unbefugt, unrechtmäßig, unberechtigt, ungerechtfertigt, unzulässig, frevelhaft, verpönt, unstatthaft, ta-

buisiert, tabu, unaussprechbar, unantastbar, sakrosankt, indiziert, im Giftschrank.

Verbrauch 1. Konsum, Konsumtion, **1723**
Verzehr, Bedarf, **2.** Schwund, Verlust, Abgang, Abnahme, Verringerung, Verminderung, Schmälerung, Einbuße, Verschleiß, Abnutzung, Abrieb, Materialermüdung.

verbrauchen (sich) 1. verwenden, **1724**
brauchen, konsumieren, verzehren, aufbrauchen, verbuttern, verbraten, verwirtschaften, verkonsumieren, kleinkriegen, aufzehren, aufwenden, ausgeben, **2.** sich verausgaben, überanstrengen; alles hergeben, das Letzte aus sich herausholen, sich übernehmen, **3.** abnutzen, verschleißen, abschaben, verschaben, abbrauchen, aufreiben, zerreiben, mitnehmen, abscheuern, abwetzen, verwetzen, abtragen, auftragen, strapazieren; erschöpfen, beeinträchtigen, herunterbringen, zehren, auslaugen, abstumpfen; verwohnen, abnutzen, abwohnen; schließen, reißen, dünn werden, schädigen, **4.** nachlassen, sich vermindern; abbröckeln, kleiner werden, sich verringern; abbrechen, **5.** verwischen, undeutlich machen, verwaschen, entfärben, ausbleichen, verschleifen.

Verbrechen Delikt, Straftat, Strafde- **1725**
likt, Freveltat, Übeltat, Missetat, Untat, Schandtat, Frevel, Entsetzenstat, Gräueltat; Gewalttat, Gewaltverbrechen, Kapitalverbrechen, Wirtschaftsverbrechen, Umweltverbrechen, Sexualverbrechen, Totschlag, Mord, Raubmord, Lynchmord, Fememord, Lynchjustiz, Menschenraub, Menschenhandel, Kidnapping, Hijacking, Kriegsverbrechen, Verbrechen wider die Menschlichkeit.

Verbrecher 1. Delinquent, Straffälli- **1726**
ger, Straftäter, Schuldiger, Täter, Krimineller, Übeltäter, Rechtsbrecher, Gesetzesbrecher, **2.** Einbrecher, Räuber, Bankräuber; Entführer, Kidnapper, Luftpirat; Sexualverbrecher, Mörder, Raubmörder, Killer, Totschläger, Gewalttäter, Gewaltverbrecher, Schwerverbrecher, Kriegsverbrecher, Massenmörder, Kapitalverbrecher, Umweltverbrecher, White-Collar-Verbrecher, Schreibtischtäter.

verbreiten 1. ausdehnen, ausströ- **1727**

men, ausbreiten, verströmen, weitersagen, ausstreuen, in Umlauf setzen, weiterleiten, bekannt geben, wissen lassen, ausposaunen, veröffentlichen, unter die Leute bringen, **2.** senden, übertragen.

1728 verbunden 1. befreundet, vereinigt, zusammengehörig, einig, vertraut, zugehörig, eingebunden, verbunden, verbündet, vereint, alliiert, im Bündnis, verbrüdert, untrennbar, verschworen, komplizenhaft, verschwörerisch, solidarisch, liiert, verbandelt, Schulter an Schulter, Seite an Seite, geeinigt, föderiert, organisiert, assoziiert, **2.** gekoppelt, geschaltet, gestöpselt, kommunizierend, korrespondierend, zusammengeschlossen, zusammengezogen, verkabelt, verdrahtet, online, vernetzt, multimedial, **3.** verflochten, verzahnt, verknüpft, verschlungen, verschmolzen, zusammengesetzt, zusammenhängend.

1729 verderben 1. verkommen, umkommen, draufgehen, ranzig werden, gären, angehen, sich zersetzen; faulen, verfaulen, verwesen, vermodern, modern, vergammeln, schimmeln, verschimmeln, anbrennen, verkohlen, **2.** veröden, verrotten, versauern, rosten, korrodieren, durchrosten, verrosten, einrosten, oxidieren, Patina bilden, Grünspan ansetzen; denaturieren, verfallen, zerfallen, **3.** herunterkommen, absinken, degenerieren, absteigen, abgleiten, absacken, abrutschen, abstürzen, verkommen, unter die Räder kommen, versacken, vor die Hunde gehen, an den Bettelstab/auf den Hund kommen, verludern, verlumpen, versumpfen, verelenden, verlottern; verwahrlosen, verarmen, depravieren, verkümmern, verslumen, verwildern, verrohen, untergehen, scheitern, zugrunde gehen; versimpeln, verdummen, verblöden, **4.** vermasseln, vermurksen, verkorksen, verpatzen, versauen, verpfuschen, verhunzen, versaubeuteln, ungenießbar machen, versalzen, **5.** negativ beeinflussen, auf die schiefe Bahn bringen, schlechten Einfluss ausüben, hinabziehen, herabziehen, hinunterziehen, herunterziehen, ins Verderben reißen, **6.** verhindern, hindern.

1730 verdeutlichen 1. präzisieren, veranschaulichen, herausarbeiten, konkretisieren, auf den Punkt kommen, beto-

nen, hervorheben, pointieren, herausheben, deutlich machen, verstärken, umreißen, konturieren, profilieren, unterstreichen, akzentuieren, klarmachen, offenbaren, orientieren, aufzeigen, herausstellen, **2.** zur Sache kommen, Standpunkt klarmachen, Flötentöne beibringen, Tacheles/Fraktur/deutsch reden, Bescheid stoßen, kein Blatt vor den Mund nehmen, Kind beim Namen nennen, Katze aus dem Sack lassen, deutlich werden, Star stechen, reinen Wein einschenken, beibringen, beibiegen, stecken, aufklären, Maske fallen lassen, Flagge zeigen, **3.** Bezug nehmen, sich beziehen auf; zurückkommen/zurückgreifen auf, verknüpfen mit, ableiten, in Verbindung bringen.

verdienen 1. erwerben, erarbeiten, **1731** einnehmen, bekommen, gewinnen, bezahlt bekommen, Einnahmen haben, erhalten, kriegen, einstreichen, beziehen, profitieren, herausbekommen, absahnen, Geld machen, **2.** zukommen, zustehen, gebühren, beanspruchen können, Anrecht haben, erwarten dürfen, wert/angemessen sein.

Verdienst 1. Einnahme, Einkommen, **1732** Einkünfte, Bezüge, Lohn, Entgelt, Entlohnung, Gehalt, Fixum, Pauschale, Abgeltung, Abfindung, Vergütung, Gage, Provision, Bezahlung, Besoldung, Honorar, Sold, Salär, Heuer, **2.** Profit, Ertrag, Erlös, Zins, Gewinn, Ausbeute, Rendite, Überschuss, Surplus, Spanne, Schnitt, Marge, Reibach, **3.** Verdienste, Meriten, Werk, Tat, Leistung.

verdienstvoll anerkennenswert, lo- **1733** benswert, löblich, hoch anzurechnen, dankenswert, ehrenvoll, ehrend, beifallswürdig, achtbar, beachtlich, rühmenswert, rühmlich.

verdrängen 1. wegschieben, weg- **1734** drängen, abdrängen, zurückdrängen, wegdrücken, in den Hintergrund drängen, beiseite schieben/drängen/stoßen, zur Seite schieben; an die Wand drängen, aus dem Feld schlagen, verbeißen; kaltstellen, schaden, kündigen, **2.** ignorieren, unterdrücken, niederhalten, ersticken, abwehren, ins Unbewusste abschieben, aus dem Bewusstsein bannen, nicht wahrhaben wollen, überspielen, umlenken, sublimieren, kompensieren, scheinbegründen, rationalisieren.

1735 **verehren** 1. achten, bewundern, anstaunen, respektieren, anerkennen, estimieren, schätzen, aufsehen zu, aufschauen, aufblicken, emporsehen, hochblicken, hoch schätzen, wertachten, werthalten, wertschätzen, hochhalten, heilig halten, hohe Meinung haben, hoch achten, Achtung erweisen, zollen, ehrfürchtig sein, lieben, huldigen, zu Füßen liegen, auf Händen tragen, 2. anhimmeln, anschwärmen, umschmeicheln, umwerben, umschwärmen, in den Himmel heben, anbeten, verhimmeln, vergöttern, fetischisieren, idolisieren, Kult machen um, 3. Denkmal setzen, verewigen.

1736 **vereinbaren** abmachen, beschließen, statuieren, ausmachen, abkaspern, auskaspern, übereinkommen, verabreden, absprechen, festlegen, festsetzen, festmachen, festklopfen, festschreiben, unterschreiben, besiegeln, akkordieren, verbleiben, fixieren, Vertrag schließen; sich verständigen; Kompromiss schließen, Zugeständnisse machen, tiefer hängen, aushandeln, sich abstimmen, vergleichen, entgegenkommen, einigen; einig werden, sich arrangieren; Lösung finden, auf einen Nenner bringen, sich zusammenraufen; abkarten, heimlich ausmachen; abschließen, handelseinig werden, beschließen, abgrenzen, terminieren, befristen, begrenzen, limitieren, einschränken, abstecken, eingrenzen.

1737 **Vereinbarung** 1. Abkommen, Abmachung, Übereinkunft, Übereinkommen, Arrangement, Abrede, Absprache, Agreement, Beschluss, Entscheidung, Entschließung, Entschluss, Fixierung, Festschreibung, Festsetzung, Festlegung, Einigung, Klärung, Verständigung; Kompromiss, Zwischenlösung, Interim, Entgegenkommen, Vergleich, Zugeständnis, Konsens, kleinster gemeinsamer Nenner, Schmalspurkonsens, 2. Vertrag, Kontrakt, Abschluss, Konvention, Bündnis, Pakt, Konkordat, Bindung, Verpflichtung, Versprechen.

1738 **vereinfachen** vereinheitlichen, standardisieren, nivellieren, keinen Unterschied machen, alles in einen Topf werfen, über einen Kamm scheren, normieren, formalisieren, schematisieren, typen, schablonisieren, uniformieren, gleichmachen, simplifizieren, versim-

peln, popularisieren, banalisieren, verflachen, vergröbern, verwässern, Geist austreiben.

Vereinfachung Vereinheitlichung, **1739** Nivellierung, Angleichung, Gleichmacherei; Normung, Standardisierung, Typung, Eichung; Normierung, Präzisierung, Mechanisierung, Schematisierung, Schablonisierung, Simplifizierung, Typisierung, Banalisierung, Verflachung, Popularisierung, Verwässerung, Vergröberung.

verfälschen 1. entstellen, verzerren, **1740** verdrehen, verzeichnen, überzeichnen, umkehren, ummünzen, hineininterpretieren, hineinlegen, auf sich beziehen, projizieren, hineinsehen, klittern, abfälschen, 2. verdünnen, versetzen, verschneiden, verlängern, strecken, denaturieren, verwässern, zusammenschütten, zusammenwerfen, panschen.

verfolgen 1. nachgehen, nachjagen, **1741** nachsetzen, nachspringen, nachlaufen, nachsprengen, hinterhersetzen, hetzen, jagen, treiben, bedrängen, beschleichen, jmds. Spuren verfolgen, mit den Augen verfolgen, beschatten, auf den Fersen bleiben, 2. fortsetzen, fortführen, anknüpfen, fortfahren, weiterverfolgen, dran sein, dranbleiben, weiterspinnen, weiterführen, nicht ablassen, beibehalten, sich nicht irremachen lassen, 3. nachlaufen, nachrennen, hinterherrennen, sich an den Rockzipfel hängen; auf Schritt und Tritt folgen, nachstellen, nachsteigen.

verführen verlocken, verleiten, in **1742** Versuchung bringen; locken, buhlen, versuchen, balzen, gurren, Avancen machen, schöntun, kokettieren, flirten, plänkeln, schäkern, liebäugeln, scharmieren, scharmutzieren, hofieren, Hof machen, umwerben, bezaubern, bezirzen, berücken, betören, faszinieren, umgarnen, antörnen, Kopf verdrehen, anmachen, aufreißen, scharfmachen, aufgeilen.

Verführer(in) 1. Don Juan, Casano- **1743** va, Schürzenjäger, Womanizer, Frauenheld, Herzensbrecher, Weiberheld, Schwerenöter, Partylöwe, Blaubart, Ladykiller, Satyr, Faun, Lustgreis, Lustmolch, Bock, Hengst, Lüstling; Homme à Femmes, Lady's Man, Charming Boy, Everybody's Darling, Bel

Ami, Gigolo, Playboy, Libertin, Roué, Lustknabe, Sexmaniac, **2.** Weibchen, Kokette, Playgirl, Playmate, Femme fatale, Kurtisane, Animierdame.

1744 vergangen vorbei, gelaufen, gewesen, zu Ende, abgeschlossen, aus, vorüber, um, dahin, tot, passé, ex, out, long ago, überholt, verflossen, einstig, vorig, einstmalig, früher, damalig, gestrig, ehemalig, entschwunden, erloschen, versunken, abgesunken, vergessen, verweht, zurückliegend, lange her, verjährt, überwunden, verschmerzt, geschichtlich, historisch, unwiederbringlich, vorangegangen, vorhergegangen, vorausgegangen, abgelebt, verpasst, zu spät.

1745 Vergangenheit Urzeit, Vorzeit, Frühzeit, Altertum, Antike, Urgeschichte, Vorgeschichte, Frühgeschichte, Antediluvium, Steinzeit, graue Vorzeit, Prähistorie, Geschichte, Historie; Gestern, vergangene/gewesene Zeiten, Vorleben.

1746 vergänglich endlich, begrenzt, irdisch, wie Spreu im Winde, wandelbar, zeitgebunden, an den Tag gebunden, vorübergehend, ohne Bestand, auf tönernen Füßen, kurzlebig, temporär, nicht von Dauer, sterblich, flüchtig, unbeständig.

1747 Vergänglichkeit 1. Endlichkeit, Flüchtigkeit, Begrenztheit, Unbeständigkeit, Weltgetriebe, Zeitlichkeit, Zeitgebundenheit, Kurzlebigkeit, Sterblichkeit, Vanitas, **2.** Schaum, Gischt, Traum, Schnee, Seifenblase, Schall und Rauch, Staub und Asche, Verdunstung, Schmelze, Verflüssigung, Vergehen, Verflüchtigung.

1748 vergeblich vergebens, umsonst, missglückt, misslungen, danebengegangen, dumm gelaufen, gescheitert, ergebnislos, resultatlos, illusorisch, eingebildet, trügerisch, verfehlt, ungenutzt, verschwendet, verpufft, nutzlos, unnütz, fruchtlos, erfolglos, für nichts und wieder nichts, unwirksam, wirkungslos, unverrichteter Dinge, für die Katz, zwecklos, sinnlos, aussichtslos, müßig, unsinnig.

1749 Vergeblichkeit Fass der Danaiden, Nutzlosigkeit, Erfolglosigkeit, Fruchtlosigkeit, Sinnlosigkeit, Wirkungslosigkeit, Fass ohne Boden, Schlag ins Was-

ser, verlorene Liebesmüh, Sisyphusarbeit, Pyrrhussieg, Kampf gegen Windmühlenflügel, Hornberger Schießen.

vergehen (sich) 1. entschwinden, **1750** verschwinden, enteilen, verlaufen, verrinnen, dahingehen, dahineilen, verfliegen, verrauschen, entweichen, zu Ende gehen, verstreichen, vorübergehen, vorbeigehen, hinschwinden, zum Schatten werden, ablaufen, aufhören, sich verflüchtigen; verwehen; versickern, sich verlaufen, in nichts auflösen; dahinschmelzen, wegschmelzen, **2.** verkommen, verwittern, sich zersetzen; zerfallen, verfallen, einstürzen, zusammenstürzen, zusammenkrachen, zusammenbrechen, einfallen, einkrachen, auseinander fallen, zerbröckeln, abbröckeln, **3.** verlöschen, verlodern, erlöschen, erkalten, verglimmen, verglühen; nachlassen, abklingen, verklingen, verschwimmen, zerflattern, ersterben; verpuffen, verrauschen, **4.** verdunsten, verfliegen, verdampfen, sich verflüchtigen, auflösen; schwinden, verriechen, verduften, schal werden, **5.** verbrennen, abbrennen, niederbrennen, in Flammen/Rauch aufgehen, zu Asche werden, verkohlen, **6.** veralten, abkommen, unmodern werden, aus der Mode kommen, überaltern, sich überleben, **7.** verfallen, ungültig werden, verjähren, Wert verlieren, außer Kurs geraten, **8.** widerrechtlich handeln, gegen Gesetze verstoßen, mit dem Gesetz in Konflikt kommen, sich etwas zuschulden kommen lassen; etwas anrichten, unrecht tun, verstoßen gegen, fehlen, sich strafbar machen; straffällig werden, Verbrechen begehen, sein Unwesen treiben, etwas verbrechen, sich versündigen, schuldig machen; zuwiderhandeln, Pflicht verletzen, Wort brechen.

vergelten 1. rächen, ahnden, abrech- **1751** nen mit, mit gleicher Münze zahlen, Rache nehmen, heimzahlen, Rechnung begleichen, entgelten lassen, fühlen lassen, wettmachen, quittieren, Quittung erteilen, sich Genugtuung verschaffen; büßen lassen, Spieß umdrehen, Antwort nicht schuldig bleiben, **2.** abstrafen, Denkzettel verpassen, bestrafen, heimleuchten, zu fühlen geben, es jmdm. besorgen, **3.** belohnen, lohnen, danken, erwidern, sich revanchieren, erkenntlich zeigen; gutmachen, entschädigen, vergüten, anrechnen, zugute halten, rückvergüten.

1752 Vergeltung 1. Rache, Revanche, Abrechnung, Ahndung, Nemesis, Heimzahlung, Quittung, Denkzettel, Lehre, Gegenschlag, Vergeltungsschlag, Rachefeldzug, Blutrache, Feme, Repressalie, Retourkutsche, wie du mir, so ich dir, Auge um Auge, **2.** Strafe, Bestrafung, Strafaktion, Strafmaßnahme, Sanktion, Sühne, **3.** Dank, Erkenntlichkeit.

1753 vergessen (sich) 1. sich nicht mehr erinnern, nicht entsinnen; verschwitzen, verbummeln, verschlafen, verdrängen, verschlampen, verschusseln, entfallen, nicht daran denken, aus dem Gedächtnis verlieren, nicht behalten, verlernen, **2.** liegen lassen, verlieren, stehen / sitzen / warten lassen, versetzen, Verabredung/Versprechen nicht einhalten, **3.** nicht wissen, was man tut, sich unüberlegt verhalten; entgleisen, aus der Rolle fallen, sich vorbeibenehmen; Fauxpas begehen, handgreiflich werden, aus der Fassung geraten.

1754 Vergleich 1. Gegenüberstellung, Konfrontation, Gegeneinanderhalten, Kontrastierung, **2.** Gleichnis, Metapher, Bild, Analogie, **3.** Ausgleich, Versöhnung, Kompromiss, Verständigung, Übereinkunft, Beilegung.

1755 vergleichen (sich) 1. nebeneinander halten, nebeneinander stellen, kollationieren, kontrapunktieren, abstimmen, dagegenhalten, gegenüberstellen, konfrontieren, kontrastieren, aneinander messen, prüfen an, Parallelen ziehen, auf eine Stufe stellen, Vergleich ziehen, gegeneinander abwägen, **2.** sich gütlich einigen; Ausgleich / Vergleich finden, **3.** sich messen; mit jmdm. konkurrieren.

1756 vergraben (sich) 1. eingraben, begraben, einbuddeln, einscharren, zudecken, zuschütten, verbergen, verscharren, verstecken, **2.** nichts hören und sehen, für niemanden zu sprechen sein, sich abschließen, versenken; in Klausur gehen, sich abkapseln, absondern.

1757 verhaften aufgreifen, fangen, festnehmen, ergreifen, hoppnehmen, stellen, dingfest machen, überwältigen, habhaft werden, abführen, festsetzen, arretieren, sistieren, inhaftieren, einste-

cken, einbuchten, einlochen, einsperren, gefangen nehmen, einkerkern, in Gewahrsam nehmen, gefangen setzen, hinter Schloss und Riegel bringen.

1758 verhalten, sich 1. sich benehmen, betragen, geben, gebärden, gebaren, gehaben; reagieren, verfahren; sich aufführen, gerieren, anstellen; auftreten, **2.** stehen, bestellt sein, Bewandtnis haben.

1759 Verhalten 1. Benehmen, Betragen, Reaktion, Verhaltensweise, Führung, Gebaren, Aufführung, Gehabe, Handlungsweise, Verhaltensmuster, Pattern, Einstellung, **2.** Manieren, Formen, Umgangsformen, Gewandtheit, Pli, Stil, Benimm, Knigge, Imagepflege, **3.** Haltung, Attitüde, Allüren, Pose, Air, Stellung, Positur, Gebärden.

1760 Verkauf 1. Abgabe, Ausgabe, Auslieferung, Handel, Umsatz, Veräußerung, Realisation, Absatz, Vertrieb, Versand, Mailorder, Versandverkauf, **2.** Ausverkauf, Schlussverkauf, Sale, Räumungsverkauf, Totalausverkauf, **3.** Versteigerung, Gant, Vergantung, Auktion.

1761 verkaufen (sich) 1. absetzen, abgeben, veräußern, realisieren, vertreiben, umsetzen, anbieten, abstoßen, an den Mann bringen, überlassen, zu Geld machen, feilbieten, auf den Markt bringen; versteigern, verganten, auktionieren, unter den Hammer bringen, kommerzialisieren, **2.** verkitschen, verkloppen, verschachern, versilbern, verscherbeln, verhökern; hausieren, andrehen, aufreden, aufschwatzen, **3.** ausverkaufen, räumen, verramschen, verschleudern, losschlagen, abstoßen, Lager räumen, **4.** abgeben, gehen, weggehen, gefragt sein, sich einführen; einschlagen, gefallen, Abnehmer / Publikum / reißenden Absatz finden, sich absetzen lassen, **5.** sich kaufen lassen; bestechlich sein.

1762 Verlangen 1. Wollen, Wünschen, Streben, Trachten, Drängen, Begehren, Begehrlichkeit, Neigung, Trieb, Drang, Sucht, Hang, Lust, Gelüst, Gier; Appetit, Esslust, Hunger, Heißhunger, Naschhaftigkeit, Bärenhunger, Kohldampf; Gefräßigkeit, Fressbegierde, Fressgier, Fresssucht, Unersättlichkeit; Durst, trockene Kehle, Brand; Libido, Lüsternheit, **2.** Wunsch, Begehr, Belieben, Bestreben, Bestrebung, Bitte, Anliegen, Anspruch, Ansinnen, Forderung, Anruf, Appell, Ansuchen, Ersuchen, Sehnen, Sehnsucht, Weh, Nostalgie, Heimweh, Fernweh, **3.** Besitzgier, Habgier, Habsucht, Geldgier, Raffgier, Gewinnsucht.

1763 **verlegen** **1.** scheu, zaghaft, zage, schüchtern, befangen, gehemmt, blockiert, ängstlich, unsicher, unfrei, geniert, genant, geschämig, steif, gezwungen, verkrampft, verklemmt, hilflos, ratlos, **2.** verwirrt, verschämt, betreten, verschüchtert, eingeschüchtert, beschämt, kleinlaut, blamiert, peinlich berührt, schamrot, wie ein begossener Pudel.

1764 **Verlegenheit** **1.** Ratlosigkeit, Unschlüssigkeit, Bedrängnis, Zwiespalt, Unentschiedenheit, Unentschlossenheit, Handlungsdruck, Notlage, Geldverlegenheit, Schwierigkeit, Klemme, Zwickmühle, Sackgasse, Dilemma, Konflikt, Zwangslage, Bredouille, Klippe, Engpass, Kalamität, Schwulität, Gefahrenpunkt, Komplikation, harte Nuss, Problem, Tinte, Patsche, Schlamassel, Pech, Pechsträhne, **2.** Schüchternheit, Scheu, Angst, Komplex, Befangenheit, Unsicherheit, Minderwertigkeitsgefühle, Hemmungen, Beißhemmung, Bisshemmung, Schuldgefühle, Bammel, Nervosität, Verschämtheit, Genierlichkeit, **3.** Beschämung, Blamage, Betretenheit, roter Kopf, Malheur, Gehemmtheit, Hemmung, Verwirrtheit, Unbeholfenheit, Ungeschicklichkeit, Hilflosigkeit, Eckigkeit, Steifheit, Ungewandtheit, Ungeschick, **4.** Verkrampfung, Verkrampftheit, Sperre.

1765 **verleumden** bezichtigen, beschuldigen, anschwärzen, schlecht machen, verdächtigen, unterstellen, unterschieben, denunzieren, zeihen, verunglimpfen, anhängen, nachsagen, andichten, diffamieren, diskreditieren, mies machen, heruntermachen, übel nachreden, verlästern, schmähen, die Ehre abschneiden, böswillig behaupten, am Zeuge flicken, verteufeln, verschreien, verunehren, lästern, unmöglich machen, verteufeln, verketzern, herziehen über, in den Schmutz ziehen, kein gutes Haar lassen, begeifern, schmähen, herabsetzen, in Verruf bringen.

1766 **Verleumdung** üble Nachrede, Verunglimpfung, Rufschädigung, Herab-

würdigung, Beleidigung, Bezichtigung, Diffamierung, Herabsetzung, Diskreditierung, böswillige Unterstellung, Schmähung, Ehrabschneidung, Verlästerung, Medisance, Verteufelung, Verketzerung, Brunnenvergiftung.

1767 **verliebt** angetan, zugetan, gewogen, hold, ins Herz geschlossen, entzückt, schwärmerisch, hingerissen, besessen, vernarrt, verschossen, leidenschaftlich, ergriffen, entflammt, entbrannt, vergafft, verknallt, amorös, betört, verhext, verzaubert, bezirzt, außer sich, nicht bei Sinnen, im siebten Himmel, auf Wolke sieben, liebestoll.

1768 **verlieren** **1.** einbüßen, abhanden kommen, verlustig gehen, verkramen, verlegen, verschlampen, versieben, verschludern, verloren gehen, wegkommen, hopsgehen, flöten gehen, los sein, verschütt gehen, kommen um, loswerden, **2.** verscherzen, verwirken, Nachsehen haben, zubuttern, Verlust erleiden, zulegen, draufzahlen, zuzahlen, verspielen, beim Spiel verlieren, zusetzen, ins Hintertreffen geraten, Einbuße erleiden, Haare lassen, in den Mond gucken, in den Schornstein schreiben, hereinfallen, aufsitzen, Zeche bezahlen, verloren geben; an Ansehen verlieren, in Misskredit geraten, in schlechten Ruf kommen, **3.** unterliegen, scheitern.

1769 **vermitteln** **1.** Wort einlegen, fürbitten, sich verwenden, ins Mittel legen; fürsprechen, intervenieren, befürworten, sich einschalten; dolmetschen, schlichten, bereinigen, ausgleichen, **2.** ansagen, moderieren, schalten, verbinden, Kontakt herstellen, **3.** begreiflich/verständlich machen, erklären, interpretieren, entfalten, darlegen, verstehen/erkennen lassen, rüberbringen.

1770 **Vermittler** Mittelsmann, Mittler, Mittlerrolle, Hehler, Verbindungsmann, Kontaktperson, Makler, Unterhändler, Medium, Moderator, Zwischenhändler, Zwischenträger, Bindeglied; Dolmetscher, Übersetzer, Sprachmittler, Operator.

1771 **Vermittlung** **1.** Mitwirkung, Mithilfe, Fürbitte, Fürsprache, Intervention, Einsatz, Einschaltung, Hilfe, Vermittlungsstelle, Agentur, Telefonvermittlung, **2.** Übersetzung, Übertragung, Interpretation, Erklärung, Erläuterung.

1772 vermuten 1. glauben, meinen, schätzen, denken, annehmen, als gegeben betrachten, Fall setzen, dafürhalten, dünken, vorkommen, wähnen, für möglich halten, Meinung hegen, Vermutungen anstellen; zuschreiben, beilegen, andichten, **2.** mutmaßen, nicht sicher sein, voraussehen, kommen sehen, vorausahnen, schwanen, dunkeln, vorschweben, erahnen, Verdacht schöpfen, verdächtigen, präsumieren, unterstellen, Braten riechen, Wind bekommen, sich an fünf Fingern abzählen; ahnen, Lunte riechen.

1773 vernünftig 1. vernunftbegabt, verständig, einsichtig, einsichtsvoll, Vernunftgründen zugänglich, überlegt, umsichtig, besonnen, bedächtig, ernüchtert, Schluss mit lustig, **2.** hell, klug, aufgeklärt, vorurteilslos, aufgeschlossen, gescheit, klarsichtig, nicht auf den Kopf gefallen, **3.** logisch, analytisch, rational, verstandesmäßig, begrifflich, klar, einleuchtend, schlüssig, folgerichtig, vernunftgemäß, mit Hand und Fuß, **4.** intellektuell, geistig, mental, gedanklich, bewusst, reflektiert, kritisch, mit Bewusstsein, bei klarem Verstand, wach, illusionsfrei, sachlich, realistisch, nüchtern, verstandesbetont, vernunftbetont, wirklichkeitsnah, welthaltig, lebensnah, lebensklug, selbstkritisch, urteilsfähig, urteilssicher.

1774 veröffentlichen 1. verlegen, herausgeben, herausbringen, drucken, auflegen, publizieren, edieren, vertreiben, auf den Markt/ins Internet bringen, ins Netz stellen, **2.** verbreiten, öffentlich machen, kundmachen, in Umlauf setzen, unter die Leute bringen, ausrufen, ausschellen, aushängen, ausschreiben, plakatieren, proklamieren, bekannt geben, bekannt/publik machen, verkünden, offenbaren, verlautbaren lassen, senden.

1775 Veröffentlichung 1. Publikation, Ausgabe, Neuerscheinung, Druckwerk, Buch, **2.** Herausgabe, Edition, Erscheinen, Druck, Abdruck, Auflage, Drucklegung, Sendung.

1776 verpflichtet 1. gehalten, genötigt, gezwungen; haftbar, haftpflichtig, ersatzpflichtig, schadenspflichtig, gebührenpflichtig, in jmds. Schuld, zu Dank verpflichtet, **2.** gebunden, im Wort, eingebunden, festgelegt, versprochen, in festen Händen, nicht mehr frei.

verraten verpetzen, petzen, sich verplappern; Indiskretion begehen, aus der Schule plaudern, ausplaudern, herauslassen, angeben, auspacken, nicht hinterm Berge halten, hinterbringen, Katze aus dem Sack lassen; hochgehen lassen, verpfeifen, anzeigen, denunzieren, Verrat begehen. **1777**

verrückt 1. närrisch, durchgedreht, übergeschnappt, toll, weich in der Birne, wunderlich, spinnig, durch den Wind, wirr, verwirrt, im falschen Film, nicht ganz dicht, Schraube los, nicht richtig im Oberstübchen, gestört, nicht recht gescheit, nicht bei Sinnen/Trost, unzurechnungsfähig, verdreht, neben der Spur, nicht alle Tassen im Schrank, meschugge, neben der Kappe, ein Rad ab, bescheuert, behämmert, bekloppt, beknackt, überdreht, aus dem Häuschen, kopflos, überspannt, überkandidelt, schräge, schrill, irre, abgedreht, ausgeflippt, **2.** geisteskrank, geistesgestört, wahnsinnig, anstaltsreif, umnachtet, debil, irrsinnig, idiotisch, blöde, irr, psychopathisch, **3.** absurd, wahnwitzig, hirnverbrannt, aberwitzig, hirnrissig. **1778**

Verrücktheit 1. Knall, Knacks, Klaps, Sparren, Vogel, Meise, Stich, Rappel, Tick, Dachschaden, Macke, Schatten, Webfehler, **2.** Schnapsidee, Kateridee, Spleen, Flitz, Grille, Mucken, Flausen, verrückter Einfall, **3.** Bewusstseinsstörung, Geistesgestörtheit, Geisteskrankheit. **1779**

versagen (sich) 1. abschlagen, ablehnen, ausschlagen, nicht erlauben/gestatten, verneinen, negieren, abwinken, verweigern, verwehren, frustrieren, vorenthalten, entziehen, aberkennen, absprechen, abstreiten, streitig machen, **2.** verbieten, untersagen, unterbinden, **3.** aussetzen, stocken, streiken, blockieren, erlahmen, aushaken, nicht mehr funktionieren / laufen, wegbleiben, Geist aufgeben, stillstehen; nichts mehr hergeben, eintrocknen, versiegen; nicht mehr können, Nerven verlieren, abgehängt werden, zurückbleiben, nicht weiterkönnen, schlappmachen, **4.** durchfallen, sitzen bleiben, zurückbleiben, nicht mitkommen, Anschluss verpassen, Klassenziel nicht erreichen, **1780**

nicht bestehen, zurückfallen, sich nicht bewähren; enttäuschen, vermissen lassen, vertändeln, in den Sand setzen, **5.** sich entziehen; absagen, wegbleiben, aufsagen, sich distanzieren, drücken, dünnmachen; mauern, dichtmachen, **6.** abstillen, entwöhnen, absetzen, **7.** verzichten, entsagen, sich abgewöhnen.

1781 Versagen 1. Versäumnis, Unterlassung, Vergessen, Versehen, Unachtsamkeit, Vernachlässigung, Saumseligkeit, Fahrlässigkeit, Pflichtvergessenheit, Unzulänglichkeit, **2.** Panne, Lücke, Fehler, Mangel, Ausfall, technischer Defekt, Blockade, Ladehemmung, **3.** Nervenkrise, Kollaps.

1782 Versager Nichtsnutz, Tunichtgut, Früchtchen, Schlemihl, Schlawiner, Taugenichts, Flasche, Anfänger, Lusche, taube Nuss, Blindgänger, Spätzünder, Niete, Nulpe, Null, Pfeife, Träne, Pflaume, Trottel, Penner, Nichtskönner, schwarzes Schaf, Schnarchzapfen, Verlierer, Loser, Verlierertyp.

1783 versäumen 1. verpassen, lassen, sich schenken, entgehen lassen; unterlassen, verbummeln, vertrödeln, verstreichen lassen, schwänzen, verschlampen, verschleppen, verzögern, verabsäumen, entgehen, vorübergehen lassen, auf die lange Bank schieben, **2.** verschlafen, zu spät kommen, sich verspäten, verfehlen, verpassen; aneinander vorbeigehen.

1784 verschieden 1. anders, andersartig, diskrepant, von anderer Art; verändert, verwandelt, umgebaut, umgewandelt, nicht wieder zu erkennen, völlig verändert; wie umgewandelt, neugeboren, anderer / neuer Mensch; ungleich, unähnlich, unterschiedlich, verschiedenartig, uneinheitlich, heteronom, wandlungsfähig, wandelbar, ungleichmäßig, wechselnd, gegensätzlich, **2.** abwechslungsreich, bunt, bilderreich, ereignisreich, mannigfaltig, mannigfach, vielgestaltig, vielförmig, multikulturell, zusammengewürfelt, gemischt, vermischt, variantenreich, vielfältig; vielstimmig, mehrstimmig, polyphon; verschiedenerlei, allerhand, allerlei; beweglich, schillernd, variabel, teils ... teils, **3.** abweichend, irregulär, regelwidrig, normwidrig, divergierend, unkonventionell, unorthodox, querdenkerisch.

Verschluss 1. Deckel, Stöpsel, Stopfen, Pfropfen, Korken, Zapfen, Pflock, Klappe, Platte, Schraubdeckel, Hahn, Spund, **2.** Riegel, Schloss, Haken, Knopf, Knebel, Schlinge, Öse, Schnalle, Schließe, Knoten, Reißverschluss, Band, Klettband, Verschlussband, Banderole, Verschlussmarke, Verschlussstreifen, Siegel, Plombe, Verriegelung. **1785**

verschwenden 1. in Saus und Braus leben, über die Stränge schlagen, die Sau rauslassen, lockeres Leben führen, über seine Verhältnisse leben, in die Vollen gehen, auf großem Fuß leben, Geld zum Fenster hinauswerfen / auf den Kopf hauen, Perlen vor die Säue werfen, **2.** vergeuden, vertun, verschleudern, verwirtschaften, vertändeln, versaufen, verfressen, verbraten, verjuxen, verbumfiedeln, verjuchheien, verballern, verbrettern, verbuttern, verläppern, verplempern, verpulvern, vertrödeln, verspielen, verprassen, verjubeln, durchbringen. **1786**

versichern (sich) 1. beteuern, bekräftigen, betonen, Hand ins Feuer legen, beharren, dabei bleiben, erhärten, **2.** versprechen, zusichern, zusagen, geloben, sein Wort geben, sich verbürgen, stark machen; auf seinen Eid nehmen, darauf wetten, beschwören, beeiden, garantieren, verbriefen, bescheinigen, verbürgen, beglaubigen, **3.** Versicherung abschließen, sich absichern, rückversichern; etwas in petto haben, auf Nummer Sicher gehen. **1787**

Versicherung 1. Behauptung, Beteuerung, Versprechen, Zusicherung, Gelöbnis, Schwur, Eid, Wort, Kaufmannswort, Ehrenwort, **2.** Sicherung, Deckung, Vorsorge, Vorbedacht, Schutz, Rückversicherung, Rückendeckung, Vorsichtsmaßnahme, Sicherheitsvorkehrung, Sicherheitsmaßnahme. **1788**

versorgen (sich) 1. sich eindecken, versehen mit; kaufen, horten, speichern, hamstern, vorsorgen, bunkern, **2.** pflegen, betreuen, umsorgen, hüten, behüten, warten, in Obhut / Pflege nehmen, hegen, aufpassen, sich kümmern, bekümmern, jmds. annehmen; besorgt sein um, sorgen für, bemuttern, bevatern, begönnern, **3.** verpflegen, verproviantieren, mit Proviant versehen, ver- **1789**

köstigen; unterhalten, aufkommen für, für den Lebensunterhalt aufkommen, jmdn. aushalten, **4.** beschicken, bestellen, beliefern.

1790 Verstand 1. Urteilskraft, Urteilsvermögen, Urteilsfähigkeit, Denkvermögen, Denkfähigkeit, Denkkraft, Geist, Vernunft, Geisteskraft, Logos, Ratio, diskursives Denken, Erkenntnisvermögen, Erkenntniskraft, Kognition, Begriffsvermögen, Abstraktionsvermögen, Abstraktionsfähigkeit, Bewusstsein, Bewusstheit, Durchdringungsfähigkeit, Intellekt, **2.** Intelligenz, Geistesgaben, Auffassungsgabe, Aneignungsfähigkeit, Unterscheidungsvermögen, Differenzierungsvermögen, Beobachtungsgabe, Kombinationsgabe, Klugheit, Scharfsinn, Scharfblick, Gescheitheit, Kritikfähigkeit, Lernfähigkeit, Fassungsvermögen, Verständigkeit, Klarsicht, klarer Verstand, Verständnis, gesunder Menschenverstand, Common Sense, Nüchternheit, Realistik, Sachlichkeit, Vernünftigkeit, Wirklichkeitssinn; Hirn, Grips, Köpfchen, Grütze, Kopf, Mutterwitz.

1791 verständlich 1. einsichtig, begreiflich, erklärlich, einleuchtend, überzeugend, plausibel, evident, sinnfällig, augenfällig, vorstellbar, denkbar, glaubhaft, fasslich, fassbar, nachvollziehbar, klar, einsehbar, allgemein verständlich, verstehbar, transparent, vermittelbar, lernbar, erlernbar, einfach, unkompliziert, eingängig, populär, **2.** nahe liegend, auf der Hand liegend, mit Händen zu greifen, **3.** entschuldbar, verzeihlich, begreiflich, nachfühlbar, zu rechtfertigen, zu verstehen, einzusehen; aus guten Gründen, verständlicherweise, begreiflicherweise, selbstverständlich, versteht sich.

1792 Verständlichkeit Verstehbarkeit, Fasslichkeit, Anschaulichkeit, Durchschaubarkeit, Allgemeinverständlichkeit, Sinnfälligkeit, Augenfälligkeit, Plausibilität, Transparenz, Unkompliziertheit, Nachvollziehbarkeit, Vermittelbarkeit, Klarheit.

1793 Verständnis 1. Einfühlungsvermögen, Einfühlungsgabe, Empathie, Einfühlung, Feingefühl, Sachverständnis, Sinn, Antenne, Witterung für, **2.** Kennerschaft, Sachverstand, Durchblick,

Überblick, Durchdringung, **3.** Großherzigkeit, Weitherzigkeit, Toleranz.

1794 verstehen (sich) 1. hören, vernehmen, zur Kenntnis nehmen, realisieren, mitkriegen, mitbekommen, **2.** erkennen, einsehen, durchschauen, klar sehen, wieder erkennen, erfassen, bewusst werden, zu Bewusstsein/zu der Erkenntnis kommen, zur Einsicht gelangen, begreifen, fassen, lernen, kapieren, schnallen, schalten, checken, durchsteigen, durchdringen, eindringen, sich klar werden; klug werden aus, ergründen, mitkommen, folgen, nachvollziehen können, Einblick gewinnen, durchfinden, dahinter kommen, herausfinden, herausbekommen, zusammenreimen, überblicken, verarbeiten, verdauen, durchschauen, ins Bewusstsein dringen, fressen, sich zu Eigen machen; intus haben, Dreh heraushaben; einleuchten, dämmern, aufgehen, funken, eingehen, **3.** nachfühlen, nachempfinden, mitfühlen, sich einfühlen; gerecht werden, sich hineindenken, in jmdn. versetzen; mitschwingen, **4.** sich verstehen auf, auskennen; kennen, beherrschen, übersehen, überschauen, durchblicken, Durchblick haben, Zusammenhänge sehen, mitreden können, auf dem Laufenden/informiert/sachverständig/im Bild/beschlagen/bewandert sein, wissen, wie der Hase läuft, Bescheid wissen, sich zurechtfinden, **5.** einsehen, beherzigen, sich zu Herzen nehmen; eine Lehre ziehen, sich zuziehen, gesagt sein lassen; Vernunft annehmen, zur Einsicht/Räson kommen, **6.** sich verständigen; kommunizieren, übereinstimmen, harmonieren, zusammenklingen, zusammenstimmen, zusammenpassen, sich vertragen; sympathisieren, gut stehen/können/auskommen, einander ergänzen, zu nehmen wissen, behandeln können, **7.** dekodieren, entschlüsseln, entziffern, dechiffrieren.

1795 Versuch 1. Probe, Experiment, Test, Analyse, **2.** Kostprobe, Testmuster, Versuchsballon, Pilotfilm, Preview, **3.** Zerreißprobe, Kraftprobe, Crashtest, Machtprobe, **3.** Versuchsstadium, Vorläufigkeit, Spielcharakter, Tastversuche, Werdestatus.

1796 versuchen 1. probieren, ausprobieren, durchprobieren, austesten, prüfen,

Versuch machen, erproben, reinschmecken, **2.** experimentieren, forschen, Versuche anstellen, riskieren, wagen, manövrieren, laborieren, sein Heil versuchen, tasten, sondieren, testen, analysieren, tüfteln, austüfteln, ausklügeln, ausknobeln, ausklamüsern.

1797 verteilen (sich) 1. ausgeben, austeilen, distribuieren, zuteilen, zumessen, verabfolgen, zusprechen, zubilligen, zuerkennen, verabreichen, aufteilen, umlegen, ausschütten, auslosen, **2.** streuen, säen, ausschleudern, ausstreuen, aussäen, auswerfen, verstreuen, herumstreuen, **3.** sich aufteilen, verlaufen; zerstreuen, auseinander laufen.

1798 Verteilung Austeilung, Distribution, Ausgabe, Zuteilung, Aufteilung, Gewinnverteilung, Auslosung, Ausschüttung, Zuerkennung.

1799 Vertiefung 1. Eindruck, Delle, Mulde, Grube, Trichter, Krater, Kuhle, Loch; Falte, Spalte, Einschnitt, Graben, Senkung, Senke, Tal, Furche; Höhle, Grotte, Höhlung, Ausschachtung, Ausmaß, Schacht, Stollen, Schlucht, Schlund, Kluft, Tiefe, **2.** Einbuchtung, Nische, Bucht, Bai, Fjord, Golf, Meerbusen, **3.** Kerbe, Scharte, Rille, Rinne, Riefe, Fuge, Einkerbung, **4.** Steigerung, Fundierung, tieferes Eindringen, Versunkenheit.

1800 vertrauen 1. Vertrauen haben, sich verlassen auf; für zuverlässig halten, glauben, Zutrauen haben, jmdm. trauen, Vertrauen schenken, sich stützen auf, jmdm. anvertrauen; bauen/zählen/setzen auf, **2.** etwas anvertrauen, in Verwahr/in Obhut/zu treuen Händen geben.

1801 Vertrauen Zutrauen, Zuversicht, Grundvertrauen, Lebensvertrauen, Urvertrauen, Selbstvertrauen.

1802 vertraulich intim, diskret, unter uns, entre nous, unter vier Augen/dem Siegel der Verschwiegenheit, privatim, intern, nur für den Hausgebrauch.

1803 vertraut 1. wohl bekannt, intim, befreundet, familiär, freundschaftlich, innig verbunden, nahe stehend, **2.** geläufig, bekannt, gewohnt, heimatlich, altgewohnt, heimisch, alltäglich.

1804 vertreiben 1. verscheuchen, in die Flucht schlagen, wegscheuchen, verdrängen, verstoßen, räumen, scheu-

chen, forttreiben, verjagen, zerstreuen, auseinander treiben, versprengen, wegjagen, wegtreiben, wegstoßen, ausweisen, exilieren, ansiedeln, aussiedeln, einsiedeln, umsiedeln, umsetzen, verpflanzen, abschieben, austreiben, evakuieren, entwurzeln, verbannen, expatriieren, repatriieren, deportieren, abtransportieren, zwangsumsiedeln, verschicken, verschleppen, verbringen, **2.** vergrämen, verärgern, hinausekeln, vergraulen, **3.** verkaufen, handeln mit.

1805 Vertreibung Ausweisung, Evakuierung, Räumung, Verbannung, Austreibung, Ausbürgerung, Verschickung, Verbringung, Verschleppung, Exil, Exilierung, Verstoßung, Abschiebung, Landesverweis, Zwangsumsiedlung, Expatriierung, Repatriierung, Deportation, An-/Aus-/Ein-/Umsiedlung.

1806 vertreten 1. ersetzen, aushelfen, beispringen, einspringen, in die Bresche springen, stellvertreten, doubeln, an die Stelle treten, nachrücken, vorstellen, repräsentieren, stehen für, verkörpern, figurieren als, **2.** verfechten, fürsprechen, sich einsetzen/verwenden für; eintreten für, verteidigen, rechtfertigen.

1807 Vertreter 1. Reisender, Verkäufer, Hausierer, Kommissionär, Handelsvertreter, Reisevertreter, Werber, Agent, **2.** Verteidiger, Fürsprecher, Sachwalter, Stellvertreter, Vize, Prokurator, Treuhänder, Vormund; Platzhalter, Bevollmächtigter, Prokurist, Statthalter, Verweser, Satrap, **3.** Delegierter, Abgeordneter, Deputierter, Volksvertreter, Parlamentarier, Repräsentant, Funktionär, Interessenvertreter, Sprecher, Wortführer, Galionsfigur, Exponent, **4.** Aushilfskraft, Libero, Springer, **5.** Sündenbock, Prügelknabe, Prellbock, Puffer, Lückenbüßer, Blitzableiter, Pappkamerad, Strohmann.

1808 Vertretung Abordnung, Delegation, Deputation; Gesandtschaft, Botschaft, Auslandsvertretung, Handelsvertretung, Außenstelle, Agentur, Prokura, Repräsentation, Ersatz, Zweitbesetzung, Aushilfe, Stellvertretung, Repräsentanz, Geschäftsstelle.

1809 verunreinigen beschmutzen, verschmutzen, besudeln, verdrecken, eindrecken, zumüllen, verschmieren, beflecken, verflecken, verschütten, bespritzen, bekleckern, kleckern, sudeln, einsauen, schweinigeln, besabbern, verschwitzen, durchschwitzen, schmutzig/dreckig machen, anschmutzen, trüben; bekritzeln, beschmieren; verkleben, beschlabbern, verkleistern; stauben, schmutzen, einstauben; Umwelt verschmutzen, vergiften, kontaminieren, verseuchen, verstrahlen.

1810 verurteilen 1. aburteilen, Urteil fällen/sprechen, Stab brechen, verknacken, schuldig sprechen, für schuldig erklären, Strafe verhängen, mit einer Strafe belegen, 2. ablehnen, verwerfen, schlecht kritisieren, zerreißen, heruntermachen, zerpflücken, niedermachen, abmaiern, zerrupfen, kein gutes Haar lassen, in der Luft zerreißen, verreißen, vernichtend beurteilen, verdammen; zischen, auszischen, buhen, ausbuhen.

1811 vervielfältigen vervielfachen, abschreiben, abtippen, abziehen, hektographieren, durchpausen, abzeichnen, reproduzieren, drucken, abdrucken, nachdrucken, fotokopieren, faxen, ablichten, überspielen, kopieren, brennen, runterladen, klonen.

1812 Vervielfältigung 1. Druck, Abdruck, Probedruck, Fahnenabzug, Fahne, Abguss, Abzug, 2. Kopie, Abschrift, Durchschlag, Zweitschrift, Duplikat, Doppel, Dublette, Klon, Hektographie, Lichtpause, Reproduktion, Ablichtung, Überspielung, 3. Vervielfachung, Multiplikation, Verdoppelung, Tautologie.

1813 verwandt 1. blutsverwandt, angeheiratet, verschwistert, verschwägert, versippt, stammverwandt, zur Familie gehörig, 2. ähnlich, artverwandt, geistesverwandt, wahlverwandt, kongenial.

1814 Verwandtschaft 1. Abstammungsgruppe, Blutsverwandtschaft, Familie, Haus, Geschlecht, Schlag, Sippe, Anverwandte, Ahnen, Vorfahren, Angehörige, Nachkommen, Verwandte, Verwandtenkreis, Parentel, Sippschaft, Clan, Mischpoke, 2. Ähnlichkeit, Wahlverwandtschaft, Geistesverwandtschaft, Kongenialität.

1815 verwirklichen 1. realisieren, in die Tat umsetzen, wahr machen, ausführen, ins Werk/in Szene setzen, hinkriegen, schmeißen, praktizieren, tun, 2. sich bewahrheiten, erfüllen; Wahrheit/Wirklichkeit werden, eintreffen, zutreffen.

verwirren (sich) 1. derangieren, in **1816** Unordnung bringen, verknäueln, verheddern, durcheinander werfen, verwühlen, zerwühlen, zerraufen, verwickeln, verfilzen, verhuddeln, verwursteln, zerzausen, verstricken, Verwirrung stiften, das Unterste zuoberst kehren, durcheinander bringen, 2. in Verlegenheit bringen, beirren, kopfscheu machen, verstören, desorientieren, kirre machen, aus der Ruhe bringen, beunruhigen, aus dem Text bringen, verunsichern, irremachen, irritieren, verdutzen, verblüffen, aus der Fassung bringen, 3. in Verlegenheit geraten, stottern, stocken, stammeln, sich versprechen, verfangen, verstricken; Faden verlieren, nicht wissen, wo einem der Kopf steht, sich verhaspeln, verheddern, in Widersprüche verwickeln; durcheinander geraten, Fassung verlieren.

verwöhnen 1. verziehen, verkork- **1817** sen, verweichlichen, verpimpeln, in Watte packen, verzärteln, verhätscheln, 2. auf Händen tragen, verhätscheln, anbeten, überschütten/überschwemmen mit, auf Rosen betten, jeden Wunsch erfüllen/von den Augen ablesen.

Verzeichnis 1. Aufstellung, Zusam- **1818** menstellung, Liste, Tabelle, Übersicht, Inventar, Register, Index, Auflistung, Matrikel, 2. Plan, Tafel, schwarzes Brett, Brett, Pinnwand, Aushang, Anschlag, 3. Kartei, Katalog, Kartothek, Datei, Nomenklatur.

Verzicht 1. Abtretung, Aufgabe, Ze- **1819** dierung, Übertragung, Überlassung, Entäußerung, Verzichtleistung, 2. Askese, Abstinenz, Enthaltsamkeit, Hingabe, Entsagung, Bescheidung, Opfer, Resignation.

verzichten 1. aufgeben, lassen, dran- **1820** geben, hergeben, opfern, entsagen, resignieren, sich abfinden; hinnehmen, sich zufrieden geben, bescheiden, hineinschicken, ergeben; zurückstecken, zurückstehen, 2. sich enthalten, verkneifen, verbeißen, versagen, entsagen, entäußern, lossagen, trennen von, abgewöhnen; ablegen, sich frei machen; abstreifen, abschwören, sich begeben.

verzögern 1. aufschieben, verschlep- **1821** pen, retardieren, hinausschieben, vertagen, verschieben, verlegen, umlegen, zurückstellen, hinziehen, verschlampen, säumen, zögern, zaudern, hinauszögern, auf Eis legen, hinausschieben, verlangsamen, verbummeln, vertrödeln, **2.** hinhalten, aufhalten, hemmen, hintanhalten, anstehen lassen, vertrösten, **3.** sich verspäten; zu spät kommen, aufgehalten werden, unpünktlich sein, Zeit überschreiten, im Rückstand/in Verzug sein, verziehen, sich hinziehen; kein Ende finden, zurückbleiben, nachklappen, nachhinken, nachzotteln, bummeln, trödeln, säumen, trendeln, hinterherkommen, es nicht gebacken kriegen.

1822 Verzögerung 1. Rückstand, Ausstand, Verzug, Verspätung, Zeitverlust, Aufschub, Frist, Retardation, **2.** Saumseligkeit, Verschleppung, Verlangsamung, Entschleunigung, Bummelei, Trödelei, Vertagung, Verschiebung, Vertröstung, **3.** Galgenfrist, Bedenkzeit, Atempause, Gnadenfrist, Bewährungsfrist, Strafaufschub, Probezeit, Prüfungszeit, Wartezeit, Schlange, Warteschleife, Karenzzeit, Schonzeit, Schonfrist.

1823 verzweifeln 1. verzagen, Mut verlieren, mutlos werden, Kopf/Mut sinken lassen, keinen Ausweg sehen, schwarz sehen, Hoffnung aufgeben/fahren lassen, Ohren hängen lassen, Flinte ins Korn werfen, nicht mehr weiterwissen, aufgeben, Hoffnungen begraben, **2.** sich festfahren, hilflos fühlen; ratlos dastehen, auf Grund fahren, nicht vor- noch zurückkommen, in eine Sackgasse geraten, nicht aus noch ein wissen, Hände ringen, Haare raufen, heulendes Elend kriegen.

1824 viel 1. allerhand, eine Menge, reichlich, üppig, vollauf, erheblich, eine Masse/Stange, mehr als genug, massenhaft, en masse, überreichlich, übergenug, massig, eimerweise, haufenweise, übersät mit, fuderweise, sturzflutartig, wie ein Maschinengewehr, uferlos, unerschöpflich, wie Sand am Meer, beträchtlich, erheblich, zuhauf, erklecklich, zu Hunderten/Tausenden, es prasselt nur so, es regnet/hagelt, scheffelweise, schockweise, dutzendweise, zu Dutzenden, klotzig, knüppeldick, dicke, zahllos, in Hülle und Fülle; gerüttelt Maß, en gros, im Großen, in großen Mengen/

großem Umfang, serienweise, in Serie, serienmäßig, reihenweise, **2.** vieles, manches, einiges, vielerlei, mancherlei, alles Mögliche, Verschiedenes, allerlei, mehrerlei, Sonstiges, anderes, Mehreres, nicht wenig, Etliches, dies und das, **3.** bei weitem, um ein Erhebliches/Erkleckliches, weitgehend; kein Pappenstiel, keine Kleinigkeit.

Vieldeutigkeit Doppelbedeutung, **1825** Polysemie, Doppelsinnigkeit, Doppelsinn, Doppelgesicht, Janusköpfigkeit, Doppelgestalt, Ambiguität, Doppeldeutigkeit, Zweideutigkeit, Zweiwertigkeit, Mehrdeutigkeit, Missverständlichkeit, Uneindeutigkeit.

viele manche, mehrere, etliche, etwel- **1826** che, dieser und jener, verschiedene, nicht wenige, eine beachtliche Anzahl, ziemlich viele, zahlreiche, ungezählte, unzählige, zahllose, Unmenge, unzählbare, scharenweise, diverse, gewisse, welche; zu Dutzenden, in großer Zahl, in hellen Scharen; wie Sand am Meer, Heer von, Hunderte, Tausende, Mengen, Massen.

Vielfalt 1. Vielgestaltigkeit, Reich- **1827** tum, Buntheit, Abwechslung, Wechsel, Farbigkeit, Formenreichtum, Mannigfaltigkeit, Verschiedenartigkeit, Pluralität, Multikultur, Multikulti, Vielförmigkeit, Reichhaltigkeit, Vielheit, Buntheit, Vielerlei, Variationsbreite, Bandbreite, Vielfältigkeit, Allerlei, Auswahl, Fülle, Menge, Masse, **2.** Spektrum, Repertoire, Sinfonie, Palette, Bogen, Strauß, Tableau, Skala, Gemischtwarenladen, Kaleidoskop.

voll 1. gefüllt, zum Überlaufen, rand- **1828** voll, gestopft/gerüttelt voll, ausgefüllt, voll gepfropft, **2.** gedrängt, gestopft, besetzt, belegt, dicht besetzt, komplett, ausverkauft, überfüllt, übervoll, voll bis auf den letzten Platz, gesteckt/gerappelt voll, rappelvoll, zum Platzen/Bersten voll, wimmeln von, platzen vor, überlaufen, **3.** bevölkert, volkreich, dicht besiedelt, dicht bevölkert, übervölkert, überbelegt, menschenwimmelnd, wimmelnd, wuselnd, verkehrsreich, belebt, übersät, gespickt, dicht gesteckt; rund, kreisförmig, ringförmig, scheibenförmig, eirund, gerundet, geschlossen, kugelrund, **4.** warm, tönend, klingend, tragend, wohllautend, tief, dunkel, sonor, klangvoll, satt, voller Sound, **5.** betrunken, volltrunken, zu.

1829 vollenden abschließen, beschließen, fertig machen/stellen, runden, abrunden, unter Dach bringen, beenden, erledigen, zu Ende bringen, aus der Hand legen, ans Ziel kommen, das Werk krönen, es schaffen, wuppen, bewältigen, leisten, erfüllen, austragen, bewerkstelligen, erreichen, sich entledigen; ausführen, vollbringen, zu Ende führen, zum Abschluss/unter Dach und Fach bringen, letzte Hand anlegen, letzten Schliff/richtigen Pfiff geben, Glanzlichter aufsetzen.

1830 vollkommen 1. vollständig, vollendet, fertig, unfehlbar, unangreifbar, unanfechtbar, druckreif, ausgereift, fehlerlos, fehlerfrei, lupenrein, makellos, einwandfrei, rund, perfekt, komplett, aus einem Guss, nahtlos, astrein, tadellos, untadelig, vollwertig, beispielhaft, ideal, mustergültig, mit allen Vorzügen, das Beste, **2.** sicher, geläufig, gewandt, ohne Stocken, fließend, flüssig, im Schlaf, firm, routiniert, geübt, virtuos, High-End-..., erstklassig, musterhaft, bravourös, meisterlich, formvollendet, auf der Höhe, **3.** umfassend, allseitig, total, umspannend, universal, enzyklopädisch, erschöpfend, global, weltumspannend, mondial.

1831 Vollkommenheit Perfektion, Vollendung, Reife, Fehlerlosigkeit, Untadeligkeit, Beispielhaftigkeit, Reinheit, Vorbildlichkeit, Makellosigkeit, Unangreifbarkeit, Unfehlbarkeit, Mustergültigkeit, Heiligkeit.

1832 Vollzug Ausführung, Durchführung, Vollziehung, Vollführung; Eintreibung, Einzug, Inkasso, Pfändung, Vollstreckung.

1833 voraussetzen bedingen, erfordern, zugrunde liegen, dahinter stecken, verursachen, begründen, Ursache sein.

1834 Voraussetzung Annahme, Vermutung, Bedingung, Kondition, Prämisse, Hypothese, Vorgabe, Einschränkung, Klausel, Vorbehalt, Vorbedingung, Grundlage.

1835 vorbereiten (sich) 1. bereitlegen, bereitstellen, bereithalten, zurechtlegen, zurechtmachen, zurechtstellen, ordnen, herrichten, richten, einrichten, rüsten, bereiten, bahnen, zurüsten, Voraussetzung schaffen, **2.** präparieren, vorsorgen, vorarbeiten; sich einstellen auf, bereitmachen, einstimmen, anschicken; Vorkehrungen treffen, Anstalten machen, in Stellung gehen, vorsehen, aufbereiten, ansetzen; einrichten, organisieren; vorfertigen, vorfabrizieren, **3.** wappnen, befähigen, aufzäumen, ausbilden, ausrüsten, **4.** laden, programmieren, füttern, Daten eingeben/einspeisen, **5.** anbahnen, vorfühlen, einfädeln, in die Wege leiten, lancieren, anspinnen, ankurbeln, ventilieren, Fühlung nehmen, Verbindung knüpfen, Anlauf nehmen, vorbesprechen, **6.** bewaffnen, aufrüsten.

Vorbereitung 1. Vorarbeit, Planung, **1836** Vorkehrung, Vorsorge, Anbahnung, Einstimmung, Vorbesprechung, Ankurbelung, Einrichtung, Bereitstellung, Zurüstung, Ausrüstung, Count-down, **2.** Kriegsvorbereitung, Aufrüstung, Bewaffnung, Militarisierung.

Vorderseite 1. Vorderteil, Fassade, **1837** Schauseite, Hauptansicht, Vorderansicht, Straßenseite, Frontseite, Front, Stirnseite, Vordergiebel, Giebeldreieck; Butterseite, Sonnenseite, **2.** Titelblatt, Titelseite, Frontispiz, Cover.

vorerst vorab, zunächst, fürs Erste, **1838** vorderhand, momentan, augenblicklich, zurzeit, gegenwärtig, vorläufig; jetzt, heute, für die nächste Zeit, einstweilen, bis auf weiteres, bis auf Widerruf, provisorisch.

vorhanden 1. vorrätig, am Lager, **1839** käuflich, verkäuflich, veräußerlich, lieferbar, zu haben, vorliegend, auf Lager, zu Gebot, feil, erhältlich; bereit, bei der Hand, greifbar, parat, disponibel, verfügbar, zur Disposition, zuhanden, zur Verfügung, griffbereit, **2.** existent, existierend, wirklich, faktisch, real, präsent.

Vorhersage Voraussage, Prognose, **1840** Horoskop, Prophezeiung, Mantik, Orakel, Auspizien, Prophetie, Offenbarung, Verheißung, Weissagung, Wahrsagung.

vorn 1. an der Spitze, zuvorderst, füh- **1841** rend, leitend, nicht zu schlagen/überholen, am Kopf, oben, obenan, an erster Stelle, am Steuer/Ruder, als Erster, Nase vorn, zuerst, voran, vornweg, vor Ort, an der Front, im Alltag, in der Praxis; obenauf, droben, über allem, **2.** von vorn, frontal, en face, stirnseitig.

1842 **vornehm** aus gutem Stall/guter Familie, nobel, ladylike, gentlemanlike.

1843 **Vorraum** 1. Flur, Gang, Korridor, Hausflur, 2. Diele, Garderobe, Vorzimmer, Entree, Vestibül, Vorhalle, 3. Wandelhalle, Wandelgang, Foyer, Lobby.

1844 **Vorschlag** Angebot, Anregung, Rat, Ratschlag, Offerte, Empfehlung, Antrag.

1845 **vorschlagen** 1. Vorschlag machen, antragen, unterbreiten, offerieren, anheim stellen, zu bedenken geben, 2. auffordern, raten, in die Waagschale werfen, geltend machen, 3. Thema anschneiden, aufgreifen, aufwerfen, vorbringen, zur Sprache bringen, aufrollen, aufs Tapet bringen, zur Diskussion stellen.

1846 **vorsichtig** 1. behutsam, achtsam, sorglich, sorgfältig, schonungsvoll, rücksichtsvoll, sorgsam, gewissenhaft, bedächtig, bedachtsam, wie auf Eiern, wie ein rohes Ei, auf Zehenspitzen, mit Samthandschuhen, 2. abwägend, diplomatisch, wohl überlegt, wohlerwogen, bedacht, schonend, besonnen, vorausschauend, 3. ängstlich, wachsam, auf der Hut/dem Quivive, sicherheitshalber, vorsichtshalber, um sicherzugehen, unsicher, zögerlich, 4. vorbeugend, prophylaktisch, präventiv.

1847 **vorstellen (sich)** 1. präsentieren, vorführen, einführen, bekannt machen, introducen, 2. sich ausdenken; imaginieren, sich ausmalen, vor Augen führen, eine Vorstellung machen, einen Begriff/ein Bild machen; vorschweben.

1848 **Vorstellung** 1. Bekanntmachung, Introducing, Einführung, Präsentation, 2. Anschauung, Imagination, Begriff, Bild, Denkbild, Idee, 3. Veranstaltung, Darbietung, Nummer; Theater, Kino.

1849 **vortäuschen** simulieren, markieren, mimen, figurieren, schauspielern, Theater spielen, schattenboxen, hochstapeln, Türken bauen, Versteck spielen, sich verstellen; so tun als ob, fingieren, vorgeben, vorspiegeln, vorzaubern, sich den Anschein geben; blenden, vormachen, täuschen, vorschützen, bluffen, X für ein U vormachen, narren, vorgaukeln, aufs Glatteis führen, blauen Dunst vormachen, in Sicherheit wiegen.

1850 **Vorteil** 1. Vorsprung, Oberhand, Oberwasser, Überlegenheit, Trumpf, Plus, Heimspiel, 2. Vergünstigung, Verbilligung, Gewinn, Profit, Nutzen, Wert, Ertrag.

1851 **Vortrag** Bericht, Rapport, Referat, Rede, Ansprache, Vorlesung, Kolleg, Lesung; Dichterlesung, Rezitation, Parlando, Deklamation, Predigt, Kanzelrede; Monolog, Selbstgespräch.

1852 **vortragen** 1. vorsprechen, deklamieren, rezitieren, aufsagen, vorlesen, Vortrag, Rede, Ansprache halten, dozieren, lesen, referieren, vorlesen, ablesen, wiedergeben, zitieren, szenisch vortragen, 2. hersagen, herunterbeten, leiern, herunterleiern, herleiern, vorleiern, abspulen, herunterhaspeln, herunterrattern, herunterschnurren, mechanisch hersagen.

1853 **vorübergehend** 1. manchmal, nicht immer, zeitweise, zeitweilig, ab und zu, gelegentlich, zuweilen, bisweilen, temporär, unregelmäßig, saisonbedingt, von Fall zu Fall, auf kurze Zeit, zuzeiten, sporadisch, dann und wann, hin und wieder, mitunter, von Zeit zu Zeit, hier und da, vereinzelt, stoßweise, anfallweise, periodisch, 2. probeweise, versuchsweise, provisorisch, interimistisch, zwischenzeitlich, kommissarisch, vertretungsweise, auf Probe, behelfsweise, aushilfsweise, 3. vorläufig, zunächst, einstweilig, begrenzt, terminiert, auf Zeit, stundenweise, tageweise, halbtags, episodisch, episodenhaft, temporär, nebenbei, nebenher, außer der Reihe, unregelmäßig, 4. leihweise, als Leihgabe, auf Pump, 5. reversibel, umkehrbar, revidierbar, rückgängig zu machen, reparabel.

1854 **Vorurteil** Befangenheit, Eingenommenheit, Voreingenommenheit, Denkschablone, vorgefasste Meinung, Stereotyp, Pauschalurteil, Klischee, Ressentiment, Präjudiz, Negativsymbol, Vorverurteilung, Scheuklappen.

1855 **vorwärts** weiter, geradeaus, fürbass, immerzu, unermüdlich, fort, marsch, avanti, voran, weiter im Text.

1856 **vorwerfen** Vorwürfe machen, vorhalten, Schuld geben, anlasten, ankreiden, anhängen, zur Last legen, belasten, anschuldigen, beschuldigen, verdächtigen, unterstellen, unterschieben, verantwortlich machen, in die Schuhe schieben, zeihen, bezichtigen, auftischen, vorrechnen, aufrechnen, aufs Brot schmieren, unter die Nase halten.

1857 vorzeitig 1. zu früh, verfrüht, früher als erwartet; im Voraus, vorsorglich, auf lange Sicht, in weiser Voraussicht, vorher, **2.** übereilt, überstürzt, unausgereift, vorschnell, voreilig, unzeitig, unausgegoren, unüberlegt; altklug, frühreif.

Vorzug 1. Vorrang, Vorrecht, Präferenz, Priorität, Primat, Vorrangstellung, Privileg, Bevorzugung, Bevorrechtung, Begünstigung, Ausnahme, **2.** Qualität, gute Eigenschaft, schöner Zug, Vorteil, Plus, Schokoladenseite. **1858**

W

1859 Waffe 1. Hiebwaffe, Stichwaffe, Schusswaffe, Mine, Granate, Bombe, Kernwaffen, chemische / biologische Waffen, **2.** Bewaffnung, Aufrüstung, Hochrüstung, Rüstungsspirale, Overkill.

1860 wagen 1. riskieren, hasardieren, spekulieren, aufs Spiel setzen, es darauf ankommen lassen, alles auf eine Karte setzen, sein Glück versuchen, va banque spielen, Wagnis eingehen, mit dem Feuer spielen, **2.** sich aussetzen, exponieren, gefährden; Gefahr laufen, drauflosgehen, sich heranwagen, stellen; heißes Eisen anfassen, sich in die Höhle des Löwen wagen, **3.** sich erlauben, unterfangen, anmaßen, erfrechen, erdreisten, vermessen, trauen, getrauen, ein Herz fassen, einfallen lassen, unterstehen, herausnehmen; Stirn haben.

1861 Wagnis Risiko, Drahtseilakt, Wagestück, Mutprobe, russisches Roulette, Abenteuer, Vabanquespiel, Glücksspiel, Experiment; Husarenritt, Hängepartie, Zitterpartie, Gratwanderung.

1862 Wahl 1. Auswahl, Alternative, Variante, Entscheidung, Belieben, Gutdünken, Wunsch, **2.** Abstimmung, Hammelsprung, Kampfabstimmung, Votum, Option, Stimmabgabe, Wahlgang, Plebiszit, Volksabstimmung, Volksentscheid, **3.** Nominierung, Ernennung, Berufung.

1863 wählen 1. aussuchen, Wahl treffen, sich entscheiden für; auswählen, **2.** nennen, ernennen, aufstellen, zur Wahl stellen, nominieren, auf die Wahlliste setzen, **3.** von seinem Stimmrecht Gebrauch machen, zur Wahl gehen, Stimme abgeben, stimmen, abstimmen, optieren, votieren, **4.** anwählen, Nummer wählen.

1864 wahr richtig, zutreffend, der Wahrheit entsprechend, wahrheitsgetreu, wahrlich, nicht zu bezweifeln, unanzweifelbar, belegt, sicher; tatsächlich, in Wirklichkeit / Wahrheit; etwas Wahres dran, fürwahr, ein Körnchen Wahrheit.

während dieweil, als, solange, indem, **1865** indes, gleichzeitig, unterdessen, inzwischen, einstweilen, zugleich, mittlerweile, indessen, währenddessen, zwischendurch, binnen, innerhalb, zeit, im Laufe / in der Zeit von, nicht später als, in der Zwischenzeit, zwischenzeitlich, interimistisch, zwischenhinein, im Verlauf.

Wahrheit Wirklichkeit, Tatsächlich- **1866** keit, Gewissheit, Realität; Richtigkeit, Tatsachenwahrheit, Tatsächlichkeit.

wahrnehmen 1. hören, sehen, erbli- **1867** cken, vernehmen, merken, fühlen, spüren, wittern, riechen, perzipieren, beobachten; gewahr werden, innewerden, gewahren, bemerken, auffallen, vom Gesicht ablesen, erkennen, registrieren, herausfinden, **2.** Gras wachsen / Flöhe husten hören, Braten / Lunte riechen.

Wahrnehmung 1. Perzeption, Ein- **1868** druck, Empfinden, Entdeckung, Beobachtung, Sinneseindruck, Erfassen, Aufnehmen, **2.** Sinnesempfindung, Wahrnehmungsvermögen, Sensorium, Geruchsvermögen, Geruchssinn, Tastsinn, Hautempfindung, Hörvermögen, Sehvermögen, Geschmacksvermögen.

Wald Hain, Forst, Holz, Gehölz, Tann, **1869** Waldgebiet; Laubwald, Nadelwald, Mischwald, Schonung, Baumschule.

waldig bewaldet, waldreich, baumbe- **1870** standen, bewachsen, belaubt, dicht belaubt.

wandern spazieren gehen, Wande- **1871** rung / Ausflug machen, laufen, marschieren, tippeln, schreiten, stiefeln, stromern, ziehen, walzen, pilgern, trekken.

warm 1. handwarm, lau, lind, über- **1872** schlagen, mild, mollig, behaglich, wärmend, gemütlich, heimelig, temperiert, vorgewärmt, durchwärmt, geheizt, **2.** heiß, glühend, brennend, feurig, glutig, schwül, drückend, überheizt, brütend, bullig, feuchtwarm, dumpf, tropisch, subtropisch, sommerlich, sonnig, südlich, siedend, kochend, flammend, brüllend, wie in einem Backofen, **3.** erhitzt, schwitzend, schweißtriefend, schweißgebadet.

Wärme 1. Erwärmung, Hitze, Siede- **1873** hitze, Gluthitze, Bruthitze, Schwüle,

Bullenhitze, tropische Temperaturen, Sonnenglut, Weißglut, **2.** Geborgenheit, Warmherzigkeit.

1874 wärmen (sich) 1. anzünden, anfachen, anmachen, vorglühen, temperieren, anwärmen, überschlagen, heizen, erwärmen, erhitzen, einheizen, feuern, warm machen, **2.** warm halten, isolieren, Wärme dämmen; sich warm anziehen, warm laufen, aufwärmen.

1875 warnen alarmieren, mahnen, abraten, Wink geben, verwarnen, drohen.

1876 Warnung Alarm, Warnruf, Warnschuss, Schreckschuss, Unkenruf, Kassandraruf, Menetekel, Warnzeichen, Verwarnung, Zurechtweisung, Wink, Drohung.

1877 warten 1. erwarten, zuwarten, abwarten, harren, verharren, zögern; sich gedulden, Zeit lassen; ausharren; auf glühenden Kohlen sitzen, lauern, **2.** anstehen, sich anstellen; Schlange stehen.

1878 Wärter Hüter, Heger, Wächter, Waldhüter; Wachmann, Wachposten, Türsteher, Türstopper, Monitor; Nachtwache, Nachtportier, Leibwächter, Gorilla, Bodyguard, Garde; Bahnwärter, Schrankenwärter.

1879 warum weswegen, weshalb, wozu, wofür, wieso, aus welchem Grund, zu welchem Zweck.

1880 Wäsche Weißzeug, Weißwaren, Hauswäsche, Wäscheausstattung, Bettwäsche, Tischwäsche, Leibwäsche.

1881 Wasser 1. Flüssigkeit, Nass, nasses Element, Regen, Niederschlag, Feuchte, Feuchtigkeit, Nässe, **2.** Süßwasser, Trinkwasser, Flusswasser, Salzwasser, Meereswasser.

1882 Wasserfall 1. Gießbach, Wildbach, Wildwasser, Katarakt, Kaskade, Stromschnelle, Wirbel, Strudel, **2.** Redeschwall, Wortkaskade.

1883 Wechsel 1. Abwechslung, Rotation, Turnus, Tausch; Austausch, Umtausch, Auswechslung, Umbesetzung, Wachablösung, Stühlerücken, Ablösung, Revirement, Rochade, **2.** Konversion, Parteiwechsel, Partnerwechsel, Klimawechsel.

1884 wechseln 1. einwechseln, umwechseln, eintauschen, umtauschen; tauschen, austauschen, vertauschen, Besitzer wechseln, wandern, in andere Hände übergehen; Thema/Programm wech-

seln, zappen, umschalten, hin und her schalten, **2.** abwechseln, ablösen, alternieren, umbesetzen, sich abwechseln; umschichtig tun, Platz tauschen, an jmds. Stelle treten; umstellen, auswechseln, ersetzen, erneuern; sich verändern; fluktuieren, umschlagen.

Wechselseitigkeit Wechselbeziehung, Interaktion, Wechselwirkung, Gegenseitigkeit, Interdependenz, Korrelation, Reziprozität, Mehrfachbezug. **1885**

wecken aufwecken, wach / munter machen, wachrütteln, aufrütteln, aufschrecken, aufstören, alarmieren. **1886**

weg 1. fort, abwesend, anderswo, anderwärts, aushäusig, auswärts, ausgezogen, abgemeldet, verzogen; verreist, entflohen, flüchtig, auf und davon, über alle Berge, von dannen, von hinnen, dahin, spurlos verschwunden, wie vom Erdboden verschluckt, unauffindbar, entflogen, geflohen, geflüchtet, entwichen, ausgebrochen, verschollen; abgängig, verloren, vermisst, perdu, verschütt gegangen, abhanden, futsch, hin, dahin, up and away, **2.** ausgegangen, ausverkauft, vergriffen, ausgebucht; vergessen, verschwitzt, ausgelassen, weggelassen, **3.** vertan, vergeudet, verspielt, verschwendet, verloren, zerronnen, durchgebracht, los. **1887**

Weg 1. Pfad, Steg, Spur, Fährte, Steig, Feldweg, Waldweg, Fußweg, Wanderweg, Trampelpfad, Kreuzweg, Scheideweg; Holzweg, **2.** Piste, Rennstrecke, Rennbahn, Aschenbahn; Startbahn, Landebahn, **3.** Strecke, Route, Reiseweg, Marschstrecke, Kurs, Lauf, **4.** Seeweg, Landweg, Luftweg. **1888**

wegen aufgrund, halber, anlässlich, bedingt durch, in Zusammenhang mit, laut, infolge, kraft, hinsichtlich, zwecks, durch, ob, um … willen. **1889**

weiblich weiblichen Geschlechts, feminin, fraulich, female. **1890**

weich 1. daunenweich, schmiegsam, nachgiebig, formbar, knetbar, schmierbar, streichfähig, soft, butterweich, **2.** anpassungsfähig, beeinflussbar, nachgiebig, weichherzig, nah ans Wasser gebaut, **3.** zart, seidig, seiden, seidenweich, seidenglatt, samtweich, samtig, wollig, flauschig, flockig, flaumig, mollig, kuschelig, flaumweich, **4.** wabbelig, schwabbelig, quabbelig, quallig, gallert- **1891**

artig, lappig, breiig, labberig, schlabberig, schwammig, quatschig, zerlaufen, zerflossen, gelöst, aufgelöst, zergangen, breitgelaufen, **5.** überzart, verwöhnt, verzärtelt, lasch, schlaff, verweichlicht.

1892 weit 1. ausgedehnt, breit, geräumig, weitläufig, weiträumig, endlos, uferlos, grenzenlos, unbegrenzt, unübersehbar, weltenweit, weit gestreckt, lang gestreckt, weit gespannt, weit gesteckt, **2.** fern, entfernt, weit weg, unerreichbar, am Ende der Welt, meilenweit, in weiter Ferne, außer Sehweite, **3.** von weitem/fern/weither, aus der Ferne/großer Entfernung, **4.** weit fallend, faltig, glockig.

1893 Welt 1. Erde, Erdball, Globus, Erdkreis, Erdkugel; Kontinent, Erdteile, Weltteile, **2.** Weltall, Weltraum, Kosmos, All, Universum, Schöpfung, Weltgebäude, Makrokosmos, Mikrokosmos.

1894 wenig 1. gering, ein bisschen, nicht viel, Tropfen auf den heißen Stein, magere Ausbeute, etwas, verschwindend, geringfügig, unbeträchtlich, nicht nennenswert, Fingerhut voll, nicht der Rede wert, für den hohlen Zahn, unerheblich, unbedeutend, Hauch / Spur von, **2.** wenige, ein paar, nicht viele, nur einige, kaum welche, Einzelne, der eine und der andere, Hand voll, Versprengte, Vereinzelte, **3.** wenigstens, mindestens, zum Mindesten, zumindest, geringstenfalls, das Mindeste.

1895 wenn 1. falls, für den Fall, im Fall, angenommen, sooft, wann immer, gegebenenfalls, sosehr auch, **2.** dieweil, solange, während, wofern, vorausgesetzt, je nachdem, in der Annahme, sobald, sowie, ehe.

1896 werben 1. inserieren, anzeigen, Anzeige schalten, annoncieren, Reklame machen, propagieren, bearbeiten, animieren, ködern, einflüstern, alle Register ziehen, trommeln, agitieren, **2.** anhalten/buhlen um, **3.** akquirieren, Kunden werben, promoten, anwerben.

1897 Werber Freier, Bewerber, Verehrer, Buhle; Kundenfänger, Trommler, Akquisiteur.

1898 Werbung 1. Reklame, Propaganda, Mundpropaganda; Advertising, Public Relations, PR, Promotion, Publicity, Öffentlichkeitsarbeit, Kontaktpflege, Akquisition, Kundenwerbung, **2.** Werbefeldzug, Reklamefeldzug, Ballyhoo,

Propagandafeldzug, Reklameschlacht, Relaunch, Hype, **3.** Werbemittel, Leuchtreklame, Prospekt, Werbebrief, Mailing, Werbeschrift, Werbebeigabe, Gadget, Werbebeilage, Wurfsendung, Handzettel, Folder, Flyer; Demokassette, Demovideo, Demo, Werbefernsehen, Werbefunk, Werbeblock, Werbefilm, Werbespot, Jingle, Spot, Commercial, Trailer, Pilotfilm, Werbevorführung; Werbeslogan, Werbeschlagwort, Slogan, Werbetext, Logo, Display, Akronym, Eyecatcher, Werbefigur, Werbeschönheit, Covergirl, **4.** Werbeagentur, Advertising Agency, Werbeabteilung, Werbeagent, Merchandiser, Werbetexter, Werbegraphiker, Werbegestalter, Artdirector, Kontakter, Mediaman, Build-upper, **5.** Umwerbung, Beeinflussung, Bearbeitung, Trommelfeuer, Bedarfsweckung, Bedarfslenkung, Absatzförderung, Verkaufsförderung, Merchandising, Schleichwerbung, Produktplatzierung, Verbundwerbung.

Wert 1. Qualität, Güte, Nutzen, Bedeutung, Gehalt, **2.** Äquivalent, Gegenwert, Tauschwert, Marktwert, Kurs, Gebrauchswert. **1899**

wichtig 1. wesentlich, ernst, dringend, dringlich, akut, brisant, lebenswichtig, notwendig, unentbehrlich, elementar, unerlässlich, unumgänglich, triftig, entscheidend, drängend, ausschlaggebend, bestimmend, signifikant, schwerwiegend, gravierend, inhaltsschwer, vordringlich, weit tragend, folgenschwer, folgenreich, einschneidend, gewichtig, **2.** beachtlich, bedeutend, weltbewegend, welterschütternd, belangvoll, relevant, respektabel, vorrangig, zentral, Lebensfrage, Hauptsache, bedeutsam, wertvoll, beachtenswert, bemerkenswert, bedeutungsvoll, aktuell, gegenwartsnah, brennend, groß, bewegend, denkwürdig, **3.** maßgebend, prominent, einflussreich, tonangebend, im Vordergrund, Jahrhundertereignis, epochal, Epoche machend. **1900**

Widerstand 1. Reibung, Hemmung, Gegenwirkung, Gegendruck, Gegenkraft, **2.** Widerspruch, Weigerung, Protest, Verwahrung, Abwehr, Gegenwehr, Gegenstoß, Verteidigung, Defensive, Rückzugsgefecht, Opposition, Resistenz, Gehorsamsverweigerung, Aufleh- **1901**

nung, ziviler Ungehorsam, **3.** Untergrund, Widerstandsnest.

1902 wie 1. als ob, gleichsam, sozusagen, gewissermaßen, nicht anders als, **2.** auf welche Weise, in welcher Form, **3.** beschaffen, geartet, veranlagt, geformt, gebaut, gewachsen, geprägt, gemacht, aufgebaut, organisiert, **4.** gleichwie, vergleichbar, ähnlich, nicht viel anders, fast dasselbe.

1903 wieder von neuem, abermals, erneut, nochmals, noch einmal, da capo, wiederum, wieder einmal, wiederholt, immer wieder, neuerdings, aufs Neue, neuerlich, von vorne, wiederkehrend.

1904 wiederholen (sich) 1. nachsprechen, nachlesen, auffrischen, repetieren, rekapitulieren, üben, **2.** noch einmal / wieder tun, rückfällig werden, nicht lassen können, in denselben Fehler verfallen, nichts dazugelernt haben; von vorn anfangen, wieder beginnen, **3.** wieder aufnehmen, wieder aufgreifen, aufrollen, zurückkommen auf, neu inszenieren/einstudieren, in Serie spielen; nachdrucken, neu auflegen, **4.** wiederkäuen.

1905 Wiederholung Repetition, Rekapitulation, Auffrischung, Erneuerung; Neueinstudierung, Nachdruck, Neudruck, Neuauflage; Aufguss, Sequel, Dakapo, Wiederauftreten, Rezidiv; Wiederholungszwang, Déjà-vu-Erlebnis; Refrain, Basso continuo, Leitmotiv.

1906 wild 1. ungezähmt, ungebändigt, unbändig, ungebärdig, unbezwinglich, unbezähmbar, unlenkbar, zügellos, ungezügelt, unbeherrscht, heftig, wütend, zornig, unzähmbar; rasend, tobend, furios, zähnefletschend, martialisch, **2.** unerschlossen, ungerodet, ungelichtet, wüst, unwegsam, unzugänglich, unbewohnt, unwirtlich, menschenleer, unkultiviert, unzivilisiert, **3.** wild wachsend/wuchernd, wildwüchsig, **4.** schäumend, kochend, siedend, wallend, quirlend, strudelnd, quellend, gurgelnd, reißend.

1907 Wille 1. Absicht, Entschluss, Vorsatz, Bestreben, Vorhaben, Plan, Wollen, Willensäußerung, Willenserklärung, **2.** Willenskraft, Willensstärke, Entschlossenheit, Entschiedenheit, Tatkraft, Entschlusskraft, Entschlussfähigkeit.

1908 willkommen gern gesehen, freudig begrüßt, erwünscht, angenehm, wohlgelitten, genehm, wie gerufen, passend, recht, gelegen.

willkürlich 1. eigenmächtig, nach **1909** Gutdünken, eigenwillig, subjektiv, beliebig, mutwillig, unbedenklich, **2.** herrisch, selbstherrlich, despotisch, diktatorisch, tyrannisch.

Wind 1. Brise, Bö, Zephir, Lüftchen, **1910** Hauch, Föhn, Zug, Durchzug, Zugluft, Zugwind, Fahrtwind, Sog, Luftwirbel, Sturm, **2.** Furz, Bums, Winde, Flatulenz.

wirken 1. fungieren, arbeiten, agie- **1911** ren, **2.** beeindrucken, ausstrahlen, durchschlagen, stechen, verfangen, zünden, greifen, fruchten, nützen, helfen, anschlagen, **3.** nachwirken, nachbeben, nachzittern, fortzeugen, **4.** sich auswirken; bewirken, erzeugen, heraufrufen, veranlassen, hervorrufen, auslösen, anmuten.

wirklich 1. real, faktisch, de facto, **1912** existent, bestehend, gegeben, vorhanden, **2.** körperlich, dinghaft, körperhaft, stofflich, fassbar, greifbar, konkret, materiell, substantiell, leibhaftig, in Fleisch und Blut, **3.** effektiv, tatsächlich, in der Tat, bestimmt, unbestreitbar, sicher, gewiss, wahrlich, wahrhaft, veritabel, wahrhaftig, fürwahr, beileibe, mit Sicherheit, sage und schreibe.

wirksam 1. probat, nützlich, tauglich, funktionell, effizient, effektiv, synergetisch, **2.** drastisch, durchgreifend, schlagkräftig, zugkräftig, durchschlagend, radikal, nachhaltig, durchdringend, intensiv, wirkungsvoll, werbewirksam, effektvoll, reißerisch, marktschreierisch, knallig, dick aufgetragen, laut, aufdringlich, schrill, dekorativ, plakativ, eindrucksvoll, ausdrucksstark, suggestiv, überzeugend, glänzend, glanzvoll, mitreißend, zündend, tief greifend, weit reichend.

Wirkung 1. Effekt, Auswirkung, **1914** Wirksamkeit, Werbewirksamkeit, Durchschlagskraft, Effizienz, Synergie, Nachhaltigkeit, **2.** Ergebnis, Erfolg, Niederschlag, Spur, Ausfluss, Auswirkung, Folge, Eindruck, Nachwirkung, Widerhall, Resonanz.

wirr 1. verworren, durcheinander, ver- **1915** dreht, ungeordnet, verheddert, verwirrt, verfilzt, vermengt, verknotet, verknäuelt, drunter und drüber, kunterbunt, chaotisch, **2.** desorientiert, konfus, verwirrt, fahrig, unkonzentriert, benommen, irritiert, wie vor den Kopf geschlagen, panisch, kopflos, außer sich, aus dem Gleichgewicht, ratlos, neben der Spur, außer Fassung, zerfahren, schusselig, kraus, **3.** schlaftrunken, duselig, schwindelig, betäubt, verstört, bestürzt, kopfscheu, **4.** unzusammenhängend, unüberschaubar, unübersichtlich, zusammenhanglos, verwirrend.

1916 Wirt 1. Gastwirt, Gastronom, Hotelier, Schankwirt, Kneipier, Kneipenwirt, Hauswirt, **2.** Organismus, Primärwirt, Zwischenwirt, Endwirt.

1917 wissen Kenntnis haben, kennen, über Wissen verfügen, beherrschen, überblicken, intus/auf der Pfanne haben, loshaben, beschlagen sein, sich auskennen; Bescheid wissen, im Bilde sein, sich bewusst sein.

1918 Wissen 1. Kenntnis, Kunde, Einblick, Einsicht, Bewusstsein, Beschlagenheit, Verständnis, Vertrautheit, Übersicht, Überblick, Gewissheit, Sicherheit, **2.** Wissenschaft, Gelehrsamkeit, Gelehrtheit, Buchwissen, **3.** Fachwissen, Branchenkenntnis, Sachkenntnis, Sachverstand, Know-how.

1919 Wissenschaftler Forscher, Naturwissenschaftler, Geisteswissenschaftler, Akademiker, Studierter, Gelehrter, Intellektueller, Geistesarbeiter.

1920 Wohnung 1. Quartier, Behausung, Unterkunft, Bleibe, Logis, Dach über dem Kopf, **2.** Zimmerflucht, Suite, Appartement, Apartment, Einzimmerwohnung, Kleinwohnung, Garçonnière, Loft, Flat, Mansardenwohnung, Dachwohnung, Dachgeschoss, Penthaus; Mietwohnung, Eigentumswohnung, **3.** Sitz, Wohnsitz, Wohnort, Aufenthaltsort, Standort, Domizil, Anschrift.

1921 wölben (sich) 1. schwellen, anschwellen, sich verdicken; aufschwellen, hervortreten, buckeln, wulsten, herauswachsen, sich runden; ausladen, aufblähen, aufquellen, blähen, auftreiben, beulen, aufgehen, aufblasen, aufschwemmen, **2.** überhängen, kragen, überstehen, vorstehen, abstehen, vortreten, herausragen, überragen, vorspringen, vorragen, hervorragen, herausstehen.

1922 Wölbung 1. Wulst, Buckel, Erhebung, Höcker, Erhöhung, Auswuchs, Beule, Schwellung, Verdickung, Wucherung, **2.** Bogen, Arkaden, Bogengang, **3.** Rundung, Halbkugel, Apsis, Kuppel, Rotunde, Rundbau, Gewölbe.

1923 wollen 1. beabsichtigen, vorhaben, sich vornehmen; intendieren, willens/ gewillt sein, zu tun gedenken, bezwecken, anstreben, ausgehen auf, trachten nach, hinsteuern, abzielen, hinzielen, es anlegen auf, sich in den Kopf setzen; Lust haben zu, **2.** bestehen/beharren auf, sich kaprizieren; nicht lockerlassen, ablassen, sich verbeißen, festbeißen, verbohren, auf die Hinterbeine stellen; Kopf durchsetzen, mit dem Kopf durch die Wand gehen, ertrotzen.

1924 Wunde Verletzung, Blessur, Verwundung, Stich, Schnitt, Riss, Biss, Einschuss, Kratzer, Schramme, Schmarre, Schrunde, Quetschung, Prellung, Zerrung, Verrenkung, Verstauchung, Bruch, Fraktur, Verbrennung, Brandwunde.

1925 wundern (sich) 1. staunen, sich verwundern; seinen Augen nicht trauen, nicht fassen können, Kopf stehen, Mund und Nase aufsperren, aus allen Wolken fallen, große Augen machen, sich satt sehen; keine Worte finden, Hände über dem Kopf zusammenschlagen, nicht für möglich halten, **2.** verwundern, wundernehmen, in Erstaunen setzen, erstaunen, Atem/Sprache verschlagen, überwältigen, betäuben, blenden, aus der Fassung bringen, **3.** starren, anstarren, bestaunen, anstaunen, stutzen, stutzig werden, scheuen, sonderbar finden.

1926 Würde 1. Format, Haltung, Stolz, Unnahbarkeit, Erhabenheit, Hoheit, Vornehmheit, Dignität, Grandezza, Majestät, Gravität, **2.** Weihe, Ehre, Rang, Ehrwürdigkeit.

1927 würdig 1. würdevoll, hoheitsvoll, erlaucht, weihevoll, ehrwürdig, Respekt erheischend, Achtung gebietend, erhaben, unnahbar, **2.** gravitätisch, gewichtig, gemessen, getragen, majestätisch.

1928 würzen 1. pfeffern, salzen, abschmecken, verfeinern, süßen, zuckern, versüßen, parfümieren, aromatisieren, **2.** Pointen setzen, interessant erzählen.

Z

1929 zäh 1. beharrlich, ausdauernd, widerstandsfähig, hartnäckig, verbissen, stur, unnachgiebig, zielbewusst, erbittert, insistierend, **2.** dickflüssig, konsistent, zähflüssig, sämig, breiig, kleistrig, seifig, talgig, teigig, speckig, **3.** klebrig, harzig, leimig, haftend, pappig, klebend, selbstklebend, gummiert, **4.** ledern, sehnig, drahtig.

1930 zählen 1. rechnen, zusammenzählen, zusammenrechnen, durchzählen, abzählen, nachrechnen, an den Fingern abzählen; summieren, aufrechnen, ausrechnen; zuzählen, addieren, abziehen, subtrahieren, malnehmen, multiplizieren, teilen, dividieren, ins Quadrat erheben, radizieren, potenzieren; abrechnen, berechnen, aufzählen; nummerieren, paginieren, **2.** einschließen, mitzählen, dazurechnen, einrechnen, mitrechnen, einbegreifen, berücksichtigen, miterwägen, **3.** dazuzählen, dazugehören, darunter fallen, mit betroffen sein.

1931 Zahlung 1. Bezahlung, Begleichung, Tilgung, **2.** Vergütung, Honorierung, Entlohnung, **3.** Abzahlung, Rate, Abtragung, Ratenzahlung, Abschlagszahlung, Abfindung, **4.** Barzahlung, Auszahlung, Scheck, Überweisung.

1932 zart 1. fein gesponnen, fein, feinfädig, duftig, locker, leicht, ätherisch, dünn, blumenhaft, blütenhaft, durchsichtig, schleierdünn, elfenhaft, feenhaft, spinnwebfein, zerbrechlich, durchscheinend, diaphan, eierschalendünn, blütenzart, filigran, subtil, glatt, weich, jung, samten, seidig, **2.** sanft, leise, schonend, mild, sacht, behutsam, gelinde, schonungsvoll.

1933 Zauber 1. Hokuspokus, Gaukelwerk, Gaukelei, Gaukelspiel, Taschenspielerei, Zauberkunst, **2.** Amulett, Talisman, Fetisch, Maskottchen, Glückspfennig, Glücksbringer, Glückszeichen, Liebestrank, Zaubermittel, Zauberformel, Zauberspruch, Zaubertier, Bannspruch, Abrakadabra, Hexeneinmaleins, **3.** Zauberei, Magie, Teufelswerk, Zauberwesen, Hexerei, schwarze Kunst.

1934 Zeichen 1. Symbol, Sinnbild, Metapher, Allegorie, Parabel, Personifikation, Verkörperung, **2.** Wink, Geste, Tipp, Gebärde, Chiffre, Sigel, Signum, Marke, Markierung, Kürzel, Abkürzung, Kennzeichen, Wahrzeichen, Erkennungszeichen, Statussymbol; Anzeichen, Symptom, Krisenzeichen, Krankheitszeichen, Merkmal, Mal, Stigma, **3.** Vorzeichen, Vorbote, Hinweis, Indiz, Omen, Menetekel, **4.** Fahne, Flagge, Wimpel, Standarte, Banner, Feldzeichen, Stander, Emblem; Signal, Warnzeichen, Fanal, **5.** binäres Zeichen, Bit.

1935 zeigen (sich) 1. weisen, hinweisen, hinzeigen, hindeuten, vorverweisen, deuten, Zeichen geben, signalisieren, Wink geben, gestikulieren, zuwinken, nicken, zunicken, kopfschütteln, Achseln zucken, blinzeln, zwinkern, auf den Fuß treten, anstupsen, **2.** herzeigen, vorzeigen, vorweisen, vor Augen führen, präsentieren, vorstellen, vorführen, demonstrieren, vorlegen, zur Schau tragen, **3.** bezeigen, aufweisen, aufzeigen, anzeigen, bekunden, spüren, merken lassen, offenbaren, sichtbar machen, Flagge zeigen, **4.** beweisen, nachweisen, belegen, verifizieren, dokumentieren, **5.** Finger strecken, Hand heben, sich zu Wort melden, melden, **6.** sich bieten; erscheinen, auftauchen, aufscheinen, sichtbar werden, ins Auge springen; sich ergeben, finden, herausstellen, erweisen, bewahrheiten, als richtig erweisen; klar werden, zutage treten, sich abzeichnen, von selbst verstehen.

1936 Zeit 1. Tempus, Chronos; Zeitspanne, Dauer, Zeitdauer, Weile, Zeitraum, Semester, Phase, Zeitabschnitt, Periode, Frist; Äon, Epoche, Zeitalter, Ära, Dekade; Zeitpunkt, Augenblick, Moment, Tag, Stunde; günstiger Augenblick, Sternstunde, Kairos, **2.** Einheitszeit, Echtzeit, Weltzeit.

1937 zergliedern 1. analysieren, scheiden, auflösen, aufteilen, trennen, detaillieren, aufgliedern, differenzieren, spezifizieren, spezialisieren, einzeln aufführen, dekomponieren, dekonstruieren, aufschlüsseln, im Einzelnen darlegen, in einzelne Schritte zerlegen, operationalisieren, auseinander nehmen, desintegrieren, dezentralisieren, parzellieren, fragmentieren, **2.** zerteilen, zerfasern, zerreden, tranchieren, obduzieren, sezieren, ausschlachten.

1938 zerkleinern mahlen, zermahlen, pulverisieren, zermalmen, zerquetschen, schroten, zerstoßen, zerstampfen, verschroten, zerklopfen, zerschlagen, verquirlen, verrühren; zerrupfen, zerknicken, brechen, raffeln, schaben, reiben, zerreiben, raspeln, schnitzeln, stoßen, durchdrücken, durchseihen, durchdrehen, passieren, durchschlagen, sieben, zerspalten, klein schlagen, hacken, spalten, zerhacken, stampfen, zerdrücken, zerpflücken, zerkrümeln, zerbröseln, zerbröckeln, zerschneiden, klein schneiden.

1939 zerkleinert pulverisiert, pulvrig, staubfein, pulverförmig, mehlig, zerrieben, gerieben, gemahlen, verquirlt, zerstoßen, zerhackt, gestoßen, gestampft, zermatscht, zerquetscht, geschrotet.

1940 zerstören (sich) 1. verderben, ruinieren, zugrunde richten, herunterwirtschaften, untergraben, zunichte machen, vereiteln, zuschanden machen, zerrütten, bankrott richten, an den Bettelstab bringen, erledigen, vernichten, ans Messer liefern, zu Fall bringen, ins Verderben stürzen, **2.** ausrotten, aufreiben, vertilgen, austilgen, beseitigen, auslöschen, ausmerzen, eliminieren, **3.** kaputtmachen, destruieren, demolieren, kurz und klein schlagen, zerstückeln, zerbrechen, zerschmeißen, zerschmettern, zerteppern, zerschlagen, in Stücke brechen, zertrümmern, zusammenschlagen, entzweibrechen, einschmeißen, einwerfen, zuschanden fahren, zu Bruch fahren, Bruch machen, unbrauchbar machen, **4.** kaputtgehen, aus der Hand/zu Boden fallen, in Scherben gehen, zerbrechen, zersplittern, zerschellen, in Stücke brechen, zerspellen, aus dem Leim gehen, **5.** verbrennen, versengen, in Brand stecken, niederbrennen, abbrennen, abfackeln, in Schutt und Asche legen, einäschern, in die Luft jagen, zerbomben, **6.** zerfetzen, zerfleddern, zerlesen, zerreißen, in Stücke/in Fetzen reißen, zerfleischen, **7.** abbrechen, niederreißen, einreißen, abreißen, umreißen, abtragen, niederlegen, schleifen, in Trümmer legen, dem Erdboden gleichmachen, atomisieren, einebnen, **8.** vernichten, niedermetzeln, niederwalzen, niedermähen, verwüsten, verheeren; zerdrücken, zermalmen, zerstampfen, zerhacken; zernagen, zerfressen, durchlöchern, **9.** versenken, torpedieren, **10.** vergiften, verseuchen, kontaminieren, **11.** sich ruinieren, zugrunde richten; zugrunde gehen, Bankrott gehen, Bankrott/Pleite machen, fallieren, zusammenbrechen, zusammenkrachen, in Konkurs gehen, zuschanden werden, untergehen.

1941 Zerstörung 1. Vernichtung, Destruktion, Austilgung, Annihilierung, Ausrottung; Zertrümmerung, Verwüstung, Verbrennung, Verheerung, Flurschaden, Katastrophe, Apokalypse; Untergang, Pleite, Zusammenbruch, Niederbruch, Ruin, Bankrott; Sprengung, Zusammensturz, Abbruch; Kahlschlag, Kahlfraß, Atomschlag, Weltuntergang, **2.** Zerstückelung, Zerteilung, Zerfaserung, Auflösung, Zersetzung, Zerfall.

1942 Zeugnis 1. Attest, Diplom, Zertifikat, Beglaubigung, Bescheinigung, Dokument, Patent, Urkunde, Meisterbrief, Beweismittel, Asservat, **2.** Aussage, Zeugenaussage, Angabe, Geständnis, Eid, Schwur.

1943 ziehen 1. schleppen, schleifen, zerren, ins Schlepptau nehmen, hinter sich herziehen; an sich ziehen, **2.** dehnen, recken, strecken, spannen, anspannen, reißen; rupfen, zupfen, zausen, ziepen, **3.** hochziehen, herausziehen, zücken, heraufziehen, **4.** lutschen, saugen, lecken, schlecken, schlotzen, aussaugen, auslutschen, einsaugen.

1944 Ziel 1. Zweck, Absicht, Bestimmung, Endzweck, Zielsetzung, Sinn, **2.** Ende, Endpunkt, Bestimmungsort, Reiseziel, Schlusspunkt, Abschluss, Endstation, **3.** Wunsch, Herzenswunsch, Wunschziel, Lebensziel, **4.** Zielpunkt, Zielscheibe, Schießscheibe.

1945 zielen 1. peilen, anvisieren, visieren, ins Auge fassen, aufs Korn nehmen, anlegen, **2.** steuern, ansteuern, lenken, lotsen, anpeilen, zusteuern auf, anfliegen.

1946 ziemlich einigermaßen, ausreichend, befriedigend, erträglich, leidlich, passabel, annähernd, ganz, glimpflich, schlecht und recht, so eben, halbwegs, ungefähr, bis zu einem gewissen Grade,

recht, nicht wenig, ansehnlich, erklecklich.

1947 **zittern** 1. beben, schlottern, schlackern, bibbern, mit den Zähnen klap-
pern, schnattern, schauern, schaudern,
erschauern, zusammenfahren, zucken,
durchzucken, 2. erbeben, erzittern, vibrieren, erschüttert werden, hin und
her schwanken, wackeln.

1948 **zögern** zaudern, schwanken, zagen,
sich bedenken; Bedenken tragen, mit
sich kämpfen, unschlüssig, unentschlossen sein, drucksen, herumdrucksen, säumen, abwarten, zuwarten, aufschieben, auf die lange Bank schieben.

1949 **Zoo** zoologischer Garten, Tierpark,
Menagerie, Tiergehege, Wildpark, Tiergarten, Gehege, Freigehege.

1950 **zubereiten** vorbereiten, bereiten,
herrichten, herstellen, anmachen, anrichten, ansetzen, kochen, braten, garen.

1951 **Zucht** 1. Aufzucht, Züchtung, Neuzüchtung, Zuchtwahl, Herauszüchtung,
2. Zähmung, Domestizierung, Dressur,
Abrichtung, 3. Kreuzung, Vermischung, Bastardierung, Genmanipulation.

1952 **züchten** 1. veredeln, kreuzen, pfropfen, okulieren, aufpfropfen, aufsetzen,
kultivieren, heranziehen, herauszüchten, genetisch manipulieren, 2. zähmen,
bändigen, abrichten, dressieren, domestizieren, gefügig machen, zureiten, drillen.

1953 **zufällig** 1. per Zufall, aleatorisch,
von selbst, irgendwie, unmotiviert,
blindlings, unbeabsichtigt, unfreiwillig,
2. wahllos, von ungefähr, beliebig, aufs
Geratewohl, auf gut Glück.

1954 **Zufriedenheit** Befriedigung, Erfüllung der Wünsche, Genugtuung, Beha-
gen, Wohlbehagen; Wohlgefallen,
Selbstbescheidung, Wunschlosigkeit,
Selbstgenügsamkeit.

1955 **Zuhälter** Louis, Loddel, Lude, Striz-
zi; Kuppler, Schlepper, Mädchenhänd-
ler, Frauenhändler.

1956 **Zukunft** Folgezeit, Nachher, Morgen,
kommende Zeit, künftige Zeiten, Nachwelt.

1957 **Zulage** Zuschlag, Gratifikation, Prämie, Sonderzulage; Weihnachtsgeld,
Urlaubsgeld, Leistungsprämie, Treue-
prämie.

1958 **zunehmend** wachsend, ansteigend,
steigend, im Steigen begriffen, sich rundend, füllend, mehrend, steigernd, er-
höhend; progressiv; auffrischend, stärker werdend.

1959 **zürnen** 1. grollen, nachtragen,
schmollen, tückschen, hadern, anrechnen, ankreiden, verargen, verübeln,
übel nehmen, auf dem Kieker haben,
übel vermerken, verdenken, krumm
nehmen, in den falschen Hals bekommen, 2. trotzen, mucken, murren, maulen, muffeln, bocken, muckschen, sich
stemmen, sträuben, stängeln, sperren.

1960 **zurückhaltend** 1. reserviert, still,
verhalten, schwer zugänglich, schweigsam, herb, verschwiegen, wortkarg, einsilbig, zugeknöpft, kontaktscheu, 2. respektvoll, pietätvoll, taktvoll, diskret,
unaufdringlich, dezent, abwartend.

1961 **Zurückhaltung** 1. Distanz, Reserve, Reserviertheit, Respekt, Scheu, Pietät, 2. Takt, Verhaltenheit, Diskretion,
Feinheit, Dezenz, Unaufdringlichkeit,
Zartgefühl, 3. Wortkargheit, Einsilbigkeit, Schweigsamkeit, Verschwiegenheit, Verschlossenheit, Zugeknöpftheit,
Unzugänglichkeit.

1962 **zusammen** miteinander, vereinigt,
verbunden, Arm in Arm, gemeinsam,
vereint, Hand in Hand, Schulter an
Schulter, Seite an Seite, ein Herz und
eine Seele, selbander, zweisam, mitsammen, gemeinschaftlich, beieinander,
beisammen, ungetrennt, ungeteilt, untrennbar, unzertrennlich, eins, ineinander, verschmolzen, geschlossen, verbrüdert, kollektiv.

1963 **Zusammenarbeit** Partnerarbeit,
Teamarbeit, Teamwork, Kooperation,
Koproduktion, Gemeinschaftsarbeit,
Jointventure, konzertierte Aktion.

1964 **zusammenbrechen** 1. zusammenklappen, zusammensacken, in sich zusammenfallen, schlappmachen, absacken, ohnmächtig werden, Besinnung
verlieren, in Ohnmacht fallen, Kollaps
erleiden, kollabieren, 2. einstürzen, umfallen.

1965 **zusammenhalten** 1. zusammenste-
hen, an einem Strang ziehen, einig sein,
zueinander halten, sich solidarisieren,
solidarisch erklären; Solidarität üben;
aneinander hängen, verbunden sein, zu-
sammengehören, Treue halten, zu

jmdm. halten, stehen/halten zu, **2.** zusammenwohnen, zusammenleben, zusammenziehen, unter einem Dach leben, **3.** gemeinsame Sache machen, unter einer Decke stecken.

1966 Zustand Verfassung, Beschaffenheit; Befinden, Befindlichkeit, Allgemeinbefinden, Konstitution, Gestimmtheit, Stimmung, Ergehen, Status, Lage, Situation, Status quo, Stadium.

1967 zuständig 1. maßgebend, maßgeblich, kompetent, bestimmend, ausschlaggebend, **2.** befugt, berechtigt, verpflichtet, betraut, autorisiert, verantwortlich.

1968 Zuständigkeit 1. Kompetenz, Ressort, Maßgeblichkeit, Verantwortlichkeit, Berechtigung, Befugnis, Verpflichtung, Vollmacht, Ermächtigung, **2.** Wohnsitz, Gerichtsstand.

1969 zustimmen 1. einräumen, zugestehen, zubilligen, **2.** bejahen, beipflichten, gutheißen, einwilligen, akklamieren, abnicken, einstimmen, beistimmen, in dieselbe Kerbe hauen, ins gleiche Horn stoßen, Partei ergreifen, sich auf jmds. Seite schlagen; sekundieren, billigen, annehmen, akzeptieren, ratifizieren.

1970 zustimmend beipflichtend, beifällig, einverstanden, positiv, bejahend, affirmativ, einverständig, augenzwinkernd.

1971 zuverlässig 1. fair, loyal, solide, ehrlich, beständig, gleich bleibend, unbeirrbar, aufrecht, charakterfest, treu, unerschütterlich, unwandelbar, standfest, anhänglich, treue Seele, altgedient, vertrauenswürdig, glaubwürdig, Vertrauen erweckend, unbestechlich, getreu, treu ergeben, ergeben, linientreu, kritiklos, unkritisch, **2.** gewissenhaft, sorgfältig, pflichttreu, verlässlich, gründlich, genau, ordentlich, ausdauernd, beharrlich, beständig, konservativ, pflichtbewusst, **3.** verbürgt, sicher, bezeugt, unverdächtig, glaubhaft.

1972 Zwang 1. Pression, Repression, Nötigung, Diktat, Psychoterror, Terrorisierung, Mobbing, Bedrückung, Bedrängung, Zwangsmaßnahme, Brachialgewalt, Zwangsmittel, Repressalie, Sanktion, Druckmittel, Machtmittel; Zwangsbindung, Zwangsfixierung; Kandare, Daumenschrauben, härtere Gangart, Zügel, Fron, Joch, Knechtschaft, Unfreiheit, Zwangsarbeit, Sklaverei, **2.** Konsumzwang, Konsumterror.

1973 zweckmäßig 1. brauchbar, geeignet, tauglich, verwendbar, passend, zweckentsprechend, zweckdienlich, sachdienlich, nützlich, dienlich, zweckvoll, praktisch, praktikabel, benutzbar, handlich, handgerecht, griffig, angepasst, benutzerfreundlich, **2.** rationell, planvoll, wohl durchdacht, wohl überlegt, sinnreich, sinnvoll, durchkonstruiert, ausgeklügelt, ausgefeilt; wirtschaftlich, ökonomisch, sparsam, Material sparend, zweckgerichtet, stromlinienförmig, schnittig, windschlüpfrig, seetüchtig, **3.** anzeiget, geraten, tunlich, ratsam, zu empfehlen, angebracht, empfehlenswert.

1974 Zweifel 1. Bedenken, Bedenklichkeit, Skrupel, Unsicherheit, Zwiespalt, Zwiespältigkeit, Zerrissenheit, Ungewissheit, Unentschiedenheit, Unschlüssigkeit, Konflikt, Zaudern, Zögern, Schwanken, innerer Widerstreit, gemischte Gefühle, Ambivalenz, Hassliebe, Doublebind, Gewissenskonflikt, Gewissensfrage, Zweifelsfrage, **2.** Verdacht, Argwohn, Ahnung, Vermutung, Misstrauen, Befürchtung, Skepsis, Unterstellung, Eifersucht, Verdächtigung, **3.** Entweder-oder, Hin und Her, Tauziehen, Dunkelziffer, Wenn und Aber, Pro und Contra, Für und Wider, Vor- und Nachteil, Scheideweg.

1975 zweifelhaft 1. fraglich, ungewiss, unsicher, unbestimmt, anfechtbar, fragwürdig, dubios, ominös, faul, oberfaul, bedenklich, mehrdeutig, verdächtig, **2.** doppelsinnig, doppeldeutig, vieldeutig, zweideutig, strittig, problematisch, viel sagend, verfänglich, suspekt, mulmig, undurchsichtig, undurchschaubar, dunkel, **3.** obskur, zwielichtig, fadenscheinig, halbseiden, übel beleumundet, anrüchig, berüchtigt.

1976 zweifeln bezweifeln, anzweifeln, in Zweifel ziehen, Bedenken hegen, in Frage stellen, wanken, schwanken, unsicher sein, wankend/unsicher/irre werden, Verdacht schöpfen, verdächtigen, argwöhnen, misstrauen.

1977 Zweig 1. Nebenstelle, Zweigstelle, Tochter, Tochterfirma, Filiale, Handelsniederlassung, Ladenkette, **2.** Branche, Abteilung, Gebiet, Sektion, Bereich,

Sektor, Dezernat, Fakultät, Sparte, **3.** Ast, Arm, Spross, Nebenarm, Seitenarm, Seitenlinie.

1978 Zweiheit 1. Doppelheit, Duplizität, Zweimaligkeit, Zweizahl, Dual, Doppelstellung, Doppelgesicht, Doppelgestalt, Doppelgänger, Zwiegestalt, **2.** Gespann, Paar, Pärchen, Ehepaar, Joch, Zwilling, Duett, Duo, Einheit, **3.** Dualität, Polarität, Dualismus.

1979 zwiespältig gespalten, zerspalten, mit sich uneins, ambivalent, innerlich zerrissen, hin und her gerissen, von Zweifeln geplagt, mit sich zerfallen, unentschlossen, ratlos, unentschieden, unschlüssig.

1980 zwingen 1. nötigen, Druck ausüben, pressen zu, gefügig machen, Willen aufzwingen, oktroyieren, diktieren, majorisieren, niederstimmen, mundtot machen, **2.** erpressen, festnageln, knebeln, drankriegen, erzwingen, abpressen, unter Druck setzen, Messer an die Kehle setzen, keine Wahl lassen, Pistole auf die Brust setzen, an die Kandare nehmen, terrorisieren, tyrannisieren, **3.** zusammenzwingen, aneinander ketten / fesseln, zusammenschmieden.

zwingend 1. stichhaltig, unwiderstehlich, unausweichlich, eindringlich, schlagend, stringent, **2.** bindend, verpflichtend, obligatorisch, verbindlich, **3.** schicksalhaft, unabwendbar. **1981**

Zwischenfall 1. Ereignis, Vorfall, Störfall, Störung, **2.** Episode, Zwischenspiel, Intermezzo, Wendung, Abenteuer. **1982**

Register

A

A bis Z, von 679, *2*
a priori 799
A und O 823
aalen, sich 524, *3*
aalglatt 583, *4*; 744, *2*;
 1555, *2*
Aas 957, *1*; 973, *2*
Aas, kein 1188
Aasgeier 1275
aasig 461, *2*
ab 1130, *2*
ab und zu 926, *1*;
 1457, *2*; 1853, *1*
abändern 22, *4*;
 1709, *1*
Abänderung 1704;
 1710, *1*
abarbeiten 151, *3*;
 533, *1*
abarbeiten, sich 92, *3*;
 539, *2*
Abart 1704
abartig 1237
abbalgen 1066, *10*
Abbau 154, *1*; 454, *1*;
 999, *2*; 1348, *1*
abbaubar 1637, *1*
abbauen 998, *2*; 1007, *3*;
 1149, *4*; 1196, *3*
abbeißen 566, *4*
abbeizen 484, *1*
abbekommen 236, *1*;
 522, *1*
abberufen 998, *2*
abberufen werden
 1513, *1*
Abberufung 999, *2*;
 1582, *1*
abbestellen 122, *2*
Abbestellung 120, *3*
abbetteln 315, *2*
abbezahlen 34; 151, *3*
abbiegen 28, *1*; 172, *1*;
 261, *1*
Abbiegung 29, *2*; 1004
Abbild 308, *2*
abbilden 1

Abbildung 308, *2*;
 361, *1*
Abbildungstreue 1475, *1*
abbinden 1595, *4*
Abbitte 502, *1*
abbitten 345; 501, *1*
abblasen 475, *1*
abblassen 1149, *3*
abblättern 1066, *10*
abblenden 1399, *4*
abblitzen 1383, *5*
abblitzen lassen 30, *4*
abblocken 857, *3*
abblühen 1604, *6*
abböschend 1417, *2*
abbrauchen 1724, *3*
abbrausen 1367, *3*
abbrechen 122, *2*; 264;
 329, *2*; 441, *1*; 475, *1*;
 546; 811, *1*; 1521, *1*;
 1595, *1*; 1595, *2*;
 1724, *4*; 1940, *7*
abbrechen, Brücken hin-
 ter sich 1595, *1*
abbrechen, Schwanger-
 schaft 25
abbrechen, Spitze 261, *1*
abbrechen, Zelte 475, *1*;
 485, *2*
abbremsen 22, *2*
abbrennen 330, *4*;
 1750, *5*; 1940, *5*
abbringen von 15
abbröckeln 329, *1*;
 1066, *7*; 1724, *4*;
 1750, *2*
Abbruch 26; 1368, *1*;
 1400, *1*; 1596, *1*;
 1679, *1*; 1941, *1*
abbruchreif 1132, *1*
abbrühen 956, *2*
abbügeln 857, *3*
abbürsten 1367, *2*
abbüßen 345
Abc 337, *2*
Abc-Schütze 936, *1*;
 1428, *1*
abdachen 6, *1*
Abdachung 5, *4*
abdämpfen 261, *1*
abdanken 998, *1*
Abdankung 999, *1*
abdecken 200; 304, *4*;
 484, *3*; 1430, *1*
abdichten 543, *2*

abdienen 151, *3*
abdrängen 1734, *1*
abdrehen 22, *2*; 395, *6*;
 1399, *2*
abdrosseln 22, *2*
Abdruck 1498, *1*;
 1775, *2*; 1812, *1*
abdrucken 1811
abdrücken 447, *2*; 918, *4*
abdrücken, Luft 402, *2*
abdunkeln 1399, *4*
abebben 1149, *1*
Abend 408, *1*
Abend werden 409, *1*
Abend, am späten
 1482, *4*
Abendblatt 1271, *2*
Abendbrot 1080, *7*
Abendessen 1080, *7*
abendfüllend 1013, *2*
Abendgebet 684
Abendland 568, *1*
abendländisch 568, *2*
abendlich 407, *1*
Abendluft 1068, *3*
abends 407, *1*
Abendstunde 408, *1*
Abendzeitung 1271, *2*
Abenteuer 1055, *4*;
 1861; 1982, *2*
abenteuerlich 690, *2*
Abenteuerlust 478, *1*
abenteuern 1331, *2*
Abenteuertourist
 1332, *1*
Abenteurer 2; 1332, *1*
aber 3
Aberglaube 4; 1663
aberkennen 1168, *3*;
 1780, *1*
abermals 1903
Aberration 29, *2*
Aberwitz 1675, *3*
aberwitzig 24; 1778, *3*
abessen 566, *4*
abfackeln 330, *4*;
 1940, *5*
abfahrbereit 610, *2*
abfahren 485, *3*; 485, *3*;
 1383, *5*
abfahren auf 219, *2*
Abfahrt 486, *3*
Abfall 5; 1340, *4*
abfallen 6; 12, *1*; 539, *2*;
 1619, *2*

abfallen gegen 6, *4*
abfallend 1417, *2*;
  1417, *3*
Abfallhaufen 5, *3*
abfällig 31, *2*
abfälschen 28, *1*;
  1740, *1*
abfangen 261, *1*; 588, *2*
abfangen, Angriff
  557, *2*
abfassen 588, *2*; 619, *2*;
  1421, *3*; 1621, *2*
abfedern 261, *1*; 597, *3*
abfegen 1367, *1*
abfeiern 151, *3*
abfeilen 769, *3*
abfertigen 30, *1*; 203, *2*;
  533, *2*
Abfertigung 32, *1*;
  204, *2*; 535, *1*
abfilmen 1, *2*
abfinden 497, *2*
abfinden, sich 1040, *2*;
  1714, *1*; 1820, *1*
Abfindung 498, *3*;
  1732, *1*; 1931, *3*
abflachen 6, *1*
abflauen 1149, *1*
abfliegen 485, *3*
abfließen 10, *1*; 1030, *5*
Abflug 486, *3*
Abfluss 1215, *6*
Abfolge 630, *1*; 742, *2*;
  1329, *1*
abfordern 195, *1*
abformen 1, *2*
abfragen 639, *2*; 1284, *1*
Abfuhr 32, *1*; 1116
abführen 304, *1*;
  1066, *6*; 1757
abführend 757, *4*
Abführung 7
abfüllen 674, *1*; 1030, *4*
Abfüllung 1031
abfüttern 676, *1*; 676, *2*
Abgabe 7; 1515, *2*;
  1760, *1*
Abgang 486, *3*; 999, *1*;
  1368, *1*; 1723, *2*
abgängig 1887, *1*
Abgas 5, *3*
abgasarm 1637, *2*
Abgase 156, *4*
abgearbeitet 1130, *2*
abgebaut 104

abgeben 155; 683, *4*;
  1487, *1*; 1618; 1761, *1*
abgeben mit, sich 266, *2*
abgeben, Löffel 1513, *2*
abgeben, sich 102, *1*
abgeben, Stimme
  1863, *3*
abgeblasen 534, *4*
abgeblüht 44, *2*
abgebrannt 107, *1*
abgebraucht 182; 265, *1*
abgebrochen 534, *4*;
  1695, *1*
abgebrüht 516, *1*;
  914, *4*; 1541, *5*; 1692
Abgebrühtheit 743, *2*
abgedacht 1417, *2*
abgedankt 44, *6*
abgedichtet 380, *1*
abgedreht 1778, *1*
abgedroschen 182
Abgedroschenheit
  183, *1*
abgefahren 44, *4*
abgegrenzt 945, *4*
abgegriffen 44, *3*; 182;
  265, *1*
abgehackt 1005, *1*
abgehängt werden
  1780, *3*
abgehärtet 757, *1*; 981, *1*
abgehärtet, nicht 471, *2*
abgehen 28, *1*; 216, *3*;
  492, *3*; 598, *2*; 998, *1*;
  1066, *7*; 1761, *4*
abgehen lassen, sich
  nichts 725
abgehen von 1019, *2*
abgehetzt 1130, *2*
abgehoben 1261
abgekackt 265, *3*
abgekämpft 1130, *2*
abgekartet 834, *1*
abgeklärt 1328, *4*
abgekürzt 1005, *3*
abgelagert 1328, *1*
abgelaufen 44, *4*;
  1397, *6*
abgelebt 44, *2*; 1744
abgelegen 450, *3*
Abgelegenheit 451, *2*
abgeleitet 1124, *1*
abgelenkt 1639, *1*
abgeliebt 265, *1*
abgeliefert 534, *1*

abgelten 151, *3*; 345;
  497, *2*
Abgeltung 498, *1*;
  1732, *1*
abgelutscht 182
abgemacht 534, *1*;
  1460, *5*
abgemagert 410, *2*;
  850, *3*
abgemattet 1130, *2*
abgemeldet 534, *4*;
  1887, *1*
abgeneigt 31, *3*
abgeneigt sein, nicht
  1127, *1*
abgenutzt 44, *3*; 182;
  265, *1*; 1541, *1*
Abgeordneter 1807, *3*
abgepackt 731, *1*
abgepackt, nicht 1065, *3*
abgerechnet 161, *1*;
  768, *4*
abgerichtet 705
abgerissen 107, *2*; 850, *1*
abgerundet 1655, *1*
abgesagt werden 598, *3*
Abgesandter 1614, *2*
Abgesang 1400, *2*
abgeschabt 44, *3*
abgeschieden 450, *3*;
  1586, *1*
Abgeschiedenheit 451, *2*
abgeschlafft 1130, *2*
abgeschlagen 1130, *2*
abgeschliffen 265, *1*
abgeschlossen 380, *1*;
  450, *1*; 534, *1*; 610, *1*;
  745, *1*; 1744
abgeschlossen, nicht
  1695, *1*
Abgeschlossenheit
  451, *1*
abgeschmackt 182; 941
Abgeschmacktheit
  183, *1*
abgeschnitten 450, *1*;
  1005, *1*
abgeschrägt 1417, *2*
abgesehen von 161, *1*
abgesondert 450, *2*;
  457, *2*
abgespannt 1130, *2*
abgesprengt 457, *1*
abgestanden 182;
  406, *1*; 574, *1*; 1708

abgestiegen 850, *1*
abgestimmt 819, *1*
Abgestimmtheit 818, *2*
abgestorben 44, *2*;
    1586, *2*; 1646, *2*
abgestoßen 265, *1*
abgestuft werden 21, *3*
abgestumpft 1541, *1*;
    1541, *3*; 1646, *1*
abgestürzt 265, *3*
abgesunken 1744
abgetakelt 850, *4*
abgetan 534, *1*; 768, *4*;
    1708
abgetragen 44, *4*
abgetrennt 450, *1*;
    457, *1*
abgewertet 1397, *6*
abgewetzt 44, *3*; 265, *1*
abgewiesen werden
    1383, *5*
abgewinnen 761, *2*
abgewinnen, etwas
    1127, *1*
abgewinnen, Geschmack
    691, *1*; 1127, *1*
abgewogen 731, *1*;
    819, *1*; 819, *3*
Abgewogenheit 818, *2*
abgewöhnen, sich
    1780, *7*; 1820, *2*
Abgewöhnung 512, *1*
abgezehrt 410, *2*; 850, *3*;
    1042, *1*; 1432, *4*
abgezogen 574, *2*; 879
abgießen 1030, *2*
Abglanz 527, *4*
abgleiten 28, *2*; 1729, *3*
Abgott 874, *2*
Abgötterei 786
abgöttisch 829, *2*
abgraben, Wasser
    857, *3*; 1369, *1*
abgrasen 566, *6*
abgrenzen 528, *2*;
    857, *1*; 1633, *4*; 1736
Abgrenzung 529, *3*; 790
Abgrund 858, *4*
abgründig 407, *4*;
    1579, *2*
abgrundtief 1579, *2*
abgucken 881, *1*
Abgunst 1169
abgünstig 1171
Abguss 1812, *1*

abhacken 1007, *1*
Abhagerung 1348, *4*
abhaken 533, *2*
abhalftern 213, *6*; 998, *2*
abhalten 441, *2*; 857, *1*;
    1712, *1*
abhalten, Lesung
    1050, *2*
abhalten, Sitzung 276, *3*
Abhaltung 1525; 1713, *1*
abhampeln, sich 92, *2*
abhandeln 198, *1*;
    224, *3*; 276, *2*; 815, *3*
abhanden 1887, *1*
Abhandlung 8
Abhang 5, *4*
abhängen 12, *2*; 524, *1*;
    998, *2*; 1394, *3*
abhängen von 9
abhängig 856, *1*;
    1652, *1*
abhängig machen von
    195, *1*
abhängig machen, sich
    9, *2*; 65, *2*
abhängig sein von 9, *1*
Abhängiger 1471, *1*
Abhängigkeit 206;
    1551, *1*
Abhängigkeit von Stimu-
    lantien 1551, *3*
abhärmen, sich 63, *2*;
    1040, *4*
abhärten, sich 1503, *1*
abhärtend 757, *3*
Abhärtung 1504, *4*
abhauen 484, *1*; 485, *1*;
    624, *1*; 624, *1*; 1007, *1*
abhäuten 1066, *10*
abheben 523, *2*; 1509, *3*
abheben auf 219, *2*;
    861, *1*
abheben von 1688, *2*
abheben, sich 118;
    967, *2*
abheften 533, *1*
abheilen 723, *2*; 831, *1*
abhelfen 22, *4*; 837, *4*
abhetzen, sich 539, *2*;
    851, *2*
abheuern 998, *2*
Abhilfe 854, *2*
abhobeln 769, *3*
abhold 31, *3*
abholen 274, *2*

abholzen 1394, *4*
abhorchen 247, *2*
abhören 247, *2*; 1284, *1*
abhotten 1682, *5*
Abhub 5, *1*
abhusten 155
abirren 28, *3*; 901, *1*
Abirrung 29, *3*
Abitur 1285, *1*
Abiturient 1428, *1*
abjagen 19; 1168, *2*
abjagen, sich 539, *2*;
    851, *2*
abkanzeln 1554, *2*
abkapseln, sich 17, *2*;
    1756, *2*
Abkapselung 451, *1*
abkarten 293, *2*; 1736
abkaspern 1736
abkaufen 770, *2*;
    924, *2*
abkaufen, Schneid
    398, *3*
abkehren 1367, *1*
abkehren, sich 20, *1*;
    485, *1*
abklären 946, *1*
Abklatsch 1142, *1*
abklatschen 881, *2*
abklingen 475, *2*; 723, *2*;
    1149, *1*; 1750, *3*
abknallen 1587, *1*
abknappen 901, *2*
abknapsen 1479, *2*
abknicken 329, *1*
abknöpfen 315, *2*
abkochen 293, *1*; 522, *2*
abkommen 28, *2*;
    1750, *6*
Abkommen 1737, *1*
abkommen von 1019, *2*
abkommen, vom Kurs
    28, *1*
abkommen, vom Thema
    28, *3*
abkommen, vom Weg
    598, *4*; 901, *1*
abkömmlich 1667
Abkömmling 936, *2*
abkoppeln 1595, *2*
abkratzen 484, *1*;
    1513, *3*
abkriegen 236, *1*; 515, *2*;
    522, *1*
abkriegen, etwas 530

abschütteln 30, *1*;
484, *1*
abschütteln, Joch 213, *4*
abschütteln, Knecht-
schaft 213, *4*
abschütten 1030, *2*
abschwächen 261, *1*;
841, *3*; 1149, *1*
Abschwächung 1092, *2*
abschwatzen 293, *1*;
315, *2*
abschweifen 28, *3*
Abschweifung 29, *4*
abschwellen 1149, *1*
abschwenken 20, *1*
Abschwenkung 29, *4*
abschwindeln 293, *1*
abschwirren 485, *1*
abschwören 6, 5; 256;
1820, *2*
Abschwung 988, *3*;
1348, 5
Absegnung 1449, *3*
absehen 1019, *2*
absehen von 122, 3;
152, *2*
abseifen 1367, 3
abseilen 1184, 5
abseilen, sich 20, *1*;
485, *1*; 624, *1*
Abseite 1059, *2*; 1350
abseitig 450, *3*; 1640
Abseitigkeit 424, *4*;
451, *2*
abseits 450, *3*
Absence 33, *3*
absenden 1388, *4*
absent sein 598, *1*
absentieren, sich 624, *1*
abservieren 998, *2*
absetzen 22, *1*; 998, *2*;
1512, *1*; 1761, *1*;
1780, 6
absetzen lassen, sich
1761, *4*
absetzen, sich 624, *1*;
1184, 6
Absetzung 999, *2*
absichern 210, *2*
absichern, sich 1462, 3;
1787, *3*
Absicherung 1176, *4*
Absicht 1258, *1*;
1907, *1*; 1944, *1*
Absicht, mit 16

Absicht, unbewusste
859, *2*
absichtlich 16
absinken 6, *1*; 581, *2*;
1149, *1*; 1729, 3
absitzen 1469, *2*
absolut 679, *3*; 1077, 3;
1641, *1*
Absolution 645, *4*;
784, *1*
Absolutismus 847, 3
absolvieren 533, *1*
Absolvierung 535, *1*
absonderlich 119, *2*
Absonderlichkeit
424, *4*
absondern 17; 155;
1595, *2*
absondern, sich 17;
1756, *2*
Absonderung 18;
156, *1*; 451, *1*
absorbieren 127, 3;
195, *2*; 266, 3; 1604, *2*
abspalten 1595, *2*
Abspaltung 1596, 3
abspannen 1531, *4*
Abspannung 540, *1*
absparen 1479, *4*
absparen, sich 1220, *1*
absparen, sich vom Mun-
de 1479, *2*
abspecken 1479, *4*
abspeisen 30, *4*
abspenstig machen 19
absperren 17, *1*; 857, *4*;
1399, *1*; 1462, *4*;
1633, *4*
Absperrung 858, *3*;
858, *4*; 1419
abspielen 1487, 7
abspielen, sich 10, *2*;
216, *2*
abspinnen 1149, *4*
absplittern 329, *1*;
1595, *1*
Absprache 1737, *1*
absprechen 1736;
1780, *1*
absprechend 1246
abspringen 6, 5; **20**;
1066, 7
Absprung 1497, *2*
abspulen 1852, *2*
abspülen 1367, 3

Abstammungsgruppe
1814, *1*
Abstammungsreihe
1058, *4*
Abstand 486, *1*; 498, 3;
1689
Abständen, in gleichen
1323, *1*
abständig 44, *2*
Abständigkeit 45, *4*
abstatten 304, *4*
abstatten, Bericht 259
abstatten, Besuch 282, *1*
abstatten, Dank 357, *1*
abstauben 1168, *2*;
1367, *1*
Abstauber 1402, *2*
abstechen 118; 967, *2*;
1587, *1*
Abstecher 29, *2*; 578, *1*
abstecken 1633, *4*;
1688, *2*; 1736
abstehen 1921, *2*
abstehen von 1019, *2*
absteigen 21; 282, *2*;
1729, 3
abstellen 22; 1512, *1*
Abstellraum 1484, *1*
abstempeln 509, *1*;
931, 3
absterben 1513, *3*;
1604, 6
absterbend 44, *2*
abstieben 485, *1*; 523, *2*
Abstieg 1348, *1*
abstillen 1780, 6
abstimmen 499, *1*;
1226, *2*; 1755, *1*;
1863, 3
abstimmen, aufeinander
73, *1*
abstimmen, sich 1736
Abstimmung 1862, *2*
Abstinenz 1819, *2*
abstoppen 22, *2*
abstoßen 30, *1*; 462, *1*;
1761, *1*; 1761, 3
abstoßen, sich die Hör-
ner 515, *2*
abstoßend 461, *1*;
822, *1*; 1638, 3
abstottern 34; 151, 3
Abstract 1299, *2*
abstrafen 1751, *2*
abstrahieren 1706

abstrahieren von 152, *2*
Abstrahierung 1707
abstrahlen 1381, *2*
abstrakt 879
Abstraktion 878, *1*;
    1707
Abstraktionsfähigkeit
    1790, *1*
Abstraktionsvermögen
    1790, *1*
abstrampeln, sich 92, *2*
abstreichen 1007, *2*
abstreifen 175, *4*;
    484, *1*; 1820, *2*
abstreifen, Eierschalen
    510, *1*
abstreiten 1051, *1*;
    1780, *1*
Abstrich 454, *1*
Abstriche machen
    1007, *2*
abstrus 24; 1693, *3*
abstufen 509, *2*
Abstufung 23; 1704
abstumpfen 1724, *3*
Absturz 580, *1*; 1659
abstürzen 581, *1*;
    1383, *2*; 1729, *3*
abstützen 1462, *1*;
    1544, *1*
abstützen, sich 1544, *2*
absuchen 1550, *1*
Absud 567, *2*
absurd 24; 1693, *3*;
    1778, *3*
abtakeln 998, *2*
abtasten 263, *1*
abtauchen 1715, *4*
abtauen 1066, *2*
Abtei 952
abteilen 17, *1*; 1562, *2*
Abteilung 442, *2*;
    800, *1*; 1977, *2*
Abteilungsleiter 1047, *2*
abtippen 1811
Abtönung 23, *1*
abtörnen 496
abtöten 1587, *4*; 1680, *3*
abtöten, Gefühle 284, *2*
abtragen 34; 151, *3*; 264;
    304, *4*; 484, *3*;
    1724, *3*; 1940, *7*
abträglich 1661, *3*
Abtragung 150, *3*;
    1931, *3*

abtransportieren 173, *1*;
    1804, *1*
abtreiben 25
abtreiben, Frucht 25
Abtreibung 26
abtrennen 17, *1*; 166, *1*;
    1007, *1*; 1066, *1*; 1218;
    1409, *1*; 1562, *1*
Abtrennung 1596, *3*
abtreten 998, *1*; 1220, *1*;
    1622, *2*
Abtretung 1819, *1*
Abtrift 29, *2*
Abtritt 1583, *1*
abtrocknen 1604, *1*
abtropfen lassen 1604, *2*
abtrünnig 933
abtrünnig werden 6, *5*
Abtrünniger 377; 932
Abtrünnigkeit 5, *5*
abtun 122, *3*; 533, *1*
abtupfen 484, *1*
aburteilen 1702, *2*;
    1810, *1*
Aburteilung 1701, *3*
Abusus 154, *2*
abverlangen 195, *1*
abwägen 371, *2*;
    1284, *1*; 1375, *2*
abwägen, gegeneinander
    1755, *1*
abwägend 1357, *2*;
    1846, *2*
Abwägung 1321
abwälzen 213, *1*
abwandeln 296, *3*;
    1709, *1*
abwandern 20, *1*
Abwanderung 1108
Abwandlung 1704
abwarten 1877, *1*; 1948
abwartend 772, *2*;
    1357, *2*; 1676, *2*;
    1960, *2*
abwärts 27
abwaschen 1367, *2*;
    1367, *3*
Abwasser 5, *3*
Abwässer 156, *4*
abwechseln 1884, *2*
abwechseln, sich
    1884, *2*
abwechselnd 696
Abwechslung 1684, *2*;
    1827, *1*; 1883, *1*

Abwechslung, ohne
    771, *2*; 1017, *2*
abwechslungsreich
    76, *1*; 1784, *2*
Abweg 29, *2*
abwegig 24; 119, *2*;
    1693, *3*
Abwehr 14, *1*; 32, *1*;
    1901, *2*
abwehren 30, *1*; 857, *3*;
    918, *3*; 1734, *2*
abwehrfähig 883, *1*
Abwehrkräfte, ohne
    471, *2*
abweichen 28; 967, *2*;
    1688, *2*
abweichen, voneinander
    28, *4*
abweichend 119, *2*; 933;
    1784, *3*
Abweichler 932
Abweichung 29; 1689;
    1704
abweiden 566, *6*
abweisen 30
abweisend 31; 1005, *2*;
    1496, *3*; 1662, *1*
Abweisung 32
abwenden von 1430, *1*
abwenden, sich 20, *1*;
    462, *1*; 485, *1*; 1409, *5*
abwenden, sich nicht
    65, *3*
abwerben 19
abwerfen 175, *4*; 1196, *1*
abwerfen, Ballast 494, *1*
abwerten 509, *2*
abwertend 31, *2*; 1246
Abwertung 23, *2*
abwesend 1639, *1*;
    1887, *1*
abwesend sein 1591, *3*
Abwesenheit 33
abwetzen 264; 1724, *3*
abwickeln 533, *1*;
    998, *2*
Abwicklung 535, *1*;
    1713, *1*
abwiegeln 30, *4*; 496;
    857, *3*
abwiegen 614, *3*;
    1562, *2*
abwimmeln 30, *4*
abwinkeln 296, *1*
abwinken 30, *4*; 1780, *1*

Abwinken, bis zum
    1648, 2
abwirtschaften 1149, 4
abwischen 484, 1;
    1367, 2; 1604, 1
abwohnen 151, 3;
    1724, 3
abzahlen 34; 151, 3
abzählen 1930, 1
abzählen, an den Fingern
    1930, 1
abzählen, sich an fünf
    Fingern 1772, 2
Abzahlung 150, 3;
    1931, 3
abzapfen 1030, 4
abzäumen 213, 6
abzäunen 1633, 4
Abzeichen 930, 3
abzeichnen 1, 2; 278, 3;
    533, 2; 1811
abzeichnen, sich 958, 1;
    1157, 2; 1935, 6
Abziehbild 183, 1;
    1142, 1
abziehen 237, 4; 441, 2;
    485, 2; 624, 1; 918, 4;
    1007, 2; 1030, 4;
    1374, 1; 1811; 1930, 1
abziehen, Show 1269, 1
abzielen 1259, 2;
    1923, 1
abzielen auf 861, 1;
    1529, 1
abzischen 624, 1
abzocken 153, 3
Abzocker 1275
Abzug 147, 3; 308, 3;
    486, 3; 486, 4;
    1812, 1
abzüglich 161, 1
abzupfen 546
abzusehen, kein Ende
    882, 1
abzusehen, nicht 1013, 2
abzwacken 1007, 3;
    1479, 4
Abzweig 29, 2
abzweigen 28, 1;
    1562, 2
Abzweigung 29, 2
abzwicken 1007, 1
abzwingen 761, 2
Accessoires 1291, 2
Accrochage 170, 2

Ach und Krach, mit
    1091, 2
Achillesferse 599, 2
Achse 1119, 6
Achse, auf 393, 2
Achselzucken 1115
achselzuckend 772, 4
Acht geben auf 128, 2;
    247, 1
Acht haben 193, 1
Acht haben auf 247, 1
Acht lassen, außer
    152, 1
achtbar 86, 2; 328, 2;
    1733
achten 420, 1; 1375, 1;
    1735, 1
ächten 173, 1
achten auf 128, 2;
    247, 1; 873
achten, auf seine Ge-
    sundheit 1413, 4
achten, gering 1114, 1
achten, hoch 1375, 1;
    1735, 1
achten, nicht 1114, 1
Achterbahn 1669, 1
achtern 477, 3
achtlos 1639, 2
Achtlosigkeit 1038, 2;
    1151
achtsam 1476, 1;
    1846, 1
achtsam sein 128, 4
Achtsamkeit 1351;
    1475, 2
Achtung 35; 716, 3
Achtung gebietend
    791, 3; 885; 1507, 1;
    1927, 1
ächzen 944, 3
Acker 794, 3
Acker machen, sich vom
    485, 1
Ackergaul 1247
Ackerland 794, 3
ackern 92, 3; 787, 1
Action 1478, 1
Actionspielshow 1459
ad acta 534, 1
ad hoc 771, 3
ad libitum 242
Adam Riese, nach 43
Adam und Eva, seit
    882, 4

Adamskostüm, im
    1154, 1
Adaptation 74, 2
adaptieren 73, 1
Adaption 74, 2
adäquat 312, 2; 504, 1
Addel 156, 3
addieren 1930, 1
Adel 36
Adel, niederer 36, 2
adeln 174, 1; 420, 1
Adelskaste 36, 2
Adelsstand 36, 2
Adept 1428, 3
Ader 577
Ader, künstlerische 1253
Ader, leichte 1037, 2
Aderlass 1348, 3
Adleraugen 141
Adlernase 1161
Administration 230;
    1203
adoleszent 909, 1
Adoleszenz 908, 1
Adonis 1414, 2
adoptieren 1168, 6
Adoptiveltern 464
Adoptivkind 936, 2
Adoptivmutter 1140, 1
Adoptivvater 1705, 1
Adresse 930, 2
adressieren 931, 2
adrett 626; 869
adversativ 695, 3
Advertising 1898, 1
Advertising Agency
    1898, 4
Advokat 912, 2
Affäre 580, 2; 1055, 4
Affe 1310, 1; 1545
Affekt 549, 1; 549, 4;
    1520, 2
affektgeladen 322, 1
Affekthandlung 549, 5
affektiert 459, 2; 766;
    1625, 3
Affektiertheit 460, 1
affektiv 473; 548, 2
Affektivität 693, 1
affenartig 1410, 1
Affentheater 1675, 3
Affidavit 342, 2
affig 459, 1; 766
Affigkeit 460, 1
affin 771, 4

Affirmation 279, 5
affirmativ 1970
affirmieren 278, 2
Affront 61, 1; 240;
843, 1
Agenda 1258, 1
Agens 794, 1
Agent 248, 2; 816, 5;
1807, 1
Agentur 1185, 2;
1771, 1; 1808
Aggregat 1088; 1719, 1
Aggression 61, 1
aggressiv 37; 605;
690, 5
Aggressivität 830
Aggressor 604, 1
agieren 815, 1; 1487, 1;
1911, 1
agil 301, 1; 479; 744, 2;
1026, 2; 1557, 2
Agilität 478, 1
agitieren 851, 3;
1896, 1
Agonie 917, 5
Agraffe 1291, 5
Agrarier 189, 1
Agreement 1737, 1
Agronom 189, 1
ahnden 1751, 1
Ahndung 1752, 1
ähneln 1615, 3
ahnen 668, 1; 1278;
1772, 2
Ahnen 1814, 1
ahnen, nichts Gutes
555, 3
Ahnenreihe 1058, 4
ähnlich 504, 1; 771, 4;
774; 1813, 2; 1902, 4
Ähnlichkeit 505, 2;
1814, 2
Ahnung 556, 1; 693, 2;
1974, 2
Ahnung, keine 1697, 1
ahnungslos 1159;
1697, 1
Ahnungslosigkeit 1663
Ahnungsvermögen
468, 4
ahnungsvoll 467, 6; 1277
Air 159; 1759, 3
Airbus 579, 7
Aircondition 1068, 2
Akademiker 1919

akademisch 1001;
1017, 1; 1603, 3
Akklamation 231
akklamieren 1969, 2
akklimatisieren, sich
73, 2
Akklimatisierung 74, 2
Akkord 818, 1
Akkordarbeit 101, 3
akkordieren 1736
akkumulieren 1361, 2
akkurat 722, 1; 1476, 1
Akkuratesse 1475, 1
akquirieren 274, 1;
1896, 3
Akquisiteur 1897
Akquisition 1898, 1
Akribie 1475, 1
akribisch 722, 1; 1476, 1
Akrobat 111, 2
Akronym 1898, 3
Akt 140, 2; 1055, 5;
1686, 2
Akten, zu den 534, 1
Aktenmappe 870, 8
Akteur 360
Aktie 271, 3
Aktienhändler 816, 2
Aktion 1094; 1686, 2
Aktion, in 1557, 2
Aktion, konzertierte
1963
Aktionsgruppe 800, 7
Aktionsradius 436, 3
aktiv 423; 479; 1557, 2
aktiv werden 1685, 2
Aktiva 271, 3
aktivieren 75, 2; 391, 2;
526, 1; 541, 2; 543, 4
Aktivität 478, 1
aktualisieren 543, 3
Aktualität 202, 3;
1179, 1
aktuell 699, 2; 1126, 2;
1900, 2
Akustik 1584, 5
akut 699, 2; 1900, 1
Akzent 1144
akzentuieren 1730, 1
akzentuiert 1145, 1
akzeptabel 1128, 1
Akzeptanz 35
akzeptieren 1969, 2
akzeptieren, nicht 30, 3
akzeptiert 534, 1

Akzise 1515, 2
alabasterfarben 592, 1
alabasterhaft 410, 1
Alarm 855; 1876
alarmieren 1354, 1;
1875; 1886
Alb 707, 3
albern 403, 3
Albernheit 1675, 1
Album 1362, 3
aleatorisch 1953, 1
alert 626; 869; 1026, 3
alias 426, 2
Alimente 1681, 2
Alkoholabhängigkeit
1551, 2
Alkoholentzug 512, 2
alkoholfrei 1603, 2
Alkoholika 759, 2
Alkoholiker 397, 1; 1602
alkoholisiert 250, 1
Alkoholismus 1551, 3
Alkoholkranker 1602
Alkoholsucht 1551, 3
All 1893, 2
Allah 785, 2
alldieweil 3
alle 38; 1028, 1
alle miteinander 38, 2
Allee 1528
Allegorie 308, 5; 1934, 1
allegorisch 310, 2;
1265, 1
allegorisieren 359, 5
Allegorisierung 361, 2
allein 3; 157; 450, 1;
457, 1; 1194
allein stehend 457, 2
allein, für sich 273, 1
Alleinerbe 513, 3
Alleinherrschaft 847, 3
Alleinherrscher 849
alleinig 157
Alleinrecht 1318, 4
Alleinsein 451, 1
Alleinunterhalter
1683, 1
allem, trotz 1608, 2
allem, über 1841, 1
allem, vor 53, 1; 273, 1
allemal 738, 2
allenfalls 1128, 3
allenthalben 1612, 1
Allerbarmer 785, 1
allerdings 3; **39**; 1641, 1

allerenden 1612, *1*
allerfeinst 554
allergisch 471, *2*
allerhand 130, *2*;
    1784, *2*; 1824, *1*
allerlei 1784, *2*; 1824, *2*
Allerlei 1827, *1*
Allerlei, buntes 1113, *3*
allerliebst 71, *2*; 869
Allerneuste, das 1125, *1*
allerorten 1612, *1*
allerwärts 1612, *1*
allerwege 1612, *1*
Allerweltsgeschmack
    1125, *1*
Allerweltskerl 1560
alles 679, *3*
alles in allem 41; 49;
    453; 679, *3*
alles oder nichts 695, *4*
alles tun 92, *2*
allesamt 38, *1*
Alleswisser 1436
allewege 882, *1*
allezeit 882, *2*
allgegenwärtig 1612, *1*
allgemach 1015, *2*
allgemein 40; 678, *1*;
    896; 968, *1*; 1655, *3*
Allgemeinbefinden 1966
Allgemeinbefinden, gu-
    tes 758
Allgemeinbegriffe 796, *4*
Allgemeinen (im) 41
Allgemeinen tun, im
    1249, *2*
Allgemeinheit 1212, *1*
Allgemeinverständlich-
    keit 1792
Allgewalt 1076, *1*
allgewaltig 1077, *3*
Allgütiger 785, *1*
Allianz 1719, *6*
alliiert 1728, *1*
alljährlich 882, *2*
Allma 939, *1*
Allmacht 1076, *1*
allmächtig 1077, *3*
Allmächtiger 785, *1*
allmählich 1015, *2*
Allotria 1675, *2*
Allroundman 1560
Allroundtalent 1560
allseitig 40, *4*; 1830, *3*
Alltag 42; 1014

Alltag, grauer 42, *2*
Alltag, im 1841, *1*
alltäglich 182; 678, *1*;
    968, *1*; 1091, *2*;
    1803, *2*
alltäglich, nicht 119, *1*;
    1231, *2*
Alltäglichkeit 42, *2*;
    183, *1*; 1014
Alltagssprache 1494, *4*
allumfassend 40, *4*
Allüren 1759, *3*
Allwissender 785, *1*
allzu menschlich 1104, *2*
allzu schön 941
allzu sehr 1625, *1*
allzu viel 1625, *1*
Alma Mater 1140, *3*
Almanach 171, *4*;
    1362, *3*
Almauftrieb 291, *4*
Almosen 677, *1*
Alp 1020, *2*
Alpdruck 62, *2*; 1020, *2*
Alphabet 337, *2*; 1422, *2*
Alpha-Männchen 1075
Alptraum 62, *2*
alptraumartig 1420, *1*
als 69, *1*; 418; 1506;
    1865
als ob 54; 774; 1902, *1*
alsbald 180
also 43; 1473
alt 44; 587, *2*
Alt 1363, *2*
Alt und Jung 38, *1*
Altan 181
altbacken 1496, *2*;
    1603, *1*; 1708
altbewährt 299
alteingesessen 227, *1*
Alteisen 5, *2*
älteln 1149, *4*
Altenheim 833, *2*
Altenteil 45, *3*
Alter 45; 1705, *2*
Alter, biblisches 45, *1*
alterieren, sich 106, *2*
alterierend 130, *2*
alteriert 322, *1*; 548, *1*
altern 1149, *4*
Alternative 1862, *1*
Alternative haben, keine
    1135
Alternativer 169

Alternativkultur 1546, *1*
Alternativszene 1546, *1*
alternd 13
alternieren 1884, *2*
alternierend 696
Alters, ehrwürdigen
    44, 5
Alters, gesegneten 44, *1*
Alters, vorgerückten
    44, *1*
Altersheim 833, *2*
altersschwach 1042, *2*
Alterssicherung 1338, *2*
altersstarr 1505, *2*
Altersversorgung
    1338, *2*
Altertum 976, *1*; 1745
altertümlich 44, 5; 1708
Älteste 1078, *1*
Ältester 910, *1*
altfränkisch 1708
altgedient 44, *6*; 299;
    1971, *1*
Altgedienter 45, *2*
altgewohnt 968, *1*;
    1803, *2*
althergebracht 678, *1*
altjüngferlich 1496, *3*
Altkleider 5, *2*
altklug 1857, *2*
Altlast 5, *1*
Altlasten 513, *1*
ältlich 44, *1*
Altmaterial 5, *2*
altmodisch 1708
Altpapier 5, *2*
Altruismus 1645
altruistisch 1104, *1*;
    1644
Altstadt 1500, *3*
altväterisch 1708
Altwaren 5, *2*
Altweibergeschwätz
    737, *2*
Altweibersommer 46
amalgamieren 1718, *2*
Amant 714
Amateur 384, *1*;
    1003, *2*; 1489
amateurhaft 385, *2*
Amateurhaftigkeit 386
Amateursportler 1489
Ambassadeur 387, *1*
Ambiguität 1825
Ambition 82, *2*

ambitioniert 421
Ambitioniertheit 422, *1*
ambivalent 1650, *1*;
 1979
Ambivalenz 1974, *1*
Ambrosia 979
ambulant 301, *2*
Ambulatorium 983
Amen in der Kirche, wie
 das 1460, *1*
Amigo 652
amikal 654, *3*
Amme 1140, *1*
Ammenmärchen 1071, *4*
Amnestie 784, *1*
amnestieren 501, *2*
amnestiert 1673, *2*
Amoklauf 1090
amorph 633, *1*
amortisieren 151, *2*
amortisieren, sich
 1196, *1*
Amour bleu 865
Amour fou 1055, *4*
Amouren 1055, *4*
amourös 1767
Ampel 1012, *1*
Amphetamin 1311
amputieren 1218
Amt 120, *1*; 230; 383, *1*;
 1354, *3*
Ämterhäufung 953
amtieren 102, *2*
amtlich 751, *1*; 1213, *1*;
 1460, *4*
amtlich, nicht 1244, *3*
Amtsanmaßung 1071, *2*
Amtsgeheimnis 702, *2*
Amtsperson 194
Amtspflicht 383, *1*
Amtsschimmel 634, *1*;
 1239, *1*
Amtstracht 949, *2*
Amtsträger 194
Amtsübergabe 438, *2*
Amulett 1933, *2*
amüsant 76, *1*; 748, *1*;
 835, *2*
Amüsement 1684, *2*
amüsieren 75, *4*; 1682, *2*
amüsieren, sich 651, *1*
Amüsierlokal 681, *1*
an ... Statt 1506
an sich 426, *1*
an und für sich 426, *1*

anachronistisch 1708
anakreontisch 835, *5*
analog 504, *1*; 771, *4*;
 1655, *2*
Analogie 1754, *2*
Analogieschluss 1400, *3*
Analyse 8, *1*; **47**; 636, *2*;
 1795, *1*
analysieren 1796, *2*;
 1937, *1*
analytisch 1773, *3*
anämisch 1432, *1*
Anamnese 638, *1*
anästhetisieren 284, *1*
Anatomie 973, *1*
anatomisch 1228, *1*
anbaggern 1334, *3*
anbahnen 1835, *5*
Anbahnung 51, *2*;
 438, *1*; 1836, *1*
Anbau 520, *4*; 563, *4*
anbauen 198, *3*; 519, *1*;
 560, *5*
Anbeginn 51, *1*
anbei 48
anbeißen 219, *2*
Anbeißen, zum 100, *3*
anbelangen 289
anbelangt, was ... 49
anberaumen 72, *2*
anbeten 288; 1056, *2*;
 1735, *2*; 1817, *2*
Anbetracht (in) 49
anbetreffen 289
Anbetung 1055, *2*
anbetungswürdig 149, *2*
anbieten 50; 307;
 469, *1*; 489, *1*; 683, *1*;
 1761, *1*
anbieten, sich 50; 1279
anbinden 313, *1*; 1535, *1*
anblasen 851, *3*;
 1334, *1*; 1391, *1*
Anblick 159; 165, *1*;
 308, *1*; 752, *2*; 1378, *2*
anblicken 80, *2*
anbohren 787, *1*
anbraten 325, *1*
anbräunen 590, *4*
anbrechen 52, *2*; 1214, *2*
anbrennen 330, *2*;
 1729, *1*
anbringen 210, *1*
Anbringung 211, *1*
Anbruch 51, *1*

Ancien Régime 1314, *2*
Andacht 601, *1*; 684
andächtig 125, *1*
andauern 364, *2*
andauernd 365, *1*;
 882, *1*
andenken 263, *4*
Andenken 527, *3*
Andenkenkitsch 940, *1*
andere, der 1143, *1*
anderen, zum 117, *3*
anderer 1784, *1*
anderer, kein 1194
andererseits 3
anderes 1824, *2*
anderes, nichts 1194
andermal, ein 1483, *2*
ändern 1709, *1*
ändern, Blickwinkel
 1709, *1*
ändern, Kurs 28, *1*
ändern, nicht zu 1665
ändern, Richtung 28, *1*
ändern, sein Aussehen
 1709, *6*
ändern, sich 1709, *1*;
 1709, *5*
andern, vor allem 273, *1*
andernfalls 1206
anders 119, *2*; 648, *1*;
 1784, *1*
anders können, nicht
 1135
anders machen 1709, *1*
anders werden 1709, *1*
anders, jedes Mal 886, *2*
anders, nicht viel
 1902, *4*
anders, völlig 695, *3*
andersartig 1784, *1*
andersfarbig 591, *3*
andersgläubig 933
Andersgläubiger 932
anderswo 393, *2*;
 1887, *1*
Änderung 544, *1*;
 1710, *1*
änderungswillig 467, *2*
anderwärts 1887, *1*
andeuten 861, *1*
Andeutung 81, *1*;
 860, *2*; 951, *2*
andeutungsweise
 1124, *2*; 1693, *2*
andichten 1765; 1772, *1*

Andrang 1543, 2
andrehen 293, 1;
    1761, 2
andrehen, Licht 241, 1
androgyn 390
androhen 398, 3
Androhung 399, 1;
    843, 1
anecken 90, 4
aneignen 1168, 3
aneignen, sich 515, 1;
    1049, 1; 1714, 2
Aneignungsfähigkeit
    1790, 2
aneinander fügen
    1718, 2
Aneinanderreihung
    1329, 1
Anekdote 559, 2;
    1684, 4
anekdotisch 1005, 5
anekeln 462, 1
anempfehlen 75, 1; 208;
    215; 541, 1; 1305, 1
anempfunden 941
Anerbieten 470
anerbieten, sich 50, 4
anerkannt 58; 243, 3;
    252, 2; 262, 2; 299;
    781, 2; 968, 1
anerkannt, gesetzlich
    751, 4
anerkennen 278, 5;
    494, 2; 1063, 1;
    1375, 1; 1735, 1
anerkennen, nicht 196
anerkennen, Verdienste
    1063, 2
anerkennend 803, 2
anerkennenswert 1733
Anerkennung 35; 231;
    279, 3; 279, 5; 356;
    518, 1; 532, 1; 532, 3;
    989, 3; 1062, 1
anfachen 851, 3;
    1334, 1; 1874, 1
anfahren 244, 2;
    1391, 1
Anfahrt 68, 1
Anfall 1295, 2
anfallen 60, 2; 530
anfällig 471, 2; 1042, 1
Anfälligkeit 472, 1
anfallweise 1853, 1
Anfang 51; 1296, 2

Anfang an, von 771, 3;
    882, 4
Anfang bis Ende, von
    679, 2
Anfang machen 52, 3;
    437, 2
anfangen 52; 435, 3;
    506, 1; 547, 1; 958, 2;
    1685, 1
anfangen, es dumm
    1658, 2
anfangen, etwas Neues
    456, 2
anfangen, Streit 1535, 2
anfangen, von vorn
    1904, 2
Anfänger 384, 2; 1782
anfänglich 53, 1
anfangs 53
Anfangsgründe 796, 4
anfassen 263, 1;
    1685, 1
anfassen, heißes Eisen
    1860, 2
anfassen, mit 837, 1
anfassen, mit Samthand-
    schuhen 1413, 2
Anfassen, zum 1026, 1
Anfasser 812, 1
anfauchen 1391, 1
anfechtbar 1273, 1;
    1975, 1
anfechten 918, 3;
    1051, 1
anfechten lassen, sich
    nicht 773
Anfechtung 558, 2
anfeinden 60, 3; 821, 2;
    918, 3
Anfeindung 240
anfertigen 102, 4; 560, 3
anfertigen, Büste 359, 1
anfertigen, Plastik 1, 2;
    359, 1
Anfertigung 563, 2
anfeuchten 616, 1
anfeuchten, die Kehle
    1601, 1
anfeuern 75, 2; 219, 1
anflehen 315, 1
anfliegen 60, 2; 435, 1;
    530; 1184, 4; 1945, 2
Anflug 232; 951, 2;
    1193; 1498, 2
anfordern 280, 1

Anforderung 82, 3;
    843, 3
Anfrage 94, 1; 638, 1
anfragen 315, 1; 639, 1
anfreunden, sich 1157, 4;
    1718, 1
anfügen 519, 2; 519, 2
anfühlen, sich 1381, 1
anführen 293, 1; 669, 2;
    1174, 2
Anführer 671, 2; 1257, 2
anfüllen 674, 1
anfunkeln 398, 3
Angabe 96, 2; 460, 1;
    615, 1; 1942, 2
Angaben zur Person
    930, 2
angängig 1128, 1
angeben 72, 1; 430, 3;
    944, 1; 1120, 2;
    1174, 2; 1269, 1; 1777
angeben, Ton 669, 2
Angeber 1436
angeberisch 459, 2
angebetet 1054, 2
Angebetete 713
angeblich 54; 79; 1380
angebogen 48
angeboren 55
Angebot 470; 1844
Angebot machen 50, 2
angebracht 504, 1;
    1468, 1; 1973, 3
angebrannt 1397, 3
angebunden, kurz 31, 1;
    1005, 2; 1662, 1
angedeihen lassen 683, 2
Angedenken 527, 1
angedeutet 1199, 3
angeekelt 1364, 4
angefallen werden 530
angefault 1397, 3
angeflogen 1263
angegoren 844, 1
angegossen, wie 722, 6
angegraut 44, 1
angegriffen 1042, 1
angeheftet 48
angeheiratet 1813, 1
angeheitert 250, 1
angehen 52, 1; 60, 2;
    263, 2; 289; 315, 1;
    510, 2; 729, 1; 918, 3;
    1729, 1
angehen gegen 857, 1

angehen, um Geld
321, 1
angehend 290; 1483, 3
angehören 807, 1
Angehörige 1814, 1
angeht, was ... 49
angeht, was das 290
Angeklagter 56
angeknackst 265, 1
angekränkelt 1042, 1
angekratzt 1042, 1
Angel 211, 2; 1060, 1
angelegen sein lassen,
sich 92, 2; 193, 1;
217, 1; 1529, 1
Angelegenheit 120, 1;
580, 2; 697, 2
angelegentlich 1145, 2
angeln 588, 3; 761, 2;
1529, 1; 1550, 2
Angelpunkt 823; 1119, 6
angemessen 86, 1;
312, 2; 504, 1; 735, 2;
1317, 3; 1468, 1
angemessen sein 88, 2;
503, 1; 1731, 2
angenehm 57; 768, 5;
781, 3; 869; 1054, 1;
1175, 1; 1908
angenehm sein 691, 1
angenehmer machen
1716, 4
angenommen 534, 1;
582; 1895, 1
angeödet 1364, 4
angeordnet 751, 5
angepasst 341, 3;
1973, 1
Angepasstheit 74, 2
angeregt 835, 1
angereichert 891, 5
angerichtet 610, 4
angerostet 265, 1
angesäuert 844, 1;
1397, 3
angesäuselt 250, 1
angeschlagen 265, 1;
1042, 1
angeschrieben, gut
243, 1
angeschwollen 381, 2
angesehen 58; 1077, 2
Angesicht 752, 1
Angesicht zu Angesicht,
von 1244, 2

angesichts 49
angespannt 64, 1;
125, 1, 1; 548, 1; 891, 2
angestammt 59
Angestellter 103
Angestellter, leitender
672
angestockt 1708
angestrahlt 839, 4
angestrengt 891, 2;
1625, 4
angetan 1767
angetan haben, es jmdm.
691, 1
angetan sein 1056, 1;
1127, 1
Angetraute 1235, 4
Angetrauter 1235, 4
angetrunken 250, 1
angewidert 1364, 4
angewiesen sein auf 9, 1;
327
angewiesen, auf andere
856, 1
angewöhnen, sich 763, 2
angewurzelt 1505, 3
angezählt 1042, 1
angezeigt 803, 1;
1197, 3; 1973, 3
angezogen 610, 2
angleichen 73, 1; 151, 1
angleichen, sich 73, 2
Angleichung 74, 1;
150, 1; 1739
angliedern 1718, 3
anglimmen 330, 2
anglotzen 80, 2
angreifen 60; 129, 4;
918, 5; 1233, 1;
1685, 1
angreifen, Substanz
1521, 3
angreifend 130, 1
Angreifer 604, 1
angreiferisch 37, 1
angrenzen 263, 3
angrenzend 1155, 2
Angriff 61
Angriffslust 830
angriffslustig 37, 1;
690, 5
Angst 62; 1474; 1764, 2
Angst haben 63, 1
Angst machen 398, 1
angst und bange 64, 2

Angst vor der Angst
62, 6
angstbesessen 64, 2
angstbesetzt 1420, 2
ängsten 63, 1; 398, 1
angsterfüllt 64, 1
angstfrei 644, 2
angstgepeinigt 64, 2
Angsthase 603
ängstigen 63; 129, 2;
398, 1
ängstigen, sich 63
ängstigend 1293, 3;
1420, 1
ängstlich 64; 1763, 1;
1846, 3
ängstlich sein 128, 4
Ängstlichkeit 62, 3
Angstneurose 721
Angstträume 62, 2
angstvoll 64, 1
angucken 80, 1
anhaben 1589, 2
anhaben können, nichts
773
anhaben, Hosen 669, 2
anhaben, Spendierhosen
446, 2
Anhalt 810, 2
anhalten 22, 2; 364, 2;
811, 1; 1081, 2;
1508, 3; 1521, 1
anhalten um 245, 2;
1896, 2
anhalten, Atem 63, 1
anhaltend 365, 1; 882, 1
Anhaltspunkt 1498, 2
Anhaltspunkt, ohne 797
anhand von 1124, 3
Anhang 66, 4; 520, 2
anhangen 65, 1
anhängen 65; 1765;
1856
anhängen, sich 631, 1
Anhänger 66; 1003, 1;
1428, 3
Anhängerschaft 66, 4
anhängig 1207, 3
anhänglich 1971, 1
Anhänglichkeit 1055, 1
Anhängsel 520, 2
anhäufen 1361, 2;
1479, 1
anhäufen, sich 1510, 3
Anhäufung 1362, 1

anheben 52, *1*; 123, *2*;
　435, *3*; 506, *1*; 827, *1*;
　1495, *2*; 1716, *2*
Anhebung 1511, *1*
anheften 210, *1*; 519, *2*
anheim fallen 236, *1*
anheim stellen 531, *1*;
　1845, *1*
anheimeln 691, *2*
anheimelnd 719
anheischig machen, sich
　50, *4*; 489, *1*
anheizen 75, *2*
anherrschen 1391, *1*
anheuern 266, *1*
Anhieb, auf 1696, *3*
anhimmeln 1056, *2*;
　1735, *2*
Anhöhe 257, *1*
anhören 868, *2*
anhören, sich 1585, *5*
animalisch 1600, *1*
Animateur 1683, *1*
Animationsfilm 618, *3*
animativ 76, *3*
Animierdame 1743, *2*
animieren 75, *2*; 469, *1*;
　541, *2*; 1896, *1*
animierend 76, *3*
animiert 250, *1*
animos 605
Animosität 14, *1*; 472, *2*;
　606
ankämpfen gegen 857, *1*;
　918, *3*
Ankauf 923
ankaufen 924, *2*
Anker 810, *2*
ankern 1184, *4*
anketten 210, *1*; 313, *1*
Anklage 943, *1*
anklagen 944, *1*
Ankläger 912, *2*
anklammern 210, *1*
anklammern, sich 65, *2*
Anklang 413, *2*; 1062, *1*
ankleben 210, *1*
ankleiden 98, *1*
anklicken 52, *3*; 263, *4*;
　1711, *2*
anklingeln 1569
anklingen 526, *4*
anklingend 774
anklingend an 771, *4*
anklopfen 282, *1*

anknacksen 264
anknipsen 89, *3*
anknipsen, Licht 241, *1*
anknüpfen 1741, *2*
Anknüpfungspunkt
　1719, *2*
ankommen 67; 958, *2*
ankommen auf 9, *4*
ankommen lassen, es dar-
　auf 1860, *1*
Ankömmling 283, *1*
ankotzen 462, *1*
ankreiden 1554, *1*;
　1856; 1959, *1*
ankreuzen 931, *3*
ankündigen 276, *2*;
　1120, *2*
ankündigen, sich 958, *1*
Ankündigung 97, *1*;
　860, *1*; 1122
Ankunft 68; 465, *1*
ankurbeln 52, *3*; 89, *3*;
　1711, *2*; 1835, *5*
Ankurbelung 51, *2*;
　1836, *1*
anlächeln 1009, *1*
Anlage 346; 452, *1*;
　520, *3*; 577; 680;
　1172, *2*; 1227, *1*
Anlage, als 48
Anlagen 449, *1*
anlangen 67, *1*; 263, *1*
anlangend 290
Anlass 794, *1*
Anlass, aus 69, *1*
Anlass, entscheidender
　794, *1*
Anlass, offizieller 465, *2*
anlassen 89, *3*; 1711, *2*
anlässlich 69; 1889
anlasten 237, *4*; 1856
Anlauf 51, *2*; 1446, *1*
anlaufen 52, *1*; 616, *3*;
　1445, *2*
anlaufen lassen 52, *3*
anläuten 1569
anlegen 519, *2*; 547, *1*;
　676, *1*; 811, *1*; 1184, *4*;
　1196, *2*; 1259, *1*;
　1945, *1*
anlegen auf, es 1923, *1*
anlegen mit, sich 1535, *1*
anlegen, Gurt 210, *1*
anlegen, Hand 837, *2*;
　1685, *2*

anlegen, Kleider 98, *1*
anlegen, letzte Hand
　198, *2*; 1829
anlegen, Sammlung
　1361, *1*
anlegen, Staat 1292, *2*
anlegen, Zügel 857, *1*
Anlegestelle 333; 1630
anlehnen, sich 124, *1*;
　881, *2*; 1544, *2*
anlehnungsbedürftig
　856, *1*; 1660, *3*
Anleihe 271, *3*; 358;
　986; 1142, *1*
anleiten 437, *5*; 1034, *2*
anleiten, pädagogisch
　564
Anleitung 96, *1*; 565, *2*;
　671, *5*; 1033, *1*
anlernen 1034, *2*
Anlernling 1428, *4*
anlesen 1050, *1*
anleuchten 241, *1*
anliegen 88, *1*; 263, *3*;
　519, *5*
Anliegen 1762, *2*
Anliegen sein 217, *1*
anliegend 48; 1155, *2*
anliegend, eng 480, *3*
Anlieger 1143, *2*
anlocken 1334, *4*
anlügen 1072
Anmache 843, *1*
anmachen 75, *3*; 210, *1*;
　219, *1*; 1334, *3*; 1742;
　1874, *1*; 1950
anmachen, Licht 241, *1*
anmahnen 196; 1081, *3*
Anmahnung 1082, *1*
anmalen 590, *2*
Anmarsch 61, *1*; 68, *1*
Anmarsch sein, im
　1157, *1*
Anmarsch, im 1155, *3*
anmarschieren 67, *1*;
　1157, *1*
anmaßen, sich 195, *1*;
　430, *3*; 1860, *3*
anmaßend 84, *2*;
　459, *2*
Anmaßung 460, *1*;
　643, *2*
anmelden 1120, *2*
anmelden, sich 1157, *2*
Anmelderaum 126, *4*

Anmeldung 126, 4;
465, 3
anmerken 162, 1
anmerken lassen, sich
162, 3
anmerken lassen, sich
nichts 228
Anmerkung 164, 2;
520, 2
anmontieren 210, 1
Anmut 70; 607, 1;
1414, 1
anmuten 158; 1381, 1;
1911, 4
anmutig 71
anmutlos 1264, 1
Anmutung 159; 752, 2
annageln 210, 1
annähern, sich 73, 2;
1157, 4
annähernd 1655, 1;
1946
Annäherung 966, 2
Annahme 126, 4; 207, 1;
465, 1; 556, 1; 965, 3;
1100, 3; 1834
Annahme, in der 1895, 2
Annahme, in der irrigen
903
Annalen 527, 3
annehmbar 1128, 1
annehmen 127, 2;
430, 1; 466, 1; 555, 1;
964, 2; 1099; 1168, 4;
1375, 2; 1772, 1;
1969, 2
annehmen, als Kind
1168, 6
annehmen, Form 506, 4
annehmen, Formen
145, 4
annehmen, Gestalt
506, 4
annehmen, Gewohnheit
763, 2
annehmen, Haltung
704, 1
annehmen, sich jmds.
1789, 2
annehmen, Vernunft
1049, 4; 1794, 5
Annehmlichkeit 249, 1;
730, 1
annektieren 1168, 3
Annihilierung 1941, 1

anno dazumal 666, 1
Annonce 97, 1
annoncieren 50, 2;
1120, 2; 1896, 1
annullieren 122, 2;
123, 4
annulliert 534, 4
Annullierung 120, 3;
486, 2
anöden 1016, 1
Anomalie 29, 5
anonym 834, 2; 1642, 1
Anonymus 1181, 2
anordnen 72; 499, 1;
1226, 2; 1229, 1;
1712, 1
Anordnung 136, 2;
209, 1; 632, 1; 779;
1094; 1227, 1
anorganisch 1586, 2
anormal 1237
anpacken 52, 3; 224, 1;
1233, 3; 1685, 1
anpassen 73; 519, 6;
1284, 2
anpassen, sich 73;
448, 2; 503, 2
Anpassung 74; 764
anpassungsfähig 301, 1;
744, 2; 1891, 2
Anpassungsfähigkeit
623, 2
anpeilen 80, 2; 1516, 2;
1945, 2
anpfeifen 52, 3; 1391, 1
Anpfiff 51, 2; 1385, 1
anpflanzen 560, 5
Anpflanzung 563, 4;
680
anpflaumen 1492, 1
anpflocken 313, 1
anpinnen 210, 1
anpinseln 590, 2
anpöbeln 841, 1
Anprall 1526
anprallen 90, 1
anprangern 319, 2
anpreisen 50, 1; 469, 1;
1063, 1
Anpreisung 470; 1062, 2
anprobieren 1284, 2
anpumpen 321, 1
anquasseln 1334, 3
anquatschen 1334, 3
anrainen 263, 3

Anrainer 1143, 2
anranzen 1391, 1
anraten 75, 1; 469, 1;
541, 1; 1081, 1;
1305, 1
Anraten 470
anrechnen 151, 4;
193, 2; 251, 1; 1751, 3;
1959, 1
anrechnen, hoch 357, 2
Anrecht 82, 1; 1318, 1
Anrecht haben 1731, 2
Anrede 930, 4
anreden 1174, 1
anregen 75; 219, 1;
541, 2; 894, 1;
1305, 1; 1711, 1
anregend 76; 892, 1
Anreger 1257, 2
Anregung 77; 1333;
1844
anreichen 683, 1
anreichern 1716, 5
Anreicherung 1717, 3
Anreise 68, 1
anreisen 1157, 1
anreißen 1214, 2
Anreiz 77, 2; 794, 1;
957, 1; 1333
anreizen 1334, 1
anrempeln 90, 3;
1334, 2; 1527
Anrempelung 843, 1
Anrichte 1418
anrichten 50, 3; 1950
anrichten, etwas 89, 4;
1750, 8
anrichten, Unheil
1369, 1
anrollen 67, 1; 90, 2;
1157, 1
anrollend 1155, 3
anrüchig 91, 5; 1975, 3
anrücken 1157, 1
Anruf 1082, 3; 1353, 2;
1762, 2
anrufen 1354, 1; 1569
anrufen, Gesetz 944, 2
Anrufung 684
anrühren 263, 1; 263, 2
ansagen 72, 1; 1120, 2;
1769, 2
Ansager 1683, 1
ansammeln, sich 1510, 3
Ansammlung 1362, 1

ansässig 227, *1*
ansässig sein 1024, *2*
Ansatz 796, *2*
Ansatzpunkt 796, *2*
ansaufen, sich einen
  284, *3*
anschaffen 274, *2*;
  924, *1*; 1279
Anschaffung 923
anschauen 80, *1*; 247, *1*
anschaulich 78; 1265, *1*
anschaulich machen
  528, *3*
Anschaulichkeit 589, *2*;
  947, *1*; 1792
Anschauung 222; 375;
  1100, *1*; 1848, *2*
Anschauung, eigene
  517, *1*
Anschauungsvermögen
  1253
Anschein 159; 1198, *3*;
  1559, *2*
Anschein haben 158;
  1381, *1*
Anschein nach, dem 79
anscheinen 241, *1*
anscheinend 54; 79
anschicken, sich 52, *3*;
  1835, *2*
Anschiss 1385, *1*
Anschlag 97, *3*; 116;
  860, *1*; 1818, *2*
anschlagen 210, *1*;
  236, *2*; 244, *1*; 264;
  1585, *2*; 1911, *2*
anschlagen, Lache
  1009, *2*
anschleichen 1741, *1*
anschleppen 274, *1*
anschließen 263, *3*
anschließen, sich 65, *4*;
  220, *1*; 631, *1*; 1229, *3*
Anschluss 966, *1*; 966, *2*
Anschlussstelle 1719, *2*
anschmachten 1056, *2*
anschmieden 210, *1*
anschmiegen, sich 73, *2*
anschmiegend 1054, *3*
anschmiegsam 1054, *3*
anschmieren 293, *1*
anschmutzen 1809
anschnallen 210, *1*
anschnallen, sich
  1462, *3*

anschnauzen 1391, *1*
Anschnauzer 1385, *1*
anschneiden 1214, *2*
anschneiden, Thema
  1845, *3*
anschrauben 210, *1*
anschreiben 237, *4*;
  321, *2*
Anschrift 930, *2*;
  1920, *3*
anschuldigen 944, *1*;
  1856
Anschuldigung 943, *1*;
  1385, *2*
anschwärmen 1056, *2*;
  1735, *2*
anschwärzen 948, *1*;
  1765
anschwellen 145, *2*;
  1297; 1510, *3*; 1921, *1*
Anschwellen 1511, *3*
anschwemmen 1157, *3*
ansehen 80; 1451
Ansehen 202, *2*; 716, *2*;
  752, *2*; 1353, *3*
Ansehen der Person,
  ohne 735, *1*
ansehen, mit 515, *1*
ansehen, sich 80;
  1486, *1*
ansehen, sich die Welt
  1331, *1*
ansehnlich 791, *2*;
  1327, *2*; 1507, *1*; 1946
anseilen, sich 1462, *3*
ansengen 330, *4*
ansetzen 52, *1*; 72, *2*;
  519, *2*; 1375, *2*;
  1835, *2*; 1950
ansetzen, Grünspan
  1729, *2*
ansetzen, Hebel 52, *3*
Ansicht 308, *1*; 752, *2*;
  1100, *1*
ansichtig werden 1451
ansiedeln 1184, *1*;
  1804, *1*
Ansiedlung 1185, *1*;
  1805
Ansinnen 1762, *2*
anspannen 195, *3*;
  1943, *2*
anspannen, sich 92, *3*
Anspannung 549, *1*;
  1020, *2*; 1478, *2*

ansparen 1479, *1*
anspielen 861, *1*;
  1492, *1*
Anspielung 81; 662, *1*;
  860, *2*; 1491, *2*
Anspielung machen
  861, *1*
Anspielung, boshafte
  1491, *3*
anspinnen 52, *3*; 1835, *5*
anspitzen 75, *1*; 391, *2*;
  1334, *2*; 1374, *1*
Ansporn 77, *2*; 794, *1*
anspornen 75, *2*; 541, *1*;
  1081, *2*
Ansprache 801, *3*; 1851
Ansprache, ohne 450, *1*
ansprechbar 467, *1*;
  748, *1*
ansprechbar, nicht
  820, *2*
Ansprechbarkeit 468, *2*
ansprechen 315, *1*;
  691, *2*; 1174, *1*; 1313;
  1334, *3*
ansprechend 99, *1*;
  100, *1*; 654, *2*; 869;
  1175, *1*; 1335
anspringen auf 1313
Anspruch 82; 843, *3*;
  1318, *1*; 1762, *2*
Anspruch haben auf
  195, *1*
anspruchslos 83
Anspruchslosigkeit
  434, *1*
anspruchsvoll 84
anspülen 1157, *3*
anstacheln 75, *2*; 851, *3*;
  1334, *2*
Anstalt 449, *3*; 833, *2*
Anstalten machen 52, *3*;
  1835, *2*
anstaltsreif 1778, *2*
Anstand 85
Anstände 989, *2*
anständig 86; 328, *2*;
  804, *3*; 1225, *3*
Anständigkeit 85, *2*
Anstandsbesuch 281, *2*
anstandshalber 504, *1*
anstandslos 87; 738, *1*
anstandswidrig 91, *1*
anstarren 80, *2*; 1334, *3*;
  1925, *3*

anstatt 1506
anstauen, sich 1510, 3
anstaunen 1735, 1;
1925, 3
anstechen 1214, 2
anstecken 75, 2; 210, 1;
210, 1; 1622, 3
anstecken, sich 530
ansteckend 690, 5
Ansteckung 984, 1
anstehen 88; 1508, 4;
1877, 2
anstehen lassen 1542;
1821, 2
anstehend 1207, 3
ansteigen 145, 2;
1509, 1
Ansteigen 135, 2
ansteigend 1417, 3;
1958
anstellen 89; 266, 1
anstellen, Berechnung
251, 1
anstellen, Ermittlungen
536
anstellen, etwas 89, 4
anstellen, Nachforschun-
gen 536
anstellen, sich 88, 3;
807, 3; 1371, 1;
1758, 1; 1877, 2
anstellen, sich dumm
901, 3; 1658, 2
anstellen, Untersuchun-
gen 635
anstellen, Ventilator
995, 2
anstellen, Vermutungen
1772, 1
anstellen, Versuche
1796, 2
Anstellerei 460, 1
anstellig 576, 1; 744, 1
Anstelligkeit 743, 1
Anstellung 101, 2
Anstellung, ohne 104
ansteuern 1157, 3;
1945, 2
Anstich 51, 2
Anstieg 135, 2
anstieren 80, 2
anstiften 208; 851, 3;
1711, 1
Anstifter 366; 897
Anstiftung 367

anstimmen, Gelächter
1009, 2
anstimmen, Lied
1465, 1
Anstoß 77, 1; 794, 1;
1526
anstoßen 89, 3; 90;
263, 3; 541, 1; 1527;
1601, 2
anstößig 91
Anstößigkeit 662, 1
anstrahlen 241, 1;
1009, 1
anstreben 217, 1;
1259, 2; 1529, 1;
1923, 1
anstreichen 590, 3;
931, 3
Anstreicher 1083, 2
anstrengen 92; 195, 3;
539, 1
anstrengen, Prozess
944, 2
anstrengen, sich 92;
245, 2
anstrengend 1021, 1;
1440, 2
Anstrengung 917, 1;
1020, 2
Anstrich 159
anstückeln 519, 8
anstupsen 263, 4;
1935, 1
Ansturm 1543, 2
anstürmen 90, 2
ansuchen 303; 315, 1
Ansuchen 94, 1; 1762, 2
ansuchen um 245, 2
Ansucher 95, 3
Antagonismus 694, 2
antagonistisch 695, 4
antanzen 67, 1
antasten 263, 1
antediluvianisch 1708
Antediluvium 1745
Anteil 1102, 1; 1295, 2;
1338, 1
Anteil haben 1564, 1
Anteilnahme 893;
1563, 1
anteilnehmend 1565, 1
Antenne 468, 1; 1793, 1
Anthologie 171, 4;
1362, 3
antichambrieren 208

Antichrist 1575
anticken 263, 4
antidogmatisch 933
antik 44, 5
Antike 1745
Antilope, wie eine
1036, 5
Antipathie 14, 1
antipathisch 1638, 3
Antipode 700, 1
antippen 263, 4; 639, 1
antiquarisch 44, 5
antiquiert 1708
Antiquität 976, 1
antireligiös 31, 4
Antithese 558, 2
antithetisch 695, 3
antizipieren 93
Antlitz 752, 1
antörnen 75, 3; 219, 1;
1742
Antrag 94; 470; 1844
antragen 50, 1; 1845, 1
antragen, Stellung
1354, 3
Antragsteller 95, 3
antreffen 1593, 4
antreiben 75, 2; 391, 2;
541, 1; 1157, 3
antreten 67, 1; 139, 3;
958, 2; 1512, 3
Antreten 68, 1
antreten, Erbe 514
antreten, Erbschaft 514
antreten, Hinterlassen-
schaft 514
antreten, Reise 485, 3
Antrieb 77, 1; 794, 1;
1446, 2
Antrieb, aus eigenem
646
antrinken, sich einen
Rausch 284, 3
Antritt 51, 1; 68, 1
Antrittsbesuch 281, 2;
438, 1
Antrittsvorlesung 51, 2
antun, etwas 1369, 1
antun, Leid 1369, 2
antun, sich etwas 1587, 5
antun, sich Zwang 228
antuschen 590, 2
Antwort 558, 1; 1314, 1
antworten 557, 1; 1313
anvertrauen 1622, 1

anvertrauen, etwas
1800, 2
anvertrauen, Geheimnis
1208, 3
anvertrauen, sich jmdm.
1800, 1
anverwandeln 127, 3
anverwandeln, sich
73, 2; 763, 2
Anverwandlung 74, 2
Anverwandte 1814, 1
anvisieren 1945, 1
anwachsen 145, 2;
510, 2; 1510, 3
Anwachsen 146, 1;
1511, 3
anwählen 1863, 4
Anwalt 912, 2
Anwalt machen, sich
zum 92, 2
anwandeln 435, 1
Anwandlung 1520, 2
anwärmen 1874, 1
Anwärter 95; 513, 3
Anwartschaft 82, 1
anwehen 435, 1
anweisen 72, 1; 304, 4;
1034, 2
Anweisung 96; 136, 2;
209, 1; 565, 2;
1033, 1
anwendbar 1128, 1
anwenden 153, 1; 246
Anwendung 154, 1;
204, 1
anwerben 1896, 3
anwerfen 1711, 2
anwesend 699, 3; 853
anwesend sein 1564, 2
anwesend, nicht 598, 1
Anwesende 1566, 1
Anwesender 283, 3
Anwesenheit 570;
698, 2; 1563, 2
Anwesenheit von, in
699, 3
anwidern 462, 1
Anwohner 1143, 2
Anwurf 1385, 2
Anzahl 1102, 1; 1295, 2;
1329, 1
Anzahl, eine beachtliche
1826
anzahlen 1339
anzapfen 321, 1; 1214, 2

Anzeichen 930, 1;
1934, 2
anzeichnen 931, 3
Anzeige 97; 470; 943, 1
anzeigen 50, 2; 944, 1;
1120, 2; 1777; 1896, 1;
1935, 3
anzeigen, sich 1157, 2
Anzeigetafel 97, 2
anzetteln 1711, 2
anziehen 98; 210, 1;
428, 2; 1334, 1;
1509, 4
anziehen, Blicke 118
anziehen, Schraube 412
anziehen, sich warm
1874, 2
anziehen, Tempo 391, 3
anziehend 99; 1335
Anziehung 980, 2; 1333
Anziehungskraft 980, 2;
1333
Anziehungspunkt 1079
anzischen 1391, 1
Anzug sein, im 67, 1;
958, 1
Anzug, im 1155, 3
anzüglich 91, 1; 239, 1;
1244, 5; 1493, 1
Anzüglichkeit 81, 2;
662, 1
anzünden 1874, 1
anzünden, Licht 241, 1
anzunehmen 79; 863, 1
anzunehmen, nicht
926, 2
anzuraten 1468, 1
anzurechnen, hoch 1733
anzusehen sein 158
anzusehen, nett 869
anzuzweifeln, kaum
863, 1
anzweifeln 1976
Äon 1936, 1
Apanage 1338, 1;
1681, 2
apart 273, 3; 457, 1;
1177, 3; 1231, 2
Apartheid 389, 2
Apartment 1920, 2
Apathie 1647, 4
apathisch 406, 4; 772, 3;
1646, 1
Aperçu 1684, 4
Aperitif 438, 1

Äpfel 344
Aphorismus 374, 3
aphoristisch 1005, 5
Aplomb 1144
apodiktisch 1536, 3
Apokalypse 1941, 1
Apologie 495, 2
Apoplexie 1393, 4
Aporie 1666
Apostasie 5, 5
Apostat 932
apostatisch 933
apostrophieren 1174, 1
Apparat 609, 1; 733;
1088; 1203; 1568
Apparatur 168, 1; 733
Appartement 1920, 2
Appeal 957, 2; 1333
Appeasement 150, 4
Appell 855; 1082, 3;
1353, 2; 1762, 2
appellieren 1081, 3
Appendix 520, 9
Appetit 1073, 1; 1762, 1
Appetit haben 872, 1
Appetit haben auf
217, 2
appetitanregend 100, 1;
109
Appetithappen 1080, 3
appetitlich 100
applanieren 151, 1
Applanierung 150, 1
applaudieren 948, 2
Applaus 231; 413, 2
Approbation 532, 2
approbieren 278, 5;
531, 2
Apriori 798, 2
apropos 1167, 1
Apsis 1922, 3
Aquädukt 333
Aquaplaning 768, 6
Aquarell 308, 2
aquarellieren 359, 1
Aquarellist 1083, 1
äquivalent 775
Äquivalent 550, 2;
1899, 2
Ära 1936, 1
Arabeske 1136, 1
Arbeit 101; 383, 1;
1027, 2
Arbeit, ohne 104
Arbeit, schriftliche 8, 2

arbeiten 102; 815, 1;
1045, 1; 1911, 1
arbeiten an 266, 2
arbeiten, als Prostituier-
te(r) 1279
arbeiten, an sich 510, 5
arbeiten, daran 533, 1
arbeiten, schlecht 1252
arbeiten, schwer 92, 3
Arbeiten, wissenschaftli-
ches 636, 2
arbeitend 1557, 3
Arbeiter 103
Arbeitgeber 1687, 1
Arbeitnehmer 103
arbeitsam 621
Arbeitsanfall 291, 2
Arbeitsbereich 121
Arbeitseifer 422, 2
Arbeitseinstellung 1532
arbeitsfähig 757, 5
Arbeitsfeld 121
Arbeitsfreude 422, 2
arbeitsfreudig 621
Arbeitsgebiet 121;
571, 2
Arbeitsgemeinschaft
800, 2
Arbeitsgerät 733
Arbeitsgruppe 800, 2
Arbeitskampf 1532
Arbeitskraft 103; 980, 1
Arbeitslager 969
Arbeitslampe 1012, 1
Arbeitsleistung 980, 1;
1046, 1; 1195, 3
arbeitslos 104
Arbeitslust 422, 2
Arbeitsmarkt 1086, 2
Arbeitsniederlegung
1532
Arbeitspause 647
Arbeitsplatz 101, 2
Arbeitsplatz, ohne 104
Arbeitsschicht 1387, 2
Arbeitsstätte 291, 1
Arbeitssucht 1551, 4
Arbeitstag 42, 1
Arbeitstisch 1581
arbeitsunfähig 1042, 1
Arbeitsverhältnis 101, 2
Arbeitsvermögen 980, 1;
1274, 2
Arbeitsweise 1518, 1
Arbeitswut 422, 2

arbiträr 242
archaisch 44, 5
Archetyp 1136, 4
Archipel 889
Architekt 191; 671, 6
Archiv 1484, 3
Archivierung 1362, 4
Areal 685, 2; 795
areligiös 31, 4
Arena 1377
arg 323, 1; 1397, 4;
1452, 1; 1660, 4
Arg 584, 1
Arg, ohne 1159
Ärger 105; 1118; 1478, 2
ärgerlich 130, 2; 322, 1;
1021, 1; 1243, 1;
1638, 1
ärgern 90, 4; 106;
129, 1; 1242, 2;
1334, 2
ärgern, sich 106
Ärgernis 105, 3
Arglist 584, 1; 898
arglistig 16; 323, 2;
583, 4
arglos 433, 2; 1159
Arglosigkeit 434, 2
Argument 794, 2
Argumentation 794, 2
argumentieren 501, 3;
1399, 3
Argwohn 1974, 2
argwöhnen 1976
Arie 739, 2
Aristokratie 36, 2
arithmetisch 722, 5
Arkaden 1922, 2
Arkadien 1234
arkadisch 835, 5
Arkanum 702, 1
arm 107
Arm 778, 1; 1977, 3
Arm in Arm 1962
Armee 1102, 3; 1111, 2
Ärmelaufschlag 1291, 9
Armeslänge 1156, 1
Armlehne 810, 5
Armleuchter 405, 4;
1012, 2
ärmlich 107, 2; 954, 2
Ärmlichkeit 1190, 1
armselig 107, 2
Armseligkeit 1190, 1
Armstuhl 1470, 1

Armut 1190, 1
Armutszeugnis 599, 5
Aroma 108; 746, 3
aromatisch 109
aromatisieren 1928, 1
Arrangement 779;
1133, 2; 1737, 1
Arrangeur 1134, 1
arrangieren 756;
1226, 3; 1712, 1
arrangieren, sich 448, 2;
1736
Arrest 267; 692, 1
arretieren 614, 1; 1757
Arrival 68, 1
arriviert 781, 2
Arrivierten, die 1201, 2
arrogant 459, 2
Arroganz 460, 1
Ars amandi 1055, 2
Arsch 405, 4; 1350
Arschkriecher 1221
Arschloch 405, 4
Arsenal 1484, 2
Art 110; 632, 1; 1294, 2;
1518, 1
Art und Weise 110, 3
Art, von anderer 1784, 1
Artdirector 1898, 4
Artefakt 1046, 2
arten nach 1615, 3
artifiziell 1002
artig 328, 1; 864;
1175, 2
Artigkeit 85, 1; 490, 2
Artikel 8, 1
Artikulation 1494, 2
artikulieren 162, 2;
1495, 1
artikuliert 378, 2; 945, 2
Artikulierung 1494, 2
Artist 111
artverwandt 771, 4;
1813, 2
Arznei 112; 1098, 2
Arzneimittel 112, 1;
1098, 2
Arzt 113
Arztbesuch 281, 1
Asche 712, 3; 1340, 1
Asche werden, zu
1750, 5
Aschenbahn 685, 3;
1888, 2
Aschenputtel 160, 1

Aschgraue, bis ins
1648, 2
äsen 566, 6
aseptisch 574, 2
asexuell 574, 2
Askese 1092, 1; 1819, 2
asketisch 1536, 2
Aspekt 1100, 2
asphaltieren 179, 1;
769, 1
Asphaltschluchten
1500, 2
Aspirant 95, 2
Ass 1501, 1
Asservat 1942, 1
Assessor 95, 2; 1035, 1
assimilieren, sich 73, 2
Assimilierung 74, 2
Assistent 838, 2
Assistenz 854, 1
assistieren 837, 2
assortieren 1226, 2
assortiert 148, 3
assortiert, wohl 1327, 2
Assoziation 1321;
1719, 2
assoziieren 1718, 3
assoziieren, sich 1229, 3
assoziiert 1728, 1
Assoziierung 1719, 6
Ast 1977, 3
asten 92, 3
Ästhet 726, 1; 1003, 1
ästhetisch 996, 2
Ästhetizismus 607, 2
astrein 414, 2; 1830, 1
Astrologe 1276
Astronautik 578, 4
astronomisch 791, 2
Asyl 1461, 2
Asylant 1107
Asylsuchender 1107
Atavismus 1348, 1
Atelier 114
Atem 1025, 3
atemberaubend 892, 1
atemlos 548, 1
Atemnot 481, 2
Atempause 525, 1;
1822, 3
Atemzug, im selben 776
atheistisch 31, 4
Äther 1068, 1
ätherisch 1036, 3;
1070, 2; 1932, 1

Athlet 111, 2; 982; 1489
athletisch 981, 1;
1490, 1
atmen 115; 316, 1;
1024, 1
atmen, tief 115
Atmosphäre 1068, 1;
1301, 2
Atoll 889
Atom 192, 2; 1561, 3
Atomenergie 478, 2
atomisieren 1562, 1;
1940, 1
Atomkrieg 987, 2
Atomschlag 1941, 1
Atomstreitkraft 1111, 2
Attaché 387, 1
Attacke 61, 1
attackieren 60, 2
attackierend 37, 1
Attentat 116; 1588, 1
Attest 279, 1; 1942, 1
attestieren 278, 1
Attitüde 1759, 3
Attraktion 767, 5;
957, 2; 1079
attraktiv 1335
Attraktivität 893;
957, 2
Attrappe 1142, 1;
1559, 2
Attrappe, als 318, 3
Attribut 930, 1
atzen 676, 1
ätzen 106, 1; 447, 2;
789; 907, 1
ätzend 844, 2; 1373, 3;
1493, 1; 1638, 3
Atzung 542, 1
auch 117
auch das noch 1173
Audienz 465, 2
Audiokassette 922, 2
Auditorium 283, 4;
1566, 1
Aue 620, 1
auf 862, 1; 1207, 1
auf sich haben 201, 1
Auf und Ab 1710, 2
auf und davon 1887, 1
aufarbeiten 543, 1;
1148, 1
Aufarbeitung 544, 1
aufatmen 524, 1
Aufbau 511, 2; 563, 3;

632, 1; 779; 965, 1;
1227, 1; 1539
aufbauen 298, 1; 510, 3;
964, 1; 1229, 1;
1606, 1; 1685, 1
aufbauen, wieder 543, 1
aufbauend 757, 3
aufbäumen, sich 124, 2
aufbauschen 1623, 4
aufbegehren 124, 2;
129, 5
aufbereiten 198, 4;
1835, 2
aufbessern 1716, 3
Aufbesserung 1511, 1
aufbewahren 123, 1
aufbieten, alles 92, 2
Aufbietung 452, 2
aufbinden 313, 7
aufbinden, Bären 1072
aufblähen 1623, 1;
1921, 1
aufblähen, sich 1269, 1
aufblasen 1921, 1
aufblasen, sich 1269, 1
aufblenden 241, 1
aufblicken 827, 2;
1735, 1
aufblitzen 435, 1;
1381, 2
aufblühen 543, 5;
1214, 3
aufbrauchen 1724, 1
aufbrausen 106, 2;
1376, 2
aufbrausend 829, 3
aufbrechen 485, 1;
485, 2; 506, 2;
1214, 1; 1214, 1
aufbrechen, Tür 432, 1
aufbringen 106, 1;
129, 1; 139, 1; 274, 1;
761, 2; 851, 3
Aufbruch 486, 3
aufbrühen 956, 2
aufbrummen 72, 1;
122, 4
aufbürden 237, 1
aufdecken 319, 3;
1208, 1; 1305, 3
aufdecken, Karten
1208, 3
aufdecken, sich 213, 7
Aufdeckung 1209, 1
aufdonnern 1623, 5

aufdrängen, sich
1523, *1*
aufdrehen 89, *3*; 395, *3*
aufdringlich 119, *1*;
1021, *3*; 1556; 1913, *2*
aufdröseln 1066, *3*;
1595, *5*
Aufdruck 930, *3*;
1136, *1*
aufdrucken 931, *4*
aufdrücken 1214, *2*
aufdrücken, Stempel
931, *4*
aufeinander folgend 351
Aufeinanderfolge
630, *1*; 1329, *1*
Aufenthalt 810, *6*; 1525
Aufenthalt, ohne
1664, *2*
Aufenthaltsort 1920, *3*
auferlegen 72, *1*; 237, *2*
auferstehen 543, *5*
auferstehen lassen, wie-
der 543, *5*
Auferstehung 544, *2*
aufessen 1030, *3*
aufessen, Suppe 1040, *1*
auffächern 1562, *1*
Auffächerung 1596, *2*
auffahren 106, *2*
auffahrend 829, *3*
Auffahrt 520, *8*; 1528
auffallen 90, *4*; **118**;
174, *2*; 884; 1621, *1*;
1867, *1*
auffallen, nicht 73, *2*;
1236, *2*
auffallend 119; 273, *2*;
553
auffällig 119, *1*; 1432, *2*
auffangen 261, *1*;
588, *1*; 1430, *3*
Auffassung 1100, *1*
Auffassungsgabe 623, *2*;
1790, *2*
auffassungsschnell
622, *2*; 890, *1*
auffinden 619, *1*
Auffindung 675, *1*
aufflackern 142, *1*;
330, *2*
aufflackern, wieder
543, *5*
aufflammen 142, *1*;
330, *2*

auffliegen 1262, *3*;
1383, *1*
auffordern 280, *3*;
315, *1*; 446, *1*; 1845, *2*
auffordern zu 469, *1*
Aufforderung 470
Aufforderung, wieder-
holte 1082, *1*
aufforsten 543, *1*
Aufforstung 544, *1*
auffrischen 526, *1*;
543, *1*; 543, *4*; 1904, *1*
auffrischen, Farbe
590, *1*
auffrischend 1070, *1*;
1958
Auffrischung 544, *1*;
1905
aufführen 560, *4*;
1174, *2*; 1487, *2*
aufführen, einzeln
1937, *1*
aufführen, sich 1758, *1*
Aufführung 1713, *2*;
1759, *1*
auffüllen 519, *1*; 674, *1*
Auffüllung 520, *7*
Aufgabe 101, *2*; **120**;
136, *3*; 383, *1*; 486, *4*;
638, *4*; 1183, *1*;
1819, *1*
aufgabeln 619, *2*
Aufgabenbereich 121
Aufgabengebiet 121
Aufgabenkomplex 121
Aufgabenkreis 121
Aufgang 1597
aufgebaut 1902, *3*
aufgeben 122; 329, *2*;
475, *1*; 1019, *2*;
1388, *4*; 1595, *1*;
1820, *1*; 1823, *1*
aufgeben, Anzeige 50, *2*
aufgeben, einander
485, *5*
aufgeben, Geist 1513, *1*;
1780, *3*
aufgeben, Hoffnung
122, *3*; 1823, *1*
aufgeben, Land 485, *4*
aufgeben, nicht 65, *3*;
226, *2*
aufgeben, sich 65, *2*
aufgeben, Stellung
998, *1*

aufgeben, Wohnung
175, *1*
aufgebläht 381, *2*;
1625, *1*
aufgeblasen 381, *2*;
459, *2*
Aufgeblasenheit 460, *1*
Aufgebot 97, *3*; 452, *2*
aufgebracht 322, *1*
Aufgebrachtheit 105, *2*
aufgebraucht 1028, *1*
aufgebrezelt 1625, *3*
aufgedonnert 1625, *3*
aufgedreht 835, *3*
aufgedunsen 381, *2*
aufgefrischt 1177, *4*
aufgehalten werden
1521, *1*; 1821, *3*
aufgehen 52, *2*; 506, *2*;
523, *2*; 1214, *3*; 1297;
1794, *2*; 1921, *1*
aufgehen in 1220, *1*
aufgehen, in Flammen
1750, *5*
aufgehen, in Rauch
1750, *5*
aufgehen, Licht 435, *1*
aufgehoben, gut 1460, *3*
aufgeilen 1742
aufgeilend 91, *3*
aufgeklärt 644, *3*;
1773, *2*
aufgekratzt 548, *3*;
835, *3*
aufgeladen 548, *1*
aufgelegt 576, *2*
aufgelegt, gut 835, *3*
aufgelegt, nicht 1042, *1*
Aufgelegtsein 1520, *1*
aufgelockert 644, *2*;
1036, *3*
aufgelöst 548, *3*;
1162, *5*; 1891, *4*
aufgemotzt 1625, *3*
aufgeputzt 1625, *3*
aufgeräumt 731, *1*;
835, *3*; 1225, *1*
Aufgeräumtheit 650, *1*
aufgeregt 64, *1*; 548, *1*
Aufgeregtheit 549, *1*
aufgerichtet 732, *1*
aufgerichtet, hoch
732, *1*
aufgerieben 1130, *2*
aufgerundet 1655, *1*

aufgeschlossen 467, 2;
748, 1; 895, 1;
1026, 2; 1121; 1773, 2
Aufgeschlossenheit
468, 2; 749, 1
aufgeschmissen 534, 2;
856, 2
aufgeschmissen sein
1521, 3
aufgeschossen 791, 1
aufgeschwemmt 381, 2
aufgesprungen 1307, 4;
1496, 2
aufgestanden, mit dem
linken Fuß zuerst 1117
aufgetakelt 1625, 3
aufgetaut 644, 2;
1162, 5
aufgeteilt 731, 3
aufgetragen 610, 4
aufgetragen, dick
1913, 2
aufgetrieben 381, 2
aufgewärmt 182
aufgeweckt 890, 1;
1026, 2
aufgeworfen 381, 4
aufgewühlt 64, 1; 548, 2
aufgießen 956, 2
aufgliedern 1595, 2;
1937, 1
Aufgliederung 779;
1596, 2
aufgraben 787, 1
aufgreifen 123, 2; 127, 4;
588, 2; 1757; 1845, 3
aufgreifen, wieder
1904, 3
aufgrund 49; 69, 1; 1889
Aufguss 567, 2; 1142, 1;
1905
aufhaben 1589, 2
aufhaken 1066, 4
aufhalsen 237, 2
aufhalten 857, 1;
1214, 1; 1523, 1;
1821, 2
aufhalten, sich 212, 3;
1024, 2
aufhängen 210, 1
aufheben 22, 4; 122, 1;
123; 484, 4; 509, 1;
827, 1; 1064, 2;
1361, 1
aufheben, Hand 278, 2

Aufhebens machen
1623, 4
Aufhebung 486, 2
aufheitern 946, 4;
1606, 1
aufheiternd 76, 1
aufhelfen 1544, 2
aufhellen 946, 4;
1149, 3; 1208, 2;
1606, 1
aufhetzen 851, 3
aufholen 1148, 1
aufhorchen 128, 1;
868, 1; 894, 2
aufhören 441, 1; 475, 1;
475, 2; 1750, 1
aufhören, nicht 364, 2
aufjagen 391, 2
aufkaufen 924, 2
aufkeimen 506, 2
aufklappen 1214, 2
aufklaren 946, 4
aufklären 319, 3; 501, 3;
528, 4; 536; 946, 1;
946, 4; 1120, 1;
1208, 2; 1730, 2
Aufklärer 1257, 1
Aufklärung 529, 1; 537
aufklauben 123, 2; 546;
1361, 1
Aufkleber 930, 3
aufklinken 1214, 2
aufknacken 1214, 2
aufknöpfen 1214, 2
aufknoten 1214, 2
aufknüpfen 1587, 2
aufkommen 411, 3;
506, 1; 506, 5; 524, 2;
723, 1; 958, 1
Aufkommen 51, 1;
525, 2
aufkommen für 304, 1;
1789, 3
aufkommen lassen, nicht
1680, 1
aufkommen, für den Le-
bensunterhalt 1789, 3
aufkreuzen 282, 1
aufkriegen 1214, 2
aufkündigen 122, 2;
998, 1
aufkündigen, Freund-
schaft 329, 2
auflachen, hell 1009, 2
aufladen 237, 1; 674, 2

aufladen, sich 1589, 1
Auflage 207, 2; 1250;
1775, 2
Auflage machen 72, 1
auflassen 122, 1
Auflassung 120, 2;
486, 2
Auflauf 1102, 3
auflaufen 1383, 5;
1510, 3
auflaufen lassen 857, 3
aufleben 524, 2; 543, 5
aufleben, wieder 543, 5;
1606, 2
auflegen 1774, 1
auflegen, neu 1904, 3
auflegen, sich 124, 1
auflehnen 124
auflehnen, sich 124;
523, 5
Auflehnung 1901, 2
auflesen 123, 2; 546;
619, 1
aufleuchten 1381, 2
auflisten 614, 2
Auflistung 1818, 1
auflockern 199; 1066, 6
auflodern 330, 2
auflösen 122, 1; 475, 1;
1066, 3; 1305, 3;
1937, 1
auflösen, Ehe 1595, 1
auflösen, sich 1750, 4
auflösen, sich in nichts
1715, 4; 1750, 1
Auflösung 47; 521;
675, 2; 1181, 1;
1941, 2
aufmachen 52, 3; 89, 3;
167, 2; 199; 547, 1;
1066, 4; 1214, 1
aufmachen, sich 485, 2
Aufmachung 168, 3;
957, 2; 1291, 2
Aufmachung, große
1286, 1
Aufmarsch 1329, 3
aufmarschieren 67, 1;
139, 3
aufmeißeln 1214, 2
aufmerken 128, 1
aufmerksam 125; 423;
654, 1; 864; 891, 2;
895, 1; 1175, 1;
1476, 1

aufmerksam machen
90, 3; 861, 1; 1208, 2
aufmerksam machen, auf
sich 861, 2
aufmerksam werden
894, 2
Aufmerksamkeit 468, 2;
490, 2; 677, 2; 893;
1351
aufmöbeln 75, 3; 541, 2
Aufmotzung 168, 3
aufmuntern 75, 3;
541, 1; 1606, 1;
1682, 2
Aufmunterung 1605
aufmüpfig 425; 642, 1
Aufnahme 126; 308, 3;
465, 2; 1362, 4
Aufnahme machen 1, 2
aufnahmebereit 467, 1
Aufnahmebereitschaft
468, 2
aufnahmefähig 467, 1
Aufnahmefähigkeit
468, 2; 623, 2;
1502, 4
Aufnahmegerät 733
Aufnahmeleitung
1048, 1
aufnahmewillig 467, 1
aufnehmen 123, 2; **127**;
359, 1; 435, 3; 526, 2;
827, 1; 1361, 4;
1367, 1; 1714, 1
Aufnehmen 1868, 1
aufnehmen, Beziehung
1157, 4
aufnehmen, es mit
jmdm. 918, 2
aufnehmen, Kampf
60, 1
aufnehmen, Kontakt
1157, 4
aufnehmen, Kredit
321, 1
aufnehmen, Verbindun-
gen 437, 2
aufnehmen, wieder
1904, 3
aufopfern 1220, 1
aufopfern, sich 1220, 1
Aufopferungsfähigkeit
1645
aufopferungsvoll 1644
aufpacken 237, 1

aufpäppeln 139, 1;
676, 1
aufpassen 128; 247, 1;
873; 1789, 2
aufpassen, nicht 1392, 3
Aufpasser 248, 2
aufpeitschen 75, 3;
851, 3
aufpeitschend 76, 3;
130, 1
aufpfropfen 1952, 1
aufplustern 1623, 1
aufplustern, sich
1269, 1; 1512, 5
aufpolieren 543, 1
aufpoliert 1177, 4
aufprägen 447, 2; 931, 4
Aufprall 1526
aufprallen 90, 1
aufpulvern 75, 3
aufputschen 75, 3;
851, 3
aufputschend 76, 3
Aufputschmittel 1311
Aufputz 168, 3; 1291, 2
aufputzen 1623, 5
aufquellen 1297; 1921, 1
aufraffen, sich 499, 2
aufragen 1508, 2
aufragend 862, 3
aufrappeln, sich 499, 2
aufrauen 1326, 4
aufräumen 484, 2;
1226, 1
aufräumen mit 484, 4
aufrechnen 151, 4; 1856;
1930, 1
aufrecht 131; 328, 2;
732, 1; 1971, 1
aufrechterhalten 226, 1;
1682, 1
aufreden 208; 1761, 2
aufregen 75, 3; **129**;
219, 1; 1233, 1;
1334, 1
aufregen, sich 129;
1376, 2
aufregend 76, 3; **130**;
892, 1
aufregend, nicht 1091, 2
Aufregung 62, 2; 549, 1;
1478, 1
aufreiben 539, 1;
1326, 4; 1434;
1724, 3; 1940, 2

aufreiben, sich 92, 3
aufreibend 130, 2;
1440, 2
aufreißen 1214, 1;
1259, 3; 1742
aufreißen, alte Wunden
1242, 3
aufreizen 851, 3; 1334, 1
aufreizend 37, 1; 76, 3;
130, 2; 368
Aufreizung 367
aufrichten 541, 2;
560, 4; 1503, 2;
1606, 1
aufrichten, sich 523, 1;
1512, 5
aufrichtend 1607
aufrichtig 86, 3; **131**;
545, 1
Aufrichtigkeit 434, 1;
1210, 1
Aufrichtung 563, 3;
1504, 2; 1605
Aufriss 1258, 2; 1613, 1
aufrollen 395, 2;
1214, 2; 1845, 3;
1904, 3
aufrollen, sich 395, 3
aufrücken 177
Aufruf 855; 1082, 3;
1353, 2
aufrufen 1354, 1
Aufruhr 134, 3
Aufruhr, innerer 549, 4
aufrühren 851, 3;
1233, 1
aufrunden 519, 2
aufrüsten 1835, 6
Aufrüstung 1836, 2;
1859, 2
aufrütteln 75, 2; 541, 2;
1233, 1; 1886
aufrüttelnd 130, 1
Aufsage 120, 3
aufsagen 122, 2;
1780, 5; 1852, 1
aufsagen lassen 1284, 1
aufsammeln 123, 2;
1361, 2
aufsässig 425
Aufsatz 8, 2
aufsaugen 127, 3;
1604, 2
aufschauen 827, 2;
1735, 1

aufscheinen 1381, 2;
1935, 6
aufscheuchen 391, 2
aufschichten 1361, 2
aufschieben 1542;
1821, 1; 1948
aufschießen 523, 2;
1531, 1
Aufschlag 1291, 9;
1511, 2; 1526
aufschlagen, Augen
827, 2
aufschlagen, Zelte
1184, 1
aufschließen 1214, 1
aufschlitzen 1214, 2
Aufschluss 529, 1
aufschlüsseln 1937, 1
aufschlussreich 238, 1;
892, 2
aufschnappen 515, 3;
588, 1; 868, 1
aufschnappen, etwas
530
aufschneiden 430, 3;
1214, 2; 1269, 1;
1409, 1; 1595, 4
Aufschneider 1436
Aufschneiderei 460, 1
aufschnüren 1214, 2
aufschrammen 1326, 4
aufschrauben 1066, 1;
1214, 2
aufschrecken 63, 1;
1886
aufschreiben 1421, 1
Aufschub 1822, 1
aufschürfen 1326, 4
aufschütteln 1066, 6
aufschwatzen 208;
1761, 2
aufschwellen 1921, 1
aufschwemmen 1921, 1
aufschwingen, sich
499, 2; 523, 2
Aufschwung 132;
525, 2; 1511, 1
aufsehen 827, 2
Aufsehen 552
aufsehen zu 1735, 1
Aufsehen, ohne 834, 1
aufsetzen 1184, 4;
1259, 3; 1421, 2;
1952, 1
aufsetzen, Dämpfer 496

aufsetzen, Glanzlichter
1829
aufsetzen, Hörner
293, 3
aufsetzen, sich 523, 1
Aufsicht 133; 1048, 2
aufsitzen 1383, 5;
1768, 2
aufspalten 1595, 2
Aufspaltung 1596, 2
aufsparen 123, 1;
1479, 1
aufspeichern 123, 1
aufsperren 1214, 1
aufsperren, Mund und
Nase 1925, 1
aufspielen 1487, 3
aufspielen, sich 430, 3;
1269, 1
aufspießen 210, 1
aufspringen 456, 1;
1214, 3
aufspüren 619, 1
aufstacheln 851, 3;
1334, 2
Aufstand 134
aufstapeln 1361, 2
aufstechen 1214, 1
aufstecken 122, 3;
475, 1; 827, 1
aufstecken, Licht 528, 4
aufstehen 124, 2; 523, 1
aufstehen, wieder 524, 2
aufsteigen 177; 523, 2;
1509, 2; 1509, 3;
1716, 6
aufsteigend 1417, 3
aufstellen 22, 3; 1226, 3;
1512, 1; 1863, 2
aufstellen lassen, sich
1512, 3
aufstellen, sich 139, 3;
1512, 5
Aufstellung 779; 1818, 1
aufstieben 523, 2
Aufstieg 135; 511, 1;
518, 1; 1511, 1
aufstöbern 619, 1
aufstocken 145, 1;
519, 1
aufstören 1886
aufstoßen 90, 1; 1214, 1
aufstreben 1529, 2
aufstützen, sich 124, 1;
1544, 2

aufsuchen 282, 1;
1550, 4
auftakeln 1623, 5
auftakeln, sich 1292, 2
Auftakt 51, 1
auftanken 524, 3; 674, 1
auftauchen 67, 1; 506, 3;
523, 3; 958, 2;
1621, 3; 1935, 6
auftauchen, wieder
526, 1
auftauen 1066, 2
aufteilen 1226, 2;
1562, 2; 1595, 2;
1797, 1; 1937, 1
aufteilen, sich 1797, 3
Aufteilung 779; 1798
auftischen 50, 3; 203, 2;
1856
Auftrag 120, 1; **136**;
209, 1; 1353, 1
auftragen 50, 3; 203, 2;
280, 1; 1724, 3
auftragen, andere Farbe
590, 1
auftragen, dick 1623, 4
Auftraggeber 1000, 1
auftreiben 274, 1;
619, 1; 1921, 1
auftrennen 1595, 4
auftreten 67, 1; 958, 2;
1269, 1; 1487, 1;
1758, 1
Auftreten 68, 1
Auftrieb 77, 2; 132
Auftritt 68, 1; 140, 2;
1534, 2; 1713, 2
Auftritt, beim ersten
53, 3
auftrittsicher 1460, 8
auftun 619, 1; 1214, 1
auftun, sich 1214, 3
auftürmen, sich 1508, 2;
1510, 3
aufwachsen 510, 1
aufwallen 956, 1
Aufwallung 105, 2;
143, 2; 549, 4
Aufwand 137; 452, 2;
1286, 1
Aufwand, ohne 433, 3
Aufwandsentschädi-
gung 498, 3
aufwärmen, alte Ge-
schichten 1016, 1

aufwärmen, sich 1874, *2*

Aufwartefrau 826, *2*

aufwarten 50, *3*; 203, *2*

aufwärts 138

Aufwärtsentwicklung 132; 637

Aufwartung 204, *2*; 281, *1*

Aufwartung machen 282, *1*

aufwaschen 1367, *1*

aufwecken 1886

aufweichen 1066, *2*

aufweisen 807, *1*; 1935, *3*

aufwenden 304, *1*; 1724, *1*

aufwendig 1268; 1574; 1661, *4*

Aufwendung 452, *2*

Aufwendungen 137, *1*; 978, *1*; 1681, *1*

aufwerfen 1845, *3*

aufwerfen, Gischt 1376, *1*

aufwerten 1716, *2*

Aufwertung 1717, *2*

aufwickeln 395, *2*

aufwiegeln 851, *3*

Aufwiegelung 367

aufwiegen 151, *4*; 497, *1*

Aufwiegler 366; 1272, *3*; 1429, *3*

aufwieglerisch 368

aufwinden 395, *2*

aufwirbeln 395, *1*

aufwirbeln, Staub 118; 129, *3*; 948, *1*

aufwischen 1367, *1*

aufwühlen 1233, *1*

aufwühlend 130, *1*

aufzählen 1174, *2*; 1930, *1*

aufzäumen 1835, *3*

aufzäumen, Pferd am Schwanz 901, *3*; 1658, *2*

aufzehren 566, *1*; 1724, *1*

aufzeichnen 127, *5*; 1421, *1*

Aufzeichnung 126, *1*; 1187, *1*

Aufzeichnungen 176

aufzeigen 528, *1*; 1730, *1*; 1935, *3*

aufziehen 139; 1157, *2*; 1492, *1*; 1685, *1*; 1712, *1*

aufziehen, weiße Flagge 1383, *3*

Aufzucht 565, *1*; 1951, *1*

aufzucken 1381, *2*

aufzufinden sein, nicht 1715, *4*

Aufzug 140; 168, *3*; 579, *9*; 949, *1*

aufzuwiegen, nicht mit Gold 149, *1*; 975

aufzwingen, Willen 1980, *1*

Augapfel 141; 713; 976, *3*

Auge in Auge 695, *2*

Auge um Auge 1752, *1*

Augen 141

äugen 247, *2*; 1451

Augen lassen, nicht aus den 80, *2*; 247, *1*

Augen machen, große 1925, *1*

Augen, mit verbundenen 318, *1*

Augen, unter vier 1244, *3*; 1802

Augen, vor aller 1211, *1*

Augenblick 951, *3*; 1936, *1*

Augenblick zum andern, von einem 1263

Augenblick, auf einen 1005, *4*

Augenblick, günstiger 1936, *1*

Augenblick, im 699, *1*

Augenblick, im falschen 1661, *1*

Augenblick, im letzten 429, *3*; 477, *2*; 1482, *2*

Augenblick, im selben 776; 1410, *2*

Augenblick, jeden 180

augenblicklich 699, *1*; 771, *3*; 1410, *2*; 1838

Augendiener 1402, *1*

Augendienerei 1062, *4*

augenfällig 78, *1*; 945, *3*; 1791, *1*

Augenfälligkeit 1792

Augenhöhe, in 775

augenlos 318, *1*

Augenmaß, nach 1655, *1*

Augenmerk 893

Augenschein 159; 947, *1*

augenscheinlich 79

Augenschmaus 730, *1*

Augentäuschung 1559, *2*

Augenweide 730, *1*

Augenwischerei 292; 880, *3*

Augenzeuge 248, *1*; 260, *2*; 338

Augenzeuge sein 515, *1*

Augenzeugenbericht 258, *3*

Augenzeugenschaft 517, *1*

augenzwinkernd 1970

Auges, offenen 125, *1*

Auges, tränenden 1660, *2*

Augur 1276

Auktion 1760, *3*

auktionieren 1761, *1*

Au-pair-Mädchen 826, *3*

Aura 1333

Aureole 832

aus 1028, *1*; 1586, *2*; 1744

aus sein auf 1529, *1*

ausarbeiten 198, *1*; 510, *3*; 756; 1421, *3*

Ausarbeitung 225, *1*

ausarten 145, *4*

ausatmen 115; 1513, *1*

ausbaden 345

ausbaggern 787, *1*

ausbalancieren 151, *5*

ausbalanciert 819, *3*

ausbaldowern 619, *1*

Ausbau 511, *2*; 520, *1*

ausbauen 145, *1*; 371, *4*; 510, *3*; 519, *1*; 1229, *1*; 1716, *2*

ausbedingen, sich 195, *1*

ausbeißen, sich die Zähne 1383, *6*

ausbessern 543, *1*

Ausbesserung 225, *2*; 544, *1*

Ausbeute 518, *5*; 1195, *1*; 1732, *2*

Ausbeute, magere
  1894, *1*
ausbeuten 153, *2*;
  1196, *3*
Ausbeuter 1275
Ausbeutung 154, *2*;
  1458
ausbezahlen 304, *2*
ausbieten 50, *1*
ausbilden 1034, *2*;
  1835, *3*
ausbilden, sich 1049, *2*
Ausbilder 1035, *2*
Ausbildung 96, *1*;
  1033, *2*
ausbitten, sich 195, *1*;
  315, *1*
ausblasen 1064, *1*
ausblasen, Lebenslicht
  1587, *1*
ausbleiben 598, *1*
Ausbleiben 33, *1*
ausbleiben, nicht 216, *2*
ausbleichen 1149, *3*;
  1724, *5*
ausblenden 152, *1*
Ausblick 165, *1*
ausbluten 1030, *5*
ausbohren 787, *1*
ausbooten 998, *2*;
  1369, *1*
ausbrechen 20, *1*; **142**;
  330, *2*; 506, *2*; 624, *1*
ausbrechen, in Gelächter
  1009, *2*
ausbrechen, in Tränen
  944, *3*
ausbreiten 145, *1*;
  1430, *1*; 1727, *1*
ausbreiten, sich 145, *4*;
  162, *1*; 1531, *3*
Ausbreitung 146, *1*;
  788; 1511, *3*
ausbremsen 811, *1*
ausbringen, Hoch 90, *6*
ausbringen, Toast 90, *6*
Ausbruch 51, *1*; **143**
ausbrüten 560, *6*; 682, *2*
ausbrüten, etwas 530
ausbuddeln 787, *2*
ausbügeln 261, *1*;
  769, *2*; 946, *1*
ausbuhen 1810, *2*
ausbürgern 173, *1*
Ausbürgerung 1805

ausbürsten 1367, *2*
ausbüxen 624, *1*
Ausdauer 613, *4*; 688, *1*
ausdauernd 144;
  1929, *1*; 1971, *2*
ausdehnen 145; 1531, *2*;
  1727, *1*
ausdehnen, sich 145
Ausdehnung 146;
  620, *2*; 792, *1*; 1089, *2*
ausdenken 371, *2*
ausdenken, sich 1847, *2*
ausdeuten 528, *3*
Ausdeutung 529, *2*
ausdiskutieren 946, *1*
ausdörren 1604, *5*
ausdrehen 1064, *1*
Ausdruck 147; 632, *2*;
  752, *2*
ausdrücken 162, *2*;
  201, *1*; 402, *2*; 1064, *1*
ausdrücken, Dank
  357, *1*
ausdrücklich 16; 273, *1*;
  378, *2*; 1145, *2*
Ausdrucksform 1518, *1*
ausdruckslos 574, *2*;
  1017, *2*; 1640
Ausdruckslosigkeit 593
ausdrucksstark 78, *2*;
  891, *3*; 1913, *2*
ausdrucksvoll 78, *2*;
  891, *3*; 1026, *4*;
  1145, *2*
Ausdrucksweise
  1494, *2*; 1518, *1*
ausdünnen 1007, *2*
ausdünsten 155; 1445, *1*
Ausdünstung 156, *1*
auseinander fallen
  1066, *2*; 1750, *2*
auseinander halten
  1688, *1*; 1702, *3*
auseinander kommen
  1535, *1*
auseinander nehmen
  1562, *1*; 1937, *1*
Auseinandergehen
  1596, *1*
Auseinanderlegung
  529, *1*
Auseinandersetzung
  277, *3*; 917, *2*; 1534, *1*
Auseinandersetzung, be-
  waffnete 987, *1*

Auseinandersetzung, mi-
  litärische 987, *1*
auseinandersetzungsfä-
  hig 981, *5*
auseinandersetzungs-
  freudig 920
auseinandersetzungs-
  stark 920
auserkoren 148, *2*
ausersehen 148, *2*
auserwählt 148, *2*
Auserwählte 713
Auserwählter 714
ausessen 1030, *3*
ausfahren 485, *3*;
  1388, *3*
Ausfahrt 486, *3*;
  1215, *1*; 1528
Ausfall 33, *1*; 240;
  1368, *1*; 1781, *2*
ausfallen 598, *3*
ausfallen, gut 715, *1*
ausfallend 239, *1*;
  1244, *5*
ausfällig 239, *1*; 239, *1*;
  642, *3*
Ausfälligkeit 240
ausfechten, Strauß
  1535, *2*
ausfeilen 198, *2*
ausfertigen 533, *2*
Ausfertigung 535, *2*;
  569; 1540, *4*
ausfindig machen 536;
  619, *1*; 1305, *3*
ausfliegen 1331, *1*
ausfließen 1030, *5*
ausflippen 129, *5*; 219, *2*
Ausflucht 502, *2*;
  1071, *2*
Ausflüchte machen
  172, *2*; 1023, *2*
Ausflug 578, *1*
Ausflug machen 1871
Ausflügler 1332, *1*
Ausfluss 156, *1*; 1215, *6*;
  1914, *2*
ausformen 756
Ausformung 110, *1*
ausforschen 536; 635
Ausforschung 537
ausfragen 639, *2*
Ausfragerei 638, *1*; 1178
Ausfuhr 814, *3*
ausführbar 1128, *1*

ausführen 198, 1;
  270, 1; 528, 1; 533, 1;
  815, 2; 1815, 1; 1829
ausführen, Befehl 704, 1
ausführlich 722, 4
Ausführung 164, 1;
  361, 1; 529, 1; 535, 1;
  1832
ausfüllen 214, 1; 221, 1;
  533, 2; 543, 2; 674, 2
ausfüllend 781, 3
Ausgabe 1760, 1;
  1775, 1; 1798
Ausgabe, erste 1230, 1
Ausgaben 137, 1; 978, 1
Ausgang 521; 1215, 1;
  1400, 1
Ausgang, guter 1400, 2
Ausgangsbasis 796, 2
Ausgangslage 1010, 2
Ausgangspunkt 796, 2;
  1296, 2
Ausgangsverbot 1721, 2
ausgearbeitet 1328, 3
ausgeben 304, 1;
  1562, 2; 1724, 1;
  1797, 1
ausgeben als 226, 1
ausgeben, einen 446, 2
ausgeben, sich als 1072
ausgebessert 731, 1
ausgebeten haben, sich
  195, 1
ausgebildet 516, 1
ausgeblichen 592, 1
ausgeblutet 850, 2
ausgebrannt 850, 2;
  1028, 5; 1586, 2
ausgebrochen 1887, 1
ausgebrütet 686, 2
ausgebucht 1557, 4;
  1887, 2
ausgebufft 516, 1; 572, 2
Ausgebürgerter 1107
Ausgeburt 186; 1386
ausgedacht 1703
ausgedehnt 791, 2;
  1013, 1; 1892, 1
ausgedient 44, 6
Ausgedienter 45, 2
ausgedörrt 820, 1;
  1603, 1
ausgefallen 119, 1; 553;
  1417, 5; 1457, 1
ausgefallen, gut 804, 2

ausgefeilt 1328, 3;
  1973, 2
ausgefertigt 534, 1
ausgeflippt 1778, 1
Ausgeflippter 169
ausgeflogen 1028, 2
ausgefranst 1307, 2
ausgeführt 534, 1;
  610, 1
ausgefüllt 1828, 1
ausgegangen 1586, 2;
  1887, 2
ausgeglichen 768, 4;
  819, 3; 1357, 3;
  1650, 2
Ausgeglichenheit 818, 2;
  1355, 2
ausgegossen 1028, 1
ausgehen 475, 2; 475, 2;
  485, 1; 1149, 3
ausgehen auf 1529, 1;
  1923, 1
ausgehen, gut 715, 1
ausgehungert 218, 2;
  1432, 4
ausgeklügelt 416, 1;
  1328, 3; 1973, 2
ausgekocht 1396, 1
ausgekrochen 686, 2
ausgelassen 835, 3;
  1887, 2
Ausgelassenheit 650, 4
ausgelastet 1557, 4
ausgelaufen 1397, 6
ausgeleiert 182
ausgelichtet 954, 1
ausgeliefert 856, 3; 1319
ausgelutscht 1028, 5
ausgemacht 534, 1;
  1641, 2
ausgemergelt 410, 2;
  850, 3
ausgenommen 161, 1
ausgepicht 1396, 1
ausgepowert 1028, 5
ausgeprägt 348, 2
ausgepumpt 1028, 5
ausgepunktet 534, 3
ausgerechnet 1173
ausgereift 1328, 3;
  1830, 1
ausgesaugt 1028, 5
ausgeschaltet 104
ausgeschieden 104
ausgeschlafen 1026, 2

ausgeschlossen 450, 1;
  534, 3; 1319; 1665
ausgeschlossen, nicht
  1128, 1
ausgeschüttet 1028, 1
ausgesetzt 856, 4
ausgesetzt, dem Wind
  1070, 3
ausgesogen 1028, 5
ausgesprochen 348, 2;
  378, 2; 1641, 2
ausgestalten 519, 1; 756;
  1229, 1
ausgestanden 610, 1
ausgestattet 252, 2
ausgestorben 1586, 2
ausgestorben, wie 450, 3
ausgestoßen 450, 1;
  534, 3; 1319
Ausgestoßener 160, 2
ausgesucht 148; 416, 1
ausgetrocknet 820, 1;
  1603, 1
ausgetrunken 1028, 1
ausgewachsen 1328, 2
Ausgewiesener 1107
ausgewogen 735, 1;
  819, 3
Ausgewogenheit 818, 2
ausgezählt 534, 3
ausgezeichnet 149;
  791, 4
ausgezogen 1154, 1;
  1887, 1
ausgiebig 1327, 4
ausgießen 1030, 2
Ausgleich 150; 498, 1;
  656, 1; 1754, 3
ausgleichen 151; 261, 1;
  304, 4; 345; 440;
  1064, 2; 1769, 1
ausgleichend 658, 1
Ausgleichung 150, 1
ausgleiten 581, 1
ausgliedern 166, 4
ausgraben 619, 1; 787, 2
Ausgrabung 675, 1
ausgreifen 428, 1
ausgrenzen 1114, 1
ausgrenzend 388
Ausgrenzung 389, 1;
  1115
Ausguck 1610, 1
Ausguss 1215, 6; 1215, 7
aushaken 1780, 3

aushalten 226, 2; 522, 3;
1040, 1; 1589, 3
aushalten, jmdn. 1789, 3
aushalten, Vergleich
nicht 6, 4
aushandeln 1736
aushandeln, heimlich
293, 2
aushändigen 683, 1;
1618
Aushang 97, 3; 1818, 2
aushängen 50, 1;
1120, 4; 1774, 2
Aushängeschild 767, 5;
930, 3
ausharren 226, 2;
1877, 1
aushauchen 1513, 1
aushauen 756
aushäusig 1887, 1
aushebeln 857, 3
ausheben 458, 2; 787, 1
Aushebung 209, 2
aushecken 371, 2;
560, 6
ausheilen 524, 2; 723, 2;
831, 1
aushelfen 321, 2; 837, 1;
1806, 1
Aushilfe 838, 2; 854, 1;
1808
Aushilfskraft 1807, 4
aushilfsweise 1853, 2
aushöhlen 539, 1;
539, 1; 787, 1
ausholen 639, 2; 1148, 2
ausholzen 1007, 2
aushorchen 639, 2
Aushorcher 248, 2
auskaspern 1736
auskennen, sich 516, 2;
928, 2; 1794, 4; 1917
ausklammern 152, 2
ausklamüsern 1305, 3;
1796, 2
Ausklang 1400, 2
auskleiden 175, 4; 200;
676, 2
Auskleidung 870, 3
ausklingen 475, 2
ausklopfen 1367, 2
ausklügeln 371, 2;
1796, 2
auskneifen 142, 3;
624, 1

ausknipsen 1064, 1
ausknobeln 1796, 2
ausknocken 1394, 2
auskochen 522, 2
auskommen 492, 2;
624, 1; 729, 2
Auskommen 444;
1027, 1; 1681, 1
Auskommen haben
729, 2
auskommen können,
nicht ohne 327
auskommen, gut 1794, 6
auskömmlich 341, 1;
728
auskosten, voll 725
auskratzen 624, 1;
1030, 3
auskriechen 510, 1
auskühlen 551, 2;
995, 1; 1149, 2
auskundschaften 536
Auskunft 1122
auskurieren 723, 1
auslachen 319, 2;
1492, 2
ausladen 1030, 1;
1921, 1
ausladend 381, 4
Ausladung 1031
Auslage 170, 1
Auslagen 137, 1; 978, 1
auslagern 1622, 1
Auslagerung 120, 2
Ausland 649, 1
Ausland, im 648, 3
Auslandskorrespondent
260, 1
Auslandsmarkt 1086, 2
Auslandsvertretung
1808
auslangen 729, 1
Auslass 1215, 1
auslassen 152
auslassen über, sich
276, 2
auslassen, sich 162, 1
Auslassung 164, 1; 332;
599, 2; 989, 1
Auslastung 154, 1
Auslauf 1309, 2; 1400, 1
auslaufen 10, 3; 475, 2;
475, 2; 485, 3;
1030, 5; 1149, 3
auslaufend 13

Ausläufer 1400, 1
auslaugen 1724, 3
Auslaugung 154, 2
ausleben, sich 725
ausleeren 1030, 2
auslegen 50, 1; 200;
241, 2; 321, 2; 528, 3;
676, 2; 901, 4
auslegen, falsch 901, 4
Auslegeware 1572
Auslegung 361, 2;
529, 2
ausleihen 321, 2
Auslese 171, 1
auslesen 166, 1
ausleuchten 241, 1
auslichten 1007, 2
ausliefern 1388, 3; 1618
ausliefern, sich 9, 2;
1512, 4
Auslieferung 120, 5;
1590, 1; 1760, 1
auslöffeln 1030, 3
auslöffeln, Brei 1040, 2
auslöffeln, Suppe 345
auslöschen 1064, 1;
1680, 2; 1940, 2
auslosen 1797, 1
auslösen 90, 5; 1711, 1;
1911, 4
Auslosung 1798
ausloten 614, 3; 635
Auslotung 615, 2
auslüften 1069
Auslug 1610, 1
auslutschen 1943, 4
ausmachen 493; 619, 1;
977, 1; 1064, 1; 1451;
1736
ausmachen, etwas
201, 2; 313, 3
ausmachen, heimlich
1736
ausmalen 199; 270, 1;
528, 3; 590, 3
ausmalen, sich 1591, 2;
1847, 2
ausmanövrieren 998, 2
Ausmaß 146, 2; 788;
1089, 2; 1102, 1; 1631;
1799, 1
Ausmaß, in diesem 1473
ausmerzen 1940, 2
ausmessen 614, 3
Ausmessung 615, 2

ausmisten 1226, *1*

ausmitteln 1284, *1*

ausmünden 475, *2*

ausmustern 166, *2*;
998, *2*

Ausnahme 424, *3*;
1858, *1*

Ausnahme machen
152, *2*

Ausnahme von, mit
161, *1*

Ausnahme, alle ohne
38, *1*

Ausnahme, ohne 443, *2*;
679, *3*

Ausnahmefall, im
926, *1*; 1457, *2*

ausnahmslos 38, *2*;
443, *2*

ausnahmsweise 1457, *2*

ausnehmen 152, *2*;
153, *2*

ausnehmen, sich 158

ausnehmend 163, *1*;
554; 1452, *1*

ausnutzen 153; 246;
1196, *3*

Ausnutzung 154

auspacken 1030, *1*;
1214, *2*; 1777

auspeitschen 1242, *7*

auspendeln 475, *2*

Auspfiff 1116

ausphantasieren 270, *1*

Auspizien 1840

ausplaudern 948, *1*;
1465, *4*; 1777

ausplündern 153, *2*

Ausplünderung 154, *2*

ausposaunen 948, *1*;
1727, *1*

auspowern 153, *2*

Auspowerung 154, *2*

Ausprägung 632, *2*

auspreisen 174, *3*

auspressen 153, *2*;
402, *2*; 639, *2*

ausprobieren 1284, *2*;
1796, *1*

Auspuff 1215, *6*

auspumpen 153, *2*;
1030, *4*

auspunkten 1394, *2*

auspusten 1064, *1*

Ausputz 1291, *2*

ausputzen 1292, *1*

ausquartieren 173, *1*

ausquetschen 153, *2*;
639, *2*; 1030, *4*

ausradieren 1064, *3*

ausrangieren 166, *2*

ausrasten 129, *5*

ausrauben 1168, *3*

ausräumen 484, *4*;
1030, *1*

Ausräumung 1031

ausrechnen 251, *1*;
1930, *1*

Ausrede 502, *2*; 1559, *1*

ausreden 15; 496

ausreden lassen, nicht
1523, *2*

ausreichen 729, *1*;
729, *1*

ausreichend 341, *1*; 728;
1091, *2*; 1946

ausreichend, kaum
1656, *1*

Ausreise 486, *3*

ausreißen 175, *2*;
624, *1*

ausrichten 280, *4*;
1120, *1*; 1226, *3*;
1712, *1*

Ausrichtung 1570, *2*;
1617, *5*; 1713, *1*

ausrinnen 1030, *5*

ausrotten 1587, *4*;
1940, *2*

Ausrottung 1941, *1*

ausrücken 485, *2*

ausrufen 1120, *4*;
1354, *1*; 1774, *2*

ausrufen lassen 1354, *2*

ausruhen 441, *1*; 524, *1*;
1356, *1*

ausrupfen 175, *2*

ausrüsten 167, *1*; 538, *2*;
1835, *3*

Ausrüstung 168, *1*; 733;
1836, *1*

ausrutschen 581, *1*;
777, *1*

Ausrutscher 599, *4*

Aussaat 563, *4*

aussäen 560, *5*; 1797, *2*

Aussage 164, *1*; 615, *1*;
1100, *4*; 1942, *2*

aussagen 201, *1*; 259;
1120, *2*

aussaugen 153, *2*;
1943, *4*

ausschachten 787, *1*

Ausschachtung 1799, *1*

ausschalten 22, *2*;
998, *2*

Ausschaltung 999, *2*

Ausschank 681, *1*

ausschauen 158; 1550, *1*

ausscheiden 155; 998, *1*

Ausscheiden 999, *1*

ausscheiden, aus dem
Dienst 998, *1*

**Ausscheidung 18, *3*;
156**

ausschellen 1120, *4*;
1774, *2*

ausschelten 1391, *1*

ausschenken 50, *3*

ausscheren 20, *1*; 118;
142, *3*

ausschiffen 1030, *1*

Ausschiffung 1031

ausschildern 528, *5*;
931, *3*

ausschimpfen 1391, *1*

ausschirren 213, *6*

ausschlachten 153, *2*;
1937, *2*

Ausschlachtung 154, *1*

ausschlafen 524, *1*

ausschlagen 30, *3*;
506, *2*; 1780, *1*

ausschlaggebend
1900, *1*; 1967, *1*

ausschlaggebend, nicht
1640

Ausschlaggebende, das
823

ausschleudern 1797, *2*

ausschließen 17, *1*;
152, *2*; 998, *3*

ausschließen, sich 17, *2*

ausschließend, einander
695, *4*

ausschließlich 157; 1194

ausschlüpfen 510, *1*

Ausschluss 999, *3*

Ausschluss der Öffent-
lichkeit, unter 834, *1*

ausschmücken 167, *2*;
199; 268; 448, *1*;
1292, *1*; 1623, *4*

Ausschmückung 168, *3*;
269; 1291, *2*

Ausschnitt 317; 344;
1561, *1*
ausschnüffeln 247, *2*
ausschöpfen 1030, *2*
Ausschöpfung 154, *1*
ausschreiben 50, *1*;
533, *2*; 1120, *4*;
1774, *2*
ausschreiben, Beloh-
nung 307
Ausschreibung 97, *1*;
470
ausschreiten 428, *1*;
614, *3*; 703, *2*
Ausschreitung 1669, *4*
Ausschuss 5, *2*; 800, *2*;
911, *1*; 1251; 1304, *2*
ausschütteln 1367, *2*;
1443, *1*
ausschütten 1030, *2*;
1797, *1*
ausschütten, Herz
213, *3*; 944, *3*; 1208, *3*
ausschütten, sich vor La-
chen 1009, *2*
Ausschüttung 1798
ausschweifend 727;
1093, *3*; 1625, *1*
Ausschweifung 1620, *2*
ausschweigen, sich
1438, *1*
ausschwemmen 946, *3*
ausschwenken 1367, *2*;
1443, *1*
ausschwitzen 155
aussehen 158; 1381, *1*
Aussehen 110, *1*; **159**;
752, *2*
aussehen wie 1615, *3*
außen 393, *4*; 1199, *1*
Außenansicht 1198, *2*
aussenden 1381, *2*;
1622, *4*
Außenhandel 814, *3*
Außenseite 1198, *1*
Außenseiter 160; 169
Außenstehender 160, *1*
Außenstelle 1185, *2*;
1808
Außenwelt 1636, *1*
außer 161
außer sich 322, *1*;
548, *3*; 1767; 1915, *2*
außer wenn 161, *2*
außerdem 117, *3*; 453

außerdienstlich 1244, *3*
Äußeres 159; 168, *3*;
1198, *2*
außergewöhnlich 163, *1*;
1457, *1*
außerhalb 393, *2*
äußerlich 393, *4*;
1199, *1*
Äußerlichkeit 634, *1*;
1200
äußern 162; 1495, *1*
äußern, Wunsch 315, *1*
außerordentlich 149, *1*;
163
außerplanmäßig 163, *2*
äußerst 1452, *1*
außerstande 1656, *2*
Äußersten, bis zum
1300
Äußerung 164; 1100, *4*
äußerungswillig 1121
aussetzen 196; 441, *1*;
524, *1*; 683, *2*; 811, *1*;
1356, *3*; 1521, *1*;
1554, *1*; 1780, *3*
Aussetzen 1679, *1*
aussetzen, Belohnung
307
aussetzen, sich 9, *2*;
1860, *2*
Aussicht 165; 308, *1*;
556, *3*; 1129
Aussicht haben auf
555, *1*
Aussichten 165, *2*
aussichtslos 1660, *5*;
1665; 1748
aussichtsreich 781, *2*;
803, *1*
Aussichtsturm 1610, *1*
aussickern 1030, *5*
aussiedeln 173, *1*;
1804, *1*
Aussiedler 1107
Aussiedlung 1805
aussöhnen 261, *1*
Aussöhnung 656, *1*
aussondern 166
Aussonderung 156, *1*
aussortieren 166, *1*;
1595, *3*
ausspähen 247, *2*
ausspannen 19; 213, *6*;
524, *1*; 1168, *3*
Ausspannung 525, *1*

aussparen 152, *1*;
1019, *3*
aussperren 17, *1*; 998, *3*
ausspielen, Trumpf
761, *2*
ausspinnen 270, *1*
Aussprache 277, *2*;
1494, *2*; 1684, *1*
aussprechen 162, *2*;
1495, *1*
aussprechen, Beileid
1564, *3*
aussprechen, Dank
357, *1*
aussprechen, sich 213, *3*;
1208, *3*
aussprengen 948, *1*
Ausspruch 164, *2*
ausspucken 155
ausstaffieren 167, *1*
Ausstaffierung 168, *3*
Ausstand 1532; 1822, *1*
ausstatten 167; 199;
448, *1*
Ausstattung 137, *2*; **168**;
449, *2*; 900, *1*; 1291, *2*
ausstechen 1394, *3*
ausstehen 88, *1*; 958, *1*;
1040, *1*
ausstehen können, nicht
821, *1*
ausstehen, viel 1040, *4*
ausstehend 1207, *3*
aussteigen 20, *1*;
142, *3*
Aussteiger 2; **169**
ausstellen 50, *1*; 196;
533, *2*; 1554, *1*
ausstellen, sich ein Ar-
mutszeugnis 319, *1*
Ausstellung 170
aussterben 475, *2*
Aussteuer 168, *4*
aussteuern 167, *1*;
1226, *3*
Ausstieg 1215, *1*
ausstopfen 522, *4*;
674, *2*
Ausstoß 1046, *1*
ausstoßen 155; 173, *1*;
998, *3*; 1495, *3*
ausstoßen, Dampfwol-
ken 1308
ausstoßen, Rauchwol-
ken 354

ausstoßen, Schreie
1018, *1*
ausstrahlen 1381, *2*;
1622, *4*; 1911, *2*
ausstrecken, Fühler
1550, *3*
ausstrecken, sich
1356, *1*
ausstreichen 769, *2*
ausstreuen 948, *1*;
1727, *1*; 1797, *2*
ausströmen 155; 475, *2*;
1030, *5*; 1381, *2*;
1727, *1*
ausströmen, Duft
1344, *1*
aussuchen 1863, *1*
Austausch 1883, *1*
austauschbar 771, *1*
Austauschbarkeit
1617, *3*
austauschen 1884, *1*
austauschen, Briefe
974, *1*
austauschen, sich
276, *3*; 1682, *3*
Austauschstoff 550, *2*
austeilen 557, *2*; 683, *2*;
1562, *2*; 1797, *1*
Austeilung 1798
austesten 1284, *3*;
1796, *1*
austilgen 1587, *4*;
1940, *2*
Austilgung 1941, *1*
austragen 948, *1*;
1829
austragen, Wettkampf
918, *2*
Austräger 1614, *1*
austreiben 1804, *1*
austreiben, Geist 1738
Austreibung 1805
austreten 506, *3*; 998, *1*;
1030, *5*
austricksen 293, *1*;
1369, *1*
austrinken 1030, *3*
Austritt 999, *1*
austrocknen 1604, *2*
austüfteln 635; 1796, *2*
ausüben, Amt 102, *2*
ausüben, Beruf 102, *2*
ausüben, Druck 398, *3*;
402, *2*; 1980, *1*

ausüben, Herrschaft
848, *1*
ausüben, Macht 848, *1*
ausüben, schlechten Ein-
fluss 1729, *5*
Ausübung 101, *1*
ausufern 1619, *1*
Ausuferung 1620, *1*
Ausverkauf 1760, *2*
ausverkaufen 1030, *1*;
1761, *3*
ausverkauft 1028, *1*;
1828, *2*; 1887, *2*
ausverkauft, immer
243, *3*
Auswachsen, zum
130, *2*; 1017, *1*
Auswahl 171; 1827, *1*;
1862, *1*
Auswahl, große 1327, *2*
Auswahlband 1362, *3*
auswählen 499, *2*;
1863, *1*
Auswahlmannschaft
171, *3*
auswalzen 145, *3*
Auswanderer 1107
auswandern 175, *1*;
485, *4*
Auswanderung 1108
auswärts 393, *2*; 1887, *1*
Auswechselbarkeit
1617, *3*
auswechseln 1884, *2*
Auswechselspieler
550, *4*
Auswechslung 1883, *1*
ausweglos 1660, *5*; 1665
Ausweglosigkeit 1666
ausweichen 172; 492, *2*;
624, *2*; 1634, *1*
ausweichend 1650, *1*
Ausweichstelle 29, *2*
Ausweis 279, *1*
ausweisen 173;
1804, *1*
ausweisen, sich 173
Ausweisung 1805
ausweiten 145, *1*;
1531, *2*
ausweiten, sich 145, *4*
Ausweitung 146, *1*
auswendig 393, *4*;
1696, *3*
auswerfen 155; 1797, *2*

auswerfen, Netze
1550, *2*
auswerten 246; 1196, *3*;
1375, *2*
Auswertung 154, *1*;
1285, *4*
auswetzen, Scharte
497, *1*
auswickeln 1214, *2*
auswiegen 614, *3*
auswirken, sich 631, *2*;
1911, *4*
auswirken, sich nachtei-
lig 1369, *5*
auswirken, sich negativ
1369, *5*
auswirken, sich ungüns-
tig 1369, *5*
Auswirkung 630, *3*;
1914, *1*; 1914, *2*
auswischen 1064, *3*
auswischen, eins
1369, *1*
Auswringen, zum
1162, *1*
Auswuchs 1620, *1*;
1922, *1*
Auswurf 156, *1*
auszacken 1409, *3*
auszahlen 304, *2*
auszahlen, sich 1196, *1*
Auszahlung 1931, *4*
auszanken 1391, *1*
Auszehrung 1348, *4*
auszeichnen 174;
420, *1*; 1063, *2*;
1450, *2*
auszeichnen, sich 174
Auszeichnung 419, *2*;
1062, *2*; 1270, *4*
Auszeit 525, *1*
Ausziehbett 295
ausziehen 175; 1367, *4*
ausziehen, sich 175
auszischen 1810, *2*
Auszubildender (Azubi)
1428, *4*
Auszug 486, *3*; 486, *5*;
567, *2*; 1299, *2*;
1561, *1*
Auszug machen 175, *3*
auszugsweise 1567
auszuhalten 1128, *2*
auszupfen 175, *2*;
1367, *4*

auszuschließen, nicht
  1128, 3
auszusetzen haben 196
auszustehen haben
  515, 2
authentisch 414, 1;
  1166, 1
autistisch 1456
Auto 579, 2
Autobahn 1528
Autobiographie 176
Autobus 579, 4
autochthon 59, 2
Autochthone 297
Autodidakt 384, 1
autodidaktisch 385, 2
Autogramm 279, 4
Autokennzeichen 930, 2
Autokino 937

Autokrat 849
Autokratie 847, 3
Automat 733
automatisch 1096, 1;
  1696, 4
automatisieren 1306
Automobil 579, 2
autonom 644, 1
autonom werden 213, 4
Autonome 1546, 2
Autonomie 645, 1
Autor 1423
Autorenfilm 618, 3
autorisieren 531, 2
autorisiert 252, 2;
  1967, 2
Autorisierung 532, 2
autoritär 1505, 2;
  1536, 3

Autorität 573; 716, 1
autoritativ 572, 2;
  1077, 2; 1536, 1
Autoritätsgläubigkeit
  991
Autoritätsverlust
  1433, 3
Autostrich 1282
Avancen machen 1742
avancieren 177; 1716, 6
Avantgardist 1257, 2
avantgardistisch 670, 2
avanti 1855
Aversion 14, 1
avisieren 1259, 1
Axiom 798, 2
Axt im Haus 744, 1
Azubi 1428, 4

B

Baalsdienst 786
babbeln 1495, 3
Baby 936, 1
Babysitter 826, 3
Bacchanal 711
bacchantisch 727
Bach 760, 1; 1296, 1
back 1352
backbord 1059, 1
Backe 1561, 4
backen 325, 1
Backenbart 187
Backenstreich 1393, 1
Backfisch 1078, 2
Background 517, 2;
    859, 1
Backofen, wie in einem
    1872, 2
Backpfeife 1393, 1
Bad 178; 1330, 3
Bad in der Menge 231
baden 1249, 4; 1367, 3;
    1442, 1
Baden 178, 5
baden gehen 1383, 2
Badeort 178, 3
Bader 661
Badezimmer 178, 1
Baedeker 671, 5
baff 1505, 3
Bagage 753
Bagatelle 951, 1
bagatellisieren 268;
    841, 3
Bagatellisierung 269
baggern 787, 1
Baggersee 760, 2
bähen 1585, 3
Bahn 1540, 1
Bahn, freie 644, 5;
    1309, 2
bahnbrechend 670, 2
Bahnbrecher 1257, 2
Bahnbus 579, 4
Bahncard 1578
bahnen 179; 769, 1;
    1835, 1

Bahnhof 810, 6
Bahnhof, großer 419, 2
Bahnlinie 1058, 3
Bahnnetz 1176, 2
Bahnschranke 1419
Bahnübergang 333
Bahnwärter 1878
Bai 1799, 2
Baisse 988, 3; 1348, 5;
    1519
Bajazzo 1384, 1
Bakkarat 783
Bakschisch 436, 2;
    677, 1
Bakterien 985
Balance 150, 5
balancieren 151, 5
bald 180; 665; 1655, 1
bald wie möglich, so
    429, 3; 1410, 2
bald, recht 429, 3;
    1410, 2
Bälde, in 180
baldigst 180
Balg 870, 2
Balgerei 1393, 2
Balken 810, 3
Balkenwerk 810, 4
Balkon 181; 1302, 2
Ball 749, 2; 994, 1
Balladensänger 1363, 1
Ballast 1020, 1
ballen 391, 1
Ballen 1295, 1
ballern 1018, 3
Balletttruppe 800, 3
Ballon 579, 7; 970, 1
Ballsaison 1360
Ballungsraum 1500, 4
Ballyhoo 1898, 2
Balsam 567, 2; 1605
balsamisch 109
balzen 1742
Bammel 62, 4; 1764, 2
bammeln 1443, 2
banal 182; 312, 3; 941;
    1028, 3
banalisieren 509, 3;
    1738
Banalisierung 1739
Banalität 183; 1200;
    1256, 1
Banause 384, 2
banausenhaft 341, 3;
    385, 2

Banausenhaftigkeit 1663
Band 336, 1; 569;
    800, 4; 1291, 6;
    1719, 1; 1785, 2
Bandaufnahme 126, 1;
    1187, 2
Bandbreite 1827, 1
Bändchen 1291, 6
Bande 800, 5
Bande, über die 1124, 2
Banden, in 1652, 3
Bandenchef 671, 2
Bandenführer 671, 2
Banderole 529, 4;
    1785, 2
bändigen 1952, 2
bändigen, sich 228
Bändiger 1035, 2
Bandit 1429, 2
Bandleader 1047, 2
bange 64, 1
Bange machen 398, 1
bangen 63, 1
Bangen 62, 1
bangend 64, 1
Bangigkeit 62, 2
bänglich 64, 1
Bänglichkeit 62, 3
Bank 184; 1470, 2
Bänkelsang 739, 2
Bänkelsänger 1363, 1
Banker 741
Bankett 1080, 10
Bankhaus 184, 2
Banknote 712, 1
Bankomat 921, 2
Bankräuber 1726, 2
bankrott 534, 2
Bankrott 185; 1116;
    1941, 1
Bankrott machen
    1940, 11
Bankschalter 921, 2
Bann 1333; 1721, 1
Bann, im 895, 1
bannen 305, 1; 894, 1
bannen, aus dem Be-
    wusstsein 1734, 2
bannen, Gefahr 492, 4
bannend 1335
Banner 1934, 4
Bannkreis 685, 1
Bannspruch 1933, 2
bar 161, 1; 1365, 2;
    1664, 3

Bar 681, *1*
Baracke 824, *1*
Barbar 186
Barbarei 335
barbarisch 334
Barbarisierung 1348, *6*
bärbeißig 1005, *2*
Barbier 661
barbieren 1249, *5*
barbusig 1154, *2*
Barde 1363, *1*
Bärendienst 902, *2*
Bärenhäuter 595
Bärenhunger 1762, *1*
Barett 971
barfuß 1154, *2*
barfüßig 1154, *2*
Bargeld 712, *1*
bargeldlos 1124, *4*
Bariton 1363, *1*
Barkasse 579, *6*
Barke 579, *6*
barmherzig 1644
Barmherzigkeit 784, *1*
Barmusiker 1134, *2*
barock 992, *1*; 1254, *3*
Barras 1111, *2*
Barriere 858, *4*; 1419
Barrikade 211, *4*
barsch 31, *1*; 376, *2*;
   1005, *2*; 1373, *4*;
   1536, *1*; 1662, *1*
Barschaft 271, *3*
Barschheit 643, *3*;
   1537, *2*
Bart 187
Bärtchen 187
bärtig 1307, *2*
Bartscherer 661
Barvermögen 271, *3*
Barzahlung 1931, *4*
Basar 1086, *1*
basieren 1508, *1*
basieren auf 9, *3*
Basis 796, *1*; 796, *2*;
   810, *2*; 1232, *3*;
   1301, *2*
basisdemokratisch 369
Baskenmütze 971
bass 1452, *1*
Bass 1363, *1*
Bassin 760, *3*
Bassist 1134, *2*
Basso continuo 1905
basta 476; 728

Bastard 871
bastardieren 1112, *3*
Bastardierung 1951, *3*
Bastei 211, *4*
Bastelarbeit 813, *2*
basteln 188
Bastion 211, *4*
Batman 838, *1*
Batterie 1295, *1*
Batzen 951, *1*
Batzenware 5, *2*
Bau 159; 563, *3*; 632, *1*;
   692, *2*; 779; 824, *1*;
   965, *1*; 1539
Bau, im 53, *2*
Bau, vom 516, *1*; 572, *2*
Bauart 1518, *2*
Bauch 673, *2*
bauchfrei 1154, *2*
bauchig 381, *4*
bauchpinseln 1401
Bauchpinsler 1402, *1*
Bauchredner 111, *2*
Baude 824, *1*
Bauelement 192, *1*;
   350, *2*
bauen 179, *1*; 560, *4*
bauen auf 555, *1*;
   1544, *2*; 1800, *1*
bauen, goldene Brücken
   489, *1*
bauen, Luftschlösser
   430, *2*; 1591, *2*
bauen, Türken 1849
Bauer 189; 1272, *1*
bäuerisch 376, *3*
bäuerlich 376, *3*
Bauernfänger 294, *2*
Bauernfängerei 292
Bauernhof 190
Bauernopfer 1219, *1*
bauernschlau 1396, *1*
baufällig 44, *3*; 992, *3*
Baugrund 795
Bauherr 191
Baukünstler 191
Bauland 795
Baulichkeit 824, *1*
Baumaschinen 579, *5*
Baumaterial 1522, *2*
baumbestanden 1870
Baumeister 191
baumeln 1443, *2*
baumeln lassen, Seele
   1356, *1*

baumelnd 1065, *4*
Baumgarten 680
baumlos 913, *2*
Baumschule 680; 1869
baumstark 981, *1*
Baumwolle 1522, *3*
Bauplan 779; 1258, *2*
Bauplaner 191
Bauplatz 795
Bausch und Bogen, in
   41; 453; 679, *2*
bauschig 587, *1*
Bauschutt 5, *1*
Baustein 192, *1*
Baustil 1518, *2*
Baustoff 1522, *2*
Bauteil 192; 463, *3*
Bauträger 191
Bauweise 632, *1*; 1539
Bauwerk 824, *1*
Bazillen 985
beabsichtigen 1259, *1*;
   1923, *1*
beabsichtigt 16
beachten 193; 441, *3*
beachten, nicht 492, *1*;
   1409, *5*
beachtenswert 892, *2*;
   1900, *2*
beachtet werden 118
beachtlich 892, *2*;
   1452, *1*; 1499; 1733;
   1900, *2*
Beachtung 35
beackern 198, *3*
beamen 1622, *4*
Beamtenschaft 230
Beamter 194
beängstigen 129, *2*
beängstigend 690, *1*;
   1420, *1*
Beängstigung 399, *1*
**beanspruchen 92, *1*;
   195**; 217, *1*; 237, *2*
beanspruchen können
   88, *2*; 195, *1*; 1731, *2*
beansprucht 1557, *4*
beanstanden 196;
   1554, *1*
Beanstandung 989, *2*
beantragen 197
beantworten 557, *1*
Beantwortung 558, *1*
bearbeiten 198; 208;
   274, *3*; 1627, *1*;

1714, *3*; 1716, *1*;
1896, *1*
Bearbeitung 225, *2*;
1898, *5*
Beat Generation 1546, *2*
Beatnik 169
Beatniks 1546, *2*
Beau 1414, *2*
beaufsichtigen 128, *2*;
873
Beaufsichtigung 133, *1*
beauftragen 280, *1*;
1622, *1*
beauftragt 252, *2*
Beauftragung 136, *3*;
1353, *1*
Beauté 1414, *2*
bebauen 198, *3*; 560, *5*
Bebauung 563, *4*
beben 63, *1*; 597, *1*;
1947, *1*
Beben 1165, *1*; 1526
bebend 64, *1*; 548, *1*
bebildern 199
bebildert 591, *2*
Bebilderung 308, *4*
bechern 1601, *2*
Becken 223; 760, *3*
Beckmesser 990, *2*;
1239, *1*
Beckmesserei 989, *4*
bedacht 890, *2*; 1260, *1*;
1476, *2*; 1846, *2*
Bedacht 1475, *2*
bedacht, auf Gewinn
959
Bedacht, mit 16; 1476, *1*
bedacht, nur auf den ei-
genen Vorteil 1456
bedächtig 1015, *1*;
1357, *2*; 1773, *1*;
1846, *1*
bedachtsam 1357, *2*;
1476, *1*; 1846, *1*
Bedachtsamkeit 1475, *2*
bedanken, sich 357, *1*
Bedarf 1147; 1723, *1*
Bedarf haben 327
Bedarf, bei 205
Bedarfsanalyse 1087
Bedarfsforschung 1087
Bedarfslenkung 1898, *5*
Bedarfsweckung 1898, *5*
bedauerlich 1043;
1660, *3*

bedauerlicherweise 1043
bedauern 256; 501, *1*
Bedauern 1341
Bedauern, zu jmds. 1043
bedauernswert 1660, *3*
bedecken 200; 1430, *1*
bedecken, sich mit Wol-
ken 409, *2*
bedeckt 407, *2*
Bedeckung 1461, *2*
bedenken 193, *2*; 371, *2*
Bedenken 1474; 1974, *1*
bedenken mit 683, *2*;
1622, *2*
Bedenken, ohne 87
bedenken, sich 1948
bedenkenlos 1037, *1*
Bedenkenlosigkeit 991
bedenklich 545, *4*;
690, *5*; 1243, *2*;
1397, *4*; 1975, *1*
Bedenklichkeit 62, *3*;
1974, *1*
Bedenkzeit 1822, *3*
bedeuten 201; 861, *1*
bedeuten haben, zu
201, *1*
bedeutend 262, *2*;
791, *2*; 791, *4*; 1900, *2*
bedeutsam 600, *1*;
892, *2*; 1145, *1*;
1468, *2*; 1900, *2*
Bedeutsamkeit 202, *3*;
1144
Bedeutung 202; 716, *1*;
792, *2*; 1549; 1899, *1*
Bedeutung haben 201, *1*
Bedeutungsfeld 202, *4*
bedeutungsgleich 771, *4*
bedeutungslos 1028, *3*;
1640
Bedeutungslosigkeit
951, *1*
bedeutungsvoll 310, *2*;
892, *2*; 1054, *2*;
1145, *2*; 1900, *2*
bedichten 420, *1*
bedienen 203; 274, *3*
bedienen, sich 246
bediensten 89, *1*
Bedienstete 826, *1*
Bediensteter 103
Bedienung 204; 225, *1*
Bedienungsanleitung
96, *2*

bedingen 1833
bedingt 205; 1336
bedingt durch 49; 1889
bedingt sein durch 9, *3*
Bedingtheit 206
Bedingung 207; 454, *3*;
859, *2*; 1192, *1*; 1834
Bedingung machen, zur
195, *1*
Bedingungen 1010, *3*
bedingungslos 1300;
1641, *1*
bedrängen 198, *5*;
315, *1*; 391, *4*; 851, *1*;
1081, *1*; 1242, *1*;
1523, *1*; 1741, *1*
Bedrängnis 481, *1*;
1190, *2*; 1764, *1*
Bedrängnis, in 401;
856, *2*
bedrängt 480, *1*
Bedrängung 1972, *1*
bedrohen 398, *2*
bedrohend 1293, *3*
bedrohlich 545, *4*;
690, *1*; 1293, *3*
bedroht 690, *4*
Bedrohung 399, *1*
bedrucken 931, *4*;
1137, *1*
bedrücken 237, *5*; 496;
1404, *2*
bedrückend 406, *2*;
1293, *3*
bedrückt 1182, *1*;
1660, *1*
Bedrücktheit 1118
Bedrückung 1020, *2*;
1972, *1*
bedürfen 327
Bedürfnis 1147
bedürfnislos 83, *1*
bedürftig 107, *1*
Bedürftigkeit 1190, *1*
beduseln, sich 284, *3*
beduselt 250, *1*
beehren 282, *1*; 420, *1*
beeiden 1787, *2*
beeidet 1213, *1*
beeilen, sich 428, *2*
beeindruckbar 467, *3*
beeindrucken 884;
1911, *2*
beeindruckend 885
beeindruckt 548, *2*

beeinflussbar 467, 3;
1891, 2
Beeinflussbarkeit
1700, 3
beeinflussen 198, 5;
208; 541, 1
beeinflussen, negativ
1729, 5
beeinflusst 548, 2
Beeinflussung 436, 1;
1898, 5
beeinträchtigen 496;
1114, 1; 1369, 1; 1434;
1724, 3
beeinträchtigt 265, 2
beeinträchtigt werden
1369, 4
Beeinträchtigung 858, 5;
1115
Beelzebub 1575
beenden 475, 1; 1829
beendet 610, 1
beendigen 475, 1; 533, 1
Beendigung 535, 1;
1400, 1
beengen 237, 5; 402, 2;
857, 2
beengt 480, 1; 954, 2
Beengtheit 481, 1
Beengung 481, 2
beerben 514
beerdigen 122, 3; 233, 1
Beerdigung 234, 1
befähigen 538, 2;
1835, 5
befähigt 576, 1; 890, 1
Befähigung 577
Befähigungsnachweis
470
befahrbar 1207, 1
befahren 246
befallen 530
befallen sein von 1040, 3
befallen von 1042, 1
befangen 64, 2; 455, 1;
1571; 1657; 1763, 1
Befangenheit 481, 5;
1764, 2; 1854
befassen mit, sich 80, 1;
266, 2
befassen, sich 102, 1
befehden 918, 3; 1535, 1
Befehl 136, 3; **209**
befehlen 848, 1
befehlend 479; 1373, 4

befehligen 848, 1
Befehlsgewalt 209, 1
befehlsgewohnt 705
Befehlston, im 479
befeinden 918, 3
befestigen 210
Befestigung 211
Befestigungsanlage
211, 4
Befestigungswerk
211, 4
befeuchten 616, 1
befeuern 75, 2; 219, 1
befinden 72, 1; 1702, 2
Befinden 1966
befinden über 1702, 1
befinden, sich 212;
1508, 1
Befindlichkeit 1966
befingern 263, 1
beflaggen 139, 2;
1292, 1
beflecken 1809
befleckt 1408
befleißigen, sich 92, 2
beflissen 254, 1; 423;
491; 705
Beflissenheit 255; 422, 1
beflügeln 75, 2; 219, 1
beflügelt 76, 3
beflügelt 781, 1; 835, 1
befolgen 193, 2; 441, 3;
704, 1
befördern 300, 3;
1388, 2; 1589, 1;
1716, 2
Beförderung 135, 1;
302, 2; 1590, 1
befrachten 237, 1; 674, 2
befragen 639, 2; 1284, 1
Befragung 638, 1;
1285, 1; 1632
befreien 213; 837, 4
befreien, sich 213
befreiend 757, 4; 1607
befreit 644, 5
Befreiung 532, 3; 645, 4
befremden 1621, 1
Befremden 552
befremdend 273, 2; 553
befremdet 1505, 3
befremdlich 119, 2;
273, 2; 553; 648, 1;
1417, 5
Befremdung 552

befreunden, sich 1157, 4;
1718, 1
befreundet 654, 3;
1728, 1; 1803, 1
befreundet sein mit
928, 1
befrieden 261, 1
befriedigen 214; 221, 1;
729, 1
befriedigen, sich 214
befriedigen, sich selbst
214, 2
befriedigend 57, 2; 728;
781, 3; 1946
befriedigt 1364, 2
Befriedigung 1954
Befriedigung, innere
780, 2
Befriedung 150, 4;
656, 1; 1092, 2
befristen 1542; 1736
befruchten 560, 2
befugen 531, 2
Befugnis 82, 1; 532, 2;
1318, 1; 1968, 1
befugt 252, 2; 1967, 2
befugt sein 963, 2
befühlen 263, 1
Befund 615, 1; 1701, 1
befürchten 63, 2; 555, 3
Befürchtung 62, 3; 1474;
1974, 2
befürworten 215;
298, 1; 469, 1; 1769, 1
Befürwortung 470
begaben 1450, 2
begabt 576, 1; 890, 1
Begabung 577; 677, 4;
784, 2
Begabung, besondere
1502, 5
Begabung, technische
743, 1
begaffen 80, 2
begatten 560, 2
begaunern 293, 1
begeben, sich 216;
703, 1; 1820, 2
begeben, sich zur Ruhe
1392, 1
Begebenheit 580, 2;
742, 1
Begebnis 580, 2; 742, 1
begegnen 216, 2;
1593, 1

begucken 80, *1*
begünstigen 179, *2*;
　298, *1*; 489, *1*
begünstigt 781, *2*
begünstigt, vom Glück
　781, *2*
Begünstigter 782
Begünstigung 854, *1*;
　1858, *1*
begutachten 276, *2*;
　977, *2*; 1375, *2*;
　1702, *1*
Begutachter 911, *2*
Begutachtung 1285, *2*;
　1701, *1*
begütert 1327, *1*
begütigen 261, *1*
Begütigung 1092, *2*
behaart 1307, *2*
behaftet mit 1042, *1*
behaftet sein mit 1040, *3*
behagen 503, *1*; 651, *1*;
　691, *1*
Behagen 650, *2*; 730, *1*;
　1954
behaglich 719; 1872, *1*
Behaglichkeit 249, *1*
behalten 123, *1*; 526, *2*;
　811, *2*
behalten sein, leicht zu
　447, *3*
behalten, für sich
　1438, *2*; 1715, *1*
behalten, im Auge
　128, *2*; 193, *1*; 247, *1*
behalten, nicht 1753, *1*
Behälter 223; 1379, *3*
Behältnis 223
behämmert 403, *1*;
　1778, *1*
behänd 890, *1*
behände 423; 1036, *5*;
　1410, *1*
behandeln 198, *1*; **224**;
　276, *2*
behandeln können
　1794, *6*
behandeln, gesondert
　166, *3*
behandeln, pfleglich
　1249, *1*; 1413, *1*
behandeln, schändlich
　1114, *2*
behandeln, schlecht
　1242, *1*

behandeln, schwer zu
　1441, *3*
behandeln, sorgsam
　1413, *1*
behandeln, ungerecht
　1114, *1*
behandeln, von oben
　herab 1114, *1*
behandeln, wie Luft
　1409, *5*
Behandlung 204, *2*;
　225
Behandlungsbedürftiger
　1238
Behang 870, *3*
behängen 200; 1623, *5*
beharren 1787, *1*
beharren auf 226, *1*;
　1923, *2*
beharrlich 144; 1929, *1*;
　1971, *2*
Beharrlichkeit 613, *3*
Beharrungsvermögen
　613, *3*
behauen 756
behaupten 226
behaupten, böswillig
　1765
behaupten, Feld 226, *2*;
　411, *5*
behaupten, Gegenteil
　557, *2*
behaupten, sich 226
Behauptung 798, *2*;
　1100, *4*; 1788, *1*
behaust 227, *2*
Behausung 1920, *1*
beheben 22, *4*; 123, *4*;
　484, *4*
beheben, Schäden
　543, *1*
beheimatet 227
Behelf 550, *1*
behelfen, sich 448, *2*;
　1479, *4*
behelfsweise 1853, *2*
behelligen 1523, *1*
behelligen, jmdn. 391, *5*
Behelligung 843, *1*;
　1525
Behemoth 1575
beherbergen 127, *1*
beherrschen 848, *1*;
　963, *1*; 1680, *4*;
　1794, *4*; 1917

beherrschen, sich 228;
　1680, *3*
beherrschend 670, *2*;
　1077, *1*
beherrscht 1091, *1*;
　1357, *3*
Beherrschtheit 229, *1*
Beherrschung 229; 611;
　1089, *1*; 1092, *1*;
　1613, *3*
beherzigen 193, *2*;
　1049, *4*; 1794, *5*
beherzigenswert 149, *2*
beherzt 920; 1139, *1*
Beherztheit 1138
behexen 305, *1*
behilflich sein 837, *2*
behindern 857, *2*
behindert 265, *2*
Behinderung 858, *5*;
　1525
Behörde 230
behördlich 751, *1*;
　1213, *1*
behumpsen 293, *1*
behüten 1430, *1*;
　1789, *2*
behüten vor 1413, *2*
behütet 1460, *3*
behutsam 1109, *1*;
　1357, *2*; 1476, *1*;
　1846, *1*; 1932, *2*
Behutsamkeit 1351;
　1475, *2*
bei 69, *1*
bei sich haben 1589, *1*
beibehalten 1741, *2*
beibiegen 1208, *2*;
　1730, *2*
Beiboot 579, *6*
beibringen 274, *1*;
　274, *1*; 447, *1*; 861, *1*;
　1034, *1*; 1208, *2*;
　1730, *2*
beibringen, Flötentöne
　1730, *2*
beibringen, Verluste
　1369, *1*
Beichte 1209, *2*
beichten 1208, *3*
beiderseits 696
beidhändig 390
beidrehen 395, *6*
beidseitig 390
beieinander 1962

beieinander, eng 1155, 2
beieinander, gut 757, 1
Beifall 231; 518, 3;
532, 1; 989, 3; 1062, 1
Beifall, nicht enden wol-
lender 231
Beifall, tosender 231
beifallen 435, 1
beifällig 1970
Beifallklatschen 231
Beifallsbekundung 231
Beifallssturm 231
beifallswürdig 1733
beifolgend 48
beifügen 519, 2; 1112, 2
Beifügung 520, 3
Beigabe 1113, 2
beigeben 519, 2; 683, 2;
1112, 2
beigeben, Bilder 199
beigeben, klein 489, 2;
704, 2
beigefügt 48
beigepackt 48
beigeschlossen 48
Beigeschmack 232
beigesellen, sich 631, 1
beihelfen 837, 3
Beihilfe 520, 3; 854, 1
Beiklang 232
beikommen lassen, sich
371, 2
Beilager 1055, 3
beiläufig 1167, 1; 1640
Beiläufigkeit 951, 1
beilegen 261, 1; 519, 2;
1772, 1
beilegen, Gewicht 217, 1
beilegen, zu viel Gewicht
1623, 1
Beilegung 1754, 3
beileibe 1912, 3
beiliegen 519, 5
beiliegend 48
beimengen 1112, 2
beimessen, Wert 217, 1
beimischen 1112, 2
Beimischung 1113, 2
Bein 778, 1
Bein, kein 1188
beinahe 1655, 1
Beinbruch, kein 772, 5
Beine machen 391, 2
Beinen sein, unsicher auf
den 1435, 1

Beinen sein, wieder auf
den 723, 1
Beinen, unsicher auf den
1674, 4
beinhalten 201, 1;
224, 3; 493
beinhart 820, 3
Beipack 520, 3
beipacken 519, 2
Beipackzettel 96, 2
beipflichten 1969, 2
beipflichtend 1970
Beirat 911, 1; 1304, 2
beirren 293, 1; 1816, 2
beisammen 1962
Beisammensein 749, 2;
1594, 1
Beischlaf 1055, 3
beischlafen 1056, 3
beischließen 519, 2
Beisein, im 699, 3
beiseite tun 17, 1
beisetzen 233
Beisetzung 234
Beispiel 235; 874, 1;
1136, 2
beispielgebend 149, 2
beispielhaft 149, 2;
1830, 1
Beispielhaftigkeit 1831
beispiellos 149, 2; 163, 1
beispringen 489, 1;
494, 1; 837, 1;
1430, 3; 1806, 1
beißen 330, 3; 907, 1;
1242, 3; 1404, 1
beißen haben, nichts zu
872, 1
beißen, auf Granit
1383, 6
beißen, in den sauren Ap-
fel 1135
beißen, ins Gras
1513, 2
beißend 844, 2; 891, 1;
1293, 1; 1373, 3;
1493, 1
beißend, sich 695, 1
Beißhemmung 1764, 2
Beistand 838, 1; 854, 1;
1563, 1
beistehen 224, 2; 837, 1
Beistelltisch 1581
beisteuern 683, 2; 837, 3
beistimmen 1969, 2

Beitrag 7; 8, 1; 164, 1;
854, 1
beitragen 837, 3
beitreiben 458, 1
beitreten 1229, 3;
1718, 3
Beitrittskandidat 95, 2
Beiwagen 66, 1
Beiwerk 168, 3; 951, 1
beiwohnen 1564, 2
Beize 1477
beizeiten 1290, 1
beizen 330, 3; 522, 2;
590, 2
bejahen 278, 2; 1969, 2
bejahend 803, 2; 1224;
1970
bejahrt 44, 1
Bejahrtheit 45, 1
Bejahung 279, 5
bejammern 944, 4
bejammernswert
1660, 3
bejubeln 420, 1; 948, 2
bejubelt 58; 243, 1
bekämpfen 557, 2;
857, 1; 918, 3
bekannt 243, 2; 262, 1;
299; 678, 1; 1803, 2
bekannt machen
1120, 3; 1774, 2;
1847, 1
bekannt sein mit 928, 1
bekannt werden 411, 3;
506, 5; 958, 3
bekannt, wohl 262, 1;
968, 1; 1803, 1
Bekannte 713
Bekannter 714
Bekanntgabe 1122
Bekanntheit 716, 3;
1212, 3
bekanntlich 1460, 4
Bekanntmachung 97, 1;
860, 1; 1848, 1
Bekanntschaft gemacht
haben 928, 1
bekehren 1627, 1
Bekehrung 445, 1
bekennen 1208, 3
bekennen, Farbe 1508, 5
bekennen, sich schuldig
256; 1425, 3
bekennend 663
Bekenner 876, 1; 932

Bekenntnis 1209, *2*;
1337, *1*
bekifft 250, *2*
beklagen 256; 944, *1*
beklagen, sich 196
beklagen, sich über
944, *3*
beklagenswert 107, *2*;
1660, *3*
Beklagter 56
beklatschen 948, *2*
bekleckern 1809
bekleiden 98, *1*; 200;
676, *2*
Bekleidung 949, *1*
beklemmend 406, *2*;
480, *1*; 1293, *3*
Beklemmung 62, *2*;
481, *2*; 1118; 1474
beklommen 64, *1*;
480, *1*
beklommen sein 63, *2*
Beklommenheit 62, *2*;
481, *2*; 1118; 1474
beklopfen 263, *1*
bekloppt 1778, *1*
beknackt 1778, *1*
beknirschen, sich
1535, *2*
bekommen 236; 466, *1*;
522, *1*; 1731, *1*
bekommen, bezahlt
1731, *1*
bekommen, Entschädi-
gung 497, *3*
bekommen, erzählt
868, *1*
bekommen, Gänsehaut
659, *1*
bekommen, geschenkt
236, *1*; 522, *1*
bekommen, geschickt
522, *1*
bekommen, in den fal-
schen Hals 1959, *1*
bekommen, in die falsche
Kehle 322, *2*
bekommen, Junge 682, *2*
bekommen, Kind 682, *1*
bekommen, Korb
1383, *5*
bekommen, Lust 894, *2*
bekommen, satt 1039, *1*
bekommen, Schrecken
63, *1*

bekommen, sich in die
Hand 228
bekommen, Wind
1772, *2*
bekommen, zu spüren
515, *2*
bekommen, Zuschlag
236, *1*
bekömmlich 757, *3*;
1036, *3*; 1109, *3*
beköstigen 50, *3*
bekräftigen 210, *3*;
278, *5*; 543, *4*; 1787, *1*
Bekräftigung 279, *3*;
1100, *4*; 1504, *3*
bekränzen 1292, *1*;
1633, *1*
bekriegen 918, *3*;
1535, *1*
bekritzeln 270, *3*; 1809
bekümmern 1242, *2*;
1369, *2*
bekümmern, sich
1789, *2*
Bekümmernis 1474
bekümmert 64, *1*;
1660, *1*
Bekümmertheit 1592
bekunden 162, *3*;
1120, *2*; 1935, *3*
bekunden, Dank 357, *1*
bekunden, Mitgefühl
1564, *3*
Bekundung 164, *3*
Bel Ami 1743, *1*
belächeln 1492, *1*
beladen 237, *1*; 1182, *1*
Belag 618, *1*; 1387, *1*
belagern 857, *4*
Belagerung 858, *3*
belämmert 403, *1*
Belang 202, *2*
Belang sein, von 201, *2*
Belange 580, *2*
belangen 944, *1*
belanglos 950, *2*;
1017, *2*; 1640
Belanglosigkeit 951, *1*
belangvoll 1900, *2*
belassen 1019, *2*
belastbar 981, *1*
Belastbarkeit 810, *1*;
1502, *2*
belasten 195, *3*; **237**;
402, *1*; 1856

belastend 1021, *1*;
1293, *3*; 1440, *2*
belastend, nicht 757, *3*
belastet 1182, *1*; 1426, *2*
belästigen 1242, *1*;
1334, *3*; 1523, *1*
belästigen, jmdn. 391, *5*
Belästigung 843, *1*; 1525
Belästigung, sexuelle
1458
Belästigungen 105, *3*
Belastung 105, *3*;
1020, *1*; 1250; 1424, *2*
Belastungen 978, *1*
Belastungsprobe 1285, *3*
belaubt 1870
belaubt, dicht 1870
belauern 247, *2*
belaufen, sich auf 977, *1*
belauschen 247, *2*;
868, *2*
beleben 75, *2*; 75, *3*;
411, *4*; 541, *2*;
1503, *2*
beleben, neu 543, *4*
beleben, wieder 543, *5*
belebend 76, *1*; 1607
belebt 1026, *1*; 1228, *1*;
1828, *3*
belebt, neu 1177, *4*
Belebung 77, *2*; 525, *1*;
1504, *1*
Beleg 235; 279, *2*;
1296, *3*; 1498, *2*
belegen 167, *3*; 614, *2*;
1339; 1935, *4*
belegen bei 1049, *2*
belegen, mit Beschlag
195, *2*
belegen, mit einer Strafe
1810, *1*
belegen, mit Granaten
60, *2*
belegt 406, *5*; 1307, *3*;
1828, *2*; 1864
belegt, nicht 1674, *1*
Belehnung 986
belehren 946, *5*; 1034, *1*
belehren, eines Besseren
946, *5*; 1627, *1*
belehrend 238
Belehrung 96, *1*;
1033, *1*; 1304, *1*
beleibt 381, *1*
Beleibtheit 673, *2*

beleidigen 841, *1*; 1242, *2*
beleidigend 239; 1244, *5*
beleidigt 322, *2*
beleidigt, leicht 471, *3*
Beleidigung 240; 1766
beleihen 321, *1*; 321, *2*
Beleihung 358; 986
belesen 929; 996, *2*
beleuchten 241; 528, *3*
beleuchtend 238, *1*
beleuchtet 839, *4*
Beleuchtung 361, *1*
Beleuchtung, helle 1052, *1*
Beleuchtungskörper 1012, *1*
beleumdet, übel 91, *5*
beleumundet, übel 1975, *3*
belfern 244, *1*
belichten 241, *1*
belieben 503, *1*; 691, *1*
Belieben 1762, *2*; 1862, *1*
Belieben, nach 242
belieben, wie 314, *2*
beliebig 242; 1909, *1*; 1953, *2*
Beliebigkeit 991
beliebt 243; 678, *2*
beliebt, wie es 242
Beliebtheit 716, *3*
beliefern 203, *2*; 1388, *3*; 1789, *4*
bellen 244; 1391, *2*
Bellen 734, *4*
Belletristik 1061
Bello 871
belobigen 1063, *1*
Belobigung 1062, *2*
belohnen 497, *1*; 1751, *3*
Belohnung 498, *1*; 677, *2*
belüften 1069
Belüftung 1068, *2*
belügen 1072
belustigen 75, *4*; 1682, *2*
belustigen, sich 602, *2*; 651, *1*
belustigen, sich über 1492, *1*
belustigend 76, *2*; 835, *2*
belustigt 835, *3*

Belustigung 650, *1*; 1684, *2*
bemächtigen, sich 1168, *3*; 1233, *3*
bemäkeln 196
bemalen 590, *3*; 1137, *1*
bemalt 591, *2*
Bemalung 589, *1*
bemängeln 196; 1554, *1*
Bemängelung 989, *2*
bemannen 167, *3*
Bemannung 800, *9*
bemänteln 268
Bemäntelung 269
bemeistern 963, *1*
bemeistern, sich 228
bemerkbar 378, *1*; 1499
bemerkbar machen, sich 958, *1*
bemerken 162, *1*; 668, *1*; 1451; 1867, *1*
bemerken, am Rande 162, *1*
bemerken, nicht 492, *1*
bemerkenswert 163, *1*; 273, *2*; 553; 892, *2*; 1900, *2*
bemerkt werden 118
bemerkt werden, nicht 1236, *2*
bemerkt, nebenbei 1167, *1*
Bemerkung 164, *2*; 860, *2*; 1491, *3*
Bemerkung, witzige 1684, *4*
bemessen 251, *1*; 614, *3*; 1562, *2*; 1702, *2*
Bemessung 1295, *2*
bemitleiden 1564, *3*
bemitleidenswert 1660, *3*
bemittelt 1327, *1*
bemogeln 293, *1*
bemoost 44, *2*
bemühen 195, *3*; 245
bemühen, sich 245
bemühen, sich um 303
bemüht 423
bemustern 1137, *1*
bemuttern 1249, *1*; 1789, *2*
benachbart 1155, *2*
benachrichtigen 280, *4*; 1120, *1*

Benachrichtigung 332; 1122
benachteiligen 293, *1*; 1114, *1*; 1369, *1*
benachteiligend 388
benachteiligt werden 1369, *4*
Benachteiligter 1219, *2*
Benachteiligung 389, *1*; 858, *5*; 1115; 1368, *2*
benamsen 931, *5*; 1174, *1*
benebelt 250, *1*
Benediktion 1449, *1*
Benehmen 85, *1*; 1759, *1*
benehmen, sich 1758, *1*
beneiden 1170
beneidenswert 781, *2*
benennen 162, *2*; 931, *5*; 1174, *1*
Benennung 147, *1*; 930, *2*
benetzen 616, *1*
benetzt 1162, *4*
Bengel 910, *2*; 1272, *1*
benigne 1109, *4*
Benimm 1759, *2*
Benjamin 910, *1*
benommen 406, *4*; 1915, *2*
benoten 1702, *1*
benötigen 327; 598, *2*
benutzbar 1973, *1*
benutzen 246; 327
benutzerfreundlich 1973, *1*
benutzt werden 382, *2*
Benutzung 154, *1*
Benutzungsvorschrift 96, *2*
Benzin 478, *2*
Benziner 579, *2*
beobachten 128, *2*; 247; 1451; 1867, *1*
Beobachter 248
Beobachtung 133, *1*; 517, *1*; 1868, *1*
Beobachtungsgabe 468, *1*; 1790, *2*
beordern 72, *1*; 280, *3*
bepacken 237, *1*; 674, *2*
bepackt 1182, *1*
bepflanzen 198, *3*
Bepflanzung 563, *4*

bepflastern 200
bequatschen 1627, *1*
bequem 57, *1*; 633, *3*;
  719; 1036, *2*; 1150, *2*;
  1490, *2*; 1676, *1*
bequem machen, es sich
  1184, *2*; 1356, *1*
bequemen, sich 489, *1*;
  531, *4*
Bequemlichkeit 249;
  1151; 1677, *1*
berappeln, sich 524, *2*
berappen 304, *3*
beraten 276, *1*; 837, *2*;
  1305, *1*
beraten, sich 276, *3*
Berater 838, *1*
Beraterstab 800, *2*
beratschlagen 276, *1*
Beratschlagung 277, *1*
Beratung 277, *1*; 854, *1*;
  1304, *3*
berauben 1168, *3*
beraubt 1432, *5*
beraubt, der Freiheit
  1652, *2*
berauschen 219, *1*;
  305, *1*
berauschen, sich 284, *3*
berauschend 285, *1*;
  1335
berauschend, nicht
  1091, *2*
berauscht 250; 286;
  548, *3*
Berauschtheit 1310, *1*
berechenbar 945, *4*
berechnen 237, *4*; 251;
  371, *2*; 1930, *1*
berechnend 808; 1456
berechnet 1260, *1*;
  1555, *1*
Berechnung 556, *2*;
  743, *2*; 1321
berechtigen 531, *2*
berechtigt 252; 312, *2*;
  751, *4*; 1967, *2*
berechtigt sein 963, *2*
Berechtigung 82, *1*;
  532, *2*; 1318, *1*;
  1968, *1*
bereden 208; 276, *1*;
  541, *1*; 1627, *1*
beredsam 253, *1*
Beredsamkeit 1494, *3*

beredt 253
Beredtheit 1494, *3*
Beredung 277, *1*
Bereich 685, *1*; 1977, *2*
Bereich des Möglichen,
  im 1128, *3*
Bereich, persönlicher
  824, *2*
bereichern 1716, *2*
bereichern, sich 761, *1*
Bereicherung 511, *2*;
  1717, *2*
bereift 914, *1*
bereinigen 151, *4*;
  261, *1*; 304, *4*; 946, *1*;
  1769, *1*
Bereinigung 150, *4*
bereit 254; 610, *2*;
  1839, *1*
bereit finden, sich 531, *4*
bereit sein 489, *1*;
  531, *4*; 1512, *3*
bereiten 560, *3*; 1835, *1*;
  1950
bereiten, den Weg 437, *1*
bereiten, Freude 221, *1*;
  1621, *1*
bereiten, Ovationen
  948, *2*
bereiten, Schmerz
  1369, *2*
bereiten, Unannehmlich-
  keiten 106, *1*
bereithalten 1835, *1*
bereitlegen 1835, *1*
bereitmachen, sich
  1835, *2*
bereits 1411
Bereitschaft 255
Bereitschaft, in 254, *2*;
  610, *3*
bereitstehen 837, *1*
bereitstellen 274, *1*;
  1835, *1*
Bereitstellung 1836, *1*
bereitwillig 254, *1*; 491;
  654, *1*; 738, *1*
Bereitwilligkeit 255
berennen 60, *2*
bereuen 256; 1404, *2*
Berg 257; 1102, *2*
bergab 27
bergauf 138
Bergbahn 579, *4*
Bergbesteigung 135, *2*

Berge, über alle 1887, *1*
bergen 493; 1430, *1*
bergend 1476, *2*
Bergfahrt 135, *2*; 138
Berghang 5, *4*
bergig 1643, *1*
Bergkegel 257, *1*
Bergkette 257, *2*
Berglehne 5, *4*
Bergrutsch 1165, *1*
Bergseite 5, *4*
Bergung 854, *2*
Bergwanderung 135, *2*
Bericht 8, *1*; 258; 1122;
  1851
berichten 259; 1120, *1*
berichten, Vorgeschichte
  1148, *2*
Berichterstatter 260
Berichterstattung
  258, *1*; 1122
berichtigen 946, *5*
Berichtigung 1717, *1*
beriechen 1344, *3*
berieseln 616, *1*
Berserker 186
bersten 142, *1*; 329, *1*;
  1214, *3*; 1262, *1*;
  1391, *2*
Bersten, zum 1828, *2*
berüchtigt 262, *1*;
  1975, *3*
berücken 305, *1*; 1742
berückend 1335
berücksichtigen 193, *2*;
  1930, *2*
berücksichtigen, mit
  193, *2*
Berücksichtigung 1351
Berückung 1333
Beruf 101, *2*; 120, *1*;
  1027, *2*
berufen 148, *2*; 305, *2*;
  1354, *3*
berufen, sich auf 1544, *2*
beruflich 572, *1*
Berufs wegen, von
  572, *2*
Berufsheer 1111, *2*
Berufssoldat 1111, *1*
Berufsspieler 1489
Berufssportler 1489
berufstätig 1557, *3*
Berufung 136, *3*; 724, *2*;
  1353, *1*; 1862, *3*

beruhen auf 9, 3
beruhen lassen, auf sich
773; 1019, 2
beruhend, auf einer Idee
879
beruhigen 261; 857, 1;
1606, 1
beruhigen, sich 261
beruhigt 1357, 3
Beruhigung 1092, 2;
1605
berühmt 262; 791, 4
Berühmtheit 202, 2;
1212, 3; 1501, 2
berühren 263; 289;
1233, 1
berühren, flüchtig
263, 4
berühren, nicht 773
berühren, sich 263, 3
berühren, unangenehm
106, 2
berühren, wunden Punkt
1242, 6
berührend, sich mit
771, 4
berührt 548, 2
berührt, peinlich 1763, 2
Berührung 966, 1
Berührungsangst 62, 3
Berührungspunkt
1719, 2
besabbern 1809
besäen 560, 5
besagen 201, 1
besaitet, zart 471, 3
besamen 560, 2
besänftigen 261, 1;
1606, 1
besänftigend 1607
Besänftigung 1092, 2
Besatz 1291, 2
Besatzer 1464, 2
Besatzung 800, 9;
1464, 2
Besatzungsmacht
1464, 2
Besäufnis 711
besäuseln, sich 284, 3
beschädigen 264
beschädigt 265; 1695, 1
Beschädigung 1368, 1
beschaffen 203, 2;
274, 1; 924, 1;
1229, 2; 1902, 3

beschaffen, Informatio-
nen 536
beschaffen, sich 761, 2
beschaffen, wohl 416, 1
Beschaffenheit 110, 1;
632, 1; 1294, 1; 1539;
1966
Beschaffenheit, natürli-
che 1164, 1
Beschaffung 275, 1
Beschaffungsnetz 854, 1
Beschaffungsstrich 1282
Beschaffungssystem
854, 1
beschäftigen 89, 1; **266**
beschäftigen mit, sich
80, 1; 102, 1; 1634, 2
beschäftigen, sich 266
beschäftigt 1557, 4
beschäftigt, viel 1557, 4
beschäftigt, voll 1557, 4
Beschäftigter im öffentlichen Dienst 194
Beschäftigung 101, 2
beschäftigungslos 104
beschämen 319, 2;
841, 1; 1242, 6
beschämend 239, 2;
1243, 1; 1638, 1
beschämt 1342; 1763, 2
Beschämung 1372, 1;
1764, 3
beschatten 247, 2;
409, 2; 1741, 1
Beschau 1285, 2
beschauen 80, 1
beschauen, sich 80, 3
beschaulich 1357, 4
Beschaulichkeit 445, 1;
1355, 2
Beschauung 1285, 2
Bescheid 164, 1; 558, 1;
1122
bescheiden 83, 1;
280, 3; 433, 3; 480, 1;
557, 1; 1091, 2
bescheiden, abschlägig
30, 2
bescheiden, sich
1479, 4; 1820, 1
Bescheidung 1819, 2
bescheinen 241, 1
bescheinigen 278, 1;
1787, 2
bescheinigt 252, 2

Bescheinigung 279, 1;
279, 2; 1942, 1
bescheißen 293, 1
beschenken 221, 3;
683, 2; 1450, 2
beschenken, reich
1817, 2
bescheren 683, 2
Bescherung 630, 3;
677, 2
bescheuert 403, 1;
1778, 1
beschicken 674, 1;
1789, 4
beschießen 60, 2
beschildern 174, 3;
931, 2; 931, 3
beschimpfen 1391, 1
Beschimpfung 240
beschirmen 873;
1430, 1
Beschirmer 838, 1
beschirmt 1460, 3
Beschirmung 1461, 2
Beschiss 292
beschissen 1397, 1
beschlabbern 1809
Beschlag 1291, 2
beschlagen 318, 2;
516, 1; 616, 3; 929;
1292, 1; 1445, 2;
1541, 2
beschlagen sein 963, 1;
1794, 4; 1917
Beschlagenheit 517, 2;
1918, 1
Beschlagnahme 267
beschlagnahmen 458, 1
beschleichen 435, 1;
1741, 1
beschleunigen 391, 3;
428, 2
Beschleunigung 427, 4
beschließen 499, 1;
1259, 1; 1736; 1736;
1829
Beschließer 133, 2
beschlossen 476;
1460, 5
Beschluss 500, 1;
1737, 1
beschmieren 270, 3;
1809
beschmutzen 1809
beschmutzt 1408

beschneiden 1007, *1*;
  1007, *3*; 1409, *4*
beschnitten 1005, *1*
beschnobern 1344, *3*
beschnüffeln 247, *2*;
  1344, *3*
beschnuppern 1344, *3*
beschönigen 268;
  590, *5*; 1072
Beschönigung 269;
  1559, *4*
beschranken 1462, *4*
beschränken 857, *1*;
  1007, *3*
beschränken, sich
  313, *5*; 1479, *4*
beschränkt 403, *1*;
  480, *2*; 954, *2*;
  1656, *2*
beschränkt, auf eine Sei-
  te 455, *2*
Beschränktheit 404, *1*;
  481, *5*
Beschränkung 207, *1*;
  454, *1*
beschreiben 259; 270;
  359, *1*; 931, *1*
Beschreibung 258, *1*;
  361, *1*
beschreiten 703, *1*
beschreiten, Rechtsweg
  944, *2*
beschriften 528, *5*;
  931, *2*
Beschriftung 529, *4*
beschuldigen 237, *5*;
  944, *1*; 1765; 1856
Beschuldigter 56
Beschuldigung 943, *1*
beschummeln 293, *1*
Beschuss 61, *1*
beschützen 873; 1430, *1*
beschützend 1476, *2*
Beschützer 838, *1*
beschützerisch 1476, *2*
beschützt 1460, *3*
Beschützung 1461, *2*
beschwatzen 208;
  1627, *1*
Beschwer 1020, *2*;
  1190, *2*
Beschwerde 943, *1*;
  1041, *1*
Beschwerden 984, *1*;
  1403, *2*

beschweren 237, *5*;
  402, *1*
beschweren, sich 196;
  944, *1*
beschwerlich 1021, *1*;
  1440, *2*; 1638, *1*
Beschwerlichkeit
  1020, *2*
beschwert 1182, *1*
Beschwerung 1020, *1*
beschwichtigen 261, *1*;
  1606, *1*
Beschwichtigung 150, *4*;
  1092, *2*
beschwindeln 293, *1*;
  1072
beschwingen 75, *2*
beschwingt 71, *2*;
  781, *1*; 835, *1*; 1036, *3*
beschwipst 250, *1*
beschworen 1213, *1*;
  1460, *4*
beschwören 305, *2*;
  315, *1*; 1081, *1*; 1787, *2*
beschwörend 1145, *2*
Beschwörung 1082, *1*;
  1721, *1*
Beschwörungsformel
  1721, *1*
beseelen 75, *2*; 411, *4*
beseelt 1026, *1*
Beseeltheit 1025, *6*
Beseelung 1025, *3*
besehen 80, *1*
besehen, bei Licht
  722, *5*
beseitigen 22, *4*; 484, *1*;
  533, *1*; 1587, *1*;
  1940, *2*
Beseitigung 486, *2*
beseligen 221, *1*; 651, *1*
beseligend 781, *3*
beseligt 781, *1*
Beseligung 780, *2*
Besenwirtschaft 681, *1*
besessen 829, *2*;
  1093, *3*; 1767
besessen sein, vom Spiel-
  teufel 1487, *5*
besessen, von Vorurtei-
  len 1505, *4*
Besessenheit 549, *3*;
  830; 1055, *2*; 1551, *1*
besetzen 60, *2*; 266, *3*
besetzen, neu 1709, *1*

besetzt 1828, *2*
besetzt, dicht 1828, *2*
Besetzung 370, *1*;
  1347, *1*
besichtigen 80, *1*
Besichtigung 281, *1*;
  1285, *2*
besiedelt, dicht 1828, *3*
besiegbar 1128, *2*
besiegeln 499, *1*; 1736
besiegelt 476; 534, *1*;
  1213, *3*; 1460, *4*
besiegen 1394, *2*;
  1463, *2*
besiegen, durch Knock-
  out 1394, *2*
besiegen, sich selbst 228
besiegt 534, *3*
besingen 420, *1*
besinnen, anders
  1709, *5*
besinnen, sich 371, *3*;
  526, *1*
besinnlich 1357, *2*;
  1357, *4*
Besinnlichkeit 445, *1*;
  1355, *2*
Besinnung 445, *1*
besinnungslos 286;
  1646, *2*
Besitz 271
Besitz, ererbter 513, *1*
besitzen 807, *1*
besitzen, Geltung 201, *3*
besitzen, Herrschaft
  848, *1*
besitzen, keinen roten
  Heller 482
besitzen, Macht 848, *1*
besitzend 1327, *1*
Besitzer 272
Besitzer, künftiger 95, *1*
Besitzgier 1762, *3*
besitzgierig 808
besitzlos 107, *1*
besitzsüchtig 808
Besitztum 271, *1*
besoffen 250, *1*
besolden 304, *2*
Besoldung 1732, *1*
Besonderheit 424, *2*;
  424, *3*; 930, *1*;
  1485, *4*; 1704
besonders 119, *1*;
  163, *1*; **273**; 457, *1*;

886, *1*; 892, *2*;
1231, *1*; 1457, *1*
besonders, ganz 1452, *1*
besonders, nicht 1091, *2*
besonnen 221, *2*; 241, *1*;
890, *2*; 1773, *1*;
1846, *2*
Besonnenheit 1355, *2*;
1475, *2*
besonnt 781, *2*; 839, *3*
besorgen 203, *2*; **274**;
533, *1*; 1168, *2*;
1229, *2*
besorgen, es jmdm.
1751, *2*
besorgen, sein Haus
280, *5*
Besorgnis 62, *3*; 1474
besorgt 64, *1*; 548, *1*;
1476, *1*
besorgt sein 63, *2*
besorgt sein um 1789, *2*
Besorgtheit 1474
Besorgung 275; 383, *2*;
535, *1*
Besorgung machen
274, *2*
bespannen 200
bespiegeln, sich 80, *3*
bespitzeln 247, *2*
bespötteln 1492, *1*
besprechen 276; 305, *2*;
1702, *1*
besprechen, sich 276;
1682, *3*
Besprechung 277;
989, *1*; 1594, *1*;
1684, *1*
besprengen 616, *1*
bespritzen 616, *1*; 1809
besprochen, viel 262, *1*
besprühen 616, *1*
besser 3
besser als nichts 728
besser sein 1394, *3*
besser stellen 1716, *3*
besser werden 723, *2*;
761, *3*
bessern, sich 723, *2*;
1709, *1*
Besserung 525, *2*;
1511, *4*
Besserungswille 1341
Besserwisser 384, *2*;
1239, *1*

Besserwisserei 989, *4*
besserwisserisch 1241, *2*
Besserwissertum
1240, *2*
bestallen 89, *1*
Bestallung 136, *3*;
438, *2*
Bestand 362, *2*; 796, *3*;
900, *1*; 1011, *2*
Bestand haben 364, *1*
Bestand, ohne 1746
beständig 144; 365, *1*;
414, *2*; 882, *1*; 1971, *1*;
1971, *2*
Beständigkeit 362, *2*;
613, *3*
Bestandsliste 900, *2*
Bestandsmasse 900, *1*
Bestandsverzeichnis
900, *2*
Bestandteil 463, *3*;
1561, *3*
bestärken 278, *4*; 541, *2*;
1305, *1*
Bestärkung 279, *5*
bestätigen 278; 494, *2*;
541, *2*; 557, *1*
bestätigt 252, *2*
Bestätigung 279; 495, *3*;
532, *3*
bestatten 233, *1*
Bestattung 234, *1*
bestäuben 560, *2*
bestaunen 1925, *3*
Beste, das 554; 1830, *1*
bestechen 924, *3*
bestechend 1335
bestechlich 754
bestechlich sein 1761, *5*
Bestechlichkeit 755
Bestechung 436, *2*
Bestechungsgeld 436, *2*
bestehen 226, *2*; 1024, *1*
Bestehen 570
bestehen auf 195, *1*;
226, *1*; 1923, *2*
bestehen aus 493
bestehen, nicht 1780, *4*
bestehend 365, *1*;
1912, *1*
bestehlen 1168, *2*
besteigen 456, *1*;
1509, *2*
Besteigung 135, *2*
bestellen 89, *1*; **280**;

560, *5*; 1120, *1*;
1789, *4*
bestellen, sein Haus
280, *5*
Besteller 925; 1000, *1*
bestellt 252, *2*
bestellt sein 1758, *2*
Bestellung 136, *1*; 563, *4*
Besten, vom 554
bestens 149, *1*; 804, *2*
besteuern 237, *4*
Besteuerung 1515, *2*
bestialisch 334
Bestialität 335
Bestiarium 1362, *2*
Bestie 186
bestimmbar 467, *3*
bestimmen 72, *1*;
499, *1*; 528, *2*; 614, *2*;
848, *2*; 1174, *2*;
1627, *1*; 1680, *4*
bestimmend 1900, *1*;
1967, *1*
bestimmt 347, *2*; 479;
1145, *1*; 1536, *1*;
1912, *3*
bestimmt nicht 1665
bestimmt sein durch 9, *3*
bestimmt, für die Öffent-
lichkeit 1211, *1*
Bestimmtheit 1144;
1461, *1*; 1537, *1*
Bestimmung 120, *1*;
207, *2*; 209, *1*; 529, *3*;
750, *1*; 1094; 1322, *1*;
1389, *1*; 1944, *1*
Bestimmungsort 1944, *2*
Bestleistung 767, *3*
bestrafen 1751, *2*
Bestrafung 1752, *2*
bestrahlen 241, *1*
bestrahlt 839, *4*
Bestrahlung 112, *2*
Bestreben 422, *1*;
1762, *2*; 1907, *1*
bestrebt 423
Bestrebung 1762, *2*
bestreitbar 1674, *1*
bestreiten 557, *2*; 918, *3*;
1051, *1*
bestreiten, Lebensunter-
halt 522, *3*
bestricken 305, *1*
bestrickend 1335
Bestseller 518, *4*; 767, *3*

bestücken 167, *1*
Bestückung 168, *1*
bestürmen 315, *1*;
    391, *4*
bestürzen 1621, *1*
bestürzend 553
bestürzt 1505, *3*; 1915, *3*
Bestürzung 62, *2*; 552
Besuch 281; 283, *1*;
    445, *2*
Besuch machen 282, *1*
besuchen 246; 282
besuchen, häufig 282, *3*
besuchen, Schule
    1049, *1*
Besucher 283; 1000, *3*;
    1332, *1*; 1566, *1*
besucht 243, *3*
besucht, häufig 243, *3*
besudeln 1809
besudelt 1408
betagt 44, *1*
betasten 263, *1*
betätigen 203, *1*
betätigen, sich 102, *1*
Betätigung 101, *1*;
    204, *1*
Betätigungsdrang 422, *1*
betäuben 284; 1925, *2*
betäuben, sich 284
betäubend 285; 1440, *2*
betäubt 286; 406, *4*;
    1646, *2*; 1915, *3*
Betäubung 552; 1647, *3*
Betäubungsmittel 1311
betauen 616, *1*
betaut 1162, *4*
beteiligen 287
beteiligen, am Gewinn
    287
beteiligen, sich 456, *2*;
    1564, *1*
beteiligt 895, *1*; 1565, *2*
beteiligt sein 1564, *1*
Beteiligte 1566, *2*
Beteiligung 698, *2*; 893;
    1563, *2*
Beteiligung, innere
    1563, *1*
beten 288
beteuern 226, *1*; 1787, *1*
Beteuerung 164, *3*;
    1100, *4*; 1788, *1*
betiteln 931, *5*; 1174, *1*
Betitelung 930, *2*

betonen 226, *1*; 1730, *1*;
    1787, *1*
Betonkopf 405, *1*
betont 1145, *1*
Betonung 1144; 1494, *2*;
    1584, *2*
betören 293, *1*; 305, *1*;
    691, *2*; 1742
betörend 1335
betört 548, *3*; 1767
Betörung 1333
Betracht, in 49
betrachten 80, *1*; 247, *1*;
    371, *2*
betrachten, als gegeben
    1772, *1*
betrachten, kritisch
    1137, *2*
betrachten, sich 80, *3*;
    1486, *1*
betrachten, von allen Sei-
    ten 276, *1*; 371, *2*
Betrachter 248, *1*
betrachtet, aus der Nähe
    722, *5*
betrachtet, bei Licht
    426, *1*
beträchtlich 791, *2*;
    1327, *2*; 1499; 1507, *3*;
    1824, *1*
Betrachtung 8, *1*; 1321
Betrag 1270, *1*
betragen 977, *1*
Betragen 85, *1*; 1759, *1*
betragen, sich 1758, *1*
betrauen 89, *1*
betrauern 944, *4*
beträufeln 616, *1*
beträufelt 1162, *4*
betraut 1967, *2*
betraut mit 252, *2*
betreffen 263, *2*; 289
betreffend 290; 504, *4*
betreffs 290
betreiben 203, *1*; 274, *3*
Betreiben 77, *1*
betreiben, etwas 102, *1*
betreiben, Kult mit
    65, *1*
betreiben, Prophylaxe
    1430, *5*
betreiben, Prostitution
    1279
betreiben, Selbstdemon-
    tage 319, *1*

betreiben, Understate-
    ment 841, *2*
Betreibung 204, *1*
betressen 1292, *1*
betretbar 1207, *1*
betreten 703, *1*; 1505, *3*;
    1763, *2*
Betreten 68, *1*
Betretenheit 1764, *3*
betreuen 224, *2*; 274, *3*;
    873; 1249, *1*; 1789, *2*
betreut 1460, *3*
Betreuung 204, *2*;
    225, *3*; 275, *2*; 1248, *1*
Betrieb 291; 740, *1*;
    1684, *2*; 1686, *1*
Betrieb, außer 745, *1*
betriebsam 423; 479;
    1026, *2*; 1557, *2*
Betriebsamkeit 291, *2*;
    422, *1*
Betriebsangehöriger 103
Betriebsgeheimnis
    702, *2*
Betriebsleiter 1047, *2*
Betriebsnudel 1683, *2*
Betriebssystem 352, *1*
Betriebsunfall 1651
betrifft 290
betrifft, was … 49
betrinken, sich 284, *3*;
    1601, *2*
betroffen 1505, *3*;
    1565, *2*
betroffen machen
    1081, *1*
betroffen sein, mit
    1930, *3*
betroffen, nicht 772, *2*
Betroffener 1219, *2*
Betroffenheit 552
Betroffenheitskitsch
    940, *3*
betrogen 1660, *6*
betrüben 237, *5*; 364, *4*;
    1369, *2*
betrüblich 1293, *2*;
    1638, *1*; 1660, *4*
Betrübnis 1592
betrübt 1660, *1*
Betrübtheit 1592
Betrug 292; 1559, *1*
betrügen 293
betrügen, sich 430, *2*;
    901, *5*

bewegend 130, *1*;
600, *2*; 1900, *2*
Beweggrund 794, *1*
beweglich 71, *2*; **301**;
479; 744, *2*; 1026, *2*;
1065, *3*; 1784, *2*
beweglich, schwer
1264, *1*
Beweglichkeit 623, *2*;
645, *3*; 1446, *2*
bewegt 548, *2*; 1070, *1*
Bewegtheit 549, *2*
Bewegung 302; 1538, *1*
Bewegung, feministische
608
Bewegung, ohne 1357, *7*
Bewegungsfreiheit
645, *1*; 1309, *2*
bewegungslos 1357, *1*;
1505, *1*
Bewegungslosigkeit
1355, *4*
beweihräuchern 1401
beweinen 944, *4*
Beweinung 943, *2*
Beweis 279, *6*; 1498, *2*
beweisbar 1460, *4*
beweisen 1935, *4*
beweisen, Identität
173, *2*
beweisen, Unschuld
494, *3*
Beweisführung 370, *2*;
615, *1*; 794, *2*
Beweiskraft 947, *2*
beweiskräftig 1395;
1460, *4*; 1460, *4*
Beweismittel 1942, *1*
Bewenden 535, *2*
bewenden lassen 1019, *2*
bewerben, sich 303;
1512, *3*
bewerben, sich um
217, *1*
Bewerber 95, *2*; 1897
Bewerbung 94, *1*; 470
bewerfen 200
bewerkstelligen 533, *1*;
715, *1*; 1045, *1*;
1712, *2*; 1829
Bewerkstelligung 535, *1*
bewerten 1375, *2*;
1702, *1*
Bewertung 1701, *1*
bewiesen 1460, *4*

bewiesen, experimentell
1460, *4*
bewilligen 503, *2*;
531, *1*
bewilligt 252, *1*
Bewilligung 532, *1*;
532, *2*
bewillkommnen 466, *2*
bewirken 1045, *1*;
1711, *1*; 1911, *4*
bewirten 50, *3*; 203, *2*;
446, *1*
bewirtschaften 198, *3*;
560, *5*
Bewirtung 204, *2*
Bewohner 297
Bewohnerschaft 297
bewölken, sich 398, *4*;
409, *2*
Bewölkung 408, *2*
Bewunderer 66, *5*;
1003, *1*
bewundern 1056, *2*;
1375, *1*; 1735, *1*
bewundernswert 149, *2*;
553
bewundert 243, *1*
Bewunderung 1062, *1*
bewunderungswürdig
553
Bewurf 870, *3*
bewusst 16; 1260, *1*;
1773, *4*
bewusst sein, sich 1917
bewusst werden 1794, *2*
bewusst werden, sich
668, *1*
Bewusstheit 1790, *1*
bewusstlos 286; 1646, *2*
Bewusstlosigkeit 1647, *3*
Bewusstsein 707, *1*;
1100, *1*; 1790, *1*;
1918, *1*
Bewusstsein, in vollem
16
Bewusstsein, mit
1773, *4*
bewusstseinsgespalten
708
bewusstseinsgestört 708
Bewusstseinsindustrie
997, *3*
Bewusstseinslücke 33, *3*
Bewusstseinsspaltung
709

Bewusstseinsstörung
709; 1779, *3*
bezahlbar 312, *1*;
1128, *2*
bezahlen 151, *2*; **304**
bezahlen sein, zu 88, *1*
bezahlen, Zeche
1369, *4*; 1768, *2*
bezahlt 534, *1*; 768, *4*
bezahlt machen, sich
1196, *1*
Bezahlung 150, *3*;
1732, *1*; 1931, *1*
bezaubern 221, *1*; **305**;
691, *2*; 1742
bezaubernd 71, *1*; 1335
bezaubert 548, *3*
Bezauberung 549, *3*;
1333
bezechen, sich 284, *3*
bezecht 250, *1*
bezeichnen 162, *2*;
174, *3*; 931, *1*; 1174, *1*;
1495, *1*
bezeichnend 348, *1*
Bezeichnung 147, *1*;
222; 529, *4*
bezeigen 162, *3*; 1935, *3*
bezeigen, Dank 357, *1*
Bezeigung 164, *3*
bezeugen 162, *3*; 278, *1*;
1120, *2*
bezeugt 1971, *3*
Bezeugung 164, *3*
bezichtigen 60, *3*;
944, *1*; 1765; 1856
bezichtigen, sich
1512, *4*
Bezichtigung 943, *1*;
1766
beziehbar 731, *1*
beziehen 200; 280, *2*;
811, *3*; 924, *2*; 1731, *1*
beziehen, auf sich
1740, *1*
beziehen, aus dem Aus-
land 437, *1*
beziehen, sich 409, *2*
beziehen, sich auf 9, *4*;
289; 1544, *2*; 1730, *3*
beziehen, sich mit Eis
659, *2*
beziehen, Wohnung
458, *3*
Bezieher 925; 1000, *3*

Beziehung 1055, *4*;
  1089, *4*; 1719, *5*
Beziehung, in dieser
  504, *3*
Beziehungen 470;
  1719, *3*
Beziehungskiste 1055, *4*
Beziehungsknatsch 1057
Beziehungskrise 1057
beziehungslos 450, *1*;
  1693, *3*
Beziehungslosigkeit
  451, *1*
beziehungsreich
  1441, *2*; 1468, *2*
beziehungsvoll 1468, *2*
beziehungsweise 1206
beziffern 931, *3*
beziffern auf 977, *1*
Bezirk 685, *1*
bezirzen 305, *1*; 1742
bezirzt 1767
bezogen 407, *2*
Bezug 923; 1719, *2*
Bezug auf, in 49; 290
Bezug nehmen 1730, *3*
Bezüge 1732, *1*
bezüglich 290; 1336
Bezüglichkeit 206
Bezugsperson 1140, *1*;
  1705, *1*
Bezugspersonen 464
Bezugsquelle 1296, *3*
bezwecken 1259, *2*;
  1923, *1*
bezweckt 16
bezweifeln 1976
bezweifeln, nicht zu
  1864
bezwingbar 1128, *2*
bezwingen 305, *1*;
  1394, *2*
bezwingen, sich 228
bezwingend 1335
Bezwinger 1464, *1*
bibbern 659, *1*; 1947, *1*
bibbernd 914, *2*
bibelfest 663
bibliographieren 1361, *4*
Bibliomane 1003, *3*
Bibliophile 1003, *3*
Bibliothek 306; 1362, *2*
Bibliothek, digitale 306
bieder 328, *3*; 341, *3*
Biedermann 340, *3*

Biedersinn 85, *2*
biegen 296, *1*; 395, *4*
Biegen oder Brechen, auf
  1300; 1641, *1*
biegen, gerade 769, *2*
biegen, sich vor Lachen
  1009, *2*
biegsam 622, *1*
Biegung 415, *1*; 1004
Biegung machen 28, *1*
Biene 1078, *2*
Bienenfleiß 422, *2*
bienenfleißig 621
Biennale 170, *2*
Bierbauch 673, *2*
Biergarten 681, *1*
Bierlokal 681, *1*
Biertischpolitiker 1436
Biest 186; 1386
bieten 216, *2*; **307**;
  683, *1*
bieten haben, zu 307
bieten, Anblick 158
bieten, Gelegenheit
  538, *2*
bieten, Hand 802, *1*
bieten, Paroli 124, *2*
bieten, sich 1935, *6*
bieten, Sicherheit 339, *2*
Bigamist 294, *2*
bigott 480, *2*; 583, *4*
Bigotterie 481, *5*; 584, *2*
Bijouterie 1291, *1*
Bike 579, *2*
Bilanz 521; 1316, *1*
bilateral 390
Bild 126, *1*; 140, *2*; 222;
  308; 878, *1*; 1754, *2*;
  1848, *2*
Bild machen 1, *2*
Bild machen, sich ein
  1847, *2*
Bild sein, im 1794, *4*
Bild, im 310, *2*
Bildarchiv 1484, *3*
Bildbeigaben 308, *4*
Bilde sein, im 1917
Bilde, im 516, *1*
bilden 560, 6; 564; 756
bilden, Begriff 528, *2*
bilden, Bodensatz
  1184, *6*
bilden, Eisblumen
  659, *2*
bilden, Eisdecke 659, *2*

bilden, Eisschollen
  659, *2*
bilden, Gegengewicht
  151, *5*
bilden, Gegensatz 967, *2*
bilden, Kontrast 967, *2*
bilden, Organisation
  1229, *3*
bilden, Patina 1729, *2*
bilden, Schaum 1376, *1*
bilden, Schicht 1184, *6*
bilden, sich 506, *1*;
  1049, *2*
bilden, sich ein Urteil
  1702, *1*
bilden, Team 1718, *3*
bilden, Umgebung
  1633, *3*
bildend 238, *1*; 1415
bildend, Einheit 1228, *2*
Bilderanbetung 786
bilderreich 1265, *1*;
  1784, *2*
Bildersammlung 1362, *2*
Bilderschrift 337, *2*;
  1422, *2*
Bilderstürmer 919, *5*
Bildfolge 618, *2*
bildgewaltig 1327, *2*
bildhaft 78, *1*; 310, *1*
Bildhaftigkeit 589, *2*
Bildhauer 309
bildhauerisch 1261
bildhauern 756
bildhübsch 869
Bildjournalist 260, *1*
bildlich 310
Bildner 309
Bildnis 308, *2*; 308, *2*
Bildröhre 311
Bildsäule 1472
Bildschirm 311
Bildschirmwelt 880, *4*;
  1382
Bildschmuck 308, *4*
bildschön 1412, *1*
Bildstreifen 618, *2*
Bildtelefon 1568
Bildteppich 1572
Bildtext 1576
Bildung 565, *1*
Bildungsanstalt 1427, *1*
Bildungsbürger 340, *1*
Bildungsgang 1033, *2*
Bildungslücke 1663

Bildungsprotz 1436
Bildungsreise 578, 2
Bildungsstätte 1427, 1
Bildunterschrift 529, 4
Bildunterschriften machen 528, 5
Bildwerk 1472
Billett 332; 1578
billig 182; **312**; 504, 1;
803, 3
billigen 215; 278, 2;
494, 2; 1127, 1;
1969, 2
Billigung 532, 1;
1062, 1
bimmeln 1585, 2
Bimmeln 734, 2
bimsen 1049, 1; 1394, 1;
1611
binär 695, 4
Bindeband 1291, 6
Bindeglied 1770
Bindekraft 810, 1
Bindemittel 211, 3
binden 210, 1; **313**
binden, auf die Seele
1081, 2
binden, Hände 857, 2
binden, nicht 1019, 1
binden, sich 313
bindend 751, 5; 1981, 2
Binder 1291, 7
Bindfaden 575, 1
Bindung 1719, 5; 1737, 2
Bindungen 1719, 3
Bindungskraft 1333
Bingo 783
binnen 888, 1; 1865
Binnengewässer 760, 2
Binnenmarkt 1086, 2
Binsenwahrheit 183, 1;
1256, 1
Binsenweisheit 183, 1;
1256, 1
Biographie 176
biologisch 757, 3;
1166, 1
Biotop 680
Birett 971
Birne 970, 1
Birne, weich in der
1778, 1
Birnen 344
bis auf 161, 1
bisexuell 390

bisher 666, 2
bislang 666, 2
Biss 1446, 2; 1924
Bisschen 951, 2
bisschen, ein 1894, 1
bisschen, kein 1180, 1
Bissen 951, 2; 1080, 8;
1540, 3
bissfest 1496, 1
Bisshemmung 1764, 2
bissig 31, 2; 690, 5;
1373, 3; 1493, 1
Bissigkeit 643, 3;
1491, 3
Bistro 681, 2
bisweilen 1853, 1
Bit 1934, 5
bitte 314
Bitte 94, 1; 1762, 2
bitte schön 314, 1
bitte sehr 314, 1
Bitte um Vergebung
502, 1
bitte, wie 314, 2
bitten 288; **315**
Bitten 684
bitten, kniefällig 315, 1
bitten, um Aufschluss
639, 1
bitten, um Verzeihung
501, 1
bitten, zu kommen
446, 1
bitten, zu sich 446, 1
bittend 1145, 2
bitter 844, 2; 1152;
1182, 1; 1293, 2
bitterernst 545, 4
bitterkalt 914, 1
Bitterkeit 606; 1118
Bitternis 1118
Bittgebet 684
Bittgesuch 94, 2
Bittschreiben 94, 2
Bittschrift 94, 2
Bittsteller 95, 3
bitzeln 330, 3; 907, 1
Biwak 1011, 1
bizarr 24; 1231, 2;
1254, 3
Blabla 737, 2
Black-out 33, 3
blaffen 244, 1
blähen 1921, 1
blaken 1308

blamabel 1243, 1;
1638, 1
Blamage 1116; 1372, 1;
1764, 3
blamieren, sich 319, 1
blamiert 1763, 2
blamiert, unsterblich
534, 3
blanchieren 956, 2
blank 107, 1; 768, 2;
839, 2; 1365, 1
blanko 87; 1207, 5
Blankoscheck 645, 3
Blankovollmacht 532, 2
Blase 800, 5; 953
blasen 316; 995, 2;
1487, 3
blasen lassen, ins Röhrchen 1284, 3
blasen, jmdm. einen
316, 3
blasen, Marsch 1391, 1
blasiert 84, 2; 459, 2;
772, 4
Blasiertheit 460, 1
Blasmusiker 1134, 2
Blasphemie 627
blass 592, 1
blass werden 539, 2
Blässe 593
Blatt 1540, 7
Blatt, unbeschriebenes
1642, 1
Blatt, vom 1696, 3
blättern 1050, 1
Blätterwald 1271, 2
Blattmacher 260, 1
blau 250, 1
blauäugig 1159
Blauäugigkeit 991
Blaubart 1743, 1
Blaue, ins 1668, 2
bläuen 590, 1
Blaulicht, mit 429, 3
blaumachen 602, 3
Blaustrumpf 641
Blech 1675, 1
blechen 304, 3
blechern 406, 5
Bleibe 1920, 1
Bleibe, ohne 393, 3
bleiben 364, 1; 1184, 2;
1513, 4
bleiben bei 226, 1
bleiben lassen 1019, 2

bleiben, gleich 364, *1*
bleiben, kalt 773
bleibend 363, *1*; 365, *1*
bleibend, gleich 1971, *1*
Bleibende, das 1549
bleich 592, *1*; 1042, *1*
bleichen 1149, *3*
Bleichheit 593
Bleichsucht 1433, *2*
bleiern 1017, *1*; 1130, *1*;
  1440, *1*
bleischwer 1440, *1*
Blende 870, *6*
blenden 293, *1*; 305, *1*;
  884; 1381, *1*; 1486, *3*;
  1849; 1925, *2*
blendend 839, *2*;
  1254, *1*; 1335; 1412, *1*
Blender 294, *2*; 1436
Blendwerk 880, *2*
Blessur 1924
Blick 141; 165, *1*
Blick, auf den ersten
  771, *3*
blicken 1451
blicken lassen, sich
  282, *1*
blicken, um sich 1550, *1*
blickend, klar 890, *2*
blickend, weit 890, *2*
Blickfang 957, *2*; 1079
Blickfeld 317
blicklos 318, *1*
Blickpunkt 1100, *2*
Blickwinkel 1100, *2*
blind 318; 1505, *4*;
  1639, *2*
Blind Date 552
Blinddarm 520, *9*
Blindenheim 833, *2*
Blindgänger 1782
Blindgläubigkeit 991
Blindheit 991
blindlings 1037, *1*;
  1696, *4*; 1953, *1*
blinken 1381, *2*
blinkend 768, *2*
blinzeln 1935, *1*
Blitz aus heiterem Him-
  mel 1393, *3*
Blitzableiter 1807, *5*
blitzartig 1263; 1410, *1*
blitzblank 1365, *1*
blitzen 1381, *2*
blitzend 839, *2*

blitzgescheit 890, *1*
Blitzkarriere 135, *1*
Blitzschlag 1393, *3*
blitzschnell 1410, *1*
Blizzard 1543, *1*
Block 33, *3*; 800, *1*;
  1295, *1*; 1500, *3*
Blockade 33, *3*; 858, *4*;
  1781, *2*
Blockbuster 1079
blockieren 614, *1*;
  857, *4*; 1399, *1*;
  1523, *3*; 1780, *3*
blockiert 1763, *1*
Blockschrift 1422, *1*
Blockwart 1429, *3*
blöde 403, *1*; 1638, *1*;
  1778, *2*
blödeln 1682, *4*
Blödheit 404, *1*
Blödian 405, *1*
Blödmann 405, *2*
Blödsinn 1675, *3*
blöken 1585, *3*
blond 839, *6*
bloß 1154, *1*
Blöße 599, *5*; 1053
bloßgestellt 534, *3*
bloßlegen 1208, *1*
bloßliegen 213, *7*
bloßstellen 319
bloßstellen, sich 319
Bloßstellung 1372, *1*
bloßstrampeln, sich
  213, *7*
blubbern 1495, *3*;
  1585, *4*
Blues 1592
Bluessänger 1363, *1*
Bluessängerin 1363, *2*
Bluff 1559, *1*
bluffen 293, *1*; 1849
Bluffer 294, *2*
blühen 506, *2*; 1287, *2*
blühend 660, *1*; 757, *1*;
  909, *3*
Blume 108
Blume, durch die 1124, *2*
Blumen 1136, *5*
blümen 1137, *1*
blumenhaft 1932, *1*
blumig 100, *2*; 109
Blut machen, böses
  851, *3*
Blut, böses 1534, *1*

Blut, im 55
Blut, leichtes 1038, *1*
blutarm 574, *2*; 1432, *1*
Blutarmut 1433, *2*
Blutbad 1090
Blutdurst 335
blutdürstig 334
Blüte 132; 1286, *2*
bluten 304, *3*; 1030, *5*
Blüten 712, *4*; 1136, *5*
bluten lassen 153, *2*
blütenhaft 1932, *1*
Blütenlese 1362, *3*
blütenweiß 839, *2*
blütenzart 1932, *1*
Blütezeit 767, *4*
blutgierig 334
Bluthund 186
blutjung 909, *1*
blutleer 592, *1*; 1432, *1*
Blutleere 1433, *2*
blutlos 592, *1*; 1432, *1*
Blutlosigkeit 1433, *2*
Blutrache 1752, *1*
Blutreinigungskur
  1330, *4*
Blutsauger 1275
Blutsbruder 652
Blutsbrüderschaft
  655, *1*
blutsverwandt 1813, *1*
Blutsverwandtschaft
  1814, *1*
Bluttat 116; 1588, *1*
Blutvergießen 987, *1*
blutvoll 78, *1*; 981, *1*
Blutwäsche 1330, *4*
Blutzeuge 1219, *2*
Bö 1910, *1*
Boardcase 870, *8*
Bobby 1266, *1*
Bock 599, *1*; 1073, *1*;
  1743, *1*
Bock zum Gärtner ma-
  chen 901, *5*
Bock, kein 1676, *1*
Bock, null 1117; 1676, *1*
bockbeinig 425
Bockbeinigkeit 1609
bocken 1959, *2*
bockig 425
Bockigkeit 1609
Bockmist 1675, *1*
Boden 794, *3*; 796, *1*
Boden lassen, zu 1512, *1*

Boden unter den Füßen, ohne 877, *2*

Boden, am 534, *3*

Boden, auf dem 1678, *1*

Boden, zu 27

Bodenakrobat 111, *2*

Bodenbelag 1572

Bodenfalte 257, *1*

Bodenkrieg 987, *1*

bodenlos 130, *2*; 1579, *2*

Bodenlosigkeit 643, *3*

Bodensatz 5, *1*; 1186, *3*; 1340, *3*

Bodenschätze 1522, *2*

bodenständig 59, *2*

Bodenverbesserung 1717, *3*

Body 973, *1*

Bodybuilder 982

Bodyguard 1878

Bogen 870, *1*; 1004; 1540, *7*; 1827, *2*; 1922, *2*

Bogen machen 172, *1*

Bogenbrücke 333

Bogengang 1922, *2*

Bohemien 2

Bohle 331, *1*

böhmisch 1693, *1*

Bohne, blaue 994, *2*

Bohne, nicht die 1180, *1*

Bohnenstange, wie eine 410, *3*

bohnern 769, *3*; 1367, *2*

bohren 315, *1*; 391, *4*; 787, *1*; 1242, *3*; 1404, *1*

bohrend 1293, *1*

Bohrinsel 889

böig 1070, *1*

Boje 930, *3*

böllern 1018, *3*

bollig 1264, *1*; 1643, *3*

Bollwerk 211, *4*

Bolzen 211, *2*

bombardieren 60, *2*; 391, *4*; 1523, *1*

Bombast 1256, *2*; 1624, *1*

bombastisch 1625, *5*

Bombe 552; 1079; 1859, *1*

Bombenanschlag 116

Bombenerfolg 518, *3*; 767, *3*

Bombenkerl 982

Bombenkritik 989, *3*

bombensicher 1460, *1*

Bommel 1291, *4*

Bon 350, *1*

Bonheur 780, *1*

Bonhomie 85, *1*; 434, *2*

Bonhomme 340, *3*

Bonität 716, *2*

Bonmot 1684, *4*

Bonsai 1348, *9*

Bonze 1687, *3*

Boom 132

boomen 510, *4*

Boot 579, *6*

Bootleg 972, *2*

Bootsmann 1448

Bord 331, *2*

Bord, an 699, *3*

Bordell 320

Borderline 709

Bordkarte 1578

Bordüre 1291, *4*

Borg 358

borgen 321

Borke 870, *2*

borkig 1643, *2*

Born 1296, *1*

borniert 341, *3*; 403, *1*; 480, *2*; 1505, *2*

Borniertheit 404, *1*; 481, *5*; 1663

Börse 921, *3*; 1086, *1*

Börsencrash 1348, *5*

Börsenkrach 1348, *5*

Börsenmagnat 1687, *2*

Börsenmakler 816, *2*

Börsenspekulant 816, *2*

Börsensturz 1348, *5*

Börsianer 741; 816, *2*

Borsten 806, *1*

borstig 1307, *2*

Borte 1291, *4*

bösartig 323, *1*; 690, *5*

Bösartigkeit 324

Böschung 5, *4*

böse 322; 323, *1*; 1397, *5*

böse machen 106, *1*

böse werden 106, *2*

Bösewicht 1429, *2*

boshaft 323

Boshaftigkeit 324

Bosheit 324; 1491, *3*

böswillig 16; 239, *1*; 323, *1*

Böswilligkeit 324

Bote 1614, *1*

Botengang 275, *2*

Botenlohn 677, *1*

botmäßig 705

Botmäßigkeit 706, *1*

Botschaft 164, *3*; 1808

Botschafter 387, *1*

Bottich 223

Boudoir 1309, *1*

Boulevard 1528

Boulevardkomödie 960

Boulevardpresse 1271, *2*

bourgeois 341, *2*

Bourgeois 340, *1*

Bourgeoisie 340, *2*

Boutique 740, *2*

boxen 918, *2*; 1394, *2*

Boxerei 1393, *2*

Boxhieb 1393, *1*

Boxkampf 917, *3*

Boy 826, *4*

Boyfriend 714

Boykott 370, *1*

boykottieren 857, *3*; 1409, *5*

boykottiert 534, *3*

brabbeln 1495, *3*

brach 1204, *1*; 1654, *1*

Brachialgewalt 1972, *1*

Brachland 1205, *4*

brachliegen 1356, *3*

brachliegend 1654, *1*

Brahma 785, *2*

Brainstorming 1594, *2*

Brain-Trust 800, *2*

Bramarbas 1436

bramarbasieren 1269, *2*

Branche 1977, *2*

Branchenkenntnis 1918, *3*

Brand 549, *4*; 617, *2*; 1762, *1*

branden 90, *2*; 1376, *1*; 1585, *4*

Brandmal 930, *5*

brandmarken 173, *1*; 319, *2*

brandneu 1177, *1*

Brandopfer 1219, *3*

Brandrede 367; 989, *3*

Brandung 765; 1538, *2*

Brandwunde 1924

braten 325; 1445, *1*; 1950

braten, in der Sonne 325, *2*

Bratensaft 1477

Brauch 326; 1322, *2*

brauchbar 576, *1*; 1197, *1*; 1973, *1*

brauchbar sein 1196, *1*

Brauchbarkeit 1195, *4*

brauchen 246; **327**; 598, *2*; 1724, *1*

brauchen, zu nichts zu 1397, *1*

Brauchtum 326, *1*

brauen 956, *2*

braun werden 590, *4*

bräunen 325, *1*; 409, *3*; 590, *1*; 590, *4*

Brauner 1247

braunhaarig 407, *6*

bräunlich 407, *6*

Brausekopf 1272, *3*

brausen 316, *1*; 1367, *3*; 1376, *1*

Brausen 734, *2*

Braut 1235, *4*

Bräutigam 1235, *4*

brav 328; 705; 1175, *2*

Bravheit 706, *1*

Bravour 767, *7*; 1138

bravourös 1139, *1*; 1830, *2*

Bravourstück 1686, *3*

Break 525, *1*

brechen 329; 1595, *1*; 1938

brechen mit 6, *5*; 329, *2*

brechen, auseinander 329, *1*

brechen, das Eis 1157, *4*

brechen, Frieden 60, *2*

brechen, Genick 1513, *4*

brechen, Hals 1513, *4*

brechen, Herz 1369, *2*

brechen, in Stücke 329, *1*; 1940, *3*; 1940, *4*

brechen, Lanze 215; 501, *3*; 1430, *3*

brechen, Schweigen 1208, *3*; 1495, *2*

brechen, Stab 1702, *2*; 1810, *1*

brechen, Streit vom Zaun 1334, *2*

brechen, übers Knie 428, *4*

brechen, Wort 1750, *8*

Brecher 1538, *2*

Brechmittel 1386

Bredouille 1764, *1*

breiig 1891, *4*; 1929, *2*

breit 722, *4*; 981, *3*; 1892, *1*

breit machen, sich 1523, *1*

Breite 146, *2*

Breiten 685, *2*

breiten über 1430, *1*

breiter werden 145, *2*

breitgelaufen 1891, *4*

breitschlagen 1627, *1*

breitschlagen lassen, sich 489, *2*

breitschultrig 981, *3*

breittreten 145, *3*; 509, *3*

Bremse 858, *1*

bremsen 22, *2*; 857, *1*

brennen 330; 428, *3*; 907, *1*; 1381, *2*; 1404, *1*; 1811

brennen auf 217, *1*

brennen, auf den Nägeln 428, *3*

brennen, lichterloh 330, *2*

brennen, Schnaps 330, *5*

brennend 429, *3*; 844, *2*; 1293, *1*; 1872, *2*; 1900, *2*

Brenner 836

Brennpunkt 1119, *6*

brenzlig 690, *1*

Bresche 1067, *1*; 1215, *3*

Brett 331; 1818, *2*

Brett vor dem Kopf 403, *1*

Brett, schwarzes 97, *3*; 1818, *2*

brettern 428, *1*

Brettl-Lied 739, *2*

Brettspiel 1684, *5*

Brevier 1362, *3*

Brief 332; 1267, *3*

Brief und Siegel 279, *2*; 534, *1*

Brief, im 48

Brief, offener 332

Briefbogen 1540, *7*

Briefing 96, *2*; 1299, *2*

Briefkastenfirma 1559, *1*

Briefkontakt 966, *3*

brieflich 1124, *4*

Briefsendung 1267, *2*

Brieftasche 921, *3*

Briefträger 1614, *1*

Briefumschlag 870, *4*

Briefwechsel 966, *3*

brillant 149, *1*; 1254, *1*

Brillanten 976, *2*

Brille 550, *3*

Brille, rosa 269; 1222

brillieren 1269, *1*; 1287, *1*

Brimborium 1291, *3*

bringen 1045, *1*; 1388, *3*; 1589, *4*; 1622, *4*; 1712, *1*

bringen, an den Bettelstab 1940, *1*

bringen, an den Mann 1761, *1*

bringen, an den Tag 1208, *1*

bringen, an sich 761, *2*; 1168, *2*

bringen, ans Licht 1208, *1*

bringen, auf andere Gedanken 1682, *2*

bringen, auf den Markt 50, *1*; 437, *1*; 1761, *1*; 1774, *1*

bringen, auf die Bühne 1487, *2*

bringen, auf die Fährte 861, *1*

bringen, auf die Leinwand 198, *6*

bringen, auf die Palme 106, *1*

bringen, auf die richtige Länge 1409, *2*

bringen, auf die schiefe Bahn 1729, *5*

bringen, auf die Spur 861, *1*

bringen, auf einen Nenner 1736

bringen, auf Touren 391, *2*

Brisanz 399, 2; 478, 3
Brise 1910, 1
bröckelig 1496, 2;
   1496, 2
bröckeln 329, 1; 1066, 7
brocken 329, 1
Brocken 951, 2; 1102, 2;
   1540, 3; 1540, 6;
   1561, 1
brodeln 956, 1; 1585, 4
Brodem 353, 2
Broker 816, 2
Bronn 1296, 1
Brosamen 677, 1;
   1340, 1
Brosche 1291, 5
broschieren 313, 7
Broschur 336, 2
Broschüre 336, 2; 828, 2
bröselig 1132, 2; 1496, 2
Brot, tägliches 1027, 2;
   1681, 1
Brötchengeber 1687, 1
Broterwerb 101, 2
Brotkrumen 1340, 1
brotlos 104
Brotmesser 1106
Brotneid 1169
Brotzeit 1080, 2
Bruch 585, 1; 1368, 1;
   1552, 1; 1596, 1; 1924
Bruch machen 1940, 3
Bruchbude 1309, 1
brüchig 1065, 1;
   1132, 1; 1496, 2
Bruchlandung 1651
Bruchstelle 1497, 1
Bruchstück 1340, 3;
   1540, 2; 1561, 2
bruchstückhaft 265, 1;
   1695, 1
Bruchteil 951, 2; 1561, 1
Brücke 333; 1572;
   1719, 1
brüderlich 654, 3; 809
Brüderlichkeit 655, 2
Bruderschaft 1719, 4
Brüderschaft 655, 1
Brühe 1477; 1552, 1
brühen 956, 1
brühwarm 771, 3
brüllen 1018, 1
Brüllen 734, 3
brüllen vor Lachen
   1009, 2

brüllend 1872, 2
brummeln 629
brummen 510, 4;
   1391, 1; 1469, 2;
   1585, 2
Brummen 734, 2
Brummer 579, 3
Brummi 579, 3
Brunch 1080, 2
brunchen 566, 2
brünett 407, 6
Brunnen 1296, 1
Brunnenvergifter 366
Brunnenvergiftung 1766
Brunst 1073, 3
brünstig 1074
brüsk 31, 1; 1005, 2;
   1662, 1
brüskieren 1334, 2;
   1409, 5
Brüskierung 843, 1;
   1115
Brust 344
Brust, in der 888, 2
Brüste 344
brüsten, sich 1269, 1
Brusttuch 1291, 7
Brüstung 1419
Brut 753
brutal 334
Brutalität 335
brüten 371, 2; 682, 2
brütend 1872, 2
Bruthitze 1873, 1
Brutpflege 565, 1
brutzeln 325, 1; 1585, 2
Bub 910, 2
bübchenhaft 1671, 2
Bube 1429, 1
Bubi 910, 2
Buch 336; 1061; 1775, 1
Buch mit sieben Siegeln
   1693, 1
buchen 280, 2; 1339
buchen, als Schuld
   237, 4
Bücherbrett 331, 2
Bücherei 306
Bücherfreund 1003, 3
Büchergestell 331, 2
Bücherliebhaber 1003, 3
Büchernarr 1003, 3
Büchersammler 1003, 3
Büchersammlung 306;
   1362, 2

Bücherschrank 1418
Bücherwurm 160, 1;
   1003, 3
Buchhülle 870, 4
Büchlein 828, 2
buchmäßig 722, 5
Buchschmuck 308, 4
Büchse 223
Buchseite 1540, 7
Buchstabe 337
Buchstaben nach, dem
   722, 5
buchstabengetreu 722, 4
Buchstabenschrift
   1422, 2
buchstabieren 1050, 1
buchstäblich 722, 4
Bucht 1799, 2
Buchung 136, 1
Buchwissen 1918, 2
Buckel 257, 1; 1922, 1
buckeln 102, 3; 827, 1;
   1921, 1
bucklig 992, 2; 1643, 1
Bückling 801, 2
Bückling machen 802, 1
Büdchen 740, 4
buddeln 787, 1
Buddha 785, 2
Bude 740, 4; 1309, 1
Budenzauber 749, 2
Budget 825, 2; 1258, 3
büffeln 1049, 1
Buffet 1418
Buffo 1384, 1
Bug 415, 2
Bügelfalte 585, 1
bügeln 769, 2
bugsieren 669, 2
buhen 1810, 2
Buhle 713; 1897
buhlen 217, 2; 245, 2;
   1742
buhlen um 1896, 2
buhlerisch 1074
Bühne 1377; 1577, 1
Bühnenbild 168, 2
Bühnenkünstler 360
Bühnensprache 1494, 4
Bühnenstück 1378, 1
Bühnenwerk 1378, 1;
   1540, 5
Build-upper 1898, 4
Bukanier 2
Bukett 108; 343, 2

bukolisch 835, 5
Bulimie 1551, 4
Bulle 982; 1266, 1
Bullenhitze 1873, 1
bullern 1018, 3
Bulletin 258, 1
bullig 381, 1; 981, 3;
  1872, 2
Bumerang 902, 2
Bummelant 595
Bummelei 1677, 1;
  1822, 2
bummelig 1676, 1
bummeln 594; 602, 2;
  703, 2; 1821, 3
Bummelstreik 370, 1;
  1532
Bummler 595
Bums 734, 3; 1910, 2
bumsen 1056, 3
Bumslokal 681, 1
Bund 343, 2; 1111, 2;
  1719, 6
Bunde, im 443, 1
Bündel 343, 2; 870, 8;
  1295, 1
bündeln 313, 4; 1233, 2;
  1361, 2
Bundesgenosse 652
Bundesheer 1111, 2
Bundesstraße 1528
bündig 479; 1005, 2;
  1536, 1
Bündigkeit 1144

Bündnis 1719, 6; 1737, 2
Bündnis, im 1728, 1
Bungalow 824, 1
Bunker 211, 4; 692, 2
bunkern 1789, 1
bunt 78, 1; 591, 1;
  1026, 4; 1784, 2
bunt, zu 130, 2; 1021, 3
buntfarbig 591, 1
Buntheit 589, 1; 1827, 1;
  1827, 1
buntscheckig 591, 1
Bürde 1020, 1; 1474;
  1659
Burg 211, 4; 824, 1
Bürge 338
bürgen 313, 3; **339**
Bürger 340
Bürgerinitiative 800, 7
Bürgerkrieg 987, 2
bürgerlich 341; 731, 2
Bürgerrecht 1318, 3
Bürgersteig 1528
Bürgertum 340, 2
Bürgerwehr 1111, 2
Bürgschaft 342
burlesk 835, 4
Burleske 960
burned out 1028, 5
Büro 740, 3
Bürokrat 1239, 1
Bürokratie 230
bürokratisch 1241, 1

Bürostadt 1500, 4
Bursche 910, 2
Burschenschaft 1719, 4
burschikos 642, 1
bürsten 1326, 1; 1367, 2
Bus 579, 4
Busch 343
Büschel 343, 2
Buschen 343, 2
Buschwerk 343, 1
Busen 344
busenfrei 1154, 2
Busenfreundin 653
Busenfreundschaft
  655, 1
Busentuch 1291, 7
Businessman 741
Buslinie 1058, 3
Bußbereitschaft 1341
Buße tun 345
büßen 345
büßen lassen 1751, 1
bußfertig 1342
Bußprediger 1239, 2
Büste 344; 1472
Butler 826, 4
Butterbrot, für ein 312, 1
Butterfahrt 578, 1
Buttermesser 1106
Butterseite 780, 2;
  1837, 1
butterweich 1891, 1
Byte 1502, 4

C

Cachenez 1291, 7
Café 681, 1
Callboy 1281
Callgirl 1280
Camcorder 916, 2
Camkamera 916, 2
Camouflage 1559, 2
Camp 1011, 1
Campanile 1610, 1
campy 1493, 3
canceln 122, 2
Canto 739, 2
Cantus 739, 2
Caravan 579, 2
Cartoon 308, 2
Casanova 1743, 1
Cäsar 849
Cäsarenwahn 460, 2
cash 1664, 3
Cast 800, 9
Casting 1347, 1
Caudillo 849
Causa 580, 2
Causeur 927
CD-ROM 1362, 3;
  1484, 4
Cellist 1134, 2
Center 1119, 3
Centrecourt 685, 3
Chaiselongue 1470, 2
Chalet 824, 1
Chamäleon 1221
Champion 1464, 1;
  1489; 1501, 1
Chance 165, 2; 556, 3;
  1129
changieren 1381, 4
changierend 718, 2
Chanson 739, 2
Chansonnette 1363, 2
Chansonnier 1363, 1
Chaos 1669, 1
chaotisch 1668, 1;
  1915, 1
Charakter 110, 1; **346**;
  632, 2
Charakterbildung 346

charakterfest 347;
  1971, 1
Charakterfestigkeit
  613, 3
charakterisieren 270, 1;
  931, 1
Charakterisierung
  361, 1; 930, 2
Charakteristik 930, 2
Charakteristikum
  424, 2; 930, 1
charakteristisch 348;
  378, 2
charakterlos 349;
  574, 2; 754; 1397, 5;
  1432, 3
Charakterlosigkeit 755
charakterschwach 349
charakterstark 347, 1
Charakterstärke 613, 3
charaktervoll 347, 1
Charakterzug 424, 2
Charge 1302, 1; 1347, 1
chargieren 674, 1;
  1623, 4
Charisma 716, 3
Charismatiker 671, 6
Charité 983
Charivari 1113, 3
charmant 71, 1; 76, 2
Charme 70; 1333
Charmeur 927
Charming Boy 1743, 1
Chart 1303
Chartermaschine 579, 7
chartern 89, 1
Chassis 1301, 1
Chat 1684, 1
Chaussee 1528
Chauvi 1075
Chauvinismus 1163, 2
Chauvinist 1075
Check 1285, 2
checken 1284, 1;
  1794, 2
Chef 1047, 2
Chefarzt 1047, 2
Chefetage 1048, 1
Chemie 444
chemisch 1002
chevaleresk 864
Chiffre 930, 5; 1934, 2
chiffrieren 1622, 7
Chimäre 1181, 3
Chip 192, 1; **350**

Chippy 397, 1
chirurgisch 722, 2
chloroformieren 284, 1
Choleriker 1272, 3
cholerisch 829, 3
Chor 800, 3
Choral 739, 2
Choreographie 779
Chörlein 181
Chorleiter 1047, 2
Chorsänger 1363, 1
Chorsängerin 1363, 2
Chronik 527, 3
chronisch 365, 1
Chronist 260, 2
Chronologie 742, 2
chronologisch 351
Chronos 1936, 1
Cicerone 671, 4
Cicisbeo 714
Cinemax 937
Citoyen 340, 1
City 1500, 3
Claim 1318, 1
Clan 800, 6; 953;
  1814, 1
Claque 1402, 1
Claqueur 1221; 1402, 1
clean 1365, 3
clever 744, 2; 1396, 1
Cleverness 743, 2
Clinch 400, 3; 917, 3
clinchen 402, 2
Clique 800, 6; 953
Cliquenwirtschaft 953
Clito 942
Close-up 126, 1; 308, 3
Clou 767, 5
Clown 111, 2; 1384, 1
Cluster 1102, 1
Coach 1035, 2
coachen 1034, 2
Coaching 1033, 1
Cocktail 1113, 1
Cocktailparty 749, 2
Codewort 930, 5
Codeziffer 930, 5
Codiersprache 1494, 5
Coiffeur 661
Collage 308, 2
College 1427, 1
coloured 591, 3
Combo 800, 4
Comeback 1349, 2
Comedy 960

Comic 308, 2; 559, 2
Coming-out 1209, 1
commercial 959
Commercial 1898, 3
Common Sense 1790, 2
Compagnie 800, 3
Compunetz 1176, 3
Computer 352
Computerausdruck
  147, 3
Computerfreaks 1546, 2
computerisieren 1306
Computerkonferenz
  1594, 4
Computerspeicher
  1484, 4
Computerspiel 1684, 5
Computersprache
  1494, 5
Concierge 826, 5
Conditio sine qua non
  207, 1
Conférencier 1683, 1
Connaisseur 726, 1

Connections 1719, 3
Consulting 1304, 3
Container 223
Contenance 229, 1
Continuity 394
cool 644, 2; 914, 3
Coolness 1647, 2
Cop 1266, 1
Copyright 1318, 1
coram publico 1211, 1
Cordon sanitaire 211, 4
Corps 1719, 4
corriger la fortune
  293, 1
Couch 1470, 2
Couleur 110, 2; 589, 1
Count-down 1836, 1
Counterpart 700, 1
Countertenor 1363, 1
Countrysong 739, 2
Coup 518, 2; 1686, 3
Coup d'État 134, 2
Coupé 579, 2

Coupon 350, 1; 1540, 2
Cour 465, 2
Courage 1138
couragiert 920; 1139, 1
Courmacher 927
Courschneider 1402, 1
Cover 870, 4; 1837, 2
Covergirl 1414, 2;
  1898, 3
Crack 1311; 1489;
  1501, 1
Crashkurs 1033, 2
Crashtest 1795, 3
Credit 716, 2
Creme 1201, 2
Crescendo 1511, 3
Crew 800, 9
Cross-over 1113, 4
Crux 1020, 2
Cup 962, 2; 1270, 4
cutten 1409, 2
Cyberspace 880, 4; 1382
cyborgen 1218

D

da 699, 3; 853
da capo 1903
da gewesen, noch nie
1177, 2
da sein 1024, 1
da sein, nicht 598, 1
dabei 3; 125, 1; 254, 3;
699, 3; 895, 1; 1026, 2
dabei bleiben 1787, 1
dabei sein 128, 1; 515, 1;
1564, 2
dabei, dicht 1155, 2
dabei, hart 1155, 2
Dabeisein 698, 2
dabeistehen 1564, 2
Dach 824, 2; 970, 1
Dach über dem Kopf
1920, 1
Dach über dem Kopf,
ohne 393, 3
Dach und Fach, unter
610, 1
Dach, unter 534, 1
Dachboden 1484, 1
Dachgeschoss 1920, 2
Dachkammer 1309, 1;
1484, 1
Dachs, junger 910, 2
Dachschaden 709;
1779, 1
Dachtel 1393, 1
Dachwohnung 1920, 2
dackelbeinig 992, 5
Daddy 1705, 2
dadurch 1124, 3
dafür sein 215
dafürhalten 1099;
1772, 1
Dafürhalten 1100, 1
dafürstehen 339, 1
dagegen 3
dagegenhalten 557, 2;
1755, 1
daheim 227, 1
Daheim 824, 2
daher 43
daherreden 1495, 3

dahin 1586, 1; 1744;
1887, 1; 1887, 1
dahineilen 1750, 1
dahingegangen 1586, 1
dahingehen 1513, 2;
1750, 1
dahingestellt 1207, 3;
1674, 1
dahinleben 1024, 1
dahinraffen 1513, 4
dahinschmelzen 1750, 1
dahinter klemmen, sich
92, 2; 392
dahinter kommen
515, 3; 1066, 3;
1305, 3; 1794, 2
dahinter machen, sich
392
dahinter setzen, Druck
391, 2
dahinter stecken 1833
dahinter, nichts 1028, 3;
1199, 2
dahintreiben 1437, 2
dahocken 1469, 3
Dakapo 1905
Dakaporufe 231
Daktylogramm 930, 5
dalassen 1628, 3
Dalbe 211, 2
daliegen 212, 1
damalig 1744
damals 666, 1
Dame 640
Dame, alte 1140, 2
Dame, junge 1078, 2
Damenkränzchen
800, 8
dämlich 403, 1
Dämlichkeit 404, 1
Damm 211, 4; 1528
Damm, auf dem 757, 1
Damm, nicht auf dem
1042, 1
dämmen, Wärme
1874, 2
dämmerig 407, 1
dämmern 52, 2; 409, 1;
435, 1; 1392, 2;
1794, 2
Dämmerstunde 408, 1
Dämmerung 51, 3;
408, 1
Damoklesschwert
399, 2

Dämon 707, 3; 724, 2;
1575
Dämonenglaube 4
Dämonenkult 786
dämonisch 407, 4;
1693, 5
Dampf 353; 478, 1;
1186, 1
Dampf machen 391, 2
Dampfbad 178, 4
dampfen 354; 956, 1;
1308; 1445, 1
dämpfen 261, 1; 496;
769, 2; 857, 1; 956, 2;
1680, 2
dämpfen, Stimme 629
Dampfer 579, 6
Dämpfer 508; 1092, 2
dämpfig 406, 2; 1162, 3
Dampfross 579, 4
Dämpfung 1092, 2;
1348, 3
danach 1483, 1
Dandy 1545
dandyhaft 459, 1;
1625, 3
daneben 117, 3; 1155, 1
danebengegangen
583, 1; 1748
danebengehen 1383, 1
danebenhauen 901, 3
danebenschießen 598, 4;
901, 3
danebentreten 598, 5;
901, 2
dank 69, 2; 1124, 3
Dank 356; 498, 1;
1752, 3
Dankadresse 356
dankbar 355; 664;
1197, 2
dankbar sein 357, 2
Dankbarkeit 356
Dankbarkeitsgefühl 356
danken 288; 357;
497, 1; 1751, 3
danken haben, zu 357, 2;
1425, 2
dankenswert 1197, 1;
1733
dankerfüllt 355, 1
Dankgebet 684
Danksagung 356
Dankschreiben 356
dann 1483, 1

dann und wann 1853, *1*
dannen, von 1887, *1*
Danse macabre 1400, *2*
dappeln 703, *2*
darangeben 1220, *1*
darauf 1483, *1*
darben 482; 872, *1*
darbieten 50, 3; 307;
    683, 3
Darbietung 1713, *2*;
    1848, 3
darbringen 683, 3
darin 888, *1*
darlegen 241, 2; 528, *1*;
    1769, 3
darlegen, im Einzelnen
    1937, *1*
Darlegung 164, *1*;
    361, *1*; 370, 2; 529, *1*;
    615, *1*
Darlehen 358; 986
Darlehenskasse 184, *2*
Darling 713
Därme 439
darniederliegen 1040, 3
darreichen 50, 3; 683, *1*
darren 1604, 3
darstellen 1, *1*; 201, *1*;
    241, 2; 270, *1*; **359**;
    528, *1*; 931, *1*; 1487, *1*
darstellen, bildlich
    359, 5; 528, 3
darstellen, etwas 201, 3
darstellen, falsch 1072
darstellen, in Ziffern
    359, 2
darstellen, indirekt
    359, 5
darstellen, sich 359
darstellen, übertrieben
    1623, *4*
darstellen, zeichenhaft
    359, 5
Darsteller 360
Darstellung 308, *2*; **361**;
    529, 2; 559, *1*
Darstellungskraft
    1274, *1*
Darstellungsweise
    1494, 2
dartun 1120, 2
darüber 290
darüber hinaus 117, 3
darum 43
darunter 1678, *4*

das heißt 1160
Dasein 570; 1025, *1*
daseinsfreudig 835, *1*
Daseinskampf 1025, 5
daselbst 853
dasitzen 1469, 3
dasselbe 771, *1*
dasselbe, fast 1902, *4*
dasselbe, immer 42, *2*
dastehen 1508, *1*;
    1621, 3
dastehen, ratlos 1823, *2*
Date 1594, *1*
Datei 1818, 3
Daten 930, *2*
Datenbank 184, 3;
    1362, *4*
Datenerfassung 1362, *4*
Datenhighway 1176, 3
Datensammlung 1362, *4*
Datenverarbeitungsanla-
    ge, elektronische
    352, *1*
datieren 931, *2*
dato, bis 666, *2*
Datscha 824, *1*
Dauer 362; 1936, *1*
Dauer, auf 882, *2*
Dauer, nicht von 1746
Dauerbeziehung 1000, 3
Dauerbrenner 362, *4*
Dauererfolg 362, *4*
Dauergast 283, *1*
dauerhaft 363
dauerhaft machen
    522, *2*
Dauerkäufer 925
Dauermieter 1000, 3
dauern 364
dauernd 365; 882, *1*
dauernd, lang 1013, *2*
Dauerredner 1436
Dauerwellen 806, *1*
Daumenschrauben
    1972, *1*
daunenweich 1891, *1*
davon 290
davongehen 485, *1*;
    624, *1*
davongekommen
    1460, 3
davonkommen 492, *4*
davonlassen, Finger
    30, 3; 1019, *2*
davonlaufen 624, *1*

davonmachen, sich
    624, *1*
davonschleichen 624, *1*
davontragen 236, 3;
    1168, *2*
davontragen, Sieg
    1463, *1*
dawiderreden 557, *2*
dazu 48; 117, 3; 290
dazugehören 519, 5;
    1564, *1*; 1930, 3
dazugelernt haben,
    nichts 1904, *2*
dazulernen 510, 5;
    1049, *2*
dazurechnen 1930, *2*
dazutun 837, 3
dazuzählen 1930, 3
dazwischen 809
dazwischenfahren 440
dazwischenreden
    1523, *2*
dazwischentreten 440;
    857, 3
de facto 1912, *1*
de jure 751, 3
de Luxe 416, *1*
Deadline 1573
Deal 740, 6; 814, *2*
dealen 815, *2*
Dealer 1312
Debakel 1116; 1659
debattieren 276, 3;
    1535, *2*
debil 403, *1*; 1778, *2*
debitieren 237, *4*
Debitor sein 1425, *1*
Debüt 51, *2*; 438, *1*
Debüt, beim 53, 3
Debütant 1428, *4*
debütieren 52, 3
dechiffrieren 946, *2*;
    1066, 3; 1794, 7
Deckbett 870, 9
Decke 870, 9; 1198, *1*
Deckel 870, *4*; 1785, *1*
decken 151, *2*; 339, *2*;
    560, *2*; 1430, *1*;
    1462, *2*
decken gegen 1430, *1*
decken, Bedarf 729, *1*
decken, Rücken 1430, 3
decken, sich 1430, *4*;
    1615, *1*
Deckenlicht 1012, *1*

Deckmantel 1559, *1*
Deckmantel, unter dem
54
Deckname 1288
Deckung 150, *2*; 342, *1*;
1461, *2*; 1617, *1*;
1788, *2*
deckungsgleich 771, *1*
Deckungsgleichheit
1617, *1*
decouragieren 496
Dedikation 677, *3*
dedizieren 683, *3*
Deduktion 1400, *3*
deduzieren 1399, *3*
Deejay 1683, *1*
deeskalieren 261, *3*
Defätist 1245
defätistisch 1246
defekt 265, *1*; 1695, *1*
Defekt 599, *2*; 1368, *1*
Defekt, technischer
1781, *2*
defensiv 658, *2*
Defensive 1901, *2*
defilieren 1236, *1*
definieren 528, *2*;
614, *2*; 931, *1*
Definition 222; 529, *3*
definitiv 476
Defizit 1067, *3*
defizitär 1656, *1*;
1695, *1*
Deflation 1348, *5*
deformieren 264
deformiert 265, *1*
Defraudant 294, *2*
deftig 376, *2*; 1158;
1359, *2*
Degeneration 1348, *2*
degenerieren 1729, *3*
degoutant 461, *1*
degoutieren 462, *1*
degradieren 841, *1*
degradiert 534, *3*
dehnbar 622, *1*;
1655, *3*
Dehnbarkeit 623, *1*
dehnen 1531, *2*; 1943, *2*
dehnen, sich 1531, *3*;
1531, *4*
dehydrieren 1604, *2*
dehydriert 1603, *1*
Deibel 1575
Deich 211, *4*

deichseln 715, *1*;
1226, *3*; 1229, *2*
Déjà-vu-Erlebnis 1905
Dekade 1936, *1*
dekadent 471, *3*
Dekadenz 472, *1*;
607, *2*; 1348, *2*
Dekalog 750, *1*; 750, *2*
Deklamation 1256, *2*;
1851
deklamatorisch 253, *2*;
1625, *5*
deklamieren 1852, *1*
Deklaration 529, *5*
deklarieren 528, *5*
deklassiert 850, *1*
deklinieren 296, *3*
dekodieren 946, *2*;
1066, *3*; 1794, *7*
Dekolleté 344
dekomponieren 1937, *1*
Dekomposition 47
dekonstruieren 1937, *1*
Dekonstruktion 47
dekontaminieren 1367, *5*
Dekor 168, *3*; 1136, *1*
Dekoration 1291, *2*
dekorativ 1405; 1913, *2*
dekorieren 167, *2*;
174, *1*; 420, *1*;
1063, *2*; 1292, *1*
Dekorum 168, *3*;
1559, *2*
Dekret 209, *1*
dekretieren 72, *1*
dekuvrieren 1208, *1*
Delegation 1808
delegieren 1388, *1*;
1622, *1*
Delegiertenkonferenz
1594, *2*
Delegierter 1807, *3*
delektieren, sich 651, *1*;
725
delikat 100, *2*; 471, *1*
Delikatesse 468, *3*; 979
Delikt 1670, *2*; 1725
Delinquent 1726, *1*
Delirium 1310, *1*
deliziös 100, *2*
Delkredere 342, *2*
Delle 1799, *1*
delphisch 407, *4*
Delta 1400, *1*
Demagoge 366

Demagogie 367
demagogisch 368
Demand 1147
Demarkationslinie 790
demaskieren 319, *3*
Demaskierung 1209, *1*
Dementi 947, *4*
dementieren 946, *5*;
1051, *2*
dementsprechend 43;
504, *3*
Demenz 709
Demeter 785, *3*
demgemäß 43
Demilitarisierung
1348, *10*
demissionieren 998, *1*
Demissionierung 999, *1*
Demiurg 785, *1*
demnach 43
demnächst 180
Demo 370, *1*; 1898, *3*
demobilisieren 261, *3*
Demokassette 1898, *3*
demokratisch 369;
1211, *2*
demolieren 264; 1940, *3*
Demonstration 164, *3*;
370; 529, *1*
demonstrativ 16; 842;
1145, *1*
demonstrieren 528, *1*;
1935, *2*
Demontage 1348, *3*
demontieren 841, *1*
demoralisieren 496;
1434
demotivieren 496; 1434
Demovideo 1898, *3*
Demut 706, *2*
demütig 689, *2*; 705;
1691, *1*
demütigen 841, *1*
demütigen, sich 704, *3*
demütigend 239, *2*
Demütigung 240;
1372, *1*
demzufolge 43
denaturieren 1729, *2*;
1740, *2*
denaturiert 1237
dengeln 1374, *1*
Denkanstoß 77, *1*
Denkarbeit 1321
Denkart 375

denkbar 863, *1*; 1128, *1*;
1791, *1*
denkbar, kaum 926, *2*
Denkbild 874, *3*;
1848, *2*
denken 371; 770, *1*;
1099; 1772, *1*
Denken 707, *1*; 1321
denken an 526, *2*;
1487, *4*
Denken, diskursives
1790, *1*
denken, nicht daran
1753, *1*
denken, nicht daran zu
1665
Denken, positives 1222
denken, schöpferisch
435, *2*
Denken, schöpferisches
1253
denkend, frei 644, *3*
denkend, negativ 1246
denkend, positiv 1224
Denker 372
Denkergebnis 1400, *3*
Denkfähigkeit 1790, *1*
denkfaul 1676, *1*
Denkfaulheit 991
Denkfehler 599, *1*
Denkhilfe 854, *3*
Denkkraft 1790, *1*
Denkmal 373
Denkmodell 878, *1*;
1553, *3*
Denkmöglichkeit
878, *1*
Denkpause 1679, *1*
Denkprozess 1321
Denkschablone 1854
Denkschrift 94, *2*
Denksportaufgabe
120, *4*
Denkspruch 374
Denkstein 373
Denkübung 1629
Denkungsart 375
Denkvermögen 707, *1*;
1790, *1*
Denkweise 346; **375**
denkwürdig 1900, *2*
Denkwürdigkeiten 176
Denkzeichen 527, *3*
Denkzettel 1033, *3*;
1752, *1*

denn 49; 69, *2*; 1160;
1473
dennoch 3; 1202;
1608, *2*
Denunziant 1429, *3*
denunziatorisch 583, *4*
denunzieren 1765; 1777
Dependance 1185, *2*
deplatziert 1556;
1662, *3*
deponieren 22, *3*
Deportation 1805
Deportationslager 969
deportieren 173, *1*;
1804, *1*
Depot 1484, *2*
Depp 405, *2*
depravieren 1729, *3*
depraviert 850, *1*
Depression 721; 988, *3*;
1348, *5*; 1592
Depression, manische
721
depressiv 720; 1182, *1*;
1660, *1*
deprimieren 496
deprimiert 1182, *1*;
1660, *1*
Deputat 1295, *2*
Deputation 1808
Deputierter 1807, *3*
derangieren 1816, *1*
derangiert 1150, *4*
derart 1473
derartig 1473
derb 376; 1264, *1*;
1359, *2*
Derbheit 643, *2*
dereinst 666, *1*; 1483, *2*
dergestalt 1473
dermaßen 1473
Dernier Cri 1125, *1*;
1179, *1*
derzeit 666, *1*; 699, *1*
derzeitig 699, *1*
Desaster 1116; 1659
desaströs 1420, *1*
desavouieren 319, *2*
desavouieren, sich 319, *1*
Desavouierung 1372, *1*
Deserteur 377
desertieren 20, *1*;
1619, *2*
desgleichen 117, *1*
Desiderat 1067, *3*

Design 168, *3*
Designer 561
Designerdroge 1311
desillusionieren 507
Desillusionierung 508;
1092, *2*
desinfizieren 1367, *5*
Desinformation 1071, *1*;
1559, *4*
desinformieren 1072
desintegrieren 1937, *1*
Desinteresse 1647, *2*
desinteressiert 772, *4*
desolat 450, *1*; 1017, *2*;
1204, *1*; 1660, *1*
Desorganisation 1669, *1*
desorientieren 1816, *2*
desorientiert 1697, *1*;
1915, *2*
Desperado 2
desperat 856, *2*
Despot 849
Despotie 847, *3*
despotisch 1536, *3*;
1909, *2*
Despotismus 847, *3*
dessen ungeachtet
1608, *2*
Dessert 1080, *5*
Dessin 1136, *1*
Destille 681, *1*
destillieren 330, *5*
destilliert 1365, *2*
destruieren 1940, *3*
Destruktion 1941, *1*
destruktiv 37, *1*
deswegen 43; 43
Deszendent 936, *2*
Deszendenz 846, *1*
Detail 463, *3*; 1561, *3*
Detailgeschäft 740, *2*
detaillieren 1937, *1*
detailliert 457, *4*; 722, *4*
Detektiv 248, *2*
Determination 529, *3*
determinieren 528, *2*
Determiniertheit 206
Detonation 143, *1*;
734, *3*
detonieren 142, *1*;
1018, *3*
Deubel 1575
Deus ex Machina 838, *1*
Deut 860, *2*; 951, *1*
Deut, keinen 1180, *1*

Diktator 849
diktatorisch 1536, 3;
  1909, 2
Diktatur 847, 3
diktieren 72, 1; 1980, 1
diktieren, in die Feder
  837, 5
Diktion 1494, 2; 1518, 1
Diktum 1701, 1
dilatorisch 1650, 1
Dilemma 988, 2;
  1764, 1
Dilettant 384; 1003, 2
dilettantisch 385
Dilettantismus 386
dilettieren 1252
Dimension 146, 2;
  792, 1; 1089, 2
Diner 1080, 4
Ding 697, 1; 1522, 1
Ding, junges 1078, 2
Dinge sein, guter 651, 2
Dinge, guter 835, 3
Dinge, unverrichteter
  1748
dingen 89, 1
Dingen, über den 772, 1
Dingen, vor allen 273, 1
dingfest machen 1757
dinghaft 1912, 2
dinieren 566, 2
Dinner 1080, 7
dionysisch 548, 3
Dip 1477
Diplom 279, 1; 1942, 1
Diplomarbeit 8, 2
Diplomat 387
Diplomatie 743, 2
diplomatisch 744, 2;
  1555, 2; 1846, 2
diplomieren 174, 1
direkt 1207, 2; 1244, 2;
  1664, 1
Direktion 1048, 1
Direktive 96, 2; 136, 2;
  209, 1
Direktor 1047, 2
Direktorium 1048, 1
Dirigent 1047, 2
dirigieren 669, 2
dirigierend 670, 1
Dirn 1078, 2
Dirne 1280
Dirnenwesen 1282
Discjockey 1683, 1

Discokugel 1012, 1
Discolicht 1672, 2
Discomusik 1133, 3
Discountladen 740, 5
Diseuse 1683, 1
Disharmonie 1534, 1
disharmonisch 695, 1
disjunktiv 695, 4
Diskette 1484, 4
Disko 681, 2
diskreditieren 841, 1;
  1765
diskreditieren, sich
  319, 1
Diskreditierung 389, 1;
  1766
diskrepant 1784, 1
Diskrepanz 29, 5; 1689
diskret 1439, 1; 1802;
  1960, 2
Diskretion 1961, 2
diskriminieren 1114, 1;
  1369, 1
diskriminierend 239, 2;
  388
Diskriminierung 240;
  389; 1115; 1368, 2
Diskurs 277, 2
Diskurs, öffentlicher
  1212, 1
Diskussion 277, 3;
  1684, 1
Diskussionsgrundlage
  796, 5
Diskussionsleiter
  1047, 2
Diskussionsteilnehmer
  1566, 2
diskutabel 1128, 1
diskutieren 276, 3;
  1682, 3
Disneyland 940, 1
Dispens 532, 1; 784, 1
dispensieren 213, 2
dispensiert 644, 5
Dispensierung 532, 1
Dispersion 1113, 4
Display 97, 2; 311;
  1898, 3
disponibel 254, 2;
  610, 3; 1839, 1
Disponibilität 255
disponieren 72, 2;
  1226, 3
disponiert 471, 2; 576, 2

Disponiertheit 1520, 1
Disposition 346; 472, 1;
  779; 1227, 1; 1520, 1;
  1570, 1
Disposition, zur 254, 2;
  610, 3; 1839, 1
Disput 277, 3; 1534, 2
disputieren 276, 3;
  1535, 2
Disputierer 1239, 1
disqualifizieren 998, 3
disqualifiziert 534, 3
disqualifiziert werden
  21, 3
Dissertation 8, 2
Dissident 700, 2; 932
dissidentisch 933
Dissolution 47
dissonant 822, 2
Dissonanz 1534, 1
Distanz 486, 1; 1689;
  1961, 1
distanzieren, sich 20, 1;
  485, 5; 1780, 5
Distanzierung 1596, 1
distanzlos 480, 2
Distanzlosigkeit 481, 5
distinguiert 996, 3
Distinktion 607, 1
distribuieren 1797, 1
Distribution 1798
Distrikt 685, 1
Disziplin 229, 1; 571, 2
disziplinarisch 1536, 3
disziplinieren, sich 228
disziplinlos 1093, 2
dithyrambisch 548, 3
dito 117, 1
Diva 1501, 1
Divergenz 29, 5; 1689
divergieren 28, 4;
  967, 2; 1688, 2
divergierend 1784, 3
diverse 1826
Dividende 1338, 1
dividieren 1930, 1
dividieren, auseinander
  1595, 2
Divinationsgabe 468, 4
divinatorisch 467, 6;
  899; 1277
Diwan 1470, 2
DJ 1683, 1
doch 3; 1608, 2
Dogma 750, 2; 798, 2

dogmatisch 1505, *4*
doktern 1252
Doktor 113
Doktorarbeit 8, *2*
Doktrin 798, *2*; 1033, *4*
doktrinär 1505, *4*
Dokument 1942, *1*
Dokumentarfilm 618, *3*
Dokumentation 8, *1*;
   258, *3*
dokumentieren 127, *5*;
   1935, *4*
Dolcefarniente 1677, *2*
Dolch 1106
dolmetschen 528, *1*;
   1769, *1*
Dolmetscher 1770
Dom 938, *2*
Domäne 121; 190;
   1485, *2*
Domestiken 826, *1*
domestikenhaft 1691, *2*
domestizieren 1952, *2*
domestiziert 705
Domestizierung 1951, *2*
Domina 641; 1280
dominant 670, *1*;
   1077, *1*
Dominanz 847, *2*;
   1076, *1*
dominieren 669, *2*;
   848, *2*
Domizil 824, *2*; 1920, *3*
Dompteur 111, *2*;
   1035, *2*
Don Juan 1743, *1*
Donnerbalken 1583, *1*
Donnergepolter 734, *3*
donnern 1018, *2*; 1391, *2*
Donnern 734, *2*
Donnerschlag 734, *3*;
   1393, *3*
Donnerwetter 1385, *1*
donnerwettern 1391, *2*
Donquichotterie 875, *2*;
   1675, *2*
doof 403, *1*
Doofheit 404, *1*
Dope 1311
dopen 75, *3*
Doppel 1812, *2*
Doppelbedeutung 1825
Doppelbett 295
doppeldeutig 1975, *2*
Doppeldeutigkeit 1825

Doppelereignis 1617, *2*
Doppelgänger 1978, *1*
doppelgeschlechtig 390
Doppelgesicht 1825;
   1978, *1*
Doppelgestalt 1825;
   1978, *1*
Doppelheit 1978, *1*
doppelköpfig 390
Doppelmoral 584, *2*
Doppelschicht 1387, *2*
doppelseitig 390
Doppelsinn 1825
doppelsinnig 1975, *2*
Doppelsinnigkeit 81, *2*;
   1825
Doppelspiel 584, *1*
Doppelstellung 1978, *1*
Doppelstrategie 584, *1*
doppelt 390
doppelzüngig 583, *4*;
   1555, *2*
Doppelzüngigkeit 584, *1*
Dorado 1234
Dorf 1232, *1*; 1500, *2*
Dorf, potemkinsches
   1559, *2*
Dörfer, böhmische 1663
Dorftrottel 405, *5*
Dorn 211, *2*
Dorn im Auge 1638, *3*
Dorn im Auge sein
   821, *1*
dornenlos 781, *2*
dornig 1373, *1*; 1441, *2*
dörren 1604, *3*
Dose 223
dösen 1392, *2*
dosieren 614, *3*; 1562, *2*
Dosierung 23, *1*
dösig 1130, *1*
Dosis 1295, *2*
Dosis, homöopathische
   951, *2*
Döskopp 405, *1*
Dossier 258, *1*
Dotation 677, *2*
dotieren 683, *2*
doubeln 1487, *1*; 1806, *1*
Double 550, *4*
Doublebind 1974, *1*
Douceur 677, *1*
down 1182, *1*; 1660, *1*
Doyen 671, *6*
Dozent 1035, *1*

dozieren 1034, *1*;
   1852, *1*
dozierend 238, *2*
Drachensaat 843, *2*
Dragee 112, *2*
Draht 1048, *3*; 1719, *3*
Draht, auf 1026, *3*
drahten 1622, *6*
Drahtesel 579, *2*
drahtig 981, *1*; 1490, *1*;
   1929, *4*
Drahtseilakt 1861
Drahtverhau 858, *4*
Drahtzieher 671, *6*;
   897
drainieren 1604, *4*
drakonisch 334; 820, *3*;
   1536, *3*
drall 376, *1*; 381, *1*
Drall 396, *2*; 1446, *1*
Drama 1061; 1378, *1*;
   1659
Dramatik 1478, *1*
Dramatiker 1423
dramatisch 130, *1*;
   1265, *1*
dramatisieren 198, *6*;
   1623, *4*
Dramatisierung 1624, *2*
Dramendichter 1423
dran sein 1741, *2*
dran sein, gut 807, *2*
dran, gut 757, *1*
dran, nichts 1397, *1*
dranbleiben 1741, *2*
Drang 1762, *1*
drangeben 1820, *1*
drangehen 52, *3*;
   1685, *1*
drängeln 391, *1*
drängen 75, *2*; **391**;
   428, *3*; 541, *1*; 1081, *2*
Drängen 1762, *1*
drängen auf 391, *4*
drängen nach 217, *2*;
   1529, *1*
drängen, an die Wand
   1734, *1*
drängen, beiseite
   1734, *1*
drängen, in den Hinter-
   grund 1734, *1*
drängen, sich 391
drängen, sich nach
   391, *4*

drängen, zu einer Ent-
scheidung 1374, *2*
drängend 429, *3*;
1900, *1*
Drangsal 1190, *2*
drangsalieren 1242, *1*
drangvoll 480, *1*
dranhalten, sich 92, *3*;
392
drankommen 631, *4*
drankriegen 1980, *2*
dranmachen, sich
1685, *1*
dransetzen, alles
1529, *1*
dranwollen, nicht
402, *4*; 1634, *1*
drastisch 376, *2*; 1395;
1913, *2*
dräuen 398, *4*
dräuend 1420, *1*
drauf und dran 180;
254, *3*
Draufgänger 919, *2*
draufgängerisch 479;
642, *1*; 920; 1139, *2*
draufgeben, eins 1391, *1*
draufgehen 1513, *4*;
1729, *1*
draufhaben 963, *1*
draufhalten, Daumen
1479, *2*
drauflos, frisch 1696, *3*
drauflos, wild 1696, *4*
drauflosgehen 1860, *2*
draufmachen, einen
602, *2*
draufzahlen 519, *2*;
1768, *2*
draußen 393
drechseln 756
Dreck 5, *1*; 156, *2*;
951, *1*; 1406, *1*;
1552, *1*
Dreck am Stecken
1426, *2*
dreckig 91, *4*; 1408
dreckig machen 1809
Drecksau 1407
Dreckspatz 1407
Dreh 126, *1*; 1598
Dreh- und Angelpunkt
823
Drehbuch 394
Drehbuchautor 1423

Drehbuchschreiber
1423
drehen 395; 715, *1*
drehen und wenden
371, *2*
drehen und wenden, sich
172, *2*; 1023, *2*
drehen, Däumchen 594;
1016, *2*
drehen, Film 395, *8*
drehen, sich 395
drehen, sich auf die andere Seite 395, *7*
drehen, sich um 224, *3*;
289
drehen, Strick 1369, *1*
Drehort 1232, *2*
Drehpunkt 823
Drehstuhl 1470, *1*
Drehung 396; 1004
Dreikäsehoch 910, *2*
dreingeben 122, *3*
dreinhauen 60, *2*;
918, *5*
dreinschlagen 60, *2*;
918, *5*
dreist 642, *3*
Dreistigkeit 643, *2*
Dreitagebart 187
Dresche 1393, *1*
dreschen, leeres Stroh
1269, *2*
dreschen, Phrasen
1269, *2*
Dress 949, *1*
Dresscode 326, *3*
Dresseur 111, *2*
dressieren 1611; 1952, *2*
Dressing 1477
Dressman 360
Dressur 1629; 1951, *2*
dribbeln 1527
Drift 1538, *2*
driften 1437, *2*
Drill 1629
drillen 395, *2*; 1611;
1952, *2*
drin 888, *1*
drin, nicht 1665
dringen, an die Öffent-
lichkeit 411, *3*
dringen, ans Ohr
1585, *1*
dringen, ins Bewusstsein
1794, *2*

dringend 429, *3*;
1191, *1*; 1900, *1*
dringlich 429, *3*;
1145, *2*; 1191, *1*;
1900, *1*
dringlich sein 428, *3*
Dringlichkeit 202, *3*
Drink 759, *1*
drinnen 888, *1*
drinstecken 1040, *4*
drippeln 625; 1325
Dritte-Welt-Laden
740, *2*
drittklassig 1397, *1*;
1432, *5*
Drive 1446, *2*
Drive-in-Kino 937
droben 862, *1*; 1841, *1*
Droge 112, *1*; 1098, *2*;
1311; 1522, *5*
dröge 574, *2*; 1017, *2*
Drogenabhängiger 397
Drogenabhängigkeit
1551, *2*
Drogenentzug 512, *2*
drogenfrei 1365, *3*
Drogenhändler 1312
Drogenrausch 1310, *2*
Drogenstrich 1282
Drogensucht 1551, *3*
drohen 398; 1875
drohen, mit Krieg 398, *3*
drohend 690, *1*; 690, *1*;
1420, *1*
Drohgebärde 399, *1*
Drohkulisse 399, *2*
Drohne 595
dröhnen 1018, *2*
Dröhnen 734, *2*; 734, *3*
dröhnend 1022
Drohnendasein 1677, *1*
Dröhnung 1311
Drohung 399; 843, *1*;
1876
Drohwort 627
Drolerie 1684, *3*
drollig 835, *3*
Drolligkeit 1684, *3*
Droschke 579, *1*
drosseln 22, *2*; 857, *1*;
1007, *3*
Drosselung 454, *1*;
858, *2*
drüben 695, *2*
Druck 399, *1*; **400**;

1020, *1*; 1020, *2*;
1478, *2*; 1775, *2*;
1812, *1*
Druck sein, immer im
851, *2*
Druck, erster 1230, *1*
Druck, im 401; 856, *2*
Druck, ohne 646
Druck, unter 401;
1653, *2*
Drückeberger 595; 603
Drückebergerei 1677, *1*
drucken 1774, *1*; 1811
drücken 237, *5*; 284, *4*;
391, *1*; **402**; 509, *2*
drücken, an die Wand
1394, *3*
drücken, auf die Tube
391, *3*
drücken, breit 402, *2*
drücken, Hand 802, *1*
drücken, in die Hand
683, *2*
drücken, platt 402, *2*
drücken, Preis 815, *3*
drücken, Schulbank
1049, *1*
drücken, sich 172, *2*;
1634, *1*; 1780, *5*
drückend 406, *2*;
1021, *1*; 1872, *2*
Drücker 812, *1*
Drücker, auf den letzten
429, *3*
Druckfehler 599, *1*
Drucklegung 1775, *2*
Druckmittel 1123, *3*;
1972, *1*
druckreif 1830, *1*
Drucksache 1267, *3*
Druckschrift 336, *2*;
1422, *1*
drucksen 1521, *2*; 1948
Druckvorlage 1187, *1*
Druckwerk 336, *1*;
1775, *1*
Druide 1276
Drum und Dran 168, *3*;
1010, *3*; 1291, *2*
Drummer 1134, *2*
drunten 1678, *1*
drunter und drüber
1668, *3*; 1915, *1*
Dschungel 343, *1*
dual 390

Dual 1978, *1*
Dualismus 694, *2*;
1978, *3*
dualistisch 695, *4*
Dualität 1978, *3*
Dübel 211, *2*
dübeln 210, *1*
dubios 1273, *2*; 1693, *2*;
1975, *1*
Dublette 1812, *2*
Duce 849
ducken 402, *3*; 841, *1*;
1680, *1*
ducken, sich 704, *2*;
1040, *2*
Duckmäuser 852
duckmäuserisch 1691, *2*
duckmäusern 704, *1*
Dudelei 739, *1*
dudeln 1465, *1*
Duell 843, *1*; 917, *2*
Duellant 700, *3*
duellieren, sich 918, *6*
Duett 1978, *2*
Duft 108
duften 1344, *1*
duftend 100, *1*; 109
Duftgarten 680
duftig 1036, *3*; 1070, *2*;
1932, *1*
duftlos 574, *1*
Duftmarke 424, *2*
Duktus 110, *3*; 1518, *1*
dulden 531, *1*; 1040, *1*
dulden, keinen Auf-
schub 428, *3*
duldend 772, *3*
duldsam 1109, *4*
Duldsamkeit 1110
Duldung 532, *1*
Dulzinea 713
dumm 403; 1638, *1*
dumm gelaufen 1748
Dummbart 405, *2*
dummdreist 642, *3*
Dumme sein, der 1029
Dummejungenstreich
1675, *2*
Dummerjan 405, *2*
Dummheit 404; 1675, *3*
Dummheiten machen
1682, *4*
Dummkopf 405
Dummlack 405, *2*
dümmlich 403, *1*

Dummrian 405, *2*
dummstolz 459, *2*
dümpeln 1435, *1*
dumpf 406; 1541, *3*;
1872, *2*
Dumpfbacke 405, *2*
Dumpfheit 404, *1*;
1647, *4*
dumpfig 406, *1*
Dung 156, *3*
düngen 1716, *5*
Dünger 156, *3*
dunkel 407; 1660, *5*;
1693, *2*; 1828, *4*;
1975, *2*
Dunkel 408, *1*; 702, *1*
Dünkel 460, *1*
dunkel werden 409, *1*
Dunkel, undurchdringli-
ches 408, *1*
dunkelhaarig 407, *6*
dünkelhaft 84, *2*; 459, *2*;
840
dunkelhäutig 591, *3*
Dunkelheit 408
Dunkelmann 2
dunkeln 409; 1772, *2*
Dunkeln, im 407, *5*
Dunkelziffer 1974, *3*
dünken 1381, *1*; 1772, *1*
dünken, sich erhaben
430, *3*
dünn 312, *3*; **410**;
954, *1*; 1028, *3*;
1932, *1*
dünn werden 1066, *8*;
1724, *3*
dünner werden 12, *1*
dünnflüssig 410, *4*;
1162, *5*
dünnhäutig 471, *1*
Dünnhäutigkeit 472, *3*
dünnmachen, sich
485, *1*; 624, *1*; 1780, *5*
Dunst 353, *2*; 1186, *1*
Dunst, blauer 353, *1*;
1071, *2*
Dunst, keinen 1697, *1*
Dunst, leerer 1181, *3*
dunsten 354; 1308
dünsten 956, *2*
Dunstglocke 353, *2*
dunstig 407, *2*
Dünung 302, *3*; 1538, *2*
Duo 1978, *2*

düpieren 293, *1*
duplex 390
Duplikat 1812, *2*
Duplizität 1617, 2;
  1978, *1*
durabel 363, *1*
durch 610, *1*; 1124, 3;
  1889
durch und durch 679, *2*
durch, quer 1664, *2*
durchackern 198, *2*
durcharbeiten 198, 2;
  756; 1050, *1*
durchatmen 115
durchaus 1641, *1*
durchbacken, nicht
  1695, *3*
durchbeißen, sich 226, *2*
durchbekommen 411, *5*
durchbiegen, sich 581, *2*
durchbilden 756
durchblättern 1050, *1*
durchbläuen 1394, *1*
Durchblick 1793, *2*
Durchblick haben
  1794, *4*
durchblicken 1794, *4*
durchblicken lassen
  861, *1*
durchbohren 1214, *1*;
  1334, *3*
durchbohrend 1373, *4*
durchboxen 411, *5*
durchboxen, sich 411, *5*
durchbrechen 329, *1*
durchbrennen 624, *1*
durchbringen 411, 5;
  1682, *1*; 1786, *2*
durchbringen, sich
  522, *3*
Durchbruch 518, *1*
durchdacht 731, 3;
  1260, *1*; 1328, 3;
  1468, *3*
durchdacht, wohl
  1973, *2*
durchdenken 371, *1*;
  1714, *2*
durchdiskutieren 946, *1*
durchdrehen 1938
durchdringen 411;
  1214, *1*; 1794, *2*
durchdringend 891, *1*;
  1022; 1373, *2*; 1913, *2*
Durchdringung 1793, *2*

Durchdringungsfähig-
  keit 1790, *1*
durchdrücken 411, 5;
  1938
durcheinander 1505, 3;
  1668, *1*; 1915, *1*
Durcheinander 291, 3;
  1669, *2*
durchfahren 1298, *2*
Durchfahrt 1215, *4*
Durchfall 1116
durchfallen 1383, *1*;
  1780, *4*
durchfechten 411, *5*
durchfeiern 602, *2*
durchfeuchten 411, *1*;
  616, *2*
durchfinden 1794, *2*
durchfinden, sich 619, *1*
durchfließen 616, *2*
durchformen 756
durchforschen 635
durchfroren 914, *2*
durchführbar 1128, *1*
durchführbar, nicht
  1665
Durchführbarkeit 1129
durchführen 533, *1*;
  1712, *1*
durchführen, planmäßig
  1229, *1*
Durchführung 535, *1*;
  1713, *1*; 1832
durchfüttern 522, 3;
  1682, *1*
Durchgabe 1122
Durchgang 1215, *4*;
  1285, *2*
durchgängig 41
durchgebacken 610, *4*
durchgeben 1120, *3*
durchgebracht 1887, *3*
durchgedreht 1130, 2;
  1778, *1*
durchgehen 1050, *1*;
  1284, *1*
durchgehen lassen
  501, *4*; 531, *1*
durchgehend 1664, *2*
durchgeschwitzt 1408
durchgestanden 610, *1*
durchgestylt 626
durchgreifen 412
durchgreifend 1913, *2*
durchhalten 226, *2*

Durchhalten 362, *3*
durchhängen 581, *2*
durchhauen 1394, *1*;
  1595, *4*
durchhecheln 948, *1*
durchhelfen 522, *3*
durchkämmen 1550, *1*
durchkämpfen, sich
  411, *5*
durchklingeln 1569
durchkneten 1112, *1*;
  1326, *3*
durchkommen 492, *4*;
  522, *3*; 1236, *2*
durchkonstruiert
  1973, *2*
durchkreuzen 857, *3*;
  1523, *2*
Durchkreuzung 508;
  858, *2*
Durchlass 1215, *4*
durchlassen 411, *2*;
  861, *1*
durchlassen, Licht
  1381, *3*
durchlässig 265, *1*;
  1065, *2*
durchlavieren, sich
  1023, *1*
durchleben 515, *1*
durchlesen 1050, *1*
durchleuchten 635
durchlöchern 264;
  1214, *1*; 1940, *8*
durchlöchert 265, *1*
durchlüften 1069
durchmachen 602, 2;
  1040, *1*
durchmanövrieren, sich
  1023, *1*
durchmarschieren
  1298, *1*
Durchmesser 1058, *1*;
  1502, *3*
durchmogeln, sich
  1023, *1*
Durchnahme 225, *1*
durchnässen 411, *1*
durchnässt 1162, *1*
durchnehmen 224, 3;
  1034, *1*
durchorganisiert 1260, *1*
durchpauken 411, *5*
durchpausen 1811
durchpeitschen 411, *5*

durchproben 1611
durchprobieren 977, 2;
 1796, 1
durchqueren 1298, 1
durchrechnen 251, 1;
 1284, 1
Durchreiche 1215, 4
durchreisen 1298, 1
Durchreisender 283, 2;
 1332, 1
durchringen, sich
 499, 1
durchrosten 1729, 2
Durchsage 1122
durchsagen 1120, 3
durchsägen 1562, 1
durchschaubar 1211, 2
Durchschaubarkeit
 1212, 2; 1792
durchschauen 1305, 3;
 1794, 2; 1794, 2
durchscheinen 1381, 3
durchscheinend 410, 1;
 1932, 1
durchscheuern 264
durchschiffen 1298, 2
durchschimmern
 1381, 3
Durchschlag 1812, 2
durchschlängeln 1595, 4;
 1627, 3; 1911, 2; 1938
durchschlagen, sich
 522, 3; 1024, 1
durchschlagend 1395;
 1913, 2
Durchschlagskraft
 1914, 1
durchschlängeln, sich
 1023, 1; 1236, 2
durchschleichen, sich
 1023, 1
durchschlüpfen 1236, 2
durchschneiden 1595, 4
Durchschnitt 1299, 1;
 1322, 3
durchschnittlich 678, 1;
 1091, 2
Durchschnittswert
 1299, 1
durchschreiten 1298, 1
Durchschuss 1067, 1
durchschwärmen 602, 2
durchschweifen 1298, 1
durchschwitzen 1809
durchsehen 1284, 1

durchsehen, flüchtig
 1050, 1
durchseihen 1938
durchsetzen 411, 5;
 432, 3
durchsetzen, Kopf
 1923, 2
durchsetzen, sich 145, 4;
 226, 2; 411, 5; 1627, 3
durchsetzerisch 1456
durchsetzungsfähig
 1077, 1
Durchsetzungsvermö-
 gen 478, 1
Durchsicht 1285, 2
durchsichtig 410, 1;
 945, 1; 1042, 1;
 1932, 1
Durchsichtigkeit 947, 1
durchsickern 411, 3
durchspielen 1375, 2
durchsprechen 224, 3;
 276, 1
durchstarten 391, 3
durchstechen 1214, 1
durchstehen 226, 2;
 1040, 1; 1589, 3
Durchstehen 362, 3
durchstehlen, sich
 1023, 1
durchsteigen 1794, 2
Durchstich 1215, 8
durchstöbern 1550, 1
Durchstoß 518, 1
durchstoßen 411, 5;
 1214, 1
durchstrahlen 221, 2
durchstreichen 1064, 3
durchstreifen 1298, 1
durchströmen 616, 2
durchsuchen 1550, 1;
 1550, 4
Durchsuchung 1285, 2
durchtrainiert 981, 1;
 1490, 1
durchtränken 616, 1;
 616, 2
durchtränken, sich
 411, 1
durchtränkt 1162, 1
durchtrennen, Nabel-
 schnur 1595, 4
Durchtrennung 1596, 3
Durchtrieb 1053
durchtrieben 1396, 1

Durchtriebenheit 743, 2
durchwachsen 1091, 2;
 1567
durchwalken 1326, 3
durchwalten 221, 2
durchwandern 1298, 1
durchwärmen 221, 2
durchwärmt 1872, 1
durchweben 411, 4
durchweg 41; 41
durchweichen 411, 1
durchweicht 1162, 1
durchwetzen 264
durchwichsen 1394, 1
durchwinden, sich
 1023, 1
durchwirken 221, 2;
 411, 4
durchwitschen 492, 2;
 1236, 2
durchzählen 1930, 1
durchziehen 411, 4;
 533, 1; 1298, 1
durchzucken 435, 1;
 1947, 1
Durchzug 1910, 1
Durchzug machen
 1069
durchzwängeln, sich
 1023, 1
dürfen 963, 2
dürftig 107, 2; 410, 3;
 914, 3; 954, 2; 1397, 1;
 1640; 1654, 1;
 1656, 1
Dürftigkeit 1190, 1
dürr 410, 2; 1603, 1;
 1654, 1
Dürre 1205, 1
Durst 1762, 1
dürsten 217, 2; 482
dürstend 218, 1
durstig 1603, 1
durstlöschend 757, 4
durststillend 757, 4
Dusche 178, 1; 508;
 1092, 2; 1186, 1;
 1330, 3
duschen 1367, 3
Düse 1215, 3
Dusel 780, 1; 1310, 1
Dusel haben 715, 2
duselig 1915, 3
duseln 1392, 2
düsen 428, 1

E

Ebbe 765; 1348, *8*
Ebbe in der Kasse
1190, *1*
eben 732, *2*; 768, *1*;
1008
eben noch 954, *2*
eben, gerade 1091, *2*
Ebenbild 505, *2*
ebenbürtig 775
Ebenbürtigkeit 1617, *3*
Ebene 620, *1*; 1232, *3*;
1301, *2*
Ebene, auf höchster
862, *4*
Ebene, schiefe 5, *4*
ebenerdig 1678, *2*
ebenfalls 117, *1*
Ebenmaß 818, *2*;
1414, *1*
ebenmäßig 819, *3*;
1412, *1*
Ebenmäßigkeit 818, *2*
ebenso 117, *1*; 771, *1*;
1473
ebnen 179, *1*; 769, *1*
ebnen, Weg 298, *1*;
538, *2*
Echo 231; **413**
echoen 1486, *4*
echt 131; 348, *1*; 348, *2*;
363, *1*; **414**; 1166, *1*
echt, täuschend 583, *3*
Echtheit 1294, *2*;
1366, *2*
Echtzeit 1936, *2*
Eck 415, *2*
Eckbank 184, *1*; 1470, *2*
Eckchen 951, *2*; 1540, *2*
Ecke 415; 685, *2*;
1232, *2*; 1540, *1*
Ecke, um die 1155, *2*
Eckensteher 595
eckig 410, *2*; 820, *1*;
1264, *1*; 1373, *1*
Eckigkeit 1764, *3*
Eckkneipe 681, *1*
Eckpfeiler 810, *3*

Eckpunkt 207, *1*
Eckstein 810, *2*
Ecstasy 1311
edel 148, *1*; **416**; 975
Edelkitsch 940, *1*
Edelmetall 976, *2*
Edelmut 1645
edelmütig 416, *3*
Edelrost 1186, *3*
Edelschuppen 681, *1*
Edelsinn 1645
Edelsteine 976, *2*
Eden 1234
edieren 1774, *1*
Edikt 209, *1*; 750, *1*
Edition 1775, *2*
Editorial 438, *1*
Edukation 565, *1*
EDV 352, *1*
Effekt 518, *5*; 1195, *3*;
1314, *1*; 1914, *1*
Effekten 271, *3*
Effektenhandel 814, *3*
Effekthascherei 460, *1*
effektiv 1912, *3*; 1913, *1*
effektvoll 1913, *2*
Effet 396, *2*
effizient 1913, *1*
Effizienz 1914, *1*
egal 772, *5*
egalisieren 151, *1*
Egalisierung 150, *1*
Egghead 372
Egoismus 1455
Egoist 417
egoistisch 1456
egoman 1456
Egomane 417
Egotismus 1455
Egotist 417
Egotrip 1455
Egozentrik 1455
Egozentriker 417
egozentrisch 1456
eh und je, seit 882, *4*
ehe 418; 1895, *2*
Ehe 1719, *5*
ehebrechen 293, *3*
Ehebund 1719, *5*
ehedem 666, *1*
Ehefrau 1235, *4*
Ehegespons 1235, *4*
Ehehälfte 1235, *4*
Ehekrach 1534, *3*
Ehekrieg 1534, *3*

Eheleute 1235, *4*
Eheliebste 1235, *4*
ehemalig 1744
ehemals 666, *1*
Ehemann 1235, *4*
Ehepaar 1235, *4*;
1978, *2*
Ehepartner 1235, *4*
ehern 820, *1*
Eheschließung 1719, *5*
ehestens 1410, *1*
Ehetragödie 1057
Ehrabschneidung 1766
ehrbar 328, *2*
Ehre 419; 1926, *2*
Ehre machen 420, *2*
ehren 174, *1*; **420**;
948, *2*; 1375, *1*
ehrenamtlich 1635, *1*
Ehrenbezeigung 419, *2*;
801, *3*
ehrend 1733
Ehrengabe 419, *2*
ehrenhaft 86, *3*
ehrenhalber 1635, *1*
Ehrenmal 373
Ehrenmann 927
Ehrenrettung 495, *2*
ehrenrührig 239, *2*;
1397, *5*
Ehrensache 1250
Ehrentag 906
ehrenvoll 1733
ehrenwert 328, *2*
Ehrenwort 1788, *1*
Ehrenzeichen 419, *2*
Ehrerbietung 35
Ehrfurcht 35
ehrfürchtig sein 1735, *1*
Ehrgefühl 419, *1*
Ehrgeiz 82, *2*; 422, *1*
ehrgeizig 421
ehrgeizig, krankhaft
421
Ehrgeizling 1530
ehrlich 86, *3*; 131;
1971, *1*
Ehrlichkeit 1210, *1*
Ehrliebe 419, *1*
ehrlos 349; 1397, *5*
ehrpusselig 328, *3*
ehrsüchtig 421
Ehrung 419, *2*; 1062, *2*
ehrverletzend 239, *2*
Ehrverletzung 240

ehrwürdig 791, 3;
1927, 1
Ehrwürdigkeit 1926, 2
Ei 51, 1
Ei dem andern, wie ein
771, 1
Ei, wie ein rohes 1846, 1
Eiche 613, 6
eichen 614, 3
Eichung 1739
Eid 1788, 1; 1942, 2
Eidbruch 1071, 3
eidesstattlich 1460, 4
eidetisch 78, 1; 310, 1
Eidos 878, 1
Eier 712, 3
Eiern, wie auf 1846, 1
Eierschale 592, 1
eierschalendünn 1932, 1
Eifer 422; 452, 2;
490, 1; 830
Eiferer 876, 2; 1272, 3
eifern 391, 4; 1529, 1
eifernd 829, 2; 920
Eifersucht 1169; 1974, 2
eifersüchtig 1171
eifersüchtig sein 1170
eifervoll 829, 2
eifrig 421; **423**; 1026, 2;
1145, 2
eigen 457, 1; 1231, 1
Eigen haben, zu 807, 1
Eigen machen, sich zu
526, 2; 763, 2;
1714, 2; 1794, 2
Eigenart 346; **424**;
632, 2; 1485, 4
Eigenart, kulturelle
997, 1
Eigenart, schöpferische
1274, 1
eigenartig 273, 2;
348, 1; 892, 2; 1177, 3;
1231, 1
Eigenbrötler 160, 1
eigenbrötlerisch 119, 2
Eigendynamik 424, 5
eigengeprägt 1231, 1
eigengesetzlich 414, 1
Eigengesetzlichkeit
424, 5
eigenhändig 1244, 2
Eigenheim 824, 2
Eigenheit 424, 2
Eigenlob 460, 1; 1455

eigenmächtig 1909, 1
Eigenname 930, 4
Eigennutz 1455
eigennützig 1456
Eigennützigkeit 1455
Eigenruhm 460, 1
eigens 16; 157; 273, 1
Eigenschaft 424, 2;
1294, 1
Eigenschaft, gute
1858, 2
eigensinnig 425
eigenstaatlich 644, 1
eigenständig 273, 3;
414, 1
Eigensucht 1455
eigensüchtig 1456
eigentlich 426; 799
Eigentor 902, 2
Eigentum 271, 1
Eigentümer 272
eigentümlich 119, 2;
348, 1; 1231, 1
Eigentümlichkeit 346;
424, 2; 930, 1; 1485, 4
Eigentumswohnung
1920, 2
Eigenverantwortlichkeit
645, 1
eigenwillig 273, 3;
1909, 1
eigenwüchsig 414, 1;
1415
eignen 807, 1
eignen zu, sich 382, 2
Eigner 272
Eignung 577
Eiland 889
Eile 427
Eile sein, in 428, 2
Eile, in 401; 429, 1;
1672, 1
Eile, in höchster 429, 3
Eile, ohne 1357, 3
eilen 428; 703, 2; 851, 2
eilen, sich 428
eilends 429, 2; 1410, 2
eilfertig 429, 2; 1410, 2
Eilfertigkeit 427, 3
eilig 429; 1410, 1;
1672, 1
eilig sein 428, 3
Eiltempo 427, 2
Eilzug 579, 4
Eimer, im 534, 2

eimerweise 1824, 1
ein für alle Mal 476
einander 696
einarbeiten 519, 6;
1034, 2
einarbeiten, sich 763, 2
Einarbeitung 764
einäschern 233, 1;
1940, 5
Einäscherung 234, 2
einatmen 115
Einbahnstraße 1528
einbalsamieren 522, 4
einbalsamiert 363, 3
Einband 870, 4
Einbau 520, 4
einbauen 519, 6
Einbaum 579, 6
einbegreifen 493;
1930, 2
einbehalten 441, 2
einbekennen 1208, 3
einberufen 458, 2
Einberufung 209, 2
einbetten 519, 6
einbeziehen 127, 2;
193, 2; 493
einbezogen 1565, 2
einbiegen 586, 2
einbilden, sich 430
einbilden, sich etwas
430, 3
Einbildung 460, 1;
880, 1
Einbildungskraft 1253
einbinden 313, 7
Einbindung 1719, 5
einblasen 208; 861, 1
einbläuen 447, 1
einblenden 519, 6
Einblendung 520, 4
Einblick 1918, 1
einbrechen 432, 1
Einbrecher 1726, 2
einbringen 546; 1196, 1;
1589, 4
einbringen, Antrag 197
einbringlich 664; 1197, 2
einbrocken, sich eine
Suppe 1369, 4
Einbruch der Nacht
408, 1
einbuchten 1757
Einbuchtung 1799, 2
einbuddeln 1756, 1

einbürgern 127, 6

einbürgern, sich 145, 4; 763, 1

Einbürgerung 126, 5; **431**

Einbuße 1348, 1; 1368, 1; 1723, 2

einbüßen 1029; 1768, 1

eindämmen 857, 1

eindecken, sich 924, 1; 1789, 1

eindeutig 91, 1; 945, 2; 1650, 3

Eindeutigkeit 662, 1; 947, 1

eindicken 313, 6; 551, 1

eindimensional 455, 1

eindrängen, auf jmdn. 391, 5

eindrängen, sich 432, 2

eindrecken 1809

eindrehen 395, 3

eindringen 411, 1; **432**; 1794, 2

eindringen, gewaltsam 432, 1

Eindringen, tieferes 1799, 4

eindringlich 891, 4; 1145, 2; 1395; 1981, 1

Eindringlichkeit 1144

Eindringling 1524

Eindruck 693, 2; 1799, 1; 1868, 1; 1914, 2

Eindruck haben 430, 1; 668, 1

Eindruck machen 691, 2; 884; 1233, 1

eindrücken 447, 2; 1214, 1

eindrücklich 1145, 2

eindrucksfähig 467, 1

Eindrucksfähigkeit 468, 2

eindrucksvoll 885; 1507, 1; 1913, 2

eindübeln 210, 1

eindünsten 522, 2

eine oder das andere, das 695, 4

eine und der andere, der 1894, 2

einebnen 151, 1; 1940, 7

Einebnung 150, 1

einengen 237, 5; 1007, 3

Einengung 454, 2; 481, 1; 858, 2

einer den anderen 696

einer für den andern 696

einer nach dem andern 457, 1; 1015, 2

einer wie der andere 771, 1

einer, nicht 1188

Einerlei 1014; 1324, 2

Einerlei, ewiges 42, 2

einerseits 1567

einesteils 1567

einfach 433; 678, 1; 945, 1; 1036, 2; 1036, 4; 1791, 1

Einfachheit 434

einfädeln 1711, 2; 1835, 5

einfahren 546

einfahren, sich 763, 1

Einfahrt 1215, 1

Einfall 61, 1; 77, 1; 878, 2; 1520, 2

Einfall der Dunkelheit 408, 1

Einfall, verrückter 1779, 2

Einfälle 1253

Einfälle haben 435, 2

Einfälle, ohne 1654, 2

einfallen 12, 1; 60, 2; **435**; 581, 2; 958, 2; 1465, 1; 1750, 2

einfallen lassen, sich 371, 2; 1860, 3

einfallen lassen, sich etwas 435, 2

einfallen, wieder 526, 1

einfallslos 182; 1654, 2

Einfallslosigkeit 183, 1

einfallsreich 76, 2; 576, 1; 1231, 1; 1415

Einfallsreichtum 707, 2; 1253

Einfalt 404, 2; 434, 2

einfältig 328, 3; 403, 2; 433, 2; 1159

Einfältigkeit 404, 2

Einfaltspinsel 405, 5

Einfamilienhaus 824, 1

einfangen 588, 2

einfangen, sich 236, 3

einfärben 590, 1

einfassen 1633, 1

Einfassung 1301, 1

einfetten 769, 4

einfinden, sich 65, 4; 67, 1; 282, 1; 958, 2

einflechten 162, 1; 435, 3

einflicken 519, 6

einfliegen 67, 1; 1184, 4

einfließen lassen 162, 1; 435, 3

einflößen 208; 676, 1

einflößen, Abscheu 462, 1

einflößen, Achtung 884

Einfluss 436; 716, 1; 1076, 3

Einflussbereich 436, 3

Einflussgebiet 436, 3

Einflusslosigkeit 1433, 3

Einflussnahme 436, 1

einflussreich 1077, 2; 1900, 3

Einflusssphäre 436, 3

Einflüsterer 897

einflüstern 208; 861, 1; 1896, 1

Einflüsterung 898

einfordern 195, 1; 458, 1

einförmig 771, 2

Einförmigkeit 1014; 1205, 2; 1324, 2

einfrieden 1633, 4

einfriedigen 1633, 4

einfrieren 522, 2

einfügen 162, 1; 435, 3; 519, 6

einfügen, sich 73, 2

Einfügung 74, 2

einfühlen, sich 1794, 3

einfühlend 899

einfühlsam 467, 5

Einfühlsamkeit 468, 3

Einfühlung 1793, 2

Einfühlungsgabe 1253; 1793, 1

Einfühlungsvermögen 693, 1; 1793, 1

Einfuhr 814, 3

einführen 52, 3; **437**; 528, 4; 763, 1; 815, 2; 1034, 2; 1847, 1

einführen, sich 437; 1761, 4

Einführung 96, 1; **438**;

529, *1*; 1033, *1*;
1848, *1*
einfüllen 674, *1*
Eingabe 94, *1*
Eingabe machen 197
Eingang 465, *1*; 1215, *1*;
1267, *2*
eingängig 433, *1*;
1791, *1*
Eingängigkeit 434, *3*
eingangs 53, *1*
eingearbeitet 516, *1*
eingeben 676, *1*
eingeben, Daten 1835, *4*
eingeben, Gedanken
75, *1*
eingebildet 84, *2*; 459, *2*;
583, *3*; 797; 1748
eingebildet sein 430, *3*
eingeboren 59, *1*
eingebuchtet 1652, *2*
eingebunden 1728, *1*;
1776, *2*
Eingebundensein 1250
Eingebung 878, *2*
eingebürgert 678, *1*
eingedenk sein 526, *3*
eingeengt 480, *1*; 954, *2*
eingefahren 678, *1*;
968, *2*
eingefallen 265, *3*;
1042, *1*
eingefleischt 1641, *2*;
1692
eingeführt 299; 678, *2*
eingeführt, gut 243, *2*
eingeführt, nicht 648, *2*
eingegeben 899
eingehalten 587, *1*
eingehen 1149, *3*;
1513, *3*; 1604, *5*;
1794, *2*
eingehen auf 557, *1*
eingehen auf, nicht nä-
her 861, *1*
eingehen, Bindung
313, *3*
eingehen, Handel 313, *3*
eingehen, in die ewigen
Jagdgründe 1513, *2*
eingehen, Wagnis
1860, *2*
eingehend 722, *4*
eingekeilt 480, *1*
eingekeilt sein 1521, *1*

eingeklemmt 480, *1*
eingekraust 587, *1*
eingelocht 1652, *2*
eingemacht 363, *2*
eingenommen 1054, *2*
eingenommen sein
1056, *1*
eingenommen sein, von
sich 430, *3*
eingenommen, von sich
459, *2*
Eingenommenheit 1854
eingepackt 731, *1*
eingepfercht 480, *1*
eingepökelt 363, *2*
eingeräumt 731, *1*
eingerechnet 453
eingerechnet, alles
679, *3*
eingerostet 44, *3*
eingeschlafen 1646, *2*
eingeschlossen 48; 453
eingeschnappt 322, *2*;
1698
eingeschnurrt 1603, *1*
eingeschränkt 205;
480, *1*
Eingeschränktheit 206
eingeschrumpft 1603, *1*
eingeschüchtert 1763, *2*
eingeschweißt 363, *2*;
745, *2*
eingesessen 227, *1*
eingesperrt 1652, *2*
eingespielt 678, *1*
Eingeständnis 1209, *2*
eingestehen 1208, *3*
eingestürzt 265, *3*
eingeweckt 363, *2*
Eingeweide 439
eingeweiht 929
Eingeweihte, nur für
1720, *2*
Eingeweihter 1035, *3*
eingewöhnen, sich 73, *2*
Eingewöhnung 764
eingezogen 450, *2*
eingezogen werden
382, *1*
Eingezogenheit 451, *1*
eingießen 674, *1*
eingipsen 210, *1*
eingleisig 455, *1*
eingliedern 127, *2*;
1226, *2*

eingraben 447, *2*; 789;
1756, *1*
eingravieren 789
eingreifen 25; 440
eingrenzen 528, *2*;
857, *1*; 1633, *4*; 1736
Eingrenzung 529, *3*
Eingriff 26
eingrooven, sich 763, *2*
einhaken 440; 557, *2*
Einhalt 1519
einhalten 441; 586, *2*;
811, *1*; 1356, *1*
einhalten, Verabredung
nicht 1753, *2*
einhalten, Versprechen
nicht 1753, *2*
einhämmern 447, *1*
einhandeln, sich 236, *3*
einhändigen 683, *1*
einhauen auf 60, *2*
einhegen 1633, *4*
einheimisch 59, *1*;
227, *1*
einheimsen 546; 761, *1*
Einheit 442; 1553, *1*;
1978, *2*
Einheit, gedankliche
222
Einheit, innere 442, *3*
Einheit, paramilitärische
1111, *2*
einheitlich 443, *2*;
745, *4*; 771, *2*; 1468, *3*
Einheitlichkeit 442, *1*
Einheitszeit 1936, *2*
einheizen 398, *3*;
1874, *1*
einhelfen 837, *5*
Einhelfer 838, *3*
einhellig 443, *1*; 1616, *2*
Einhelligkeit 444
einholen 274, *2*; 588, *2*;
1148, *1*
Einholen 275, *1*
einhüllen 200; 1233, *2*;
1430, *1*
einig 443; 745, *4*;
1728, *1*
einig sein 1615, *2*;
1965, *1*
einig werden 1736
einige, nur 1894, *2*
einigeln, sich 17, *2*
einigen 261, *1*

einschweißen 522, 2
Einsegnung 234, 1
einsehbar 1791, 1
Einsehbarkeit 1212, 2
einsehen 1794, 2;
1794, 5
Einsehen haben 531, 1
einseifen 293, 1;
1367, 3; 1401
einseitig 455; 1505, 4;
1571; 1657
Einseitigkeit 481, 5
einsenden 50, 1
einsenken 1184, 5
einsetzen 52, 1; 89, 1;
266, 1; 435, 3; 519, 8;
1354, 3
einsetzen für, sich
1806, 2
einsetzen, rücksichtslos
1220, 3
einsetzen, sich 92, 2;
215; 501, 3; 918, 1
einsetzen, sinnlos
1220, 3
einsetzen, Stücke
543, 2
einsetzen, zum Erben
1622, 2
Einsetzung 438, 2;
1353, 1
Einsicht 517, 1; 1918, 1
einsichtig 945, 3; 1342;
1773, 1; 1791, 1
einsichtig machen
1627, 1
Einsichtigkeit 947, 2
einsichtsvoll 1773, 1
einsickern 411, 1
Einsiedelei 952
einsiedeln 1804, 1
Einsiedler 160, 1; 939, 2
einsiedlerisch 450, 2
Einsiedlerleben 451, 1
Einsiedlung 1805
einsilbig 1439, 1;
1960, 1
Einsilbigkeit 1961, 3
einsinken 581, 2
einsitzen 1469, 2
einspannen 195, 3
einspännig 457, 3
einsparen 1007, 3;
1479, 4
Einsparung 454, 1

einspeisen, Daten
1835, 4
einsperren 1757
Einsperrung 18, 1
einspielen, sich 763, 1
einspielen, sich auf 73, 2
einspinnen, sich 17, 2
einsprengen 616, 1
Einsprengsel 520, 4
einspringen 837, 1;
1806, 1
einspritzen 616, 1
Einspruch 164, 2;
558, 2; 989, 2; 1721, 1
einst 666, 1
Einstand 51, 2
Einstandspflicht 342, 2
einstauben 1809
einstecken 761, 2;
1040, 2; 1168, 2;
1388, 4; 1715, 3; 1757
einstehen 313, 3; 339, 1
einstehen für 345;
918, 1
einsteigen 52, 1; 432, 1;
456; 1564, 1
einstellen 22, 3; 89, 1;
122, 1; 266, 1; 475, 1;
1226, 3
einstellen, Arbeit
1533, 1
einstellen, sich 67, 1;
216, 2; 958, 2
einstellen, sich auf 73, 2;
1835, 2
einstellen, sich wieder
526, 1
Einstellung 120, 2; 375;
438, 2; 1100, 1;
1759, 1
Einstellung zum Leben
1025, 4
Einstieg 1215, 1
einstig 666, 1; 1744
einstimmen 220, 2;
1465, 1; 1969, 2
einstimmen, sich 1835, 2
einstimmig 443, 2;
679, 3
Einstimmung 1836, 1
einstmalig 1744
einstmals 666, 1
einstreichen 761, 1;
1168, 2; 1731, 1
einstreuen 435, 3

einströmen 519, 7;
1593, 5
einströmen lassen 519, 7
einstudieren 1487, 2;
1611
einstudieren, neu
1904, 3
einstufen 519, 6
einstürmen auf 60, 2
einstürmen, auf jmdn.
391, 5
einstürzen 1750, 2;
1964, 2
einstweilen 1838; 1865
einstweilig 1853, 3
eintauchen 1184, 5
eintauschen 1884, 1
einteilen 1226, 2;
1479, 3; 1562, 2
Einteilen 1481
Einteilung 779; 1227, 1
eintönig 771, 2; 1017, 1;
1204, 1
Eintönigkeit 42, 2; 1014;
1205, 2; 1324, 2
Eintracht 444; 655, 2;
656, 1
einträchtig 443, 1
eintragen 127, 2;
1196, 1; 1421, 1
einträglich 664; 1197, 2
Eintragung 126, 2
eintreffen 67, 1; 958, 2;
1815, 2
Eintreffen 68, 1; 465, 1
eintreiben 458, 1
Eintreibung 1832
eintreten 67, 1; 216, 2;
958, 1; 1229, 3;
1718, 3
eintreten für 215; 918, 1;
1806, 2
eintrichtern 447, 1;
676, 1; 1034, 1
eintrichtern, sich
1049, 1
Eintritt 51, 1; 68, 1;
1215, 2
Eintrittsgeld 1578
Eintrittskarte 1578
Eintrittspreis 1578
eintrocknen 1604, 5;
1604, 6; 1780, 3
eintrommeln 447, 1
eintrüben, sich 409, 2

Eintrübung 408, *2*
eintrudeln 67, *1*
einüben 1611
Einübung 1629
einverleiben, sich 127, *3*;
    566, *1*; 761, *2*
Einvernehmen 444;
    532, *1*
Einvernehmen, im
    443, *1*
einvernehmlich 443, *1*
einverstanden 443, *1*;
    610, *1*; 738, *2*; 1970
einverständig 443, *1*;
    1970
Einverständnis 444;
    532, *1*; 1449, *3*
Einwand 164, *2*; 558, *2*;
    989, *2*
Einwanderer 1107
einwandern 1184, *1*
Einwanderung 1108
einwandfrei 86, *2*;
    679, *1*; 1317, *1*;
    1830, *1*
einwandfrei, nicht
    1397, *5*
einweben 519, *6*
einwechseln 1884, *1*
einwecken 522, *2*
einweichen 616, *2*;
    1066, *2*
einweihen 528, *4*;
    547, *2*; 1208, *3*
Einweihung 51, *2*
einweisen 437, *5*; 669, *2*;
    1034, *2*
Einweisung 96, *1*; 438, *2*
einwenden 15; 196;
    557, *2*; 1554, *1*
Einwendung 989, *2*
einwerfen 162, *1*;
    435, *3*; 1388, *4*;
    1940, *3*
einwickeln 208; 293, *1*;
    1233, *2*; 1401;
    1430, *1*; 1627, *1*
einwiegen 261, *4*
einwilligen 531, *1*;
    1969, *2*
Einwilligung 532, *1*
einwirken 208; 564
Einwirkung 436, *1*
Einwohner 297; 340, *5*
Einwohnerschaft 297

Einwurf 164, *2*; 520, *4*;
    558, *2*; 1679, *3*
einwurzeln 510, *2*;
    1184, *1*
einzäunen 1633, *4*
Einzelarbeit 813, *1*
Einzelgänger 160, *1*
Einzelhaft 18, *1*
Einzelhandel 814, *3*
Einzelhändler 741
Einzelheit 463, *3*;
    1561, *3*
Einzelheiten, mit allen
    722, *4*
einzeln 457; 1015, *2*;
    1065, *3*
Einzelne 1894, *2*
Einzelne, der 1103, *2*
Einzelnen, im 457, *4*
einzelstehend 457, *2*
Einzelstück 569; 813, *1*;
    976, *1*
einziehen 67, *1*; **458**;
    484, *4*; 509, *1*; 1184, *1*
einziehen, Erkundigun-
    gen 536
einziehen, Luft 115
einziehen, Schwanz
    704, *1*
Einziehung 267
einzig 157; 886, *1*
Einzigartigkeit 424, *3*
Einziger 714
Einziger, kein 1188
Einzigkeit 424, *3*
Einzimmerwohnung
    1920, *2*
Einzug 68, *1*; 267; 1832
Einzugsgebiet 685, *1*
einzusehen 1791, *3*
einzuwenden, nichts
    610, *1*
einzwängen 402, *2*
eirund 1828, *3*
Eis 915, *1*
Eis werden, zu 551, *2*
Eiscafé 681, *1*
Eisen, heißes 399, *2*;
    690, *3*
Eisenbahn 579, *4*
Eisenbahn, höchste
    1482, *2*
Eisenbahnfähre 579, *6*
eisern 820, *3*; 1505, *2*;
    1536, *1*

eisig 31, *1*; 820, *2*;
    914, *1*; 1505, *1*
eiskalt 820, *2*; 914, *1*
Eisschrank 1418
Eiszeit 1348, *7*
eitel 459; 1028, *3*
Eitelkeit 460
Eiter 156, *1*
Ekel 14, *2*; 1014; 1118;
    1386
ekelhaft 461; 822, *1*
ekeln 462
ekeln, sich 462
Eklat 552
eklatant 119, *1*; 945, *3*
Eklektiker 1141
eklektisch 182
Eklektizismus 183, *1*;
    1113, *4*
eklig 461, *1*
Ekstase 549, *4*;
    1055, *2*
ekstatisch 548, *3*
ektomieren 1218
Elaborat 8, *1*; 940, *2*
Elan 478, *1*; 1025, *6*;
    1446, *2*
Élan vital 478, *1*;
    1025, *6*
elastisch 301, *1*; 622, *1*
Elastizität 623, *1*
Elefant im Porzellanla-
    den 405, *3*; 1264, *1*
Elefanten machen, aus
    einer Mücke einen
    1623, *4*
Elefantenhochzeit
    1719, *6*
elegant 416, *2*; 996, *3*
Elegant 1545
Eleganz 746, *1*
elegisch 1660, *1*
Elektrische 579, *4*
elektrisieren 75, *2*;
    219, *1*
elektrisierend 130, *1*;
    1335
elektrisiert 1026, *2*
Elektroauto 579, *2*
Elektroherd 845
Elektronengehirn
    352, *1*
Element 192, *1*; **463**;
    1522, *1*; 1561, *3*
Element, nasses 1881, *1*

elementar 433, *1*;
1166, *2*; 1900, *1*
Elementarbegriffe
796, *4*
Elementarkenntnisse
796, *4*
Elementartechniken
796, *4*
Elementarteilchen
192, *2*
Elemente 463, *2*
elend 107, *2*; 410, *2*;
850, *1*; 1042, *1*;
1660, *1*
Elend 1020, *2*; 1190, *1*;
1659
Elendsviertel 1500, *4*
Elevator 579, *9*
Elfenbeinturm 451, *1*
elfenhaft 1932, *1*
eliminieren 484, *1*;
1940, *2*
Eliminierung 486, *2*
elitär 84, *2*
Elite 171, *1*
Elitetruppe 171, *3*
Elixier 567, *2*
Ellbogen, mit 1456
ellenlang 1013, *2*
eloquent 253, *1*; 744, *2*
Eloquenz 1494, *3*
Eltern 464
Eltern, nicht von schlech-
ten 804, *2*
Elternpaar 464
Elternteil 464; 1140, *1*;
1705, *1*
elysisch 781, *3*
Elysium 1234
E-Mail 332; 1267, *4*
Emanzipation 645, *2*
emanzipieren, sich
213, *4*; 1066, *5*
emanzipiert 644, *1*
Embargo 267
Emblem 930, *3*; 1934, *4*
Embonpoint 673, *2*
embryonal 53, *2*
Embryonalstadium 51, *1*
emeritieren 998, *4*
emeritiert 44, *6*
Emeritierung 999, *1*
Emigrant 1107
Emigration, in der
648, *3*

emigrieren 485, *4*
eminent 163, *1*;
1452, *1*
Eminenz, graue 859, *1*
Emir 849
Emissär 1614, *2*
Emotion 549, *2*; 693, *1*
emotional 473; 888, *2*
emotionalisiert 548, *2*
Emotionalität 474;
693, *1*
emotionell 473; 899
emotionsfrei 1358, *1*
Empathie 468, *3*;
693, *1*; 1793, *1*
Empfang 126, *3*; 465;
749, *2*; 801, *1*
empfangen 127, *1*;
236, *1*; **466**; 522, *1*
empfangen, nicht 30, *4*
empfänglich 467
Empfänglichkeit 468
Empfangsbestätigung
279, *2*
Empfangsdame 204, *3*
Empfangsgerät 609, *1*
empfehlen 50, *1*; 208;
215; **469**; 1063, *1*;
1305, *1*
empfehlen, dem Himmel
1450, *1*
empfehlen, sich 469
empfehlen, zu 1973, *3*
empfehlenswert 299;
803, *1*; 1197, *3*;
1973, *3*
Empfehlung 470;
801, *1*; 1062, *2*;
1304, *1*; 1844
Empfindelei 472, *2*
empfinden 668, *1*
Empfinden 693, *1*;
1868, *1*
empfinden, Abneigung
821, *1*
empfinden, Abscheu
462, *1*
Empfinden, ästhetisches
746, *1*
empfinden, Feindschaft
821, *2*
empfinden, Feindselig-
keit 821, *2*
empfinden, Groll 821, *2*
empfinden, Hass 821, *2*

empfinden, Rachsucht
821, *2*
empfinden, Ressenti-
ment 821, *2*
empfinden, Reue 256
empfinden, Scham
1371, *1*
empfindlich 471;
1452, *1*; 1499
Empfindlichkeit 472;
693, *3*
empfindsam 473
Empfindsamkeit 474
Empfindung 693, *1*
Empfindungsfähigkeit
693, *1*
empfindungslos 1586, *2*;
1646, *2*
empfindungsreich 473
Empfindungsvermögen
693, *1*
Emphase 478, *1*; 1144
emphatisch 1145, *2*
Empirie 517, *1*
empirisch 1460, *4*
empor 138
Empore 1302, *2*
empören, sich 124, *2*;
129, *5*
empörend 130, *2*
Empörer 919, *5*
emporheben, sich
1509, *3*
Emporkommen 135, *1*
emporsehen 1735, *1*
emporstilisieren 1063, *1*
empört 322, *1*
Empörung 105, *2*
emsig 423; 621; 1557, *1*
Emsigkeit 422, *2*
Emulsion 112, *2*
Emulsionsschicht 618, *1*
E-Musik 1133, *3*
en détail 457, *4*
en face 1841, *2*
en gros 1824, *1*
en masse 1824, *1*
en passant 1167, *1*
en suite 1015, *2*
en vogue 243, *1*
encouragieren 75, *2*
Endabnehmer 925
Endbetrag 521
Endchen 1540, *1*
Ende 1340, *5*; 1400, *1*;

1519; 1540, *1*; 1582, *1*; 1944, *2*
Ende der Pyramide, am unteren 1678, *3*
Ende der Welt, am 1892, *2*
Ende haben 475, *2*
Ende machen 475, *1*
Ende machen, seinem Leben ein 1587, *5*
Ende sein, an 122, *3*
Ende sein, zu 475, *2*
Ende vom Lied 630, *3*
Ende, am 477, *3*; 534, *2*; 1130, *2*
Ende, bis zum bitteren 1641, *2*
Ende, ohne 882, *1*; 1648, *2*
Ende, zu 610, *1*; 1744
endemisch 59, *1*; 227, *1*
enden 475; 1513, *2*
enden wollend, nicht 1648, *2*
Enden, an allen 1612, *1*
endend, nicht 1648, *2*
Endergebnis 521
endgültig 476
endigen 475, *2*
Endkampf 1400, *5*
endlich 477; 1746
Endlichkeit 1747, *1*
endlos 882, *1*; 1013, *2*; 1648, *2*; 1892, *1*
Endlosigkeit 1649
Endlosschleife 1649
endogen 888, *2*
Endpreis 1270, *3*
Endpunkt 1400, *2*; 1944, *2*
Endrunde 1400, *5*
Endspiel 1400, *5*
Endspurt 427, *4*; 1400, *5*
Endstadium 1400, *2*
Endstand 521
Endstation 1400, *2*; 1944, *2*
Endstück 1340, *5*; 1400, *1*
Endsumme 521
Endwirt 1916, *2*
Endzweck 1944, *1*
Energie 478; 1537, *1*
energiegeladen 479
energielos 1432, *3*

Energielosigkeit 1433, *1*
Energien, pflanzliche 478, *2*
energisch 479; 1145, *1*; 1557, *2*
energisch werden 412
enervieren 106, *1*
eng 341, *3*; 380, *2*; **480**; 954, *2*
eng werden 674, *3*
eng, zu 1397, *2*
Engagement 452, *2*
engagieren 89, *1*; 266, *1*
engagieren, sich 92, *2*; 918, *1*; 1718, *1*
engagiert 423; 920; 1565, *2*
engagiert, sozial 1644
Enge 481
Engel 641
Engel in der Not 838, *1*
Engel, gefallener 1575
Engel, guter 838, *1*
Engel, rettender 838, *1*
Engelsgeduld 688, *2*
engführen 402, *2*; 857, *1*
Engführung 454, *2*
engherzig 480, *2*; 1241, *3*
Engherzigkeit 481, *5*
engmaschig 480, *1*
Engpass 481, *4*; 988, *2*; 1764, *1*
Engroshandel 814, *3*
Engrospreis 1270, *3*
engstirnig 341, *3*; 480, *2*; 1241, *3*
Engstirnigkeit 183, *2*; 481, *5*
Ennui 1014
ennuyieren 1016, *1*
enorm 163, *1*; 885; 1327, *2*; 1452, *1*
Enquete 1632
Ensemble 800, *3*
Entartung 1348, *2*
entäußern, sich 1220, *1*; 1820, *2*
Entäußerung 1819, *1*
entbehren 482; 872, *1*
entbehren können, nicht 327
entbehren müssen 492, *3*

entbehrlich 1628, *2*; 1667
Entbehrung 1190, *1*
entbinden 213, *2*; 682, *1*
Entbindung 68, *2*; 645, *4*; 687
entbittern 261, *1*
entblättern 484, *1*
entblättert 913, *2*; 1154, *1*
entblöden, sich nicht 531, *3*
entblößen 175, *4*; 1208, *1*
entblößen, sich 175, *4*; 213, *7*
entblößt 1154, *1*
entbrannt 1767
entbrannt sein für 1056, *2*
entbrennen 142, *1*; 217, *2*; 330, *2*; 1056, *2*
entbunden 644, *5*
entbunden werden 682, *1*
entdecken 515, *3*; 619, *1*; 1208, *1*; 1451
entdecken, neu zu 1177, *5*
entdecken, Neuland 619, *1*
entdecken, sich 1208, *3*
Entdecker 1257, *2*
Entdeckung 675, *1*; 1209, *1*; 1868, *1*
Entdeckungsreise 578, *2*
Entdeckungsreisender 1332, *1*
Entdramatisierung 1092, *2*
Ente 1071, *4*
entehren 509, *4*
enteignen 1168, *3*
Enteignung 483
enteilen 485, *1*; 1750, *1*
entern 761, *2*
Entertainer 1683, *1*
Entertainment 1684, *2*
entfallen 6, *2*; 1753, *1*
entfalten 145, *1*; 510, *3*; 528, *1*; 1214, *2*; 1716, *2*; 1769, *3*
entfalten, Pracht 1287, *1*
entfalten, sich 1214, *3*; 1709, *5*

Entfaltung 146, *1*;
361, *1*; 511, *1*; 529, *1*;
1511, *4*; 1710, *3*
entfärben 1149, *3*;
1724, *5*
entfärbt 592, *1*
Entfärbung 593
entfernen 175, *2*; **484**;
998, *3*; 1066, *1*; 1218;
1595, *3*
entfernen, sich 485
entfernen, sich voneinan-
der 485, *5*
entfernen, Teile 1409, *2*
entfernen, Unkraut
1367, *2*
entfernt 450, *3*; 1892, *2*
entfernt, gleich weit 809
entfernt, weit 1173
Entfernung 486
Entfernung, aus großer
1892, *3*
entfesseln 213, *3*
Entfettung 1348, *4*
entflammen 75, *2*;
219, *1*; 1334, *1*
entflammend 76, *3*;
1335
entflammt 1767
entflechten 1595, *2*
entflecken 1367, *2*
entfliegen 624, *1*
entfliehen 506, *3*; 624, *1*
entflogen 1887, *1*
entflohen 1887, *1*
entfremden 19
entfremden, sich 485, *5*
Entfremdung 1596, *1*
entfrosten 1066, *2*
entführen 487; 1168, *2*
Entführer 1726, *2*
Entführung 488
entgegen 1661, *1*
entgegenarbeiten
857, *2*
entgegengehen 466, *2*;
1157, *1*
entgegengesetzt 695, *4*;
1352
entgegenhalten 557, *2*
entgegenjubeln 420, *1*
entgegenkommen 489;
503, *2*
Entgegenkommen 255;
383, *2*; **490**; 1737, *1*

entgegenkommen, sich
1736
entgegenkommend
254, *1*; **491**; 654, *1*
Entgegennahme 465, *1*
entgegennehmen 466, *1*;
1168, *4*
entgegensehen 555, *1*
entgegensetzen 557, *2*
entgegensetzen, Wider-
stand 124, *2*
entgegenstehen 967, *2*
entgegenstellen 124, *2*;
557, *2*; 967, *1*
entgegenstellen, sich
226, *3*
Entgegenstellung 558, *2*
entgegenstrecken 683, *1*
entgegentreten 124, *2*;
857, *2*
entgegenwirken 857, *3*;
1516, *3*
entgegnen 435, *3*; 557, *2*
entgegnen, nichts
1438, *1*
Entgegnung 558, *2*
entgehen 492; 1783, *1*
entgehen lassen, sich
122, *3*; 1783, *1*
entgehen, der Gefahr
492, *4*
entgeistert 1505, *3*
Entgelt 1270, *1*; 1732, *1*
entgelten 345
entgelten lassen 1751, *1*
entgelten lassen, nicht
1413, *3*
Entgeltung 498, *1*
entgiften 261, *1*; 1367, *5*
entgleisen 1753, *3*
Entgleisung 29, *3*;
599, *4*; 1651; 1670, *1*
entgleiten 28, *2*
entgräten 1066, *10*
enthaaren 484, *1*
enthalten 493
enthalten, sich 228;
872, *3*; 1820, *2*
enthaltsam 934; 1536, *2*
Enthaltsamkeit 935;
1819, *2*
enthaupten 1587, *2*
entheben 213, *2*
entheben, der Ämter
998, *2*

Enthebung 999, *3*
enthemmen 213, *3*
enthemmt 829, *2*;
1093, *3*
enthoben 644, *5*
enthüllen 319, *3*; 547, *2*;
1120, *2*; 1208, *1*
Enthüllung 675, *1*;
1209, *1*
enthülsen 1066, *10*
Enthumanisierung
1348, *6*
enthusiasmieren 219, *1*
enthusiasmiert 548, *3*
Enthusiasmus 422, *1*;
549, *3*; 875, *1*
Enthusiast 876, *1*
enthusiastisch 548, *3*;
877, *1*
entkeimen 1367, *5*
entkleiden 175, *4*
entkleidet 1154, *1*
entknoten 1214, *2*
entkommen 492, *2*
Entkommen 143, *3*
entkorken 1214, *2*
entkräften 539, *1*;
557, *2*; 1434
entkräftet 1130, *2*;
1130, *2*; 1432, *2*
Entkräftung 540, *1*;
558, *2*
entkrampfen 1066, *6*
entladen 213, *3*; 1030, *1*
entladen, sich 142, *1*
Entladung 143, *1*
entlang 1155, *1*
entlarven 319, *3*;
1208, *1*
Entlarvung 1209, *1*
entlassen 104; 998, *2*
Entlassung 645, *4*;
999, *2*
entlasten 151, *4*; 213, *2*;
494; 501, *3*; 837, *2*;
1430, *3*
entlasten, sich 494
entlastet 644, *5*
Entlastung 150, *3*; **495**;
854, *1*; 1316, *2*
entlauben 484, *1*
entlaubt 913, *2*
entlaufen 624, *1*
entledigen, sich 213, *1*;
484, *2*; 533, *1*; 1829

entziehen 1168, 3;
  1780, 1
entziehen, dem Blick
  1715, 1
entziehen, sich 17, 2;
  172, 2; 402, 4; 624, 2;
  1634, 1; 1780, 5
entziehen, Wasser
  522, 2; 1604, 2
Entziehung 512, 1
entzifferbar 945, 4
entziffern 946, 2;
  1050, 1; 1066, 3;
  1794, 7
entziffern, schwer zu
  1441, 2; 1693, 1
entzücken 219, 1;
  221, 1; 305, 1; 651, 1;
  691, 2
Entzücken 549, 3;
  650, 2; 730, 1; 780, 2
entzückend 1335;
  1412, 1
entzückt 548, 3; 1767
Entzückung 549, 3
Entzug 512
Entzug, auf 1042, 5
entzünden 75, 2; 219, 1
entzünden, sich 330, 2
entzündet 381, 3
entzündlich 690, 1
entzwei 265, 3
entzweibrechen 1940, 3
entzweien 1535, 1;
  1595, 2
entzweigehen 329, 1
entzweit 695, 1
Entzweiung 1534, 1;
  1596, 1
Enzyklika 258, 2
Enzyklopädie 1032
enzyklopädisch 1830, 3
Epidemie 984, 2
epidemisch 690, 5
epigonal 182; 1654, 2
Epigone 1141
epigonenhaft 182;
  1654, 2
Epigonenhaftigkeit
  183, 1
Epigramm 374, 1
epigrammatisch 1005, 5
Epiker 1423
Epikureer 726, 1
epikureisch 727

Epilog 1400, 2
Epiphänomen 520, 6
episch 722, 4; 1265, 1
Episode 1055, 4;
  1679, 2; 1982, 2
episodenhaft 1853, 3
episodisch 1853, 3
Epistel 332; 1385, 1
Epizentrum 823
epochal 163, 1; 1900, 3
Epoche 1936, 1
Epoche machend 163, 1;
  1900, 3
Epochenstil 1518, 2
Epopöe 559, 2
Epos 559, 2; 1061
Equipe 800, 9
equipieren 167, 1
Equipierung 168, 1
Equipment 168, 1
erachten 1099; 1375, 2
Erachten 1100, 1
erahnen 1772, 2
erarbeiten 560, 3;
  761, 2; 1731, 1
erbarmen 364, 4
Erbarmen 784, 1
erbarmen, sich 837, 1
erbarmend 1644
erbärmlich 107, 2; 349;
  1397, 5; 1660, 3
erbarmungslos 334;
  820, 3
Erbarmungslosigkeit
  335
erbarmungswürdig
  1042, 1; 1660, 3
erbauen 560, 4; 651, 1
erbauen, sich 725
Erbauer 191
erbaut, neu 1177, 1
Erbauung 601, 1;
  1504, 2
Erbberechtigter 513, 3
Erbe 95, 1; **513**; 936, 2;
  997, 1
erbeben 63, 1; 1947, 2
Erbeben 62, 1
erben 236, 1; **514**
erbeuten 588, 3; 761, 2
Erbfeind 604, 1
erbitten 288; 315, 1
erbittern 106, 1; 129, 1
erbitternd 130, 2
erbittert 322, 1; 1929, 1

Erbitterung 105, 1
erblassen 63, 1; 1513, 1
Erblassen 1582, 1
erblassen, vor Neid 1170
erbleichen 63, 1
erblich 55
erblicken 619, 1; 1451;
  1867, 1
erblicken, Licht der Welt
  67, 2
erblindet 318, 1
erbosen 106, 1
erbosen, sich 106, 2
erbost 322, 1
Erbostheit 105, 1
erbötig 254, 1; 491
Erbötigkeit 255
erbrechen 329, 3;
  1214, 1
erbringen 1196, 1
Erbschaft 513, 1
Erbschaft machen 514
erbschleichen 251, 2;
  1072
Erbschleicher 294, 2;
  852
Erbsenzähler 1239, 1
Erbteil 513, 1
Erdball 994, 1; 1893, 1
Erdbeben 1165, 1
erdbestatten 233, 1
Erdbestattung 234, 2
Erdbewohner 1103, 1
Erdboden 794, 3
Erde 794, 3; 1893, 1
Erde, auf der 1678, 1
Erde, zu ebener 1678, 2
Erdenbürger 1103, 1
Erdendasein 1025, 1
Erdenferne 451, 2
Erdengast 1103, 1
erdenken 560, 6
erdenklich 1128, 1
Erdenleben 1025, 1
Erdentage 1025, 1
Erdenwinkel 451, 2
erdgeboren 1104, 2
Erdgeschöpf 1103, 1
Erdgeschoss, im
  1678, 2
erdichten 560, 6; 1072
Erdichtung 563, 3;
  1071, 4
erdig 1408
Erdkreis 1893, 1

Erdkugel 994, *1*;
1893, *1*
Erdoberfläche 1198, *4*
erdolchen 1587, *1*
Erdreich 794, *3*
erdreisten, sich 1860, 3
erdrosseln 1587, *1*
Erdrücken 257, *1*
erdrückend 1395;
1440, *1*
Erdrutsch 518, *1*; 988, *1*
erdrutschartig 1452, *1*
Erdstoß 1165, *1*
Erdteile 1893, *1*
Erdtrabant 1514
erdulden 1040, *1*;
1589, *1*
erdwärts 27
ereifern, sich 129, 5
ereignen, sich 216, 2
Ereignis 580, *2*; 742, *1*;
1378, *2*; 1982, *1*
Ereignis, freudiges 68, *2*;
687
Ereignis, großes 742, *3*
Ereigniskette 1283, *2*
ereignislos 1017, *1*
Ereignislosigkeit 1014
ereignisreich 1784, *2*
Eremitin 1189
ererbt 55
erfahrbar, mit den Sinnen 1466, *1*
erfahren 515; 572, *2*;
868, *1*; 1328, *4*
erfahren (sein) 516
erfahren, am eigenen Leibe 515, *2*
Erfahrung 517; 1033, *3*
Erfahrungen machen
515, *1*
erfahrungsgemäß
1460, *4*
Erfahrungsmangel 1663
Erfahrungsraum 1309, *2*
Erfahrungswert 517, *2*
erfassen 588, *2*; 1168, *1*;
1361, *4*; 1794, *2*
Erfassen 1868, *1*
erfassend, das Wesentliche 890, *1*
Erfassung 126, *2*;
1362, *4*
erfinden 560, *6*; 964, *2*;
1072

Erfinder 372
erfinderisch 1231, *1*;
1415
Erfindung 563, *3*;
965, *2*; 1071, *4*
Erfindungsgabe 724, *2*;
1253; 1274, *1*
erflehen 288
Erfolg 135, *1*; 518;
780, *1*; 1046, *1*;
1914, *2*
Erfolg haben 177;
691, *3*; 715, *2*; 1627, *1*
erfolgen 216, *2*; 631, *2*
erfolglos 1748
Erfolglosigkeit 1749
erfolgreich 781, *2*
erfolgreich sein 715, *2*
Erfolgsmensch 782
Erfolgsstory 518, *2*
erforderlich 1191, *1*
erfordern 977, *1*; 1833
Erfordernis 1192, *1*
erforschen 619, *1*; 635
Erforschung 537;
1285, *2*
erfragen 639, *1*
erfrechen, sich 1860, 3
erfreuen 214, *1*; 221, *1*;
651, *1*; 691, *2*
erfreuen, sich 725
erfreulich 57, *2*; 781, *3*;
869; 1054, *1*
erfreulicherweise 781, *4*
erfreut 835, *1*
erfrieren 1513, *3*
erfrischen 75, *3*; 543, *5*;
1503, *2*
erfrischen, sich 1601, *1*
erfrischend 57, *2*; 76, *1*;
1359, *1*
erfrischt 1177, *4*
Erfrischung 525, *1*; 979;
1080, *8*; 1504, *1*
Erfrischungsgetränk
759, *3*
erfühlen 668, *1*
erfüllbar 1128, *2*
erfüllen 214, *1*; 221, *1*;
304, *1*; 489, *2*; 533, *1*;
1045, *1*; 1829
erfüllen, jeden Wunsch
1817, *2*
erfüllen, mit Sinn 221, *2*
erfüllen, sich 1815, *2*

erfüllen, Zweck
1196, *1*
erfüllend 781, *3*
erfüllt 534, *1*; 548, *3*;
781, *1*; 1468, *2*
erfüllt sein 219, *2*
Erfüllung 150, *2*; 518, *1*;
535, *2*; 780, *2*
Erfüllung der Wünsche
1954
erfunden 583, *2*; 797
erfunden, frei 797
erfunden, hat das Pulver
nicht 403, *1*
ergänzen 519
ergänzen, einander
1794, 6
ergänzen, sich 519
ergänzend 48
Ergänzung 520
ergänzungsbedürftig
1695, *1*
ergattern 236, *1*; 761, *2*
ergeben 631, *2*; 689, *2*;
705; 772, *3*; 977, *1*;
1196, *1*; 1589, *4*;
1691, *1*; 1971, *1*
ergeben aus, sich 9, *4*
ergeben sein, treu 65, *1*
ergeben, sich 216, *2*;
506, *4*; 619, *3*; 704, *2*;
1820, *1*; 1935, *6*
ergeben, treu 1971, *1*
Ergebenheit 35; 706, *1*
Ergebnis 521; 562;
615, *1*; 630, *3*;
1046, *1*; 1400, *4*;
1914, *2*
ergebnislos 1748
Ergebung 688, *2*;
706, *2*; 1183, *1*
ergehen 212, *2*
Ergehen 1966
ergehen lassen, Gnade
vor Recht 501, *4*
ergehen lassen, über sich
1040, *2*
ergehen, sich 703, *2*
ergiebig 355, *2*; 664;
1197, *2*; 1327, *3*
Ergiebigkeit 1274, *2*
ergießen, sich 475, *2*;
625; 1030, 5
erglänzen 1381, *2*
erglühen 219, *2*;

Erkennungswort 930, *5*
Erkennungszeichen
930, *5*; 1934, *2*
Erker 181
erklären 162, *1*; 241, *2*;
501, *3*; **528**; 1034, *2*;
1769, *3*
erklären mit 1399, *3*
erklären, für gültig
278, *5*
erklären, für nichtig
122, *2*
erklären, für schuldig
1810, *1*
erklären, für ungültig
122, *2*
erklären, für wahr
226, *1*
erklären, Rücktritt
998, *1*
erklären, sich bereit
50, *4*
erklären, sich einverstanden 531, *1*
erklären, sich solidarisch
1965, *1*
erklärlich 1791, *1*
Erklärung 164, *1*;
502, *1*; **529**; 615, *1*;
1771, *2*
erklecklich 1507, *3*;
1824, *1*; 1946
Erkleckliches, um ein
1824, *3*
erklettern 1509, *2*
erklimmen 1509, *2*
erklingen 1585, *1*
erklingen lassen, Gläser
90, *6*
erkoren 148, *2*
erkranken 530
erkrankt 1042, *1*
erkrankt, lebensgefähr-
lich 1042, *1*
erkrankt, schwer
1042, *1*
Erkrankung 984, *1*
erkunden 536; 619, *1*;
635
erkundigen, sich 639, *1*
Erkundigung 537;
638, *1*
Erkundung 537
erkünstelt 766
erlahmen 539, *2*;

1149, *1*; 1521, *2*;
1780, *3*
erlangen 236, *1*; 522, *1*;
761, *2*
Erlass 209, *1*; 750, *1*
erlassen 72, *1*; 1064, *2*
erlassen, Strafe 501, *2*
erlauben 531
erlauben, nicht 1780, *1*
erlauben, sich 195, *1*;
531; 1045, *2*; 1860, *3*
Erlaubnis 532; 1449, *3*
Erlaubnis haben 963, *2*
erlaubt 252, *1*; 751, *4*
erlaucht 1927, *1*
erlauschen 868, *1*
erläutern 528, *1*
Erläuterung 520, *2*;
529, *1*; 1771, *2*
erleben 515, *1*; 668, *1*
erleben, Schmerzliches
1040, *4*
Erlebnis 517, *1*
Erlebnisbericht 258, *3*
Erlebniscenter 740, *5*
Erlebnishunger 478, *1*
erlebnishungrig 218, *3*
erledigen 475, *1*; **533**;
1829; 1940, *1*
erledigen sein, zu 88, *1*
erledigen, Drecksarbeit
1220, *2*
erledigt 534; 610, *1*;
768, *4*; 1130, *2*
Erledigung 275, *1*; **535**
erlegen 588, *3*; 1587, *3*
erleichtern 179, *2*;
213, *3*; 1066, *6*
erleichtern, sich 494, *1*
erleichternd 1607
erleichtert 644, *5*
Erleichterung 495, *1*;
854, *1*
erleiden 515, *2*; 1040, *1*
erleiden, Einbuße
1768, *2*
erleiden, Fiasko 1383, *2*
erleiden, Kollaps
1964, *1*
erleiden, Schaden
1369, *4*
erleiden, Schiffbruch
1383, *2*
erleiden, Schock 63, *1*
erleiden, Verlust 1768, *2*

erlernbar 1791, *1*
erlernen 1049, *1*
erlesen 100, *2*; 148, *1*;
416, *1*; 975; 996, *3*
Erlesenheit 607, *1*;
1414, *1*
erleuchten 221, *2*;
241, *1*; 946, *1*
erleuchtet 839, *4*
Erleuchtung 878, *2*;
1052, *1*
erliegen 1383, *3*
erlogen 583, *2*
Erlös 1732, *2*
erloschen 1586, *2*; 1744
erlöschen 475, *2*;
1149, *4*; 1513, *1*;
1750, *3*
Erlöschen 1582, *1*
erlösend 1607
Erlöser 671, *6*; 838, *1*
erlöst 644, *5*
Erlösung 645, *4*
ermächtigen 531, *2*
Ermächtigung 532, *2*;
1968, *1*
ermahnen 1081, *1*
Ermahnung 1082, *1*
ermangeln 482
ermannen, sich 499, *2*
ermäßigen 1149, *5*
ermäßigt 312, *1*
ermatten 539, *2*; 1149, *1*
ermattend 1440, *2*
Ermattung 540, *1*
ermessen 371, *2*;
1375, *2*; 1702, *1*
Ermessen 1100, *1*;
1701, *1*
Ermessen, nach eigenem
242
Ermessen, nach mensch-
lichem 79
ermitteln 536; 1550, *1*
Ermittlung 537
ermöglichen 307; **538**
ermorden 1587, *1*
ermordet werden
1513, *5*
Ermordung 1588, *1*
ermüden 237, *2*; **539**;
1016, *1*; 1434
ermüden, nicht 392
ermüdend 1017, *1*;
1021, *1*; 1440, *2*

ermüdet 1130, *1*
Ermüdung 540
ermuntern 75, *2*; 278, *4*;
  541; 1305, *1*; 1503, *2*;
  1606, *1*
ermunternd 76, *1*; 1607
Ermunterung 77, *2*;
  279, *5*; 1304, *1*;
  1504, *2*; 1605
ermutigen 75, *2*; 278, *4*;
  541, *2*; 1503, *2*;
  1606, *1*
ermutigend 1607
Ermutigung 77, *2*;
  279, *5*; 1304, *1*;
  1504, *2*; 1605
ernähren 1682, *1*
ernähren, sich 522, *3*;
  566, *1*
ernährt, gut 757, *1*
Ernährung 542
ernannt, selbst 84, *2*
ernennen 89, *1*; 1863, *2*
Ernennung 438, *2*;
  1353, *1*; 1862, *3*
erneuern 543; 1884, *2*
erneuern, Farbe 590, *1*
erneuern, sich 519, *3*;
  543
erneuert 1177, *4*
Erneuerung 544;
  1343, *1*; 1905
erneuerungsbedürftig
  850, *4*
erneut 1903
erniedrigen 841, *1*
erniedrigen, sich 704, *3*
erniedrigend 239, *2*
Erniedrigung 240
ernst 347, *2*; **545**;
  690, *5*; 1900, *1*
Ernst 202, *3*; 601, *1*;
  1144; 1537, *1*
Ernst machen 412
ernst nehmen 193, *1*
ernst werden 1374, *2*
Ernst, im 545, *3*
Ernstes, allen 545, *3*
Ernstfall 399, *2*
ernsthaft 545, *1*
ernstlich 545, *4*;
  1145, *2*; 1499
Ernte 1362, *1*
erntefrisch 660, *2*
ernten 546; 761, *2*

ernten, Lorbeeren 174, *2*
erntereif 1328, *1*
Erntezeit 1360
ernüchtern 261, *1*; 507
ernüchtert 1773, *1*
Ernüchterung 508;
  1092, *2*
Eroberer 1464, *1*
erobern 761, *2*
Eroberung 1055, *4*
eröffnen 52, *3*; 307;
  437, *2*; **547**; 1120, *2*;
  1208, *2*
eröffnen, Feuer 60, *2*
eröffnen, Geschäft
  1184, *3*
eröffnen, Praxis 1184, *3*
eröffnet 1207, *1*
Eröffnung 51, *2*; 1122;
  1209, *1*
Eröffnungstag 906
erörtern 224, *3*; 276, *1*;
  1535, *2*
Erörterung 225, *1*;
  277, *1*
Eros 1055, *2*; 1467
Eroscenter 320
Erosion 1205, *3*
Erotik 1055, *2*; 1467
Erotikshow 1459
erotisch 1466, *3*
erotisierend 91, *3*
erotisiert 1074
erotoman 1074
Erotomanie 1073, *3*
erpicht 218, *1*; 423; 808
erpressen 398, *3*;
  1980, *2*
Erpresser 294, *1*
Erpressung 399, *1*
erproben 1284, *3*;
  1796, *1*
erprobt 299; 516, *1*;
  1460, *4*
Erprobung 1285, *3*
erquicken 75, *4*; 524, *1*;
  543, *5*; 651, *1*; 1503, *2*
erquicken, sich 1601, *1*
erquickend 57, *2*; 1607
Erquickung 525, *1*;
  1504, *1*
erraffen 761, *2*
erraten 1066, *3*; 1305, *3*
errechnen 251, *1*
erregbar 829, *3*

Erregbarkeit 472, *2*; 830
erregen 75, *3*; 129, *1*;
  1334, *1*
erregen, Anteilnahme
  894, *1*
erregen, Ärgernis 90, *4*;
  129, *3*
erregen, Aufsehen 118;
  129, *3*; 174, *2*; 884
erregen, Befremden
  90, *4*
erregen, Ekel 462, *1*
erregen, Missfallen 90, *4*
erregen, Mitleid 364, *4*;
  1233, *1*
erregen, Staunen 884
erregen, Übelkeit 462, *1*
erregend 76, *3*; 130, *1*
erregend, Angst 1420, *2*
erregend, Anstoß 91, *6*
erregend, Ärgernis 91, *6*;
  1021, *2*
erregend, Aufsehen
  119, *1*; 163, *1*; 553
erregend, Besorgnis
  545, *4*
erregend, Ekel 461, *1*
erregend, Furcht 1420, *1*
erregend, Grauen
  1420, *1*
erregend, Mitleid
  1660, *3*
erregend, Schauder
  1420, *1*
erregend, Schwindel
  690, *2*; 1254, *1*
Erreger 985
erregt 548; 1074
Erregtheit 549, *1*;
  1073, *3*
Erregung 62, *2*; 105, *2*;
  549; 1478, *1*
erreichbar 1128, *2*
Erreichbarkeit 1156, *1*
erreichen 236, *1*; 411, *5*;
  761, *2*; 1829
erreichen, Klassenziel
  nicht 1780, *4*
erreichen, Ziel 67, *1*;
  411, *5*; 958, *2*
erreichen, Ziel nicht
  1521, *3*
erreichen, zu 699, *3*
Erretter 838, *1*
Errettung 645, *4*

errichten 52, 3; 560, 4;
964, 1
Errichtung 563, 3
erringen 761, 2
erringen, Sieg 1463, 1
erröten 1371, 1
Errungenschaft 1179, 1
Ersatz 498, 2; **550**;
1142, 1; 1808
Ersatz für 1506
Ersatzmann 550, 4
Ersatzmittel 550, 2
ersatzpflichtig 1776, 1
Ersatzstoff 550, 2
ersäufen 1587, 1; 1619, 1
erschaffen 560, 1; 756
Erschaffung 563, 1
Erschaffung der Welt
1416, 1
erschallen 1585, 1
erschallen lassen 1465, 1
erschauen 1451
erschauern 63, 1;
659, 1; 1947, 1
erscheinen 67, 1; 506, 2;
506, 3; 958, 2; 958, 3;
1381, 1; 1634, 3;
1935, 6
Erscheinen 68, 1;
1775, 2
erscheinen als 1487, 1
erscheinen, auf der Bild-
fläche 67, 1
erscheinen, ratsam
469, 2
erscheinen, unangemel-
det 1621, 3
Erscheinung 110, 1; 159;
308, 1; 707, 3; 878, 1;
880, 2; 1198, 2
Erscheinungsbild 159
Erscheinungsform
110, 1
erschießen 1587, 2
erschießen, standrecht-
lich 1587, 1
Erschießung 1588, 2
erschlaffen 539, 2;
1016, 2; 1149, 1
Erschlaffung 540, 1
erschlagen 1130, 2;
1505, 3; 1587, 1
erschleichen 1072
erschleichen, einen Vor-
teil 293, 1

erschließen 547, 3;
1034, 1
erschließen, sich 1214, 3
erschließen, wirtschaft-
lich 547, 3
erschlossen 996, 1
erschöpfen 539, 1;
1434; 1724, 3
erschöpfen, sich 92, 3
erschöpfend 722, 4;
1440, 2; 1830, 3
erschöpft 1130, 2;
1432, 2
Erschöpfung 540, 1
erschossen 1130, 2
erschrecken 63, 1;
129, 2; 398, 1
Erschrecken 62, 1
erschreckend 553
erschreckt 1505, 3
erschrocken 1505, 3
erschüttern 263, 2;
1233, 1; 1527
erschütternd 130, 1;
1660, 4
erschüttert 548, 2
erschüttert werden
1947, 2
Erschütterung 549, 2;
1526
erschweren 857, 3
erschwerend 1440, 2
Erschwernis 858, 2
Erschwerung 858, 2;
1525
erschwinglich 312, 1
ersehen 1399, 3
ersehnen 217, 1
ersetzbar 1667
ersetzen 382, 2; 497, 1;
1806, 1; 1884, 2
ersetzlich 1667
ersichtlich 945, 4
ersinnen 560, 6
erspähen 1451
ersparen 1413, 2;
1479, 1
ersparen, sich 492, 2
ersprießlich 664;
1197, 2
erspüren 668, 1
erst 477, 2
erstarken 524, 2
Erstarkung 1504, 4
erstarren 659, 2

erstarren (lassen) 551
erstarren, zur Salzsäule
63, 1
erstarrt 914, 1; 1505, 3
Erstarrung 552; 915, 1;
1647, 5
erstatten 151, 2; 304, 4
erstatten, Anzeige
944, 1
erstatten, Bericht 259
Erstattung 498, 2
Erstaufführung 51, 2
erstaunen 1621, 1;
1925, 2
Erstaunen 552
erstaunlich 119, 1; **553**;
1452, 1
erstaunt 1505, 3
erstaunt, bass 1505, 3
Erstausgabe 1230, 1
Erstbezug 51, 2
Erstdruck 1179, 2;
1230, 1
Erste, fürs 1838
erstechen 1587, 1
erstehen 506, 1; 924, 1
erstehen, wieder 543, 5
Erstehung 923
ersteigern 924, 2
Ersteigung 135, 2
erstellen 560, 3
Erstellung 563, 3
Erster 1464, 1
Erster, als 1841, 1
ersterben 1750, 3
Erstes, als 53, 1
ersticken 402, 2; 857, 1;
1064, 1; 1513, 3;
1680, 2; 1734, 2
ersticken, Gefühle im
Keim 284, 2
erstickend 406, 2
erstickt 406, 5; 1044
erstklassig 148, 1;
416, 1; **554**; 1830, 2
Erstklässler 1428, 1
erstmalig 53, 3; 1177, 2
erstrahlen 1381, 2
erstrangig 554
erstreben 217, 1;
1259, 2; 1529, 1
erstrebenswert 781, 2;
1197, 3
erstrecken, sich 145, 2;
212, 1; 1531, 3

erwürgen 1587, *1*
erzählen 259; 270, *2*
erzählen, interessant 1928, *2*
erzählen, sich 1682, *3*
erzählenswert 892, *2*
Erzähler 260, *2*; 1423
Erzählung 559
erzen 820, *1*
erzeugen 560; 1711, *1*; 1911, *4*
Erzeuger 561; 1705, *1*
Erzeugnis 562
Erzeugung 563
Erzfeind 604, *1*
erziehen 564
Erzieher 1035, *1*
Erzieherin 1035, *1*
erzieherisch 238, *2*
Erziehung 85, *1*; **565**
Erziehungsanstalt 833, *2*
Erziehungsberechtigte 464; 1140, *1*
Erziehungsberechtigter 1705, *1*
Erziehungsstätte 1427, *1*
erzielbar 1128, *1*
erzielen 546; 761, *2*
erzielen, Gewinn 761, *1*
erzittern 1947, *2*
Erzittern 62, *1*
erzürnen 106, *1*; 1535, *1*
erzürnen, sich 129, *5*
erzwingen 411, *5*; 761, *2*; 1980, *2*
es sei denn, dass 161, *2*
es war einmal 418; 666, *1*
Eselei 1675, *3*
Eselsbrücke 854, *3*; 1719, *2*
Eselsgeduld 688, *2*
Eselsohr 585, *1*
Eskalation 988, *1*; 1511, *5*
eskalieren 1374, *2*; 1509, *4*; 1510, *1*
Eskamoteur 111, *2*
Eskapade 1055, *4*; 1675, *3*
eskortieren 220, *1*
Esoterik 701
esoterisch 1720, *2*

Esperanto 1494, *4*
Esprit 707, *2*
Esprit, mit 996, *3*
Essay 8, *1*
Essayist 1423
essbar 610, *4*
essen 566
Essen 749, *2*; 1080, *1*
essen haben, nichts zu 872, *1*
Essen machen 956, *3*
Essen und Trinken 542, *1*
essen wie ein Scheunendrescher 566, *1*
essen, geräuschvoll 566, *5*
essen, jmds. Brot 9, *1*
essen, Reste 1220, *2*
essen, schnell 566, *4*
essen, zu viel 566, *1*
Essenz 567; 1549
essigsauer 844, *1*
Esskultur 730, *3*
Esslust 1762, *1*
esslustig 218, *2*
Esstisch 1080, *10*; 1581
Esswaren 542, *2*
Establishment 1201, *2*
estimieren 1735, *1*
etablieren 52, *3*; 547, *1*
etablieren, sich 1184, *3*
etabliert 341, *2*; 1460, *2*
Etablierung 51, *2*
Etablissement 320; 681, *1*
Etagenheizung 836
Etagenkellner 204, *3*
Etagere 331, *2*
Etappe 1561, *1*
Etappen, in 1015, *2*
Etat 825, *2*; 1258, *3*
Ethik 85, *2*
ethisch 86, *2*
Ethnie 297
Ethnozentrismus 1163, *1*
Ethos 375; 762
Etikett 930, *3*
Etikette 85, *1*; 326, *3*
Etikettenschwindel 1559, *1*
etikettieren 528, *5*; 931, *2*

etliche 1826
Etliches 1824, *2*
Etui 223; 870, *8*; 1379, *3*
etwa 774; 1655, *1*; 1655, *2*
etwas 1894, *1*
Etwas 697, *1*
etwas aus jmdm. machen, sich 1056, *1*
etwas machen, sich aus 1127, *1*
etwas tun 102, *1*
etwelche 1826
Eulen nach Athen 1667
Eulenspiegel 1384, *1*
Eulenspiegelei 1675, *2*
euphemisieren 268
Euphemismus 269
Euphorie 780, *2*
euphorisch 548, *3*; 781, *1*
euphorisieren 221, *1*
Eurogeld 712, *1*
Europa 568
europäisch 568, *2*
Evakostüm, im 1154, *1*
evakuieren 173, *1*; 1804, *1*
Evakuierung 1805
Evaluation 1285, *4*
evaporieren 522, *2*
Event 742, *3*; 1713, *3*
Eventualität 1129
eventuell 205; 1128, *3*
Evergreen 362, *4*; 518, *4*; 739, *2*
Everybody's Darling 1743, *1*
evident 945, *3*; 1395; 1791, *1*
Evidenz 947, *1*
Evolution 511, *4*
ewig 882, *1*; 1013, *2*; 1648, *2*
Ewigkeit 1649
Ewigkeit, bis in alle 1648, *2*
Ewigkeit, eine 1013, *2*
Ewigkeit, in alle 882, *1*
ex 1744
Ex 1235, *5*
exakt 722, *1*; 1290, *1*; 1476, *1*
Exaktheit 1475, *1*

exaltiert 548, 3; 1093, 3;
1625, 2
Exaltiertheit 549, 3;
1624, 1
Examen 1285, 1
examinieren 639, 2;
1284, 1
Exegese 361, 2
exekutieren 1587, 2
Exekution 1588, 2
Exekutive 847, 1
Exempel 235
Exemplar 569; 1540, 4
exemplarisch 149, 2;
820, 3
exemplifizieren 528, 1
exerzieren 1611
Exfrau 1235, 5
exhibitionieren, sich
359, 3
exhumieren 787, 2
Exil 1805
Exilant 1107
exilieren 173, 1; 1804, 1
exiliert 1319
Exilierung 1805
existent 1839, 2; 1912, 1
Existenz 570; 1025, 1;
1027, 1
Existenzform 1025, 4;
1518, 1
Existenzkampf 1025, 5
Existenzniveau 1025, 4
existieren 1024, 1
existierend 1839, 2
Exitus 1400, 2; 1582, 1
exklusiv 745, 3; 996, 3
exklusive 161, 1
Exklusivität 607, 1
exkommunizieren 173, 1
Exkremente 156, 2
exkulpieren 501, 2
Exkurs 29, 4; 520, 4
Exkursion 578, 2
Exmann 1235, 5

Exodus 486, 3
exorbitant 163, 1;
1625, 1
Exotik 649, 1
exotisch 648, 1
expandieren 145, 1
Expansion 146, 1
Expansionskraft 400, 1
expansiv 37, 1; 479
expatriieren 1804, 1
Expatriierung 1805
expedieren 1388, 4
Expedierung 1590, 1
Expedition 578, 2;
1590, 1
Expektoration 156, 1
Experiment 517, 1;
636, 2; 1795, 1; 1861
Experimentalfilm 618, 3
experimentieren 635;
1796, 2
Experimentierfreude
1253
experimentierfreudig
576, 1
Experte 573
Expertengruppe 800, 2
Explikation 529, 1
explizieren 528, 1
explodieren 129, 5;
142, 1; 1262, 1;
1391, 2; 1509, 4
Exploitation 154, 2
exploitieren 153, 2
explorieren 635
Explosion 143, 1; 734, 3
explosiv 690, 1; 829, 3
Explosivkraft 478, 3
Expo 170, 2
Exponent 1807, 3
exponieren, sich 1860, 2
exponiert 690, 4
Export 814, 3
Exporteur 741

exportieren 815, 2
Exposé 1258, 2
Exposition 170, 2
express 429, 3
expressiv 78, 1
Expropriation 483
expropriieren 1168, 3
exquisit 100, 2; 148, 1;
416, 1
extemporieren 1487, 6
extensiv 1013, 1
Exterieur 1198, 2
exterritorial 393, 2
extra 16; 117, 3; 273, 1;
457, 1; 1452, 1
Extraausgaben 137, 1
extrahieren 175, 2
Extrakt 567, 2; 1299, 2
Extraktion 486, 2
extraordinär 163, 1
Extras 520, 3
extravagant 119, 2;
1625, 1
extravertiert 748, 2
Extravertiertheit 749, 1
extrem 1300; 1625, 1
extremistisch 1093, 3;
1300
Extremität 778, 1
extrovertiert 748, 2
Extrovertiertheit 749, 1
exzellent 100, 2; 148, 1;
149, 1
Exzentriker 160, 1
exzentrisch 119, 2
Exzentrizität 424, 4;
1520, 2
exzeptionell 163, 1
exzerpieren 175, 3
Exzerpt 1561, 1
Exzess 1620, 2
exzessiv 1093, 3;
1625, 1
Eyecatcher 1898, 3

F

Fabel 559, 2; 697, 3;
　1522, 4
Fabelei 1071, 4
fabelhaft 1254, 1
fabeln 270, 2; 1072
Fabrik 291, 1
Fabrikant 1687, 1;
　1687, 1
Fabrikarbeit 101, 3
Fabrikat 562
Fabrikation 563, 2
Fabrikmarke 930, 3
fabrikmäßig 1096, 1
fabrikneu 1177, 1
fabrizieren 560, 3
Fabulant 1436
fabulieren 270, 2; 1072
face to face 695, 2
Fach 331, 2; **571**
Fach, vom 516, 1; 572, 2
Facharbeit 101, 3
Fachausbildung 1033, 2
Fachausdruck 147, 1
Fachbereich 1485, 1
Fachbuch 1032
fächeln 316, 1; 995, 2;
　1443, 3
fächern 995, 2; 1226, 2;
　1562, 1
Fachgebiet 571, 2;
　1485, 1
fachgemäß 572, 1
fachgerecht 572, 1;
　817, 1
Fachgeschäft 740, 2;
　1485, 1
Fachgröße 573
Fachhandel 1485, 1
Fachidiotie 454, 2
Fachkraft 573
fachkundig 572, 1
fachlich 572
Fachmann 573
fachmännisch 572, 1;
　1001
Fachpresse 1271, 2
Fachrichtung 1485, 1

Fachsprache 1494, 5
fachübergreifend 40, 3
Fachwissen 1918, 3
fackeln, nicht lange
　412
Fackelzug 370, 1
fad 403, 3; **574**; 592, 2;
　1017, 1
fade 1640
Faden 575
Faden, roter 798, 1; 823;
　1719, 2
Fadensbreite, um
　1655, 1
fadenscheinig 44, 3;
　1975, 3
Fadensommer 46
Fadheit 593; 1014;
　1205, 2
Fading-out 512, 1
Fag 867
fähig 516, 1; **576**
fähig sein 963, 1
Fähigkeit 229, 2; **577**;
　611; 980, 1
fahl 592, 1
fahnden 536; 1529, 1;
　1550, 1
Fahndung 537
Fahne 147, 3; 1812, 1;
　1934, 4
Fahnen, mit fliegenden
　548, 3
Fahnenabzug 1812, 1
Fahnenflüchtiger 377
Fahrausweis 1578
Fahrbahn 1528
Fährboot 579, 6
Fahrdamm 1528
Fähre 579, 6
fahren 300, 4; 703, 3;
　1516, 1
fahren lassen 122, 3
fahren lassen, Hoffnung
　1823, 1
fahren nach 216, 1
fahren, an den Karren
　1391, 1
fahren, auf Grund
　1823, 2
fahren, mit dem Schiff
　300, 4
fahren, Rad 300, 4
fahren, zu Bruch 1940, 3
fahren, zu Tal 21, 1

fahren, zuschanden
　1940, 3
Fahrgestell 1301, 1
fahrig 1150, 1; 1639, 1;
　1915, 2
Fahrigkeit 1038, 2
Fahrkarte 1578
fahrlässig 1037, 1
Fahrlässigkeit 1038, 2;
　1781, 1
Fährnis 399, 2
fahrplanmäßig 1290, 1
Fahrrad 579, 2
Fahrschein 1578
Fahrstraße 1528
Fahrstuhl 140, 1; 579, 9
Fahrt 427, 2; 478, 1;
　578; 1446, 1; 1590, 2
Fahrt ins Blaue 578, 1
Fahrt, auf 393, 2
Fahrt, in 322, 1; 548, 3;
　1026, 2
Fährte 1498, 1; 1888, 1
Fährte sein, auf der fal-
　schen 901, 5
Fährte, falsche 599, 3;
　902, 1
Fahrtunterbrechung
　810, 6
Fahrtwind 1910, 1
Fahrverbot 1721, 2
Fahrwasser 463, 4
Fahrweg 1528
Fahrzeug 579
Fahrzeugführer 671, 3
Fahrzeuglenker 671, 3
Faible 1055, 1; 1172, 2;
　1485, 2
fair 86, 3; 86, 3; 735, 1;
　1971, 1
Fairness 85, 2; 736
Fairplay 85, 2
Fait accompli 1558, 1
Fäkalien 156, 2
Fäkalsprache 1494, 4
Fake 1559, 1
Fakir 111, 2
Faksimile 1142, 1
Fakt 1558, 1
faktisch 1839, 2; 1912, 1
Faktizität 1558, 2
Faktor 463, 1; 792, 1
Faktor sein 201, 3
Faktoren, ökologische
　1636, 3

Färbemittel 589, *3*

färben 268; **590**

farbenblind 318, *1*

farbenfreudig 591, *1*

farbenfroh 591, *1*

Farbenpracht 589, *1*

farbenprächtig 591, *1*

farbenprangend 591, *1*

farbenreich 591, *1*

Farbensinn 746, *1*

Farbenspiel 589, *1*

Farbfernseher 609, *1*

Farbgebung 589, *1*

farbig 78, *1*; **591**; 981, *4*; 1026, *4*

Farbigkeit 589, *2*; 1827, *1*

Farbkopie 972, *1*

farblos 592; 1017, *2*; 1640

Farblosigkeit 593; 1205, *2*

Farbstoff 589, *3*

Färbung 589, *1*; 1584, *2*

Farce 960; 1559, *1*; 1675, *1*

Farm 190

Farmer 189, *1*

Fasching 1559, *3*

Faselei 737, *2*; 1675, *1*

faseln 1495, *3*

Faser 575, *3*

faserig 1065, *2*

fasern 1066, *8*

Faserung 1539

Fashion 1125, *1*

fashionable 1126, *1*

Fasnacht 1559, *3*

Fass der Danaiden 1749

Fass ohne Boden 1749

Fassade 1198, *2*; 1559, *2*; 1837, *1*

fassbar 1026, *1*; 1791, *1*; 1912, *2*

Fassbarkeit 947, *1*

fassen 493; 588, *1*; 1168, *1*; 1794, *2*

fassen können, nicht 1925, *1*

fassen, am Portepee 1081, *3*

fassen, beim Schopfe 246

fassen, Entschluss 499, *2*

fassen, Fuß 73, *2*; 1184, *1*

fassen, in Worte 162, *2*

fassen, ins Auge 247, *1*; 1259, *1*; 1284, *1*; 1945, *1*

fassen, sich 228; 261, *2*; 1361, *5*; 1714, *1*

fassen, sich ein Herz 499, *2*; 1860, *3*

fassen, Vorsatz 1259, *1*

fasslich 433, *1*; 1791, *1*

Fasslichkeit 434, *3*; 1792

Fasson 632, *3*

fassonieren 756

Fassonschnitt 806, *2*

Fassung 229, *1*; 1301, *1*

Fassung, außer 1915, *2*

fassungslos 1505, *3*; 1660, *1*

Fassungslosigkeit 552

Fassungsvermögen 1502, *4*; 1790, *2*

fast 1655, *1*

fasten 872, *3*

Fasten 379, *1*

Fastendiät 379, *1*

Fastenkur 379, *1*

Fastfood 1080, *8*

Fastfood, geistiges 1028, *3*

Fastnacht 1559, *3*

Faszikel 828, *2*

Faszination 549, *3*

faszinieren 98, *3*; 305, *1*; 691, *2*; 884; 1742

faszinierend 892, *1*; 1335

fasziniert 548, *3*; 895, *1*

Faszinosum 1079

Fata Morgana 880, *2*

fatal 1243, *1*; 1638, *1*; 1660, *4*

Fatalismus 1355, *3*

fatalistisch 1357, *3*

Fatalität 1659

Fatum 1389, *1*; 1659

fauchen 316, *1*; 1391, *2*; 1585, *3*

faul 265, *1*; 1150, *2*; 1397, *3*; 1676, *1*; 1975, *1*

faul sein 524, *3*; 594

Fäule 596

faulen 1729, *1*

faulenzen 594; 602, *3*

Faulenzer 595

Faulheit 249, *2*; 1677, *1*

faulig 461, *2*; 1397, *3*

Fäulnis 596

Faulpelz 595

Faultier 595

Faun 1743, *1*

Fauna 1164, *2*

faunisch 1074

Faust, auf eigene 644, *1*; 646

Faust, mit eiserner 334

faustdick 376, *2*

faustisch 1580

Faustregel 1322, *2*

Faustskizze 308, *2*; 1258, *2*

Fauxpas 599, *4*

Favela 1500, *4*

favorisieren 298, *2*

Favorit 782; 1431

Favoritin 713

Fax 972, *1*

faxen 1622, *6*; 1811

Faxen 1675, *1*; 1684, *3*

Faxenmacher 1384, *1*

Fazit 521; 1400, *4*

Feature 8, *1*

fechten 918, *6*

Feder, spitze 31, *2*

Feder, wie eine 1036, *5*

Federfuchser 1239, *1*

Federgewicht 1036, *1*

Federkraft 623, *1*

Federkrieg 1534, *2*

federleicht 1036, *1*; 1036, *5*

Federlesens machen, kein 412

federn 597

federnd 622, *1*

Federstrich, mit einem 87; 1005, *3*

Fee 641; 707, *4*

Feedback 1314, *1*

Feeling 468, *1*; 693, *3*

feenhaft 410, *2*; 1932, *1*

fegen 428, *1*; 1367, *1*

Fehde 606; 917, *2*

Fehde, in 695, *1*

Fehdehandschuh 843, *1*

fehl am Platz 1662, *3*

Fehl, ohne 416, *1*

fehlbar 1695, *2*

fernübertragen, Daten
1622, 6
Fernweh 1762, 2
Fersen bleiben, auf den
1741, 1
fertig 534, 1; 534, 2;
610; 1130, 2; 1328, 3;
1830, 1
fertig machen 533, 1;
1829
fertig machen, sich 98, 1
fertig stellen 533, 1;
1829
fertig werden 715, 1;
729, 2
fertig werden mit 533, 1;
1714, 1
fertig, halb 1695, 1
fertigen 560, 3
Fertiger 561
Fertighaus 824, 1
Fertigkeit 611
Fertigung 563, 2
Fertigungskosten 978, 2
fertil 664
Fertilität 1274, 2
Fes 971
fesch 626; 869
Fessel 858, 1
fesseln 98, 3; 313, 1;
857, 3; 894, 1; 1233, 1
fesseln, aneinander
1980, 3
fesselnd 892, 1
fest 144; 347, 1; 479;
534, 1; **612**; 820, 1;
1536, 1
Fest 749, 2
fest sitzend 722, 6
fest werden 551, 1;
1604, 2
Fest, ein 738, 2
Festakt 601, 2
festbeißen, sich 1923, 2
Festbeleuchtung 1052, 2
festbinden 313, 1
feste 1225, 3
Feste 211, 4
festen 602, 1
Festessen 730, 2;
1080, 10
festfahren, sich 1521, 3;
1823, 2
festgefahren 856, 2
festgelegt 1776, 2

festgelegt, nicht 1650, 3
festgenagelt 1652, 3
festgesetzt 1652, 2
festhalten 614, 2; 811, 2;
1168, 1; 1233, 3;
1421, 1
festhalten an 226, 1
festhängen 1521, 1
festigen 210, 2; 278, 5;
1503, 3; 1544, 1
Festigkeit 613; 810, 1;
1144; 1537, 1
Festigung 1504, 3
Festival 1713, 3
Festivität 465, 2; 749, 2;
1713, 3
festkleben 210, 1;
1521, 1
festklopfen 1736
festlegen 72, 2; 210, 3;
313, 2; 499, 1; 528, 2;
614, 2; 1736
festlegen, sich 313, 3
festlegen, sich nicht
172, 2; 1023, 1
Festlegung 454, 2;
500, 1; 529, 3; 1737, 1
festlich 600, 2
Festlichkeit 601, 1;
749, 2; 1713, 3
festmachen 210, 1; 1736
festmachen, etwas 313, 3
Festmahl 1080, 10
festnageln 313, 2;
1980, 2
Festnahme 692, 1
festnehmen 1757
Festplatte 1484, 4
festschnallen 210, 1
festschnallen, sich
1462, 3
festschrauben 210, 1
festschreiben 1736
Festschreibung 1737, 1
festsetzen 72, 2; 614, 2;
1736; 1757
festsetzen, Preis 174, 3
festsetzen, sich 432, 2;
1184, 1
Festsetzung 207, 2;
1737, 1
festsitzen 1469, 2;
1521, 1
Festspiel 1378, 1
Festspiele 1713, 3

Festspielhaus 1577, 2
feststecken 210, 1
feststehend 771, 2;
1460, 5
feststellen 162, 1; **614**;
1399, 3
Feststellung 164, 1; **615**;
1285, 2; 1701, 1
Festtag 647
festtäglich 600, 2
Festung 211, 4
Festungswall 211, 4
Festversammlung 601, 2
Festwochen 1713, 3
festzurren 210, 1
festzustellen, leicht
378, 2
Fete 749, 2
Fete machen 602, 1
feten 602, 1
Fetisch 874, 2; 1933, 2
fetischisieren 1735, 2
Fetischismus 786
fett 381, 1; 664; 1158
fettarm 1496, 2
fetten 769, 4
Fettflecken, voll 1408
fettig 768, 6; 1408
fettleibig 381, 1
Fettleibigkeit 673, 2
Fettwanst 673, 2
Fetzchen 1540, 2
Fetzen 5, 1; 1340, 1;
1540, 2
fetzen, sich 1535, 2
feucht 406, 1; 1162, 3;
1359, 1
feucht werden 616, 3
Feuchte 1881, 1
feuchten 616; 1325
feuchtfröhlich 835, 3
Feuchtigkeit 1186, 1;
1881, 1
feuchtkalt 914, 1;
1162, 3
feuchtwarm 406, 2;
1872, 2
feudal 1327, 4
Feudaladel 36, 2
Feudalaristokratie 36, 2
Feuer 478, 1; 549, 4;
617; 830; 1052, 2;
1446, 2
Feuer und Flamme
548, 3

Feuer und Flamme sein 219, 2
Feuer und Wasser, wie 695, 4
Feuerbestattung 234, 2
Feuereifer 422, 2
Feuergarbe 617, 3
feuergefährlich 690, 1
Feuergefecht 987, 1
feuern 918, 4; 998, 2; 1018, 3; 1874, 1
Feuerprobe 1285, 3
Feuersbrunst 617, 2
Feuerschlucker 111, 2
feuersicher 1460, 6
Feuerstelle 845
Feuerstoß 617, 3
Feuertaufe 51, 2
Feuerung 836
Feuerwehr 854, 2
Feuilleton 8, 1
Feuilletonist 260, 1; 1423
feurig 548, 3; 829, 2; 1872, 2
Fex 66, 5
Fez 1684, 3
Fiaker 579, 1
Fiasko 185; 1116
Fibel 1032; 1291, 5
Fiber 575, 3
Fick 1055, 3
ficken 1056, 3
fidel 748, 1; 835, 3
Fidelität 650, 1; 1684, 2
Fieber 549, 4; 1073, 3
fieberhaft 429, 2; 1672, 1
fiebern 217, 2; 1040, 3
fiebernd 1600, 2
Fiebertraum 880, 1
Fieberwahn 880, 1
fiebrig 548, 1; 1042, 1
Fieldresearch 1087
Fieldwork 1087
Fiepen 734, 2
fieselig 410, 3
Fiffi 871
fifty-fifty 809
Figaro 661
Fight 917, 3
fighten 918, 1
Figur 159; 632, 4; 747, 2; 1256, 3; 1347, 1; 1472

Figur machen, gute 884
Figur machen, keine gute 319, 1
Figur, blendende 1412, 2
Figur, gute 1058, 5
figural 310, 2
figurativ 310, 2
figurieren 1487, 1; 1849
figurieren als 1806, 1
Figurine 1472
figürlich 78, 1; 310, 2
Fiktion 880, 4; 965, 3; 1559, 2
fiktiv 1265, 2; 1380
Filia 1078, 1
Filiale 1185, 2; 1977, 1
Filibuster 2
filigran 410, 1; 1932, 1
Filius 910, 1
Film 618; 1097; 1387, 1
Film, im falschen 1778, 1
Filmapparat 916, 2
Filmarchiv 1484, 3
Filmatelier 114
Filmband 618, 2
Filmbühne 937
filmen 127, 5; 395, 8
Filmheld 1501, 1
Filmkamera 916, 2
Filmkritiker 260, 1; 990, 1
Filmmanuskript 394
Filmmaterial 618, 2
Filmmusik 1133, 3
Filmpalast 937
Filmrolle 618, 2
Filmschauspieler 360
Filmstar 1501, 1
Filmstreifen 618, 2
Filmstudio 114
Filmtheater 937
Filou 294, 1; 387, 2; 897; 1429, 1
filtern 946, 3
filtrieren 946, 3
Filz 710; 953; 1522, 3
filzen 1168, 2; 1479, 2; 1550, 1
Filzhut 971
filzig 808; 1480, 1
Filzokratie 953
Fimmel 424, 4
Finale 427, 4; 1400, 2
Finalist 1464, 1

Finanzen 825, 2
Finanzhyäne 1275
Finanzier 838, 1
finanzieren 34; 274, 1; 304, 4; 321, 2; 522, 3
Finanzierungsplan 1258, 3
finanzkräftig 1327, 1
Finanzmagnat 1687, 2
Finanzmarkt 1086, 2
Finanzplan 825, 2
finanzschwach 107, 1
finanzstark 1327, 1
finassieren 1023, 1
Findelkind 936, 2
finden 588, 2; **619**; 770, 1; 1099; 1305, 3; 1399, 3; 1451
finden an, Gefallen 763, 2; 1127, 1
finden an, Geschmack 1127, 1
finden sein, zu 212, 3
finden, Abnehmer 1761, 4
finden, Anklang 691, 2; 1627, 3
finden, Ausgleich 1755, 2
finden, Gefallen 691, 1
finden, Geschmack 691, 1
finden, Glauben 1627, 3
finden, Haar in der Suppe 196
finden, jmdn. sympathisch 1056, 1
finden, kein Ende 145, 3; 1521, 1; 1821, 3
finden, keine Ruhe 851, 2
finden, keine Worte 1925, 1
finden, keinen Kompromiss 28, 4
finden, Lösung 946, 2; 1066, 3; 1736
finden, nicht in Ordnung 196
finden, nichts zu 1668, 1
finden, Publikum 1761, 4
finden, reißenden Absatz 1761, 4

fläzen 524, 3
flechten 102, 4
Flechtwerk 1176, 1
Fleck 1232, 2
Fleck, blinder 1067, 3
Flecken 1406, 2
fleckenlos 1365, 1
Fleckenlosigkeit 1366, 1
fleckig 265, 1; 1408
Flegel 1272, 1
Flegelei 643, 3
flegelhaft 642, 3;
    1662, 2
Flegeljahre 908, 1
flegeln 524, 3
flehen 288; 315, 1
Flehen 684
flehend 1145, 2
flehentlich 1145, 2
Fleisch und Blut 936, 2
Fleisch und Blut, in
    1912, 2
Fleischeslust 1073, 3;
    1467
fleischig 381, 1; 1359, 1
Fleischlichkeit 1467
Fleiß 422, 2
Fleiß, mit 16
fleißig 621; 1557, 1
flektieren 296, 3
flexibel 301, 1; **622**;
    744, 2
Flexibilität 623
Flic 1266, 1
flicken 543, 2
Flicken 1540, 2
flicken, am Zeuge 1765
Flickschusterei 1251
Flickwerk 550, 1; 1251
Fliege 187; 1291, 7
fliegen 428, 1; 777, 3;
    1437, 1
fliegen nach 216, 1
fliegend 1026, 5
Fliegengewicht 1036, 1
Flieger 579, 7
fliehen 142, 3; **624**
fließen 625; 1445, 1
fließend 410, 4; 1650, 3;
    1830, 2
fließend, nicht 1695, 2
Fließtext 1576
Flimmer 1052, 2
Flimmerkiste 609, 1
flimmern 1381, 2

flink 423; 1410, 1
Flinkheit 427, 2
Flippie 1672, 3
flirren 1381, 2
Flirt 966, 2; 1055, 4
flirten 1742
flispern 629
Flittchen 1280
Flitter 1291, 3
flittern 1381, 2
Flitterwochen 780, 2;
    966, 2
Flitz 424, 4; 1485, 2;
    1779, 2
flitzen 428, 1
Flitzer 579, 2
Flocke, wie eine 1036, 5
flocken 551, 3
Flocken 712, 3
flockig 1036, 3; 1891, 3
Flohmarkt 1086, 1
Flop 1116
Flor 1522, 3
Flora 1164, 2
floral 718, 1
florieren 510, 4
Floskel 1256, 1
floskelhaft 182
Floß 579, 6
flöten 629; 1465, 3;
    1487, 3
Flöten 734, 5
flöten gehen 1768, 1
Flötist 1134, 2
flott 626; 869; 1026, 3;
    1410, 1
Flotte 579, 6
Flottenverband 579, 6
flottieren 1437, 2
Flottille 579, 6
flottmachen 543, 1
Flower-Power 1546, 2
Fluch 627; 1659
fluchen 628; 1391, 2
Flucht 143, 3
fluchtartig 429, 2;
    1410, 1
flüchten 624, 1
flüchtig 1005, 4;
    1036, 3; 1070, 2;
    1150, 1; 1199, 3; 1746;
    1887, 1
Flüchtigkeit 1006, 2;
    1038, 2; 1151; 1700, 2;
    1747, 1

Flüchtling 1107
fluderig 1150, 1
Flug 578, 1
Flügel 1561, 2
flügellahm 1182, 2
flügge 1328, 2
Flugkapitän 671, 3
flugs 429, 2; 1290, 2;
    1410, 1
Flugschein 1578
Flugzeug 579, 7
Flugzeugentführung 488
Fluidum 1333
Fluktuation 302, 2;
    1444; 1710, 2
fluktuieren 1443, 4;
    1884, 2
flunkern 1072
fluoreszieren 1381, 4
Flur 794, 3; 1164, 2;
    1843, 1
Flurbereinigung 1053
Flurschaden 1941, 1
Fluse 575, 3
flusig 1150, 1
Fluss 630, 1; 760, 1
Fluss, im 1207, 3
flussabwärts 27
Flussarm 520, 5
Flussaue 620, 1
Flussgöttin 707, 4
flüssig 1162, 5; 1327, 1;
    1830, 2
flüssig machen 274, 1
Flüssigkeit 759, 1;
    1881, 1
Flussinsel 889
Flusswasser 1881, 2
flüstern 629
Flüstern 734, 2
flüsternd 1044
Flut 673, 1; 765; 1538, 2
fluten 625
Flutlicht 1012, 1;
    1052, 2
flutschen 715, 1; 777, 1
Flyer 1898, 3
Föderation 1719, 6
föderiert 1728, 1
Fohlen 1247
Föhn 1910, 1
föhnen 1604, 1
föhnig 406, 2
Fokus 1119, 6
Folder 1898, 3

Folge 520, 3; **630**;
1314, 1; 1329, 1;
1914, 2
Folge haben, zur 631, 2;
1711, 1
Folge, in steter 1323, 1
Folgekosten 978, 2
folgen 631; 704, 1;
1794, 2
folgen auf 631, 4
folgen, auf Schritt und
Tritt 1741, 3
folgend, aufeinander 351
Folgenden, im 1146
folgendermaßen 1160;
1473
folgenlos 768, 5
folgenreich 1900, 1
folgenschwer 1900, 1
folgerichtig 945, 3;
1317, 2; 1468, 3;
1773, 3
Folgerichtigkeit 947, 2
folgern 11, 3; 1399, 3
Folgerung 1400, 3
folgewidrig 24; 583, 5
Folgewirkung 630, 3
Folgezeit 1956
folglich 43
folgsam 705
Folgsamkeit 706, 1
folgt, wie 1473
Foliant 336, 1
Folie 859, 1; 1301, 2
Folter 335; 1403, 2
Folterknecht 186
foltern 1242, 7
foltern, psychisch
1242, 7
folternd 1293, 1
Folterung 335
Fond 859, 1; 1477
Fonds 796, 3
foppen 139, 4; 293, 1;
1492, 1
Fopperei 81, 1
forcieren 391, 3;
1716, 2
forciert 829, 2
Förderer 1003, 1; 1095
förderlich 1197, 1
fordern 195, 1; 217, 1;
1334, 2
fördern 179, 2; 298, 1;
564; 1716, 2

fördern, zutage 787, 2;
1208, 2
Forderung 82, 3; 843, 3;
1762, 2
Förderung 154, 1;
565, 1; 854, 1; 1511, 4
Form 110, 1; 159;
326, 3; **632**; 878, 1;
1136, 4
Form wegen, der 504, 1
Form, in 757, 1; 981, 1;
1490, 1
Form, in aller 1213, 2
Form, in dieser 1473
Form, in gedrängter
1005, 3
Form, in welcher
1902, 2
formal 1213, 2
Formalie 634, 1
formalisieren 1706;
1738
Formalisierung 1707
Formalität 634, 1
Format 632, 4; 792, 1;
1302, 1; 1926, 1
formatieren 1226, 2
Formation 442, 1;
632, 1
formbar 622, 1; 1261;
1891, 1
Formbarkeit 623, 2
Formblatt 634, 2
Formel 147, 1; 1256, 1
formelhaft 182; 678, 3;
771, 2; 968, 1
formell 968, 2; 1213, 2
formen 560, 6; 564; 756;
964, 1
Formen 1759, 2
formen, sich 506, 1;
506, 4
Formenreichtum 1827, 1
Formfehler 599, 4
Formgebung 632, 2
Formgefühl 746, 1
formidabel 149, 1
formieren 756; 1226, 3
formieren, sich 139, 3
Forminhalt 887, 1
Formkram 634, 1
förmlich 968, 2;
1213, 2
Förmlichkeit 326, 3;
634, 1

Förmlichkeit, ohne
644, 2
formlos 633; 644, 2
Formsache 634
Formsinn 746, 1
Formular 634, 2
Formular, ohne 633, 3
formulieren 162, 2;
1421, 3
Formulierung 147, 1
Formulierungsgeschick
1494, 3
Formung 436, 1; 565, 1;
632, 2
formvollendet 1265, 1;
1412, 1; 1830, 2
Formvollendung 1414, 1
forsch 479; 1139, 1
forschen 635; 1550, 1;
1796, 2
forschend 895, 1
Forscher 372; 1919
Forschergeist 893
Forschertrieb 1178
Forschung 636
Forschung, empirische
636, 2
Forschung, freie 636, 3
Forschungsgegenstand
638, 4
Forschungslücke 1067, 3
Forschungsreise 578, 2
Forschungsreisender
1332, 1
Forschungstrieb 893
Forst 1869
Förster 905, 1
fort 1855; 1887, 1
Fort 211, 4
fort und fort 882, 2
fort, in einem 882, 1
fortab 1483, 2
fortan 1483, 2
Fortbestand 362, 2
fortbestehen 364, 3
Fortbestehen 362, 2
fortbewegen, sich 703, 1
Fortbewegung 302, 2
fortbilden, sich 510, 5;
1049, 2
fortbleiben 598, 1
Fortdauer 362, 2
fortdauern 364, 2
fortdauernd 365, 1;
882, 1

Fortentwicklung 637
fortfahren 1741, *2*
Fortfall 1348, *3*
fortfallen 6, *2*; 598, *3*
fortführen 1741, *2*
Fortführung 513, *2*
Fortgang 362, *2*; 511, *1*;
    630, *1*; 637; 742, *2*;
    1283, *2*
Fortgang, lückenloser
    362, *2*
fortgehen 364, *2*; 485, *1*
Fortgehen 486, *3*
fortgesetzt 882, *1*
fortissimo 1022
fortjagen 998, *2*
fortkommen 510, *4*
Fortkommen 135, *1*
fortlassen 152, *1*;
    1019, *1*
fortlaufen 624, *1*
fortlaufend 882, *1*
fortleben 364, *3*
fortmachen, sich 485, *1*
fortpflanzungsfähig 664
fortschaffen 484, *2*
fortschicken 998, *2*
fortschleppen 484, *1*
Fortschritt 132; 511, *1*;
    637; 1511, *4*
Fortschritte machen, kei-
    ne 1521, *3*
Fortschrittler 1223;
    1257, *1*
fortschrittlich 670, *2*
Fortschrittsglaube 1222
fortschrittsgläubig 1224
Fortschrittsgläubigkeit
    1222
fortsetzen 127, *4*;
    1741, *2*
Fortsetzung 520, *3*;
    630, *2*
fortstehlen, sich 624, *1*
forttreiben 1804, *1*
Fortuna 518, *1*; 780, *1*
Fortune 518, *1*
fortwähren 364, *2*
fortwährend 882, *1*
fortwerfen 484, *2*
fortwirken 364, *3*
fortzeugen 1911, *3*
fortziehen 175, *1*
Forum 1086, *1*; 1212, *1*;
    1232, *3*; 1301, *2*; 1377

fossil 44, *5*
Fossil 1340, *3*
Foto 126, *1*; 308, *3*
Fotoapparat 916, *1*
Fotoatelier 114
Fotografie 308, *3*
fotografieren 1, *2*; 127, *5*
Fotokopie 972, *1*
fotokopieren 1811
Fotokopierer 916, *3*
Fotomodell 360
Fotostudio 114
Foyer 1843, *3*
Fracht 1020, *1*; 1590, *2*
Frachter 579, *6*
Frage 94, *1*; 120, *4*;
    580, *2*; **638**; 697, *2*
Frage, brennende 638, *2*
Frage, rhetorische
    638, *2*
Fragebogen 634, *2*
Fragelust 1178
fragen 315, *1*; **639**
fragen, Löcher in den
    Bauch 639, *2*
fragen, sich 371, *2*
fragen, um Rat 639, *1*
fragend 895, *1*
Fragerei 638, *1*
Fragestellung 638, *4*
fragil 471, *1*
fraglich 1207, *3*; 1674, *1*;
    1975, *1*
fraglos 1641, *1*
Fragment 1561, *2*
fragmentarisch 1695, *1*
fragmentieren 1937, *1*
fragwürdig 91, *5*; 690, *4*;
    1273, *1*; 1380; 1397, *5*;
    1975, *1*
Fraktion 800, *1*; 1719, *6*
Fraktur 1924
frank 644, *2*
frank und frei 1207, *2*
frankieren 1233, *4*
franko 1635, *1*
fransig 1307, *2*
frappant 119, *1*; 553;
    1395
frappieren 995, *1*;
    1621, *1*
Frappiertheit 552
Fraß 1080, *1*
fraternisieren 1718, *1*
Fratz 1078, *2*

Fratze 752, *1*
fratzenhaft 822, *1*
Frau 640; 1235, *4*
Frau, allein stehende
    640
Frau, weise 1276
Frauenautonomie 608
Frauenbefreiung 608
Frauenbewegung 608
Frauenbilder 641
Frauenfaden 46
Frauenhandel 1458
Frauenhändler 1955
Frauenhaus 833, *2*
Frauenheld 1743, *1*
Frauenpolitik 608
Frauenrechtsbewegung
    608
Frauenzimmer 640
fraulich 1890
Freak 169
Freak-out 1310, *2*
frech 642; 1065, *5*
Frechdachs 1384, *2*
Frechheit 643
free lance 644, *6*
frei 91, *3*; 457, *3*; **644**;
    1028, *4*; 1207, *5*;
    1696, *3*
frei lassen 152, *1*;
    1019, *3*
frei machen 179, *1*;
    484, *3*; 1066, *4*
frei machen, sich 175, *4*;
    1820, *2*
frei stehend 457, *2*
frei von der Leber weg
    644, *2*
frei von Schuld 1673, *1*
frei, dichterisch 1265, *2*
frei, nicht mehr 1776, *2*
Freibad 178, *2*
freiberuflich 644, *6*
Freibeuter *2*
Freibrief 532, *3*; 1318, *4*
Freidenker 1257, *1*
freidenkerisch 644, *3*
Freie lassen, ins 1214, *1*
freien 1718, *5*
Freien, im 393, *1*
Freier 95, *2*; 1897
Freigabe 532, *1*
freigeben 213, *2*; 1019, *1*
freigebig 748, *3*; 793, *1*
Freigebigkeit 1645

1070, *1*; 1177, *1*; 1307, 5
Frische 589, *2*; 623, *2*; 758; 915, *1*; 1366, *1*
frischen 682, *2*
Frischluft 1068, *3*
frischweg 771, *3*
Friseuse 661
frisieren 268; 1249, *5*
Frisiertisch 1581
Frisör(in) 661
Frist 362, *1*; 1822, *1*; 1936, *1*
fristen, Leben 482; 522, *3*
fristgemäß 1290, *1*
fristlos 1263
Frisur 806, *2*
frivol 91, *1*; 1037, *2*
Frivolität 662
froh 835, *1*
froh machen 651, *1*
frohgemut 835, *1*
fröhlich 835, *1*; 1036, *4*
fröhlich sein 651, *2*
Fröhlichkeit 650, *1*
frohlocken 651, *2*
Frohlocken 650, *3*
Frohmut 650, *1*
frohmütig 835, *1*
Frohnatur 1223
Frohsinn 650, *1*
fromm 663
Frömmelei 481, *5*; 584, *2*
frommen 1196, *1*
Frommheit 1337, *2*
Frömmler 852
frömmlerisch 480, *2*; 583, *4*
Fron 101, *4*; 1020, *2*; 1972, *1*
frönen 725
frönen, dem Alkohol 284, *3*
fronen, sich 539, *2*
Fronknecht 1471, *1*
Fronstellung 606
Front 1329, *3*; 1837, *1*
Front machen 124, *2*
Front, an der 1841, *1*
frontal 1841, *2*
Frontalzusammenstoß 1651
Frontispiz 1837, *2*

Frontseite 1837, *1*
Froschaugen 141
Froschblut 1255; 1647, *4*
froschblütig 772, *4*; 914, *3*
Froschperspektive 481, *5*
Frost 915, *1*
fröstelig 914, *1*
frösteln 659, *1*
fröstelnd 914, *2*
frosten 522, *2*
frostig 31, *1*; 914, *1*
Frostigkeit 1647, *4*
frostklirrend 914, *1*
frottieren 1326, *1*; 1604, *1*
Frotzelei 1491, *2*
frotzeln 1492, *1*
frotzelnd 1493, *2*
Frucht 518, 5; 630, *3*
fruchtbar 355, *2*; **664**; 781, *2*; 1415
Fruchtbarkeit 673, *1*; 1274, *2*
fruchtbringend 664
Früchtchen 1782
fruchten 1196, *1*; 1911, *2*
fruchtig 1359, *1*
fruchtlos 1748
Fruchtlosigkeit 1749
frugal 433, *3*
Frugalität 434, *4*
früh 665
früh bis spät, von 882, *1*
früh, zu 1857, *1*
Frühadapter 1257, *2*
Frühchen 936, *1*
Frühe 51, *3*
Frühe, in aller 665
früher 418; **666**; 1744
früher als erwartet 1411; 1857, *1*
früher als gedacht 1411
früher oder später 1207, 7; 1483, *2*
Frühgeschichte 1745
Frühherbst 46
Frühjahr 667
Frühjahrsputz 1330, *3*
Frühlicht 51, *3*
Frühling 667
Frühlingslüftchen 1068, *3*
frühmorgens 665

frühreif 1857, *2*
Frühschoppen 1080, *2*
Frühstück 1080, *2*
frühstücken 566, *2*
Frühstunde 51, *3*
Frühzeit 1745
frühzeitig 665; 1290, *1*
Frust 508
Frustration 508
frustrieren 507; 1780, *1*
Frustrierung 508
Fuchs 387, *2*; 1247
fuchsen 106, *1*
fuchsig 322, *1*
füchsisch 1396, *1*
fuchsteufelswild 322, *1*
Fuchtel, unter der 1652, *3*
fuchtig 322, *1*
Fuder 1295, *1*
fuderweise 1824, *1*
Fuffziger, falscher 294, *1*
Fug und Recht, mit 252, *1*; 751, *4*
Fuge 211, *2*; 1215, *3*; 1799, *3*
fügen, aneinander 1718, *2*
fügen, sich 73, *2*; 216, *2*; 704, *1*; 1040, *2*; 1593, 7
fügsam 689, *2*; 705; 1691, *1*
Fügsamkeit 688, *2*; 706, *1*
Fügung 1389, *1*
Fügung, günstige 780, *1*
Fügung, unglückliche 1659
fühlbar 378, *1*; 1452, *1*; 1466, *1*; 1499
fühlen 668; 1867, *1*
fühlen lassen 162, *3*; 1751, *1*
fühlen nach 263, *1*
fühlen, auf den Zahn 1284, *3*
fühlen, Schmerzen 1040, *1*
fühlen, sich 212, *2*
fühlen, sich bemüßigt 1135
fühlen, sich glücklich 781, *5*

fühlen, sich hilflos
1823, 2
fühlen, sich hingezogen
1056, 1; 1127, 2
fühlen, sich schuldig
1425, 3
fühlen, sich verantwort-
lich 1135; 1425, 3
fühlen, sich verpflichtet
1135
fühlen, sich zugehörig
65, 1
fühlend, zart 467, 5
Fühler 468, 1
Fühligkeit 474
fühllos 1096, 3; 1586, 2;
1646, 2
Fühlungnahme 966, 2
Fuhre 1295, 1; 1590, 2
führen 203, 1; 220, 2;
669; 1516, 1
führen zu 631, 2
führen, ad absurdum
557, 2
führen, am Narrenseil
1492, 1
führen, aufs Glatteis
293, 4; 1849
führen, bergauf 1509, 1
führen, Beschwerde
944, 2
führen, das große Wort
669, 2
führen, Gespräche
1682, 3
führen, Gründe ins Feld
501, 3
führen, hinters Licht
293, 1
führen, im Schilde
1259, 1
führen, Klage 944, 2
führen, Krieg 918, 5
führen, Leben 1024, 1
führen, lockeres Leben
1786, 4
führen, mit sich 1589, 1
führen, Namen 1174, 3
führen, Regie 1487, 2
führen, sich vor Augen
1847, 2
führen, spazieren
1589, 2
führen, vor Augen
528, 3; 1935, 2

führen, Vorsitz 669, 1
führen, zu Ende 1829
führend 554; **670**;
1841, 1
Führer 671; 849; 1257, 2
Führung 204, 1;
1048, 1; 1759, 1
Führung haben, politi-
sche 848, 1
Führungskraft 672
Führungsschwäche
1433, 3
Führungsstab 672
Fülle 673; 887, 2;
1102, 2; 1286, 2;
1449, 2; 1827, 1
füllen 237, 1; 543, 2;
674
Füllen 910, 2; 1247
füllen, sich 674, 3
füllend 1158
füllend, sich 1958
Füllhorn 780, 1
füllig 381, 1; 1507, 2
Fülligkeit 673, 2
Füllmasse 887, 2
Füllsel 520, 2; 887, 2
Füllung 887, 2
fulminant 163, 1
Fummel 949, 1
fummeln 188
Fun 650, 1
Fund 675
Fundament 796, 1;
810, 2
fundamental 799
fundamentalistisch
1300; 1505, 4
fundamentieren 1462, 1
Fundgrube 892, 2;
1296, 3
fundieren 371, 4;
1462, 1; 1544, 1
fundiert 722, 3; 929
Fundierung 794, 2;
1799, 4
fündig werden 619, 1
Fundort 1296, 3
Fundraising 854, 1
Fundsache 675, 1
Fundstelle 1296, 3
Fundus 796, 3; 900, 1
fünf nach zwölf 1482, 1
fünf vor zwölf 1482, 2
Fünfuhrtee 1080, 6

fungieren 1911, 1
fungieren als 102, 2
Funke 617, 1; 878, 2;
1052, 2
funkeln 1381, 2
funkelnagelneu 1177, 1
funkelnd 839, 2; 1026, 4
funken 715, 1; 1622, 6;
1794, 2
Funkstille 1355, 1
Funktiolekt 1494, 5
Funktion 120, 1; 383, 1
funktionalisieren 153, 3
Funktionalisierung
154, 3
Funktionär 1807, 3
funktionell 1913, 1
funktionieren 703, 3;
715, 1; 1045, 1;
1685, 2
funktionieren, nicht
mehr 1780, 3
funktionsfähig 254, 2
Funktionsmusik 1133, 3
funktionsunfähig 265, 3
Funkturm 1610, 1
für 1506
für lau 1635, 1
für möglich halten
1772, 1
für sich 450, 2; 457, 1
für und für 882, 2
Für und Wider 1974, 3
fürbass 1855
Fürbitte 470; 684;
1771, 1
fürbitten 288; 1769, 1
Furche 585, 2; 1498, 1;
1799, 1
furchen 586, 3; 787, 1
Furcht 62, 1
Furcht haben vor 63, 2
furchtbar 822, 1;
1420, 1
fürchten 63, 1; 555, 3;
624, 2
Fürchten, zum 1420, 2
fürchterlich 1420, 1
furchtlos 1139, 1
Furchtlosigkeit 1138
furchtsam 64, 1
Furchtsamkeit 62, 3
fürderhin 117, 1
Furie 641
furios 322, 1; 1906, 1

G

Gabe 577; **677**; 1219, *1*;
1295, *2*
Gabe, milde 677, *1*
Gabelfrühstück
1080, *2*
gabeln, sich 1562, *5*
Gabelung 29, *2*; 1004
Gaben, prophetische
468, *4*
Gabenopfer 1219, *3*
Gabenverteilung 677, *2*
gackern 1495, *3*;
1585, *3*
Gadget 1898, *3*
Gaffer 248, *1*
Gag 1684, *4*
Gage 1732, *1*
gähnen 1214, *4*
gähnend 1130, *1*;
1207, *1*
Gala 1286, *1*
galamäßig 600, *2*
Galan 714; 927
galant 864
Galanterie 490, *2*
Galanummer 767, *5*;
1079
Galaxie 1514
Galaxis 1514
Galeere 579, *6*
Galeerensklave 1471, *1*
Galerie 1302, *2*; 1362, *2*
Galgenfrist 1822, *3*
Galgenhumor 1491, *3*
Galgenvogel 1429, *2*
Galionsfigur 1807, *3*
gallebitter 844, *2*
gallertartig 1891, *4*
gallig 323, *1*; 844, *2*
Galopp 302, *1*; 427, *2*
galoppieren 428, *1*
Gameshow 1459
gamin 390
gammelig 1397, *3*
gammeln 594
Gammler 1546, *2*
Gang 275, *2*; 302, *1*;

630, *1*; 800, *5*;
1283, *2*; 1843, *1*
gang und gäbe 678, *1*;
968, *1*
Gangart 302, *1*
Gangart, härtere 1972, *1*
gangbar 678, *2*; 1128, *1*
gangbar machen 179, *1*
Gänge 1080, *9*
Gängelband 1048, *2*
Gängelei 1048, *2*
gängeln 1680, *4*
Gängelung 1048, *2*
gängig 40, *1*; 243, *2*;
299; **678**
Gangster 294, *1*
Gangstermilieu 1690, *1*
Gangstertum 1690, *1*
Gangway 333
Ganove 1429, *2*
Gans 405, *4*
Gans, dumme 405, *4*
Gänsemarsch 1329, *3*
Gänsemarsch, im
1015, *2*
Gant 1760, *3*
ganz 679; 1946
ganz und gar 679, *2*
Ganze, das 38, *1*
Ganzen, im 41
Ganzes 442, *1*
Ganzes, strukturiertes
1553, *1*
Ganzheit 442, *1*
ganzheitlich 679, *1*
ganzjährig 365, *3*
gänzlich 679, *2*
Ganztagsschule 1427, *1*
Gap 1067, *3*
gar 610, *4*; 1655, *1*
gar werden lassen 956, *2*
gar, halb 1671, *2*;
1695, *3*
Garant 338
Garantie 342, *1*; 1461, *3*
garantieren 339, *1*;
1462, *2*; 1787, *2*
garantiert 1460, *4*
Garaus machen 1587, *1*
Garbe 343, *2*
Garçonnière 1920, *2*
Garde 1878
Garderobe 949, *1*;
1843, *2*
Gardine 870, *6*

Gardinen, hinter schwe-
dischen 1652, *2*
Gardinen, schwedische
692, *2*
Gardinenpredigt
1082, *4*; 1385, *1*
garen 325, *1*; 956, *2*;
1950
gären 1376, *1*; 1729, *1*
Garn 575, *2*; 1060, *1*
garnieren 167, *2*; 1292, *1*
Garnierung 168, *3*;
1291, *2*
Garnitur 1291, *2*;
1329, *2*; 1470, *2*
garstig 323, *1*; 822, *1*
Garstigkeit 324
Garten 680
Garten Eden 1234
Garten Gottes 1234
Garten, botanischer 680
Garten, englischer 680
Garten, zoologischer
1949
Gartenbank 184, *1*
Gartenfest 749, *2*
Gartenstuhl 1470, *1*
Gartenwirtschaft 681, *1*
Gärung 549, *4*; 596
Gas 478, *2*
gasförmig 1070, *2*
Gasheizung 836
Gasherd 845
Gaslampe 1012, *1*
Gasse 1528
Gasse, hohle 481, *4*
Gassenhauer 739, *2*
Gassenjunge 1272, *1*
Gasstrumpf 1012, *1*
Gast 283, *1*
Gäste 281, *2*; 1000, *3*
Gästehaus 681, *2*
gastfrei 748, *3*
Gastfreiheit 749, *3*
Gastfreund 283, *1*
gastfreundlich 748, *3*
Gastfreundlichkeit
749, *3*
Gastfreundschaft 749, *3*
Gasthaus 681
Gasthof 681, *1*
Gasthörer 283, *3*
gastlich 748, *3*
Gastlichkeit 749, *3*
Gastmahl 1080, *10*

Gastrolle 281, *2*; 1347, *1*

Gastronom 1916, *1*

Gastronomie 730, *3*; 993

Gastrosophie 730, *3*

Gastspiel 281, *2*

Gaststätte 681, *1*

Gastwirt 1916, *1*

Gatte 1235, *4*

Gatter 1419

Gattin 1235, *4*

Gattung 110, *2*

GAU 1651

Gaudi 650, *4*; 1684, *2*

Gaukelei 1933, *1*

Gaukelspiel 880, *2*; 1933, *1*

Gaukelwerk 1933, *1*

Gaukler 111, *2*

Gaul 1247

Gaumen 746, *2*

Gaumen, feiner 726, *2*

Gaumenfreude 979

Gaumenkitzel 730, *1*; 979

Gauner 294, *1*; 1429, *1*

Gaunerei 292

Gaunersprache 1494, *4*

gay 866

Gay 867

Gazelle, wie eine 1036, *5*

gazellenhaft 71, *2*

geachtet 58

geächtet 534, *3*; 1319

Geächteter 160, *2*

Geacker 1020, *2*

geädert 718, *1*

gearbeitet, schlecht 1397, *2*

geartet 576, *1*; 1902, *3*

geästelt 992, *6*

Gebabbel 737, *2*

gebacken, frisch 1177, *1*

gebacken, neu 1177, *1*

gebahnt 768, *1*

gebändigt 1091, *1*

gebannt 548, *3*; 548, *3*; 895, *1*

Gebärde 147, *2*; 860, *2*; 1934, *2*

Gebärden 1759, *3*

gebärden, sich 1758, *1*

Gebärdenspiel 147, *2*

Gebärdensprache 147, *2*

Gebaren 1759, *1*

gebären 682

gebaren, sich 1758, *1*

Gebäude 824, *1*

gebaut 1902, *3*

gebaut, gut 1412, *2*

gebaut, nah ans Wasser 1891, *2*

gebaut, schlecht 822, *1*

gebefreudig 793, *1*; 1644

Gebeine 973, *2*

Gebelfer 1385, *1*

Gebell 734, *4*; 1385, *1*

geben 307; 321, *2*; **683**; 1034, *1*; 1487, *1*; 1487, *2*; 1618; 1712, *1*

geben, Abschied 998, *2*

geben, Acht 128, *1*

geben, Acht auf 128, *2*; 247, *1*

geben, anderen Namen 931, *5*

geben, anderen Sinn 1709, *1*

geben, anheim 531, *1*

geben, Antrieb 75, *2*; 89, *3*

geben, Arbeit 89, *1*

geben, Aufschluss 557, *1*

geben, Ausdruck 1495, *1*

geben, Auskunft 1120, *1*

geben, bekannt 1120, *3*; 1727, *1*; 1774, *2*

geben, Bescheid 557, *1*; 1120, *1*

geben, Beschreibung 270, *1*

geben, Brief und Siegel 339, *1*

geben, Brust 676, *1*

geben, dem Affen Zucker 1623, *4*

geben, der Wahrheit die Ehre 1208, *3*

geben, eins auf die Nase 1391, *1*

geben, eins hintendrauf 1394, *1*

geben, Einverständnis 531, *1*

geben, etwas von sich 162, *1*

geben, falsches Bild 1072

geben, Farbe 590, *1*

geben, Fersengeld 624, *1*

geben, Fest 602, *1*

geben, Flasche 676, *1*

geben, Form 756

geben, Futter 676, *1*

geben, Gas 391, *3*

geben, Geleit 220, *1*

geben, Genugtuung 345

geben, Glanz 769, *3*

geben, Halt 1544, *1*

geben, Hand 802, *1*

geben, Hilfestellung 837, *1*

geben, Hinweis 861, *1*

geben, Impuls 75, *2*

geben, in Auftrag 280, *1*

geben, in Obhut 1800, *2*

geben, in Verwahr 22, *3*; 1800, *2*

geben, keine Ruhe 391, *4*; 1242, *1*

geben, keinen Laut von sich 1438, *2*

geben, Kick 541, *2*

geben, Klaps 1394, *1*

geben, Kontra 124, *2*; 557, *2*

geben, Konzert 1487, *3*

geben, Korb 30, *4*

geben, Laufpass 329, *2*; 998, *2*

geben, Laut 244, *1*

geben, letzten Schliff 1829

geben, letztes Geleit 233, *1*

geben, Mitgift 167, *1*

geben, Nachricht 1120, *1*

geben, Note 1284, *1*

geben, Obacht 128, *1*

geben, Pfand 339, *2*

geben, Quartier 127, *1*

geben, Rat 1305, *1*

geben, Rest 1587, *1*

geben, richtigen Pfiff 1829

geben, Rippenstoß 1081, *3*

geben, Schuld 1856

geben, sein Bestes 92, *2*

geben, sein Wort 313, *3*; 1787, *2*

geben, sich 1758, *1*

gedacht 879
Gedächtnis 527, 1
Gedächtnis haben, im
526, 5
Gedächtnis, aus dem
1696, 3
Gedächtniskraft 527, 1
Gedächtnislücke 33, 3
Gedächtnismal 373
Gedächtnisrede 527, 2
Gedächtnisschwäche
33, 3
Gedächtnisschwund
33, 3
Gedächtnisstörung 33, 3
Gedächtnisstütze 854, 3
gedämpft 406, 5; 1044
Gedanke 77, 1; 202, 1;
878, 1; 1100, 3; 1321
Gedanke daran, kein
1173
Gedanken machen, sich
63, 2; 371, 1
Gedankenarbeit 1321
gedankenarm 182
Gedankenarmut 183, 1;
404, 1
Gedankenaufriss
1258, 2
Gedankenaustausch
277, 2; 1684, 1
Gedankenblitz 878, 2
Gedankenbrücke
1719, 2
Gedankenflucht 33, 2
Gedankenfolge 1321
Gedankenfreiheit 645, 1
Gedankenfülle 1321
Gedankengang 1321
Gedankengebäude
1553, 3
Gedankenleser 1276
gedankenlos 403, 2;
1037, 1; 1096, 2;
1199, 2; 1639, 2;
1696, 2
Gedankenlosigkeit
33, 2; 404, 2
gedankenreich 1580
Gedankenspiel 1258, 2
Gedankensplitter 374, 3
Gedankentiefe 1321
gedankenträge 1676, 1
Gedankenübertragung
966, 1

Gedankenverbindung
1719, 2
Gedankenverknüpfung
1321
gedankenverloren
1639, 1
gedanklich 879; 1773, 4
gedehnt 1013, 1
Gedeih und Verderb, auf
679, 2; 1300
gedeihen 510, 1
Gedeihen 511, 1; 518, 1;
780, 1
gedeihlich 664; 757, 3;
781, 2; 803, 1
gedenken 526, 3
Gedenken 527, 1
gedenken, zu tun
1259, 1; 1923, 1
Gedenkfeier 527, 2; 906
Gedenkrede 527, 2
Gedenkstätte 373
Gedenkstein 373
Gedenktag 906
gediegen 86, 3; 414, 2
gedopt 1646, 2
gedörrt 1603, 1
Gedränge 291, 3; 481, 3
gedrängt 380, 2; 429, 1;
1005, 3; 1828, 2
gedrängt, dicht 480, 1
Gedrängtheit 481, 1;
1006, 1
gedrechselt 1625, 5
Gedröhn 734, 2
gedrückt 1182, 1
gedruckt werden 958, 3
gedrungen 981, 3
Gedudel 739, 1
Geduld 688
gedulden, sich 1877, 1
geduldig 144; **689**;
1357, 2
Geduldsprobe 105, 3;
1285, 3
geehrt 58
geeignet 504, 1; 516, 1;
576, 1; 803, 3; 1197, 1;
1973, 1
geeignet sein 503, 3
geeignet sein für 1508, 4
geeinigt 1728, 1
Gefach 571, 1
Gefahr 399, 2; 988, 1
Gefahr, außer 1460, 3

Gefahr, in 690, 4
gefährden 398, 2
gefährden, sich 1860, 2
gefährdet 471, 1; 690, 4
Gefährdung 399, 2
Gefahrenpunkt 1764, 1
gefährlich 690; 1397, 4;
1674, 6
gefährlich werden
398, 2
Gefährlichkeit 399, 2
gefahrlos 1109, 2;
1460, 2
Gefährt 579, 1
Gefährte 66, 2; 652
Gefährtenschaft 655, 1
Gefährtin 653
gefahrvoll 690, 1
Gefälle 5, 4; 1689
gefallen 214, 1; 437, 1;
503, 1; 651, 1; **691**;
1127, 1; 1586, 1;
1761, 4
Gefallen 383, 2; 490, 1;
650, 2
gefallen lassen, sich
531, 1; 704, 2;
1040, 2
gefallen lassen, sich et-
was nicht 124, 2
Gefallen tun 489, 1
gefallen, nicht auf den
Kopf 890, 1; 1773, 2
gefallen, nicht auf den
Mund 253, 1
gefällig 254, 1; 328, 1;
491; 654, 1; 869;
1175, 1
gefällig sein 489, 1
Gefälligkeit 383, 2;
490, 1; 854, 1
gefälligst 314, 1
Gefallsucht 460, 1
gefallsüchtig 459, 1
gefälscht 583, 3
gefältelt 587, 1
gefaltet 587, 1; 731, 1
gefangen 1652, 2
gefangen nehmen
894, 1; 1757
gefangen sein 1469, 2
Gefangenenlager 692, 2
Gefangennahme 692, 1
Gefangenschaft 692
Gefängnis 692, 2

Gegenspieler 700, *1*
Gegenstand 697
Gegenstand haben, zum
    224, *3*
Gegenstand, gefundener
    675, *1*
gegenständlich 78, *1*
gegenstandslos 1397, *6*;
    1640
Gegenstandsschrift
    1422, *2*
gegensteuern 1516, *3*
Gegenstimme 558, *2*
Gegenstoß 1314, *1*;
    1901, *2*
gegenstoßen 90, *1*
Gegenströmung
    1314, *1*
Gegenstück 505, *1*
Gegenteil 694, *1*
Gegenteil, im *3*; 1173
gegenteilig 695, *3*
gegenüber 49; 695, *2*
Gegenüber 1143, *3*
gegenübersehen, sich
    619, *3*
gegenüberstellen 557, *2*;
    967, *1*; 1755, *1*
Gegenüberstellung
    1754, *1*
Gegenverhalten 1314, *1*
Gegenvorschlag 558, *2*
Gegenwart 698
Gegenwart von, in
    699, *3*
gegenwärtig 699; 1838
gegenwärtig haben
    526, *5*
gegenwärtig sein 526, *5*
gegenwartsnah 699, *2*;
    1900, *2*
Gegenwehr 1901, *2*
Gegenwert 1270, *1*;
    1899, *2*
Gegenwirkung 1314, *1*;
    1901, *1*
gegenzeichnen 278, *3*
Gegenzug 1314, *1*
gegessen, voll 1364, *1*
geglänzt 768, *2*
gegliedert 731, *3*
gegliedert, wohl 731, *3*
geglückt 804, *2*
Gegner 604, *1*; 700
gegnerisch 605

Gegnerschaft 606;
    962, *1*
gegoren 844, *1*
gegriffen, aus der Luft
    583, *2*; 797
gegriffen, zu hoch
    1625, *6*
Gehabe 460, *1*; 1577, *3*;
    1759, *1*
gehaben, sich 1758, *1*
Gehalt 202, *1*; 823;
    887, *1*; 1549; 1732, *1*;
    1899, *1*
gehalten 1776, *1*
gehalten sein 1135
gehaltlos 574, *1*; 1028, *3*
Gehaltsempfänger 103
gehaltvoll 1158; 1327, *3*
gehandikapt 265, *2*;
    1652, *3*
Gehänge 343, *2*
geharnischt 1145, *1*
gehässig 239, *1*; 323, *1*
Gehässigkeit 81, *1*; 324;
    584, *1*
gehäuft 1216
Gehäuse 952; 1309, *1*
Gehege 1949
geheilt 757, *2*
geheilt werden 524, *2*;
    723, *1*
geheim 834, *2*
geheim halten 1438, *2*;
    1715, *1*
geheimdienstlich 834, *2*
Geheimkult 701
Geheimlehre 701
Geheimnis 408, *3*; 702
Geheimnis, offenes
    262, *1*; 737, *1*
geheimnisumwittert
    407, *4*
geheimnisvoll 407, *4*
Geheimtipp 860, *2*
Geheimwissenschaft 701
Geheimzahl 930, *5*
Geheimzeichen 930, *5*
Geheiß 136, *2*; 209, *1*
geheizt 1872, *1*
gehemmt 1182, *1*;
    1674, *5*; 1763, *1*
Gehemmtheit 1764, *3*
gehen 212, *2*; 300, *1*;
    437, *1*; 485, *1*; **703**;
    729, *1*; 998, *1*; 1761, *4*

gehen lassen 1019, *1*
gehen lassen, es sich gut
    594
gehen lassen, sich 524, *3*
gehen lassen, sich durch
    den Kopf 371, *2*
gehen lassen, sich nicht
    228
gehen lassen, über die
    Bretter 1487, *2*
gehen lassen, über die
    Bühne 1712, *2*
gehen mit, bergab
    1149, *1*
gehen nach 216, *1*
gehen um 224, *3*; 289
gehen, abwärts 21, *1*
gehen, an Bord 456, *1*
gehen, an den Kragen
    398, *2*
gehen, an den Leib
    398, *2*
gehen, an der Spitze
    669, *2*
gehen, an die Arbeit
    1685, *2*
gehen, an die Decke
    106, *2*
gehen, an die Nieren
    129, *4*
gehen, an die Substanz
    1521, *3*
gehen, ans Eingemachte
    1521, *3*
gehen, ans Leben 398, *2*
gehen, auf den Geist
    106, *1*
gehen, auf den Grund
    536; 635
gehen, auf den Leim
    1383, *4*
gehen, auf den Strich
    1279
gehen, auf die Barrika-
    den 124, *2*
gehen, auf die Reise
    1331, *1*
gehen, auf die Wander-
    schaft 175, *1*
gehen, auf Distanz
    485, *5*
gehen, auf große Fahrt
    1331, *1*
gehen, auf leisen Sohlen
    777, *1*

gehorchen 503, *2*; **704**
gehorchend, der Not
　1653, *2*
gehören 807, *1*
gehören, sich 88, *2*
gehörig 86, *1*; 504, *1*;
　1225, *3*
gehörig, zur Familie
　1813, *1*
gehörnt 1660, *6*
gehorsam 328, *1*; **705**
Gehorsam 706
Gehorsam, blinder
　706, *2*
Gehorsamsverweige-
　rung 1901, *2*
gehört, nie 1642, *2*
gehört, wie es sich 731, *2*
geht an 1091, *2*
geht ins Geld 1574
geht nicht 1665
geht über Leichen 334;
　1456
geht und steht, wie er
　771, *3*
geht, es 728
Gehudel 1669, *2*
gehüpft wie gesprungen
　772, *5*
Gehweg 1528
geifern 1391, *2*
geigen 1487, *3*
Geiger 1134, *2*
geil 1074; 1254, *1*
Geilheit 1073, *3*
geimpft 883, *1*
Geisel 338; 1219, *2*
Geißel 186; 1659
Geist 707; 1790, *1*
Geist, böser 1575
Geist, der stets verneint
　1245
Geist, guter 838, *1*
Geister 707, *3*
Geisterglaube 4
geisterhaft 592, *1*;
　1420, *2*; 1693, *5*
geistern 777, *1*; 1634, *3*
Geisterseher 1276
geistesabwesend 1639, *1*
Geistesabwesenheit
　33, *2*
Geistesarbeiter 372;
　1919
geistesarm 182; 403, *1*

Geistesarmut 183, *1*;
　404, *1*
Geistesblitz 878, *2*
Geistesfunke 878, *2*
Geistesgaben 1790, *2*
Geistesgegenwart
　707, *2*
geistesgegenwärtig
　125, *1*; 1357, *5*
geistesgestört 708;
　1778, *2*
Geistesgestörtheit 709;
　1779, *3*
Geistesgröße 724, *1*;
　792, *2*
Geisteshaltung 375
Geisteskraft 1790, *1*
geisteskrank 708;
　1778, *2*
Geisteskrankheit 709;
　1779, *3*
geistesmächtig 1415
Geistesschärfe 947, *3*
geistesschlicht 403, *1*
geistesschwach 403, *1*
Geistesschwäche 404, *1*
Geistesstörung 709
geistesverwandt 771, *4*;
　819, *2*; 1813, *2*
Geistesverwandtschaft
　1814, *2*
Geisteswissenschaftler
　1919
geistig 879; 1773, *4*
Geistlicher 939, *1*
geistlos 182
Geistlosigkeit 183, *1*;
　404, *1*
geistreich 76, *2*; 1231, *3*
geisttötend 182; 1017, *1*
geistvoll 76, *2*
Geiz 1481
Geizdrache 710
geizen 1479, *2*
Geizhals 710
geizig 1480, *1*
Geizkragen 710
Gejage 427, *1*
gejagt 429, *1*; 1600, *2*
gejagt, von Furien 64, *2*
Gejagtheit 427, *1*
Gejammer 943, *2*
Gejauchze 650, *3*
gekappt 1005, *1*
gekauft, fertig 610, *5*

gekauft, gern 243, *2*;
　678, *2*
Gekeife 1385, *1*
gekerbt 1643, *2*
gekippt 844, *1*; 1397, *3*
Gekläffe 734, *4*
Geklapper 734, *2*
geklärt 945, *1*; 1365, *2*
gekleidet, gleich 771, *2*
Geklirr 734, *2*
geklont 771, *1*
Geknatter 734, *2*
geknebelt 1652, *3*
geknickt 265, *1*; 1182, *1*;
　1660, *1*; 1698
gekocht 610, *4*
gekommen, auf den
　Hund 850, *1*
gekommen, vorwärts
　781, *2*
gekommen, zu kurz
　1698
gekommen, zur Welt
　686, *2*
gekonnt 572, *1*; 1001
gekoppelt 1728, *2*
Gekrakel 1422, *1*
gekränkt 322, *2*
Gekränktheit 105, *1*
gekräuselt 587, *1*; 992, *4*
gekreuzt 390
Gekritzel 1422, *1*
Gekröse 439
gekrümmt 992, *1*
gekündigt 104
gekünstelt 766
gekürzt 1005, *1*
Gelaber 737, *2*
Gelächter 650, *3*; 734, *2*
geladen 322, *1*; 690, *1*
geladen sein 106, *2*
geladen, schwer 250, *1*
Geladener 283, *1*
Gelage 711
gelähmt 1042, *2*
Gelände 685, *2*; 795
Gelände, vermintes
　843, *2*
Geländer 1419
Geländewagen 579, *2*
gelangen in 432, *4*
gelangen, ans Ziel 67, *1*;
　715, *2*
gelangen, zu einem Ur-
　teil 1702, *1*

gelangen, zur Einsicht 1794, *2*

gelangweilt 772, *4*; 1364, *4*

Gelass 1309, *1*

gelassen 689, *1*; 1357, *3*

gelassen, im Stich 1660, *6*

Gelassenheit 229, *1*; 688, *1*; 1355, *2*

Geläuf 1498, *1*

gelaufen 1744

gelaufen, schief 583, *1*; 1397, *2*

geläufig 262, *1*; 678, *1*; 1803, *2*; 1830, *2*

Geläufigkeit 743, *1*

gelaunt 576, *2*

gelaunt, gut 835, *3*

gelaunt, schlecht 1117

geläutert 945, *1*; 1365, *2*

Geld 712

Geld machen 761, *1*; 1731, *1*

Geld machen, zu 1761, *1*

Geld wie Heu 1327, *1*

Geld wie Heu haben 807, *2*

Geld, ohne 107, *1*

Geldadel 1201, *2*

Geldaristokrat 1687, *3*

Geldbehälter 921, *1*

Geldbeutel 921, *3*

Geldentwertung 1348, *5*

Geldgeber 1095

Geldgier 1762, *3*

geldgierig 808

Geldinstitut 184, *2*

Geldkapital 271, *3*

Geldkassette 922, *1*

Geldkasten 921, *1*

Geldklemme 1190, *1*

Geldladen 921, *1*

Geldmittel 271, *3*; 1123, *1*

Geldschein 712, *1*

Geldschrank 921, *1*

Geldsorgen 1190, *1*

Geldverlegenheit 1190, *1*

Geldwert 1270, *1*

geleckt, wie 1365, *1*

geleert 1028, *1*

gelegen 57, *1*; 803, *1*; 1908

gelegen kommen 691, *1*; 1593, *7*

gelegen sein 212, *1*

gelegen, hoch 1070, *3*

Gelegenheit 556, *3*; 1129

Gelegenheit, bei 69, *1*

Gelegenheit, bei dieser 1167, *1*

Gelegenheitskauf 923

Gelegenheitsraucher sein 1308

gelegentlich 69, *1*; 926, *1*; 1853, *1*

gelegentlich, nur 1457, *2*

gelegt, in die Wiege 55

gelegt, in Falten 587, *1*

gelehrig 467, *3*

Gelehrsamkeit 1918, *2*

gelehrt 929

Gelehrter 372; 1919

Gelehrtheit 1918, *2*

Geleise 1498, *3*

geleiten 220, *1*

Geleitwort 438, *1*

Geleitzug 579, *6*

Gelenk 211, *2*

gelenkig 301, *1*; 622, *2*

Gelenkigkeit 623, *2*

gelenkt 1260, *1*

gelernt 516, *1*; 572, *1*; 1001

Gelichter 753

gelichtet 410, *3*; 954, *1*

geliebt 1054, *2*

Geliebte 713

Geliebter 714

geliefert 534, *2*

gelieren 551, *1*

gelinde 689, *1*; 1109, *1*; 1932, *2*

gelingen 715

Gelingen 518, *1*; 780, *1*

Gelispel 734, *2*

gellen 1018, *1*

gellend 1022

geloben 1787, *2*

Gelöbnis 1788, *1*

gelockert 644, *2*; 1065, *1*

gelockt 992, *4*

gelogen 583, *2*

gelöscht 534, *4*; 768, *4*

gelöst 644, *2*; 1891, *4*

gelten 201, *4*

gelten lassen 278, *4*; 489, *1*; 531, *1*

geltend machen 1845, *2*

geltend machen, Ansprüche 195, *1*

geltend, für alle 40, *2*

Geltung 202, *2*; 716

Geltung, bedingte 206

Geltungsbedürfnis 460, *2*

geltungsbedürftig 421

Geltungsbereich 436, *3*

Geltungsdrang 460, *2*

Geltungssucht 460, *2*

geltungssüchtig 421

gelüftet 1070, *3*

Gelump 753

gelungen 804, *2*; 835, *4*

Gelüst 1073, *1*; 1762, *1*

gelüsten nach 217, *2*

gemach 689, *1*; 1015, *1*; 1357, *2*

Gemach 1309, *1*

gemächlich 1015, *1*

gemacht 738, *2*; 766; 781, *2*; 1902, *3*

Gemächt 778, *2*

gemacht, gut 804, *2*; 1317, *1*

gemacht, wie 504, *1*

Gemahl 1235, *4*

gemahlen 1939

Gemahlin 1235, *4*

gemahnen 526, *4*

gemahnen an 1615, *3*

gemahnend 774

Gemälde 308, *2*

Gemäldesammlung 1362, *2*

gemalt 591, *2*

gemangelt 768, *7*

Gemarkung 685, *2*

gemasert 718, *1*

gemäß 86, *1*; 504, *1*; 775

gemäß sein 503, *1*

gemäßigt 1091, *1*

gemästet 381, *1*

Gemecker 989, *4*

gemein 40, *4*; 91, *4*; 349; 678, *1*; 1397, *5*

gemein machen, sich 841, *2*

Gemeinde 66, *4*; 938, *5*; 1500, *1*

Gemeiner 1471, *1*
gemeingefährlich
    690, *5*
Gemeinheit 324; 1398;
    1670, *1*
gemeinhin 41
Gemeinplatz 183, *1*;
    1256, *1*
gemeinplätzig 182
Gemeinplätzigkeit
    183, *1*
gemeinsam 443, *2*; 776;
    1962
Gemeinsamkeiten
    1719, *3*
Gemeinschaft 717
gemeinschaftlich 443, *2*;
    1962
Gemeinschaftsarbeit
    1963
Gemeinsinn 1645
gemeint, ernst 545, *3*
gemeint, gut 654, *2*
Gemenge 1113, *1*
Gemengelage 1113, *4*
gemessen 600, *1*;
    1091, *1*; 1357, *3*;
    1927, *2*
Gemessenheit 601, *1*
Gemetzel 987, *1*; 1090
Gemisch 1113, *1*
gemischt 1784, *2*
Gemischtwarenladen
    740, *2*; 1827, *2*
gemogelt, instand
    1177, *4*
Gemunkel 737, *1*
Gemurmel 734, *2*
Gemüse, junges 908, *2*
Gemüsegarten 680
gemustert 718
Gemüt 468, *3*; 693, *1*
Gemüt, im 888, *2*
gemütlich 719; 1015, *1*;
    1872, *1*
Gemütlichkeit 249, *1*
gemütlos 334
gemütsarm 914, *3*
Gemütsart 346
Gemütsbeschaffenheit
    1520, *1*
Gemütsbewegung
    549, *1*
Gemütserregung 549, *1*
gemütskalt 914, *3*

gemütskrank 720;
    1042, *4*
Gemütskrankheit 721
Gemütsmensch 1255
Gemütsruhe 1355, *2*
Gemütsstimmung
    1520, *1*
Gemütstiefe 474
Gemütsverfassung
    1520, *1*
Gemütszustand 1520, *1*
gemütvoll 467, *5*; 473;
    1054, *4*
Genabdruck 930, *5*
genannt werden 1174, *3*
genannt, auch ... 426, *2*
genannt, so 426, *2*
genannt, viel 262, *1*
genant 1496, *3*; 1763, *1*
genarbt 718, *1*
genäschig 218, *2*; 727
genau 378, *2*; **722**;
    1225, *2*; 1290, *1*;
    1476, *1*; 1971, *2*
genau gehend 722, *1*
genau wie 504, *1*
genau, ganz 457, *4*
genau, peinlich 1241, *1*
Genauigkeit 1475, *1*
genauso 117, *1*; 771, *1*;
    1473
Genbank 184, *3*
genbedingt 55
genehm 57, *1*; 1908
genehm sein 691, *1*
genehmigen 12, *4*;
    503, *2*; 531, *1*; 1601, *2*
genehmigen, sich
    1045, *2*
genehmigt 252, *1*
Genehmigung 532, *2*
geneigt 254, *1*; 491;
    738, *1*; 1054, *2*;
    1417, *2*
geneigt sein 531, *4*
Geneigtheit 1055, *1*;
    1172, *1*
Genen, in den 55
Generalbass 798, *1*
Generalbeichte 1209, *2*
Generaldirektor 1047, *2*
generalisieren 1706
Generalisierung 1707
Generalmusikdirektor
    1047, *2*

Generalstreik 1532
Generation X 908, *2*
Generation, junge
    908, *2*
generell 40, *4*; 41;
    1612, *1*
generieren 560, *1*
generös 748, *3*; 793, *1*
Genese 511, *4*
genesen 524, *2*; **723**;
    757, *2*
genesen sein 723, *1*
Genesis 1416, *1*
Genesung 525, *2*
genial 1415
Genialität 724, *2*
Genie 707, *2*; **724**;
    1274, *1*
genieren 1523, *1*
genieren, sich 807, *3*;
    1371, *1*
genierlich 1243, *1*
Genierlichkeit 1764, *2*
geniert 1763, *1*
genießbar 610, *4*;
    1091, *2*
genießen 651, *1*; **725**;
    807, *1*
genießen, Achtung
    201, *3*
genießen, Leben 725
genießen, Vertrauen
    1627, *3*
genießend, Immunität
    883, *2*
Genießer 726
genießerisch 727;
    1466, *2*
Geniestreich 1686, *3*
Genital 942
Genius 707, *2*; 724, *1*
Genmanipulation
    1951, *3*
genommen, gefangen
    1652, *2*
genommen, genau
    426, *1*; 722, *5*
genommen, in Anspruch
    1557, *4*
genommen, streng
    426, *1*
genommen, unter die
    Lupe 722, *5*
genoppt 718, *1*
Genörgel 989, *4*

geraten, ins Schwimmen
1435, 2; 1442, 2
geraten, ins Schwitzen
1445, 1
geraten, ins Stocken
1521, 2
geraten, ins Trudeln
581, 2
geraten, kurz 950, 1
geraten, sich in die Wolle
1535, 2
Geratewohl, aufs
1668, 2; 1953, 2
Gerätschaft 733
geräumig 791, 2;
1892, 1
Geräumigkeit 792, 1
geräumt 1028, 1
Geraune 734, 2; 737, 1
Geräusch 734
Gerausche 734, 2
Geräuschkulisse 859, 1
geräuschlos 1044
geräuschvoll 1022
gerben, Fell 1394, 1
gerecht 347, 1
gerecht (sein) 735
gerecht werden 963, 1;
1794, 3
gerecht werden wollen,
allen 1562, 3
gerecht werden, jmdm.
735, 3
gerecht, in allen Sätteln
516, 1
gerechtfertigt 504, 1;
735, 2
Gerechtigkeit 736;
1318, 2
gerechtigkeitsliebend
735, 1
Gerechtigkeitslücke
1670, 1
Gerechtigkeitssinn
468, 1
Gerede 737; 1256, 2
geregelt 534, 1; 731, 1
gereichen, zum Schaden
1369, 5
gereichen, zur Ehre
420, 2
gereift 516, 1; 1328, 1;
1328, 3
gereinigt 945, 1; 1365, 1
gereist, weit 516, 1

gereizt 322, 1
Gereiztheit 105, 1
gerettet 1460, 3
gereuen 256
Gericht 912, 1; 1080, 1
gerichtet 534, 3; 610, 2;
731, 1; 1177, 4
gerichtet, nach innen
1357, 4
Gerichtsbarkeit 912, 1
Gerichtsentscheid
1701, 3
Gerichtssache 1283, 1
Gerichtsstand 1968, 2
Gerichtstermin 1573
Gerichtsverfahren
1283, 1
Gerichtsverhandlung
1283, 1
Gerichtswesen 912, 1
gerieben 1396, 1; 1939
gerieben, dünn 265, 1
gerieft 1643, 2
gerieren, sich 807, 3;
1758, 1
Geriesel 734, 2
gerillt 1643, 2
gering 950, 2; 1397, 1;
1894, 1
geringfügig 950, 2;
1640; 1894, 1
Geringfügigkeit 951, 1
geringschätzig 31, 2
Geringschätzung 1115
Geringste, nicht das
1180, 1
Geringsten, nicht im
1173
geringstenfalls 1894, 3
gerinnen 551, 1
Gerippe 810, 4
gerissen 1396, 1;
1555, 2
Gerissenheit 743, 2
gern 87; 254, 1; 646;
738
gern haben 1127, 1
gern haben können 773
gern haben, jmdn.
1056, 1
gern tun 489, 1
gern, liebend 738, 2
Gernegroß 1436
Gerte 955
gertenschlank 410, 2

Geruch 108
geruchlos 574, 1
Geruchsorgan 1161
Geruchssinn 1868, 2
Geruchsvermögen
1868, 2
Gerücht 737, 1
Gerüchteküche 737, 2
Gerüchtemacherei
737, 2
gerüchteweise 1124, 2
gerüchtweise 79
gerufen, wie 1908
geruhen 531, 4
gerühmt 58
gerührt 548, 2; 1565, 1
gerührt, leicht 473
gerührt, vom Donner
1505, 3
geruhsam 1357, 2
Gerumpel 734, 2
Gerümpel 5, 1; 5, 2
gerundet 381, 4;
1828, 3
Gerüst 810, 4; 965, 1
gerüstet 576, 3; 610, 2
gerüttelt voll 1828, 1
gesagt – getan 771, 3
gesagt sein lassen, sich
1049, 4; 1794, 5
gesagt, genau 1160
gesalzen 862, 5; 1574
gesammelt 125, 1;
148, 3; 891, 2
Gesamtergebnis 521
Gesamtheit 38, 1;
442, 1; 1212, 1
Gesamtschule 1427, 1
Gesamtwerk 1046, 1
Gesandter 387, 1
Gesandtschaft 1808
Gesang 734, 5; 739
Gesangsstück 739, 2
Gesäß 1350
gesät, dünn 410, 3;
954, 1; 1457, 1
gesättigt 891, 5; 1364, 1
gesäubert 731, 1;
1365, 1
geschädigt 265, 2
Geschädigter 1219, 2
geschaffen werden
506, 1
geschaffen zu 576, 1
geschafft 610, 1; 1130, 2

Getriebe 291, *3*
getrieben 1093, *3*; 1261;
    1652, *1*
Getriebenheit 427, *1*
getrocknet 1603, *1*
getroffen 322, *2*;
    1182, *1*; 1660, *1*
getroffen, gut 804, *2*
getroffen, ins Schwarze
    804, *2*
getroffen, nicht 583, *1*
getroffen, wie vom Blitz
    1505, *3*
getrübt 407, *2*
Getue 460, *1*; 1624, *1*;
    1675, *1*
Getümmel 291, *3*;
    1102, *3*; 1669, *4*
getüncht 591, *2*
getüpfelt 718, *1*
getupft 718, *1*
Getuschel 734, *2*; 737, *1*
geübt 516, *1*; 576, *3*;
    744, *2*; 1830, *2*
Geübtheit 743, *1*
Gevatter Tod 1582, *3*
gewachsen 1902, *3*
gewachsen sein 963, *1*
gewachsen, ans Herz
    1054, *2*
gewachsen, dem Leben
    nicht 856, *1*
gewachsen, gerade
    732, *1*
gewachsen, gut 1412, *2*
gewachsen, hoch 791, *1*
gewachst 768, *2*
gewagt 91, *3*; 690, *2*
gewählt 148, *1*; 416, *1*;
    996, *3*
gewählt, selbst 646
Gewähltheit 607, *1*
Gewähr 342, *1*
gewahr werden 668, *1*;
    1451; 1867, *1*
Gewähr, ohne 1207, *6*
gewahren 619, *1*; 1451;
    1867, *1*
gewähren lassen 1019, *1*
gewähren, Zahlungsauf-
    schub 1542
gewähren, Zutritt 466, *2*
gewährleisten 307;
    339, *1*
Gewährleistung 342, *2*

Gewahrsam 692, *1*
Gewahrsam, in 1652, *2*
Gewährsmann 338
Gewährung 532, *3*
Gewalt 229, *3*; 847, *1*
Gewalt haben, sich in
    der 228
Gewalt, höhere 1389, *2*
Gewalt, notfalls mit
    1641, *1*
gewaltbereit 37, *1*
Gewaltherrschaft 847, *3*
gewaltig 381, *1*; 791, *1*;
    829, *1*; 1327, *2*;
    1440, *1*; 1452, *1*
gewaltlos 658, *2*
Gewaltlosigkeit 656, *2*
Gewaltmarsch 917, *1*
Gewaltmensch 186
Gewaltorgie 1090
gewaltsam 829, *2*;
    1625, *4*
Gewaltsamkeit 830
Gewalttat 1725
Gewalttäter 1726, *2*
gewalttätig 37, *1*; 334
Gewalttätigkeit 335; 830
Gewalttour 917, *2*
Gewaltverbrechen 1725
Gewaltverbrecher
    1726, *2*
Gewaltverzicht 656, *1*
gewalzt 768, *1*
gewandt 301, *1*; 516, *1*;
    576, *1*; 744, *2*; 864;
    1490, *1*; 1830, *2*
Gewandtheit 611;
    743, *1*; 1759, *2*
Gewandung 949, *1*
gewappnet 576, *3*
gewärtigen 555, *1*
gewärtigen sein, zu
    958, *1*
Gewäsch 737, *2*
gewaschen 1365, *1*
gewaschen, frisch
    1365, *1*
gewaschen, mit allen
    Wassern 516, *1*;
    744, *2*; 1396, *1*
Gewässer 760; 1164, *2*
gewässert 718, *2*
Gewebe 1176, *1*;
    1522, *3*; 1539
geweckt 890, *1*

Gewehrkugel 994, *2*
gewellt 992, *4*
Gewerbe der Welt, ältes-
    tes 1282
Gewerbe, horizontales
    1282
Gewerbesteuer 1515, *2*
Gewerbetreibender 741
gewerblich 959
gewerbsmäßig 959
Gewerkschaft 1227, *2*
gewesen 1744
gewesen sein, es 1425, *3*
gewesen, lange 666, *1*
gewetzt 1373, *1*
gewichst 768, *2*
Gewicht 202, *2*; 400, *2*;
    716, *1*; 980, *2*;
    1020, *1*; 1144
Gewicht haben 201, *2*
Gewicht, nach 1065, *3*
gewichtig 600, *1*;
    1077, *2*; 1145, *1*;
    1440, *1*; 1507, *1*;
    1900, *1*; 1927, *2*
Gewichtigkeit 202, *3*
gewichtlos 1036, *1*
Gewichtsabnahme
    1348, *4*
Gewichtsklasse 1089, *5*
Gewichtsverlust 1348, *4*
gewickelt sein, schief
    901, *5*
gewieft 516, *1*; 1396, *1*;
    1555, *2*
Gewieftheit 517, *2*
gewillt 254, *1*
gewillt sein 1923, *1*
Gewimmel 291, *3*;
    1102, *3*
Gewimmer 943, *2*
Gewinde 343, *2*; 1004
Gewinn 1195, *1*;
    1270, *4*; 1338, *1*;
    1732, *2*; 1850, *2*
gewinnen 98, *3*; 546;
    715, *2*; **761**; 1463, *1*;
    1463, *1*; 1627, *1*;
    1731, *1*
gewinnen, Abstand
    1714, *1*
gewinnen, an Wert
    761, *3*
gewinnen, Einblick
    1794, *2*

330

gewinnen, lieb 1056, *1*
gewinnen, Oberhand
1463, *2*
gewinnen, sich lieb
1157, *4*
gewinnen, Terrain 411, *5*
gewinnend 71, *1*; 654, *1*;
1335
Gewinner 782; 1464, *1*
gewinnorientiert 959
Gewinnshow 1459
Gewinnspanne 1195, *2*
Gewinnsucht 1762, *3*
gewinnsüchtig 808
Gewinnung 154, *1*
Gewinnverteilung 1798
Gewirk 1522, *3*
Gewirr 291, *3*; 1669, *1*
gewiss 39; 738, *2*;
1460, *1*; 1912, *3*
gewisse 1826
Gewissen 762
Gewissen, gutes 762
Gewissen, reines 762
Gewissen, schlechtes
762; 1424, *3*
gewissenhaft 722, *1*;
1476, *2*; 1846, *1*;
1971, *2*
Gewissenhaftigkeit
1475, *1*
gewissenlos 349; 754
Gewissenlosigkeit 755;
1398
Gewissensangst 1424, *3*
Gewissensbisse 762;
1341; 1424, *3*
Gewissensbisse haben
256
Gewissensfrage 1974, *1*
Gewissenskonflikt
1974, *1*
Gewissensnot 1424, *3*
Gewissenspein 1424, *3*
Gewissensqual 1424, *3*
Gewissenssache 1250
gewissermaßen 41; 54;
310, *3*; 426, *2*; 774;
1160; 1902, *1*
Gewissheit 947, *1*;
1100, *1*; 1461, *1*;
1558, *1*; 1866; 1918, *1*
Gewissheit, mit ziemli-
cher 79
Gewitter 1186, *1*

gewittern 1018, *2*
Gewitterregen 1186, *1*
Gewitterwand 408, *2*
Gewitterwolke 399, *2*
Gewitterwolken 408, *2*
gewittrig 406, *2*
gewitzigt 516, *1*; 1396, *1*
gewitzt 516, *1*; 890, *1*;
1396, *1*
Gewitztheit 517, *2*;
743, *2*
Gewoge 302, *3*; 481, *3*
gewogen 1054, *2*; 1767
gewogen sein 1056, *1*;
1127, *1*
gewogen sein, nicht
821, *1*
Gewogenheit 490, *1*;
1055, *1*
gewöhnen 763
gewöhnen, sich 763
gewöhnen, sich aneinan-
der 73, *2*; 763, *1*
Gewohnheit 42, *2*;
326, *2*; 1322, *2*
Gewohnheit haben, die
1249, *2*
Gewohnheit machen,
zur 763, *2*
Gewohnheit werden
763, *1*
Gewohnheit werden, zur
145, *4*
gewohnheitsmäßig
365, *2*; 678, *1*;
1096, *2*; 1323, *2*
Gewohnheitsrecht
82, *1*
Gewohnheitstrinker
1602
gewöhnlich 41; 91, *4*;
182; 678, *1*
gewohnt 678, *1*; 1803, *2*
gewohnt sein 1249, *2*
Gewöhnung 764;
1551, *1*
gewöhnungsbedürftig
1177, *2*
Gewölbe 1922, *3*
gewölbt 381, *4*; 992, *1*
Gewölk 353, *1*
gewollt 16; 646; 1625, *5*
geworfen 686, *2*
geworfen, aus der Bahn
850, *1*

Gewühl 291, *3*; 481, *3*;
1102, *3*
gewunden 766; 992, *1*
gewünscht, wie 242;
504, *2*
gewürfelt 718, *1*
gewürzt 844, *2*
Gewusel 291, *3*
gezackt 1373, *1*;
1643, *2*
gezählt 722, *5*
gezähmt 705
gezähnt 1373, *1*; 1643, *2*
Gezänk 1534, *2*
gezeichnet 534, *3*
Gezeiten 765
Gezerre 1534, *1*
Gezeter 734, *2*
gezielt 16; 1260, *1*
gezielt, wohl 722, *2*
geziemend 504, *1*
geziert 459, *1*; 766;
1496, *3*
Geziertheit 460, *1*
gezogen, lang 1013, *1*
Gezücht 753
gezügelt 1091, *1*
Gezwitscher 734, *5*
gezwungen 766;
1763, *1*; 1776, *1*
gezwungen sein 1135
gezwungenermaßen
1653, *2*
Gezwungenheit 460, *1*
Ghetto 18, *1*; 685, *1*
Ghettoisierung 18, *1*
Ghostwriting 1559, *1*
gibbeln 1009, *2*
gibt zu denken 892, *2*
gickeln 1009, *2*
gicksen 1009, *2*
Giebel 767, *1*
Giebeldreieck 1837, *1*
gieprig 1074
Gier 1073, *3*; 1762, *1*
gieren 217, *2*; 872, *2*;
1529, *1*
gierig 218, *1*; 1074
Gießbach 1882, *1*
gießen 616, *1*; 1325
gießen, hinter die Binde
1601, *2*
gießen, Öl ins Feuer
851, *3*
gießen, voll 674, *1*

gießen, Wasser in den
   Wein 496
Gift und Galle 105, 2
giften 244, 2; 1391, 2
Giftgasanschlag 116
giftig 323, 1; 690, 5
Giftküche 737, 2
Giftmischer 897
Giftmüll 5, 1
Giftschrank, im 1722
Gigant 1345
gigantisch 791, 1
Gigantismus 1620, 1
Gigerl 1545
gigerlhaft 1625, 3
Gigolo 1743, 1
gilben 1149, 3; 1604, 6
Gilde 1227, 2
Gimpel 405, 3
gimpelhaft 403, 2
Gipfel 257, 2; 554; **767**;
   874, 1
Gipfel, auf dem 862, 4
Gipfelkonferenz 767, 6
Gipfelpunkt 767, 2
Gipfeltreffen 767, 6
gipsen 543, 2
Gipskopf 405, 1
Girl 1078, 2
Girlande 343, 2
Girlfriend 713
Girlie 1078, 2
Girobank 184, 2
Gischt 1538, 2; 1747, 2
gischten 1376, 1;
   1585, 4
Gitarrist 1134, 2
Gitter 1419
Gittern sein, hinter
   1469, 2
Gittern, hinter 1652, 2
Gladiator 919, 4
Glanz 137, 2; 716, 3;
   1052, 2; 1286, 2
glänzen 174, 2; 1269, 1;
   1287, 1; 1381, 2;
   1486, 3
glänzen, durch Abwesen-
   heit 598, 1
glänzend 149, 1; 768, 2;
   839, 2; 1268; 1913, 2
Glanzleistung 767, 3
glanzlos 318, 2;
   1541, 2
Glanzlosigkeit 1205, 2

Glanznummer 767, 5;
   1079
Glanzpunkt 767, 5; 1079
Glanzstück 767, 5
glanzvoll 1268; 1913, 2
Glanzzeit 767, 4
Glas 759, 1
Gläschen 759, 1
gläsern 945, 1; 1496, 2
glashell 945, 1
glasieren 769, 3
glasklar 945, 3
Glasnost 1212, 2
Glasschrank 1418
Glast 1052, 2
glatt 433, 3; 583, 4;
   744, 2; **768**; 1555, 2;
   1932, 1
glatt gehen 715, 1
glatt machen 179, 1
glatt ziehen 769, 2
Glätte 743, 2
glätten 151, 1; 179, 1;
   198, 2; **769**; 1716, 1
glätten, Wogen 261, 1
glattweg 87
glattzüngig 1555, 2
glatzköpfig 913, 1
Glaube 556, 1; 1100, 1;
   1337, 2
Glaube an das Gute
   1222
Glaube an Ideale 875, 1
glauben 430, 1; **770**;
   1099; 1772, 1; 1800, 1
glauben müssen, dran
   1135; 1513, 3
glauben, nicht zu 130, 2;
   1254, 1
Glaubensbekenntnis
   1337, 1
Glaubensgemeinschaft
   938, 1
Glaubenslehre 1337, 1
Glaubensrichtung
   1337, 1
Glaubenssatz 798, 2
glaubenssicher 663
glaubensüberzeugt 663
glaubhaft 79; 1791, 1;
   1971, 3
gläubig 663
gläubig sein 770, 1
Gläubigkeit 991; 1337, 2
glaubwürdig 1971, 1

glaubwürdig sein
   1627, 3
gleich 180; 504, 1; **771**;
   775; 1290, 2; 1410, 2
gleich, aufs Haar 771, 1
gleich, immer 771, 2
gleich, möglichst 429, 3
gleich, ungefähr 504, 1
gleichaltrig 771, 1
gleichartig 771, 4
gleichartig sein 503, 1
Gleichartigkeit 1617, 1
gleichbedeutend 771, 4
gleichberechtigt 775
Gleichberechtigung
   645, 2; 1617, 3
Gleichberechtigungs-
   kampf 608
gleichen 503, 1; 1615, 3
gleichermaßen 117, 1;
   1473
gleicherweise 117, 1
gleichfalls 117, 1
gleichförmig 771, 2;
   1323, 2
Gleichförmigkeit 42, 2;
   1014; 1324, 2
gleichgeordnet 1616, 2
gleichgeschlechtlich 866
Gleichgesinntheit 444
gleichgestellt 775
Gleichgewicht 150, 5;
   818, 2; 1355, 2
Gleichgewicht, aus dem
   1915, 2
Gleichgewicht, im 819, 1
gleichgewichtig 819, 1
gleichgültig 772;
   1541, 4; 1639, 2;
   1640; 1646, 1
gleichgültig lassen 773
gleichgültig lassen, nicht
   263, 2
Gleichgültigkeit 1647, 2
Gleichheit 1617, 1
Gleichklang 444; 1617, 4
gleichkommen 503, 1;
   1148, 1
Gleichlauf 1617, 1
gleichliegen 1615, 2
gleichmachen 1738
gleichmachen, dem Erd-
   boden 1940, 7
Gleichmacherei 1739
gleichmacherisch 771, 2

gnädig 781, 2; 840;
  1109, 4
gnädig sein 531, 4
Gnädigkeit 784, 3; 1110
Gnom 707, 4
Gobelin 870, 3; 1572
Go-in 370, 1
Gold 976, 2
goldblond 839, 6
Goldfisch 1327, 1
Goldgräber 2
goldig 869
Goldmarie 782
goldrichtig 1317, 1
Golem 707, 3
Golf 1799, 2
Goliath 1345
Gondel 579, 6
gondeln 300, 4
gönnen 531, 1; 683, 2
gönnen, nicht 1170
gönnen, sich 1045, 2
gönnen, sich etwas 725
gönnen, sich Ruhe
  1356, 1
Gönner 1003, 1; 1095
gönnerhaft 840
Gönnerhaftigkeit 784, 3
Goodwill 490, 1; 716, 2
Goody 979
Göre 1078, 2
Gorilla 1878
Gosche 1131
Gospel 739, 2
Gosse 1552, 1
Gossensprache 1494, 4
gothic 1420, 2
Gott 785
Gott sei Dank 781, 4
Gott, lieber 785, 1
Gotterbarmen, zum
  107, 2
Götterfunke 724, 2
Göttergatte 1235, 4
gottergeben 689, 2
göttergleich 1412, 1
Göttermahl 979
Göttertrank 979
Gottesacker 657
Gottesdienst 938, 3
gottesfürchtig 663
Gottesfürchtigkeit
  1337, 2
Gottesgabe 784, 2
Gottesgeißel 186

Gotteshaus 938, 2
Gotteslästerung 627
Gotteslohn, um 1635, 1
Gottesstrafe 627
gottgefällig 663
gottgläubig 663
Gottheit 785, 1
Göttin 641; 1501, 1
göttlich 100, 2; 1412, 1;
  1693, 4
gottlob 781, 4
gottlos 31, 4
Gottseibeiuns 1575
Gottvater 785, 1
gottverlassen 450, 3
Gottvertrauen 1337, 2
gottvoll 835, 4
Götze 874, 2
Götzendienerei 786
Götzendienst 786
Götzenverehrung 786
Gouache 308, 2
Gourmand 726, 3
Gourmet 726, 2
goutieren 691, 1
Gouvernante 826, 2
gouvernantenhaft 238, 2
Grab 657
graben 635; 787;
  1550, 1
Graben 858, 4; 1799, 1
graben, Grube 293, 4
Gräberfeld 657
Grabesdunkel 408, 1
Grablegung 234, 1
Grabmonument 373
Grabstätte 657
Grabstein 373
Grad 788; 1302, 1;
  1502, 3
Gradation 23, 1
Grade, bis zu einem ge-
  wissen 1946
gradlinig 433, 2
Gradmesser 1089, 3
graduell 1015, 2
gradweise 1015, 2
Graffito 308, 2
Gral 976, 3
Gram 1341; 1403, 1;
  1592
grämen, sich 1040, 4
gramerfüllt 1660, 1
gramgebeugt 1660, 1
grämlich 1117

Grammatik 1539
gramvoll 1293, 2
Gran 951, 2
Granate 994, 2; 1859, 1
granatenvoll 250, 1
Grand Prix 962, 2
Grande Dame 640
Grandezza 792, 2;
  1926, 1
grandios 791, 1
Grandseigneur 927
grantig 322, 1
Graphik 308, 2
grapschen 588, 1;
  1233, 3
Gras 1311
grasen 566, 6
grasen lassen 873
grassieren 145, 4
grässlich 461, 1; 1420, 1
Grat 767, 1
Gratifikation 677, 2;
  1957
grätig 322, 1
gratinieren 325, 1
gratis 1635, 1
Gratulation 801, 4
Gratulationsbrief 801, 4
gratulieren 1564, 4
Gratwanderung 690, 4;
  1861
grau 44, 1
grau in grau 592, 1
Gräuel 14, 2; 335; 1386
Gräueltat 335; 1725
grauen 52, 2; 63, 1
Grauen 62, 1
grauenhaft 1420, 1
grauenvoll 1420, 1
grauhaarig 44, 1
graulen 63, 1
gräulich 822, 1
Graupeln 1186, 2
Graus, ein 1420, 2
grausam 334; 1293, 2
Grausamkeit 335
grausen 63, 1
Grausen 62, 1
grausen, sich 462, 1
grausig 1420, 2
gravieren 447, 2; 789;
  931, 4
gravierend 545, 4;
  1440, 2; 1499; 1900, 1
Gravität 1926, 1

Gravitation 980, *2*
gravitätisch 600, *3*;
1927, *2*
Grazie 70; 607, *1*
grazil 71, *2*; 410, *2*
graziös 71, *2*
greifbar 78, *2*; 699, *3*;
1026, *1*; 1499;
1839, *1*; 1912, *2*
greifbar machen 528, *3*
greifen 588, *1*; 1168, *1*;
1233, *3*; 1911, *2*
greifen, ans Herz
1233, *1*
greifen, aus der Luft
1072
greifen, mit Händen zu
945, *3*; 1791, *2*
greifen, nach den Ster-
nen 1529, *2*
greifen, tief in die Tasche
446, *2*
greifen, um sich 145, *4*
greifen, unter die Arme
494, *1*; 837, *1*
greifen, zu den Waffen
918, *5*
Greifen, zum 1155, *2*
greifen, zur Feder
1421, *1*
greifend, tief 1913, *2*
Greifer 812, *1*
Greifwerkzeug 812, *1*
greinen 944, *3*
greis 44, *1*
Greis 45, *2*
Greisenalter 45, *1*
greisenhaft 44, *2*
Greisenhaftigkeit 45, *4*
Greisentum 45, *4*
grell 591, *1*; 1022
Gremium 911, *1*;
1304, *2*
Grenze 790; 1419
Grenze, grüne 790
Grenze, ohne 1648, *1*
grenzen an 263, *3*
grenzenlos 1648, *1*;
1892, *1*
Grenzenlosigkeit 146, *2*;
1649
Grenzgänger 1257, *2*
Grenzlinie 790; 1058, *2*
grenzüberschreitend
896

Gretchenfrage 638, *2*
grienen 1009, *1*
Griesgram 1245
griesgrämig 1117; 1698
Griff 518, *2*; 812, *1*;
1517, *2*
Griff haben, im 963, *1*
griffbereit 610, *3*;
1839, *1*
griffig 1973, *1*
Grille 424, *4*; 1520, *2*;
1779, *2*
grillen 325, *1*; 1585, *2*
Grillparty 749, *2*
grimassenhaft 822, *1*
Grimm 105, *1*
grimmig 322, *1*; 1373, *2*
grindig 1643, *2*
grinsen 651, *2*; 1009, *1*
grinsend 654, *4*; 835, *1*
Grips 707, *2*; 1790, *2*
gripsen 1168, *2*
grob 239, *1*; 376, *2*;
1264, *2*; 1662, *2*
grobfädig 1065, *2*
grobgliedrig 1264, *1*
Grobheit 643, *2*
Grobian 1272, *1*
grobkörnig 1643, *2*
gröblich 376, *2*
grobschlächtig 376, *1*;
1264, *1*
groggy 1130, *2*
grölen 1465, *2*
Groll 606; 1118
grollen 1018, *2*; 1959, *1*
Grollen 734, *2*
grollend 322, *1*; 1152
Gros, das 1102, *5*
Groschen 712, *3*
groß 262, *2*; **791**;
1328, *2*; 1900, *2*
Groß und Klein 38, *1*
Großaktionär 1687, *2*
großartig 885
Großartigkeit 792, *2*
Großaufnahme 308, *3*
Großbankier 1687, *2*
Großbehälter 223
Großbildkamera 916, *1*
Großbourgeoisie 340, *2*
Großbrand 617, *2*
Großbürger 340, *1*
großbürgerlich 341, *2*
Großbürgertum 340, *2*

großdenkend 793, *2*
Größe 146, *2*; 202, *3*;
573; 632, *4*; **792**;
1089, *5*; 1501, *2*; 1631
Größe, unbekannte
1181, *2*
Großen und Ganzen, im
41
Großen, im 1824, *1*
Größenordnung 146, *2*
Größenverhältnis
1089, *4*
Größenwahn 460, *2*
größenwahnsinnig
459, *2*
größer werden 1531, *1*
Großflächigkeit 792, *1*
Großhandel 814, *3*
Großhändler 741
Großherzigkeit 1793, *3*
Großindustrieller
1687, *2*
Grossist 741
großjährig 1328, *2*
Großkaufmann 741
Großmacht 792, *3*
großmächtig 791, *3*
Großmannssucht 460, *2*
Großmaul 1436
großmäulig 459, *2*
Großmäuligkeit 460, *1*
Großmogul 849
Großmut 1645
großmütig 793, *2*; 1644
Großmutter 1140, *2*
Großrechner 352, *1*
Großreich 792, *3*
Großreinemachen
1330, *3*
großschnäuzig 459, *2*
großspurig 459, *2*
Großspurigkeit 460, *1*
Großstadt 1500, *1*
Großtat 1046, *1*
größtenteils 1101; 1626
größtmöglich 1452, *2*
Großtuer 1436
großtuerisch 459, *2*
großtun 1269, *1*
Großveranstaltung
1713, *3*
Großwetterlage 1010, *3*
Großwildjagd 904
Großwildjäger 905, *1*
großziehen 139, *1*

großzügig 748, *3*; **793**
Großzügigkeit 1645
grotesk 119, *2*; 835, *4*;
    1254, *3*; 1493, *2*
Groteske 1491, *4*
Grotte 1799, *1*
grottenschlecht 1397, *1*
Groupie 66, *5*
Grube 1060, *1*; 1799, *1*
Grübelei 1321
grübeln 371, *2*; 1305, *2*
Grübeln 1321
grüblerisch 1580
Gruft 657
grün 909, *2*; 1671, *2*
grün sein, nicht 821, *1*
Grün, erstes 667
Grün, frisches 667
grün, nicht 31, *3*
Grünanlage 680
Grund 794; 859, *1*
Grund auf, von 679, *2*;
    722, *3*; 1300
Grund und Boden 795
Grund, aus diesem 43
Grund, aus welchem
    1879
Grund, ohne 797
Grund, tiefster 794, *1*
grundanständig 86, *3*
Grundbedingung 207, *1*
Grundbegriffe 796, *4*
Grundbesitz 271, *2*; **795**
Grunde, am 1678, *1*
Grunde, im 426, *1*;
    722, *5*
grundehrlich 86, *3*; 131
Grundeigentum 795
Grundeinstellung 375
gründeln 1550, *2*
gründen 52, *3*; 547, *1*;
    1685, *1*
gründen auf, sich 9, *3*
gründen in 9, *3*
Gründen, aus guten
    1791, *3*
gründen, Geschäft
    1184, *3*
gründen, Hausstand
    448, *1*
Gründer 191; 561;
    1705, *3*
grundfalsch 583, *1*
Grundgedanke 567, *1*;
    798, *1*; 878, *1*

Grundgefühl 1520, *1*
Grundgüte 805
Grundidee 798, *1*
Grundlage 796; 1834
Grundlagenforschung
    636, *3*
Grundlagenwissen
    796, *4*
grundlegend 722, *3*; 799
gründlich 722, *3*; 891, *2*;
    1225, *3*; 1476, *1*;
    1971, *2*
Gründlichkeit 1475, *1*
grundlos 797; 1408;
    1579, *2*
Grundmotiv 798, *1*
Grundpfeiler 810, *3*
Grundprinzip 798, *1*
Grundrecht 1318, *3*
Grundregel 798, *1*
Grundriss 1258, *2*
Grundsatz 750, *2*; **798**;
    1089, *3*; 1322, *1*
Grundsatzerklärung
    529, *5*
grundsätzlich 40, *2*;
799
Grundstein 796, *1*
Grundsteinlegung 51, *2*
Grundstock 796, *3*
Grundstoff 463, *1*;
    1522, *2*
Grundstück 795
Gründung 51, *2*; 1185, *1*
Gründungstag 906
Grundvertrauen 1801
Grundvorstellung 798, *1*
Grünen, im 393, *1*
Grünschnabel 910, *2*
grüppchenweise 1015, *2*
Gruppe 442, *2*; 717, *1*;
800
Gruppenkultur 1546, *1*
Gruppenleiter 1047, *2*
gruppieren 1226, *2*
Gruppierung 779
gruselig 1420, *1*
gruseln 63, *1*
Gruseln 62, *2*
Gruß 801
Grußadresse 801, *4*
Grußbotschaft 801, *4*
grüßen 802
Grußformel 801, *1*
Grütze 1790, *2*

Grützkopf 405, *1*
Gspusi 713
gucken 1451
gucken, in den Mond
    1029; 1768, *2*
gucken, in die Luft 1029
gucken, in die Röhre
    1029
Gucker 141
Guckloch 1215, *3*
Guerillakrieg 987, *2*
Guerillero 919, *5*
Guide 671, *5*
guillotinieren 1587, *2*
Gülle 156, *3*
Gully 1215, *6*
gültig 678, *4*; 751, *5*;
    1213, *1*
gültig sein 201, *4*
gültig, allgemein 40, *2*
Gültigkeit 716, *4*
gummiert 1929, *3*
Gunst 784, *3*; 1055, *1*;
    1449, *2*
Gunst der Verhältnisse
    780, *1*; 1389, *2*
Gunstbezeigung 490, *2*
günstig 57, *1*; 312, *1*;
803
Günstling 714; 782;
    1431
Günstling des Glücks
    782
Günstlinge 66, *4*
Günstlingswirtschaft
    953
gurgeln 625; 1585, *4*
gurgelnd 1906, *4*
Gurke 1161
gurren 1585, *3*; 1742
Gurt 812, *2*
Gürtel 812, *2*; 1346
Gürtellinie, unter der
    91, *1*
Guru 671, *6*; 1035, *3*
Guss 1186, *1*
Guss, aus einem 679, *1*;
    1830, *1*
Gusto 746, *2*
gut 100, *2*; 414, *2*;
    738, *2*; 757, *1*; **804**;
    1317, *1*; 1655, *1*
Gut 190
gut gehen 510, *4*;
    715, *1*

H

Haar 806
Haar lassen, kein gutes
1765; 1810, 2
Haar, aufs 722, 2
Haar, transplantiertes
806, 3
Haar, um ein 1655, 1
Haarband 1291, 6
Haare lassen 1768, 2
Haarersatz 806, 3
Haaresbreite, um 954, 2;
1655, 1
haargenau 722, 1
haarig 1307, 2; 1638, 1
haarklein 722, 1
Haarkünstler 661
haarlos 768, 3; 913, 1
Haarnadelkurve 1004
Haarnetz 1176, 1
Haarriss 1497, 1
haarscharf 722, 2
Haarschleife 1291, 6
Haarschneider 661
Haarschnitt 806, 2
Haarschopf 806, 1
Haarspalter 1239, 1
Haarspalterei 1240, 2
haarspalterisch 1241, 1
haarsträubend 1420, 2
Haarstylist 661
Haarteil 806, 3
Haartracht 806, 2
Hab und Gut 271, 2
Habe 271, 2
Habe, bewegliche
271, 2; 449, 2
haben 807
haben müssen 327
haben wollen 217, 2;
894, 4
haben wollen, für sich
195, 1
haben, in der Mache
533, 1
haben, sich 807; 1371, 1
haben, zu 1028, 4;
1839, 1

Habgier 1762, 3
habgierig 808
habhaft werden 1757
Habilitationsschrift 8, 2
Habitualisierung 764
Habitus 159; 1518, 4
Habschaft 271, 2
Habseligkeiten 271, 2
Habsucht 1762, 3
habsüchtig 808
hacken 1938
hackevoll 250, 1
Hackordnung 1303
Hader 606; 1534, 1
Haderlump 1429, 1
hadern 1535, 1; 1959, 1
hadersüchtig 37, 1
Hades 1690, 2
Hafen 1461, 2
Hafendamm 211, 4
Haft 692, 1
haftbar 1776, 1
haftbar machen 944, 2
haften 313, 3; 339, 1;
1521, 1
haften, im Gedächtnis
118; 447, 3
haftend 1929, 3
haftpflichtig 1776, 1
Haftung 342, 1; 1250
Hagel 1186, 2
hageln 1325
hagelt, es 1824, 1
hager 410, 2
Hagiographie 269
Hagiographierung
1062, 3
Hahn 1785, 1
Hahn im Korb 782
Hahn kräht danach, kein
772, 5
Hahnrei machen, zum
293, 3
Hain 1869
Haircutter 661
Häkelgarn 575, 2
häkeln 102, 4
Haken 211, 2; 599, 2;
1004; 1060, 1; 1785, 2
Hakennase 1161
halb 809; 1199, 4
halb und halb 809; 1567;
1650, 1
halbamtlich 1213, 1
Halbbildung 386

Halbblut 1247
Halbdunkel 408, 1
halber 69, 2; 1889
Halbes und nichts Gan-
zes, nichts 1091, 2;
1650, 4
halbgebildet 385, 2
Halbgebildeter 384, 2
Halbgott 785, 1
Halbheit 1251; 1694, 2
halbieren 1562, 4
halbiert 809
Halbierung 1596, 2
Halbkugel 1922, 3
halblaut 1044
halbpart 809
halbseiden 91, 1; 1975, 3
halbseitig 809
halbtags 1853, 3
Halbtagsarbeit 101, 3
halbwegs 809; 1091, 2;
1946
Halbwelt 1690, 1
halbwüchsig 909, 1;
1671, 2
Halbwüchsige 908, 3
Halbzeit 1119, 4; 1679, 1
Halde 5, 4
Hälfte 1119, 4
Hälfte, bessere 1235, 4
Hälfte, mehr als die 1626
Hälfte, zur 809
hälften 1562, 4
hälftig 809
Hall 413, 1; 734, 1
hallen 1018, 2; 1585, 1
Hallenbad 178, 2
hallend 1022
Hallig 889
Halligalli 1684, 2
Hallo, großes 801, 3
Hallodri 1683, 2
Halluzination 709;
880, 1
halluzinierend 708
Halluzinogen 1311
Halm 1517, 1
Hals 481, 4
Hals über Kopf 429, 3;
1263
Halsabschneider 294, 1;
1275
halsbrecherisch 690, 2
Halskrause, bis zur
1452, 1

halsstarrig 425; 1692

Halstuch 870, 5; 1291, 7

Halt 810; 1519; 1679, 1

Halt machen 475, 1;
811, 1

haltbar 363, 1; 414, 2

haltbar gemacht 363, 2

haltbar machen 522, 2

Haltbarkeit 362, 3;
613, 1

halten 22, 2; 280, 2;
588, 2; **811**; 1462, 1;
1508, 3

halten können, das La-
chen nicht 1009, 2

halten nach, Ausschau
555, 2

halten über, Hand
1430, 2

halten zu 1965, 1

halten, am Boden
402, 3; 1680, 1

halten, am Leben 522, 3

halten, an sich 228

halten, Ansprache
1852, 1

halten, Augen offen
247, 1

halten, auseinander
1688, 1; 1702, 3

halten, Ausschau
1550, 1

halten, besetzt 811, 2

halten, Diät 872, 3

halten, Einkehr 256

halten, fern 857, 1;
1430, 1

halten, für erforderlich
1135

halten, für möglich 1099

halten, für nötig 1135

halten, für richtig
770, 2; 1099

halten, für sicher 555, 1

halten, für unabdingbar
1135

halten, für wahr 770, 2

halten, für wertlos
1114, 1

halten, für wertvoll
1375, 1

halten, für zuverlässig
1800, 1

halten, Fuß in der Tür
251, 2

halten, Gardinenpredigt
1554, 2

halten, geheim 1438, 2;
1715, 1

halten, Gleichgewicht
151, 5

halten, große Stücke auf
jmdn. 1375, 1

halten, Hausputz 1367, 1

halten, heilig 1735, 1

halten, im Zaume 857, 1

halten, in Atem 195, 3;
237, 2

halten, in Gang 1682, 1

halten, in Ordnung
1249, 1

halten, in Quarantäne
17, 1

halten, in Reserve 123, 3

halten, instand 1249, 3;
1682, 1

halten, klein 1680, 1

halten, Kurs 441, 3

halten, kurz 1479, 2

halten, Mund 1438, 1

halten, nebeneinander
1755, 1

halten, nicht 1019, 1

halten, nicht für möglich
1925, 1

halten, nicht hinterm
Berge 1777

halten, nicht mehr
Schritt 1149, 4

halten, offen 1214, 1;
1339

halten, sauber 1249, 1

halten, seine Zunge im
Zaum 1438, 2

halten, seinen Mund
1715, 1

halten, sich 364, 1

halten, sich abseits 17, 2

halten, sich an 441, 3;
1544, 2

halten, sich die Seiten
1009, 2

halten, sich fern 598, 1;
624, 2

halten, sich für unwider-
stehlich 430, 3

halten, sich für weiß was
430, 3

halten, sich im Hinter-
grund 17, 2

halten, sich schadlos
1196, 2

halten, sich tapfer 226, 2

halten, sich verborgen
1715, 4

halten, sich verbunden
65, 1

halten, sich zur Verfü-
gung 837, 1

halten, Siesta 1356, 1

halten, Spitze 669, 2

halten, Treue 1965, 1

halten, unten 402, 3;
1680, 1

halten, unter die Nase
1856

halten, viel von sich
430, 3

halten, Vorlesung
1050, 2

halten, Waage 151, 5

halten, Wacht 128, 3

halten, warm 1874, 2

halten, zu jmdm. 65, 3;
1965, 1

halten, zueinander
1965, 1

halten, Zügel in der
Hand 669, 2

halten, zugute 501, 4;
1751, 3

halten, zum Besten
1492, 1

halten, zum Narren
293, 1; 1492, 1

haltend, auf Ordnung
1225, 2

Haltepunkt 810, 6

Halter 272; **812**

Haltestelle 810, 6

haltlos 349; 754;
1093, 3; 1432, 3;
1674, 4

Haltlosigkeit 755;
1620, 2

Haltung 159; 229, 1;
375; 1518, 4; 1759, 3;
1926, 1

haltungslos 349

Halunke 1429, 1

Häme 324

hämisch 323, 1

Hammelsprung 1862, 2

Hammer 643, 3; 1079

hämmern 1018, 2

Hampelmann 603
Hamsterkiste 1484, 2
hamstern 1479, 1;
1789, 1
Hand 778, 1
Hand haben, sich in der
228
Hand im Spiel haben
1564, 1
Hand in den Mund, von
der 107, 1; 1674, 2
Hand in Hand 1962
Hand lassen, freie 531, 1
Hand sein, in jmds. 9, 1
Hand und Fuß, mit
1773, 3
Hand und Handschuh,
wie 722, 6
Hand voll 951, 2;
1894, 2
Hand, auf die 1664, 3
Hand, aus erster 1664, 1
Hand, aus zweiter 44, 4;
182; 1124, 2; 1654, 2
Hand, bei der 254, 2;
1839, 1
Hand, hinter vorgehalte-
ner 1124, 2
Hand, linker 1059, 1
Hand, offene 793, 1
Hand, rechte 838, 2
Hand, rechter 1320, 1
Hand, sichere 743, 1
Hand, unter der 834, 1
Hand, von langer
1476, 2
Hand, zur 254, 2;
610, 3; 699, 3
Handarbeit 101, 3; **813**
handarbeiten 102, 4;
188
Handbewegung 860, 2
Handbuch 671, 5; 1032
Hände, zwei linke
1658, 1
Händedruck 801, 2
Händeklatschen 231
Handel 740, 6; **814**;
1760, 1
Händel 1534, 2
handeln 203, 1; **815**;
1685, 2
Handeln 101, 1
handeln mit 1804, 3
handeln über 224, 3

handeln von 224, 3
handeln, sich um 289
Handeln, sprachliches
1494, 1
handeln, unbedacht
428, 4
handeln, vorschnell
428, 4
handeln, widerrechtlich
1750, 8
Handelsbeziehungen
814, 1
handelseinig 534, 1
handelseinig werden
1736
Handelsgesellschaft
740, 1
Handelsniederlassung
1977, 1
Handelsplatz 1086, 1
Händelsucht 830
händelsüchtig 37, 1
Handelsverkehr 814, 1
Handelsvertreter 816, 3;
1807, 1
Handelsvertretung 1808
Handelswert 1270, 1
Handelszeichen 930, 3
Handeltreibender 816, 1
Händen haben, in 807, 1
Händen, in festen
1776, 2
händeringend 1660, 2
handfertig 744, 1
handfest 78, 2; 376, 1;
981, 1; 1158
handgearbeitet 817, 2
handgefertigt 817, 2
Handgeld 436, 2
Handgelenk, aus dem
1696, 3
handgemacht 817, 2
handgemein werden
1394, 2
Handgemenge 917, 2;
1393, 2
handgerecht 1973, 1
handgreiflich 37, 1;
78, 2; 945, 3; 1395
handgreiflich werden
1394, 2; 1753, 3
Handgreiflichkeit
1393, 2
Handgriff 812, 1; 1517, 2
Handhabe 1123, 2

handhaben 203, 1;
224, 1
handhaben, Sprache
1495, 2
Handhabung 204, 1;
225, 1
handhoch 950, 3
Handicap 858, 5
handicapen 857, 3
händisch 817, 2
Handkamera 916, 2
Handkoffer 870, 8
Handkuss 801, 2
Handlanger 838, 2; 961
Händler 741; **816**
Handleserin 1276
handlich 1973, 1
Handling 204, 1
Handlung 697, 3; 742, 1;
1094; 1686, 2
Handlung, kriegerische
987, 1
Handlung, kriminelle
1670, 2
Handlungsdruck 1764, 1
Handlungsfreiheit
645, 1
handlungsorientiert 479
Handlungsweise 1094;
1759, 1
Hand-out 796, 5
Handreichung 854, 1;
1032
Handschlag 801, 2
Handschrift 1230, 1;
1422, 1
Handskizze 308, 2
Handstreich 61, 1;
134, 2; 1686, 3
Handtasche 870, 8
Handumdrehen, im
1410, 2
handverlesen 148, 1
handwarm 1091, 3;
1872, 1
Handwerk 813, 1
handwerkern 188
handwerklich 817
handwerksmäßig 817, 1
Handy 1568
Handzeichen 860, 2
Handzettel 1898, 3
hanebüchen 130, 2;
1693, 3
Hang 5, 4; 1055, 1;

1073, *1*; 1172, *1*;
1172, *3*; 1570, *1*;
1762, *1*
Hängebrücke 333
Hängelampe 1012, *1*
hängen 1443, *2*;
1469, *3*; 1587, *2*
hängen bleiben 1521, *1*
hängen lassen, Ohren
1823, *1*
Hängen und Würgen,
mit 954, *2*
hängen, am seidenen Fa-
den 398, *2*
hängen, am Tropf 9, *2*
hängen, an den Nagel
122, *3*; 475, *1*
hängen, an der Strippe
1569
hängen, an die große
Glocke 948, *1*
hängen, an jmds. Lippen
894, *1*
hängen, aneinander
1056, *1*; 1965, *1*
hängen, Brotkorb höher
1479, *4*
hängen, sich an den
Rockzipfel 1741, *3*
hängen, tiefer 1479, *4*;
1736
hangend 1065, *4*
hängend 1065, *4*
Hängepartie 690, *4*;
954, *2*; 1861
Hänger 33, *3*; 66, *1*
Hängeschrank 1418
Hang-over 1118
Hans im Glück 782
Hansdampf 1560
Hansdampf in allen Gas-
sen 1560
Hänselei 81, *1*; 1491, *2*
hänseln 1492, *1*
Hanswurst 111, *2*;
1384, *1*
hantieren 102, *3*; 203, *1*
hapern 598, *2*
Häppchen 951, *2*
Happen 951, *2*; 1080, *8*;
1540, *3*
happig 130, *2*; 862, *5*;
1452, *1*
happy 781, *1*
Happy Few 1201, *3*

Happyend 1400, *2*
Hardware 352, *1*
harfen 1487, *3*
Harlekin 1384, *1*
härmen, sich 1040, *4*
harmlos 433, *2*; 1109, *2*
Harmlosigkeit 404, *2*;
434, *2*
Harmonie 444; 656, *1*;
818; 1414, *1*; 1617, *4*
harmonieren 519, *4*;
1615, *2*; 1794, *6*
harmonisch 443, *1*; **819**;
1412, *1*; 1616, *2*
harmonisieren 73, *1*;
261, *1*
harmonisiert 819, *1*
Harmonisierung 74, *1*
Harpagon 710
harren 1877, *1*
harsch 376, *2*; 1373, *2*;
1662, *1*
Harsch 1186, *2*
hart 820; 1505, *1*;
1536, *1*; 1660, *4*
hart bleiben 226, *2*
hart werden 1604, *2*
Härte 613, *1*; 1537, *1*
Härtefall 1190, *2*
härten 1503, *3*
Hartgeld 712, *1*
hartgesotten 1692
hartherzig 820, *2*
Hartherzigkeit 1647, *2*
hartköpfig 425; 1505, *2*
hartleibig 820, *2*
hartnäckig 144; 425;
1929, *1*
Hartnäckigkeit 613, *3*
Haruspex 1276
harzig 1929, *3*
Hasardeur 2
hasardieren 1487, *5*;
1860, *1*
Hasardspiel 783
Hasch 1311
haschen 588, *1*
Haschisch 1311
Hase, alter 573
Hasenfuß 603
Hasenherz 603
haspeln 395, *2*
Hass 606
hassen 821
hasserfüllt 605

hässlich 323, *1*; **822**
Hassliebe 1974, *1*
Hast 291, *2*; 427, *1*
Hast, in fliegender
429, *3*
Hast, ohne 1357, *3*
hasten 428, *1*; 851, *2*
hastig 429, *1*
hätscheln 1056, *3*
Hatz 61, *2*; 427, *1*; 904
Haube 971
Hauch 878, *3*; 951, *2*;
1193; 1910, *1*
Hauch von 1894, *1*
Hauch, kein 1180, *1*
Hauch, ohne einen
1357, *7*
hauchdünn 410, *1*
hauchen 115; 316, *1*; 629
Haudegen 919, *2*;
1272, *2*
Haue 1393, *1*
hauen 179, *1*; 1394, *1*
hauen, auf die Pauke
1269, *1*
hauen, aus dem Stein
756
hauen, Geld auf den
Kopf 1786, *1*
hauen, in die Pfanne
857, *3*
hauen, in dieselbe Kerbe
1969, *2*
hauen, in Stein 1, *2*
hauen, übers Ohr 293, *1*
hauen, vom Hocker
1621, *1*
hauen, vom Stuhl
1621, *1*
Häufchen Elend 1182, *1*
Haufen 800, *5*; 1102, *2*;
1295, *1*
häufen 1361, *2*
häufen, sich 145, *2*;
1510, *3*
haufenweise 1824, *1*
häufig 1216
Häufung 1102, *1*
Haupt 970, *1*
Haupt- und Staatsaktion
742, *3*
Hauptansicht 1837, *1*
Hauptattraktion 767, *5*;
1079
Hauptbetriebszeit 1360

Hauptdarsteller 1347, *1*
Häupten, zu 862, *1*
Haupterbe 513, *3*
Hauptfigur 1347, *1*
Hauptgedanke 798, *1*
Hauptgeschäftsstelle
   1119, *3*
Hauptgeschäftszeit
   767, *4*; 1360
Hauptgewinn 1270, *4*
Haupthaar 806, *1*
Häuptling 671, *2*
Hauptperson 1347, *1*
Hauptreisezeit 1360
Hauptrolle 1347, *1*
Hauptsache 823; 1549;
   1900, *2*
Hauptsache, in der
   273, *1*
hauptsächlich 273, *1*;
   1626
Hauptschule 1427, *1*
Hauptschüler 1428, *1*
Hauptstadt 1500, *1*
Hauptstraße 1528
Hauptströmung 1125, *1*
Haupttreffer 1270, *4*
Hauptverkehrszeit
   767, *4*
Haus 740, *1*; **824**;
   833, *1*; 1814, *1*
Haus aus, von 55
Haus und Hof 271, *2*
Haus, im 888, *1*
Haus, offenes 749, *3*
Haus, öffentliches 320
Hausangestellte 826, *1*
Hausarbeit 8, *2*
Hausarrest 18, *1*; 692, *1*;
   1721, *2*
Hausaufgaben 120, *6*
hausbacken 182; 328, *3*
Hausbesitz 271, *2*
Hausbesitzer 272
Hausbursche 826, *4*
Häuschen 824, *1*;
   1583, *1*
Häuschen, aus dem
   322, *1*; 1778, *1*
Hausdame 826, *2*
Hausdiener 826, *4*
Hause, zu 227, *1*
hausen 1024, *2*
Häuserbesetzung 370, *1*
Häuserviertel 1500, *3*

Hausflur 1843, *1*
Hausfrau 640; 1235, *4*
Hausfreund 714
Hausgarten 680
Hausgebrauch, nur für
   den 1802
Hausgehilfe 826, *4*
hausgemacht 817, *2*
Hausgemeinschaft 717, *2*
Hausgenosse 1143, *2*
Hausgerät 449, *2*
Hausgericht 1485, *3*
Hausgesinde 826, *1*
Hausgräuel 940, *1*
Haushalt 825
haushalten 1479, *3*
Haushälterin 826, *2*
haushälterisch 1480, *1*
Haushaltsführung
   825, *1*
Haushaltsgehilfin 826, *2*
Haushaltsgeld 712, *2*
Haushaltshilfe 826, *2*
Haushaltsplan 825, *2*;
   1258, *3*
Haushaltung 825, *1*
Haushaltungskosten
   1027, *1*; 1681, *1*
Hausherr 1235, *4*
Hausherrin 1235, *4*
haushoch 791, *1*; 862, *3*
Haushund 871
hausieren 1761, *2*
Hausierer 1807, *1*
Hauslehrer 1035, *1*
Hausmachergericht
   1485, *3*
Hausmädchen 826, *2*
Hausmaier 826, *5*
Hausmann 1084
Hausmeister 826, *5*
Hausmittel 112, *1*
Hauspersonal 826
Hausputz 1330, *3*
Hausrat 449, *2*
Hausse 132
Hausstand 825, *1*
Haussuchung machen
   1550, *1*
Haustyrann 1075
Hausverbot 1721, *2*
Hauswart 826, *5*
Hauswäsche 1880
Hauswesen 825, *1*
Hauswirt 1916, *1*

Haut 870, *2*; 1198, *1*
Haut und Haar, mit
   679, *2*
Haut und Knochen
   410, *3*
Haute Couture 1125, *2*
Hautempfindung
   1868, *2*
häuten 1066, *10*
häuten, sich 1709, *5*
hauteng 480, *3*
Hautevolee 1201, *2*
Hautgout 108
hautlos 471, *1*
Hautriss 1497, *1*
Häutung 1710, *3*
Havarie 1651
Hazienda 190
Headhunter 1257, *2*
Headline 930, *7*
Hebel 812, *1*
heben 827; 1601, *2*;
   1716, *2*
heben, aus den Angeln
   1709, *1*
heben, Blick 827, *2*
heben, einen 1601, *2*
heben, Hand 1935, *5*
heben, in den Himmel
   1735, *2*
heben, kaum zu
   1440, *1*
heben, Lider 827, *2*
heben, sich 523, *2*;
   1509, *4*
hebend 1405
Hebewerk 140, *1*
Hebung 1511, *1*
Hechelei 1491, *2*
hecheln 115
Hechtsprung 1497, *2*
Hecke 343, *1*
Heckenschütze 1429, *3*
Hedonismus 1467
Hedonist 726, *1*
hedonistisch 1466, *2*
Heer 1111, *2*
Heer von 1826
Heeresverband 442, *2*;
   1111, *2*
Heerführer 671, *2*
Heerscharen 1102, *3*
Heerschau 521
Heerstraße 1528
Heft 812, *1*; **828**

hell 781, *2*; **839**; 890, *1*;
  945, *1*; 1773, *2*
hell machen 241, *1*
hell werden 52, *2*
hellblond 839, *6*
helle 622, *2*
Heller 951, *1*
hellhörig 125, *1*; 467, *4*
Hellhörigkeit 468, *1*
Helligkeit 1052, *1*
hellsehen 1278
Hellseher 1276
hellseherisch 467, *6*;
  1277
hellsichtig 467, *6*; 1277
hellwach 467, *2*
Helm 971
Helot 1471, *1*
Hemdenmatz 936, *1*
hemdsärmelig 633, *3*
Hemdsärmeligkeit
  643, *2*
hemmen 857, *1*; 1369, *1*;
  1821, *2*
hemmend 1021, *1*;
  1661, *3*
Hemmklotz 858, *1*
Hemmnis 858, *2*
Hemmschuh 858, *1*
Hemmung 1764, *3*;
  1901, *1*
Hemmungen 1764, *2*
Hemmungen, ohne
  1121
hemmungslos 829, *2*;
  1093, *3*
Hemmungslosigkeit
  830; 1620, *2*
Hengst 1247; 1743, *1*
Henkel 812, *1*
herab 27
herab, von oben 840
herabblicken 1114, *1*
herabfallen 6, *3*; 581, *1*
herabgesetzt 312, *1*
herablassen, sich 531, *4*
herablassend 459, *2*;
  840
Herablassung 460, *1*
herabmindern 509, *2*
Herabminderung
  1092, *2*; 1348, *3*
herabplumpsen 6, *3*
herabsehen auf 430, *3*
herabsetzen 319, *2*;

509, *2*; **841**; 1149, *5*;
  1765
herabsetzen, sich 841
herabsetzend 239, *2*;
  388
Herabsetzung 240; 1115;
  1766
Herabsetzung, öffentli-
  che 389, *1*
herabspringen 20, *2*
herabsteigen 21, *1*
herabwürdigen 841, *1*
Herabwürdigung 1766
herabziehen 1729, *5*
heranbilden 564
heranbringen an 1120, *1*
herangehen 1157, *1*
herangehen an 52, *3*
herangewachsen 1328, *2*
heranholen 274, *1*
herankommen 1157, *1*
herannahen 958, *1*;
  1157, *1*
herannehmen 195, *3*
heranpirschen, sich
  1157, *1*
heranreichen an 263, *3*
heranrufen 1354, *2*
heranschaffen 274, *1*
herantreten 1157, *1*
heranwachsen 510, *1*
heranwachsend 909, *1*
Heranwachsende 908, *3*;
  1078, *2*
Heranwachsender 910, *2*
heranwagen, sich
  1860, *2*
heranziehen 139, *1*;
  245, *1*; 1952, *1*
heraufbeschwören
  1711, *1*
heraufkommen 52, *2*
heraufrufen 526, *4*;
  1711, *1*; 1911, *4*
heraufziehen 398, *4*;
  1157, *2*; 1943, *3*
heraus, aus sich 646
herausarbeiten 528, *3*;
  1730, *1*
herausbekommen
  515, *3*; 761, *1*; 1066, *3*;
  1305, *3*; 1731, *1*;
  1794, *2*
herausbilden, sich
  506, *4*

herausbringen 635;
  1066, *3*; 1305, *3*;
  1487, *2*; 1774, *1*
herausbringen, keinen
  Ton 1438, *1*
herausfiltern 166, *1*
herausfinden 619, *1*;
  1066, *3*; 1305, *3*;
  1794, *2*; 1867, *1*
herausfordern 1334, *2*
herausfordernd 37, *1*;
  842
Herausforderung 77, *2*;
  82, *3*; **843**
Herausgabe 120, *5*;
  1775, *2*
herausgeben 1774, *1*
heraushaben, Dreh
  963, *1*; 1794, *2*
heraushängen lassen
  430, *3*
heraushängen, zum Hal-
  se 1039, *2*
heraushauen 213, *5*
herausheben 1730, *1*
herausheben, sich 174, *2*
herausholen 639, *2*;
  761, *1*
herausholen, das Letzte
  153, *2*; 391, *3*
herausholen, das Letzte
  aus sich 1724, *2*
herauskehren 1063, *1*
herausklatschen 948, *2*
herauskommen 411, *3*;
  506, *2*; 958, *3*
herauskriegen 1305, *3*
herauskristallisieren,
  sich 506, *4*
herauslassen 11, *2*;
  1214, *1*; 1777
herauslassen, Saum
  1531, *2*
herauslaufen 1030, *5*
herauslösen 166, *1*;
  1066, *1*
herauslügen, sich
  1023, *2*
herausmeißeln 756
herausmogeln, sich
  1023, *2*
herausnehmen 1168, *5*
herausnehmen, sich
  531, *3*; 1860, *3*
herauspicken 166, *1*

herausplatzen 1009, *2*

herausputzen 167, *2*

herausputzen, sich 1292, *2*

herausragen 174, *2*; 1921, *2*

herausreden, sich 1023, *2*

herausrücken 304, *3*; 683, *4*

herausrücken, mit der Wahrheit 1208, *3*

herausrufen 948, *2*

herausschlagen 153, *3*; 761, *1*

herausschreiben 175, *3*

herausschwindeln, sich 1023, *2*

herausspringen 1196, *1*

heraussprudeln 506, *3*; 1495, *3*

herausstehen 1921, *2*

herausstehend 381, *4*

herausstellen 50, *1*; 241, *2*; 1730, *1*

herausstellen, sich 619, *3*; 1935, *6*

herausstoßen 1495, *3*

herausstreichen 469, *1*; 1063, *1*

herausstreichen, sich 1269, *1*

heraussuchen 1550, *4*

heraustretend 1261

herauswachsen 1921, *1*

herauswinden, sich 1023, *2*

herausziehen 175, *2*; 1943, *3*

herauszüchten 1952, *1*

Herauszüchtung 1951, *1*

herb 31, *1*; **844**; 1293, *2*; 1496, *3*; 1960, *1*

herbeieilen 1157, *1*

herbeiführen 1711, *1*

herbeikommen 958, *1*

herbeilassen, sich 489, *1*; 531, *4*; 704, *2*

herbeirufen 1354, *2*

herbeischaffen 274, *1*

herbeizaubern 274, *1*

herbeizitieren 1354, *2*

Herberge 681, *2*; 833, *1*

Herbheit 1537, *2*

herbitten 446, *1*

herbstlich 13

Herd 845; 1119, *6*

Herde 1102, *3*

hereditär 55

hereinbrechen 216, *2*

hereinbrechen über 1619, *1*

hereinbringen 546

hereinfallen 901, *3*; 1383, *4*; 1768, *2*

hereingelegt 1660, *6*

hereinlassen 1214, *1*

hereinlassen, Luft 1069

hereinlegen 293, *1*

hereinplatzen 1523, *1*; 1621, *3*

hereinschauen 282, *1*

hereinschneien 282, *1*; 1621, *3*

herfallen über 60, *2*

herfallen, über das Essen 566, *1*

Hergang 630, *1*; 742, *2*; 1283, *2*

hergeben 683, *4*; 1820, *1*

hergeben, alles 1724, *2*

hergeben, das Letzte 1220, *1*

hergeben, nicht 811, *2*

hergeben, nichts mehr 1780, *3*

hergebracht 678, *1*; 968, *1*

hergehen 10, *2*

hergerichtet 1177, *4*

herhalten für 345

herhalten müssen 304, *3*

Hering 410, *3*

Heringe, wie die 380, *2*

herkommen 958, *1*

Herkommen 846, *1*

herkömmlich 365, *2*; 678, *1*; 968, *1*

Herkules 982

Herkulesarbeit 1020, *2*

Herkunft 846

Herkunft, von 686, *1*

herleiern 1852, *2*

herleiten 11, *3*; 1399, *3*

hermachen über, sich 60, *2*; 566, *1*

hermachen von, viel 217, *1*

Hermaphrodit 1113, *5*

Herme 1472

hermetisch 380, *1*

hernach 1483, *1*

hernehmen 237, *2*

Heroin 1311

heroisch 1139, *1*

Heroismus 1138

Heros 1464, *1*

Herr 272; 785, *1*; 849; 1084

Herr der Schöpfung 1103, *1*

Herr Zebaoth 785, *2*

Herr, alter 45, *2*; 1705, *2*

Herr, eigener 644, *1*

herrenlos 856, *4*

Herrgott 785, *1*

herrichten 167, *2*; 1249, *5*; 1835, *1*; 1950

herrichten, sich 98, *1*

herrichten, wieder 543, *1*

herrisch 459, *2*; 1536, *3*; 1909, *2*

herrlich 1268; 1412, *1*

herrlich und in Freuden 1327, *4*

Herrlichkeit 1414, *1*

Herrschaft 847; 1076, *3*

herrschaftlich 1507, *1*

Herrschaftsapparat 847, *1*

Herrschaftsbereich 436, *3*

Herrschaftsgewalt 847, *1*

Herrschaftssystem 847, *1*

herrschen 848

herrschend 670, *1*

Herrscher 849

Herrscher, absoluter 849

herrühren von 9, *4*

hersagen 1852, *2*

hersagen, mechanisch 1852, *2*

herstellen 102, *4*; 560, *3*; 1950

herstellen, Beziehung 1718, *1*

herstellen, Kontakt 1769, *2*

Hersteller 561; 1687, *1*

Herstellung 563, *2*

Herstellung, industrielle 563, *2*

Herstellungskosten
978, *2*

herumalbern 1682, *4*

herumdrehen, sich
395, *7*

herumdrucksen 1948

herumfahren 1331, *1*

herumfragen 639, *1*

herumführen, an der
Nase 1492, *1*

herumgehen um 172, *1*

herumgehen, im Kopf
266, *3*

herumgekommen
516, *1*

herumgondeln 1331, *1*

herumjagen 195, *3*

herumkommen 729, *2*;
948, *1*; 1331, *1*

herumkriegen 1627, *1*

herumkutschieren
1331, *1*

herumlaborieren 1040, *3*

herumlungern 524, *3*

herumpusseln 188

herumraten 1305, *2*

herumrätseln 371, *2*;
1305, *2*

herumschlagen, sich mit
dem Gedanken 371, *2*

herumschwenken 395, *1*

herumsprechen, sich
411, *3*; 948, *1*

herumstreifen 703, *2*

herumstreuen 1797, *2*

herumsuchen 1550, *1*

herumtragen 948, *1*

herumtragen, mit sich
266, *2*

Herumtreiber 1332, *2*

herunter 27

herunterbeten 1852, *2*

herunterbringen 1724, *3*

herunterfallen 6, *3*

heruntergehen 1149, *5*

heruntergekommen
107, *2*; **850**

herunterhandeln 815, *3*

herunterhaspeln 1852, *2*

herunterhauen, eine
1394, *1*

herunterholen 546

herunterkommen
1729, *3*

herunterleiern 1852, *2*

heruntermachen 319, *2*;
1765; 1810, *2*

herunternehmen 12, *2*;
546

herunterputzen 1554, *2*

herunterrattern 1852, *2*

herunterreißen 484, *1*

herunterreißen, Maske
319, *3*

herunterschneiden
1409, *1*

herunterschnurren
1852, *2*

herunterspielen 268

heruntersteigen 21, *1*

herunterwirtschaften
1940, *1*

herunterziehen 1729, *5*

hervorbrechen 506, *2*

hervorbringen 560, *1*;
1711, *1*

hervorgehen 506, *4*

hervorheben 241, *2*;
1730, *1*

Hervorhebung 1144

hervorkommen 506, *2*

hervorragen 1921, *2*

hervorragend 149, *1*;
791, *4*

hervorrufen 560, *1*;
1711, *1*; 1911, *4*

hervorsprudeln 506, *3*

hervorstechen 174, *2*

hervorstechend 163, *1*;
1626

hervortreten 174, *2*;
506, *3*; 958, *3*; 1921, *1*

hervortretend 1261

hervortun, sich 174, *2*

Herz 468, *3*; 693, *1*;
1119, *1*; 1138

Herz und eine Seele, ein
443, *1*; 1962

Herz und Nieren, auf
722, *3*

herzbetörend 1335

herzbewegend 600, *2*

Herzblatt 713

Herzblut 1025, *3*

herzbrechend 1293, *2*

herzeigen 1935, *2*

Herzeleid 1057; 1403, *1*

herzen 1056, *3*

Herzen, im 888, *2*

Herzen, nach dem 57, *2*

Herzen, nach jmds.
691, *1*

Herzen, von 738, *2*

Herzensbrecher 1743, *1*

Herzensdame 713

Herzensergießung
1209, *2*

Herzensfreude 650, *2*

Herzensfreund 652

Herzensfreundin 653

herzensgut 804, *1*

Herzensgüte 805

herzensklug 890, *2*

Herzenslust, nach 242;
1225, *3*

herzensträge 1646, *1*

herzenswarm 1054, *4*

Herzenswärme 805

Herzenswunsch 880, *3*;
1944, *3*

herzerfreuend 781, *3*

herzerhebend 600, *2*

Herzflimmern 549, *1*

herzhaft 981, *1*; 1158;
1225, *3*

herziehen über 1765

herziehen, hinter sich
1943, *1*

herzig 869

Herzklopfen 62, *2*;
549, *1*

Herzklopfen, mit 548, *1*

herzlich 654, *1*; 1054, *4*

herzlos 820, *2*; 914, *4*;
1505, *1*; 1541, *4*

Herzschmerz 1057

Herzseite, auf der
1059, *1*

Herzstück 823; 1119, *1*

Herzweh 1057; 1403, *1*

herzzerreißend 1293, *2*

Hetäre 1280

heterogen 648, *1*

heteronom 1784, *1*

Hetze 367; 427, *1*; 904

hetzen 195, *3*; 391, *2*;
428, *1*; 539, *1*; **851**;
1334, *2*; 1741, *1*

Hetzer 366

Hetzerei 427, *1*

hetzerisch 368

Hetzjagd 61, *2*; 427, *1*;
904

Hetzpropaganda 367

Heu 712, *3*

hineinfuchsen, sich
763, *2*
hineininterpretieren
1740, *1*
hineinknien, sich 266, *2*;
371, *4*
hineinlachen, in sich
1009, *1*
hineinlegen 1740, *1*
hineinpressen 674, *2*
hineinpumpen 522, *3*;
837, *3*
hineinschauen 1050, *1*
hineinschicken, sich
1820, *1*
hineinsehen 1740, *1*
hineinsteigen 456, *1*
hineinstellen 519, *6*;
519, *6*; 1226, *2*
hineinverwickelt 1565, *2*
hinfallen 6, *3*; 581, *1*
hinfällig 1042, *2*;
1397, *6*; 1432, *2*; 1667
hinfällig werden 1149, *4*
Hinfälligkeit 984, *1*
hinfliegen 581, *1*
hinfort 1483, *2*
Hingabe 1819, *2*
Hingabe, mit 423
Hingang 1582, *1*
hingeben 1220, *1*
hingeben, sich 1220, *1*
hingebungsvoll 423
hingegen 3
hingehen lassen 531, *1*
hingehen, oft 282, *3*
hingehören 503, *3*
hingekommen sein
1024, *2*
hingerichtet werden
1513, *5*
hingerissen 548, *3*;
781, *1*; 1767
hingerissen sein 219, *2*
hingeworfen 1199, *3*
hinhalten 172, *2*; 683, *1*;
1821, *2*
hinhalten, Buckel 345
hinhalten, Kehle 122, *3*
hinhalten, Kopf 339, *2*;
345
hinhaltend 1650, *1*
hinhauen 715, *1*; 1593, *7*
hinhocken, sich 296, *2*
hinhören 868, *2*

hinhören, nicht 1409, *5*
hinken 703, *2*
hinknallen 581, *1*
hinkommen 729, *2*
hinkriegen 715, *1*;
1226, *3*; 1815, *1*
hinlänglich 728; 1091, *2*
hinlegen 304, *3*; 475, *1*;
1392, *4*
hinlegen, sich 1356, *1*
hinlenken auf 75, *1*
hinmorden 918, *3*
Hinnahme 532, *1*
hinnehmen 531, *1*;
704, *2*; 1040, *2*;
1820, *1*
hinneigen zu 1127, *2*
hinnen, von 1887, *1*
hinpurzeln 581, *1*
hinreichen 683, *1*;
729, *1*
hinreichend 728
hinreißen 219, *1*; 305, *1*;
691, *2*
hinreißend 1335
hinrichten 1587, *2*
Hinrichtung 1588, *2*
hinscheiden 1513, *1*
Hinscheiden 1582, *1*
hinschieben 683, *1*
hinschlachten 918, *3*
hinschlagen 581, *1*
hinschlagen, der Länge
nach 581, *1*
hinschlagen, lang 581, *1*
hinschwinden 12, *1*;
1750, *1*
hinsehen 247, *1*
hinsehen, nicht 1236, *3*
hinsetzen 1512, *1*
hinsetzen, sich 1184, *2*;
1469, *1*
Hinsicht, in jeder 679, *2*
hinsichtlich 49; 290;
1889
hinstellen 22, *1*; 226, *1*;
560, *4*; 1512, *1*
hinstellen, sich 523, *1*
hinsteuern 1259, *2*;
1923, *1*
hinstrecken 683, *1*
hintanhalten 1821, *2*
hintansetzen 1114, *1*
Hintansetzung 1115
hintanstellen 1114, *1*

hinten 477, *3*
hinten, nach 1352
hintenherum 834, *1*;
1124, *2*
hintennach 1153
hintenrum 323, *2*
hintenüber 1352
hintenüberfallen 581, *1*
hinter sich lassen
1394, *3*
Hinterausgang 1215, *1*
Hinterbliebener 95, *1*;
513, *3*; 1219, *2*
hinterbringen 948, *1*;
1120, *3*; 1777
hinterfotzig 323, *2*
Hinterfotzigkeit 584, *1*
hinterfragen 371, *2*;
635
hintergangen 1660, *6*
Hintergedanke 859, *2*;
1258, *1*
Hintergedanken, ohne
131
hintergehen 293, *1*
hintergehen, jmdn.
293, *3*
Hintergehung 292
Hintergrund 846, *1*;
859; 1301, *2*
hintergründig 310, *2*;
407, *4*; 1580
Hintergrundmusik
859, *1*; 1133, *3*
Hinterhalt 1060, *1*
hinterhältig 323, *2*;
583, *4*; 754
Hinterhältigkeit 584, *1*;
755
Hinterhand haben, in
der 123, *3*
hinterher 1153; 1483, *1*
hinterher sein 392;
1550, *2*
hinterherkommen
631, *1*; 1821, *3*
hinterherrennen 1741, *3*
hinterhersetzen 1741, *1*
hinterhertrotten 631, *1*
hinterherzockeln 631, *1*
hinterlassen 280, *4*;
1120, *4*; 1622, *2*
hinterlassen, Lücke
598, *1*
hinterlassen, Spur 447, *2*

Hinterlassenschaft
513, *1*
hinterlegen 22, *3*;
339, *2*; 1120, *4*
Hinterlegung 342, *2*
Hinterlist 584, *1*
hinterlistig 323, *2*
Hintermann 66, *2*; 897;
1143, *3*
Hintern 1350
hinterrücks 323, *2*;
834, *1*
Hinterseite 1350
Hintersinn 202, *4*; 232
hintersinnig 1580
Hinterteil 1350
hintertreiben 857, *3*
Hintertreibung 858, *2*
hintertückisch 323, *2*
Hintertür 1215, *1*
Hinterwäldler 340, *3*;
405, *5*
hinterwäldlerisch 1708
hinterziehen 293, *1*
Hinterziehung 292
hinüber 1586, *1*
hinüberführen 1298, *3*
hinübergehen 1513, *1*
hinübergelangen
1298, *2*
hinunter 27
hinuntergehen 21, *1*
hinunterlassen 1184, *5*
hinunterschlingen
566, *1*
hinunterschlucken
566, *4*; 1040, *2*;
1680, *3*
hinunterspringen 20, *2*
hinuntersteigen 21, *1*
hinunterstürzen 1030, *3*;
1601, *2*
hinunterziehen 1729, *5*
hinweggehen über
1715, *1*
hinwegkommen über
1714, *1*
hinwegkommen über,
nicht 1040, *4*
Hinweis 470; **860**;
1304, *1*; 1934, *3*
hinweisen 861; 1120, *1*;
1305, *1*; 1935, *1*
hinweisen auf 469, *1*
hinwerfen 998, *1*

hinwerfen, Fehdehand-
schuh 1334, *2*
hinwerfen, Kram 475, *1*
hinzeigen 1935, *1*
hinziehen 145, *3*;
1821, *1*
hinziehen, sich 364, *2*;
1531, *3*; 1821, *3*
hinziehend, sich 1013, *2*
hinzielen 1259, *2*;
1923, *1*
hinzufügen 519, *1*
Hinzufügung 520, *1*
Hinzugewinn 1511, *3*
hinzusetzen 519, *1*
hinzutun 519, *1*
Hiobsbote 1614, *3*
Hiobsbotschaft 1659
hip 1126, *1*
Hipgeneration 908, *2*
Hippie 169
Hippies 1546, *2*
Hirn 1790, *2*
Hirngespinst 880, *1*;
1071, *4*
Hirni 405, *2*
Hirnkasten 970, *1*
hirnrissig 1778, *3*
Hirnschädel 970, *1*
hirnverbrannt 24;
1778, *3*
hissen 139, *2*
Historie 1745
Historiker 260, *2*
historisch 1744
Hit 518, *4*; 739, *2*; 1079
hitchhiken 1331, *2*
Hitze 1873, *1*
hitzig 829, *2*; 920
Hitzkopf 1272, *3*
hitzköpfig 829, *3*
Hitzköpfigkeit 830
Hobby 463, *4*; 1172, *2*;
1485, *2*
hobeln 769, *3*; 1326, *2*
hobeln, glatt 769, *3*
Hobo 1332, *2*
hoch 791, *1*; **862**; 1022;
1359, *3*
Hoch 132; 400, *4*; 801, *3*
hoch gelegen 1070, *3*
hoch geschätzt 58;
1054, *2*
hoch gestellt 862, *2*
hoch motiviert 423

hoch ragend 862, *3*
hoch stehend 791, *4*;
862, *2*
hoch, zu 1693, *2*
Hochachtung 35; 716, *3*
Hochadel 36, *2*
hochanständig 86, *3*
hocharbeiten, sich 177
Hocharistokratie 36, *2*
Hochbahn 579, *4*
hochbetagt 44, *1*
Hochbetrieb 291, *2*
hochbinden 827, *1*
hochblicken 827, *2*;
1735, *1*
hochbringen 106, *1*;
129, *1*
Hochburg 1119, *3*
Hochdruck 427, *1*
Hochdruck, mit 429, *3*
Hochdruckgebiet
400, *4*
Hochebene 620, *1*
hocherfreulich 781, *3*
hochexplosiv 690, *3*
hochfahrend 84, *2*
hochfliegend 421; 877, *1*
Hochflut 765
Hochform, in 1490, *1*
Hochgebirge 257, *2*
Hochgefühl 549, *3*
hochgehen 142, *1*;
1262, *1*; 1509, *4*
hochgehen lassen 1777
hochgehen, Wände
106, *2*; 1262, *2*
Hochgenuss 730, *2*; 979
hochgespannt 791, *5*
hochgestimmt 548, *3*;
781, *1*
hochgestochen 84, *2*;
766
hochgiftig 690, *5*
hochgradig 1452, *1*
hochhalten 420, *1*;
1375, *1*; 1735, *1*
Hochhaus 824, *1*
hochheben 123, *2*;
827, *1*
hochherzig 416, *3*; 1644
Hochherzigkeit 1645
hochjagen 391, *2*
hochjagen, Wände
106, *1*
hochjubeln 1063, *1*

hochkarätig 414, 2;
  1365, 2
hochkochen 75, 2
hochkommen 177;
  523, 3
Hochkonjunktur 132;
  1360
hochkriegen, den Arsch
  499, 2
hochleben lassen, jmdn.
  90, 6
höchlich 1452, 1
hochmodern 1126, 2
Hochmut 460, 1
hochmütig 459, 2
Hochmütigkeit 460, 1
hochnäsig 84, 2
hochnehmen 293, 1;
  827, 1; 1492, 1
hochnotpeinlich 1243, 1
hochpäppeln 676, 1
Hochplateau 620, 1
hochprozentig 891, 5
hochragen 1508, 2
hochrangig 862, 2
hochrappeln, sich 499, 2
Hochruf 801, 3
Hochrüstung 1859, 2
Hochschätzung 35
hochschießen 523, 2
hochschnellen 523, 2
hochschrauben, sich
  1509, 3
Hochschüler 1428, 2
Hochschullehrer 1035, 1
Hochseilakrobat 111, 2
Hochspannung 549, 1;
  1478, 1
hochspielen 1623, 4
Hochsprache 1494, 4
hochspringen 597, 1
höchst 1452, 1
Hochstapelei 292;
  1071, 2
hochstapeln 1072; 1849
Hochstapler 2; 294, 2
hochsteigen 1509, 1;
  1509, 2
höchstens 1194; 1452, 2
Höchster 785, 1
hochstilisieren 1548, 1
Hochstimmung 549, 4;
  650, 3; 780, 2
Höchstleistung 554;
  767, 3

Höchstmaß 767, 3
höchstpersönlich
  1244, 2
Höchststand 767, 3
Höchststufe 767, 3
höchstwahrscheinlich
  1460, 1
Höchstwert 767, 3
hochtönend 1625, 5
hochtrabend 84, 2
Hochwasser 1165, 2
hochwertig 975
hochwinden 139, 2
hochwirbeln 395, 1
hochwüchsig 791, 1
hochziehen 139, 2;
  1943, 3
Hochziel 874, 1
hocken 296, 2; 1469, 3;
  1521, 1
Hocker 1470, 1
Höcker 257, 1; 1922, 1
höckrig 1643, 1
Hof 190
Hof machen 1742
Hofberichterstattung
  269
Hoffart 460, 1
hoffärtig 459, 2
hoffen 466, 3; 1589, 5;
  1591, 2
hoffen auf 555, 2
hoffentlich 863
Hoffnung 556, 1; 810, 2;
  1222
Hoffnung sein, guter
  1589, 5
Hoffnung, gescheiterte
  508
Hoffnungsanker 556, 3
Hoffnungsfreude 1222
hoffnungslos 856, 2;
  1246; 1660, 1;
  1660, 5; 1665
Hoffnungslosigkeit 1666
Hoffnungsträger 874, 1
hoffnungsvoll 803, 1
Hofhund 871
hofieren 1401; 1742
höflich 125, 2; 654, 1;
  864; 1175, 1
höflich sein 489, 1
Höflichkeit 85, 1; 490, 2
Höflichkeitsbesuch
  281, 2

Hofmacher 1402, 1
Hofmeister 1035, 1
Hofschranze 1221
Hofstaat 66, 4
Höhe 146, 2; 767, 1
Höhe der Zeit, auf der
  1126, 2
Höhe, auf der 516, 1;
  757, 1; 835, 3; 1026, 3;
  1830, 2
Höhe, auf gleicher 775
Höhe, in der 862, 1
Hoheit 36, 1; 792, 2;
  1926, 1
Hoheitsgebiet 685, 1
Hoheitsgewalt 847, 1
hoheitsvoll 840; 1927, 1
Höhenflug 549, 4
Höhenkoller 460, 1
Höhenlage 1302, 1
Höhenrücken 257, 1
Höhenzug 257, 2
Hohepriester 671, 6
Höhepunkt 767, 2;
  874, 1; 988, 1
höher gestellt 862, 2
hohl 182; 406, 5;
  1028, 3
Höhle 1799, 1
höhlen 787, 1
Hohlkopf 405, 1
Hohlmaß 1089, 2
Hohlraum 1067, 1
Höhlung 1799, 1
hohlwangig 1042, 1
Hohlweg 481, 4
Hohn 1491, 3
höhnen 1492, 2
Hohngelächter 1491, 3
höhnisch 323, 1;
  1493, 1
hohnlachen 1492, 2
Höker 816, 1
Hokuspokus 1933, 1
hold 71, 1; 1054, 2; 1767
holdselig 71, 1
Holdseligkeit 70
holen 274, 2
holen, Atem 115
holen, Kastanien aus dem
  Feuer 1220, 2
holen, Luft 115
holen, sich 236, 3
holen, sich eine Abfuhr
  1383, 5

holen, tief Luft 499, *2*
Holländer, fliegender
1448
Hölle 1403, *2*; 1690, *2*
Hölle machen, Leben
zur 1242, *1*
Höllenfürst 1575
Höllenlärm 734, *3*
Höllenpein 1403, *2*
Höllenqualen 1403, *2*
höllisch 1293, *1*; 1452, *1*
Holm 889
Holocaust 1090
holperig 1307, *1*;
1643, *2*
holterdiepolter 429, *3*;
1410, *1*
Holz 1869
Holzbank 184, *1*
holzen 1394, *2*
Holzerei 1393, *2*
hölzern 820, *1*; 1264, *1*
holzig 1603, *1*
Holzkopf 405, *1*
Holzschnitt 308, *2*
Holzschnitzer 309
Holzweg 29, *3*; 599, *3*;
902, *1*; 1888, *1*
Holzweg sein, auf dem
901, *5*
Homburg 971
Homecomputer 352, *2*
Homepage 97, *3*
Hommage 419, *2*
Homme à Femmes
1743, *1*
Homme de Lettres
1423
Homo 867
Homo sapiens 1103, *1*
Homoerotik 865
homoerotisch 866
Homogenität 442, *1*
homophil 866
Homophilie 865
Homosexualität 865
homosexuell 866
Homosexuelle(r) 867
honett 86, *2*
Honigmond 780, *2*
Honneurs 419, *2*; 801, *3*
Honorar 1732, *1*
Honoratioren 1201, *2*
honorieren 304, *2*
Honorierung 1931, *2*

honorig 86, *2*
Hooligan 1272, *1*
hopfenleicht 1036, *1*
hoppnehmen 1757
hopsen 597, *2*
Hopser 1497, *2*
hopsgehen 1513, *3*;
1768, *1*
hörbar 1022; 1466, *1*;
1499
hörbar, weithin 1022
horchen 128, *1*; 868, *1*
Horchposten 248, *2*
Horde 800, *5*
hören 515, *3*; 704, *1*;
868; 1049, *2*; 1794, *1*;
1867, *1*
hören auf, nicht 1114, *2*
hören können, nicht
mehr 1039, *2*
hören und sehen, nichts
1756, *2*
hören, Flöhe husten
1867, *2*
hören, gern 691, *1*
hören, Gras wachsen
1867, *2*
hören, läuten 515, *3*
Hörensagen, vom
1124, *5*
Hörer 283, *3*; 1428, *2*;
1566, *1*
Hörerschaft 283, *4*;
1566, *1*
Hörerumfrage 1632
Hörfehler 599, *1*
hörig 1319; 1652, *1*
hörig sein 9, *2*
hörig sein, jmdm.
1056, *2*
hörig werden 65, *2*
Höriger 66, *3*; 1471, *1*
Hörigkeit 706, *2*;
1551, *1*
Horizont 317
Horizont, ohne 341, *3*;
480, *2*
horizontal 768, *1*
Horizontlinie 1058, *2*
Hornberger Schießen
1749
Hornochse 405, *4*
Hornvieh 405, *4*
Hörorgan 1217
Horoskop 1840

horrend 163, *1*; 862, *5*;
1452, *1*
horribel 1420, *1*
Horror 62, *1*; 1420, *1*
Horrortrip 62, *2*;
1310, *2*
Horsd'œuvre 1080, *3*
Hort 833, *1*; 1461, *2*
horten 123, *1*; 1361, *2*;
1479, *1*; 1789, *1*
Hortung 1362, *1*
Hörvermögen 1868, *2*
Hörweite 1156, *1*
Hörweite, in 1155, *2*
Hose, tote 1017, *2*
Hosenmatz 936, *1*
Hosenscheißer 603
Hosenträger 812, *2*
Hospital 983
Hospitant 1428, *4*
Hospiz 681, *2*
Hotel 681, *2*
Hotelier 1916, *1*
Housekeeper 826, *2*
Hovercraft 579, *6*
hubbelig 1643, *2*
hübsch 869
Hubschrauber 579, *7*
Hudelei 1251
hudeln 1252
Huf 778, *1*
Hüfthalter 812, *2*
Hügel 257, *1*
hügelig 1307, *1*;
1643, *1*
Hügelland 257, *2*
Huhn, dummes 405, *4*
Huld 784, *3*
huldigen 174, *1*; 420, *1*;
1056, *2*; 1735, *1*
Huldigung 419, *2*;
1062, *2*
huldreich sein 531, *4*
huldvoll 840
Hülle 168, *3*; 223; **870**;
949, *1*; 1198, *1*
Hülle und Fülle, in
1327, *4*; 1824, *1*
Hülle, sterbliche 973, *2*
hüllen, sich in Schwei-
gen 1438, *2*
hüllenlos 1154, *1*
Hülse 870, *8*
Hülsen 1340, *4*
human 793, *2*; 1104, *1*

Humanismus 1105
humanitär 1104, *1*
Humanitas 1105
Humanität 1105
Humanmedizin 1098, *1*
Humanum 1105
Humbug 1675, *1*
Hummeln im Hintern
  1672, *1*
Humor 650, *1*
humorig 835, *2*
humoristisch 835, *2*
humorlos 480, *2*;
  545, *2*
Humorlosigkeit 481, *5*;
  1537, *4*
humorvoll 835, *2*
Hund 871
Hund und Katze, wie
  695, *1*
Hund, bunter 1683, *2*
Hund, fauler 595
Hunde, den Letzten bei-
  ßen die 1029
hundeelend 1042, *1*
Hundekälte 915, *1*
hundemüde 1130, *1*
hundertachtzig, auf
  322, *1*
Hunderte 1826
Hunderten, zu 1824, *1*
hundertprozentig
  348, *2*; 679, *2*
hündisch 1691, *2*
hundsgemein 323, *1*;
  1397, *5*
hundsmiserabel 1042, *1*

Hüne 1345
hünenhaft 791, *1*
Hunger 1762, *1*
Hunger haben 872, *1*
Hungerkur machen
  872, *3*
hungern 482; **872**
hungern nach 217, *2*
hungernd 107, *1*;
  218, *2*
Hungersnot 1190, *2*
Hungerstreik sein, im
  872, *3*
hungrig 218, *2*
Hunter 905, *1*
hupen 1018, *2*
hupfen 597, *2*
hüpfen 597, *2*
Hüpfer 910, *2*; 1497, *2*
Hürde 858, *4*; 1419
Hure 641; 1280
huren 1279
Hurerei 1282
Hurrapatriotismus
  1163, *1*
Hurrikan 1543, *1*
hurtig 1410, *1*
Husarenritt 1861
Husarenstück 518, *2*;
  1686, *3*
huscheln 1252
huschen 428, *1*; 777, *1*
Hut 971; 1248, *1*;
  1461, *2*
Hut, alter 326, *2*
Hut, auf der 1846, *3*
Hütchen 971

hüten 123, *1*; **873**;
  1249, *1*; 1413, *1*;
  1789, *2*
hüten, sich 128, *4*
Hüter 1878
Hütte 824, *1*
hutzelig 1603, *1*
Hyäne 641
hybrid 390; 459, *2*
Hybride 1113, *5*
hybridisch 390
Hybris 460, *1*
Hygiene 1248, *3*;
  1366, *1*
hygienisch 1365, *1*
hygroskopisch 99, *2*
Hymne 739, *2*; 1062, *3*
hymnisch 548, *3*
Hype 1079; 1898, *2*
hyper 1452, *1*
hyperkorrekt 1241, *1*
Hypermacht 792, *3*
hypersensibel 471, *3*
hypertroph 1625, *2*
Hypnose 436, *1*; 1647, *3*
hypnotisieren 208;
  284, *1*
hypnotisiert 1646, *2*
Hypochonder 1245
Hypochondrie 62, *5*
Hypothek 358; 986;
  1020, *2*
Hypothekenbank 184, *2*
Hypothese 965, *3*;
  1033, *4*; 1834
hypothetisch 1128, *1*
hysterisch 720

I

IC = Intercity-Zug 579, 4
ICE = Intercity-Express 579, 4
Ich 442, 3
Ich, besseres 762
ichbezogen 1456
Ichbezogenheit 1455
ichgestört 708
Ichideal 874, 1
Ichmensch 417
ichschwach 856, 1
ichstark 981, 5
Ichstörung 709
Ichsucht 1455
ichsüchtig 1456
ideal 1265, 2; 1830, 1
Ideal 874
Idealbild 874, 3
Ideale, voller 877, 1
idealisieren 268; 1623, 2
Idealisierung 269
Idealismus 875
Idealist 876
idealistisch 877; 1644
Idealvorstellung 878, 1
Idee 77, 1; 222; 874, 1; **878**; 951, 2; 1848, 2
Idee, fixe 424, 4; 880, 1
ideell 879
Ideen haben 435, 2
Ideenkonferenz 1594, 2
ideenlos 182; 1654, 2
ideenreich 576, 1; 1231, 1; 1415
Ideenreichtum 1253
Identifikation 1617, 5
Identifikationsfigur 671, 6
Identifikationskarte 279, 1
identifizieren 614, 2
identifizieren, sich 173, 2
identisch 771, 1
Identität 442, 3; 1617, 1

Identitätsbescheinigung 279, 1
Ideologe 876, 2
Ideologie 375
ideologisch 455, 1; 877, 2; 879; 1505, 4
Idiolekt 1494, 4
Idiom 147, 1; 1256, 1; 1494, 4
idiomatisch 414, 1
Idiot 405, 4
idiotensicher 433, 1
Idiotie 709
idiotisch 708; 1778, 2
Idol 874, 2
Idolatrie 786
idolisieren 1735, 2
Idolisierung 35
Idyll 1234
idyllisch 835, 5; 1265, 2
idyllisieren 268
Idyllisierung 269
ignorant 403, 1; 1697, 2
Ignorant 384, 2; 405, 2
Ignoranz 404, 1; 1663
ignorieren 492, 1; 1409, 5; 1734, 2
Ikone 671, 6; 874, 2; 1501, 1
ikonisch 310, 1
illegal 1722
Illegalität 1670, 2
illegitim 1722
Illegitimität 1670, 2
illiberal 480, 2
illiquide 534, 2
Illiquidität 185
Illoyalität 1700, 3
Illumination 1052, 2
illuminieren 199; 241, 1; 590, 2; 1292, 1
illuminiert 839, 4
Illusion 880; 1181, 3
Illusionen machen, sich 430, 2; 1591, 2
Illusionist 876, 2
illusionsfrei 1773, 4
illusorisch 583, 3; 1748
illuster 262, 2
Illustration 308, 4; 361, 1; 529, 2
illustrativ 78, 2
illustrieren 199; 270, 1; 528, 3; 931, 1
illustriert 591, 2

Illustrierung 308, 4; 361, 1; 529, 2
im Galopp 1410, 1
im Schweinsgalopp 1410, 1
Image 716, 2
Imagepflege 1759, 2
imaginär 879
Imagination 880, 1; 1253; 1848, 2
imaginieren 430, 1; 1847, 2
Imbiss 1080, 8; 1504, 1
Imitation 1142, 1
Imitator 1141
imitieren 881
imitiert 583, 3
immateriell 879
Immatrikulation 126, 2
immatrikulieren 127, 2
immens 163, 1; 791, 2
immer 365, 1; **882**
immer, auf 1013, 2; 1648, 2
immer, fast 1101
immer, für 882, 2
immer, nicht 1853, 1
immer, schon 882, 4
immerdar 882, 1
immerfort 882, 1
immergrün 365, 3
immerhin 3; 39
immerzu 882, 1; 1855
Immigrant 1107
immobil 59, 2
Immobilie 795
Immobilien 271, 2
Immobilienhai 1275
Immobilienhändler 741
immun 883
immunisiert 883, 2
Immunität 1461, 3
Immunschwäche 472, 1
Imperativ, kategorischer 762
Imperator 849
Imperium 792, 3
impertinent 642, 3
Impertinenz 643, 2
Impetus 1446, 2
impfen 208; 1430, 5
implantieren 1218
implementieren 519, 6
implizieren 493
impliziert 453

implizit 453
imponieren 884
imponierend 791, *3*;
  885; 1507, *1*
Imponiergehabe 460, *2*
Import 814, *3*
Importeur 741
importieren 437, *1*;
  815, *2*
imposant 791, *3*; 885;
  1507, *1*
impotent 1654, *3*
imprägnieren 1430, *5*
imprägniert 380, *1*
Imprägnierung 1502, *6*
Impression 693, *2*
improvisieren 1487, *6*
improvisiert 1696, *3*
Impuls 77, *1*; 878, *2*;
  1446, *2*
impulsiv 829, *2*; 1026, *3*
Impulsivität 478, *1*
imstande 576, *1*
imstande sein 963, *1*
in 243, *1*; 1126, *2*
in petto haben, etwas
  1787, *3*
inakkurat 1150, *1*
inaktiv 772, *3*; 1676, *2*
Inaktivität 1355, *3*;
  1677, *2*
Inauguration 438, *2*
inaugurieren 437, *4*
Inbegriff 567, *1*; 823;
  874, *1*; 1549
inbegriffen 453
Inbrunst 1144
inbrünstig 1145, *2*
indem 776; 1865
In-den-Boden-Sinken,
  zum 1243, *1*
indes 3; 1865
indessen 3; 1865
Index 1818, *1*
indezent 1556
Indian Summer 46
indifferent 772, *1*
Indifferentismus 1647, *2*
Indifferenz 1647, *2*
indigen 59, *1*
indigniert 322, *1*
Indikator 930, *1*
indirekt 1124, *1*
indiskret 895, *2*; 1556
indiskret sein 894, *3*

Indiskretion 1700, *2*
indisponiert 1042, *1*
Individualität 424, *1*;
  1103, *2*
Individualstil 1518, *2*
individuell 273, *3*; **886**;
  1244, *1*
Individuum 1103, *2*
Indiz 1498, *2*; 1934, *3*
indiziert 1722
Indoktrination 436, *1*
indoktrinieren 208
indolent 689, *2*; 772, *3*;
  1541, *3*
Indolenz 688, *2*; 1647, *2*
Industrieforschung
  636, *3*
Industriekapitän 1687, *2*
industriell 1096, *1*
Industrieller 1687, *1*
Industriemagnat 1687, *2*
induzieren 1711, *1*
ineinander 1962
infam 323, *1*
Infamie 240; 324; 584, *1*
infantil 909, *2*; 1671, *2*
Infekt 984, *1*
infektiös 690, *5*
inferior 312, *3*; 950, *2*;
  1691, *1*
infernalisch 323, *1*
Inferno 1403, *2*; 1690, *2*
infertil 1654, *3*
infiltrieren 208; 411, *1*;
  432, *3*
infizieren 208; 1622, *3*
infizieren, sich 236, *3*
infiziert 1042, *1*; 1397, *4*
Inflation 1348, *5*;
  1511, *2*
inflationär 182; 678, *3*
inflationieren 509, *3*
Info 1122
infolge 69, *2*; 1889
infolgedessen 43
Informant 248, *2*;
  260, *2*; 961
Information 164, *1*;
  529, *1*; 854, *1*; 1122
informativ 238, *1*;
  892, *2*
informieren 259; 837, *2*;
  1120, *1*
informieren, sich 639, *1*;
  1049, *1*

informiert 929
informiert sein 1794, *4*
Infotainment 1684, *2*
Infothek 306
ingeniös 1415
Ingenium 724, *2*
Ingredienz 1561, *3*
Ingrimm 105, *2*
ingrimmig 322, *1*
Inhaber 272
inhaftieren 1757
Inhaftierung 692, *1*
inhalieren 115
Inhalt 697, *3*; **887**; 1549
Inhaltsangabe 1299, *2*;
  1613, *1*
inhaltslos 182; 1028, *3*
inhaltsreich 1327, *3*;
  1468, *2*
inhaltsschwer 1468, *2*;
  1900, *1*
Inhaltsverzeichnis
  900, *2*
inhibieren 857, *2*
inhuman 334
Inhumanität 335
Ini 800, *7*
Initialstadium 51, *1*
Initiant 1257, *2*
Initiation 438, *2*
initiativ 670, *2*
Initiative 478, *1*; 1446, *2*
Initiative, aus eigener
  646
Initiativgruppe 800, *7*
Initiator 561; 1257, *2*;
  1705, *3*
Initiatorin 1140, *3*
initiieren 52, *3*; 75, *1*;
  90, *5*; 1711, *1*
Injektion 112, *2*
Injurie 240
Inkarnation 361, *2*
Inkasso 1832
Inklination 1172, *3*
inklusive 117, *2*; 453
inkognito 834, *2*;
  1642, *1*
inkommodieren 1523, *1*
inkompatibel 695, *4*
Inkompatibilität 694, *2*
inkonsequent 583, *5*;
  1650, *1*
inkorrekt 583, *1*
Inkubus 1575

Inkunabel 976, *1*;
    1230, *1*
Inlandsmarkt 1086, *2*
inliegend 48
inmitten 809; 1119, *5*
innehaben 807, *1*
innehaben, Führung
    669, *2*
innehaben, Herrschaft
    848, *1*
innehaben, Macht
    848, *1*
innehalten 441, *1*;
    475, *1*; 811, *1*; 1356, *1*;
    1521, *1*
innen 888; 1059, *2*
Innenausstattung 168, *2*
Innenleben 693, *4*;
    1447, *1*
Innenseite 1350
Innenstadt 1500, *3*
Innenwelt 693, *4*
Innereien 439
Inneres 887, *2*; 1447, *1*
innerhalb 888, *1*; 1865
innerlich 888, *2*; 1357, *4*
Innerlichkeit 474
Innern, im 888, *1*
Innern, im tiefsten
    888, *2*
Innerste, das 1119, *1*
innewerden 668, *1*;
    1451; 1867, *1*
innewohnen 411, *4*; 493
innewohnend 888, *2*
innig 1054, *4*
innigst 1145, *2*
Innovation 1179, *1*
innovativ 892, *2*
Innung 1227, *2*
inoffiziell 834, *1*
Input 452, *1*
Inquisition 638, *3*
inquisitorisch 1536, *3*
insbesondere 273, *1*
Inschrift 529, *4*
Insel 889
Inselberg 257, *1*
Inselgruppe 889
Inselkette 889
Inserat 97, *1*; 470
inserieren 50, *2*; 1896, *1*
insgeheim 834, *1*
insgesamt 679, *3*
Insichgehen 445, *1*

Insider 573
Insidersprache 1494, *4*
Insignien 930, *2*
insistieren 391, *4*
insistierend 144; 1929, *1*
insofern 582
insolvent 534, *2*
Insolvenz 185
Inspektion 1285, *2*
Inspiration 77, *1*; 878, *2*
inspirieren 75, *2*
inspirierend 76, *3*
inspizieren 1284, *1*
Installation 449, *1*
installieren 1229, *1*
installieren, sich 448, *1*
Installierung 449, *1*
instand 538, *2*; 731, *1*
instand halten 1249, *3*;
    1682, *1*
Instandbesetzung 370, *1*
Instandhaltung 1248, *2*
inständig 1145, *2*
Inständigkeit 1144
Instandsetzung 544, *1*
Instanz 230
Instanz, moralische 762
Instanzenweg 634, *1*
Instinkt 468, *1*; 693, *3*;
    1599, *1*
instinktbedingt 1600, *1*
instinktiv 899; 1600, *1*
instinktlos 1556
Institution 449, *3*;
    1227, *2*
instruieren 1034, *2*
Instrukteur 1035, *2*
Instruktion 96, *2*;
    1033, *1*
instruktiv 238, *1*; 892, *2*
Instrument 733
instrumentalisieren
    153, *3*
Instrumentalisierung
    154, *3*
Instrumentalmusik
    1133, *3*
insuffizient 1656, *1*
Insuffizienz 1694, *1*
Insult 240
Insultation 240
Insurrektion 134, *1*
inszenieren 167, *2*;
    1259, *3*; 1269, *1*;
    1487, *2*; 1712, *2*

inszenieren, neu 1904, *3*
intakt 679, *1*
integer 86, *3*
Integralität 442, *1*
integrationsfähig, beruf-
    lich 757, *5*
integrieren 519, *1*;
    1718, *3*
Integrität 85, *2*; 613, *5*
Intellekt 1790, *1*
intellektuell 1773, *4*
Intellektueller 372; 1919
intelligent 890
Intelligenz 707, *1*;
    1790, *2*
Intelligenzler 372
Intendant 1047, *2*
Intendanz 1048, *1*
intendieren 1259, *1*;
    1923, *1*
intendiert 16
Intensität 788; 830;
    1144; 1502, *3*
intensiv 78, *1*; 125, *1*;
    285, *2*; 722, *3*; 829, *1*;
    891; 981, *4*; 1145, *2*;
    1364, *3*; 1913, *2*
intensivieren 371, *4*;
    1716, *1*
Intensivierung 1511, *4*
Intention 1258, *1*
intentional 16
Interaktion 1885
Interdependenz 1885
Interdikt 1721, *1*
interdisziplinär 40, *3*
interessant 238, *1*; **892**
Interesse 202, *3*; **893**;
    1147; 1172, *1*; 1178;
    1478, *1*; 1563, *1*
Interesse haben für
    894, *2*
Interesse, mit 738, *2*
interesselos 772, *1*
Interessen 580, *2*
Interessengebiet 1485, *1*
interessengeleitet 455, *1*
Interessengemeinschaft
    717, *2*
Interessent 95, *2*; 925
Interessenten 1566, *2*
Interessenvertreter
    1807, *3*
Interessenvertretung
    1227, *2*

interessieren 894
interessieren, sich 894
interessieren, sich für
    nichts 1016, *2*
interessiert 125, *1*;
    467, *2*; 748, *2*; **895**;
    1026, *2*; 1565, *2*
interessiert sein 1564, *3*
interessiert sein an
    245, *2*; 894, *2*
Interieur 168, *2*; 449, *2*
Interim 1679, *2*; 1737, *1*
interimistisch 1853, *2*;
    1865
Interimslösung 550, *1*
Interimszustand 1679, *2*
Intermedium 1679, *2*
Intermezzo 1679, *2*;
    1982, *2*
intern 888, *1*; 1802
Internat 833, *2*
international 40, *4*; **896**
Internet 966, *3*; 1176, *3*
interniert 1652, *2*
Internierung 18, *1*
Internierungslager 969
Interpellation 1679, *3*
Interpret 360; 1134, *2*
Interpretation 361, *2*;
    529, *2*; 1771, *2*
interpretieren 241, *2*;
    359, *4*; 528, *3*; 1769, *3*
Interruption 1679, *1*
Intersex 1113, *5*
Intervall 1133, *1*;
    1324, *1*; 1679, *2*; 1689
intervenieren 440;
    1769, *1*
Intervention 1525;
    1771, *1*
Interview 1632
interviewen 639, *2*
Inthronisation 438, *2*
intim 1802; 1803, *1*
intim sein 1056, *3*
Intimität 1055, *1*
Intimus 652
Intimverkehr 1055, *3*

intolerant 480, *2*
Intoleranz 481, *5*
Intonation 1494, *2*;
    1584, *2*
intonieren 1465, *1*
intransigent 1505, *2*
intrigant 323, *1*; 583, *4*
Intrigant 897
Intriganz 584, *1*
Intrige 898; 1060, *2*
Intrigenspiel 898
Intro 438, *1*
introducen 1847, *1*
Introducing 1848, *1*
Introduktion 438, *1*
introduzieren 437, *2*
introvertiert 1357, *4*
Intuition 468, *1*; 468, *4*;
    878, *2*
intuitionssicher 467, *4*
intuitiv 899
intus haben 1794, *2*;
    1917
Invektive 240
Inventar 449, *2*; **900**;
    1818, *1*
investieren 1196, *2*
Investition 452, *1*
Investitur 438, *2*
Investment 452, *1*
Investmentpapiere
    271, *3*
involviert 1565, *2*
inwendig 888, *2*
inzwischen 776; 1865
i-Punkt 767, *7*
irdisch 477, *4*; 1104, *2*;
    1746
irgendwann 1207, *7*
irgendwie 242; 1653, *1*;
    1953, *1*
irisierend 718, *2*
Ironie 1491, *3*
Ironiker 990, *2*
ironisch 1493, *1*
ironisieren 1492, *3*
ironisierend 1493, *3*
irr 1778, *2*

irrational 473
Irrationalität 474
irre 1778, *1*
irre werden 1976
irreal 877, *2*
irreführen 293, *1*
irreführend 583, *3*
Irreführung 1559, *1*
irregehen 901, *1*
irregulär 1784, *3*
Irregularität 29, *5*
irrelevant 1640
irremachen 1816, *2*
irremachen lassen, sich
    nicht 1741, *2*
irren 901
irren, sich 901
Irrenanstalt 1675, *3*
Irrenhaus 1675, *3*
irreparabel 265, *3*; 476
irreversibel 476
Irrfahrt 599, *3*
Irrgarten 1669, *1*
Irrglaube 4
irrig 583, *5*; 903
irrigerweise 903
Irritation 552
irritieren 106, *1*; 907, *1*;
    1816, *2*
irritierend 553
irritiert 1915, *2*
irrlichtern 1634, *3*
Irrsinn 709
irrsinnig 708; 1778, *2*
Irrtum 599, *3*; **902**
irrtümlich 583, *2*; **903**;
    1380
Irrweg 29, *3*; 599, *3*
Isis 785, *3*
Isolation 18, *1*; 451, *1*
isolieren 17, *1*; 1874, *2*
isolieren, sich 17, *2*
isoliert 450, *1*
Isolierung 18, *1*; 451, *1*
ist doch so 43
Isthmus 481, *4*
item 117, *1*

J

ja 39
Jacht 579, *6*
Jacke wie Hose 772, *5*
Jackpot 780, *1*
Jagd 427, *1*; **904**
Jagdaufseher 905, *1*
Jagdhund 871
jagen 391, *2*; 428, *1*;
   851, *1*; 1741, *1*
jagen können mit 462, *1*
jagen, in die Luft 1940, *5*
jagen, ins Bockshorn
   398, *3*
Jäger 905
Jägerei 904
Jägerlatein 1071, *4*
Jägersmann 905, *1*
jäh 1263
Jähe 54, *4*
Jahr und Tag, nach
   1482, *3*
Jahr und Tag, vor 666, *1*
Jahr, das ganze 882, *2*
Jahr, jedes 882, *2*
jahraus 882, *2*
Jahre 45, *1*; 1013, *2*
Jahre, hohe 45, *1*
jahrein 882, *2*
jahrelang 1013, *2*
Jahren, bei 44, *1*
Jahren, hoch an 44, *1*
Jahren, jung an 909, *1*
Jahren, nach 1482, *3*
Jahresabschluss 1316, *1*
Jahresfest 906
Jahrestag 906
Jahreszeit 1360
Jahreszeit, kalte 915, *1*
Jahrgang 1294, *2*
Jahrgang, derselbe
   771, *1*
Jahrhundertereignis
   1900, *3*
Jahrmarkt 291, *4*;
   1086, *1*
Jahrmarktskünstler
   111, *1*

Jahwe 785, *2*
Jähzorn 830
jähzornig 829, *3*
Jalousie 870, *6*
Jammer 943, *2*; 1403, *1*
Jammergeschrei 943, *2*
Jammerlappen 603
jämmerlich 107, *2*;
   1397, *5*
jammern 944, *3*
Jammern 943, *2*
jammerschade 1043;
   1660, *5*
Janmaat 1448
janusköpfig 390
Janusköpfigkeit 1825
jappen nach 217, *2*
japsen 115
Jargon 1494, *4*
Jasager 1221
jäten 1367, *4*
Jauche 156, *3*
jauchen 1716, *5*
jauchzen 651, *2*
Jauchzen 650, *3*
Jauchzer 650, *3*
jaulen 244, *1*; 944, *3*
Jause 1080, *6*
jawohl 39
Jawort 532, *1*
Jazz 1133, *3*
Jazzband 800, *4*
Jazzmusik 1133, *3*
je nachdem 205; 242;
   1128, *3*; 1895, *2*
Jeck 1683, *2*
jede 38, *1*
jede Stunde 882, *2*
jedenfalls 39
jeder 38, *1*
jedermann 38, *1*;
   1102, *6*
jederzeit 882, *2*
jedoch 3
jedwede(r) 38, *1*
Jeep 579, *2*
jegliche 38, *1*
jeher, von 882, *4*
Jehova 785, *2*
Jemand 1103, *2*
jenseitig 1693, *4*
jenseits 695, *2*
Jenseits 1234
Jerusalem, himmlisches
   1234

jesuitisch 1241, *2*
Jet 579, *7*
Jeton 350, *1*
Jetset 1201, *3*
jetten 428, *1*
jetzig 699, *2*
jetzt 699, *2*; 1008; 1838
Jetzt 698, *1*
jetzt an, von 1483, *2*
jetzt noch 699, *1*
jetzt oder nie 429, *3*
jetzt, bis 666, *2*
jetzt, eben 699, *1*
jetzt, erst 477, *2*
Jetztzeit 698, *1*
Jeunesse dorée 1201, *3*
Jingle 1898, *3*
jmd. sein 201, *3*
Job 101, *2*
Job, ohne 104
jobben 102, *1*
Jobber 816, *2*
Jobsharing 101, *3*;
   1596, *4*
Joch 101, *4*; 1020, *2*;
   1972, *1*; 1978, *2*
jodeln 1465, *2*
johlen 316, *1*; 1018, *1*
Johlen 734, *3*
Joint 1311
Jointventure 1963
Joker 1560
Jokus 650, *4*; 1684, *3*
Jolle 579, *6*
Jongleur 111, *2*
jonglieren 1023, *1*
Jota 951, *1*
Journaille 1271, *1*
Journalismus 1271, *1*
Journalist 260, *1*
Journalistenfrage 638, *2*
jovial 654, *1*; 840
Jovialität 784, *3*
Jubel 231; 650, *3*
Jubeljahre, alle 926, *1*;
   1457, *2*
jubeln 651, *2*
Jubelruf 650, *3*
Jubilar 45, *2*
Jubiläum 906
jubilieren 651, *2*;
   1465, *2*
Jubilieren 734, *5*; 739, *1*
jucken 907
Judas 1429, *3*

Jugend 908
Jugend von heute 908, *2*
Jugendalter 908, *1*
Jugendfreund 652
Jugendfreundin 653
Jugendjahre 908, *1*
jugendlich 660, *1*;
909, *1*
Jugendliche 908, *3*;
1078, *2*
Jugendsünde 1675, *3*
Jugendzeit 908, *1*
Jumbo-Jet 579, *7*
jung 660, *1*; **909**;
1932, *1*
Jungborn 525, *2*
Jungbrunnen 525, *2*
Jungchen 910, *2*

Junge 910
jungen 682, *2*
Jünger 66, *2*; 1428, *3*
Jungfernfahrt 51, *2*
Jungfernrede 51, *2*
jungfräulich 934; 1177, *5*
Jungfräulichkeit 935
Junggeselle 1084
Junggesellin 640
Jüngling 910, *2*
jüngst 1008
Jüngste 1078, *1*
Jüngster 910, *1*
Junior 910, *1*
Junkie 397, *1*
Junktim 1719, *1*
Juno 641
junonisch 1507, *2*

Jura 912, *3*
Jurisdiktion 912, *1*
Jurisprudenz 912, *3*
Jurist 912, *2*
Juristerei 912, *3*
juristisch 751, *3*
Jury 911
Jus 912, *3*
just 1008; 1194
justieren 1226, *3*
Justitiar 912, *2*
Justiz 912
Justizirrtum 599, *3*
juvenil 909, *1*
Juwelen 976, *2*; 1291, *1*
Jux 650, *4*; 1675, *2*;
1684, *3*
juxta 1155, *2*

K

k. o. 534, 3; 1130, 2
Kabale 898; 1060, 2
Kabarett 1577, 1
Kabarettist 1683, 1
kabarettistisch 1493, 2
Kabbala 701
Kabbelei 1534, 2
kabbeln 1535, 1
Kabel 1048, 3
Kabelfernsehen 609, 2
kabeln 1622, 6
Kabinett 1309, 1;
  1583, 1
Kabrio 579, 2
Kabuff 1309, 1
kacheln 676, 2
Kacke 156, 2
kacken 155
Kadaver 957, 1; 973, 2
Kadavergehorsam
  706, 2
Kaddisch 943, 2
Kader 672
Kadi 912, 1
Käfer 1078, 2
Kaff 1500, 2
Kaffee 759, 3
Kaffee, kalter 1017, 2;
  1708
Kaffeefahrt 578, 1
Kaffeehaus 681, 1
Kaffeesatz 1340, 3
Käfig 189, 2; 692, 2
kafkaesk 690, 2
kahl 913; 1028, 1;
  1204, 1
Kahlfraß 1941, 1
Kahlheit 1205, 1
kahlköpfig 913, 1
Kahlschlag 1053;
  1941, 1
Kahn 295; 579, 6
Kai 1630
Kairos 1936, 1
Kaiser 849
Kaiser-Wilhelm-Bart 187
Kajak 579, 6

Kakao 759, 3
kakophonisch 822, 2
Kalamität 1116; 1764, 1
Kalauer 1684, 4
kalauern 1682, 4
kalben 682, 2
kalbern 1682, 4
Kaldaunen 439
Kaleidoskop 1827, 2
Kalender 527, 3
Kalenderweisheit 374, 1
Kalesche 579, 1
Kaliber 110, 2; 792, 1;
  1502, 3
Kalif 849
Kalk 1186, 3
Kalkschicht 1186, 3
Kalkül 1258, 3
Kalkulation 1258, 3
kalkulieren 251, 1;
  1375, 2
Kalligraphie 1422, 2
kalorienreich 1158
kalt 31, 1; 820, 2; 914;
  1307, 5; 1373, 2;
  1505, 1
kalt lassen 773
kalt lassen, nicht 263, 2
kalt stellen 995, 1
Kaltblut 1247
kaltblütig 1357, 5
Kälte 915; 1647, 2
Kältegrad 788
Kälteperiode 1348, 7
kaltherzig 914, 3
Kaltherzigkeit 915, 2
kaltmachen 1587, 1
kaltschnäuzig 914, 4;
  1456
Kaltschnäuzigkeit
  643, 3; 1647, 2
kaltstellen 998, 2;
  1734, 1
Kamarilla 66, 4; 953
Kamellen, olle 1014
Kamera 916
Kamerad 66, 2; 652
Kameraderie 655, 1
Kameradin 653
Kameradschaft 655, 1
kameradschaftlich
  654, 3
Kameradschaftlichkeit
  655, 2
Kamm 257, 2; 767, 1

Kammer 1309, 1
Kammersänger 1363, 1
Kammersängerin
  1363, 2
Kammertenor 1363, 1
Kampagne 370, 1
Kämpe 66, 2
Kampf 917; 962, 1;
  1534, 2
Kampf gegen Windmüh-
  lenflügel 1749
Kampf um Marktanteile
  962, 3
Kampf um Märkte
  962, 3
Kampf, ohne 658, 2
Kampfabstimmung
  1862, 2
Kampfansage 843, 1
Kampfbahn 685, 3
Kämpfe 134, 1
kämpfen 918
kämpfen, auf verlorenem
  Posten 1383, 3
kämpfen, mit sich 1948
Kämpfer 919
kämpferisch 37, 1; 842;
  920
Kämpfernatur 919, 2
kampfesfreudig 920
kampfesmutig 920
kampffähig 981, 1
Kampfgenosse 66, 2
Kampfgericht 911, 1
Kampfgetümmel 987, 1
Kampfhahn 1272, 2
Kampfhandlung 987, 1
kampflos 658, 2
Kampfplatz 1377
Kampfrichter 911, 2
kampfunfähig 534, 3
Kanaille 753
Kanal 760, 1; 1215, 8
Kanäle 1719, 3
kanalisieren 1226, 3
Kanalschiffer 1448
Kanapee 1470, 2
Kandare 1972, 1
Kandelaber 1012, 2
Kandidat 95, 2
kandidieren 303; 1512, 3
kandieren 522, 2
Kanister 223
kann sein 1128, 3
Kanne, volle 1452, 1

kategorisch 820, 3;
1373, 4
Kater haben, moralischen 256
Kater, moralischer 1118
Kateridee 1520, 2;
1675, 3; 1779, 2
Katharsis 445, 1
Kathedrale 938, 2
Katz, für die 1748
katzbuckeln 1401
Katze aus dem Sack lassen 1208, 3; 1730, 2;
1777
Katzenaugen 141
Katzenjammer 1118
Katzenkopf 1393, 1
Katzenpfoten, auf 1044
Katzensprung 1155, 2
Katz-und-Maus-Spiel
1559, 1
Kauderwelsch 1494, 4;
1675, 1
kauderwelschen 1495, 3
kauen 566, 4
kauen an 266, 2; 371, 2
kauen, mit vollen Backen 566, 1
kauern 296, 2; 1469, 3
Kauf 275, 1; **923**
Kaufabschluss 923
Kaufbesessener 925
kaufen 274, 2; **924**;
1789, 1
kaufen lassen, sich
1761, 5
kaufen und verkaufen
815, 2
kaufen, auf Abschlag 34
kaufen, Katze im Sack
901, 5
kaufen, sich 1045, 2
Käufer 925; 1000, 1
Käuferanalyse 1087
Käuferbefragung 1087
Käuferinteresse 1147
Kaufhalle 740, 5
Kaufhaus 740, 5
Kaufinteresse 1147
kaufkräftig 1327, 1
Kaufladen 740, 2
käuflich 754; 1839, 1
Käuflichkeit 755
kauflustig 218, 4
Kaufmann 741; 816, 1

kaufmännisch 959
Kaufmannswort 1788, 1
Kaufpreis 1270, 3
kaufversessen 218, 4
kaum 926; 1199, 3;
1457, 2; 1640
Kautel 454, 3
Kaution 342, 1
Kauz 160, 1; 1230, 2
Kauz, lustiger 1384, 1
kauzig 1254, 3
Kavalier 714; **927**
Kavaliersdelikt 1670, 1
Kaventsmann 1345;
1540, 6
keck 642, 1
Keckheit 643, 1
keep smiling 226, 2
Kegel 257, 1
Kegelklub 800, 8
Kehle 481, 4
Kehle, aus voller 1022
Kehle, durstige 218, 2
Kehle, trockene 1762, 1
Kehraus 1400, 2
Kehraus machen 1030, 1
Kehre 1004
kehren 1367, 1
kehren, das Unterste zuoberst 1550, 1;
1709, 1; 1816, 1
kehren, mit eisernem Besen 412
kehren, unter den Teppich 1715, 1
Kehricht 5, 1
Kehrseite 599, 2; 694, 1;
1350
kehrtmachen 395, 6;
485, 1
Kehrtwende 988, 1;
1349, 1
keifen 1391, 2
Keil 452, 3
Keile 1393, 1
keilen 1394, 2
Keilerei 1393, 2
Keilschrift 337, 2
Keim 51, 1
Keime 985
keimen 506, 2
keimfrei 574, 2; 1365, 1
keimfrei machen 522, 2;
1367, 5; 1587, 4
keimhaft 53, 2

keiner 1188
keinerlei 1180, 1
keinesfalls 1173; 1665
keineswegs 1173
Keller, im 1660, 1;
1678, 2
kellerhaft 406, 1
Kellner 204, 3
Kellnerin 204, 3
Kemenate 1309, 1
kennen 928; 1794, 4;
1917
kennen lernen 515, 1
kennen, auseinander
1688, 1; 1702, 3
kennen, die Menschen
516, 2
kennen, nicht mehr
1409, 5
kennen, seinen Stil 98, 2
Kennenlernen 966, 2
Kenner 573; 726, 1
kennerhaft 572, 2; 727
kennerisch 84, 1
Kennerschaft 746, 1;
1793, 2
Kennkarte 279, 1
Kenntnis 1918, 1
Kenntnis haben 1917
kenntnisreich 929
Kennwort 930, 5
Kennzahl 930, 5
Kennzeichen 424, 2;
930; 1934, 2
kennzeichnen 931
kennzeichnend 348, 1
Kennzeichnung 930, 2
Kennziffer 930, 5
kentern 581, 1
Kerbe 585, 2; 1799, 3
kerben 1409, 3
Kerbholz 1424, 1
Kerbholz haben, auf
dem 1425, 3
Kerker 692, 2
Kerker, im 1652, 2
Kerl 714; 1084
Kerl, ungehobelter
1272, 1
Kerlchen 910, 2
Kern 567, 1; 823; 887, 1;
1119, 6; 1549
Kern, im 1119, 5
Kernfrage 638, 4
kerngesund 757, 1

kernig 376, *1*; 981, *1*
Kernproblem 638, *4*
Kernpunkt 823
Kernschatten 408, *2*
Kernspruch 374, *1*
Kernstück 823
Kernwaffen 1859, *1*
kerzengerade 732, *1*
Kerzenleuchter 1012, *2*
Kerzenlicht 1052, *2*
Kerzenschein 1052, *2*
kess 642, *1*; 1065, *5*
Kesselstein 1186, *3*
Kesseltreiben 367
Kette 858, *1*; 1329, *1*
ketten, aneinander
   1980, *3*
Kettenhund 871
Kettenraucher sein
   1308
Kettenreaktion 630, *2*
Ketzer 932
ketzerisch 842; **933**
keuchen 115
Keule 955
keulen 1587, *1*
keusch 934
Keuschheit 935
Keyboarder 1134, *2*
kichern 1009, *2*
Kick 77, *2*; 1310, *2*
kicken 1527
kidnappen 487
Kidnapper 1726, *2*
Kidnapping 488; 1725
Kids 908, *3*
Kiebitz 248, *2*
kiebitzen 247, *2*
Kieker haben, auf dem
   1959, *1*
Kielwasser 1498, *1*
Kies 712, *3*
Kiez 1500, *3*
kiffen 284, *4*; 1308
Kiffer 397, *1*
killen 1587, *1*
Killer 1726, *2*
Kind 910, *2*; **936**;
   1078, *2*
Kind machen, sich lieb
   1401
Kind mehr, kein 1328, *2*
Kind und Kegel 38, *1*
Kind von Traurigkeit,
   kein 1036, *4*

Kind, außereheliches
   936, *2*
Kind, uneheliches 936, *2*
Kindbett 687
Kinderbetreuer 826, *3*
Kinderbett 295
Kinderei 1675, *1*
Kinderfrau 826, *3*
Kinderfräulein 826, *3*
Kinderglaube 4
Kinderheim 833, *2*
Kinderjahre 908, *1*
kinderleicht 1036, *2*
Kindermädchen 826, *3*
Kinderprostitution 1458
Kinderschuhen, aus den
   1328, *2*
Kindersegen 936, *2*
Kinderspiel 951, *4*;
   1036, *2*
Kinderstube 85, *1*;
   565, *1*
Kindertage 908, *1*
Kinderzeit 908, *1*
Kindesalter 908, *1*
Kindesbeinen an, von
   882, *4*
Kindesentführung 488
Kindesmissbrauch 1458
Kindesraub 488
kindhaft 433, *2*; 909, *1*;
   1671, *2*
Kindheit 908, *1*
kindisch 24; 403, *3*;
   909, *2*; 1671, *2*
kindlich 433, *2*; 909, *1*;
   1159
Kindskopf 405, *1*
Kinemathek 1484, *3*
Kinkerlitzchen 940, *1*;
   1291, *3*
Kinnbart 187
Kinnhaken 1393, *1*
Kino 937; 1684, *6*;
   1848, *3*
Kinofilm 618, *3*
Kintopp 937
Kiosk 740, *4*
Kippe, auf der 690, *1*
kippeln 1435, *1*
kippen 581, *1*; 857, *3*;
   1030, *3*; 1601, *2*
Kirche 938
Kirchengemeinde 938, *5*
Kirchenlied 739, *2*

Kirchenmann 939
Kirchenmaus, arm wie
   eine 107, *1*
Kirchhof 657
Kirchspiel 938, *5*
Kirchturm 1610, *1*
Kirchturmpolitiker
   340, *3*
kirre machen 1816, *2*
Kismet 1389, *1*
Kiste 223
Kitsch 940
kitschig 633, *2*; **941**
Kitt 211, *3*
Kittchen 692, *2*
kitten 210, *1*; 543, *2*
Kitzel 1333
kitzeln 330, *3*; 907, *1*;
   1242, *4*
Kitzler 942
Klacks 951, *2*
Kladde 828, *1*
klaffen 1214, *4*
kläffen 244, *1*; 1391, *2*
Kläffen 734, *4*
klaffend 1207, *1*
Kläffer 871
klaftertief 1579, *2*
Klage 943
Klagegesang 943, *2*
Klagelied 943, *2*
klagen 196; **944**
klagen haben, nichts zu
   807, *2*
klagen haben, zu 1040, *1*
klagen können, nicht
   807, *2*
klagen über 1040, *3*
klagen, sein Leid 944, *3*
klagend 1182, *2*
Klagesache 1283, *1*
Klageweg 1283, *1*
kläglich 107, *2*; 1432, *1*;
   1660, *3*
klaglos 689, *2*; 1357, *3*
Klamauk 1675, *2*
klamm 914, *1*
Klamm 481, *4*
Klammer 211, *2*; 812, *1*
klammheimlich 834, *1*
Klamotte 960
Klamotten 5, *2*; 949, *1*
klandestin 834, *1*
Klang 734, *1*; 1133, *1*;
   1494, *2*; 1584, *1*

Klangart 1584, *2*
Klangfarbe 1584, *2*
Klangkörper 973, *3*
klanglos 406, *5*
Klangverhältnisse
1584, *5*
klangvoll 1828, *4*
Klangwirkung 1584, *5*
Klappbett 295
Klappe 295; 1131;
1215, *6*; 1785, *1*
klappen 715, *1*
klapperdürr 410, *2*
klappern 1018, *2*;
1585, *2*
Klappern 734, *2*
klappern, mit den Zäh-
nen 659, *1*; 1947, *1*
Klappladen 870, *6*
Klappmesser 1106
klapprig 44, *3*;
1432, *2*
Klappstuhl 1470, *1*
Klaps 424, *4*; 1393, *1*;
1779, *1*
Klapse 1675, *3*
Klapsmühle 1675, *3*
klar 87; 378, *2*; 839, *3*;
945; 1225, *1*; 1317, *2*;
1358, *2*; 1365, *2*;
1373, *5*; 1773, *3*;
1791, *1*
klar blickend 890, *2*
klar werden 1935, *6*
klar werden, sich
1794, *2*
klären 261, *1*; 501, *3*;
614, *2*; **946**; 1226, *1*
klären, sich 946
Klarheit 434, *3*; **947**;
1792
Klarinettist 1134, *2*
klarkriegen 946, *1*
klarlegen 528, *1*; 946, *1*;
1208, *1*
klarmachen 528, *1*;
1730, *1*
klarmachen, Standpunkt
1730, *2*
Klarsicht 1701, *2*;
1790, *2*
klarsichtig 890, *2*;
1773, *2*
klarspülen 946, *3*
klarstellen 946, *1*

Klarstellung 947, *4*;
1717, *1*
Klärung 529, *1*; 947, *4*;
1330, *2*; 1737, *1*
Klasse 110, *2*; 554;
1089, *5*; 1294, *2*;
1302, *1*
Klasse, besitzende
1201, *1*
Klasse, große 554
Klasse, herrschende
1201, *1*
Klasse, politische
1201, *1*
Klassenprimus 1530
klassifizieren 1226, *2*
klassifiziert 731, *3*
klassisch 299; 1412, *1*
Klatsch 737, *1*
Klatschbase 1436
klatschen 948; 1585, *2*
Klatschen 231; 734, *2*
klatschen, Beifall 948, *2*
Klatscherei 737, *1*
Klatschgeschichte 737, *1*
Klatschlust 1178
Klatschmaul 1436
klatschnass 1162, *1*
klatschsüchtig 323, *1*
Klatschweib 1436
Klaue 778, *1*; 1422, *1*
klauen 1168, *2*
Klause 1309, *1*
Klausel 207, *1*; 454, *3*;
520, *2*; 1834
Klausner 939, *2*
Klausnerin 1189
Klaustrophobie 62, *6*;
481, *2*
klaustrophobisch 480, *1*
Klausur 451, *1*; 1285, *1*
Klavierspieler 1134, *2*
kleben 210, *1*; 1469, *3*;
1521, *1*
kleben bleiben 1521, *1*
klebend 1929, *3*
klebrig 1929, *3*
Klebstoff 211, *3*
kleckern 1809
kleckerweise 1015, *2*
Klecks 951, *2*
Kleckschen 951, *2*
Kleckse 1406, *2*
klecksen 1252; 1421, *4*
Kleckser 1083, *2*

Kleckserei 1251
Kleid 1198, *1*
kleiden 1508, *4*
kleiden, sich 98, *2*
kleiden, sich mit 1589, *2*
Kleider 949, *1*
kleidernärrisch 459, *1*
Kleiderordnung 326, *3*
Kleiderpracht 1286, *1*
Kleiderreinigung
1330, *1*
Kleiderschrank 1418
kleidsam 803, *3*
Kleidung 949
Kleidungsstücke 949, *1*
klein 480, *1*; 909, *1*;
950; 1005, *1*; 1640
klein auf, von 882, *4*
klein machen, sich
841, *2*
Kleinbahn 579, *4*
Kleinbildkamera 916, *1*
Kleinbourgeoisie 340, *2*
Kleinbürger 340, *1*
kleinbürgerlich 341, *2*
Kleinbürgertum 340, *2*
Kleinbus 579, *4*
Kleindarsteller 1347, *1*
Kleine 1078, *2*
Kleiner 910, *2*
kleiner werden 1724, *4*
Kleines 936, *1*
Kleines, über ein 180
Kleingedrucktes 454, *3*
Kleingeist 340, *3*
Kleingeld 712, *1*
kleingläubig 64, *2*
Kleingläubigkeit 62, *4*
Kleinigkeit 878, *3*; **951**
Kleinigkeit, keine
1824, *3*
Kleinigkeitskrämer
1239, *1*
kleinkariert 480, *2*;
1241, *3*
Kleinkind 936, *1*
Klein-Klein 951, *1*
Kleinkram 951, *1*;
951, *4*
kleinkrämerisch 1241, *3*
kleinkriegen 1394, *2*;
1724, *1*
Kleinkunstbühne
1577, *1*
kleinlaut 1763, *2*

Kleinlebewesen 985
kleinleutemäßig 341, 3
kleinlich 341, 3; 480, 2;
    1241, 1; 1241, 3;
    1480, 1
kleinlich, nicht 793, 1
Kleinlichkeit 481, 5;
    1481
Kleinlichkeitskrämerei
    1240, 1
Kleinmut 62, 4
kleinmütig 64, 2;
    1182, 2
Kleinod 976, 1
Kleinstadt 1500, 1
Kleinstwagen 579, 2
Kleinwagen 579, 2
Kleinwohnung 1920, 2
Kleister 211, 3
kleistern 210, 1
kleistrig 1929, 2
Klemme 812, 1; 988, 2;
    1764, 1
Klemme, in der 856, 2
klemmen 1168, 2
Klepper 1247
Kleriker 938, 4; 939, 1
Klerus 938, 4
Klettband 1785, 2
klettern 1509, 2
Klient 1238; 1431
Klientel 1000, 2
Klienten 1000, 2
Klima 1301, 2
Klimaanlage 1068, 2
Klimakatastrophe
    1348, 7
Klimasturz 1348, 7
Klimawechsel 1883, 2
Klimax 767, 2
Klimbim 291, 4; 1291, 3
klimmen 1509, 2
Klimmzug 917, 1
klimpern 1252; 1487, 3
Klinge 1106
klingeln 1585, 2
Klingeln 734, 2
klingen 1585, 5
klingend 1828, 4
klingend, falsch 822, 2
klingend, hell 839, 5
Klinik 983
Klinikum 983
Klinke 812, 1
Klipp 812, 1

klipp und klar 378, 1;
    945, 2; 1207, 2
Klippe 399, 2; 1764, 1
Klipper 579, 6
Klips 812, 1
klirren 1018, 2; 1585, 2
Klirren 734, 2
Klischee 1256, 1; 1854
klischeehaft 941; 968, 1
klischiert 941
Klitoris 942
klittern 268; 590, 5;
    1740, 1
Klitterung 269; 1113, 4
klitzeklein 950, 1
Klo 1583, 1
Kloben 1272, 1; 1540, 6
klobig 1264, 1
Klon 1812, 2
klonen 1811
klönen 1682, 3
klopfen 1018, 2; 1367, 2
Klopfen 734, 2
klopfen, auf den Busch
    639, 1
Klopfer 955
Kloppe 1393, 1
Klosett 1583, 1
Kloster 952
Klosterbruder 939, 2
Klosterfrau 1189
klösterlich 450, 2;
    1357, 1
klötern 1585, 2
Klotz 1102, 2; 1272, 1;
    1540, 6
klotzig 1264, 1; 1824, 1
Klub 800, 1; 1227, 2
Kluft 486, 1; 858, 4;
    949, 2; 1689; 1799, 1
klug 803, 1; 890, 1; 929;
    1197, 3; 1260, 1;
    1555, 1; 1773, 2
klug werden aus 1794, 2
Klugheit 707, 2; 1790, 2
Klugschwätzer 1239, 1;
    1436
klumpen 551, 3
Klumpen 1102, 2
klumpig 1643, 3
Klüngel 800, 6; 953
klüngeln 293, 2; 298, 1
Klunker 1291, 1; 1291, 4
knabbern 566, 3
Knabe 910, 2

Knabe, alter 45, 2
knabenhaft 410, 2
knacken 329, 1; 1066, 3;
    1214, 1; 1262, 1
Knacker, alter 45, 2
knackig 909, 3; 1496, 1
Knackpunkt 638, 4
Knacks 709; 1497, 1;
    1779, 1
knacksen 329, 1
Knall 143, 1; 734, 3;
    1779, 1
Knall auf Fall 1263
knallbunt 591, 1
Knalleffekt 767, 5
knallen 1018, 3; 1262, 1
knallen, eine 1394, 1
knalleng 480, 3
knallig 591, 1; 1913, 2
Knallkopf 405, 1
Knalltüte 405, 2
knapp 410, 3; 480, 1;
    480, 3; 926, 1; **954**;
    1005, 2; 1656, 1
knapp halten 1479, 2
knapp sein 598, 2
knapp sitzend 480, 3
knapp, nicht zu 1225, 3
Knappheit 481, 1;
    1190, 1
knapsen 1479, 2
knarrend 1307, 3
Knast 692, 1
Knatsch 105, 3; 1478, 2;
    1534, 1
knatschen 944, 3
knattern 1018, 2
Knäuel 994, 1
Knauf 812, 1
Knauser 710
Knauserei 1481
knauserig 1480, 1
Knauserigkeit 1481
knausern 1479, 2
knautschen 586, 3
Knebel 1785, 2
Knebelbart 187
knebeln 857, 1; 1980, 2
Knebelung 858, 2
Knecht 1471, 1
knechten 1680, 1
knechtisch 1691, 2
Knechtschaft 1972, 1
kneifen 172, 2; 402, 4;
    1242, 4

Kneipe 681, *1*
Kneipenwirt 1916, *1*
Kneipier 1916, *1*
knetbar 622, *1*; 1261; 1891, *1*
Knete 712, *3*
kneten 756; 1112, *1*
Knick 415, *1*; 585, *1*; 1004; 1497, *1*
knicken 329, *1*; 496; 586, *2*
Knicker 710
Knickerigkeit 1481
knickern 1479, *2*
knickrig 1480, *1*
Knicks 801, *2*
knicksen 802, *1*
Knickung 1004
Knie 415, *2*
Kniefall 801, *2*
Kniefall machen 704, *3*
kniefällig 1145, *2*; 1691, *2*
Kniff 585, *1*; 1598
kniffen 586, *2*
knifflig 1441, *2*
Knigge 1759, *2*
knipsen 1, *2*; 509, *1*; 931, *3*
Knirps 910, *2*
knirschen 1585, *3*
Knirschen 734, *2*
knistern 330, *1*; 1585, *2*
Knistern 734, *2*
Knitter 585, *2*
knitterarm 768, *7*
knitterfrei 768, *7*
knittern 586, *3*
knittrig 44, *2*; 587, *2*
knobeln 371, *2*; 1305, *2*
Knochengerüst 810, *4*; 973, *1*
knochenlos 1432, *1*
Knochenmann 1582, *3*
knochentrocken 1603, *1*
knochig 410, *2*
knock-out 534, *3*
Knollennase 1161
knollig 1643, *3*
Knopf 812, *1*; 1785, *2*
knöpfen 210, *1*
knorrig 1643, *3*
knospen 506, *2*
knoten 210, *1*; 1718, *2*
Knoten 1785, *2*

Knotenpunkt 1119, *6*; 1594, *3*
knottern 1391, *1*
Know-how 1918, *3*
knuffen 1527
knüllen 586, *3*
Knüller 742, *3*; 1079
Knüpfarbeit 813, *2*
knüpfen 102, *4*; 313, *4*; 1718, *2*
knüpfen, Beziehung 437, *2*; 1157, *4*
knüpfen, Verbindung 1718, *1*; 1835, *5*
Knüppel 955
knüppeldick 1824, *1*
knüppelhart 820, *1*
knurren 244, *1*; 1391, *1*
knurrig 1117
knuspern 566, *3*
knusprig 869; 1496, *1*
Knute 101, *4*; 955
Knute, mit der 334
Knute, unter der 1652, *3*
knuten 1680, *1*
Knüttel 955
koalieren 1718, *3*
Koalition 1719, *6*
Kobold 707, *3*
kobolzen 597, *2*
kochecht 363, *1*
kochen 106, *2*; **956**; 1376, *1*; 1445, *1*; 1950
kochen, gar 956, *2*
kochend 1872, *2*; 1906, *4*
Kocher 845
Köcher 870, *8*
kochfest 363, *1*
Kochgelegenheit 845; 993
Kochherd 845
Köchin 826, *2*
Kochkunst 730, *3*; 993
Kochkünstler 726, *2*
Kochnische 993
Koda 1400, *2*
kodderig 1042, *1*
Köder 957; 1060, *1*
ködern 588, *3*; 1334, *4*; 1896, *1*
Kodex 1362, *3*
kodieren 1622, *7*
kodifizieren 1226, *2*
Koffer 223; 870, *8*

Kofferträger 1402, *1*
Kognition 1790, *1*
Kohl 1675, *1*
Kohldampf 1762, *1*
Kohle 712, *3*
Kohleheizung 836
Kohleherd 845
kohlen 1072
Kohlen, auf glühenden 1672, *3*
Kohlkopf 405, *1*
kohlschwarz 407, *1*
koinzident 776
Koinzidenz 1617, *2*
Koinzidenz der Fälle 1389, *2*
Koitus 1055, *3*
Koje 295
Kokain 1311
Kokarde 930, *3*
kokett 459, *1*
Kokette 1743, *2*
Koketterie 460, *1*
kokettieren 1742
kokettieren mit 1487, *4*
Kokolores 1675, *1*
Kokon 870, *2*
Kokotte 1280
Koks 712, *3*; 1311
Kolben 812, *1*; 1161
kollabieren 1964, *1*
Kollaborateur 377
Kollaps 1781, *3*
kollationieren 1755, *1*
Kolleg 1851
Kollegbuch 828, *1*
Kollege 1235, *2*
kollegial 654, *3*
Kollegialität 655, *2*
Kollegium 800, *2*
Kollegmappe 870, *8*
Kollektion 171, *2*; 1125, *2*
kollektiv 1962
Kollektiv 717, *1*; 800, *2*
Kollektivierung 483
Kollektivität 717, *1*
Koller 105, *2*; 143, *2*
kollern 1391, *1*; 1585, *3*
kollidieren 1593, *2*
Kollision 1651
Kolloquium 1594, *2*
Kolonne 442, *2*; 1329, *3*
kolorieren 590, *2*
koloriert 591, *2*

kommen, zu Fall 581, *1*;
1383, *2*

kommen, zu Geld 715, *2*

kommen, zu kurz
1369, *4*

kommen, zu nichts
1383, *2*

kommen, zu Ohren
515, *3*; 868, *1*

kommen, zu Schaden
1369, *3*

kommen, zu sich 228;
371, *3*; 1361, *5*;
1714, *1*

kommen, zu spät
1783, *2*; 1821, *3*

kommen, zu Tode
1513, *2*

kommen, zugute
1196, *1*

kommen, zum Durch-
bruch 142, *1*

kommen, zum Ent-
schluss 499, *2*

kommen, zum Erliegen
475, *2*

kommen, zum Stehen
811, *1*

kommen, zum Stillstand
475, *2*

kommen, zum Vorschein
506, *2*; 958, *1*; 1208, *2*

kommen, zupass 691, *1*;
1593, *7*

kommen, zur Einsicht
1049, *4*; 1794, *5*

kommen, zur Räson
1794, *5*

kommen, zur Ruhe
261, *2*; 475, *2*;
1356, *1*; 1361, *5*

kommen, zur Sache
1730, *2*

kommen, zur Welt 67, *2*

kommen, zurande 715, *1*

kommen, zustande
506, *4*

kommen, zustatten
1196, *1*

kommend 1155, *3*;
1483, *3*

kommensurabel 771, *4*

Komment 326, *3*

Kommentar 164, *1*

Kommentator 260, *1*

kommentieren 241, *2*;
528, *3*

Kommentierung 529, *2*

Kommers 711

Kommerz 814, *1*

kommerzialisieren
437, *1*; 1761, *1*

kommerziell 959

Kommiss 1111, *2*

Kommissariat 1266, *2*

kommissarisch 1853, *2*

Kommission 911, *1*;
1304, *2*

Kommissionär 1807, *1*

Kommisskopf 1111, *1*

kommod 57, *1*; 719

Kommode 1418

kommt nicht in Frage
1665

kommt teuer 1574

kommt vor 926, *1*

kommt, wie es 1668, *2*

kommun 678, *1*

Kommunikation 966, *2*

Kommunikation, sprach-
liche 1494, *1*

Kommunikationsme-
dien 1097; 1212, *4*

kommunikativ 1121

Kommuniqué 258, *1*

kommunistisch 1059, *3*

Kommunität 717, *1*

kommunizieren 528, *1*;
1120, *1*; 1495, *2*;
1794, *6*

kommunizierend
1728, *2*

Komödiant 360

Komödie 960; 1378, *1*

Kompagnon 1235, *1*

kompakt 380, *2*; 981, *3*

Kompaktanlage 1610, *2*

Kompaktkamera 916, *1*

kompatibel 504, *1*;
1616, *1*

Kompatibilität 1617, *1*

Kompendium 1032;
1299, *2*

Kompensation 498, *1*;
1547

kompensieren 151, *4*;
345; 497, *2*; 1548, *2*;
1734, *2*

kompetent 1967, *1*

Kompetenz 1968, *1*

Kompetenzbereich 121;
436, *3*

kompilieren 1361, *1*

komplementär 695, *3*

Komplementär 1235, *1*

komplett 679, *1*;
1828, *2*; 1830, *1*

komplettieren 519, *1*

Komplettierung 520, *1*

komplex 1441, *2*

Komplex 1227, *1*;
1764, *2*

Komplikation 1764, *1*

Komplikationen, ohne
768, *5*

Komplize 961

komplizenhaft 1728, *1*

kompliziert 1441, *2*

Komplott 898; 1060, *2*

Komponente 192, *1*;
463, *3*; 1561, *3*

Komponieren 779

Komponist 1134, *1*

Komposition 779;
1133, *2*

kompostieren 1716, *5*

komprimieren 198, *2*;
1007, *4*

komprimiert 380, *2*;
1005, *3*

Komprimierung 1299, *2*

Kompromiss 150, *4*;
444; 656, *1*; 1737, *1*;
1754, *3*

kompromissbereit
658, *1*

kompromissbereit, nicht
605

kompromissfähig 658, *1*

kompromisslos 820, *3*;
1300; 1536, *1*

Kompromisslosigkeit
1537, *1*

kompromittieren, sich
319, *1*; 841, *2*

kompromittierend 31, *2*

kompromittiert 534, *3*

Kompromittierung
1372, *1*

kondensieren 522, *2*;
1007, *4*

Kondition 207, *1*; 1834

kondolieren 1564, *3*

Kondottiere 2

Konferenz 1594, *2*

konferieren 276, 3;
1593, 1
Konfession 1337, 1
Konfessionen 176
Konfiguration 779
Konfirmation 438, 2
konfirmieren 278, 1;
437, 4
Konfiskation 267
konfiszieren 458, 1;
1168, 3
Konfiszierung 267
Konflikt 917, 1; 1534, 1;
1764, 1; 1974, 1
Konflikt, bewaffneter
987, 1
konfliktfähig 920; 981, 5
konfliktfreudig 842
konföderieren 1718, 3
konform 341, 3; 443, 1;
504, 1; 771, 1; 1616, 2
Konformismus 74, 2
Konformität 1617, 5
Konfrontation 917, 2;
1534, 2; 1754, 1
konfrontieren 1755, 1
konfus 1639, 1; 1915, 2
Konfusion 1669, 1
kongenial 771, 4;
1813, 2
Kongenialität 1617, 4;
1814, 2
kongenital 55
Konglomerat 1113, 1
Kongregation 1719, 4
Kongress 1594, 2
kongruent 504, 1;
1616, 1
Kongruenz 1617, 1
kongruieren 1615, 1
König 849
konjugieren 296, 3
Konjunktur 132
Konjunkturritter 1221
konkav 992, 1
Konklave 1594, 2
Konklusion 1400, 3
Konkordat 1737, 2
konkret 78, 2; 1912, 2
konkretisieren 528, 3;
614, 2; 1730, 1
Konkretisierung 529, 2
Konkurrent 95, 2;
700, 3
Konkurrenz 962

konkurrenzfähig 775
Konkurrenzfähigkeit
1617, 3
Konkurrenzkampf
962, 3
konkurrenzlos 163, 1;
554
Konkurrenzneid 1169
konkurrieren 918, 2;
1512, 3
konkurrieren, mit jmdm.
1755, 3
Konkurs 185; 1116
können 963
Können 229, 2; 577;
611; 980, 1; 1502, 1
Könner 573
Konnex 966, 1
Konnotation 202, 4
Konsekration 438, 2
Konsens 444; 1617, 5;
1737, 1
konsequent 479; 1300;
1536, 1; 1641, 2
Konsequenz 613, 3;
630, 3; 1400, 3;
1537, 1
konservativ 341, 3;
1320, 2; 1971, 2
Konserve, keine 1664, 5
konservieren 522, 2;
522, 4; 1249, 3;
1604, 3
konserviert 363, 2
Konservierung 1248, 2
Konservierungsstoffe,
ohne 1166, 1
konsistent 1929, 2
Konsistenz, ohne 410, 4
Konsole 331, 2
konsolidieren 210, 2;
1462, 1
Konsolidierung 1504, 3
Konsorte 961
Konspiration 898;
1060, 2
konspirieren 1718, 4
konstant 144; 365, 1;
882, 3
Konstante 792, 1
konstatieren 614, 2
Konstatierung 615, 1
Konstellation 580, 2;
1010, 3
konsternieren 1621, 1

konsterniert 1505, 3
konstituieren 52, 3
Konstitution 1966
konstruieren 560, 4;
756; **964**
konstruiert 1703
Konstrukt 965, 3
Konstrukteur 561
Konstruktion 563, 3;
632, 1; **965**; 1539
konstruktiv 1197, 1
Konsul 387, 1
Konsulent 912, 2
Konsultation 277, 1;
1304, 3
konsultieren 639, 1
Konsum 1723, 1
Konsumansprüche 82, 2
Konsument 925
konsumgeil 808
Konsumgut 562
konsumieren 1724, 1
konsumiert 1028, 1
Konsumkultur 997, 3
konsumorientiert 218, 4;
808
Konsumrausch 1310, 1
Konsumrausch, im
218, 4
Konsumsucht 1551, 4
Konsumterror 1972, 2
Konsumtion 1723, 1
Konsumtrip 1310, 1
konsumversessen 808
Konsumzwang 1972, 2
Kontakt 966; 1719, 1
Kontakt, ohne 450, 1
kontaktarm 450, 1
Kontaktarmut 451, 1
Kontaktaufnahme
966, 2
Kontakter 1898, 4
kontaktfähig 748, 2
Kontaktfähigkeit 749, 1
Kontaktfreude 749, 1
kontaktfreudig 748, 2;
1121
Kontakthof 320
Kontaktlinsen 550, 3
kontaktlos 450, 1
Kontaktperson 1770
Kontaktpflege 1898, 1
kontaktscheu 450, 2;
1960, 1
Kontaktscheu 451, 1

kontaminieren 1809;
1940, *10*
kontaminiert 1397, *4*
Kontemplation 1355, *2*;
1677, *2*
kontemplativ 1357, *4*
kontemporär 699, *2*
Konterfei 308, *2*
konterfeien 1, *2*
konterkarieren 857, *3*
kontern 557, *2*; 1313
Konterrevolution
1314, *2*
Kontinent 1893, *1*
Kontingent 1295, *2*
kontingentieren 1562, *2*
kontinuierlich 365, *1*
Kontinuität 362, *2*
Kontor 740, *3*
Kontradiktion 694, *2*
kontradiktorisch 695, *4*
Kontrahent 700, *1*
Kontraindikation
694, *2*
kontraindikativ 695, *4*
Kontrakt 1737, *2*
kontraproduktiv 695, *4*
Kontraproduktivität
694, *2*
kontrapunktieren
1755, *1*
konträr 695, *3*
Kontrast 1689
kontrastieren 967;
1688, *2*; 1755, *1*
Kontrastierung 1754, *1*
Kontribution 1515, *2*
Kontrolle 133, *1*;
1048, *1*; 1285, *2*
Kontrolleur 133, *2*
kontrollierbar 1211, *2*
Kontrollierbarkeit
1212, *2*
kontrollieren 12, *4*;
1284, *1*; 1627, *2*
Kontroverse 277, *3*;
1534, *1*
Kontur 110, *1*; 159;
632, *3*; 1058, *2*
konturieren 1730, *1*
konturiert 378, *2*
Konvenienz 326, *2*
konvenieren 503, *1*;
691, *1*
Konvent 952

Konvention 326, *2*;
1322, *2*; 1737, *2*
konventionell 182;
678, *1*; **968**
Konvergenz 1617, *5*
konvergieren 974, *2*;
1615, *2*
konvergierend 1616, *1*
Konversation 1684, *1*
Konversation machen
1682, *3*
Konversationslexikon
1032
Konversion 1883, *2*
konvertierbar 775
Konvertierbarkeit
1617, *3*
konvertieren 20, *1*;
1619, *2*
konvex 992, *1*
Konvoi 579, *6*
konzedieren 531, *2*
Konzentrat 567, *2*
Konzentration 1362, *5*;
1502, *3*
**Konzentrationslager
969**
konzentrieren 1007, *4*;
1361, *3*
konzentrieren, sich
371, *4*; 1361, *5*
konzentriert 125, *1*;
380, *2*; 891, *2*; 891, *5*;
895, *1*
Konzept 965, *2*; 1187, *1*;
1258, *2*
Konzept machen
1259, *3*
Konzeption 1258, *2*
Konzern 1686, *1*;
1719, *6*
Konzert 1713, *2*
konzertieren 1487, *3*
konzertiert 819, *1*
Konzertierung 779
Konzertmeister 1047, *2*
Konzertsaison 1360
Konzertsänger 1363, *1*
Konzertsängerin 1363, *2*
Konzession 490, *1*;
532, *2*
Konzessionen machen
704, *2*
Konzil 1594, *2*
konziliant 491; 654, *1*

Konzilianz 490, *1*
konzipieren 756;
1259, *3*; 1421, *2*
Konzipierung 1258, *2*
Kooperation 1963
kooperieren 1229, *3*;
1718, *3*
koordinieren 1226, *2*;
1229, *1*
Koordinierung 779
Kopf 671, *1*; **970**;
1048, *1*; 1790, *2*
Kopf an Kopf 954, *2*
Kopf bis Fuß, von 679, *2*
Kopf haben, auf dem
1589, *2*
Kopf haben, im 526, *5*
Kopf stellen, auf den
1709, *1*
Kopf, am 1841, *1*
Kopf, aus dem 1696, *3*
Kopf, kluger 372
Kopf, kühler 1315
Kopf, roter 1764, *3*
Kopfarbeit 101, *3*
Kopfarbeiter 372
Kopfbedeckung 971
Köpfchen 707, *2*;
1790, *2*
Köpfchen, mit 890, *1*
Kopfgeburt 879
Kopfhaar 806, *1*
Kopfhänger 1245
kopfhängerisch 1246
kopflastig 1603, *3*
kopflos 1639, *1*; 1778, *1*;
1915, *2*
Kopflosigkeit 33, *2*;
62, *1*; 427, *3*
Kopfnicker 1221
Kopfnuss 1393, *1*
kopfscheu 1915, *3*
kopfscheu machen
1816, *2*
kopfschütteln 1935, *1*
Kopfsprung 1497, *2*
Kopftuch 971
Kopfzerbrechen 1321
Kopie 972; 1142, *1*;
1812, *2*
kopieren 1, *3*; 881, *1*;
1622, *8*; 1811
Kopierer 916, *3*
Kopist 1141
koppeln 1718, *2*

Koppelung 1719, *1*
Koproduktion 1963
Koprolalie 1494, *4*
Korb 223; 1116
Körbchen 295
Kordel 575, *1*
kordial 654, *1*
Kordon 858, *4*
Korinthenkacker
  1239, *1*
Korken 1785, *1*
Korn 951, *2*
Körnchen 951, *2*
Körnchen Wahrheit, ein
  1864
Korona 800, *5*
Körper 697, *1*; **973**
Körper, toter 973, *2*
Körperbau 159; 973, *1*
Körperertüchtigung
  1488
Körpererziehung 1488
Körperfülle 673, *2*
körperhaft 1261; 1912, *2*
Körperkraft 980, *1*
Körperkultur 1488
körperlich 1026, *1*;
  1228, *1*; 1912, *2*
Körperlichkeit 589, *2*;
  973, *1*
Körpermaß 792, *1*
Körperpflege 1248, *3*
Körperschaft 1227, *2*
Körperteil 778, *1*
Körpertheater 1577, *1*
Körperübung 1488
Körperumfang 1631
Korporation 1227, *2*
korpulent 381, *1*;
  1507, *2*
Korpulenz 673, *2*
Korpus 973, *1*; 1576
Korpuskel 192, *2*
korrekt 86, *3*; 722, *1*;
  968, *2*
Korrektor 133, *3*
Korrektur 225, *2*;
  1717, *1*
Korrekturabzug 147, *3*
Korrelat 505, *1*
Korrelation 1885
korrelieren 503, *3*
Korrespondent 260, *1*
Korrespondenz 966, *3*;
  1617, *4*

korrespondieren 503, *3*;
  974; 1615, *1*
korrespondierend
  504, *1*; 1616, *1*;
  1728, *2*
Korridor 1843, *1*
korrigieren 198, *2*;
  946, *5*; 1716, *1*
korrodieren 1729, *2*
korrumpieren 924, *3*
Korrumpierung 436, *2*
korrupt 349; 754
Korruptheit 755
Korruption 436, *2*
Korsar 2
Korso 1329, *3*
Koryphäe 573; 1501, *2*
kosen 1056, *3*
Kosen 1055, *3*
Kosmetik 1248, *3*
kosmetisch 757, *4*
Kosmopolit 340, *4*
kosmopolitisch 341, *4*
Kosmos 1893, *2*
Kost 542, *1*
Kost, leichte 379, *2*
kostbar 416, *1*; **975**;
  1457, *1*
Kostbarkeit 976
Kostbarkeiten 1291, *1*
koste, es was es wolle
  1641, *1*
kosten 566, *3*; **977**
Kosten 978
kosten, Schweiß 539, *1*
Kostenaufstellung 82, *3*;
  1258, *3*
Kostendämpfung
  454, *1*
Kostenexplosion 1511, *2*
kostengünstig 312, *1*
kostenlos 1635, *1*
Kostenplan 1258, *3*
Kostenpunkt 978, *1*
Kostenvoranschlag
  1258, *3*
köstlich 100, *2*; 109;
  835, *2*; 835, *4*
Köstlichkeit 979;
  1414, *1*
Kostprobe 556, *1*;
  951, *2*; 1795, *2*
kostspielig 1574
kostümieren 1715, *2*
Kostümierung 1559, *2*

Kostverächter, kein
  726, *2*
Kot 156, *2*
Kotau 801, *2*
Kotau machen 1401
Köter 871
kotig 1408
Kotzbrocken 1386
kotzen 329, *3*
Krabbe 1078, *2*
krabbeln 777, *2*
Krach 105, *3*; 734, *3*;
  1385, *1*; 1534, *2*
Krach machen 1018, *1*
krachen 329, *1*; 1018, *2*;
  1262, *1*; 1535, *2*
Krachen 734, *2*
Kracher, alter 45, *2*
krachig 1496, *1*
Krachmacher 1272, *2*
krächzen 944, *3*
krächzend 406, *5*;
  1307, *3*
kraft 1124, *3*; 1889
Kraft 463, *1*; *478, 1*;
  577; 826, *2*; 830; **980**;
  1502, *1*
Kraft sein, in 201, *4*
Kraft, mit aller 829, *1*;
  891, *2*
Kraft, mit letzter 477, *2*
Kraft, schöpferische
  724, *2*
Kraft, treibende 478, *3*;
  794, *1*
Kraftakt 917, *1*
Kraftausdruck 627
Kräften, bei 757, *2*
Kräfteverfall 540, *2*;
  1348, *4*
kräftezehrend 1293, *3*
Kraftfahrzeug 579, *2*
kräftig 109; 376, *1*;
  829, *1*; 891, *3*; **981**;
  1077, *1*; 1158; 1225, *3*;
  1364, *3*; 1490, *1*;
  1507, *1*
kräftigen, sich 524, *1*;
  524, *2*; 723, *3*; 1503, *1*
kräftigend 757, *3*; 1158
Kräftigung 525, *2*;
  1504, *4*
kraftlos 856, *1*; 1432, *1*
kraftlos werden 539, *2*;
  1149, *4*

kriecherisch 1691, *2*
Krieg 987
Krieg der Sterne 987, *2*
kriegen 236, *1*; 522, *1*;
    588, *1*; 918, *5*; 1731, *1*
kriegen, die Krise 106, *2*
kriegen, es nicht geba-
    cken 1821, *3*
kriegen, heulendes
    Elend 1823, *2*
kriegen, in den falschen
    Hals 106, *3*
kriegen, in die Gänge
    1711, *2*
kriegen, sich in die Haa-
    re 1535, *2*
kriegen, Ständer 523, *4*
kriegen, zu fassen 588, *2*
kriegen, zu viel 106, *2*;
    1262, *2*
Krieger 919, *1*
kriegerisch 37, *2*
Kriegserklärung 843, *1*
Kriegsführer 671, *2*
Kriegsfuß, auf 605
Kriegsgefangenschaft
    692, *2*
Kriegsgewinnler 2; 1275
Kriegshandlung 987, *1*
kriegslüstern 37, *2*
kriegstreiberisch 37, *2*
Kriegsverbrechen 1725
Kriegsverbrecher
    1726, *2*
kriegsversehrt 265, *2*
Kriegsvorbereitung
    1836, *2*
Kriegszug 987, *1*
kriminell 1397, *5*
Krimineller 1726, *1*
Krimskrams 5, *2*; 951, *4*;
    1291, *3*
Kringel 1136, *5*; 1346
kringeln 395, *3*
kringeln, sich 395, *3*;
    1009, *2*
Krise 399, *2*; **988**;
    1348, *5*
Krise, in einer 401
kriseln 398, *4*
krisenfest 1460, *2*
krisenhaft 690, *1*
Krisenzeichen 1934, *2*
Krisis 988, *1*
kristallen 945, *1*

kristallisieren 551, *3*
Kristallleuchter 1012, *2*
Kriterium 930, *1*
Kritik 277, *4*; **989**;
    1271, *3*; 1701, *1*
Kritik, gute 989, *3*
Kritik, unter aller
    1397, *1*
Kritikaster 990, *2*;
    1239, *1*
Kritikastertum 989, *4*
Kritiker 990
Kritikfähigkeit 1790, *2*
kritiklos 318, *4*; 403, *2*;
    433, *2*; 1971, *1*
Kritiklosigkeit 991
kritisch 31, *2*; 84, *1*;
    545, *4*; 690, *1*;
    1243, *2*; 1273, *1*;
    1773, *4*
kritisieren 196; 276, *2*;
    1702, *1*
kritisieren, schlecht
    1810, *2*
Krittelei 989, *4*
krittelig 31, *2*; 238, *2*
kritteln 196; 1554, *1*
Krittler 990, *2*; 1239, *1*
kritzeln 1421, *4*
Krokodilstränen 1559, *1*
Krone 554; 767, *1*;
    874, *1*
Krone, einen in der
    250, *1*
krönen 174, *1*
krönen, das Werk 1829
Kronleuchter 1012, *2*
Kronprinz 95, *2*; 1431
Krönung 419, *2*; 767, *5*;
    874, *1*
Kroppzeug 753
krosch 1496, *1*
kross 1496, *1*
Krösus 1687, *3*
Kröten 712, *3*
krude 334; 376, *2*;
    642, *3*; 1662, *2*
Krudität 643, *2*
Krug 681, *1*
Krume 794, *3*
Krümel 1289; 1340, *1*
krümelig 1132, *2*;
    1496, *2*
krümeln 329, *1*
krumm 992

krummbeinig 992, *5*
krümmen 296, *1*; 395, *4*
krümmen, sich 395, *4*
krummlachen, sich
    1009, *2*
Krümmung 1004
krumpelig 1150, *4*
krumpeln 586, *3*
krumplig 44, *3*
Kruscht 5, *1*
Kruste 870, *2*
Krypta 657
kryptieren 1622, *7*
kryptisch 407, *4*
Küche 993
Küche, feine 730, *3*
Küchenbuffet 1418
Küchenherd 845
Küchenhilfe 826, *2*
Küchenmesser 1106
Küchenschrank 1418
Küchenstuhl 1470, *1*
Küchentisch 1581
Kuddelmuddel 1669, *2*
Kugel 994
Kugelfeuer 617, *3*
kugelig 381, *4*
kugeln 395, *1*
kugeln, sich 1009, *2*
kugelrund 381, *1*;
    1828, *3*
kugelsicher 1460, *6*
Kugelwechsel 917, *2*
Kuh, dumme 405, *4*
Kuhaugen 141
kühl 31, *1*; 772, *1*;
    914, *1*; 914, *3*; 968, *2*
Kuhle 1799, *1*
Kühle 915, *1*; 1537, *2*;
    1647, *2*
kühlen 995
kühlend 757, *4*
Kühlschrank 1418
kühn 920; 1139, *1*
Kühnheit 1138
Kujon 186
kujonieren 1242, *1*
Küken 1078, *2*
kulant 491; 793, *1*
Kulanz 490, *1*
kulinarisch 100, *2*; 727
Kulisse 859, *1*; 1559, *2*
Kulissen, hinter den
    834, *1*
kullern 395, *1*; 625

Kulmination 767, 2
Kulminationspunkt
767, 2
Kult 326, 3; 938, 3
Kult machen um 1735, 2
Kultfigur 874, 2; 1501, 1
Kultfilm 618, 3
Kultgegenstand 976, 3
Kulthandlung 601, 2;
938, 3
kultivieren 198, 3;
560, 5; 1716, 1;
1716, 2; 1952, 1
kultiviert 996
Kultivierung 1717, 2
Kultobjekt 976, 3
Kultstätte 938, 2
Kultur 746, 1; **997**
Kultur, altersspezifische
1546, 1
Kultur, in einer anderen
648, 3
Kultur, schichtspezifi-
sche 1546, 1
Kultur, zweite 1546, 1
Kulturbanause 186;
340, 3
Kulturbeutel 870, 8
Kulturen, andere 649, 1
Kulturereignis 1713, 3
Kulturkomplex 997, 1
Kulturkreis 997, 1
Kulturmeile 1500, 3
Kulturproduktion 997, 3
Kulturrevolution
1343, 2
Kulturtechniken 796, 4
kulturvoll 996, 2
Kultus 938, 3
kümmeln 1601, 2
Kümmelspalter 710;
1239, 1
Kummer 1403, 1; 1474;
1592
Kummer machen
1404, 2
Kummer machen, sich
63, 2
Kümmerer 927
kümmerlich 107, 2;
954, 2; 1654, 1
Kümmerling 603
kümmern 1149, 4;
1604, 6
kümmern, sich 1789, 2

kümmern, sich um 873
Kümmernis 1592
Kümmernisse 1474
kummervoll 1293, 2;
1660, 1
Kumpan 652; 961
Kumpanei 655, 1
Kumpel 652
kumpelhaft 654, 3
Kunde 925; 1000, 1;
1918, 1
Kundenberatung
1304, 3
Kundendienst 204, 4;
383, 2
Kundenfänger 1897
Kundenkreis 1000, 1
Kundenwerbung
1898, 1
Künder 1276
Kundgabe 1122; 1209, 1
kundgeben 1120, 3
Kundgebung 370, 1
kundig 516, 1; 727; 929
kündigen 122, 2; **998**;
1734, 1
Kundigkeit 517, 2
Kündigung 120, 3; **999**
kundmachen 1120, 3;
1774, 2
Kundschaft 1000
Kundschafter 248, 2
kundtun 162, 1; 1120, 3;
1208, 2
kundwerden 411, 3
künftig 1483, 2
Kunst, schwarze 1933, 3
Kunstbanause 186
Kunstdichtung 1061
kunsteifrig 385, 1
kunstempfänglich
996, 2
Kunstexperte 1003, 1
Kunstfahrer 111, 2
Kunstfehler 599, 3
kunstfertig 744, 1; 1001
Kunstfertigkeit 611
Kunstform 1518, 2
Kunstfreund 384, 1;
1003, 1
Kunstgegenstand
1046, 2
kunstgerecht 572, 1;
817, 1; **1001**
Kunstgewerbe 813, 1

Kunstgriff 1598
Kunsthaar 806, 3
Kunsthalle 1362, 2
Kunsthandwerk 813, 1
Kunstjünger 384, 1
Kunstkenner 1003, 1
Kunstkritiker 990, 1
Künstler 573
künstlerisch 996, 2;
1001; 1265, 2
Künstlername 1288
Künstlerwerkstatt 114
künstlich 1002
Kunstliebhaber 1003;
1095
Kunstlied 739, 2
kunstlos 433, 2
Kunstmaler 1083, 1
Kunstmeile 1500, 3
Kunstrichter 990, 1
Kunstrichtung 1518, 2
Kunstsammlung 1362, 2
Kunstsinn 746, 1
kunstsinnig 996, 2
Kunststück 1598;
1686, 3
Kunststück, kein
1036, 2
kunstverliebt 385, 1
kunstvernarrt 385, 1
Kunstverstand 746, 1
kunstverständig 996, 2
Kunstverständnis 746, 1
Kunstwerk 1046, 2;
1416, 2
kunterbunt 591, 1;
1915, 1
Kupidität 1073, 3
kupieren 1007, 1
kupiert 1005, 1
Kuppe 257, 1; 767, 1
Kuppel 1922, 3
Kuppler 1955
Kur 525, 1
Kur machen 723, 3
kurant 678, 4
Kuratel 1048, 2
Kuratorium 911, 1;
1304, 2
Kurbad 178, 3
Kurbel 812, 1
kurbeln 395, 2
Kürbis 970, 1
kuren 723, 3
Kurgast 1332, 1

L

La Ola 231
labberig 574, *1*; 1891, *4*
Labe 979
Label 930, *3*
laben 50, *3*; 1503, *2*
laben, sich 524, *1*;
566, *3*; 1601, *1*
labern 1495, *3*
Labertante 1524
labil 349; 471, *2*;
1432, *2*; 1650, *1*;
1699, *1*
Labilität 1433, *1*;
1700, *1*
Labor 740, *3*
Labor, aus dem 1002
Laboratorium 740, *3*
laborieren 1796, *2*
Labsal 730, *1*; 1605
Labung 1504, *1*
Labyrinth 1669, *1*
Lache 650, *3*; 760, *2*
lächeln 651, *2*; 1009, *1*
Lächeln 650, *3*
lächelnd 654, *4*; 835, *1*
lächelnd, kalt 914, *4*
lachen 651, *2*; **1009**
Lachen 650, *3*; 734, *2*
lachen haben, nichts zu
92, *4*
lachen, aus vollem Halse
1009, *2*
lachen, in den Bart
1009, *1*
lachen, schallend
1009, *2*
lachen, sich ins Fäust-
chen 1492, *2*
lachen, sich scheckig
1009, *2*
lachen, Tränen 1009, *2*
Lachen, zum 835, *2*
lachend 654, *4*; 835, *1*
lächerlich 24; 119, *2*;
403, *3*; 835, *4*
lächerlich machen
1492, *2*

lächerlich machen, sich
319, *1*
Lächerlichkeit 424, *4*;
951, *1*
lächern 651, *1*
Lachfalte 585, *2*
lachhaft 24; 119, *2*;
403, *3*
Lachkabinett 170, *3*
Lachlust 650, *3*
Lachnummer 951, *1*
Lachsalve 650, *3*
Lackaffe 1545
Lackel 1545
lacken 769, *3*
lackieren 590, *2*; 769, *3*
Lackierer 1083, *2*
lackiert 768, *2*
lackmeiern 293, *1*
Lade 571, *1*
Ladehemmung 1781, *2*
laden 280, *3*; 446, *1*;
674, *2*; 1835, *4*
Laden 740, *2*; 870, *6*
laden, Schuld auf sich
1425, *3*
laden, voll 237, *1*
Ladenbesitzer 741
Ladenhüter 5, *2*; 1628, *1*
Ladeninhaber 741
Ladenkasse 921, *1*
Ladenkette 1977, *1*
Ladenpreis 1270, *3*
Ladenstraße 740, *5*
lädieren 264
lädiert 265, *1*
Ladung 1020, *1*; 1590, *2*
Lady 640
Ladykiller 1743, *1*
ladylike 864; 1842
Lady's Man 1743, *1*
Laffe 1545
Lage 1010; 1294, *2*;
1295, *1*; 1966
Lage sein, in der 963, *1*
Lage, in der 576, *2*
Lager 800, *6*; 900, *1*;
1011
Lager haben, auf 807, *1*
Lager, am 1839, *1*
Lager, auf 1839, *1*
Lager, im feindlichen
605
Lagerbestand 900, *1*
Lagerhaus 1484, *2*

lagern 22, *3*; 123, *1*;
1361, *2*
Lagerplatz 1011, *1*
Lagerung 1539
lahm 1017, *2*; 1432, *1*
lahm legen 496; 857, *1*;
1434; 1523, *3*
lähmen 496; 1434;
1680, *1*
Lähmung 858, *2*
Laie 384, *1*
Laienarbeit 386
laienhaft 385, *2*
Laienhaftigkeit 386
Laienrichter 911, *2*
Laienschwester 1189
laizistisch 369
Lakai 1221
lakaienhaft 1691, *2*
Lake 1477
lakonisch 1005, *2*
Lakune 1067, *1*
lallen 1495, *3*
lamentieren 944, *3*
Lamentieren 943, *2*
Lamento 943, *2*
laminieren 769, *3*
lammfromm 328, *1*;
689, *2*
Lammsgeduld 688, *2*
Lampe 1012
Lampenfieber 62, *2*;
549, *1*; 1478, *1*
Lampion 1012, *1*
lancieren 298, *1*; 437, *1*;
1835, *5*
Land 794, *3*; 1234
Land unter 1165, *2*
Land, Gelobtes 1234
Land, im ganzen 1612, *1*
Landadel 36, *2*
Landarbeiter 189, *1*
landauf, landab 1612, *1*
Landbesitz 795
Lände 333
Landebahn 1888, *2*
Landei 405, *5*
landen 67, *1*; 811, *1*;
1184, *1*
Landenge 481, *4*
Länder, ferne 649, *1*
Länder, unbekannte
649, *1*
Länderei 795
Landes, außer 393, *2*

Landesgrenze 790
Landesherr 849
Landessitte 326, *1*
Landessprache 1494, *4*
Landesteil 685, *2*
landesüblich 678, *1*
Landesverweis 1805
Landgut 190
Landhaus 824, *1*
landläufig 678, *1*
ländlich 376, *3*; 433, *3*;
    835, *5*
Ländlichkeit 434, *4*
Landmann 189, *1*
Landpartie 578, *1*
Landplage 1524; 1659
Landplage werden, zur
    145, *4*
Landpomeranze 405, *5*
Landregen 1186, *1*
Landschaft 685, *2*
Landschaft, unberührte
    1164, *2*
Landser 1111, *1*
Landsknecht 1111, *1*
Landsmannschaft
    1719, *4*
Landstadt 1500, *1*
Landstraße 1528
Landstreicher 1332, *2*
Landstrich 685, *2*
Landung 68, *1*
Landungsbrücke 333
Landungssteg 333
Landweg 1888, *4*
Landwirt 189, *1*
Landwirtschaftsbetrieb
    190
lang 791, *1*; **1013**
lang dauernd 1013, *2*
lang ziehen 1531, *2*
lang, ungleich 1643, *4*
langatmig 722, *4*;
    1017, *1*
lange 1013, *2*
Länge 146, *2*
lange her 666, *1*; 1744
lange her, noch nicht
    1008
lange, nicht mehr 699, *1*
lange, schon 1411
langem, seit 1411
langen 729, *1*
längen 1531, *2*
langen, eine 1394, *1*

Längenmaß 1089, *2*
länger machen 152, *4*;
    1531, *2*
Langeweile 1014
langfristig 1013, *2*
langjährig 1013, *2*
langlebig 363, *1*
Langlebigkeit 362, *3*
langlegen, sich 1356, *1*
länglich 1013, *1*
langmachen, sich
    1356, *1*
Langmut 688, *1*
langmütig 689, *1*
längs 1155, *1*
langsam 1015
Langschläfer 595
längst 1411
längstens 1452, *2*
langweilen 1016
langweilen, sich 1016
Langweiler 1239, *1*;
    1255
langweilig 574, *2*;
    592, *2*; **1017**; 1603, *3*
Langweiligkeit 593
langwierig 1013, *2*;
    1021, *3*
lapidar 1005, *3*
Lappalie 951, *1*
Lappen 5, *1*; 712, *3*;
    1340, *1*; 1540, *2*
Läpperei 951, *1*
läppern, sich 1510, *3*
lappig 1891, *4*
läppisch 403, *3*
Lapsus 599, *4*; 902, *1*
Laptop 352, *2*
Larifari 737, *2*
Lärm 734, *3*
Lärm machen 1018, *1*
lärmen 1018
lärmend 1022
larmoyant 1182, *2*
Larve 1559, *2*
Larvierung 1559, *2*
lasch 772, *4*; 1432, *3*;
    1891, *5*
lasieren 769, *3*
lasiert 768, *2*
lassen 329, *2*; **1019**;
    1783, *1*; 1820, *1*
lassen können, nicht
    1904, *2*
lassen, einander 485, *5*

lassen, offen 1214, *1*
lässig 633, *3*; 772, *4*;
    1150, *3*
Lässigkeit 1151
Last 400, *2*; **1020**; 1250;
    1590, *2*; 1659
lasten 402, *1*
Lastenaufzug 140, *1*
Lastenausgleich 498, *3*
lastend 1440, *1*
Laster 579, *3*
Lästerei 737, *1*
Lästerer 990, *2*
lasterhaft 91, *2*
Lästermaul 990, *2*
lästern 628; 1391, *2*;
    1765
Lästerung 627
Lästerzunge 990, *2*
lästig 1021; 1243, *1*;
    1628, *1*; 1638, *1*;
    1661, *1*
Lastwagen 579, *3*
lasziv 91, *3*; 1074
Laszivität 662, *2*;
    1073, *3*
Latein am Ende, mit
    dem 856, *2*
latent 1357, *6*; 1720, *1*
Laterne 1012, *1*
Lateshow 1459
Latifundien 190
Latin Lover 1075
Latrine 1583, *1*
Latrinenparole 737, *2*
latschen 703, *2*
Latte 331, *1*
lau 1091, *3*; 1109, *1*;
    1872, *1*
lau, für 1635, *1*
Laubwald 1869
Laudatio 1062, *3*
lauern 247, *2*; 1877, *1*
Lauf 302, *1*; 630, *1*;
    742, *2*; 1283, *2*;
    1888, *3*
Lauf lassen, freien
    531, *1*; 1019, *1*
Lauf lassen, seinen Ge-
    fühlen freien 1208, *3*
Laufbahn 135, *1*
Laufbursche 1614, *1*
Laufe von, im 1865
laufen 428, *1*; 625;
    703, *2*; 715, *1*; 1871

laufen lassen 1019, *1*;
1487, *7*

laufen nach 216, *1*

laufen, aus dem Ruder
28, *1*

laufen, auseinander
1066, *2*; 1595, *1*;
1797, *3*

laufen, Gefahr 1860, *2*

laufen, ins offene Messer
1369, *4*

laufen, leer 1030, 5

laufen, nicht mehr
1780, *3*

laufen, parallel 1615, *1*

laufen, sich warm
1874, *2*

laufen, Sturm gegen
124, *2*

laufen, voll Wasser
1619, *1*

laufen, von Pontius zu Pilatus 92, *2*

laufend 410, *4*; 882, *1*

laufend, gleich 776

Laufenden sein, auf dem
1794, *4*

Läufer 1572; 1614, *2*

Lauferei 291, *2*

Lauffeuer, wie ein
1410, *1*

Laufschritt, im 1410, *1*

Laune 650, *1*; 1073, *1*;
1520, *1*; 1520, 2

Laune, gute 650, *1*

Laune, schlechte 105, *1*;
1118

launenhaft 1699, *1*

Launenhaftigkeit
1700, *1*

launig 835, *3*

launisch 1699, *1*

Launischkeit 1700, *1*

Lausbub 1384, *2*

Lausbüberei 1675, *2*

lauschen 128, *1*; 868, *1*

Lauscher 248, *2*; 1217

lauschig 719

Lausebengel 1384, *2*

Lausejunge 1384, *2*

Lausekälte 915, *1*

lausig 1397, *1*

lausig kalt 914, *1*

laut 504, *4*; **1022**; 1889;
1913, *2*

Laut 734, *1*; 1494, *1*;
1584, *1*

laut werden 411, *3*;
506, 5

laut werden lassen
1495, *2*

lauten 1174, *3*; 1585, *1*

läuten 1585, *2*

Läuten 734, *2*

lautend, gleich 771, *1*

lauter 86, *3*; 945, *1*;
1365, *2*

Lauterkeit 85, *2*

läutern 946, *3*

Läuterung 445, *1*;
1330, *2*

lauthals 1022

lautlos 1044; 1357, *1*

Lautlosigkeit 1355, *1*

Lautschrift 1422, *2*

lautstark 1022

Lautstärke 1089, 5

Lautstärke, mit voller
1022

lauwarm 772, *4*; 1091, *3*

Lavallière 1291, *7*

lavieren 172, *2*; **1023**

lax 772, *4*; 1037, *2*;
1150, *3*

Laxheit 1151

layouten 756

Lazarett 983

Leader 671, *1*

lean 1480, *2*

learning by doing
1049, *1*

leasen 924, *2*

Leasing 923

leben 115; 212, *3*; **1024**

Leben 570; **1025**;
1446, *2*

Leben haben, etwas vom
725

leben können, nicht
ohne 9, *1*

Leben lang, ein 882, *1*

leben lernen 510, 5

Leben sein, am 1024, *1*

leben von 522, *3*

leben, als Eremit 17, *2*

Leben, am 1026, *1*

leben, auf großem Fuß
1287, *1*; 1786, *1*

leben, auf Pump 1425, *1*

leben, einsam 17, *2*

leben, elend 482

leben, gut 807, *2*

leben, im Abseits 17, *2*

leben, im Elfenbeinturm
17, *2*

leben, im Luxus 1287, *1*

leben, im Schnecken-
haus 17, *2*

leben, in Armut 482

leben, in den Tag 594

leben, in guten Verhält-
nissen 807, *2*

leben, in Saus und Braus
1786, *1*

Leben, öffentliches
1212, *1*

leben, sich auseinander
485, 5

leben, über seine Verhältnisse 1786, *1*

leben, unter einem Dach
1965, *2*

leben, von der Hand in
den Mund 482

leben, zurückgezogen
17, *2*

lebend 1026, *1*

lebend, getrennt 457, *3*

lebendig 78, *1*; 301, *1*;
660, *1*; **1026**

lebendig machen 270, *1*;
1487, *1*

lebendig machen, Ver-
gangenheit 526, *1*

lebendig sein 526, 5;
1024, *1*

Lebendigkeit 589, *2*;
1025, 6

Lebensabend 45, *1*

Lebensabschnittspart-
ner 1235, *3*

Lebensader 823

Lebensalter 45, *1*

Lebensansprüche 82, *2*

Lebensart 746, *1*

Lebensbahn 1025, *2*

Lebensbedingungen
1025, *4*

Lebensbeichte 176

lebensbejahend 1036, *4*;
1224

Lebensbejahung 1222

Lebensbereich 1301, *2*;
1636, *2*

Lebensbericht 176

Lebensbeschreibung 176
Lebensdauer 1025, *1*
Lebensdrang 1025, *5*
lebensecht 1026, *4*
Lebensende 1582, *1*
Lebensenergie 1025, *6*
Lebensentwurf 1025, *4*
lebenserfahren 516, *1*
Lebenserfahrung 517, *2*
Lebenserinnerungen 176
Lebensfaden 823;
  1025, *3*
lebensfähig 981, *1*
lebensfern 1603, *3*
Lebensform 997, *2*;
  1025, *4*; 1518, *3*
Lebensfrage 1900, *2*
lebensfremd 877, *2*
Lebensfreude 650, *2*;
  1222
lebensfroh 835, *1*;
  1036, *4*; 1224
Lebensfrühling 908, *1*
Lebensführung 1025, *4*
Lebensfülle 1025, *6*
Lebensfunke 1025, *6*
Lebensgefahr 399, *2*
Lebensgefahr, in 1042, *1*
lebensgefährlich 690, *5*
Lebensgefährte 1235, *3*
Lebensgefühl 1025, *4*
Lebensgeister 1025, *6*
Lebensgemeinschaft
  1719, *5*
Lebensgenuss 650, *2*
Lebensgeschichte 176;
  1025, *2*
Lebensgestaltung
  1025, *4*
Lebensgewohnheit
  1025, *4*
lebensgierig 218, *3*
Lebensgrundlage
  1027, *2*
Lebenshaltung 1025, *4*
Lebenshaltungskosten
  978, *1*; 1027, *1*;
  1681, *1*
Lebensherbst 45, *1*
Lebenshöhe 1119, *4*
lebenshungrig 218, *3*
lebensklug 516, *1*;
  1328, *4*; 1773, *4*
Lebensklugheit 517, *2*
Lebenskraft 1025, *6*

lebenskräftig 981, *1*
Lebenskreis 1636, *2*
Lebenskrise 1710, *4*
lebenskundig 1328, *4*
Lebenskünstler 2; 726, *1*
Lebenslage 1010, *3*;
  1025, *4*
lebenslang 1013, *2*
lebenslänglich 882, *1*;
  1013, *2*
Lebenslauf 176; 1025, *2*
Lebenslicht 1025, *3*
Lebenslust 650, *2*; 1222
lebenslustig 835, *1*;
  1037, *2*
Lebensmitte 1119, *4*
Lebensmittel 542, *2*
Lebensmorgen 908, *1*
lebensmüde 1182, *1*
lebensmüde sein 1039, *2*
Lebensmut 1222
lebensnah 78, *2*; 1773, *4*
Lebensnähe 589, *2*
Lebensneige 45, *1*
Lebensnerv 1025, *6*
lebensnotwendig 1191, *1*
Lebensnotwendiges
  1681, *1*
Lebenspartner 1235, *3*
Lebensplan 1025, *4*
Lebenspraxis 517, *2*
Lebensraum, kultureller
  1636, *2*
Lebensraum, natürlicher
  1636, *1*
Lebensreise 1025, *2*
Lebensrückblick 176
Lebenssaft 1025, *3*
Lebenssphäre 1301, *2*;
  1636, *2*
Lebensstandard 1025, *4*
Lebensstellung, in
  1460, *2*
Lebensstil 997, *2*;
  1025, *4*; 1518, *3*
Lebenstextur 176
Lebenstrabant 652
Lebenstrabantin 653
lebenstüchtig 576, *1*
Lebensüberdruss 1592
lebensunfroh 1246
Lebensunterhalt 1027;
  1681, *1*
Lebensvertrauen 1222;
  1801

lebensvoll 981, *2*;
  1026, *2*
Lebenswandel 1025, *4*
Lebensweg 1025, *2*
Lebensweise 1025, *4*;
  1518, *3*
Lebensweisheit 374, *1*
Lebenswende 1710, *4*
lebenswichtig 1191, *1*;
  1900, *1*
Lebenswünsche 82, *2*
Lebenszeit 1025, *1*
Lebensziel 1944, *3*
Lebenszuschnitt
  1025, *4*; 1518, *3*
Lebenszuversicht 1222
Lebewesen 747, *1*
Lebewohl 486, *3*; 801, *1*
lebhaft 78, *1*; 301, *1*;
  660, *1*; 981, *4*; 1026, *2*
Lebhaftigkeit 1446, *2*
leblos 1096, *3*; 1505, *1*;
  1586, *2*
Lebtag, mein 882, *4*
lechzen 217, *2*; 1529, *1*
lechzend 218, *1*
leck 265, *1*
Leck 1215, *3*
lecken 411, *2*; 1943, *4*
lecker 100, *2*
Leckerbissen 979;
  1485, *3*
Leckerei 979
leckerhaft 218, *2*
Leckermaul 726, *2*
leckern 566, *3*
ledern 1017, *1*; 1603, *3*;
  1929, *4*
ledig 457, *3*
ledig, aller Bande 644, *5*
lediglich 1194
leer 459, *3*; 574, *1*;
  644, *4*; 1017, *2*; **1028**;
  1204, *1*; 1207, *5*;
  1586, *2*; 1640; 1698
leer ausgehen 1029
leer stehend 1028, *4*
leer werden 1030, *5*
Leere 33, *1*; 1181, *1*
Leere, innere 1014
leeren 1030
leeren, Glas 1601, *1*
leeren, sich 1030
Leerlauf 1014
Leerstelle 1067, *1*

leichthin 1150, *1*;
1167, *2*; 1199, *2*
Leichtigkeit 70; 645, *3*;
1038, *1*
leichtlebig 1037, *2*
Leichtlebigkeit 1038, *1*
Leichtsinn 1038
leichtsinnig 1037, *2*
leid 1364, *4*
Leid 1403, *1*; 1592
leid sein 1039
leid sein, es 106, *2*
Leid tun 256; 364, *4*;
1404, *2*
leid werden 1039, *1*
leiden 1040; 1589, *3*
Leiden 984, *1*; 1041;
1403, *2*
leiden an 1040, *3*
leiden haben, zu
1040, *4*
Leiden, chronisches
984, *1*
leiden, Mangel 482
leiden, Not 482; 872, *1*
Leiden, süßes 1041, *2*
Leiden, vergnügtes
1041, *2*
**leidend 772, *3*; 856, *1*;
1042**; 1660, *1*
leidend, Not 107, *1*
Leidender 1238
Leidenschaft 463, *4*;
549, *4*; 830; 1055, *2*;
1073, *3*
leidenschaftlich 423;
548, *3*; 829, *2*; 1074;
1466, *3*; 1767
Leidenschaftlichkeit 830
leidenschaftslos 772, *1*;
914, *3*; 1358, *1*
Leidenschaftslosigkeit
1647, *2*
Leidensgenosse 652
Leidenskelch 1041, *1*
Leidenslust 1041, *2*
Leidensweg 1041, *1*
leider 1043
leidig 1638, *1*
leidlich 1091, *2*; 1336;
1946
leidtragend 1660, *1*
Leidtragender 1219, *2*
leidvoll 1293, *2*;
1660, *1*; 1660, *3*

Leidwesen, zu jmds.
1043
Leier 326, *2*
Leier, alte 42, *2*; 1014;
1017, *2*
leiern 1465, *1*; 1495, *3*;
1852, *2*
leiern, sich aus den Rip-
pen 92, *3*
Leihbibliothek 306
leihen 321, *1*
Leihgabe, als 1853, *4*
Leihmutter 1140, *1*
leihweise 1853, *4*
Leim 211, *3*
leimen 210, *1*; 543, *2*
leimig 1929, *3*
Leine 575, *1*; 1048, *2*
Leine, an der 1652, *3*
Leinen 1522, *3*
Leinwand 1522, *3*
leise 1044; 1357, *1*;
1932, *2*
leise machen 777, *1*
Leisetreter 852;
1402, *1*
Leiste 331, *1*; 1301, *1*
leisten 102, *3*; 1045;
1829
leisten, Abbitte 345;
501, *1*
leisten, Arbeit 102, *1*
leisten, Beistand 837, *1*
leisten, Folge 441, *3*;
704, *1*
leisten, Gehorsam
704, *1*
leisten, Gesellschaft
1682, *2*
leisten, gute Dienste
382, *2*; 1196, *1*
leisten, Hilfe 837, *1*
leisten, mehr 1510, *2*
leisten, Militärdienst
382, *1*
leisten, Schadenersatz
345; 497, *2*
leisten, Service 203, *2*
leisten, sich 1045
leisten, Verzicht 1220, *1*
leisten, Wehrdienst
382, *1*
leisten, Widerstand
124, *2*; 226, *3*; 918, *3*
leisten, zu 1207, *4*

Leistung 101, *1*; 1046;
1195, *3*; 1686, *2*;
1732, *3*
leistungsbetont 421
leistungsfähig 576, *1*;
981, *1*
Leistungsfähigkeit
1274, *2*
leistungsfixiert 421
Leistungsprämie 1957
Leistungssport 1488
Leistungsvermögen
980, *1*; 1274, *2*
leistungswillig 421
Leitartikler 260, *1*
Leitbild 874, *1*
Leite 5, *4*
leiten 669, *1*
leiten, in die Wege 52, *3*;
1685, *2*; 1711, *2*;
1835, *5*
leitend 670, *1*; 1841, *1*
Leiter 1047
Leitfaden 823; 1032
Leitgedanke 798, *1*; 823
Leithund 871
Leitlinie 798, *1*
Leitmotiv 798, *1*; 1905
Leitsatz 374, *1*; 798, *1*
Leitstern 874, *1*
**Leitung 672; 970, *2*;
1048**
Leitung, lange 403, *1*
Leitungsnetz 1176, *2*
Leitwerk 1515, *1*
Lektion 120, *6*; 1033, *3*;
1385, *1*
Lektüre 336, *3*; 1061
Lemuren 707, *3*
lendenlahm 1432, *1*
lenkbar 705
Lenkbarkeit 706, *1*
lenken 625; 669, *1*;
1516, *1*; 1945, *2*
lenkend 670, *1*
Lenker 1515, *1*
Lenkrad 1515, *1*
lenksam 705
Lenkstange 1515, *1*
Lenkung 204, *1*; 436, *1*;
1048, *1*
lento 1015, *1*
Lenz 667; 908, *1*
Lenz machen, sich einen
594

Liebesschmerz 1057
Liebessklave 1471, 2
Liebestat 1219, 1
liebestoll 1074; 1767
Liebestollheit 1073, 3
Liebestrank 1933, 2
Liebesvereinigung
1055, 3
Liebesvollzug 1055, 3
Liebeswut 1073, 3
liebevoll 1054, 4
Liebhaber 714; 1003, 2
Liebhaber der Künste
384, 1
Liebhaberei 386;
1485, 2
Liebhaberin 713
liebkosen 1056, 3
Liebkosung 1055, 3
lieblich 71, 1
Lieblichkeit 70
Liebling 713; 782; 1431
Liebling der Götter
724, 1; 782
Lieblingsbeschäftigung
463, 4; 1485, 2
lieblos 323, 1; 820, 2;
914, 3
Lieblosigkeit 324; 1151
Liebreiz 70; 1414, 1
liebreizend 71, 1
Liebschaft 1055, 4
Liebste 713
Liebster 714
Lied 739, 2
Lieddichtung 739, 2
Liederjan 1602
liederlich 91, 2; 1408
Liederlichkeit 1669, 2
Liedermacher 1363, 1
Liedermacherin 1363, 2
Liedrian 1602
Liedtext 1576
Lieferant 1614, 1
lieferbar 1839, 1
liefern 533, 3; 1388, 3
liefern, ans Messer
1940, 1
Liefertag 1573
Lieferung 1295, 1;
1590, 1; 1590, 2
Lieferwagen 579, 3
Liege 295
liegen 212, 1; 233, 2;
1356, 1

liegen an 9, 3
liegen bleiben 6, 2;
524, 1
liegen lassen 1753, 2
liegen lassen, links
1409, 5
liegen müssen 1040, 3
liegen, auf der faulen
Haut 524, 3
liegen, auf der Lauer
247, 2
liegen, auf der Nase
1040, 3
liegen, auf der Tasche
237, 3
liegen, auf Eis 1356, 3
liegen, begraben 233, 2
liegen, darunter 6, 4
liegen, im Schlaf
1392, 2
liegen, in den Haaren
1535, 1
liegen, in den Ohren
315, 1; 391, 4
liegen, in der Luft 398, 4
liegen, in Wehen 682, 1
liegen, lahm 1356, 3
liegen, nah 1633, 3
liegen, offen 1208, 2
liegen, offen zutage
1208, 2
liegen, richtig 1593, 3
liegen, schief 901, 5
liegen, zu Füßen
1056, 2; 1735, 1
liegen, zugrunde 1833
liegend, auf der Hand
945, 3; 1791, 2
liegend, fern 1640
liegend, nahe 1791, 2
Liegenschaft 795
Liegenschaften 271, 2
Liegestatt 295
Lifestyle 997, 2
Lift 140, 1; 579, 9
liften 827, 1
Liga 1302, 1; 1719, 6
liieren 1718, 3
liiert 1728, 1
limitieren 1736
Limonade 759, 3
Limousine 579, 2
lind 1109, 1; 1872, 1
lindern 1606, 1
lindernd 757, 4; 1607

Linderung 525, 2;
1092, 2; 1605
linear 732, 2
Lingam 778, 2
Lingua franca 1494, 4
Linie 1058; 1329, 1;
1498, 3
Linie, in erster 53, 1;
273, 1; 1626
Linie, schlanke 1058, 5
Linienflugzeug 579, 7
Linienführung 1498, 3;
1518, 1
linientreu 1971, 1
Linientreuer 66, 2
link 323, 1
Link 860, 1
Linken, zur 1059, 1
linkisch 1658, 1
links 1059
linkshändig 1059, 1
linksseitig 1059, 1
linsen 247, 2
Lippen 1131
Lippenbart 187
Lippenbekenntnis
584, 1; 1559, 1
Lippenpaar 1131
Liquidation 185
liquidieren 122, 1;
1587, 1
Liquidierung 120, 2; 185
lispeln 629
Lispeln 734, 2
List 898; **1060**; 1559, 1
Liste 1818, 1
Listenplatz 1302, 1
Listenpreis 1270, 3
listig 1396, 1
Listigkeit 743, 2
literarisch 1265, 1
Literat 1423
Literatur 336, 3; **1061**
Literatur, schöne 1061
Literaturkritiker 990, 1
Literatursprache
1494, 4
Lithographie 308, 2
Litze 1291, 4
live 1664, 5
livriert 771, 2
Lizenz 532, 2; 1318, 1
lizenzieren 531, 2
Lizenzierung 532, 2
LKW 579, 3

Lob 231; 470; 989, 3;
  1062
Lobby 1227, 2; 1843, 3
loben 288; 420, 1;
  469, 1; **1063**
loben, über den grünen
  Klee 469, 1; 1063, 1
lobend 803, 2
lobenswert 1733
Lobgesang 1062, 3
Lobhudelei 1062, 4
lobhudeln 1401
löblich 1733
Loblied 1062, 3
lobpreisen 288; 1063, 1
Lobrede 1062, 3
Lobredner 1402, 1
lobsingen 1063, 1
Location 1232, 2
Loch 692, 2; 1215, 3;
  1799, 1
lochen 509, 1; 931, 3;
  1214, 1
löchern 315, 1; 391, 4;
  639, 2; 1523, 1
löchrig 265, 1
locken 98, 3; 395, 3;
  1742
Locken 806, 1
locken, auf die falsche
  Fährte 293, 2
locken, in den Hinterhalt
  293, 4
löcken, wider den Sta-
  chel 1334, 2
lockend 1335
locker 91, 2; 1036, 3;
  1037, 2; 1065, 1;
  1132, 2; 1932, 1
lockerlassen 1019, 1
lockerlassen, nicht
  226, 2; 1923, 2
lockermachen 304, 3
lockern 1066, 4; 1066, 6
Lockerung 1596, 1
lockig 992, 4
Lockmittel 957, 1
Lockspeise 957, 1
Lockspitzel 957, 1
Lockvogel 957, 1
Loddel 1955
lodern 330, 1; 1381, 2
lodernd 1026, 5
Löffel 1217
löffeln 566, 1

Loft 1920, 2
Loge 1719, 4
Loggia 181
Logierbesuch 283, 1
logieren 282, 2; 1024, 2
Logik 947, 2
Logis 1920, 1
logisch 945, 3; 1317, 2;
  1358, 2; 1395; 1773, 3
logischerweise 43
Logistik 1258, 5
logistisch 1555, 1
Logo 930, 3; 1898, 3
Logorrhöe 1210, 2
Logos 707, 1; 1790, 1
Lohe 617, 1
lohen 330, 1
Lohen 617, 1
lohend 1026, 5
Lohn 356; 498, 1;
  1449, 2; 1732, 1
Lohnabhängiger 103
Lohnarbeit 101, 3
Lohnempfänger 103
lohnen 1751, 3
löhnen 304, 3
lohnen, Mühe 1196, 1
lohnen, sich 1196, 1
lohnend 355, 2; 664;
  892, 2; 1197, 2; 1327, 3
lohnend, nicht 1654, 1
Lohnsteuer 1515, 2
Loipe 1498, 3
lokal 205
Lokal 681, 1
Lokalbahn 579, 4
lokalisieren 614, 3;
  857, 1
Lokalität 1232, 2
Lokalpatriotismus
  1163, 1
Lokführer 671, 3
Lokus 1583, 1
Lolita 641
Lonely Cowboy 451, 1
long ago 1744
Longseller 362, 4
Look 159; 806, 2;
  1518, 4
Look, neuester 1125, 1
Looping 1347, 3
Lorbeeren 1062, 2
los 1887, 3
Los 1389, 1
los sein 1768, 1

los und ledig 644, 5;
  768, 4
lösbar 1128, 1
losbinden 213, 1;
  1066, 1
losbrechen 142, 1
löschen 151, 2; 1030, 1;
  1064
löschen, Daten 1064, 3
löschen, Durst 1601, 1
Löschung 486, 2; 1031
lose 91, 2; 1037, 2;
  1065
Lösegeld 150, 3
loseisen 213, 1
losen 499, 1; 1487, 5
lösen 213, 3; 946, 2;
  1066; 1305, 3
lösen können 1066, 3
lösen können, sich nicht
  1521, 1
lösen, sich 6, 3; **1066**;
  1595, 1
lösend 757, 4
Loser 1782
losgehen 52, 1; 60, 2;
  485, 1; 1066, 7;
  1262, 1
losgehen, auf jmdn.
  60, 1
Losgewinn 1270, 4
loshaben 963, 1; 1917
Loskauf 150, 3
loskommen 213, 1
loskommen, nicht
  1521, 1
loslachen 1009, 2
loslassen 213, 1; 1019, 1
loslassen, nicht 65, 2;
  266, 3; 811, 2
loslassend, nicht 892, 1
loslegen 52, 3
loslösen 213, 1; 1066, 1
loslösen, sich 1066, 5;
  1595, 1
Loslösung 1596, 1
losmachen 12, 2; 213, 1;
  1066, 1
losmachen, sich 485, 5;
  1595, 1
losplatzen 142, 2;
  1009, 2
losprusten 1009, 2;
  1009, 2
losreißen, sich 1595, 1

lossagen, sich 6, 5;
  20, 1; 1595, 1; 1820, 2
Lossagung 5, 5
losschlagen 60, 2;
  1761, 3
losschreien 142, 2
Lossprechung 645, 4
lossteuern, auf jmdn.
  1157, 1
lostreten 90, 5
Losung 156, 2; 374, 2
Lösung 521; 675, 2;
  1596, 1
Lösung, diplomatische
  656, 1
Losungswort 930, 5
loswerden 213, 1;
  533, 1; 1768, 1
losziehen 175, 1; 485, 3
Lot, aus dem 1505, 3
Lot, im 731, 1; 1225, 1
loten 614, 3
löten 210, 1; 543, 2
lotrecht 732, 2
Lotse 671, 6; 1448
lotsen 669, 2; 1516, 1;
  1945, 2
lottelig 1065, 1
lotteln 524, 3
Lotterbube 1429, 1
Lotterie 783
lotterig 1150, 4
Lotterleben 1669, 2;
  1677, 1
Lotterwirtschaft 1669, 2
Lotto 783
Lottogewinn 780, 1
Lotung 615, 2
Louis 1955
Love-in 370, 1
Loveparade 370, 1
Lover 713; 714
Lovestory 1055, 4
Löwenanteil 1102, 5
löwenherzig 1139, 1
Löwenmut 1138
loyal 1971, 1
Loyalität 613, 5
LSD 1311
Luchsaugen 141
luchsen 247, 2
Lücke 33, 1; 599, 2;
  1067; 1215, 3; 1679, 1;
  1781, 2
Lückenbüßer 1807, 5

lückenhaft 265, 1;
  1656, 1; 1695, 1
Lückenhaftigkeit
  1694, 2
lückenlos 679, 1
lucky 781, 2
Lude 1955
Luder 405, 4; 957, 1
Luft 1068; 1309, 2
Luft machen, sich
  129, 5; 494, 1
Luft, an der 393, 1
Luft, aus der 862, 1
Luft, dicke 105, 3;
  399, 2; 690, 4; 1118
Luft, heiße 737, 2
Luft, hoch in der 862, 1
Luft, schlechte 406, 1
Luftaufnahme 308, 3
Luftbad 178, 4
lüftbar 1070, 3
Lüftchen 1910, 1
luftdicht 380, 1
lüften 1069
lüften, Geheimnis 319, 3
lüften, Hut 802, 1
Lufthülle 1068, 1
luftig 1036, 3; **1070**
Luftikus 2
Luftkissenbahn 579, 4
Luftkrieg 987, 1
Luftkurort 178, 3
Luftlinie, in 1664, 2
Luftloch 1215, 5
Luftpirat 1726, 2
Luftschiff 579, 7
Luftschloss 880, 3
Luftschutzkeller 211, 4
Luftspiegelung 880, 2
Luftsprung 1497, 2
Luftstrom 1068, 2
Luftströmung 1068, 2
Lüftung 1068, 2
Luftveränderung 525, 1
Luftwechsel 525, 1
Luftweg 1888, 4
Luftwirbel 1910, 1
Luftzufuhr 1068, 2
Luftzug 1068, 2
Lug 1559, 1
Lug und Trug 1071, 4
Lüge 1071
Lüge, fromme 1071, 4
lugen 247, 2; 1451
lügen 1072

Lügenbeutel 852
Lügengewebe 1071, 2
lügenhaft 583, 2
Lügenmärchen 1071, 4
Lügenmaul 852
Lügner 852
lügnerisch 583, 2
Luke 1215, 3
lukrativ 1197, 2
Lukull 726, 2
lukullisch 727
Lulatsch, langer 1345
lumbecken 313, 7
Lümmel 1272, 1
lümmelhaft 642, 3;
  1662, 2
lümmeln 524, 3
Lump 1429, 2
Lumpen 5, 1
Lumpengesindel 753
Lumpenpack 753
lumpig 107, 2
Lunch 1080, 4
lunchen 566, 2
Lunge, grüne 680
lupenrein 414, 2;
  1365, 2; 1830, 1
lupfen 827, 1
Lusche 1782
Lust 650, 2; 730, 1;
  1073; 1172, 1; 1467;
  1520, 2; 1762, 1
Lust haben auf 217, 2;
  1127, 1
Lust haben zu 1923, 1
Lustbarkeit 291, 4;
  1684, 2
lustbetont 1466, 2
Lüster 1012, 2
lüstern 218, 1; **1074**;
  1466, 3
Lüsternheit 1073, 3;
  1467; 1762, 1
Lustgarten 680
Lustgefühl 1073, 2
Lustgreis 1743, 1
lustig 835, 2
lustig machen, sich
  1492, 1
Lustigkeit 650, 1
Lustknabe 1281; 1743, 1
Lüstling 726, 3; 1743, 1
lustlos 1117; 1653, 2;
  1660, 1
Lustlosigkeit 1118

M

mäandern 395, 4
Maat 1448
Machart 632, 3
machbar 1128, 1
machbar, nicht 1665
Machbarkeit 1129
machen 437, 1; 533, 1;
560, 3; 815, 1; 977, 1
machen lassen 280, 1
machen, sich 510, 1;
524, 2; 761, 3
Machenschaft 292; 898
Machenschaften 1060, 2
Macher 671, 6
Machination 898;
1060, 2
Machist 1075
Macho 1075
Macht 229, 3; 847, 1;
1076; 1502, 1
Macht haben 963, 2
Macht sein, in jmds. 9, 1
Macht, bewaffnete
1111, 2
Macht, mit aller 829, 1
Machtbefugnis 1076, 1
Machtbereich 436, 3
machtbesessen 421
Machtbesessenheit
1076, 2
Machtdrang 1076, 2
Machtgier 1076, 2
machtgierig 421
Machthaber 849
Machthunger 1076, 2
mächtig 791, 1; **1077**;
1158; 1452, 1
mächtig sein, einer Sa-
che 963, 1
machtlos 1432, 5
Machtlosigkeit 1433, 3
Machtmittel 1123, 3;
1972, 1
Machtprobe 1285, 3;
1795, 3
Machtsphäre 436, 3
Machtspruch 209, 1

Machtstellung 1076, 1
Machtstreben 1076, 2
machtvoll 1077, 1
Machtwahn 1076, 2
Macke 424, 4; 599, 2;
1779, 1
Macker 714; 1075
Madame 640
Mädchen 826, 2; **1078**
Mädchen für alles 838, 2
Mädchenhandel 1458
Mädchenhändler 1955
Mädel 1078, 2
Madeleine 527, 3
madig 1397, 3
madig machen 496
Madonna 641
Madrigal 739, 2
Mafia 953; 1690, 1
Magazin 740, 2; 1484, 2
magazinieren 1361, 4
mager 410, 2; 954, 2
mager werden 12, 1
Magersucht 1551, 4
Magie 701; 1933, 3
Magier 1276
magisch 407, 4
Magister 1035, 1
Magna Mater 785, 3
Magnet 957, 2; **1079**
Magnetbahn 579, 4
magnetisch 99, 2; 1335
Magnetismus 1333
mähen 546; 1585, 3
Mahl 1080, 10
mahlen 1938
Mahlzeiten 1080
Mahnbrief 1082, 1
Mähne 806, 1
mahnen 1081; 1875
Mahner 1276
Mahnmal 373
Mahnung 1033, 3; **1082**;
1304, 1; 1385, 2
Mahnverfahren 1082, 1
Mahnwache 370, 1
Mahr 707, 3
Mähre 1247
Maienzeit 667
mailen 974, 1; 1120, 4;
1622, 6
Mailing 1898, 3
Mailorder 1760, 1
Mainliner 397, 1
Mainstream 1125, 1

Majestät 792, 2; 1926, 1
majestätisch 600, 3;
791, 3; 885; 1927, 2
majorisieren 1980, 1
Majorität 1102, 5
Majuskel 337, 1
makaber 407, 7
Makel 599, 5; 1372, 1;
1424, 1
Mäkelei 989, 4
mäkelig 31, 2; 1698
makellos 1412, 1;
1830, 1
Makellosigkeit 1831
mäkeln 1554, 1
Makler 741; 1770
Mäkler 990, 2
Makrokosmos 1893, 2
Makulatur 5, 2; 1675, 1
Mal 1934, 2
Mal, alle 882, 1
Mal, einige 1216
Mal, jedes 882, 2
Mal, unzählige 1216
Mal, zum ersten 53, 3
malade 1042, 1
Malaise 1190, 2
male 1085
Male, mit einem 1263
Male, viele 1216
malen 359, 1; 590, 2;
1421, 4
malen, in Öl 359, 1
malen, schwarz 496
Maler 1083
malerisch 78, 2; 835, 5;
1405
Malermeister 1083, 2
Malheur 1659; 1764, 3
Malice 1491, 3
maliziös 323, 1; 1493, 1
malnehmen 1930, 1
Maloche 101, 4; 1020, 2
malochen 92, 3; 102, 3
malträtieren 1242, 1
Mama 1140, 2
Mami 1140, 2
Mammae 344
mampfen 566, 1
Management 672;
1048, 1
managen 1229, 1;
1685, 1; 1711, 2;
1712, 2
Manager 672

manche 1826
mancherlei 1824, *2*
manches 1824, *2*
manchmal 926, *1*;
1853, *1*
manchmal, nur 1457, *2*
Mandant 1431
Mandanten 1000, *2*
Mandarine 1201, *2*
Mandat 136, *3*
Mandelaugen 141
Mandorla 832
Manege 685, *3*; 1377
Mangel 599, *5*; 1190, *1*;
1781, *2*
Mängel 1694, *2*
Mangel an Abwehrkraft
472, *1*
mangelhaft 265, *1*;
1656, *1*; 1695, *2*
mangeln 598, *2*; 769, *2*
mangels 161, *1*
manichäisch 695, *4*
Manichäismus 694, *2*
Manie 721; 1551, *1*
Manier 110, *3*; 632, *2*
Manieren 85, *1*; 1759, *2*
Manieren, schlechte
643, *2*
manieriert 766; 1625, *2*
manieristisch 1625, *2*
manierlich 328, *1*
manifest 945, *3*
Manifest 529, *5*
manifest werden 142, *1*
Manifestation 370, *1*;
1209, *1*
manifestieren 162, *3*
manifestieren, sich
1208, *2*
maniküren 1249, *5*
Manipulation 204, *1*;
436, *1*
manipulieren 203, *1*;
208
manipulieren, genetisch
1952, *1*
manisch 720; 1093, *3*
manisch-depressiv 720
Manitu 785, *2*
Manko 599, *2*
Mann 1084; 1235, *4*
Mann an Bord, alle 38, *2*
Mann auf der Straße
1102, *6*

Mann der Feder 1423
Mann für Mann 38, *1*
Mann sein lassen, den lie-
ben Gott einen guten
594
Mann und Frau 1235, *4*
Mann und Maus, mit
38, *2*
Mann von Welt 1084
Mann, alle 38, *2*
Mann, allein stehender
1084
Mann, alter 45, *2*
Mann, junger 910, *2*
Mann, kleiner 1102, *6*
Mann, wie ein 38, *2*
Manna 979
Mannequin 360
Männerbündelei 655, *1*;
953
mannhaft 981, *1*
mannigfach 1784, *2*
mannigfaltig 1327, *2*;
1784, *2*
Mannigfaltigkeit 1827, *1*
männlich 1085
Männlichkeitsfanatiker
1075
Männlichkeitsprotz
1075
Mannsbild 1084
Mannschaft 800, *9*
Mannsperson 1084
mannstoll 1074
Manöver 898; 1060, *2*;
1629
Manöverkritik 1285, *4*
manövrieren 1023, *1*;
1796, *2*
Manpower 1274, *2*
Mansarde 1309, *1*
Mansardenwohnung
1920, *2*
manschen 1112, *1*
Manschette 1291, *9*
Manschetten haben vor
63, *2*; 624, *2*
Mantel 870, *3*
Mantik 1840
Mantra 1256, *1*
manuell 817, *2*
Manufaktur 813, *1*
Manuskript 1187, *1*;
1230, *1*
Mappe 223; 870, *8*

Märchen 559, *2*
märchenhaft 1254, *1*;
1412, *1*
Märchenland 1234
Märchenwelt 1234
Mardi gras 1559, *3*
Marge 1195, *2*; 1732, *2*
Marginal Man 160, *2*
Marginalie 520, *2*
marginalisiert 1678, *3*
Marginalisierung 389, *1*
Marginalität 951, *1*
Mariengarn 46
Marihuana 1311
Marinade 1477
marinieren 522, *2*
mariniert 363, *2*
Marionette 66, *3*; 747, *2*;
1221
Mark 567, *1*; 823; 1549
markant 348, *2*
Marke 930, *3*; 1294, *2*;
1934, *2*
Markenzeichen 930, *3*
markerschütternd 1022
markieren 931, *3*; 1849
Markierung 930, *3*;
1934, *2*
markig 981, *1*
Markise 870, *6*
marklos 1432, *1*
Marklosigkeit 1433, *1*
Markt 170, *2*; 814, *1*;
1086
Markt, internationaler
1086, *2*
Marktanalyse 1087
Marktbeobachtung 1087
Marktforschung 1087
Marktführer 671, *6*;
1687, *2*
marktgängig 678, *2*
Marktplatz 1086, *1*;
1119, *2*
Marktpreis 1270, *3*
marktschreierisch 1022;
1913, *2*
Marktwert 1270, *1*;
1899, *2*
marmoriert 718, *1*
marmorn 820, *1*;
1505, *1*
marode 1042, *1*; 1130, *2*
Marotte 424, *4*; 1520, *2*
marsch 1855

Marsch 1552, *1*
marschieren 703, *2*;
   1871
Marschstrecke 1888, *3*
Marter 335; 1041, *1*;
   1403, *2*
martern 1242, *7*;
   1404, *1*
marternd 1293, *1*
martialisch 1906, *1*
Märtyrer 1219, *2*
Martyrium 1041, *1*;
   1403, *2*
Masche 1291, *6*; 1598
Maschennetz 1176, *1*
Maschenwerk 1176, *1*
Maschine 478, *3*; 579, *7*;
   1088
maschinell 1096, *1*
Maschinengewehr, wie
   ein 1824, *1*
Maschinenlärm 734, *3*
maschinenmäßig
   1096, *1*
Maschinensprache
   1494, *5*
Maschinerie 1088
Maserung 1136, *5*; 1539
Maske 1559, *2*
maskenhaft 1505, *1*
Maskerade 1559, *2*
maskieren 1715, *2*
maskiert 1720, *1*
Maskierung 1559, *2*
Maskottchen 1933, *2*
maskulin 1085
Masochismus 1041, *2*
Masochist 1471, *2*
Maß 632, *4*; **1089**;
   1295, *1*; 1322, *1*
Maß und Ziel, ohne
   1093, *3*
Maß, gerüttelt 1824, *1*
Maß, in hohem 1452, *1*
Maß, menschliches 1105
Maß, mit zweierlei 1657
Maß, ohne 1093, *1*
Massagesalon 320
Massaker 1090
massakrieren 1587, *1*
Maßarbeit 813, *1*;
   1294, *3*
Masse 257, *3*; 673, *1*;
   1102, *2*; 1522, *1*;
   1827, *1*

Masse, breite 1102, *6*
Masse, eine 1824, *1*
Maße, in hohem 1626
Maßeinheit 1089, *3*
Massel 780, *1*
Massen 1826
Maßen, mit 1091, *1*
Maßen, über alle 163, *1*
Massenerhebung 134, *1*
Massengeschmack
   1125, *1*
massenhaft 1824, *1*
Massenhysterie 1669, *4*
Massenkarambolage
   1651
Massenkundgebung
   370, *1*
Massenmedien 1097;
   1212, *4*
Massenmord 1090
Massenmörder 1726, *2*
Massensport 1488
Massenvernichtung
   1090
Massenvernichtungsla-
   ger 969
Massenversammlung
   370, *1*
Masseteilchen 192, *2*
Maßgabe 207, *2*
maßgebend 572, *2*;
   670, *1*; 1077, *2*;
   1213, *1*; 1900, *3*;
   1967, *1*
maßgeblich 1213, *1*;
   1967, *1*
Maßgeblichkeit 716, *1*;
   1968, *1*
Maßhalten 1092, *1*
massieren 1326, *3*;
   1361, *2*
massig 1264, *1*; 1440, *1*;
   1824, *1*
mäßig 1091; 1397, *1*;
   1480, *1*
mäßigen 261, *1*; 857, *1*;
   1606, *1*
mäßigen, sich 228
Massigkeit 673, *2*
Mäßigkeit 1089, *1*
Mäßigung 1092
massiv 363, *1*; 380, *2*;
   381, *1*; 829, *1*;
   1145, *1*; 1264, *2*
Massivität 1144

maßlos 1093; 1625, *1*
Maßlosigkeit 1620, *2*
Maßnahme 750, *1*; **1094**
Maßregel 1094
maßregeln 1554, *2*
Maßregelung 1385, *2*
Maßstab 798, *1*; 874, *1*;
   1089, *3*; 1322, *1*
maßstäblich 504, *1*
maßvoll 1091, *1*
Mast 810, *3*
mästen 676, *1*
Masterplan 1258, *1*
Mastkur 379, *1*
masturbieren 214, *2*
Matador 919, *4*; 1501, *1*
Match 962, *2*
Matchsack 870, *8*
Mater 1136, *4*
Material 733; 1123, *1*;
   1522, *2*
Materialermüdung
   1723, *2*
materialgerecht 572, *1*;
   817, *1*
Materialist 1315
materialistisch 808
Materie 463, *1*; 1164, *1*;
   1522, *1*; 1549
materiell 1912, *2*
Mathematik, höhere
   1693, *1*
Matinee 1713, *2*
Mätresse 713
Matrikel 1818, *1*
Matrize 632, *3*
Matrone 640
Matrose 1448
Matsch 1406, *1*; 1552, *1*
matschig 1408
matt 318, *2*; 406, *5*;
   574, *1*; 592, *1*; 1130, *1*;
   1432, *1*; 1541, *2*
Matte 1572
Matthäi am Letzten
   1400, *2*
Mattheit 1205, *2*
mattherzig 772, *4*
mattiert 1541, *2*
Mattigkeit 540, *1*
Mattscheibe 33, *3*; 311;
   609, *1*
mau 1042, *1*; 1397, *1*
Mauer 211, *4*
Mauerblümchen 160, *1*

Mauerkrone 767, *1*
mauern 402, *4*; 1780, *5*
Maul 1131
Mäulchen 1131
maulen 1959, *2*
Maulheld 1436
Maulschelle 1393, *1*
maunzen 944, *3*
Maus, graue 160, *1*
mauscheln 293, *1*
mäuschenstill 1044;
    1357, *1*
Mäuse 712, *3*
mausen 1168, *2*
mausern, sich 510, *1*
mausetot 1586, *1*
Mausoleum 657
Maut 7
maximal 1452, *2*
Maxime 374, *3*; 798, *1*
Maximum 767, *3*
Mayonnaise 1477
Mäzen 1003, *1*; **1095**
mechanisch 1096
mechanisieren 1306
mechanisiert 1096, *1*
Mechanisierung 1739
Meckerei 989, *4*
Meckerer 990, *2*;
    1239, *1*
meckern 1554, *1*
Medaille 930, *3*; 1270, *4*
medial 467, *6*
Medialität 468, *4*
Mediaman 1898, *4*
Medien 1097; 1271, *2*
Medien, in allen 262, *1*
Medien, in den 1211, *1*
Medien, neue 1097
Medienereignis 742, *3*
mediengeil 218, *4*
Mediengeilheit 460, *1*
Medienhype 1271, *3*
Medienkultur 997, *3*
Medienschelte 989, *3*
Medienstar 1501, *1*
Medienzar 1687, *2*
Medikament 112, *1*;
    1098, *2*
Medikus 113
medioker 1091, *2*
Medisance 1766
medisant 323, *1*
Meditation 1677, *2*
meditativ 1676, *2*

meditieren 371, *2*
Medium 1123, *1*; 1770
Medizin 112, *1*; **1098**
Mediziner 113
Medizinmann 1276
Meer 760, *4*
Meerbusen 1799, *2*
Meeresbeben 1165, *1*
Meeresluft 1068, *3*
Meeresspiegel 1198, *4*
Meereswasser 1881, *2*
Meergöttin 707, *4*
Meerweib 707, *4*
Meeting 1594, *2*
mehlig 1939
mega 1452, *1*
Megacity 1500, *1*
Megalomanie 1076, *2*
megaout 1708
Megäre 641
Megastar 1501, *1*
Mehl 1289
mehlig 1939
mehr oder minder 1336
mehrdeutig 1975, *1*
Mehrdeutigkeit 1825
mehren 1716, *2*
mehren, sich 1510, *3*
mehrend, sich 1958
mehrere 1826
Mehreres 1824, *2*
mehrerlei 1824, *2*
mehrfach 1216
Mehrfachbezug 1885
mehrfarbig 591, *1*
Mehrheit 1102, *5*
Mehrheit, schweigende
    1102, *6*
mehrheitlich 369; 1626
mehrmals 1216
mehrstimmig 819, *1*;
    1784, *2*
Mehrwertsteuer 1515, *2*
Mehrzahl 1102, *5*
Mehrzahl der Fälle, in
    der 1101
Mehrzahl, in der 1626
meiden 172, *2*; 624, *2*;
    1409, *5*; 1634, *1*
Meile 1546, *1*
meilenlang 1013, *2*
Meilenstein 518, *3*;
    742, *3*; 1046, *2*
meilenweit 1892, *2*
Meineid 1071, *3*
meinen 201, *1*; 430, *1*;

770, *1*; **1099**; 1495, *2*;
    1772, *1*
meinen, dasselbe 1615, *2*
meinen, irrtümlich
    430, *2*
meinen, wie 314, *2*
Meinung 1100; 1701, *1*
Meinung haben, hohe
    1735, *1*
Meinung sein, anderer
    28, *4*
Meinung sein, gleicher
    1615, *2*
Meinung, einer 443, *1*
Meinung, öffentliche
    1212, *1*
Meinung, veröffentlichte
    1212, *1*
Meinung, vorgefasste
    1854
Meinungsäußerung
    1100, *4*
Meinungsaustausch
    277, *2*; 1684, *1*
Meinungsbildner
    1212, *4*
Meinungsforschung
    636, *3*
Meinungsfreiheit
    645, *1*
Meinungsführer 671, *6*;
    1212, *4*
Meinungsindustrie
    997, *3*
Meinungslenker 1212, *4*
Meinungsmacher 671, *6*;
    1212, *4*
Meinungsträger 1212, *4*
Meinungsumfrage 1632
Meinungsverschieden-
    heit 1534, *1*
Meise 424, *4*; 1779, *1*
meißeln 756
meist 1101
meisten, weitaus am
    1101
meistens 41; **1101**
meistens tun 1249, *2*
meistenteils 1101
Meister 573; 1035, *3*;
    1501, *3*
Meister des Universums
    1560
Meisterbrief 1942, *1*
Meisterdenker 372

meisterhaft 149, *1*;
572, *1*
Meisterleistung 554;
767, *3*; 1046, *2*
meisterlich 1830, *2*
meistern 963, *1*
Meisterschaft 767, *7*
Meistersportler 1489
Meisterstreich 518, *2*;
1686, *3*
Meisterstück 518, *2*;
554; 1046, *2*; 1686, *3*
Meisterwerk 554;
1046, *2*
Mekka 1079
Melancholie 721; 1592
melancholisch 720;
1246; 1660, *1*
Melange 1113, *1*
melden 244, *1*; 259;
944, *1*; 1120, *1*
melden, sich 958, *2*;
1512, *4*; 1935, *5*
melden, sich zu Wort
162, *1*; 1935, *5*
Melder 1614, *2*
Meldung 258, *1*; 943, *1*;
1122
melieren 1112, *2*
meliert 44, *1*; 718, *1*
Melioration 1717, *3*
meliorieren 1716, *5*
melken 153, *2*; 1030, *4*
Melodie 739, *2*; 1133, *1*
Melodramatik 1624, *1*
melodramatisch 473
Melone 970, *1*; 971
Melusine 707, *4*
Memento 1082, *2*
Memme 603
Memoiren 176
Memorabilia 176
Memorandum 94, *2*
Memorial 373
memorieren 526, *2*;
1049, *1*; 1611
Menagerie 1949
Menetekel 1082, *2*;
1876; 1934, *3*
Menge 257, *3*; 673, *1*;
1102; 1295, *1*; 1827, *1*
Menge, eine 1824, *1*
Menge, jede 1327, *4*
mengen 1112, *1*
Mengen 1826

Mengen, in großen
1824, *1*
Mensa 681, *1*
Mensch 1103
Mensch zu Mensch, von
1244, *2*
Mensch, kein 1188
Mensch, neuer 1784, *1*
Mensch, träger 1255
Menschenansammlung
481, *3*; 1102, *3*
Menschenfeind 604, *2*
menschenfeindlich 605
menschenfreundlich
1104, *1*
menschengerecht
1104, *1*
Menschengeschlecht
1103, *1*
Menschengewimmel
1102, *3*
Menschenhandel 1725
Menschenhasser 604, *2*
Menschenkenner
387, *2*
Menschenkenntnis
517, *2*
Menschenkenntnis ha-
ben 516, *2*
Menschenlawine 1102, *3*
Menschenleben 1025, *3*
menschenleer 450, *3*;
1028, *2*; 1906, *2*
Menschenliebe 1105
menschenliebend
1104, *1*
Menschenmenge 1102, *3*
menschenmöglich
1128, *1*
Menschenraub 488;
1725
Menschenrecht 1318, *3*
menschenscheu 450, *2*
Menschenscheu 451, *1*
menschenverachtend
334
Menschenverächter
604, *2*; 1245
Menschenverachtung
335
Menschenverstand, ge-
sunder 1790, *2*
menschenwimmelnd
1828, *3*
Menschenwürde 1105

menschenwürdig
1104, *1*
Menschheit 1103, *1*
menschlich 1104;
1244, *1*
menschlich, allgemein
1104, *1*
menschlich, allzu
1104, *2*
Menschlichkeit 1105
Menstruation 1322, *4*
mental 1773, *4*
Mentalität 375
Mentor 1035, *1*
Menü 1080, *9*
Mephisto 1575
Merchandiser 1898, *4*
Merchandising 1898, *5*
Mergel 1584, *6*
Meriten 1732, *3*
merkantil 959
merken 668, *1*; 1867, *1*
merken lassen 162, *3*;
1935, *3*
merken lassen, nicht
1680, *3*; 1715, *1*
merken, sich 526, *2*
Merkfähigkeit 527, *1*
Merkhilfe 854, *3*
merklich 378, *1*; 1499
Merkmal 424, *2*; 930, *1*;
1934, *2*
Merkspruch 374, *1*;
854, *3*
merkwürdig 119, *2*; 553;
892, *2*
Merkzeichen 527, *3*
Merkzettel 527, *3*
meschugge 1778, *1*
Mesner 838, *2*; 939, *3*
Message 164, *3*
Messe 170, *2*; 681, *1*;
1086, *1*
messen 614, *3*
messen, aneinander
1755, *1*
messen, mit gleicher Elle
735, *3*
messen, sich 1512, *3*;
1755, *3*
messen, sich mit jmdm.
918, *2*
Messer 1106
messerscharf 722, *2*
Messerspitze 951, *2*

Messerwerfer 111, 2
Messias 671, 6; 838, 1
Messopfer 1219, 3
Messung 615, 2
metaempirisch 879
metallen 820, 1
Metapher 308, 5;
  1754, 2; 1934, 1
metaphorisch 310, 2;
  1265, 1
metaphysisch 879;
  1693, 4
Meteor 1514
meterlang 1013, 2
Methode 110, 3; 1123, 2;
  1553, 2
Methodik 1553, 2
methodisch 731, 3;
  1260, 1; 1468, 3
Methusalem 45, 2
Metier 101, 2
Metro 579, 4
Metrolinie 1058, 3
Metropole 1500, 1
Metzelei 1090
Meublement 449, 2
Meuchelmord 116;
  1588, 1
Meuchelmörder 1429, 3
meucheln 1587, 1
meuchlings 323, 2;
  834, 1
Meute 800, 5
Meuterer 919, 5
meutern 124, 2
Mezzosopran 1363, 2
Michel 340, 3
mickrig 107, 2; 410, 3;
  1640
Midlifecrisis 988, 2
Mief 108
miefen 1344, 2
miefig 109; 406, 1
Miene 147, 2; 752, 2
Miene machen 162, 3
Mienenspiel 147, 2
mies 1042, 1; 1117;
  1397, 1
mies machen 496; 1765
miesepetrig 1117
Miesmacher 1245
Miethai 1275
Mietshaus 824, 1
Mietskaserne 824, 1
Mietwagen 579, 2

Mietwohnung 1920, 2
Migrant 1107
Migration 1108
Mikroben 985
Mikrocomputer 352, 1
Mikrofiche 972, 1
mikrofotografieren
  1361, 4
Mikrokopie 972, 1
Mikrokosmos 1893, 2
Mikroorganismen 985
Mikroprozessorchip
  350, 2
mikroskopisch 950, 1
Mikrowelle 845
Mikrowellenherd 845
Milch 759, 3
Milchbart 187; 910, 2
Milchgesicht 910, 2
milchig 407, 2
Milchmädchenrechnung
  599, 3
Milchstraße 1514
mild 467, 5; 1091, 3;
  1109; 1872, 1; 1932, 2
Milde 472, 3; 784, 1;
  1110
mildern 261, 1
mildernd 757, 4; 1607
Milderung 1092, 2
mildherzig 1109, 4
mildtätig 467, 5; 1644
Mildtätigkeit 1645
Milieu 1301, 2; 1636, 2;
  1690, 1
Milieusprache 1494, 4
militant 37, 2
Militanz 830
Militär 1111
Militarisierung 1836, 2
militaristisch 37, 2
Militärputsch 134, 2
Militärschlag 987, 1
Miliz 1111, 2
Mime 360
mimen 359, 4; 1487, 1;
  1849
Mimik 147, 2
Mimikry 74, 2; 1142, 1
mimisch 1439, 2
Mimose 471, 4
mimosenhaft 471, 3
Minarett 1610, 1
minder 950, 2; 1640
minderbemittelt 403, 1

Minderheit 1102, 5
mindern, Ansehen
  509, 2
mindern, im Wert 509, 2
Minderung 454, 1;
  1348, 3
minderwertig 1397, 1;
  1695, 1
Minderwertigkeit
  1694, 2
Minderwertigkeitsgefüh-
  le 1764, 2
Minderzahl 1102, 5
Mindeste, das 1894, 3
Mindeste, nicht das
  1180, 1
Mindesten, nicht im
  1173
Mindesten, zum
  1894, 3
mindestens 1894, 3
Mine 1859, 1
Minicomputer 352, 2
Miniformat 1348, 9
minimal 950, 1; 1640
minimalisieren 1007, 2
minimieren 1007, 2
Minimum 951, 2
Minne 1055, 2
Minorität 1102, 5
Minus 599, 2
Minuskel 337, 1
Minute 951, 3
Minute, auf die 722, 1;
  1290, 1
Minute, in letzter 477, 2;
  1482, 2
minuziös 722, 1
mir nichts, dir nichts 87;
  1263
Mirakel 702, 1
Misanthrop 604, 2
mischen 1112
Mischling 871
Mischmasch 1113, 1
Mischpoke 953; 1814, 1
Mischung 1113; 1719, 1
Mischwald 1869
miserabel 1042, 1;
  1397, 1; 1397, 5
Misere 1190, 1; 1659
missachten 1114;
  1409, 5
Missachtung 240; **1115**;
  1368, 2; 1372, 1

Missbehagen 105, *1*;
   1041, *1*; 1118
missbilligen 196;
   1554, *1*
missbilligend 31, *2*
Missbilligung 989, *2*
Missbrauch 154, *2*
Missbrauch, sexueller
   1458
missbrauchen 153, *3*
missbräuchlich 583, *3*
missdeuten 901, *4*
Missdeutung 599, *3*
missen können, nicht
   327
Misserfolg 1116;
   1183, *2*; 1368, *1*
Missetat 1725
missfallen 462, *1*;
   821, *1*; 1383, *1*
Missfallen 14, *2*; 105, *1*
missfällig 31, *2*; 1638, *3*
missgelaunt 1117
Missgeschick 105, *3*;
   1659
missgestimmt 322, *1*;
   1117
missglücken 1383, *1*
missglückt 1397, *2*; 1748
missgönnen 1170
Missgriff 599, *3*; 902, *1*;
   1659
Missgunst 606; 1169
missgünstig 323, *1*; 1171
missgünstig sein 1170
misshandeln 1242, *7*
Misshandlung 335; 1458
Misshelligkeit 105, *3*;
   1534, *1*
Mission 120, *1*; 136, *3*
missionieren 1081, *3*;
   1627, *1*
Missklang 1534, *1*
Misskredit 1372, *1*
Misskredit, in 534, *3*
Misslaune 1118
misslaunig 1117
misslich 1021, *2*;
   1243, *1*; 1638, *1*;
   1661, *3*
Misslichkeit 1190, *2*
missliebig 1638, *3*
missliebig sein 821, *1*
misslingen 1262, *3*;
   1383, *1*

misslungen 1397, *2*;
   1748
Missmut 1118
missmutig 322, *1*; **1117**;
   1698
missraten 1383, *1*;
   1397, *2*
Missstand 1190, *2*
Missstimmung 1118
misstönend 1417, *5*
misstönig 822, *2*
misstrauen 1976
Misstrauen 1974, *2*
Missvergnügen 105, *1*;
   1118
missvergnügt 322, *1*;
   1117; 1698
missverständlich
   1693, *1*
Missverständlichkeit
   1825
Missverständnis 599, *3*;
   902, *1*
missverstehen 901, *4*
missverstehen, sich
   901, *4*
misswillig 323, *1*
Mist 156, *3*; 1675, *1*
Miststück 1386
mit 117, *2*; 453; 1124, *3*
mit ansehen 515, *1*
Mitarbeit 1563, *2*
mitarbeiten 837, *2*;
   1564, *2*
Mitarbeiter 103
Mitarbeiter, freier 644, *6*
mitbedenken 371, *2*
mitbekommen 515, *3*;
   522, *1*; 1794, *1*
mitbenutzen 1564, *1*
mitbestimmen 1564, *1*
mitbeteiligt 1565, *2*
Mitbeteiligter 961
mitbetroffen 1565, *2*
mitbetroffen sein 289
mitbewerben, sich
   1512, *3*
Mitbewerber 95, *2*
Mitbewohner 1143, *2*
mitbringen 274, *2*;
   683, *2*
Mitbringsel 677, *2*
Mitbürger 340, *5*;
   1143, *1*
miteinander 1962

Miteinander 717, *1*
mitempfinden 1564, *3*
Mitempfinden 1563, *1*
mitempfindend 1565, *1*
Miterbe 513, *3*
miterleben 515, *1*;
   1564, *2*
miterwägen 1930, *2*
Mitfahrer 1566, *2*
Mitfreude 1563, *1*
mitfreuen, sich 1564, *4*
mitfühlen 1564, *3*;
   1794, *3*
mitfühlend 467, *5*;
   1054, *4*; 1565, *1*; 1644
mitführen 1589, *1*
mitgeben 683, *2*
Mitgefühl 468, *3*;
   472, *3*; 1563, *1*
mitgehen 220, *1*;
   631, *1*
mitgehen lassen 1168, *2*
mitgenommen 265, *1*;
   1042, *1*; 1130, *2*
mitgerechnet 453
mitgerissen werden
   219, *2*
Mitgift 168, *4*
Mitgiftjäger 2; 294, *2*
Mitglied 66, *2*
Mitglied werden
   1229, *3*; 1718, *3*
Mitglieder 1566, *2*
Mitgliedschaft 1563, *2*
mithalten 1564, *2*
mithelfen 837, *2*
Mithilfe 854, *1*; 1771, *1*
mithin 43
mithören 1564, *2*
Mitinhaber 1235, *1*
Mitkämpfer 66, *2*
mitkommen 220, *1*;
   631, *1*; 1794, *2*
mitkommen, nicht
   1780, *4*
mitkönnen, nicht mehr
   1149, *4*
mitkriegen 236, *1*;
   515, *3*; 868, *1*; 1794, *1*
Mitläufer 66, *3*; 961;
   1221
mitlebend 699, *2*
Mitleid 1563, *1*
mitleiden 1564, *3*
mitleidend 1565, *1*

mitleidig 467, 5;
1565, 1; 1644
Mitleidlosigkeit 335
mitleidsfähig 467, 5
Mitleidsfähigkeit 468, 3
mitleidslos 820, 2
mitmachen 456, 2;
515, 1; 837, 2; 1564, 2
mitmachen, nicht 402, 4
Mitmensch 1143, 1
mitmenschlich 1644
Mitmenschlichkeit 1645
Mitmieter 1143, 2
mitmischen 1564, 1
mitnehmen 129, 4;
220, 1; 1168, 2;
1233, 1; 1724, 3
mitnichten 1173
mitrechnen 493; 1930, 2
mitreden 162, 1
mitreden können
1564, 1; 1794, 4
Mitreisender 1332, 1
mitreißen 219, 1;
1619, 1
mitreißen lassen, sich
219, 2
mitreißend 479; 829, 2;
892, 1; 1913, 2
mitsammen 1962
mitschicken 519, 2
mitschneiden 127, 5
Mitschnitt 126, 1;
1187, 2
mitschreiben 127, 5
Mitschrift 1187, 2
mitschuldig 1426, 2
Mitschuldiger 961
mitschwingen 1443, 4;
1794, 3
Mitschwingen 413, 1
mitsingen 220, 2;
435, 3; 1465, 1
mitspielen 220, 2
mitspielen, übel 1242, 1
Mitspieler 1235, 2;
1566, 2
mitsprechen 162, 1
Mitstreiter 66, 2
Mittag 1119, 4
Mittagessen 1080, 4
Mittagsbrot 1080, 4
Mittagsmahl 1080, 4
Mittagsruhe 525, 1
Mittagsschlaf 525, 1

Mittäter 961
Mitte 845; **1119**
Mitte des Weges 1119, 4
Mitte, goldene 1119, 6
Mitte, in der 809
mitteilbar, nicht 1720, 2
mitteilen 259; 683, 2;
1120
mitteilsam 1121
mitteilsam, nicht
1439, 1
Mitteilsamkeit 1210, 2
Mitteilung 258, 1; 332;
860, 1; **1122**; 1209, 1
mitteilungsbedürftig
1121
mittel 1091, 2
Mittel 112, 1; **1123**;
1299, 1; 1522, 2
Mittel und Wege 1123, 2
mittelbar 1124
Mittelding 1113, 5
Mitteleuropa 568, 1
mitteleuropäisch 568, 2
Mittelgebirge 257, 2
Mittelklasse 340, 2
mittellos 107, 1
Mittellosigkeit 1190, 1
Mittelmaß 1299, 1;
1322, 3
mittelmäßig 1091, 2
Mittelmäßigkeit 1322, 3
Mitteln, mit friedlichen
658, 2
mittelprächtig 1091, 2
Mittelpunkt 823;
1119, 6; 1501, 2
Mittelpunkt, im 1119, 5
mittels 1124, 3
Mittelschicht 340, 2;
1387, 3
Mittelsmann 1770
Mittelstand 340, 2
mittelständisch 341, 2
Mittelstreifen 1119, 4
Mittelweg 1119, 6
Mittelwert 1299, 1
mittendrin 1119, 5
mittendurch 1417, 4
mitteninne 1119, 5
mittenmang 1119, 5
Mittler 1770
Mittlerrolle 1770
mittlerweile 776; 1865
mittrauern 1564, 3

mittun 1564, 2
mitunter 1853, 1
Mitverschworener 66, 2
Mitwelt 1636, 2
mitwirken 837, 2;
1564, 2
Mitwirkende 1566, 2
Mitwirkung 698, 2;
854, 1; 1563, 2;
1771, 1
Mitwisser 961
mitzählen 493; 1930, 2
mitziehen 1564, 2
Mixed Media 1113, 4
mixen 1112, 1
Mixgetränk 1113, 1
Mixtum 1113, 1
Mixtum compositum
1113, 3
Mixtur 1113, 1
Mneme 527, 1
Mob 753
mobben 398, 3; 1242, 1
Mobbing 1972, 1
Möbel 900, 1
mobil 301, 1; 1026, 2
mobil machen 458, 2
Mobile 1568
Mobiliar 168, 2; 449, 2;
900, 1
Mobilien 271, 2; 449, 2
mobilisieren 274, 1;
458, 2
Mobilisierung 452, 2
möblieren 448, 1
Möblierung 168, 2;
449, 2
Möchtegern 1436
Modalität 110, 3
Modder 1552, 1
Mode 326, 2; **1125**;
1538, 1
Mode, aus der 1708
Mode, nach der 1126, 1
modebewusst 1126, 1
Model 360; 1136, 4;
1414, 2
Modell 360; 632, 3;
813, 1; 1136, 3
modellierbar 622, 1
modellieren 756
Modellierer 309
modelliert 1261
modeln 756
Modenarr 1545

Modenschau 170, 2
Modepuppe 1545
Moder 596
moderat 1091, 1
Moderator 1683, 1;
  1770
moderieren 1769, 2
modern 699, 2; **1126**;
  1729, 1
modern, betont 1126, 2
modernisieren 543, 3
Modernisierung 544, 1
modernistisch 1126, 2
Modeschöpfer 561
Modeschöpfung 1125, 2
Modesport 1488
modesüchtig 1126, 1
modeunabhängig 363, 1
Modevorführung 170, 2
Modifikation 1704;
  1710, 1
modifizieren 1709, 1
modisch 243, 1; 1126, 1
modrig 406, 1; 1162, 3
Mods 1546, 2
Modul 192, 1
Modulation 1584, 2;
  1704
modulieren 1709, 1
Modus 110, 3
Mofa 579, 2
Mogelei 292
mogeln 293, 1
mogeln, instand 543, 1
Mogelpackung 292;
  1559, 2
mögen 691, 1; **1127**
mögen können, nicht
  mehr 1039, 2
mögen, jmdn. 1056, 1
mögen, jmdn. leiden
  1056, 1
mögen, nicht 821, 1
möglich 1128
möglich machen 538, 1
möglich machen, es
  489, 1
Mögliche, alles 1824, 2
möglicherweise 1128, 3
Möglichkeit 165, 2;
  556, 3; 1123, 2; **1129**
Möglichkeit, nach
  1207, 6
möglichst 314, 1
Mogul 849; 1687, 2

Moira 1389, 1
Moiré 1136, 5
moirieren 1381, 4
moiriert 718, 2
mokant 1493, 1
mokieren, sich 1492, 1
Mole 211, 4
Molekül 1561, 3
Molesten 105, 3
molestieren 106, 1
Mollenkopf 1272, 1
mollig 381, 1; 719;
  1872, 1; 1891, 3
Moloch 1500, 2
Mom 1140, 2
Moment 951, 3; 1936, 1
Moment, im 699, 1
momentan 699, 1; 1838
Momentaufnahme
  308, 3
Monade 442, 1
Monarch 849
Monasterium 952
Monate 1013, 2
Monatsregel 1322, 4
Mönch 939, 2
Mond 1514
mondän 996, 3
mondial 1830, 3
Mondkalb 405, 2
Moneten 712, 3
monieren 196; 1081, 3;
  1554, 1
Monitor 311; 1878
Monitum 1082, 1;
  1385, 2
Monogramm 930, 2
Monographie 8, 1
monolateral 455, 2
Monolog 1851
monologisch 253, 2
monologisieren 1016, 1;
  1495, 3
monoman 1456
monomanisch 1505, 2
Monopol 1318, 4
monopolisieren 195, 2
monoton 771, 2; 1017, 1;
  1204, 1
Monotonie 42, 2; 1014;
  1205, 2; 1324, 2
monströs 822, 1
Monstrosität 1386
Monstrum 186; 1386
Montage 965, 1

montieren 964, 1;
  1718, 2
Montur 949, 1
Monument 373
monumental 885
Monumentalität 792, 2
Mood 1520, 1
Moor 1552, 1
Moorbad 178, 4
moorig 1162, 2
Moos 712, 3
Moped 579, 2
Möpse 344
mopsen 1168, 2
mopsen, sich 1016, 2
Moral 85, 2; 762;
  1400, 4
Moralapostel 1239, 2
moralinsauer 480, 2;
  1241, 3
moralisch 86, 2
moralisieren 1081, 3
moralisierend 480, 2
Moralist 1239, 2
Moralität 85, 2
Moralprediger 1239, 2
Moralpredigt 1082, 4;
  1385, 1
Morast 1406, 1; 1552, 1
morastig 1408
morbid 1132, 2
Mord 1588, 1; 1725
Mordanschlag 116
Mordbrenner 1429, 3
Mordbube 186; 1429, 3
morden 1587, 1
Mörder 1726, 2
Mördergrube machen,
  aus dem Herzen keine
  1208, 3
mörderisch 334; 1452, 1
Mordgier 335
mordgierig 334
Mordlust 335
Mordseifer 422, 2
mordsmäßig 1452, 1
Mordtat 1588, 1
Morgen 51, 3; 1956
Morgen bis zum Abend,
  vom 882, 1
Morgenblatt 1271, 2
Morgengabe 168, 4
Morgengebet 684
Morgengrauen 51, 3
Morgengrauen, im 665

Morgenimbiss 1080, *2*
Morgenkaffee 1080, *2*
Morgenlicht 51, *3*
Morgenluft 1068, *3*
Morgenröte 51, *3*
morgens 665
Morgenzeitung 1271, *2*
Moritat 739, *2*
Moritatensänger 1363, *1*
Morosität 1118
morsch 44, *3*; 265, *1*;
  1132, *1*
morsch werden 1066, *7*
morsen 1622, *6*
Mörtel 211, *3*
Mosaik 1113, *3*
Moschee 938, *2*
Möse 1379, *1*
Motel 681, *2*
Motiv 697, *2*; 794, *2*;
  1256, *3*
Motivation 794, *2*
motivieren 75, *2*; 501, *3*;
  528, *4*
motiviert 423
motiviert durch 49
motiviert, hoch 423
Motivierung 502, *1*;
  794, *2*
Motor 478, *3*; 794, *1*;
  1088
Motorboot 579, *6*
Motorrad 579, *2*
Motorroller 579, *2*
Mottenkiste, aus der
  1708
Motto 374, *2*; 438, *1*;
  798, *1*
motzen 1391, *1*
moussieren 1376, *1*
moussierend 76, *2*
Movens 794, *1*
Movie 618, *3*
Mr. Nobody 1181, *2*
Mucke 424, *4*
mucken 1959, *2*
Mucken 1779, *2*
Mücken 712, *3*
Mucker 852
muckerisch 480, *2*
Muckertum 481, *5*
mucksch 425
muckschen 1959, *2*
müde 1130; 1364, *4*
müde machen 539, *1*

müde sein 1039, *2*
müde werden 539, *2*
müde werden, nicht 392
Müdigkeit 540, *1*
Muff 108
Muffel 1245
muffeln 1344, *2*; 1959, *2*
Muffensausen 62, *4*
muffig 109; 341, *3*;
  406, *1*; 1662, *1*
mufflig 1005, *2*
Mühe 137, *2*; 1020, *2*
Mühe haben 92, *4*
Mühe machen 92, *1*;
  539, *1*
Mühe und Not, mit
  477, *2*; 1091, *2*
Mühe, mit 954, *2*
mühelos 433, *1*; 1036, *2*
muhen 1585, *3*
mühevoll 1021, *1*;
  1440, *2*
Mühlstein 1020, *2*
Mühsal 1020, *2*; 1190, *2*
mühsam 1021, *1*;
  1440, *2*
mühselig 1021, *1*
Mulde 1799, *1*
Müll 5, *1*
Müllabfuhr 486, *2*
Mullah 939, *1*
Mülldeponie 5, *3*
Müllhalde 5, *3*
Müllkippe 5, *3*
mulmig 690, *4*; 1243, *2*;
  1273, *2*; 1975, *2*
multiethnisch 896
Multikulti 1827, *1*
Multikultur 1827, *1*
multikulturell 1784, *2*
Multimedia 352, *1*; 1097
multimedial 1728, *2*
multinational 896
Multiplikation 1812, *3*
multiplizieren 1930, *1*
Multitalent 1560
Mumie 973, *2*
mumifizieren 522, *4*
mumifiziert 363, *3*
Mumm 980, *1*; 1138
Mumm in den Knochen
  981, *1*
Mummenschanz 1559, *2*
Mumpitz 1675, *1*
Münchhausen 1384, *1*

Mund 1131
Mund voll 951, *2*
Mundart 1494, *4*
Munde sein, in aller
  948, *1*; 1634, *4*
Munde, in aller 262, *1*
Mündel 936, *2*; 1431
munden 691, *1*
münden 475, *2*
mundfaul 1005, *2*;
  1439, *1*
Mundfaulheit 249, *2*
mundfertig 253, *1*
mundgerecht 610, *4*
mündig 644, *1*; 1328, *2*
mündig werden lassen
  564
Mündigkeitshilfe 565, *1*
mündlich 1244, *2*;
  1664, *4*
Mundpropaganda
  1898, *1*
mundtot machen
  1980, *1*
Mündung 1400, *1*;
  1594, *3*
Mundvorrat 542, *1*
mundwässernd 100, *1*
Mundwerk 1131
Mundwerk, böses 323, *1*
munkeln 948, *1*
Münster 938, *2*
munter 660, *1*; 757, *1*;
  835, *1*; 835, *3*; 1026, *2*
munter machen 1886
Munterkeit 650, *1*
Münze, in barer 1664, *3*
Münzen 712, *1*
mürbe 1132; 1496, *1*
Murks 1251
murksen 1252
murmeln 629; 1585, *4*
Murmeln 734, *2*
murren 1391, *1*; 1959, *2*
mürrisch 1117
Murrkopf 1272, *1*
Muschi 1379, *1*
Muse 641
Musentempel 1577, *2*
Museum 1362, *2*
Museumsinsel 1500, *3*
Musik 1133
Musik, elektronische
  1133, *3*
Musik, ernste 1133, *3*

Musik, klassische
  1133, 3
Musikant 1134, 2
Musiker 1134
Musikgruppe 800, 4
Musikkassette 922, 2
Musikkritiker 260, 1;
  990, 1
Musikstück 1133, 2
Musikwerk 1133, 2
musisch 996, 2; 1265, 2;
  1415
musizieren 1487, 3
Muskelkraft 980, 1
Muskelprotz 982
muskulös 981, 1;
  1490, 1
Muss 1192, 2
Muße 525, 1; 647;
  1355, 2; 1677, 2
müssen 1135
Mußestunde 525, 1
mußevoll 1676, 2
müßig 1028, 3; 1676, 1;
  1748
müßig sein 594
Müßiggang 1677, 1
Müßiggänger 595
Muster 569; 874, 1;
  1136
Muster, kulturelles
  997, 1
Musterbeispiel 235
Musterbild 874, 3

Musterfall 235
mustergültig 149, 2;
  1830, 1
Mustergültigkeit 1831
musterhaft 1830, 2
Musterknabe 1530
mustern 80, 1; **1137**
mustern, sich 80, 3
Mustersammlung 171, 2
Mustersendung 1136, 2
Musterstück 1136, 2
Musterung 1136, 1;
  1285, 2
Mustopf, aus dem 1159
Mut 1138
Mut haben, nicht den
  1371, 2
Mut machen 541, 2
Mutes, guten 835, 3;
  1224
mutieren 1709, 4
mutig 920; **1139**
mutlos 64, 2; 1182, 1;
  1660, 1
mutlos werden 539, 2;
  1823, 1
Mutlosigkeit 62, 4; 1592
mutmaßen 430, 1; 1099;
  1772, 2
mutmaßlich 79; 863, 1
Mutmaßung 1100, 3
Mutprobe 1861
Muttchen 1140, 2
Mutter 1140

Mutter Natur 1164, 2
Mutter werden 682, 1
Mutter, allein erziehende
  640; 1140, 1
Mutter, Große 785, 3
Mutter, leibliche 1140, 1
Mütterchen 1140, 2
Mütterlein 1140, 2
mütterlich 654, 3
Muttermal 930, 5
mutterseelenallein
  450, 1
Muttersöhnchen 603
Muttersprache 1494, 4
Mutterwitz 1790, 2
Mutti 1140, 2
mutuell 696
Mutwille 650, 4
mutwillig 16; 835, 3;
  1657; 1909, 1
Mütze 971
Myriaden 1102, 3
Mystagogie 701
Mysterienspiel 1378, 1
mysteriös 407, 4;
  1693, 4
Mysterium 702, 1
Mystifikation 1559, 2
mystifizieren 1715, 2
mystisch 407, 4; 1693, 4
Mythenbildung 1071, 5
mythisch 1674, 2
Mythos 559, 2

N

Nabel 1119, 6
Nabelschau 1455
Nabob 1687, 3
nach 504, 4; 1483, 1
nach und nach 1015, 2
nachäffen 881, 1
Nachäfferei 1142, 1
nachahmen 881, 1
nachahmend 1654, 2
nachahmenswert 149, 2
Nachahmer 1141
Nachahmung 1142
nacharbeiten 1148, 1
Nachbar 1143
nachbarlich 654, 2
Nachbarschaft 1143, 2;
  1156, 2
nachbarschaftlich
  1155, 4
nachbeben 1911, 3
Nachbereitung 1285, 4
nachbessern 519, 1;
  1716, 1
Nachbesserung 1717, 1
nachbeten 881, 1
Nachbeter 66, 3; 1141;
  1221; 1402, 1
nachbilden 1, 2; 881, 1
Nachbildung 1142, 1
nachbohren 391, 4; 635
nachdenken 371, 1
Nachdenken 1321
Nachdenken, ohne
  1696, 4
nachdenklich 1357, 2
Nachdenklichkeit 445, 1
nachdrängen 391, 1
Nachdruck 1142, 1;
  1144; 1537, 1; 1905
Nachdruck, mit 1145, 1
nachdrucken 881, 3;
  1811; 1904, 3
nachdrücklich 600, 1;
  891, 4; **1145**
Nachdrücklichkeit 1144
nachdunkeln 409, 3
nacheifern 631, 3

nacheinander 457, 1;
  1015, 2
Nacheinander 630, 1
nachempfinden 1564, 3;
  1794, 3
Nachen 579, 6
nacherleben 526, 1
Nachfahren 936, 2
nachfassen 1284, 1
Nachfolge 513, 2
nachfolgen 65, 1; 514;
  631, 3
nachfolgend 1146
Nachfolger 66, 2; 95, 1;
  513, 3; 1428, 3
Nachfolger, designierter
  95, 2
nachformen 1, 2; 881, 1
nachforschen 536; 635;
  1550, 1
Nachforschung 537
Nachfrage 638, 1; 893;
  1147
nachfragen 639, 1
nachfühlbar 1791, 3
nachfühlen 1564, 3;
  1794, 3
nachfüllen 519, 1; 674, 1
nachgeahmt 583, 3
nachgeben 489, 2;
  704, 2
nachgehen 266, 3;
  631, 1; 635; 1233, 1;
  1741, 1
nachgehen, einer Be-
  schäftigung 102, 2
nachgehen, einer Sache
  1550, 1
nachgemacht 583, 3
nachgeordnet 950, 2;
  1640
nachgeraten 1615, 3
Nachgeschmack 232
nachgestalten 1654, 2
nachgewiesen 1460, 4
nachgeworfen 312, 1
nachgiebig 467, 5;
  772, 3; 1432, 3;
  1891, 1; 1891, 2
Nachgiebigkeit 623, 1;
  1110
nachgießen 519, 1;
  674, 1
Nachglanz 527, 4
nachgraben 635; 1550, 1

nachgrübeln 371, 2
Nachhall 413, 1
nachhallen 526, 5;
  1486, 4
nachhaltig 891, 4; 1158;
  1499; 1913, 2
Nachhaltigkeit 1914, 1
nachhängen, Gedanken
  371, 3
Nachhauseweg 1349, 1
nachhelfen 298, 1;
  391, 2; 837, 3
nachher 1483, 1
Nachher 1956
Nachhinein, im 1153
nachhinken 1821, 3
nachholen 1148
Nachhut 1400, 2
nachjagen 851, 1;
  1550, 2; 1741, 1
Nachklang 413, 1; 527, 4
nachklappen 1821, 3
nachklingen 526, 5;
  1486, 4
Nachklingen 413, 1
Nachkomme 95, 1;
  513, 3; 936, 2
nachkommen 503, 2;
  631, 1
Nachkommen 1814, 1
nachkommen, Erwartun-
  gen 704, 1
nachkommen, nicht 6, 4
nachkommen, Wün-
  schen 214, 1
Nachkommenschaft
  936, 2
Nachlass 513, 1; 784, 1
nachlassen 539, 2;
  723, 2; **1149**; 1724, 4;
  1750, 3
Nachlassen 1348, 1
nachlassen, nicht 226, 2;
  392
nachlassend 13
nachlässig 633, 3;
  1037, 1; **1150**; 1639, 1
Nachlässigkeit 249, 2;
  1038, 2; **1151**; 1669, 2
nachlaufen 65, 2; 1401;
  1741, 1; 1741, 3
Nachläufer 66, 2; 66, 3
nachleben 631, 3
nachlegen 1716, 1
nachlernen 1148, 1

nachlesen 546; 1284, *1*;
    1904, *1*
nachliefern 519, *2*
Nachlieferung 520, *3*
nachmachen 881, *1*
Nachmacherei 1142, *1*
nachmalig 1483, *1*
nachmals 1483, *1*
nachmessen 1284, *1*
Nachmittagskaffee
    1080, *6*
Nachnahme 1267, *3*
Nachname 930, *4*
nachordnen 1226, *2*
nachordnen, sich 704, *1*
nachplappern 881, *1*
nachprüfen 1284, *1*
Nachprüfung 1285, *2*
nachrechnen 1284, *1*;
    1930, *1*
Nachrede, üble 1372, *1*;
    1766
nachreden, übel 1765
nachrennen 1741, *3*
Nachricht 164, *1*; 332
nachrücken 514; 631, *4*;
    1806, *1*
Nachruf 527, *2*
Nachruhm 527, *4*
nachrühmen 1063, *1*
nachsagen 1765
nachsagen, Gutes
    1063, *1*
Nachsatz 520, *2*
nachschaffend 1654, *2*
nachschicken 519, *2*
Nachschlag 520, *7*
nachschlagen 1550, *4*;
    1615, *3*
Nachschlagewerk 1032
nachschnüffeln 247, *2*
nachschöpferisch
    1654, *2*
Nachschrift 520, *2*
Nachschub 520, *7*
nachschwätzen 881, *1*
nachsehen 501, *2*;
    531, *1*; 1284, *1*;
    1627, *2*
Nachsehen 508
Nachsehen haben 1029;
    1369, *4*; 1768, *2*
nachsehen, jmdm. 247, *1*
nachsenden 519, *2*
Nachsendung 520, *3*

nachsetzen 851, *1*;
    1741, *1*
Nachsicht 688, *1*; 784, *1*
nachsichtig 689, *1*;
    793, *2*; 1109, *4*
nachsinnen 371, *2*
Nachsinnen 1321
Nachsommer 46
Nachspeise 1080, *5*
Nachspiel 630, *3*;
    1400, *2*
nachspionieren 247, *2*
nachsprechen 1904, *1*
nachsprengen 1741, *1*
nachspringen 1741, *1*
nachspüren 536; 635
nachstehend 1146
nachsteigen 1334, *3*;
    1741, *3*
nachstellen 1741, *3*
Nächstenliebe 1645
nächstens 180
Nächster 1143, *1*
nächstmöglich 429, *3*
nachstreben 631, *3*
nachsuchen 303; 315, *1*
Nacht 408, *1*
Nacht und Nebel, bei
    834, *1*
Nacht werden 409, *1*
Nacht, schwarze 407, *1*
Nacht, sinkende 408, *1*
Nacht, über 180; 1263
nachtblind 318, *1*
Nächte, schlaflose
    1474
Nachteil 858, *5*; 1368, *1*
Nachteil sein, im 6, *4*
nachteilig 1661, *3*
nachteilig sein 1369, *5*
nachten 409, *1*
nächtens 407, *5*
Nachtessen 1080, *7*
Nachtgebet 684
Nachtgespenst 707, *3*
nächtig 407, *1*
nächtigen 282, *2*
Nachtisch 1080, *5*
nächtlich 407, *5*
Nachtlokal 681, *1*
Nachtluft 1068, *3*
Nachtmahl 1080, *7*
Nachtmahr 62, *2*
Nachtportier 1878
Nachtrag 520, *2*

nachtragen 519, *1*;
    1959, *1*
nachtragend 1152
nachtragend, nicht
    793, *2*
nachträglich 48; 1153
nachtrauern 217, *2*;
    944, *4*
nachträumen 526, *1*
Nachtruhe 525, *3*
nachts 407, *5*; 1482, *4*
Nachtschicht 1387, *2*
Nachtseite 702, *1*; 1350
Nachtspeicherheizung
    836
Nachttischlampe 1012, *1*
nachtun 631, *3*; 881, *1*
Nachtwache 1878
Nachtwächter 595; 1255
nachtwandlerisch 899
nachvollziehbar 1211, *2*;
    1791, *1*
Nachvollziehbarkeit
    1792
nachvollziehen können
    1794, *2*
nachwachsen 519, *3*
Nachwehen 630, *3*; 1118
nachweinen 944, *4*
Nachweis 279, *1*; 279, *6*;
    615, *1*
nachweisen 1399, *3*;
    1935, *4*
nachweislich 1460, *4*
Nachwelt 1956
nachwiegen 1284, *1*
nachwirken 1911, *3*
Nachwirkung 630, *3*;
    1914, *2*
Nachwort 520, *2*;
    1400, *2*
Nachwuchs 908, *2*;
    936, *2*
nachzahlen 519, *2*
nachzählen 1284, *1*
Nachzahlung 520, *3*
nachzeichnen 1, *2*;
    270, *1*
nachziehen 1148, *1*
nachzittern 1911, *3*
nachzotteln 1821, *3*
nackt 913, *2*; 1154
nacktbeinig 1154, *2*
Nadel im Heuhaufen
    1666

Nadelarbeit 813, 2
Nadeln, auf 1672, 1
Nadelöhr 1215, 3
Nadelstich 1491, 3
Nadelwald 1869
Nagel 211, 2
Nagel auf den Kopf, den 722, 2
Nägel mit Köpfen machen 412
nageln 210, 1
nagelneu 1177, 1
Nagelprobe 1285, 3
nagen 566, 4; 1242, 3
nagen, am Herzen 256
nagen, am Hungertuch 482; 872, 1
nagend 1293, 1
nah 1054, 2; **1155**
nah noch fern, weder 1180, 2
nah und fern 1612, 1
nah, ganz 1155, 2
Nähe 1156
nahe gehen 263, 2
nahe kommen, sich 1157, 4
nahe legen 75, 1; 315, 1; 861, 1; 1305, 1
nahe liegend 1791, 2
nahe sein, der Erschöpfung 539, 2
nahe stehend 1155, 4; 1803, 1
Nähe, in der 1155, 2
nahebei 1155, 2
nahen 67, 1; 398, 4; 958, 1; 1157, 1
nähen 102, 4
näher kommen 1157, 1
näher treten 1157, 1
Näherkommen 966, 2
nähern, sich 958, 1; **1157**
nähernd, sich 774; 1155, 3
nahezu 1655, 1
Nähfaden 575, 2
Nährboden 796, 2
nähren 676, 1
nahrhaft 757, 3; **1158**
Nährmutter 1140, 3
nährstoffreich 1158
Nahrung 542, 1
Nahrungsmittel 542, 2

nahtlos 679, 1; 1830, 1
naiv 403, 2; 433, 2; **1159**
Naivität 404, 2; 434, 2; 991
Naivling 405, 5
Najade 707, 4
Name 716, 2; 930, 4
Name, angenommener 1288
Name, falscher 1288
Namedropping 460, 1
Namen machen, sich einen 174, 2
Namen nach, dem 1124, 5
namenlos 163, 1; 1452, 1; 1642, 1
Namensgebung 930, 2
Namenszeichen 930, 2
Namenszug 930, 2
namentlich 273, 1
namhaft 262, 1
nämlich 49; 69, 2; **1160**
Nänie 739, 2
narbig 718, 1; 1307, 2; 1643, 2
Narkose 1647, 3
Narkose, unter 286
Narkotikum 1311
narkotisch 285, 1
narkotisieren 284, 1
narkotisierend 285, 1
narkotisiert 286; 1646, 2
Narr 405, 4
narren 1492, 1; 1849
Narrenfreiheit 645, 3
Narrenhaus 1675, 3
Narrenkleid 1559, 2
Narretei 1675, 1
Narrheit 1675, 1
Närrin 405, 4
närrisch 24; 119, 2; 835, 3; 1254, 3; 1778, 1
Narziss 417
Narzissmus 460, 1; 1455
narzisstisch 459, 2; 1456
naschen 566, 3; 977, 2
naschhaft 218, 2
Naschhaftigkeit 1762, 1
Naschkatze 726, 2
Naschwerk 979

Nase 415, 2; 746, 2; **1161**
Nase im Wind haben 392
Nase nach, der 1664, 2
Nase vorn 1841, 1
Nase, feine 468, 1; 693, 3
Nase, klassische 1161
Nase, vor der 1155, 2
näseln 1495, 3
Nasenlänge, nur eine 954, 2
Nasenstüber 1393, 1
Naserümpfen 1115
naseweis 642, 2
Naseweisheit 643, 1; 1178
nasführen 1492, 1
naslang, alle 882, 3; 1216
nass 1162
Nass 1881, 1
nass bis auf die Haut 1162, 1
nass machen 616, 1
nass werden 616, 3
Nassauer 1402, 2
nassauern 153, 3
Nässe 1186, 1; 1881, 1
nässen 616, 1; 625; 1325
nassforsch 642, 3
nasskalt 1162, 3
Nasszelle 178, 1
Nationalgefühl 1163, 1
Nationalisierung 431; 483
Nationalismus 1163
Nationalität 846, 2
Nationalmannschaft 171, 3
Nationalpatriotismus 1163, 1
Nationalstolz 1163, 1
nativ 59, 1
Natur 346; **1164**
Natur, in der 393, 1
Natur, nach der 1166, 4
natura, in 1244, 2
Naturalien 542, 2
naturalisieren 127, 6
Naturalisierung 431
naturalistisch 1166, 4
Naturantrieb 1599, 1
naturbelassen 1166, 1
Naturell 346

Neonlicht 1012, *1*
Nepotismus 953
Nepp 292
neppen 293, *1*
Nerv 823
nerven 106, *1*
Nervenbündel 471, *4*
nervend 130, *2*
Nervenkitzel 1478, *1*
nervenkrank 720
Nervenkrankheit 721
Nervenkrieg 1534, *2*
Nervenkrise 1781, *3*
nervenleidend 1042, *4*
Nervenprobe 105, *3*;
   1285, *3*; 1403, *2*
Nervensäge 1524
nervenschwach 64, *2*;
   471, *3*
Nervenschwäche
   472, *2*
nervenzermürbend
   130, *2*
nervös 64, *1*; 548, *1*;
   1672, *1*
nervös machen 106, *1*
nervös werden 106, *2*
Nervosität 62, *2*; 549, *1*;
   1764, *2*
nervtötend 1017, *1*
Nervtüte 1524
Nervus Rerum 823
Nest 295; 824, *2*;
   1296, *2*
nesteln 1550, *1*
Nesthäkchen 936, *1*;
   1078, *1*
Nestor 45, *2*
Netsurfer 1546, *2*
nett 57, *1*; 125, *2*;
   328, *1*; 491; 654, *1*;
   869; **1175**
nett, ganz 1091, *2*
Nettigkeit 490, *2*
Nettoertrag 1195, *2*
Nettogewinn 1195, *2*
Nettopreis 1270, *3*
Network 1176, *3*
Netz 1060, *1*; **1176**
Netz, multimediales
   1176, *3*
Netz, ohne 1139, *2*
Netz, soziales 1176, *4*
Netzcomputer 352, *2*
netzen 616, *1*

Netzwerk 1176, *2*;
   1719, *3*
neu 648, *2*; 660, *2*;
   745, *2*; 1126, *1*; **1177**;
   1231, *2*
neu, wie 1177, *4*
neuartig 1177, *3*
Neuartiges 1179, *1*
Neuauflage 1905
Neubeginn 1343, *1*
Neubelebung 525, *2*;
   544, *2*
Neubildung 1179, *1*
Neudruck 1179, *2*; 1905
Neue, aufs 1903
Neueinstudierung 1905
neuem, von 1903
neuerdings 699, *1*; 1008;
   1903
Neuerer 1257, *1*
neuerlich 699, *1*; 1008;
   1903
Neuerscheinung 1179, *2*;
   1775, *1*
Neuerung 1179, *1*;
   1710, *1*
Neuerwerbung 1179, *1*
Neues 1179, *1*
Neufassung 544, *3*
neugeboren 686, *2*;
   1177, *1*; 1784, *1*
neugeboren, wie 1177, *4*
Neugeborenes 936, *1*
Neugeburt 525, *2*;
   544, *2*
Neugestaltung 544, *1*;
   1343, *1*
Neugier 893; 1178;
   1478, *1*
Neugierde 1178
neugierig 895, *2*; 1556
neugierig sein 894, *3*
neugierig werden 894, *2*
Neuheit 1179
Neuigkeitskrämer 1436
neulich 1008
neumodisch 1126, *2*
neunmalklug 642, *2*;
   1396, *2*
Neuordnung 1343, *1*
neureich 1327, *1*
Neurose 721
neurotisch 720
Neutöner 671, *6*
neutönerisch 670, *2*

neutral 735, *1*; 772, *1*;
   1358, *1*
neutralisieren 151, *5*
Neutralisierung 150, *4*
Neutralität 736; 1647, *2*
Neutrum 593
Neuverfilmung 544, *3*
Neuwerdung 544, *2*
neuwertig 1177, *1*
neuzeitlich 1126, *2*
Neuzüchtung 1951, *1*
Newsjockey 1683, *1*
Nexus 1719, *1*
Nibelungentreue 613, *5*
nicht 1173
nicht anders als
   1902, *1*
nicht doch 1173
nicht gut drauf 1660, *1*
nicht haben 482
nicht mehr können
   539, *2*; 1780, *3*
nicht tun 1019, *2*
nicht wissen, was man
   tut 1753, *3*
nicht wissen, wo einem
   der Kopf steht 1816, *3*
nicht zu machen 1665
nicht zufrieden stellend
   1656, *1*
nicht, auch 1173
nicht, durchaus 1173
nicht, fast gar 1457, *2*
nicht, ganz und gar 1173
nicht, überhaupt 1173
Nichtachtung 1115
Nichtbeachtung 1115
Nichtbegreifen 1663
Nichtfachmann 384, *1*
nichtig 312, *3*; 459, *3*;
   950, *2*; 1028, *3*;
   1397, *1*; 1640
Nichtigkeit 951, *1*
Nichtkundiger 384, *1*
nichts 1180
Nichts 1181
nichts als 1194
nichts daraus machen,
   sich 1114, *2*
nichts haben 482
nichts mehr zu machen
   534, *1*
nichts sagend 182;
   312, *3*; 968, *2*; 1017, *2*;
   1028, *3*; 1199, *2*; 1640

nichts tun 524, 3; 594;
1356, 1
nichts und wieder nichts,
für 1748
nichts zu machen 476
nichts zu tun haben
1016, 2
nichts, fast 951, 2
nichts, fast gar 926, 1
nichts, gar 1180, 1
nichts, nach 574, 1
nichtsdestotrotz 1608, 2
nichtsdestoweniger 3;
1608, 2
Nichtsesshafter 1332, 2
Nichtskönner 384, 2;
1782
Nichtsnutz 1782
Nichtsnutzigkeit 1398
Nichtstuer 595
Nichtstun 525, 1;
1677, 1
nichtswürdig 1397, 5
Nichtswürdigkeit 1398
nicken 278, 2; 802, 1;
1392, 2; 1935, 1
Nickerchen 525, 3
nie und nimmer 1665
nie, so gut wie 926, 1
nieder 950, 3
niederbrennen 1750, 5;
1940, 5
Niederbruch 1941, 1
niederbücken, sich
296, 2
niederdrücken 402, 1;
496
niederdrückend 1660, 5
Niedergang 1348, 1
niedergebeugt 1660, 1
niedergedrückt 1182, 1
niedergehen 1184, 4
niedergehend 13
niedergeschlagen 1182
Niedergeschlagenheit
1592
niedergeschmettert
1182, 1
niedergleiten 1184, 4
niederhalten 402, 3;
1680, 1; 1734, 2
niederkommen 682, 1
Niederkunft 68, 2; 687
Niederlage 1116; **1183**
niederlassen 52, 3; **1184**

niederlassen, sich
458, 3; 547, 1; **1184**;
1469, 1
niederlassen, sich häus-
lich 1184, 2
Niederlassung 51, 2;
1185
niederlegen 127, 5;
475, 1; 1421, 1;
1940, 7
niederlegen, Amt 998, 1
niederlegen, Arbeit
1533, 1
niederlegen, Posten
998, 1
niederlegen, sich 1356, 1
Niederlegung 120, 2
niedermachen 918, 3;
1810, 2
niedermähen 1940, 8
niedermetzeln 1587, 1;
1940, 8
niederreißen 1214, 1;
1940, 7
niederringen 1463, 2
niederschießen 1587, 1
Niederschlag 1186;
1881, 1; 1914, 2
niederschlagen 496;
1394, 2
niederschlagen, Augen
1371, 1
niederschlagen, sich
1184, 6
niederschlagsarm
1603, 4
niederschmettern 496
niederschmetternd
1440, 2; 1660, 5
niederschreiben 1421, 1
Niederschrift 8, 1; **1187**
niedersetzen 22, 1
niedersinken 581, 2
niederstellen 22, 1;
1512, 1
niederstimmen 496;
1980, 1
niederstürzen 581, 1
Niedertracht 1398
niederträchtig 323, 1;
349; 1397, 5
Niederträchtigkeit 324
Niederung 620, 1
Niederwald 343, 1
niederwalzen 1940, 8

niederwärts 27
Niederwasser 1348, 8
niederwerfen 1394, 2;
1463, 2
niederziehen 509, 2;
841, 1
niederziehend 1660, 5
niederzwingen 1394, 2
niedlich 71, 2; 869
niedrig 950, 3; 1397, 5
Niedrigwasser 1348, 8
niemand 1188
Niemand 1181, 2
niemand als 1194
niemand sonst 1194
nieseln 1325
Nieselregen 1186, 1
Nießbrauch 154, 1
nießnutzen 246
niet- und nagelfest
1460, 4
Niete 1116; 1782
Nightclub 681, 1
Nikotinentzug 512, 2
Nikotinsucht 1551, 3
Nimbus 716, 3; 832
Nimmerleinstag, am
1665
nimmermüde 621
nimmersatt 218, 2;
1625, 1
Nimmersatt 726, 3
nimmt alles für bare
Münze 403, 2
nimmt den Mund voll
1699, 2
Nimrod 905, 1
nippen 977, 2; 1601, 2
Nippes 940, 1
nirgends 1180, 2
nirgendwo 1180, 2
Nische 1546, 1; 1799, 2
nisten 1024, 2; 1184, 1
Niveau 85, 1; 1294, 2;
1302, 1
niveaulos 941
niveauvoll 84, 1; 996, 2
nivellieren 151, 1;
769, 1; 1738
nivellierend 771, 2
Nivellierung 150, 1;
1617, 5; 1739
Nixe 707, 4
nobel 416, 3; 793, 1;
1842

O

o. k. 804, *2*
ob 69, *2*; 1889
ob auch immer 1202
Obacht 1475, *2*
Obdach 833, *1*
obdachlos 393, *3*; 850, *1*
Obdachlosenheim
    833, *2*
Obdachloser 1332, *2*
obduzieren 1937, *2*
O-beinig 992, *5*
Obelisk 373
oben 862, *1*; 1841, *1*
oben bis unten, von
    679, *2*
oben ohne 1154, *2*
oben, ganz 862, *4*
oben, nach 138
oben, von 862, *1*
obenan 554; 1841, *1*
obenan stellen 298, *2*
obenauf 835, *3*; 862, *4*;
    1841, *1*
obendrein 117, *3*
obenhin 1037, *1*;
    1150, *1*; 1167, *2*;
    1199, *3*
Ober 204, *3*
oberaffengeil 1254, *1*
Oberaufsicht 1048, *2*
oberfaul 1975, *1*
Oberfläche 1198
Oberfläche, auf der
    393, *4*
Oberfläche, unter der
    1678, *4*; 1720, *1*
oberflächlich 182;
    1037, *1*; **1199**
Oberflächlichkeit 1151;
    1200
obergescheit 1396, *2*
Oberguru 671, *6*
oberhalb 862, *1*
Oberhand 1850, *1*
Oberhand haben 669, *2*
Oberhaupt 671, *1*
Oberin 1047, *2*; 1140, *3*

Oberkellner 204, *3*
oberlehrerhaft 238, *2*
Oberlicht 1215, *5*
Oberschicht 1201;
    1387, *3*
oberschlau 1396, *2*
Oberschüler 1428, *1*
Oberstübchen 970, *1*
Oberstübchen, nicht
    richtig im 1778, *1*
Oberwasser 1850, *1*
Oberwasser haben
    761, *2*
obgleich 1202; 1608, *1*
Obhut 1248, *1*; 1461, *2*
Objekt 697, *1*
Objektangst 62, *6*
objektiv 735, *1*; 1358, *1*
Objektivität 736
obliegen 1135
Obliegenheit 120, *1*;
    383, *1*
obligat 1191, *1*
Obligationen 271, *3*
obligatorisch 751, *5*;
    1981, *2*
Obligo 342, *1*
Obolus 7; 677, *1*
Obrigkeit 1203
obschon 1202; 1608, *1*
observieren 247, *2*
obsessiv 1505, *2*
obsiegen 1394, *2*;
    1463, *2*
obskur 407, *4*; 1975, *3*
obsolet 1708
Obstgarten 680
obstinat 425
obszön 91, *3*
Obszönität 662, *2*
Obus 579, *4*
obwohl 1202; 1608, *1*
obzwar 1202
ochsen 1049, *1*
Odaliske 1280; 1471, *1*
öde 182; 574, *1*; 1017, *2*;
    1204; 1307, *5*; 1586, *2*;
    1654, *1*
Öde 42, *2*; 1014; **1205**;
    1324, *2*
öden, sich 1016, *2*
oder 1206
oder aber 1206
oder auch 1206
Odeur 108

odiös 1638, *3*
Odium 599, *5*
Ödland 1205, *4*
Odyssee 599, *3*
Œuvre 1046, *1*;
    1416, *2*
Ofen 845
ofenfrisch 1496, *1*
Ofenheizung 836
Ofenschirm 870, *7*
off limits 1722
offen 131; 369; 433, *2*;
    467, *2*; 644, *2*; 644, *3*;
    644, *4*; 1065, *3*; 1121;
    1159; **1207**; 1650, *3*;
    1674, *1*
offen lassen 152, *1*;
    172, *2*; 1019, *3*
offen legen 1208, *1*
offen stehen 88, *1*;
    1214, *4*
offen stehend 1207, *4*
offenbar 79; 945, *3*
offenbar werden 1208, *2*
offenbaren 162, *3*; **1208**;
    1730, *1*; 1774, *2*;
    1935, *3*
offenbaren, sich 1208
Offenbarung 1209;
    1840
Offenbarungseid 185
Offenheit 434, *1*;
    468, *2*; **1210**
offenherzig 1121;
    1207, *2*
Offenherzigkeit 1210, *1*
offenkundig 945, *3*;
    1460, *4*
Offenlegung 1209, *1*
offensichtlich 945, *3*
offensiv 37, *1*
Offensive 61, *1*
öffentlich 1211; 1244, *3*
öffentlich machen
    1774, *2*
öffentlich, nicht 745, *3*
öffentliche Einrichtung
    1227, *2*
Öffentlichkeit 1212
Öffentlichkeit, in aller
    1211, *1*
Öffentlichkeitsarbeit
    1898, *1*
öffentlichkeitswirksam
    262, *1*

P

Paar 1235, *4*; 1978, *2*
paar, ein 1894, *2*
paaren 1718, *2*
paarig 390
paarweise 390
Pack 753; 1295, *1*
Päckchen 1267, *3*
packen 60, *2*; 75, *2*;
219, *1*; 588, *1*; 674, *2*;
894, *1*; 1168, *1*; **1233**
Packen 1020, *1*; 1295, *1*
packen, bei der Ehre
1081, *3*
packen, beim Kragen
1233, *3*
packen, Chance beim
Schopfe 1196, *2*
packen, in Watte 1817, *1*
packen, Koffer 1233, *2*
packen, voll 237, *1*;
674, *2*
packend 130, *1*; 600, *2*;
892, *1*
Packmaterial 870, *1*
Packpapier 870, *1*
Packung 1295, *1*
Pädagoge 1035, *1*
pädagogisch 238, *2*
paddeln 300, *4*
paffen 1308
Page 826, *4*
Pagina 1540, *7*
paginieren 931, *3*;
1930, *1*
Paket 1267, *3*; 1295, *1*
Pakt 1737, *2*
paktieren 1718, *3*
Paladin 66, *2*
Palais 824, *1*
Palast 824, *1*
Palastrevolution 134, *2*
Palaver 277, *3*; 737, *2*
palavern 276, *3*;
1495, *3*; 1682, *3*
palen 1066, *10*
Palette 1827, *2*
paletti 768, *4*

Palimpsest 702, *1*
Pall-Mall 740, *5*
Pamphlet 989, *3*
pampig 642, *3*; 1662, *2*
Panama 971
Paneel 870, *3*
paneelieren 200; 676, *2*
Panik 62, *1*; 1669, *4*
Panikmache 1624, *2*
panisch 64, *1*; 1915, *2*
Panne 1116; 1368, *1*;
1781, *2*
Panoptikum 170, *3*
Panorama 165, *1*; 308, *1*
panschen 1740, *2*
Panscherei 1113, *1*
Pantheon 373; 657
Pantoffel, unter dem
1652, *3*
Pantoffelheld 603
Pantoffelkino 609, *1*
Pantomime 111, *2*
pantomimisch 1439, *2*
Panzer 870, *2*
Panzerschrank 921, *1*
Papa 1705, *2*
Papagallo 1075
Papagei 1141
Paper 796, *5*
Paperback 336, *2*
Papi 1705, *2*
Papier 870, *1*
Papier, auf dem 722, *5*
Papierbogen 1540, *7*
Papiergeld 712, *1*
Papierkram 634, *1*
Papierkrieg 634, *1*
Papiersack 870, *10*
Papiertiger 1436
Pappdeckel 870, *1*
Pappe 870, *1*
päppeln 676, *1*
pappen 210, *1*
Pappenstiel 951, *1*
Pappenstiel, für einen
312, *1*
Pappenstiel, kein
1824, *3*
pappig 1929, *3*
Pappkamerad 1807, *5*
pappsatt 1364, *1*
Papst 671, *6*
Parabel 308, *5*; 559, *2*;
1934, *1*
parabolisch 310, *2*

Parade 1286, *1*
Paradebeispiel 235
paradieren 1269, *1*;
1287, *1*
Paradies 1234
paradiesisch 781, *3*
Paradigma 235
paradox 24
Paragraph 750, *1*
Paragraphen, nach den
751, *3*
Paragraphenreiter
1239, *1*
parallel 504, *1*
Parallelaktion 1142, *1*
Parallele 505, *1*
Parallelismus 1617, *1*
Parallelität 1617, *1*
paralysieren 1434;
1680, *1*
Parameter 792, *1*
Paranoia 709
paranoid 708
paranoisch 708
Paraphe 279, *4*
paraphieren 278, *3*
Paraphierung 279, *4*
Parasit 1402, *2*
parat 254, *2*; 610, *3*;
1839, *1*
Paravent 870, *7*
Pärchen 1978, *2*
pardon 314, *2*
Pardon 495, *2*; 784, *1*
Parentel 1814, *1*
Parenthese 520, *4*
Parenthese, in 1167, *2*
parenthetisch 1167, *2*
Parfüm 108
parfümieren 1928, *1*
Paria 160, *2*; 1471, *1*
parieren 704, *1*; 1430, *3*;
1512, *3*
Parität 1617, *3*
paritätisch 775
Park 680
Parkanlage 680
parken 22, *3*
parkettsicher 744, *2*
Parklücke 1067, *2*
Parkverbot 1721, *2*
Parlamentarier 1807, *3*
Parlando 1851
parlieren 1682, *3*
Parochie 938, *5*

Parodie 1491, *4*
parodieren 1492, *3*
parodistisch 1493, *2*
Paroxysmus 549, *1*
Part 1347, *1*
Partei 1227, *2*
Parteibuch, richtiges
   1719, *3*
Parteifreund 652
Parteigänger 66, *2*
Parteigenosse 66, *2*
parteiisch 455, *1*; 1571;
   1657
Parteiklüngel 953
parteilich 1571
Parteiprogramm 529, *5*
Parteitag 1594, *2*
Parteiwechsel 1883, *2*
parterre 1678, *2*
Partie 578, *1*; 1295, *1*;
   1347, *1*; 1561, *1*
Partie, gute 1327, *1*
partiell 455, *2*; 1567
Partikel 192, *1*; 1561, *3*
partikular 205
Partikulation 18, *2*
Partisan 919, *5*
Partisanenkrieg 987, *2*
Partitur 1576
Partizipation 1563, *2*
partizipieren 1564, *1*
partizipieren lassen
   287
Partner 1235
Partnerarbeit 1963
Partnerlook 771, *2*
Partnerschaft 655, *1*;
   1719, *5*
partnerschaftlich 775
Partnerwechsel 1883, *2*
partout 1641, *1*
Partus 68, *2*; 687
Party 749, *2*
Partylöwe 1743, *1*
Parzelle 795; 1561, *1*
parzellieren 1562, *2*;
   1937, *1*
Parzen 1389, *1*
Pascha 1075
Pasquill 1491, *4*
Pass 279, *1*; 1215, *4*
passabel 1091, *2*; 1946
Passage 578, *3*; 740, *5*;
   1215, *4*; 1256, *3*;
   1561, *1*

Passagier 283, *2*;
   1332, *1*
Passagier, blinder
   1332, *1*
Passagierflugzeug 579, *7*
Passagierschiff 579, *6*
passé 1708; 1744
passen 122, *3*; 503, *3*;
   691, *1*; 1469, *4*;
   1593, *7*
passen zu 1508, *4*
passend 57, *1*; 86, *1*;
   504, *1*; 775; 803, *3*;
   1908; 1973, *1*
passend, genau 722, *6*
passend, nicht 1397, *2*
Passepartout 279, *1*
Passform haben, gute
   1469, *4*
passieren 216, *2*; **1236**;
   1938
passieren lassen 1236, *3*
passieren lassen, Revue
   526, *1*
passieren, etwas 1513, *4*
Passierschein 279, *1*
Passion 463, *4*; 549, *4*;
   1055, *2*
passioniert 548, *3*;
   829, *2*
Passionsspiel 1378, *1*
passiv 772, *2*; 1646, *1*;
   1676, *2*
Passiva 1424, *2*
Passivität 1355, *3*;
   1647, *2*; 1677, *2*
Passus 1561, *1*
Passwort 930, *5*
Pastell 308, *2*
pasteurisieren 522, *2*
Pastor 939, *1*
pastoral 600, *3*
Pate 338
patent 576, *1*
Patent 279, *1*; 1942, *1*
patentieren 1462, *2*
patentiert 1460, *5*
Paternoster 140, *1*;
   579, *9*
Pathetik 1624, *1*
pathetisch 600, *3*;
   1145, *2*
pathologisch 1237
Pathos 1144
Pathos, hohles 1256, *2*

Patient 1238
Patienten 1000, *2*
Patina 1186, *5*
Patriarch 45, *2*
Patriotismus 1163, *1*
Patriziat 36, *2*
Patron 1047, *2*
Patronage 1461, *2*
Patrone 994, *2*
Patrouille 1285, *2*
Patsche 1764, *1*
Patsche, in der 856, *2*
patschen 1394, *1*
patschnass 1162, *1*
patt 1650, *2*
Patt 1617, *3*
Pattern 1759, *1*
Patterndrill 1629
patzen 1252
Patzer 599, *1*; 1251
patzig 642, *3*; 1662, *2*
pauken 1034, *1*; 1049, *1*;
   1487, *3*; 1611
Pauker 1035, *1*
pauschal 679, *3*
Pauschale 1732, *1*
Pauschalurteil 1854
Pause 525, *1*; 810, *6*;
   1519; 1679, *1*
Pause machen 524, *1*
Pausenclown 1683, *2*
pausenlos 882, *1*
pausieren 441, *1*; 524, *1*;
   1356, *1*
Pavillon 740, *4*
Pay-TV 609, *2*
Pazifismus 656, *2*
pazifistisch 658, *1*
PC 352, *2*
Peanuts 1640
Pech 1116; 1368, *1*;
   1659; 1764, *1*
Pech haben 1369, *4*;
   1383, *2*
pechschwarz 407, *1*
Pechsträhne 1764, *1*
Pechvogel 1219, *2*
Pedant 1239
Pedanterie 1240
pedantisch 1017, *1*; **1241**
Pedicab 579, *8*
pediküren 1249, *5*
peelen 769, *3*
Peepshow 1459
peilen 1945, *1*

pfeifen 1465, 3; 1487, 3
Pfeifen 739, 1
pfeifen auf 1114, 2
pfeifen, aus dem letzten
Loch 122, 3
Pfeifenkopf 405, 1
Pfeil 930, 3
Pfeiler 613, 6; 810, 3
Pfennigfuchser 710
Pfennigfuchserei 1481
pferchen 391, 1
Pferd 1247
Pferdefuß 599, 2
Pferdestehlen, zum
654, 3
Pfiff 1598
Pfiff, mit 273, 3
Pfifferling 951, 1
pfiffig 835, 3; 1396, 1
Pfiffigkeit 743, 2
Pfiffikus 387, 2
pflanzen 560, 5
Pflanzenwelt 1164, 2
Pflanzung 190; 680
Pflaster 1500, 2
pflastern 179, 1; 769, 1
Pflaume 1782
pflaumenweich 1432, 1
Pflege 1248
pflegebedürftig 856, 1;
1042, 2
Pflegebedürftiger 1238
Pflegeeltern 464
Pflegefall 1238
Pflegekind 936, 2; 1431
pflegeleicht 57, 1; 433, 2
pflegeleicht, nicht
1441, 3
Pflegemutter 1140, 1
pflegen 560, 5; 873;
1249; 1789, 2
pflegen, sich 1249;
1413, 4
pflegen, Umgang
1634, 2
pflegen, zu tun 763, 2;
1249, 2
pflegend 757, 4
Pflegevater 1705, 1
pfleglich 1476, 1
Pflegling 1431
Pflicht 1192, 2; **1250**
pflichtbewusst 1971, 2
pflichtschuldigst 1653, 2
Pflichtteil 513, 1

pflichttreu 1971, 2
pflichtvergessen 1699, 2
Pflichtvergessenheit
1781, 1
Pflock 211, 2; 810, 3;
1785, 1
pflücken 546
pflügen 787, 1
Pforte 1215, 1
Pförtner 826, 5
Pfosten 810, 3
Pfote 778, 1; 1422, 1
Pfriem 211, 2
pfropfen 1952, 1
Pfropfen 1785, 1
pfropfen, voll 674, 2
Pfründe 1338, 1
Pfuhl 156, 3; 1406, 1;
1552, 1
Pfusch 1251
Pfuscharbeit 1251
pfuschen 1252
Pfuscher 384, 2
Pfuscherei 1251
Pfütze 760, 2
Phäake 726, 1
Phalanx 1329, 3
Phallus 778, 2
Phänomen 697, 1; 724, 1
Phänomen, unerklärli-
ches 702, 1
phänomenal 163, 1; 553
Phänotyp 1136, 4
Phantasie 1253; 1274, 1
Phantasie, ohne 1654, 2
phantasiebegabt 1231, 1
Phantasiebild 874, 3
Phantasiegebilde 880, 1
phantasielos 182;
1541, 3; 1654, 2
Phantasielosigkeit 183, 1
phantasieren 371, 2;
1040, 3; 1591, 2
phantasievoll 1231, 1;
1415
Phantasma 880, 1
Phantasmagorie 880, 1
phantasmagorisch
1254, 2
Phantast 876, 2
phantastisch 877, 2;
1254
Phantom 707, 3
Phantomschmerz 880, 1
Pharisäer 852

Pharisäertum 584, 2
pharisäisch 583, 4
Pharmakon 112, 1;
1098, 2
Pharmazeutikum
1098, 2
Phase 1936, 1
philantropisch 1104, 1
Philippika 1385, 1
Philister 340, 3; 1239, 2
philisterhaft 341, 3;
1241, 3
Philistertum 1240, 3
philiströs 341, 3; 480, 2;
1241, 3
Philosoph 372
philosophieren 371, 2
Phlegma 1255; 1355, 3;
1647, 2; 1677, 2
Phlegmatiker 1255
phlegmatisch 772, 3;
1357, 3; 1541, 3;
1676, 2
Phobie 62, 6
phobisch 64, 1
Phobophobie 62, 6
phosphoreszieren
1381, 4
Phrase 183, 1; **1256**
Phrasendrescher 1436
Phrasendrescherei
737, 2
phrasenhaft 182
phrasenlos 945, 2
phrasieren 1226, 2
Phrenesie 709
Phylogenese 511, 4
Physiognomie 147, 2;
752, 1
Physis 973, 1
physisch 1228, 1
pianissimo 1044
Pianist 1134, 2
piano 1044
Piazza 1119, 2
picheln 1601, 2
picken 566, 3
Picknick 1080, 8
picobello 1365, 1
Piedestal 796, 1
pieken 1409, 4
pieksauber 1365, 1
piepe 772, 5
piepen 1465, 3
Piepen 712, 3

piepsen 629; 1585, *2*
Piepsen 734, *2*
piepsig 410, *3*
piesacken 1242, *1*
pieseln 155
Pietät 1961, *1*
pietätlos 1556
pietätvoll 1960, *2*
Pigmentierung 589, *1*
Pik 767, *1*
pikant 91, *1*; 100, *2*; 109;
844, *2*
Pikanterie 662, *1*; 979
Pike auf, von der 722, *3*
pikieren 198, *3*
pikiert 322, *2*
Piktogramm 930, *3*
Pilaster 810, *3*
Pilger 1332, *1*
pilgern 1331, *1*; 1871
Pille 112, *2*
Pille, bittere 508
Pilotfilm 1795, *2*;
1898, *3*
PIN 930, *5*
Pinakothek 1362, *2*
pingelig 722, *1*; 1241, *1*
pinkeln 155
pinnig 1241, *1*
Pinnwand 97, *3*; 1818, *2*
Pinsel 405, *3*
pinselig 1241, *1*
pinseln 590, *2*; 1421, *4*
Pinselstrich 1518, *1*
Pinsler 1083, *2*
Pinte 681, *1*
Pinzette 812, *1*
Pionier 1257
Pipeline 1048, *3*
Pirat 2
Pirouette 396, *1*
Pirsch 904
pirschen 851, *1*
pischern 155
Pisse 156, *1*
pissen 155
Pissoir 1583, *1*
Piste 1888, *2*
Pistolenkugel 994, *2*
pittoresk 78, *2*
Pizzeria 681, *1*
PKW 579, *2*
placken 1242, *1*
placken, sich 92, *3*;
539, *2*

Plackerei 1020, *2*
pladdern 1325
plädieren 501, *3*
plädieren für 215
Plage 105, *3*; 1020, *2*;
1041, *1*; 1403, *2*; 1659
Plagegeist 1524
plagen 539, *1*; 1242, *1*
plagen, sich 92, *3*;
1049, *1*
Plagiat 1142, *1*
Plagiator 1141
plagiatorisch 1654, *2*
plagiieren 881, *3*
Plakat 97, *3*
plakatieren 1774, *2*
plakativ 1913, *2*
Plakette 350, *1*; 930, *3*
plan 768, *1*
Plan 671, *5*; 779; 878, *1*;
965, *2*; 1136, *3*; **1258**;
1818, *2*; 1907, *1*
Plan machen 1259, *1*
Plan, nach 1260, *1*
Plänemachen 1258, *4*
planen 964, *1*; 1229, *1*;
1259
Planen 1258, *4*
Planer 672
Planet 1514
plangemäß 1260, *2*
planieren 179, *1*
Planke 331, *1*
Plänkelei 1055, *4*
plänkeln 1742
planlos 1668, *2*; 1696, *2*
Planlosigkeit 1669, *1*
planmäßig 731, *3*; **1260**;
1468, *3*
Planmäßigkeit 1553, *2*
planschen 1325; 1442, *1*
Planspiel 1258, *2*
Plantage 190
Planung 1048, *1*;
1258, *4*; 1836, *1*
planvoll 1260, *1*;
1468, *3*; 1555, *1*;
1973, *2*
plapperhaft 253, *2*
plappern 1495, *3*
plapprig 1121
plärren 944, *3*; 1465, *2*
Pläsier 650, *2*; 1684, *2*
pläsierlich 835, *2*
Plastik 1472

Plastikbeutel 870, *10*
Plastiker 309
Plastikgeld 712, *1*
Plastiktüte 870, *10*
plastisch 78, *1*; **1261**
Plastizität 589, *2*; 623, *1*
Plateau 620, *1*
Platin 976, *2*
platinblond 839, *6*
platonisch 934
plätschern 625; 1325
platt 182; 768, *1*; 941;
1505, *3*
Platt 1494, *4*
platt machen 857, *3*
Plättchen 350, *2*
Platte 331, *1*; 845;
1785, *1*
plätten 769, *2*
Plattensammlung
1362, *2*
Plattform 620, *1*; 796, *1*;
1212, *1*; 1232, *3*;
1301, *2*
Plattheit 183, *1*; 620, *2*;
940, *1*
Plattitüde 183, *1*;
1256, *1*
Plattkopf 405, *1*
Platz 101, *2*; 685, *1*;
685, *3*; 1232, *2*;
1302, *1*; 1309, *2*
Platz machen 172, *1*;
1030, *1*
Platz, alles am rechten
1225, *1*
Platz, unbesetzter
1067, *2*
Platz, voll bis auf den
letzten 1828, *2*
Platzangst 62, *6*; 481, *2*
Platzanweisung 1302, *1*
Platze, am 699, *3*
platzen 1214, *3*; **1262**;
1383, *1*; 1391, *2*
platzen vor 1828, *2*
platzen, vor Neid 1170
Platzen, zum 1828, *2*
Platzhalter 1807, *2*
Platzhirsch 95, *2*
platzieren 22, *3*; 1512, *1*
Platzierung 1302, *1*
Platzmangel 481, *1*
Platzmieter 1000, *3*
platzraubend 1661, *2*

Platzregen 1186, *1*
Platzverweis 1721, *2*
Plauderei 1684, *1*
Plauderer 927
plauderhaft 253, *2*;
  1121
Plauderhaftigkeit
  1210, *2*
plaudern 1495, *3*;
  1682, *3*
plaudern, aus der Schule
  1777
Plaudertasche 1436
Plausch 1684, *1*
plausibel 1791, *1*
Plausibilität 1792
Plautze 673, *2*
Plauze 439
Playback 1559, *2*
Playboy 1743, *1*
Playgirl 1743, *2*
Playmate 1743, *2*
Plaza 1119, *2*
Plazet 532, *1*
Plebiszit 1862, *2*
Plebs 753
pleite 107, *1*
Pleite 185; 508; 1116;
  1368, *1*; 1941, *1*
Pleite machen 1940, *11*
Plenum 38, *1*
Pleonasmus 1617, *6*
Pli 1759, *2*
Plissee 585, *1*
plissieren 586, *2*
plissiert 587, *1*
Plombe 930, *3*; 1785, *2*
plombieren 543, *2*;
  674, *1*; 1399, *2*
plombiert 745, *2*
Plörre 759, *1*
Plot 697, *3*
plotten 359, *1*
plötzlich 1263
pluderig 587, *1*
Plumeau 870, *9*
plump 822, *1*; **1264**;
  1556
Plumpheit 599, *4*
Plumps 580, *1*
plumpsen 581, *1*
Plunder 5, *2*
plündern 1168, *3*
Pluralität 1827, *1*
plus 117, *3*; 453

Plus 1195, *2*; 1850, *1*;
  1858, *2*
Plutokrat 1687, *3*
Po 1350
Pöbel 753
Pöbelei 240
pöbelhaft 91, *4*
Pöbelhaftigkeit 662, *3*
pochen 1018, *2*; 1404, *1*
Pochen 734, *2*
pochen auf 195, *1*
Pocketkamera 916, *1*
Podium 1377
Poesie 1061
poesielos 182; 1358, *2*
Poet 1423
poetisch 1265; 1415
pofen 1392, *2*
Pogrom 367
Pointe 823
pointieren 241, *2*;
  1730, *1*
pointiert 1145, *1*
Pokal 1270, *4*
Poker 783
Pol 823
polar 695, *3*; 914, *1*
polarisiert 695, *3*
Polarität 694, *1*; 1978, *3*
Polarlicht 1514
Polaroidkamera 916, *1*
Polemik 240; 989, *3*;
  1534, *2*
polemisch 31, *3*
polemisieren 1535, *2*
Polente 1266, *2*
Polier 1047, *2*
polieren 769, *3*
poliert 768, *2*
Poliklinik 983
Politbarometer 1632
Politesse 133, *2*
Politgangster 849
Political Correctness
  1617, *5*
Politik, feministische
  608
Politiker 387, *2*
Politikum 742, *3*
politisieren 276, *3*
Polizei 1266
Polizeibeamter 1266, *1*
Polizeibehörde 1266, *2*
Polizeihund 871
Polizeikräfte 1266, *2*

Polizeirevier 1266, *2*
Polizeiwache 1266, *2*
Polizist 133, *2*; 1266, *1*
Poller 211, *2*
Polstermöbel 1470, *2*
polstern 597, *3*; 676, *2*
Polsterstuhl 1470, *1*
Polsterung 870, *3*
Polterer 1272, *2*
poltern 1018, *1*; 1391, *2*
Poltern 734, *2*
polternd 1022
polychrom 591, *1*
Polyp 1266, *1*
polyphon 819, *1*; 1784, *2*
Polysemie 1825
polyvalent 369
pomadig 1015, *1*
Pomp 137, *2*; 1286, *1*
pompös 1268; 1507, *1*
Pony 1247
Popanz 1386
Pope 939, *1*
Popgeneration 908, *2*;
  1546, *2*
Popgruppe 800, *4*
Popmusik 1133, *3*
Popo 1350
Poppers 1311; 1546, *2*
poppig 591, *1*
Popsänger 1363, *1*
Popstar 1501, *1*
populär 243, *1*; 262, *1*;
  1791, *1*
popularisieren 1738
Popularisierung 1739
Popularität 716, *3*
Population 297
Populismus 367
Populist 366
populistisch 368
Pore 1215, *3*
Pornographie 662, *2*
pornographisch 91, *3*
pornophil 1074
Pornophilie 1073, *3*
porös 1065, *2*
Portable 609, *1*
Portal 1215, *1*
Portemonnaie 921, *3*
Portfolio 171, *2*
Portier 826, *5*
Portiere 870, *6*
Portion 1295, *2*; 1561, *1*
portionenweise 1015, *2*

Porträt 308, *2*
porträtieren 1, *2*; 359, *1*
Porträtist 1083, *1*
posaunen 316, *2*; 1487, 3
Posaunist 1134, *2*
Pose 1759, 3
posieren 1269, *1*
Position 101, *2*; 1010, *1*; 1232, 3; 1302, *1*
positiv 803, *2*; 1036, *4*; 1224; 1970
Positiv 618, *2*
Positur 1759, 3
Posse 960
Possen 1675, *1*
possenhaft 835, *4*
Possenreißer 1384, *1*
Possenspiel 960
possierlich 835, *4*
Post 332; **1267**
Post, elektronische 966, 3; 1267, *4*
Post, mit gleicher 48
Postament 796, *1*
Postamt 1267, *1*
Postbote 1614, *1*
Postbus 579, *4*
Postdienststelle 1267, *1*
Posteingang 1267, *2*
Posten 101, *2*; 1102, *1*; 1295, *1*
Posten bleiben, auf dem 226, *2*
Posten, auf dem 757, *1*
Posten, immer auf dem 1557, *1*
Postenjäger 1530
Poster 97, 3; 308, 3
Postgeheimnis 702, *2*
Postgut 1267, *2*
postieren 1226, 3; 1512, *1*
Postsendung 1267, *2*
Postskriptum 520, *2*
Poststelle 1267, *1*
Postulat 798, *2*
postulieren 195, *1*
postum 1482, 3
postwendend 771, 3; 1290, *2*
potent 1077, *2*
Potentat 849
Potential 577; 980, *1*; 1274, *2*
Potentialität 1129

potentiell 1128, *1*
Potenz 577; 980, *1*; 1076, *1*; 1274, *2*
potenzieren 1930, *1*
potenzieren, sich 1510, 3
Potenzierung 1511, 3
Potpourri 1113, 3
potthässlich 822, *1*
Power 478, *1*
PR 1898, *1*
Präambel 438, *1*
Pracht 1286, *2*; 1414, *1*
Prachtentfaltung 1286, *1*
prächtig 1268
Prachtstraße 1528
Prachtstück 976, *1*
prachtvoll 1268
Prädestination 1389, *2*
prädestiniert 1390
prädestiniert für 576, *1*
Prädikat 1701, *1*
prädisponiert 471, *2*
Prädisposition 472, *1*
Präferenz 1858, *1*
prägen 447, *2*; 756; 931, 3
Pragmatiker 1223; 1315
pragmatisch 1358, *2*
prägnant 78, *1*; 348, *2*; 378, *2*; 722, *2*; 1005, 3
Prägnanz 947, *2*; 1006, *1*
Prägung 632, *2*
Prähistorie 1745
prahlen 1269
Prahlerei 460, *1*
prahlerisch 459, *2*
Prahlhans 1436
Präjudiz 1854
präjudizieren 93
praktikabel 1128, *1*; 1973, *1*
praktikabel, nicht 1665
Praktikant 1428, *4*
Praktiken, magische 701
Praktiken, mystische 701
Praktiker 573
Praktikum 1033, *2*
praktisch 57, *1*; 576, *1*; 744, *1*; 1655, *1*; 1973, *1*
praktizieren 1815, *1*
Präliminarien 438, *1*
prall 78, *2*; 381, *1*; 1026, *4*; 1359, *1*
prallen 597, *1*

präludieren 437, *2*
Präludium 438, *1*
Prämie 677, *2*; 1957
prämiieren 174, *1*
prämiiert 149, *2*
Prämisse 207, *1*; 859, 3; 1834
prangen 1287, *2*
prangend 1268
Pranke 778, *1*
Präparat 112, *1*; 562; 1098, *2*
präparieren 522, *2*; 538, *2*; 1835, *2*
präparieren, sich 1049, *1*
präpariert 363, 3
Präpotenz 643, *2*
präsent 125, *1*; 699, 3; 1839, *2*
Präsent 677, *2*
präsent sein 526, 5
Präsentation 1848, *1*
präsentieren 802, *2*; 1847, *1*; 1935, *2*
Präsenz 698, *2*
Präsenzbibliothek 306
Präsident 849
präsidieren 669, *1*
prasseln 1325; 1585, *2*
Prasseln 734, *2*
prasselt nur so, es 1824, *1*
Prasser 726, 3
Prasserei 711; 730, *2*
prasserisch 727; 1093, 3
präsumieren 1772, *2*
Prätendent 95, *2*
prätendieren 195, *1*
prätentiös 84, *2*; 766
präventiv 1846, *4*
Praxis 326, *2*; 517, *2*; 611; 740, 3
Praxis, in der 1841, *1*
praxisfern 1603, 3
praxisnah 78, *2*
Präzedenzfall 235
Präzeptor 1035, *1*
präzis 378, *2*; 722, *2*; 945, *2*; 1005, 3
präzisieren 614, *2*; 1730, *1*
Präzisierung 1739
Präzision 1006, *1*; 1475, *1*

Präzisionsarbeit 1294, *3*
predigen 1081, *3*
predigen, tauben Ohren
  1383, *6*
predigen, unermüdlich
  447, *1*
Prediger 939, *1*
Predigt 1082, *4*; 1851
Preis 677, *2*; 1062, *2*;
  1270
Preis haben 977, *1*
Preis, um jeden 1641, *1*
Preisempfehlung 1270, *3*
preisen 288; 420, *1*;
  469, *1*; 1063, *1*
preisen, sich glücklich
  357, *2*; 781, *5*
Preiserhöhung 1511, *2*
Preisgabe 120, *5*
preisgeben 1220, *1*;
  1220, *3*
preisgeben, der Lächer-
  lichkeit 1492, *2*
preisgeben, sich 319, *1*
preisgegeben 856, *3*
preisgekrönt 149, *2*
Preisgekrönter 1464, *1*
Preisgericht 911, *1*
preisgünstig 312, *1*
preiskrönen 174, *1*
Preislage 1294, *2*
Preisrichter 911, *2*
Preisrichterkollegium
  911, *1*
Preissteigerung 1511, *2*
Preisträger 1464, *1*
Preistreiberei 1511, *2*
preiswert 312, *1*; 803, *3*
preiswürdig 149, *2*
prekär 1243, *2*
Prellbock 1807, *5*
prellen 293, *1*; 1114, *1*
prellen, Zeche 293, *4*
Preller 294, *2*
Prellung 1924
Premiere 51, *2*
preschen 428, *1*
pressant 429, *3*
Presse 1271
Presse, gute 243, *3*
Presseecho 1271, *3*
Pressefreiheit 645, *1*
pressen 391, *1*; 402, *2*;
  447, *2*
pressen zu 1980, *1*

Presserummel 1271, *3*
Pressesprecher 260, *3*
Pressestelle 260, *3*
Pressewesen 1271, *1*
pressieren 428, *3*
Pression 1972, *1*
Prestige 716, *2*
Prestigeverlust 1348, *3*
Prêt-à-porter 1125, *2*
Pretiosen 976, *2*; 1291, *1*
Preview 1795, *2*
prickeln 330, *3*; 907, *1*;
  1376, *1*
prickelnd 76, *2*; 100, *2*;
  844, *2*
Priester 939, *1*
Priesterschaft 938, *4*
Priesterstand 938, *4*
prima 149, *1*; 554;
  804, *2*
prima vista 1696, *3*
Primaballerina 1501, *1*
Primadonna 1501, *1*
primär 53, *1*
Primärwirt 1916, *2*
Primat 1858, *1*
primitiv 312, *3*; 406, *3*;
  433, *3*
Primitivität 434, *4*;
  1647, *4*
Primitivling 1272
Primus 1530
Printmedien 1097;
  1271, *2*
Prinzessin auf der Erbse
  471, *4*
Prinzip 750, *2*; 798, *2*;
  1322, *1*
Prinzipal 671, *6*
prinzipiell 799
prinzipienlos 754
Prinzipienlosigkeit 755
Prinzipienreiter 1239, *1*
Priorität 1858, *1*
Prise 951, *2*
Pritsche 295
privat 745, *3*; 1244, *3*
Privatbank 184, *2*
privatim 1244, *3*; 1802
privatisieren 17, *2*
Privatsammlung 1362, *2*
Privatsender 609, *2*
Privatsphäre 824, *2*
Privileg 532, *2*; 1318, *4*;
  1858, *1*

privilegieren 298, *3*;
  531, *2*
privilegiert 252, *2*
pro forma 1380
pro loco 1506
Pro und Contra 1974, *3*
probat 299; 1913, *1*
Probe 569; 1136, *2*;
  1285, *3*; 1629; 1795, *1*
Probe, auf 1853, *2*
Probedruck 1812, *1*
proben 1611
probeweise 1853, *2*
Probezeit 1822, *3*
probieren 977, *2*;
  1284, *2*; 1611; 1796, *1*
Problem 120, *4*; 580, *2*;
  638, *4*; 697, *2*; 1764, *1*
Problem, juristisches
  1283, *1*
problematisch 1273;
  1441, *2*; 1975, *2*
Problemlösung 636, *2*
Problemstellung 638, *4*;
  697, *2*
Problemstoffe 5, *1*
Producer 1687, *1*
Produkt 518, *5*; 562;
  1046, *1*
Produktanalyse 1087
Produktion 563, *2*
Produktionskosten
  978, *2*
Produktionsprozess
  1283, *3*
produktiv 664; 1415
Produktivität 1274
Produktivkraft 1274, *2*
Produktplatzierung
  1898, *5*
Produzent 561; 1687, *1*
produzieren 102, *3*;
  560, *3*
produzieren, sich 359, *3*
profan 182
profanieren 509, *3*
Profanierung 183, *1*
Profanität 183, *1*
Profession 101, *2*
professionell 572, *2*; 959
Professor 1035, *1*
professoral 238, *2*
Profi 573; 1489
Profil 159; 424, *1*;
  1058, *2*; 1302, *1*

profilieren 1730, *1*
profilieren, sich 174, *2*;
861, *2*
profiliert 378, *2*
Profilierungssucht
460, *2*
profilierungssüchtig 421
Profilneurose 460, *2*
Profisport 1488
Profit 1195, *1*; 1732, *2*;
1850, *2*
Profit machen 761, *1*
Profitgeier 1275
profitieren 761, *1*;
1196, *2*; 1731, *1*
profitorientiert 959
profund 722, *3*; 1580
Prognose 1840
Programm 352, *1*;
529, *5*; 1258, *1*;
1258, *5*; 1553, *2*
programmgemäß
1260, *2*
programmieren 208;
1835, *4*
Programmiersprache
1494, *5*
programmmäßig 1260, *1*
Progress 637
Progression 637; 1511, *4*
progressistisch 670, *2*
progressiv 670, *2*; 1958
Prohibition 1721, *2*
Projekt 1258, *1*
Projektforschung 636, *3*
Projektgruppe 800, *2*
projektieren 1259, *1*
Projektil 994, *2*
Projektion 308, *3*
Projektmanagement
1048, *1*
Projektstudium 1033, *2*
projizieren 1, *3*; 1622, *5*;
1740, *1*
Proklamation 1122
proklamieren 1120, *4*;
1774, *2*
Prokura 532, *2*; 1808
Prokurator 1807, *2*
Prokurist 1047, *2*;
1807, *2*
Proll 1272, *1*
Prolo 1272, *1*
Prolog 438, *1*
prolongieren 1542

Promenade 1528
Promenadenhengst 1545
Promenadenmischung
871; 1113, *1*
promenieren 703, *2*
prominent 262, *2*;
791, *4*; 1900, *3*
Prominente(r) 1501, *2*
prominentengeil 218, *4*
Prominenz 202, *2*;
1201, *3*
Promis 1201, *3*
promoten 437, *1*;
1896, *3*
Promotion 1898, *1*
prompt 1290, *2*; 1410, *1*
Proms 1201, *3*
prononciert 1145, *1*
Propaganda 1898, *1*
Propagandafeldzug
1898, *2*
propagieren 437, *1*;
1896, *1*
proper 100, *3*; 869;
1365, *1*
Prophet 1276
Prophetie 1840
prophetisch 1277
prophezeien 93; **1278**
Prophezeiung 1840
prophylaktisch 1846, *4*
Prophylaxe 1461, *3*
Proportion 632, *4*;
1089, *4*
Proportion, gute 818, *2*
proportional 504, *1*
Proportionen 746, *1*
prosaisch 182; 1358, *2*
Prosaist 1423
Prosaschriftsteller 1423
Proselyt 66, *2*
Prospekt 859, *1*; 1898, *3*
prosperieren 510, *4*
Prosperität 132
prostituieren, sich
319, *1*; **1279**
Prostituierte 1280
Prostituierter 1281
Prostitution 1282
Protagonist 1347, *1*
Protegé 1431
protegieren 179, *2*;
298, *1*; 538, *2*; 1430, *2*
Protektion 1461, *2*
Protektor 1095

Protest 1901, *2*
Protestaktion 370, *1*
Protestbewegung
1546, *1*
protestieren 30, *3*;
124, *2*; 557, *2*
Protestkundgebung
370, *1*
Protestmarsch 370, *1*
Protestversammlung
370, *1*
Prothese 550, *3*
Protokoll 326, *3*; 1187, *2*
protokollarisch 1213, *3*
protokollieren 127, *5*
protzen 1269, *1*;
1623, *5*
Protzerei 460, *1*
protzig 1268
Proviant 542, *1*
Providenz 1389, *2*
Provinzialität 481, *5*
provinziell 480, *2*
Provinzstadt 1500, *1*
Provision 1732, *1*
provisorisch 1838;
1853, *2*
Provisorium 550, *1*;
1679, *2*
provokant 37, *1*; 842
Provokation 843, *1*
provokativ 37, *1*; 842
provokatorisch 842
provozieren 1334, *2*
provozierend 37, *1*
Prozedur 1283, *2*
Prozess 511, *1*; **1283**
Prozess machen 944, *2*
Prozess machen, kurzen
412
Prozesshansel 1272, *2*
prozessieren 944, *2*;
1535, *2*
Prozession 1329, *3*
prüde 328, *3*; 1496, *3*
Prüderie 1537, *3*
prüfen 12, *4*; 80, *1*;
276, *1*; 371, *2*; 639, *2*;
1137, *2*; **1284**; 1375, *2*;
1796, *1*
prüfen an 1755, *1*
prüfen, auf Herz und
Nieren 1284, *1*
prüfen, auf Tauglichkeit
1284, *1*

Q

quabbelig 1891, *4*
Quacksalber 294, *3*;
 384, *2*
quacksalbern 1252
Quadratschädel 405, *1*
Quadratur des Kreises
 1666
quaken 1585, *3*
quäken 944, *3*
quäkend 1307, *3*
Qual 1020, *2*; 1403, *2*
Qualen 1041, *1*
quälen 237, 5; 1242, *7*;
 1404, *1*
quälen, sich 63, *2*; 92, *3*;
 1040, *4*
quälend 1293
Quäler 186
Quälerei 335; 1403, *2*
Quälgeist 1524
Qualifikation 229, *2*;
 577
qualifizieren 931, *1*
qualifizieren, sich
 1049, *1*
qualifiziert 516, *1*;
 572, *2*; 576, *1*; 981, *1*
Qualität 110, *1*; 424, *2*;
 1294; 1858, *2*; 1899, *1*
Qualität, erste 554
Qualitätsarbeit 1294, *3*
Qualitätsgefühl 746, *1*
qualitätsvoll 363, *1*;
 414, *2*
Qualitätsware 1294, *3*
quallig 1891, *4*
Qualm 353, *1*
qualmen 354; 1308
qualvoll 1660, *4*

Quant 1561, *3*
Quäntchen 951, *2*
Quantität 1102, *1*;
 1295, *2*
Quantum 1102, *1*; **1295**
Quarantäne 18, *1*
Quark 951, *1*; 1561, *3*
quarren 1585, *3*
Quartalssäufer 1602
Quartier 1500, *3*;
 1920, *1*
Quartiermacher 66, *2*
quasi 310, *3*; 774
quasselig 1121
quasseln 1495, *3*
Quasselstrippe 1436
Quaste 1291, *4*
Quatsch 1675, *1*
Quatsch machen
 1682, *4*
quatschen 1495, *3*;
 1682, *3*
quatschen, voll 1627, *1*
Quatscherei 737, *1*
quatschig 1891, *4*
Quatschkopf 405, *1*
Quecksilber 1672, *3*
quecksilbrig 1026, *3*;
 1672, *1*
Quell 1296, *1*
Quelle 51, *1*; 760, *1*;
 1296
Quelle, aus erster
 1664, *1*
Quelle, aus sicherer
 1460, *4*
quellen 625; **1297**
quellend 1026, *4*;
 1327, *4*; 1906, *4*
Quellengöttin 707, *4*
Quengelei 943, *2*
quengelig 1117
quengeln 196; 944, *3*
Quengler 1239, *1*
quer 1199, *3*; 1417, *1*
quer schießen 1523, *2*
querbeet 1417, *4*

Querdenker 1257, *2*
querdenkerisch 467, *2*;
 842; 1784, *3*
Querele 1534, *1*
queren 1298
querfeldein 1417, *4*;
 1664, *2*
Querkopf 1272, *3*
querköpfig 425
querlesen 1050, *1*
Querschnitt 1299;
 1613, *1*
Querulant 990, *2*
Quetsche 1427, *1*
quetschen 391, *1*; 402, *2*
Quetschung 1924
quick 1026, *3*
Quickie 1055, *3*
quicklebendig 1026, *3*
quieken 1585, *3*
quieksen 1585, *3*
quietschen 1585, *2*
Quietschen 734, *2*
quinkelieren 1465, *3*
Quinquilieren 734, 5
Quintessenz 567, *1*; 823;
 1299, *2*; 1400, *4*
Quirl 1672, *3*
quirlen 1585, *4*
quirlend 1906, *4*
quirlig 1026, *3*
Quisling 377
Quisquilien 951, *1*
quitt 534, *1*; 768, *4*
quittieren 278, *1*;
 1751, *1*
quittieren, Dienst
 998, *1*
Quittung 279, *2*; 1752, *1*
Quivive sein, auf dem
 392
Quivive, auf dem 125, *1*;
 1846, *3*
Quiz 783
Quizshow 1459
Quodlibet 1113, *3*
Quote 1295, *2*

R

Rabauke 1272, 2
Rabbi 939, 1
Rabbiner 939, 1
Rabe, weißer 424, 3
rabenschwarz 407, 1
rabiat 322, 1; 334
Rabulist 1239, 1
Rabulistik 1240, 2
rabulistisch 1241, 2
Race 962, 2
Rache 1752, 1
rachedurstig 1152
Rachefeldzug 1752, 1
rachegierig 1152
rächen 1751, 1
Rachgier 606
Rachsucht 606
rachsüchtig 1152
Racker 1384, 2
Rad 579, 2
Rad ab, ein 1778, 1
Rad fahren 300, 4
Radau 734, 3; 1018, 1
radebrechen 1495, 3
radeln 300, 4
Rädelsführer 671, 2
Radfahrer 1221; 1530
Radiator 836
Radierung 308, 2
radikal 679, 2; **1300**;
    1913, 2
Radikalinski 1436
Radikalität 830
Radius 317; 1058, 1
radizieren 1930, 1
raffeln 1326, 2; 1938
raffen 586, 2; 827, 1
Raffgier 1762, 3
raffgierig 808
Raffinement 607, 2
Raffinesse 607, 2; 743, 2
raffinieren 198, 4;
    946, 3
raffiniert 84, 1; 100, 2;
    416, 1; 1365, 2;
    1396, 1; 1555, 2
Raffinierung 1330, 2

Rage 105, 2
ragen 1508, 2
ragend 732, 2
ragend, hoch 862, 3
Ragout 1113, 3
rahmen 1633, 1
Rahmen 859, 1; **1301**
Rahmen, im 678, 1
Rain 5, 4
Rallye 962, 2
Rambo 982
Rampenlicht 1052, 2;
    1212, 3
Rampenlicht, im 1211, 1
ramponieren 264
ramponiert 265, 1
Ramsch 5, 2; 940, 1
ramschen 924, 2
Ranch 190
Rancher 189, 1
Rand 790; 1131; 1630
Rand und Band, außer
    835, 3
Randale 134, 3
randalieren 1018, 1
Randbemerkung 164, 2;
    520, 2
Rande des Abgrunds, am
    690, 1
Rande, am 1130, 2;
    1167, 1
rändern 1633, 1
Randerscheinung 520, 6
Randexistenz 160, 2
Randfigur 520, 6
Randgebiet 1500, 4
Randnote 520, 2
Randseiter 160, 1
randvoll 1828, 1
Rang 202, 3; 716, 1;
    788; 1294, 2; **1302**;
    1926, 2
Range 910, 2
Rangerhöhung 135, 1
Rangfolge 1303
ranggleich 775
rangieren 300, 3
Rangordnung 1303
Rangstufe 1302, 1
Rangtabelle 1303
ranhalten, sich 392
rank 732, 1
rank und schlank 410, 2
Ränke 898; 1060, 2
Ränkeschmied 897

Ränkespiel 898
ränkesüchtig 323, 1
Ranking 1303
Ranküne 606; 898
Ranzen 223; 673, 2
ranzig 1397, 3
ranzig werden 1729, 1
rapid 1410, 1
Rappe 1247
Rappel 143, 2; 424, 4;
    1779, 1
rappeln 1018, 2; 1527
rappelvoll 1828, 2
Rapport 258, 1; 1851
rapportieren 259
Raptus 143, 2
rar 975; 1457, 1
Rarissima 976, 1
Rarität 976, 1
Raritätensammlung
    1362, 2
rasant 1410, 1
Rasanz 427, 2
rasch 301, 1; 1290, 2;
    1410, 1
rasch machen 428, 2
rascheln 316, 1; 629;
    1585, 2
Rascheln 734, 2
Raschheit 427, 2
rasen 316, 1; 428, 1;
    1391, 1
Rasen 685, 3
rasend 548, 3; 829, 3;
    1906, 1
rasend machen 106, 1
Raserei 105, 2; 143, 2;
    427, 2; 830
rasieren 769, 3; 1249, 5
räsonieren 1554, 2
raspeln 1326, 2; 1938
raspeln, Süßholz 1401
Rasse 110, 2
Rassehund 871
rasseln 1018, 2
Rasseln 734, 2
rasseln, mit dem Säbel
    398, 3
Rassentrennung 389, 2
rassig 416, 1
Rassismus 389, 2;
    1163, 2
rassistisch 388
Rast 524, 1; 525, 1
rasten 524, 1; 1356, 1

Raster 1539
Rasthaus 681, 2
rastlos 423; 429, 1; 621;
   1557, 1; 1600, 2;
   1672, 1
Rastlosigkeit 427, 1
Raststätte 681, 2
Rat 77, 1; 96, 1; 470;
   911, 1; **1304**; 1844
Rate 1295, 2; 1931, 3
raten 1066, 3; **1305**;
   1845, 2
Raten, in 1015, 2
Ratenkauf 923
ratenweise 1015, 2
Ratenzahlung 1931, 3
Ratespiel 1684, 5
Ratgeber 671, 5; 1032
ratifizieren 278, 3;
   1969, 2
Ratifizierung 279, 4
Ratio 1790, 1
Ration 1295, 2
Ration, eiserne 550, 1;
   1011, 2
rational 1260, 1;
   1358, 2; 1773, 3
rationalisieren 1306;
   1734, 2
Rationalisierung 454, 1
Rationalist 1315
rationell 1197, 2;
   1480, 2; 1973, 2
rationieren 1479, 3;
   1562, 2
rätlich 803, 1
ratlos 856, 2; 1763, 1;
   1915, 2; 1979
ratlos sein 1521, 3
Ratlosigkeit 1764, 1
ratsam 803, 1; 1197, 3;
   1468, 1; 1973, 3
ratschen 1682, 3
Ratschlag 1033, 3;
   1304, 1; 1844
Ratschluss 500, 1
Rätsel 120, 4; 702, 1
rätselhaft 407, 4;
   1693, 1
Rätselhaftigkeit 408, 3
rätseln 1305, 2
Ratsversammlung
   1304, 2
Rattenfänger 294, 3
Rattenschwanz 630, 3

rattern 1018, 2
ratzen 1392, 2
rau 376, 2; 820, 3;
   1307; 1373, 2; 1496, 2
Raubbau 154, 2
Raubdruck 972, 2
Raubein 1272, 1
raubeinig 376, 2
Raubeinigkeit 643, 2
rauben 1168, 2
rauben, Hoffnung 496
Räuber 1726, 2
Räuberpistole 1071, 4
Raubkopie 972, 2
Raubmord 1725
Raubmörder 1726, 2
Rauch 353, 1
rauchen 354; **1308**
rauchen, Friedenspfeife
   261, 3
Raucher sein 1308
räuchern 522, 2; 1308
Rauchfahne 353, 1;
   1498, 1
Rauchwolken 353, 1
räudig 1307, 2
rauen 1326, 4
Raufbold 1272, 2
raufen, Haare 1823, 2
raufen, sich 1394, 2
Rauferei 1393, 2
Rauheit 1205, 1
Raum 685, 1; **1309**
Raum, gewerblicher
   740, 3
Raum, im 888, 1
Raum, luftleerer 1181, 1
räumen 175, 1; 1030, 1;
   1761, 3; 1804, 1
räumen lassen 173, 1
räumen, beiseite 1226, 1
räumen, Feld 485, 2
räumen, Lager 1761, 3
räumen, Steine aus dem
   Weg 837, 1
Raumfähre 579, 10
Raumfahrt 578, 4
Raumfahrzeug 579, 10
Raumkapsel 579, 10
Raumknappheit 481, 1
Raumlaboratorium
   579, 10
räumlich 1261
Räumlichkeit 1309, 1
Raummangel 481, 1

Raumnot 481, 1
Raumschiff 579, 10
Raumsonde 579, 10
Raumstation 579, 10
Räumung 486, 2; 1805
Räumungsverkauf
   1760, 2
raunen 629; 948, 1
Raunen 737, 1
raunzen 1391, 1
Raupenfahrzeug 579, 5
Raureif 1186, 2
Rausch 549, 3; 1055, 2;
   1310; 1647, 3
Rausch, im 250, 1
Rauschebart 187
rauschen 316, 1; 625;
   1376, 1; 1585, 4
Rauschen 734, 2
Rauschgift 1311;
   1522, 5
Rauschgiftabhängiger
   397, 1
Rauschgifthändler 1312
rauschhaft 548, 3
Rauschmittel 1311
rauslassen, die Sau
   1786, 1
Rausschmiss 999, 3
Raver 1546, 2
reagieren 1313; 1758, 1
Reaktion 630, 3; **1314**;
   1759, 1
real 1026, 1; 1358, 2;
   1839, 2; 1912, 1
Realisation 1760, 1
realisieren 1761, 1;
   1794, 1; 1815, 1
Realisierung 518, 5
Realismus 589, 2
Realist 1315
Realistik 1790, 2
realistisch 1358, 2;
   1773, 4
Realität 1558, 2; 1866
Realität, fiktionale 1382
Realität, virtuelle 1382
Realitätsblindheit 991
Realitätsverlust 991
Realschule 1427, 1
Rebell 919, 5; 932
rebellieren 124, 2
Rebellion 134, 1
rebellisch 842; 933
Rechenautomat 352, 1

Rechenfehler 599, *1*
Rechenmaschine 352, *1*
Rechenschaft 1316
Rechenschaftsbericht
258, *3*; 1316, *2*
Recherche 537
recherchieren 536;
1550, *1*
rechnen 251, *1*; 1479, *3*;
1930, *1*
rechnen auf 251, *2*;
555, *1*
rechnen mit 555, *1*;
1099
Rechnen, genaues 1481
rechnen, sich 1196, *1*
Rechner 352, *1*
rechnerisch 722, *5*
Rechnung 82, *3*
Rechnung ohne den Wirt
machen 901, *3*
Rechnungslegung
1316, *1*
recht 57, *1*; 1054, *1*;
1317; 1908; 1946
Recht 82, *1*; 532, *2*;
750, *1*; **1318**
Recht haben auf, ein
88, *2*; 195, *1*
recht machen, es 214, *1*
recht sein 691, *1*
recht und billig 312, *2*;
1317, *3*
Recht und Gesetz, nach
751, *4*
Recht, mit 751, *4*;
1317, *3*
Recht, positives 1318, *3*
Recht, zu 751, *4*
rechten 1535, *2*
Rechten, zur 1320, *1*
rechtens 252, *1*; 751, *4*;
1317, *3*
rechtfertigen 501, *3*;
1806, *2*
rechtfertigen, sich
494, *3*
rechtfertigen, zu 1791, *3*
Rechtfertigung 495, *2*;
502, *1*; 1316, *2*
rechtgläubig 663
Rechthaber 1239, *1*
Rechthaberei 1240, *2*
rechthaberisch 425;
1241, *2*

rechtlich 751, *1*; 1317, *3*
rechtlos 856, *3*; **1319**
Rechtloser 160, *2*
rechtmäßig 252, *1*;
504, *1*; 731, *2*; 751, *4*;
1317, *3*
rechtmäßig machen
1226, *4*
Rechtmäßigkeit 1318, *2*
rechts 1320
Rechts wegen, von
426, *1*; 751, *4*
Rechtsangelegenheit
1283, *1*
Rechtsanwalt 912, *2*
Rechtsbehörde 912, *1*
Rechtsbeistand 912, *1*
Rechtsberater 912, *2*
Rechtsbeugung 1670, *2*
Rechtsbrecher 1726, *1*
Rechtsbruch 1670, *2*
rechtschaffen 86, *3*;
328, *2*
Rechtschaffenheit 85, *2*
Rechtschreibfehler
599, *1*
Rechtsextremismus
1163, *2*
Rechtsfall 580, *2*;
1283, *1*
Rechtsfrage 1283, *1*
Rechtsgelehrter 912, *2*
rechtsgültig 751, *2*
Rechtshandel 1283, *1*
rechtshändig 1320, *1*
rechtskräftig 751, *2*
Rechtskunde 912, *3*
rechtskundig 751, *3*
rechtslastig 1320, *2*
Rechtslehre 912, *3*
Rechtsnachfolger 95, *2*
Rechtspflege 912, *1*
Rechtspfleger 912, *2*
Rechtsprechung 912, *1*
Rechtssache 580, *2*;
1283, *1*
rechtsseitig 1320, *1*
Rechtsspruch 1701, *3*
rechtsstaatlich 369
Rechtsstreit 1283, *1*
rechtsverbindlich
751, *2*
Rechtsverdrehung
1670, *2*
Rechtsverfahren 1283, *1*

Rechtsverletzung
1670, *2*
Rechtsvertreter 912, *2*
Rechtsvorgang 1283, *1*
Rechtsweg 1283, *1*
Rechtswesen 912, *1*
rechtswidrig 1722
Rechtswidrigkeit
1670, *2*
Rechtswissenschaft
912, *3*
rechtswissenschaftlich
751, *3*
rechtwinklig 732, *2*
rechtzeitig 1290, *1*
Recke 1464, *1*
recken 1531, *2*; 1943, *2*
recken, sich 1531, *4*
Recorder 733
recyceln 198, *4*
Redakteur 260, *1*
Redaktion 225, *2*;
260, *3*
Redaktionsstab 260, *3*
Rede 1851; 1852, *1*
Rede, in direkter 1664, *4*
Redebeitrag 164, *1*
Redeblume 1256, *2*
Redefluss 1494, *3*
redefreudig 1121
Redegabe 1494, *3*
redegewandt 253, *1*
Redekunst 1494, *3*
Redelöwe 1436
reden 162, *1*; 1495, *1*
reden lassen, mit sich
489, *1*
reden machen, von sich
90, *4*; 174, *2*
reden, besoffen 1495, *3*
reden, Blech 1495, *3*
reden, deutsch 1730, *2*
reden, drum herum
1023, *2*
reden, dummes Zeug
1495, *3*
reden, durcheinander
1495, *3*
reden, Fraktur 1730, *2*
reden, große Töne
1269, *2*
reden, in den Wind
1383, *6*
reden, ins Gewissen
1081, *1*

Reibung 1534, *1*;
    1901, *1*
Reibungen 1534, *2*
reibungslos 768, *5*
reich 1327
Reich 792, *3*; 833, *1*
reich werden 715, *2*
Reiche 1201, *2*
reichen 50, *3*; 683, *1*;
    729, *1*
reichen, Hand 802, *1*
reichend, weit 791, *5*;
    1913, *2*
reichhaltig 1327, *2*
Reichhaltigkeit 1827, *1*
reichlich 1327, *4*;
    1628, *2*; 1824, *1*
Reichswehr 1111, *2*
reicht, es 728
Reichtum 673, *1*;
    1286, *2*; 1827, *1*
Reichtümer 271, *2*
Reichweite 146, *2*; 317;
    685, *1*; 1156, *1*
reif 516, *1*; **1328**
Reif 1186, *2*; 1346
reif für die Insel 1130, *2*
reif, halb 1671, *1*
reif, noch nicht 1671, *1*
Reife 1831
reifen 510, *5*
Reifen 511, *1*
Reifenspur 1498, *1*
Reifeprüfung 1285, *1*
reiflich 722, *3*
Reifung 1710, *3*
Reihe 630, *2*; **1329**
Reihe sein, an der
    88, *1*
Reihe, außer der 1853, *3*
Reihe, nach der 1015, *2*
reihen 102, *4*; 586, *2*
Reihenfolge 630, *1*
Reihenhaus 824, *1*
reihenweise 1824, *1*
reihern 329, *3*
Reihung 1329, *1*
reimen 503, *3*
rein 414, *2*; 416, *1*;
    839, *3*; 1365, *2*
rein machen 1367, *1*
reinbringen, Grund
    1226, *1*
Reinemachen 1330, *3*
Reinemachfrau 826, *2*

Reinfall 508; 599, *3*;
    1116
Reingewinn 1195, *2*
Reinheit 1366, *1*; 1831
reinigen 946, *3*; 1367, *1*
Reinigung 486, *2*; **1330**
Reinkarnation 544, *2*
Reinkultur, in 348, *2*;
    679, *2*
Reinlichkeit 1366, *1*
reinreden 1523, *2*
reinschmecken 1796, *1*
reinziehen, sich etwas
    725
Reis 1599, *2*
Reise 578, *1*
Reise machen 1331, *1*
Reiseanimateur 1683, *1*
Reisebekanntschaft
    1332, *1*
reisefertig 610, *2*
Reisefieber 62, *2*
Reiseführer 671, *4*
Reisegefährte 1332, *1*
Reisegenosse 1332, *1*
Reisekoffer 870, *8*
Reiseleiter 671, *4*
reiselustig 1026, *2*
reisen 300, *4*; **1331**
reisen nach 216, *1*
Reisen, auf 393, *2*
Reisende 649, *2*
Reisender 283, *2*; **1332**;
    1807, *1*
Reisepass 279, *1*
Reisevertreter 1807, *1*
Reiseweg 1888, *3*
Reisezeit 1360
Reiseziel 1944, *2*
reißen 329, *1*; 1531, *2*;
    1724, *3*; 1943, *2*
reißen, an sich 195, *1*;
    1233, *3*
reißen, auseinander
    1595, *2*
reißen, in Fetzen 1940, *6*
reißen, in Stücke 1940, *6*
reißen, ins Verderben
    1729, *5*
reißen, sich am Riemen
    228
reißen, sich in Stücke
    1562, *3*
reißen, sich um 217, *1*;
    1529, *1*

reißen, voneinander
    1595, *2*
reißend 1906, *4*
Reißer 1079
reißerisch 1913, *2*
Reißverschluss 1785, *2*
reiten 300, *4*
reiten, Attacke gegen
    60, *2*
reiten, Extratour 118
reitend, Paragraphen
    1241, *2*
Reitpferd 1247
Reiz 70; 843, *3*; 893;
    1333
reizbar 829, *3*
reizbar, leicht 471, *3*
Reizbarkeit 472, *2*; 830
reizen 75, *3*; 98, *3*;
    106, *1*; 330, *3*; 907, *1*;
    1334
reizend 71, *1*; 654, *1*;
    869; 1335; 1412, *1*
reizlos 574, *2*; 592, *2*;
    1017, *2*
Reizlosigkeit 593
Reizmittel 957, *1*
Reizthema 843, *2*
Reizüberflutung 1620, *1*
reizvoll 76, *1*; 99, *1*;
    892, *1*; **1335**; 1412, *1*
Rekapitulation 1613, *2*;
    1905
rekapitulieren 1399, *3*;
    1904, *1*
rekeln, sich 524, *3*;
    1531, *4*
Reklamation 989, *2*;
    1082, *1*
Reklame 1898, *1*
Reklame machen
    1896, *1*
Reklamefeldzug 1898, *2*
Reklameschlacht
    1898, *2*
reklamieren 195, *1*; 196;
    1081, *3*; 1554, *1*
rekognoszieren 635
rekompensieren 497, *2*
rekonstruieren 526, *1*;
    528, *1*; 543, *1*
Rekonstruktion 544, *1*;
    1142, *1*
Rekonvaleszenz 525, *2*
rekonvaleszieren 723, *1*

Rekord 767, *3*; 1046, *1*
Rekrut 1111, *1*
rekrutieren 458, *2*
Rektor 1047, *2*
Relation 1719, *1*
relativ 1336
relativieren 1709, *1*
Relativität 206
Relaunch 1898, *2*
relaxen 524, *3*
Relegation 1721, *1*
relevant 1900, *2*
Relevanz 202, *3*
Relief 308, *2*
reliefartig 1261
Religion 1337
Religionsgemeinschaft
938, *1*
religiös 663
Religiosität 1337, *2*
Relikt 1340, *3*
Reling 1419
Reliquie 976, *1*
Remake 544, *3*; 1142, *1*
Remake machen 198, *6*
Remedium 1098, *2*
Reminiszenz 527, *1*
remis 1650, *2*
Remis 1617, *3*
remittieren 30, *2*
Remix machen 198, *6*
Rempelei 1526
Rendezvous 1594, *1*
Rendite 1195, *2*; 1732, *2*
renitent 425
Renkontre 1534, *2*
Rennbahn 1377; 1888, *2*
rennen 428, *1*; 703, *2*;
851, *2*
Rennen machen 1463, *1*
rennen, ins Unglück
1383, *2*
rennen, über den Haufen
1527
Rennpferd 1247
Rennrad 579, *2*
Rennstrecke 1888, *2*
Rennwagen 579, *2*
Renommee 716, *2*
renommieren 1269, *1*
renommiert 58; 262, *1*
Renommist 1436
renovieren 543, *1*
renoviert 1177, *4*
Renovierung 544, *1*

rentabel 1197, *2*
Rentabilität 1195, *1*
Rente 1338
rentieren, sich 1196, *1*
Rentner 45, *2*
reorganisieren 543, *3*
reparabel 1128, *2*;
1853, *5*
Reparationen 498, *3*
Reparatur 544, *1*
reparaturbedürftig
850, *4*
reparieren 543, *1*
repariert 731, *1*
repatriieren 1804, *1*
Repatriierung 1805
Repertoire 1827, *2*
repetieren 1904, *1*
Repetition 1905
Repetitorium 1032
Replik 558, *2*
replizieren 557, *2*
Report 258, *1*
Reportage 8, *1*; 258, *1*
Reporter 260, *1*
repräsentabel 1507, *1*
Repräsentant 1807, *3*
Repräsentanz 1808
Repräsentation 1808
repräsentativ 348, *1*;
735, *1*; 885
repräsentieren 201, *1*;
359, *3*; 1806, *1*
Repressalie 1752, *1*;
1972, *1*
Repression 1972, *1*
repressionsfrei 369
Reprise 1349, *2*
Reproduktion 1142, *1*;
1812, *2*
reproduktiv 1654, *2*
reproduzieren 1, *3*; 1811
Reputation 716, *2*
reputierlich 86, *2*
requirieren 458, *1*;
1168, *3*
Research 1087
Reserve 796, *3*; 1011, *2*;
1961, *1*
Reservemann 550, *4*
Reserven 271, *3*
reservieren 1339
reserviert 31, *1*; 1439, *1*;
1960, *1*
Reserviertheit 1961, *1*

resezieren 1218
Residenz 1500, *1*
Residenzstadt 1500, *1*
residieren 1024, *2*
Residuum 1340, *3*
Resignation 688, *2*;
1819, *2*
resignieren 122, *3*;
1040, *2*; 1820, *1*
resigniert 689, *2*
resistent 403, *1*; 883, *1*;
981, *1*
Resistenz 613, *1*;
1502, *2*; 1901, *2*
resistieren 226, *3*
resolut 479
Resolutheit 478, *1*
Resolution 500, *2*
Resonanz 413, *1*;
1584, *5*; 1914, *2*
Resonanzkörper 973, *3*
resorbieren 127, *3*
Respekt 35; 1961, *1*
respektabel 86, *2*;
1900, *2*
respektieren 193, *2*;
1735, *1*
respektiert 58
respektive 1206
respektlos 642, *1*;
1662, *2*
Respektlosigkeit 643, *1*
respektvoll 1960, *2*
respirieren 115
Ressentiment 14, *1*; 606;
1854
ressentimentgeladen
1152
Ressort 121; 571, *2*;
1968, *1*
Ressortleiter 1047, *2*
Ressourcen 271, *3*
Rest 5, *1*; **1340**; 1540, *2*
restant 1426, *1*
Restanten 1424, *2*
Restaurant 681, *1*
Restauration 681, *1*;
1314, *2*
restaurativ 1320, *2*
restaurieren 543, *1*
restauriert 1177, *4*
Restaurierung 544, *1*
Restbestand 1340, *2*
Restbetrag 1340, *2*
Restform 1340, *3*

restieren 6, 2; 88, 1
restlich 1628, 1
restlos 679, 3
Resto 681, 1
Restposten 1340, 2
Restriktion 454, 1
Restrisiko 1340, 2
Resultat 521; 615, 1;
    630, 3
resultatlos 1748
resultieren aus 9, 4
Resümee 521; 1299, 2
resümieren 1399, 3
Retardation 1822, 1
retardieren 1821, 1
Retorte, aus der 1002
retour 1352
Retourkutsche 558, 2;
    1752, 1
retournieren 30, 2
retrospektiv 1153
retten 837, 4
retten, sich 492, 4
rettend 757, 4
Retter 838, 1
Rettung 854, 2
Rettungsinsel 889
Retusche 225, 2; 269;
    1717, 1
retuschieren 268;
    1716, 1
Retuschierung 269
Reue 1341; 1370, 1
Reue, tätige 1341
Reuegefühl 1341
reuen 256; 1404, 2
reuevoll 1342
reuig 1342
reumütig 1342
Reumütigkeit 1341
reüssieren 226, 2; 715, 2
Revanche 498, 1;
    1752, 1
revanchieren, sich
    497, 1; 1751, 3
Reverenz 419, 2; 801, 2
Revers 1291, 9; 1350
reversibel 1853, 5
revidierbar 1853, 5
revidierbar, nicht 476
revidieren 946, 5;
    1284, 1
Revier 685, 1; 1266, 2
Revirement 1883, 1
Revision 1285, 2

Revisor 133, 3
revitalisieren 543, 5
Revival 544, 2
Revolte 134, 1
revoltieren 124, 2;
    523, 5
Revolution 1343;
    1710, 2
Revolution, digitale
    1343, 2
Revolution, industrielle
    1343, 2
Revolution, samtene
    1343, 2
Revolution, sexuelle
    1343, 2
Revolution, technische
    1343, 2
Revolution, wissen-
    schaftliche 1343, 2
revolutionär 670, 2
Revolutionär 919, 5
revolutionieren 543, 3;
    1709, 1
Revolutionskrieg 987, 2
Revoluzzer 1436
revozieren 1051, 2
Revue 1459
Rezensent 990, 1
rezensieren 276, 2;
    1702, 1
Rezension 277, 4;
    989, 1; 1271, 3
rezent 844, 2
Rezept 96, 2
Rezeption 126, 4; 465, 3
rezeptiv 467, 3
Rezeptur 96, 2
Rezession 988, 3
rezessiv 13
Rezidiv 1349, 2; 1905
rezipieren 127, 3;
    1714, 2
reziprok 696
Reziprozität 1885
Rezitation 1851
rezitieren 1852, 1
Rhapsodie 739, 2
rhapsodisch 1695, 1
Rhetorik 1494, 3
Rhinozeros 405, 4
rhythmisch 1323, 1
Rhythmus 1089, 3;
    1324, 1
richten 1226, 1; 1249, 5;

1516, 2; 1702, 2;
    1835, 1
richten, Augenmerk auf
    894, 3
richten, bankrott
    1940, 1
richten, Blick gen Him-
    mel 827, 2
richten, den Blick auf
    80, 2
richten, es sich 715, 2
richten, gerade 1226, 1
richten, sich nach
    441, 3; 631, 3
richten, sich zugrunde
    1940, 11
richten, zugrunde
    1940, 1
Richter 912, 2
richterlich 751, 1
Richterspruch 1701, 3
richtig 572, 1; 803, 1;
    1197, 3; 1225, 3;
    1317, 2; 1864
richtig stellen 946, 1
richtiger 3
richtiggehend 1452, 1
Richtigkeit 1866
Richtigstellung 164, 2;
    947, 4
Richtlinie 750, 1;
    798, 1; 1094; 1322, 1
Richtmaß 798, 1;
    1089, 3
Richtpreis 1270, 3
Richtsatz 798, 1
Richtschnur 798, 1;
    1033, 3; 1089, 3;
    1322, 1
Richtung 1033, 4;
    1538, 1; 1570, 1
Richtungsänderung
    29, 2; 1004
Richtungsanzeiger
    930, 3
richtungweisend 670, 2
riechen 1344; 1867, 1
riechen können, nicht
    821, 1
riechen nach 158
riechen, Braten 668, 1;
    1772, 2; 1867, 2
riechen, Lunte 1772, 2;
    1867, 2
riechend, übel 461, 2

Riecher 468, *1*; 693, *3*; 1161
Riechkolben 1161
Riechorgan 1161
Ried 1552, *1*
Riefe 585, *2*; 1799, *3*
riefen 447, *2*; 789
Riege 800, *9*; 1329, *3*
Riegel 1785, *2*
Riemen 812, *2*
Riese 1345
rieseln 625; 1325
Rieseln 734, *2*
Riesenkerl 1345
Riesenmenge 1102, *3*
riesig 163, *1*; 791, *1*
riestern 543, *2*
rigide 1505, *2*
Rigidität 1537, *1*
Rigorismus 1537, *1*
rigoros 820, *3*; 1536, *1*
Rigorosum 1285, *1*
Rikscha 579, *8*
Rille 585, *2*; 1799, *3*
rillen 447, *2*; 789
Rinde 870, *2*
Rindvieh 405, *4*
Ring 685, *3*; 800, *1*; **1346**; 1377
ringeln 395, *3*; 1137, *1*
ringen 918, *2*
Ringen 917, *1*
ringen um 918, *1*
ringen, Hände 1823, *2*
ringen, mit dem Tode 1040, *3*
ringen, mit sich 371, *2*; 1435, *2*
ringen, nach Atem 115
Ringen, zähes 1534, *2*
ringförmig 1828, *3*
Ringkampf 917, *3*
rings 1612, *2*
Ringstraße 1528
ringsum 1612, *2*
ringsumher 1612, *2*
Rinne 585, *2*; 1215, *7*; 1799, *3*
rinnen 625; 1325
rinnend 410, *4*
Rinnsal 760, *1*
Rippenstoß 1082, *1*; 1526
Risiko 399, *2*; 1861
risikofreudig 1139, *2*

risikolos 1460, *2*
riskant 690, *2*
riskieren 1796, *2*; 1860, *1*
riskieren, Lippe 531, *3*
Riss 1136, *3*; 1215, *3*; 1258, *2*; 1497, *1*; 1924
rissig 1132, *1*; 1307, *4*; 1496, *2*; 1643, *2*
Ritter 927
ritterlich 86, *3*; 416, *3*; 864
Ritterlichkeit 490, *2*
Ritterschlag 438, *2*
Ritual 326, *3*; 938, *3*
Ritus 326, *3*; 938, *3*
Ritz 1215, *3*; 1497, *1*
Ritze 1067, *1*
ritzen 789
Rivale 700, *3*
rivalisieren 918, *2*; 1512, *3*
Rivalität 917, *1*; 962, *1*
Roadster 579, *2*
robben 777, *2*
Robe 949, *2*
robust 363, *1*; 376, *1*
Robustheit 613, *1*
Rochade 1883, *1*
rocher de bronze 347, *2*
Rockband 800, *4*
Rockheroe 1501, *1*
Rocksänger 1363, *1*
Rockshow 1459
Rockstar 1501, *1*
roden 175, *2*; 1367, *4*
Rodung 1053
roh 334; 633, *1*
Rohbau, im 53, *2*
Rohheit 335
Rohling 186
Rohmaterial 1522, *2*
Rohr 778, *2*; 1517, *1*; 1552, *1*
Rohr im Wind 1221
Rohr, schwankendes 1221
Röhre 223; 1363, *1*
röhren 1585, *3*
Rohrkrepierer 1116
Rohrleitung 1048, *3*
Rohstoff 1522, *2*
Rollback 1314, *2*
Röllchen 1347, *2*
Rolle 120, *1*; **1347**

Rolle, führende 847, *2*
Rolle, stumme 1347, *1*
Rolle, tragende 1347, *1*
Rolle, von der 1505, *3*
Rolle, zentrale 1347, *1*
rollen 395, *1*; 1018, *2*; 1435, *1*
rollen, sich 395, *5*
Rollentext 1576
Rollladen 870, *6*
Rollo 870, *6*
Roman 559, *2*
Romancier 1423
Romanschriftsteller 1423
Romantik 875, *2*
Romantiker 876, *2*
romantisch 473; 877, *2*; 1265, *2*
Romanze 1055, *4*
Römernase 1161
Rondell 680
rösch 1496, *1*
Rosebud 527, *3*
Rosenkrieg 1534, *3*
rosig 660, *1*; 803, *1*
Rosinante 1247
Rosinen im Kopf haben 430, *3*
Ross 1247
rosten 1729, *2*
rösten 325, *1*; 1604, *3*
rostfrei 363, *1*
röstfrisch 660, *2*
rostig 265, *1*
rot 1059, *3*
rot werden 1371, *1*
Rotation 396, *1*; 1883, *1*
Rotel 681, *2*
röten 590, *1*
rotieren 106, *2*; 395, *1*
Rotlichtbezirk 320
Rotte 800, *5*
Rotunde 1922, *3*
Rotwelsch 1494, *4*
Rotz 156, *1*
rotzfrech 642, *3*
rotzig 642, *3*
Rotzlöffel 1272, *1*
Rotznase 1161; 1272, *1*
Roué 1743, *1*
Roulette 783
Roulette, russisches 1861
Route 1888, *3*

Routine 517, 2; 611
Routineangelegenheit
    634, 1
Routinier 573
routiniert 516, 1; 572, 2;
    744, 1; 1830, 2
Rowdy 1272, 1
rubbeln 1326, 1
Rübe 970, 1
Rubel 712, 3
rüberbringen 1769, 3
Rubikon 790
rubrizieren 1226, 2;
    1562, 1
Ruch 1353, 3
ruchbar werden 411, 3
ruchlos 1397, 5
Ruck 1526
ruckartig 1263
Rückäußerung 558, 1
Rückbildung 1348, 1
Rückblende 527, 1
rückblenden 1148, 2
rückblendend 1153
Rückblick 527, 1;
    1400, 2; 1613, 2
rückblickend 1153
rucken 1527
Rücken 1350
rücken, auf den Leib
    60, 2; 391, 5
rücken, gerade 1226, 1
rücken, näher 1157, 4
Rückendeckung 1788, 2
rückenfrei 1154, 2
Rückenstärkung 279, 5
Rückenwind haben
    761, 2
Rucker 1526
rückerstatten 497, 1
Rückerstattung 498, 2
Rückfall 1348, 1;
    1349, 2
rückfällig 1692
rückfällig werden
    1904, 2
Rückfrage 638, 2
Rückgabe 498, 2
Rückgang 454, 1; **1348**
rückgängig machen
    122, 2
rückgängig zu machen
    1853, 5
rückgängig zu machen,
    nicht 476

Rückgrat 613, 3; 810, 4;
    1119, 6
Rückgrat, ohne 349
rückgratlos 349; 754;
    1432, 3
Rückgratlosigkeit 755;
    1433, 1
Rückhalt 810, 2
Rückhalt, ohne 1674, 2
rückhaltlos 1121
Rückhaltlosigkeit
    1210, 1
Rückkehr 1349
Rückkunft 1349, 1
Rücklage 796, 3; 1011, 2
Rücklagen 271, 3
Rücklauf 396, 1
rückläufig 13
rücklings 1352
Rückprall 1314, 1
Rückreise 1349, 1
Rückruf 1353, 2
Rückschall 413, 1
Rückschau 527, 1;
    1613, 2
Rückschlag 1116;
    1348, 1
Rückschritt 1348, 1
Rückschrittlichkeit
    1314, 2
Rückseite 1059, 2; **1350**
Rücksicht 1351
Rücksicht auf, mit 49
rücksichtlich 49
Rücksichtnahme 1351
rücksichtslos 334;
    820, 3; 1300; 1456;
    1556; 1639, 2; 1662, 1
Rücksichtslosigkeit 335
rücksichtsvoll 125, 2;
    864; 1846, 1
Rückstand 5, 1; 1340, 3;
    1424, 2; 1822, 1
Rückstand sein, im
    1425, 1; 1821, 3
Rückstand, im 1426, 1;
    1482, 1
rückständig 1426, 1;
    1708
rückstandsfrei 1365, 2
Rückstoß 1314, 1
Rücktritt 999, 1
rückvergüten 497, 2;
    1751, 3
Rückvergütung 498, 2

rückversichern, sich
    1787, 3
Rückversicherung
    1788, 2
rückwärts 1352
Rückweg 1349, 1
rückwirkend 1153
Rückwirkung 1314, 1
Rückzahlung 150, 3;
    498, 2
Rückzieher machen
    704, 2; 1051, 2
Rückzug 486, 4
Rückzugsgefecht
    1901, 2
rüde 376, 2; 642, 3;
    1662, 2
Rüde 871
Rudel 1102, 3
Ruder 1515, 1
Ruder, am 1841, 1
Ruderboot 579, 6
rudern 300, 4
Rudiment 1340, 3;
    1561, 2
rudimentär 1695, 1
Ruf 136, 3; 716, 2; **1353**
Ruf haben 201, 3
rufen 1174, 1; **1354**
rufen nach 1354, 1
rufen, ans Licht 560, 1
rufen, ins Gedächtnis
    1081, 3
rufen, ins Leben 52, 3;
    1711, 1
rufen, um Hilfe 1354, 1
rufen, vor den Vorhang
    948, 2
rufen, zur Ordnung
    1081, 3; 1554, 2
Rufer 1276
Rüffel 1385, 2
rüffeln 1554, 2
Rufmord 989, 3
Rufname 930, 4
Rufschädigung 1766
Rufweite 1156, 1
Rufweite, in 1155, 2
Rüge 1082, 4; 1385, 2
rügen 196; 1554, 2
Ruhe 525, 1; 656, 1;
    1355
Ruhe haben, keine
    428, 2
Ruhe lassen, in 1019, 1

Ruhe selbst, die 1255
Ruhe vor dem Sturm
 988, *1*
ruhebedürftig 1130, *1*
Ruhebett 295
Ruhegehalt 1338, *2*
Ruhegeld 1338, *2*
ruhelos 548, *1*; 1672, *1*
Ruhelosigkeit 549, *1*
ruhen 524, *1*; **1356**
ruhen, in sich 1356, *2*
ruhend 1357, *1*; 1357, *6*
Ruhepause 525, *1*;
 1679, *1*
Ruhestand 45, *3*
Ruhestand, im 44, *6*
Ruhestätte 657
Ruhestätte haben, letzte
 233, *2*
Ruhestätte, letzte 657
Ruhestörer 1524
Ruhetag 647
ruhig 1044; **1357**
Ruhm 518, *3*; 716, *3*
rühmen 420, *1*; 469, *1*;
 1063, *1*
rühmen, sich 1269, *1*
rühmenswert 1733
ruhmgierig 421
rühmlich 149, *2*; 1733
ruhmredig 459, *2*
rühren 263, *2*; 1112, *1*;
 1233, *1*
rühren an 861, *1*
rühren, sich 102, *3*;
 300, *1*
rühren, zu Tränen
 1233, *1*
rührend 130, *1*
rührig 423; 479; 621;
 1026, *2*; 1557, *2*
Rührigkeit 422, *1*
Rührmichnichtan 471, *4*
rührselig 473; 941

Rührseligkeit 474;
 940, *3*
Rührstück 940, *2*
Rührung 549, *2*; 1563, *1*
Ruin 185; 1941, *1*
ruinieren 1940, *1*
ruinieren, sich 1940, *11*
ruiniert 265, *3*; 534, *2*
rumhängen 594
rumkommen 300, *4*
Rummel 291, *4*; 1684, *2*
Rumor 291, *2*; 734, *3*
rumoren 1018, *1*;
 1634, *3*
Rumpelkammer 1484, *1*
rumpeln 1018, *2*
rümpfen 586, *3*
rümpfen, Nase 1114, *1*
Run 518, *3*; 1310, *2*;
 1543, *2*
rund 381, *1*; 679, *1*;
 1655, *1*; 1828, *3*;
 1830, *1*
Rund 1346
Rundbau 1922, *3*
Rundblick 165, *1*
Runde 800, *1*; 1295, *1*;
 1346
Runde machen 1634, *4*
runden 519, *1*; 769, *3*;
 1829
runden, sich 1921, *1*
rundend, sich 1958
runderneuern, sich
 1709, *6*
runderneuert 1177, *4*
Rundfunk 1097
Rundgang 1285, *2*
rundheraus 1207, *2*
rundherum 1612, *2*
rundlich 381, *1*; 1507, *2*
Rundschau 165, *1*;
 1613, *1*

Rundschreiben 258, *2*
rundum 1612, *2*
Rundung 1346; 1922, *3*
rundweg 1207, *2*
Rune 337, *1*; 585, *2*
Running Gag 518, *4*
runterbringen 496
runterfahren 1479, *4*
runterholen, sich einen
 214, *2*
runterkommen 261, *2*
runterladen 1811
runterputzen 1554, *2*
runterreißen 496
Runzel 585, *2*
runzeln 586, *3*
runzlig 44, *2*; 587, *2*
Rüpel 1272, *1*
Rüpelei 643, *2*
rüpelhaft 642, *3*
rupfen 153, *2*; 1168, *3*;
 1943, *2*
rupfen, Hühnchen
 1391, *1*
ruppig 1307, *2*; 1662, *2*
Rüsche 585, *1*
Rushhour 767, *4*
rußbedeckt 1408
Rüssel 1161
rußig 1408
Rüste 1400, *2*
rüsten 1835, *1*
rüstig 757, *1*; 981, *2*
Rüstigkeit 758
rustikal 376, *3*
Rüstungsspirale 1859, *2*
Rute 778, *2*; 955
Rutsch 578, *1*; 580, *1*
Rutsch machen 1331, *1*
rutschen 581, *1*; 777, *1*
rutschig 768, *6*
rütteln 1018, *2*; 1437, *1*;
 1527

S

Saal 1309, *1*
Saaltochter 204, *3*
Saat 563, *4*
Säbelrasseln 399, *1*
sabotieren 857, *3*;
  1369, *1*; 1523, *3*
Sacharin 940, *3*
Sachbereich 121
sachbezogen 1358, *2*
Sachbuch 1032
sachdienlich 1197, *1*;
  1973, *1*
Sache 580, *2*; 697, *1*
Sache machen, gemeinsa-
  me 287; 293, *2*;
  1965, *3*
Sache sein, bei der
  894, *2*
Sache sein, nicht bei der
  1392, *3*; 1591, *3*
Sache, bei der 125, *1*
Sache, beschlossene
  534, *1*
Sache, nicht bei der
  1639, *1*
Sachen, scharfe 759, *2*
Sachgebiet 121; 571, *2*
sachgemäß 572, *1*;
  1317, *2*
sachgerecht 817, *1*
Sachinhalt 887, *1*
Sachkenner 573
Sachkenntnis 1918, *3*
sachkundig 516, *1*;
  572, *1*; 929
Sachlage 1010, *2*;
  1558, *1*
sachlich 545, *1*; 735, *1*;
  1358; 1773, *4*
Sachlichkeit 736;
  1790, *2*
Sachschaden 1368, *1*
Sachstand 1010, *2*
sacht 1109, *1*; 1932, *2*
sachte 1015, *1*
sachte tun 777, *1*
Sachtext 1576

Sachtheit 1110
Sachverhalt 1010, *2*;
  1558, *1*
Sachverstand 1793, *2*;
  1918, *3*
sachverständig 516, *1*;
  572, *2*
sachverständig sein
  1794, *4*
Sachverständiger 573
Sachverständnis
  1793, *1*
Sachwalter 1807, *2*
Sachwerte 271, *2*
Sack 223; 870, *8*
Sack lassen, Katze aus
  dem 1208, *3*; 1730, *2*;
  1777
Sack und Asche, in
  1660, *1*
Sack, fauler 595
Sackgasse 902, *1*; 1528;
  1764, *1*
Sackgasse, in einer
  856, *2*
Sadismus 335
Sadist 186
sadistisch 334
säen 560, *5*; 1797, *2*
säen, Hass 851, *3*
säen, Zwietracht 1595, *2*
Safari 578, *2*
Safe 921, *1*
Saft 759, *3*
saftig 78, *2*; 376, *2*;
  981, *4*; 1026, *4*; **1359**
saftlos 574, *1*; 1432, *1*;
  1603, *3*
saftstrotzend 1359, *1*
safttriefend 1359, *1*
Sage 559, *2*
sage und schreibe
  1912, *3*
sagen 162, *1*; 280, *4*;
  1120, *1*; 1495, *1*
sägen 1392, *2*
Sagen haben 848, *1*
sagen haben, sich nichts
  mehr zu 485, *5*
sagen lassen, sich 868, *1*
sagen lassen, sich nicht
  zweimal 1168, *4*
sagen wir 1655, *1*
sagen wollen 201, *1*;
  1495, *2*

sagen, auf Wiedersehen
  469, *3*; 485, *2*
sagen, Dank 357, *1*
sagen, guten Tag 282, *1*
sagen, hallo 802, *1*
sagen, ins Ohr 629
sagen, Lebewohl 485, *2*
sagen, nein 30, *3*
sagen, nichts 1438, *2*
sagen, Unwahrheit 1072
sagend, nichts 182;
  312, *3*; 968, *2*; 1017, *2*;
  1028, *3*; 1199, *2*; 1640
sagend, viel 1468, *2*;
  1580; 1975, *2*
sagenhaft 1254, *1*;
  1674, *3*
sagenumwoben 1674, *3*
Sahne, erste 554
Sahnehäubchen 767, *7*
Saison 1360
saisonbedingt 205;
  1853, *1*
Sakrifizium 1219, *3*
Sakristan 939, *3*
sakrosankt 1722
Säkularisation 483
Salär 1732, *1*
Salat 630, *3*
Salatsoße 1477
salbadern 1269, *2*
Salbe 112, *2*
salben 769, *4*; 1249, *4*
salbungsvoll 600, *3*
saldieren 251, *1*
Saldierung 1316, *1*
Sale 1760, *2*
Salon 1309, *1*
salonfähig 86, *1*
salonfähig, nicht 91, *1*
Salonlöwe 927
salopp 633, *3*; 719;
  1150, *3*
Salto 1497, *2*
Salto mortale 1497, *2*
Salut 419, *2*; 801, *3*
salutieren 802, *2*
Salve 617, *3*
salvieren 501, *3*
salvieren, sich 494, *3*
salzen 1928, *1*
salzig 844, *2*
salzlos 574, *1*
Salzsäule, wie eine
  1505, *3*

Salzwasser 1881, *2*
Samariter 838, *1*
Samen 51, *1*
sämig 1929, *2*
sämig machen 313, *6*
Sammelband 1362, *3*
Sammelbecken 1119, *3*
Sammelbehälter 223
sammeln 123, *1*; **1361**
sammeln, Gedanken
371, *3*; 1361, *5*
sammeln, neue Kräfte
524, *3*
sammeln, sich 371, *3*;
1361
Sammelpunkt 1119, *3*
Sammelstelle 1119, *3*
Sammelsurium 1113, *3*
Sammelwerk 1362, *3*
Sammler 1003, *1*; 1095
Sammlung 445, *1*;
1329, *2*; **1362**
Sammlung, innere
1362, *5*
Sample 1136, *2*
Sampler 1362, *3*;
1484, *4*
Samson 982
samt 117, *2*; 453
Samt 1522, *3*
samt und sonders 38, *1*;
679, *2*
Samtband 1291, *6*
samten 1932, *1*
Samthandschuhen, mit
1846, *1*
samtig 1891, *3*
sämtliche 38, *1*
Samtpfoten, auf 1044
samtweich 1891, *3*
Sanatorium 983
Sand 1289
Sand am Meer, wie
1824, *1*; 1826
sandig 1408; 1603, *1*
Sandsturm 1543, *1*
sanft 1109, *1*; 1932, *2*
Sänfte 579, *8*
Sanftheit 1110
Sanftmut 1110
sanftmütig 1109, *4*
Sanftmütigkeit 1110
Sang 739, *2*
Sänger 360
Sänger(in) 1363

sanieren 837, *4*
Sanktion 279, *3*;
1752, *2*; 1972, *1*
sanktionieren 278, *5*;
531, *2*
Sanktionierung 532, *3*
Sanktionsgewalt 1076, *1*
Sardinenbüchse, wie in
der 380, *2*
sardonisch 323, *1*;
1493, *1*
Sarkasmus 1491, *3*
sarkastisch 1493, *1*
Satan 1575
satanisch 323, *1*
Satansgelichter 753
Satanskerl 919, *2*
Satellit 66, *3*; 1402, *2*
Satellitenaufnahme
308, *3*
satinieren 769, *3*
satiniert 768, *2*
Satire 1491, *4*
Satiriker 990, *2*
satirisch 1493, *1*;
1493, *2*
Satisfaktion 498, *2*
satisfaktionsfähig 775
Satrap 1807, *2*
satt 591, *1*; 728; 981, *4*;
1359, *1*; **1364**; 1828, *4*
satt haben, es 106, *2*;
1039, *2*
sattelfest 516, *1*; 929;
1460, *8*
sattelfest sein 963, *1*
Sattheit 1014
sättigen 676, *1*
sättigen, sich 411, *1*;
566, *1*
sättigend 1158
sattsam 728; 1327, *4*;
1628, *2*
saturiert 83, *2*; 1364, *2*
Satyr 1743, *1*
Satz 1329, *2*; 1497, *2*
Satzung 750, *1*
Satzvorlage 1187, *1*
Sau 1407
Saubär 1407
sauber 86, *3*; 100, *3*;
869; 945, *1*; **1365**
sauber machen 1226, *1*;
1292, *4*; 1367, *1*
sauber, peinlich 1365, *1*

Sauberkeit 947, *1*;
1248, *3*; **1366**
säubern 1292, *4*; **1367**
säubern, sich 1367
Säuberung 178, *5*;
486, *2*; 1330, *3*
saublöd 403, *1*
saudumm 403, *1*
sauer 322, *2*; 844, *1*;
1671, *1*
sauer geworden 1397, *3*
sauer machen 106, *1*
sauer werden 106, *2*
Sauerei 662, *3*; 1406, *2*
säuerlich 322, *2*; 844, *1*
sauertöpfisch 1117; 1698
Saufbold 1602
Saufbruder 1602
saufen 284, *3*; 1601, *2*
Säufer 1602
Sauferei 711
Saufgelage 711
Saufkumpan 1602
sauflustig 727
saugen 1943, *4*
säugen 676, *1*
saugen, sich voll 411, *1*;
1297
saugfähig 1065, *2*
Säugling 936, *1*
säuisch 91, *4*
Säule 373; 810, *3*
Saum 1630
saumäßig 1397, *1*
säumen 1633, *1*;
1821, *1*; 1821, *3*; 1948
säumen, Straße 220, *1*
säumig 1150, *2*; 1482, *1*
Säumigkeit 1151;
1700, *2*
saumselig 1482, *1*;
1676, *1*
Saumseligkeit 1781, *1*;
1822, *2*
Säunickel 1407
Sauregurkenzeit 1519
Sause 749, *2*
säuseln 316, *1*; 629
sausen 316, *1*; 428, *1*
Sausen 734, *2*
sausen lassen 122, *3*
Saustall 1669, *2*
Saxophonist 1134, *2*
scannen 1622, *8*
Scanner 916, *3*

schaben 1326, 2; 1938
Schabernack 1491, 1;
1675, 2
schäbig 44, 3; 107, 2;
265, 1; 1480, 1
schäbig werden 1066, 8
Schablone 1136, 4
schablonenhaft 771, 2
schablonisieren 1738
Schablonisierung 1739
Schacherer 1275
schachern 815, 3
Schachfigur 747, 2
schachmatt 534, 3;
1130, 2
Schacht 1799, 1
Schachtel 223
schachteln 1361, 2
Schächten 1588, 2
Schachzug 1060, 1
schade 1043; 1660, 5
Schädel 970, 1
schaden 1369; 1734, 1
Schaden 1368
schaden, sich 1369;
1409, 7
Schadenersatz 498, 3
Schadenfreude 584, 1;
1491, 3
schadenfroh 323, 1
Schadensbegrenzung
1092, 2
schadenspflichtig
1776, 1
schadhaft 265, 1;
1695, 1
Schadhaftigkeit 1694, 2
schädigen 1369, 1;
1724, 3
schädigen, Ruf 1369, 1
schädigen, sich 1369, 3
Schädigung 1368, 1
schädlich 1661, 3
schädlich sein 1369, 5
Schädling 1402, 1
schadstoffarm 1637, 2
schadstofffrei 1637, 2
schadstoffreduziert
1637, 2
Schaf 405, 4
Schaf, schwarzes 1782
Schäferstündchen
1055, 4
schaffen 560, 1; 715, 1;
756; 1045, 1; 1685, 1

Schaffen 101, 1
schaffen machen, zu
92, 1; 129, 4; 256;
266, 3; 1404, 2
schaffen, Abhilfe 22, 4;
837, 4
schaffen, Ablauf 11, 2
schaffen, aus dem Weg
1587, 1
schaffen, aus der Welt
484, 4; 946, 1
schaffen, beiseite 293, 1
schaffen, es 715, 2; 1829
schaffen, etwas 102, 1
schaffen, klare Bahn
946, 1
schaffen, Ordnung
1226, 1
schaffen, Platz 484, 2
schaffen, Raum
1030, 1
schaffen, Remedur 412;
1226, 1
schaffen, vom Halse
213, 1
schaffen, Voraussetzung
538, 2; 1835, 1
schaffend 1415
Schaffensdrang 1274, 1
Schaffensfreude 1274, 1
Schaffenskraft 1274, 1
Schaffenslust 422, 2;
1274, 1
schaffig 621; 1557, 1
Schafskopf 405, 1
Schaft 812, 1; 1517, 1
Schäker 1384, 1
Schäkerei 1055, 4
schäkern 1742
schal 182; 574, 1
Schal 1291, 7
schal werden 1750, 4
Schale 168, 3; 223;
870, 2; 949, 1; 1198, 1
schälen 1066, 10
Schalk 1384, 1
schalkhaft 835, 3
Schall 413, 1; 734, 1;
1584, 1
Schall und Rauch
1028, 3; 1640; 1747, 2
schallen 1018, 2; 1585, 1
schallend 1022
Schallpegel 1089, 5
Schallwirkung 1584, 5

schalten 203, 1; 1313;
1769, 2; 1794, 2
schalten, Anzeige 50, 2;
1896, 1
schalten, auf Stand-by
89, 3
schalten, hin und her
1884, 1
schalten, synchron 73, 1
Schalter 1215, 4
Schaltung 204, 1
Schaluppe 579, 6
Scham 1341; 1370
schämen, sich 256; 1371
Schamesröte 1370, 1
Schamgefühl 1370, 1
Schamhaftigkeit 1370, 1
Schamhügel 1370, 2
schamlos 91, 3
Schamlosigkeit 662, 2
schamrot 1763, 2
schandbar 239, 2;
1397, 5
Schandbarkeit 1398
Schande 1372
schänden 509, 4
Schandfleck 1372, 2
schändlich 239, 2;
1397, 5
Schändlichkeit 1398
Schandmal 1372, 2
Schandtat 1725
Schändung 1372, 2
Schankstube 681, 1
Schankwirt 1916, 1
Schanze 211, 4
schanzen 787, 1
Schar 442, 2; 800, 5
Schäre 889
Scharen 1102, 3
Scharen, in hellen 1826
scharenweise 1826
scharf 31, 2; 378, 2;
844, 2; 891, 1; 1022;
1074; 1307, 5; **1373**;
1493, 1; 1536, 1
scharf auf 218, 1
scharf machend 91, 3
scharf, nicht 1109, 3
Scharfblick 1790, 2
Schärfe 643, 3; 947, 1;
1144; 1475, 1; 1537, 2
schärfen 1374
schärfen, Blick 1374, 3
scharfkantig 1373, 1

Scheit 1540, *6*
Scheitan 1575
Scheitel 767, *1*; 1119, *6*
Scheitelpunkt 767, *2*
scheitern 1383; 1729, *3*;
  1768, *3*
Scheitern 1183, *2*
schellen 1585, *2*
Schellen 734, *2*
Schelm 1384; 1429, *1*
Schelmenstreich
  1675, *2*
Schelmenstück 1675, *2*
schelmisch 835, *3*
Schelte 1082, *4*; **1385**
schelten 1391, *1*
Scheltworte 1385, *1*
Schema 1322, *3*
Schema F, nach 771, *2*;
  1654, *2*
schematisch 771, *2*;
  1654, *2*
schematisieren 1226, *2*;
  1706; 1738
Schematisierung 1707;
  1739
Schemel 1470, *1*
Schemen 707, *3*
schemenhaft 1693, *2*
Schenke 681, *1*
schenken 683, *2*;
  1064, *2*
schenken lassen, sich
  1168, *4*
schenken, Beachtung
  193, *2*; 894, *2*
schenken, Gehör 868, *2*
schenken, Glauben
  770, *2*
schenken, Leben 682, *1*
schenken, sich 1783, *1*
schenken, Vertrauen
  1800, *1*
Schenkung 513, *4*
scheppern 1018, *2*;
  1585, *2*
scheppernd 406, *5*
Scherben 5, *1*
Scherben, in 265, *3*
scheren 1292, *3*
scheren, den Teufel 773
scheren, sich nicht 773
scheren, über einen
  Kamm 1738
Schererei 105, *3*

Scherereien machen
  106, *1*
Scherflein 677, *1*
Scherz 1684, *3*
Scherz, im 1493, *2*
Scherz, kein 545, *3*
scherzen 651, *2*; 1682, *4*
Scherzfrage 638, *2*
scherzhaft 1493, *2*
Scherzname 1491, *5*
Scherzzeichnung
  1491, *4*
scheu 1674, *5*; 1763, *1*
Scheu 35; 1370, *1*;
  1764, *2*; 1961, *1*
Scheu, ohne 644, *2*
scheuchen 391, *2*;
  851, *1*; 1804, *1*
scheuen 624, *2*; 1925, *3*
scheuen, keine Mühe
  92, *2*
scheuen, Menschen 17, *2*
scheuen, sich 1371, *2*
scheuen, sich nicht
  531, *3*
Scheuer 1484, *2*
scheuern 1326, *1*;
  1367, *1*
Scheuklappen 481, *5*;
  1854
Scheune 1484, *2*
Scheusal 186; **1386**
scheußlich 461, *1*;
  822, *1*
Scheußlichkeit 335
Schibboleth 930, *5*
Schicht 1295, *1*; **1387**
Schicht, soziale 1387, *3*
schichten 1361, *2*
schichten, aufeinander
  1361, *2*
Schichtung 1539
schick 626
Schick 746, *1*
schicken 1388
schicken, in die Verban-
  nung 173, *1*
schicken, sich 73, *2*;
  88, *2*; 448, *2*; 704, *2*;
  1040, *2*
schicker 250, *1*
Schickeria 1201, *3*
Schickimicki 1201, *3*
schicklich 86, *1*
Schicklichkeit 85, *2*

Schicksal 1192, *3*; **1389**
schicksalhaft 1390;
  1660, *4*; 1981, *3*
schicksalsbedingt 1390
Schicksalsgöttin 1276
Schicksalskünderin
  1276
Schicksalsschlag
  1393, *3*; 1659
Schickung 1389, *1*
schieben 293, *2*; 300, *3*;
  391, *1*
schieben, auf die lange
  Bank 1783, *1*; 1948
schieben, auf ein totes
  Gleis 998, *2*
schieben, beiseite
  1734, *1*
schieben, in den Mund
  566, *4*
schieben, in die Schuhe
  1856
schieben, ruhige Kugel
  594
schieben, sich in den Vordergrund 861, *2*
schieben, sich nach vorn
  411, *5*
schieben, Wache 128, *3*
schieben, zur Seite
  1734, *1*
Schieber 294, *1*; 1275
Schiebung 292
schiech 822, *1*
schiedlich 658, *2*
Schiedsgericht 911, *1*
Schiedsmann 911, *2*
Schiedsrichter 911, *2*
Schiedsspruch 500, *2*;
  1701, *3*
schief 583, *1*; 992, *2*
schief gegangen 1397, *2*
schief gehen 1383, *1*
schief gewickelt sein
  901, *5*
Schiefe 5, *4*
schieflachen, sich
  1009, *2*
Schieflage 1669, *3*
Schielaugen 141
schielen nach 1170
Schiene 810, *3*; 1719, *1*
Schienen 1498, *3*
Schienennetz 1176, *2*
Schienenstrang 1498, *3*

schier 414, *2*; 1365, *2*;
1655, *1*
schießen 918, *4*; 924, *2*;
1018, *3*; 1587, *3*
schießen, Bock 901, *3*
schießen, durch den
Kopf 435, *1*
schießen, Eigentor
901, *5*
schießen, ins Kraut
145, *4*
schießen, quer 1523, *2*
schießen, sich 918, *6*
Schießen, zum 835, *4*
Schießerei 987, *1*
Schießklasse 1302, *1*
Schießpulver 1289
Schießscheibe 1944, *4*
Schiff 579, *6*
Schiffbruch 1116; 1651
Schiffbrücke 333
schiffen 1325
Schiffer 1448
Schiffsfahrer 1448
Schiffsjunge 1448
Schiffskapitän 671, *3*
Schiffsmann 1448
Schiffsverband 579, *6*
Schikane 324
Schikanen 105, *3*
schikanieren 1242, *1*
schikanös 323, *1*
Schild 930, *3*
Schildbürger 340, *3*
Schildbürgerstreich
1675, *2*
schildern 270, *1*; 931, *1*
Schilderung 258, *1*;
559, *1*
schilfrig 1496, *2*
Schilift 579, *4*
schillern 1381, *2*;
1381, *4*
schillernd 591, *1*; 718, *2*;
1784, *2*
Schimäre 707, *3*
Schimmel 596; 1247
schimmelig 406, *1*;
1397, *3*
schimmeln 1729, *1*
Schimmer 1052, *2*; 1193
schimmerlos 1697, *1*
schimmern 1381, *2*
schimmernd 768, *2*;
839, *2*

Schimpf 1372, *1*
Schimpfe 1385, *1*
schimpfen 244, *2*; 628;
1391; 1535, *1*
Schimpferei 1385, *1*
Schimpfkanonade
143, *2*
Schimpfkanonaden
1385, *1*
schimpflich 239, *2*;
1397, *5*
Schimpfwort 627
Schimpfworte 1385, *1*
schinden 153, *3*;
1242, *7*
schinden, sich 92, *3*
Schinderei 1020, *2*
Schindmähre 1247
Schinken 336, *1*
schippen 787, *1*
Schirm 311
schirmen 1430, *1*
Schirmherr 1095
Schisma 1596, *1*
Schiss 62, *4*
Schisser 603
Schiwa 785, *2*
schizophren 708
Schizophrenie 709
schlabberig 1891, *4*
Schlacht 987, *1*; 987, *1*;
1090
schlachten 1587, *3*
Schlachten 1588, *2*
Schlachtenbummler
66, *5*
Schlächterei 1090
Schlachtopfer 1219, *3*
schlachtreif 1328, *1*
Schlacke 5, *1*; 1340, *1*
schlackend 1065, *4*
schlackenlos 1365, *2*
schlackern 1947, *1*
Schlackerschnee 1186, *2*
Schlaf 525, *3*; 1647, *3*
Schlaf, ewiger 1582, *1*
Schlaf, im 1036, *2*;
1830, *2*
Schlaf, ohne 1672, *1*
Schlafbedürfnis 540, *1*
schlafbedürftig 1130, *1*
Schläfchen 525, *3*
schlafen 1392
schlafen legen 1392, *4*
schlafen, fest 1392, *2*

schlafen, miteinander
1056, *3*
schlafen, tief 1392, *2*
schlafend 1357, *1*
schlafend, mit offenen
Augen 1130, *1*
schlaff 1065, *4*; 1432, *1*;
1891, *5*
Schlaffheit 540, *1*
Schlaffi 603
schlaflos 1672, *1*
Schlaflosigkeit 549, *1*
Schlafmittelabhängig-
keit 1551, *3*
Schlafmütze 595; 1255
schlafmützig 1541, *3*;
1676, *1*
schläfrig 1017, *2*;
1130, *1*; 1639, *1*;
1676, *1*
Schläfrigkeit 540, *1*
Schlafstadt 1500, *4*
Schlafstelle 295
Schlaftablette 1255
schlaftrunken 1130, *1*;
1915, *3*
schlafwandlerisch 899
Schlag 110, *2*; 734, *3*;
1295, *1*; **1393**; 1526;
1814, *1*
Schlag ins Kontor 1116
Schlag ins Wasser 508;
1116; 1749
Schlag, auf einen 776
Schlag, harter 1659
Schlag, mit einem 1263
Schlaganfall 1393, *4*
schlagartig 1263
Schlagbaum 790
Schläge 1393, *1*
schlagen 179, *1*; 1112, *1*;
1242, *7*; 1394, *4*;
1394; 1465, *3*
Schlagen 734, *5*
schlagen, an die Brust
256
schlagen, auf den Tisch
412
schlagen, aus dem Feld
1734, *1*
schlagen, Bresche 213, *5*
schlagen, Brücke 1718, *1*
schlagen, in Bann 305, *1*
schlagen, in den Wind
1114, *2*

schlagen, in die Flucht
1804, *1*

schlagen, klein 1938

schlagen, knock-out
1394, *2*

schlagen, kurz und klein
1940, *3*

schlagen, nicht zu 554;
1841, *1*

schlagen, Schnippchen
1492, *2*

schlagen, sich 918, *6*;
1394

schlagen, sich auf jmds.
Seite 1969, *2*

schlagen, sich durchs Le-
ben 522, *3*

schlagen, sich in die Bü-
sche 624, *1*

schlagen, über die Strän-
ge 1786, *1*

schlagen, Wunden
1242, *2*

schlagen, Wurzeln
1184, *1*

schlagen, zu Boden
1394, *2*

schlagen, zwei Fliegen
mit einer Klappe
715, *2*

schlagend 722, *2*; **1395**;
1981, *1*

Schlager 739, *2*; 1079

Schläger 1272, *2*

Schlägerei 1393, *2*

Schlagersänger 1363, *1*

schlagfertig 253, *1*

Schlagfertigkeit 707, *2*

Schlagfluss 1393, *4*

Schlagkraft 947, *2*

schlagkräftig 576, *3*;
981, *1*; 1395; 1913, *2*

Schlagschatten 408, *2*

Schlagseite 250, *1*

Schlagseite haben
1435, *1*

Schlagseite, mit 1674, *4*

Schlagwort 183, *1*;
374, *2*; 930, *5*; 1256, *1*

Schlagzeile 930, *7*

Schlagzeilen machen
118

Schlagzeuger 1134, *2*

Schlamassel 105, *3*;
1764, *1*

Schlamm 1406, *1*;
1552, *1*

schlammig 1408

Schlammschlacht
1534, *2*

Schlampe 1407

schlampen 1252

Schlamper 1407

Schlamperei 1669, *2*

schlampig 1150, *4*

Schlange 1329, *3*;
1822, *3*

Schlange, die alte 1575

schlängeln 395, *4*

schlängeln, sich 395, *4*

Schlangenbrut 753

Schlangenfraß 1080, *1*

Schlangenlinie 1004

Schlangenmensch 111, *2*

schlank 410, *2*; 732, *1*

Schlankheit 1058, *5*

Schlankheitskur 379, *1*

schlankweg 87

schlapp 1130, *1*; 1432, *1*

Schlappe 1116

schlappmachen 539, *2*;
1780, *3*; 1964, *1*

Schlappohren 1217

Schlaraffe 726, *1*

Schlaraffenland 1234

schlaraffisch 727

schlau 1396; 1555, *2*

schlau machen, sich
1049, *1*

Schlauberger 387, *2*

Schlauch 870, *10*;
1020, *2*

Schlauch, auf dem
403, *1*

schlauchen 153, *2*;
237, *2*; 539, *1*

Schlauchleitung 1048, *3*

Schläue 743, *2*

Schlaufe 812, *2*

Schlauheit 743, *2*

Schlaukopf 387, *2*

Schlaumeier 1239, *1*

Schlawiner 1782

schlecht 322, *3*; 1042, *1*;
1397

schlecht gehen 1040, *3*

schlecht geworden
1397, *3*

schlecht machen 319, *2*;
509, *2*; 948, *1*; 1765

schlecht machen, sich
319, *1*

schlecht sitzend 1397, *2*

schlecht stehen 398, *2*

schlecht und recht
1091, *2*; 1946

schlecht, nicht 804, *2*

schlechter sein 6, *4*

schlechterdings 1641, *1*

schlechthin 1641, *1*

Schlechtigkeit 1398

Schlechtwetterzone
400, *4*

schlecken 1943, *4*

Schleckerei 979

schleckern 566, *3*

schleckig 727

schleckrig 218, *2*

schleichen 703, *2*; 777, *1*

schleichend 1015, *1*;
1044

Schleicher 852

Schleichhändler 294, *4*

Schleichweg 29, *2*

Schleichwegen, auf
834, *1*; 1124, *2*

Schleichwerbung
1898, *5*

Schleier 353, *2*

schleierdünn 1932, *1*

schleierhaft 1693, *2*

Schleife 1004; 1291, *6*

schleifen 198, *2*; 769, *3*;
777, *1*; 1374, *1*; 1611;
1940, *7*; 1943, *1*

schleifen lassen 1252

Schleim 156, *1*

schleimig 768, *6*

Schleimscheißer 1221

schleißen 1724, *3*

Schlemihl 1782

schlemmen 725

Schlemmer 726, *2*

Schlemmerei 730, *2*

schlemmerhaft 727

Schlemmerküche 730, *3*

schlendern 703, *2*

Schlendrian 326, *2*

schlenkern 1443, *2*

schleppen 1589, *1*;
1943, *1*

schleppend 1015, *1*

Schlepper 294, *4*;
579, *6*; 1955

Schleppfahrzeug 579, *5*

Schlepptau, im 1653, *2*

Schleppzug 579, *6*

schleudern 1443, *1*

Schleuderware 5, *2*

schleunigst 429, *3*; 1410, *1*

Schleuse 1215, *4*

Schleuser 294, *4*

Schliche 898

schlicht 83, *1*; 433, *2*; 678, *1*

schlichten 261, *1*; 1769, *1*

Schlichtheit 434, *1*

Schlichtung 150, *4*

Schlick 1552, *1*

schliddern 777, *1*

Schlieren 1406, *1*

Schließe 1785, *2*

schließen 22, *2*; 122, *1*; 475, *1*; **1399**

schließen, Augen 1513, *1*

schließen, Bekanntschaft 1157, *4*

schließen, Deckel 1399, *2*

schließen, die Läden 1399, *4*

schließen, Ehe 1718, *5*

schließen, Freundschaft 1157, *4*

schließen, Frieden 261, *3*

schließen, ins Herz 1056, *1*

schließen, kein Auge 63, *2*

schließen, Kompromiss 1736

schließen, sich 1399, *5*

schließen, Vertrag 313, *3*; 1736

schließen, Vorhang 1399, *4*

Schließfach 921, *1*

schließlich 477, *1*

schließlich und endlich 477, *1*

Schließung 120, *2*; 1400, *1*

Schliff 85, *1*; 565, *1*; 1629

Schliff, letzter 767, *7*

schlimm 322, *3*; 690, *5*;

1293, *2*; 1397, *4*; 1660, *4*

Schlinge 211, *2*; 1004; 1060, *1*; 1785, *2*

Schlingel 1384, *2*

schlingen 566, *4*; 1718, *2*

schlingern 1435, *1*

Schlips 1291, *7*

Schlitten 579, *2*

Schlitz 1215, *3*

Schlitzohr 852; 1429, *1*

schlitzohrig 1396, *1*

schlohweiß 44, *1*

Schloss 824, *1*; 1785, *2*

Schloss und Riegel, hinter 1652, *2*

schlotterig 1065, *1*

schlottern 63, *1*; 659, *1*; 1947, *1*

schlotternd 64, *2*; 914, *2*; 1065, *4*

schlotzen 1943, *4*

Schlucht 481, *4*; 1799, *1*

schluchzen 944, *3*

schluchzend 1660, *2*

Schluck 759, *1*; 951, *2*

Schlückchen 1340, *1*

schlucken 566, *4*; 1040, *2*; 1601, *1*

Schluckspecht 1602

Schluderei 1251

schludern 1252

schludrig 1150, *1*

Schludrigkeit 1151

Schlummer 525, *3*

schlummern 1392, *2*

Schlund 1799, *1*

Schlunze 1407

schlunzig 1150, *1*

schlüpfen 510, *1*; 777, *1*

schlüpfen, in die Kleider 98, *1*

Schlupfloch 1215, *1*

schlüpfrig 91, *1*; 768, *6*

Schlüpfrigkeit 662, *1*

schlurfen 703, *2*

schlürfen 566, *5*; 1601, *2*

Schluss 534, *1*; **1400**

Schluss machen 475, *1*; 1587, *5*; 1595, *1*

Schluss machen mit 329, *2*

Schluss mit lustig 1773, *1*

Schluss, am 477, *3*

Schluss, zum guten 477, *1*

Schlussabrechnung 1316, *1*

Schlussakkord 1400, *2*

Schlussakt 1400, *2*

Schlüssel 675, *2*

Schlüssellochguckerei 1178

Schlüsselstellung 1048, *1*

schlussendlich 477, *1*

Schlussfolgerung 1400, *3*

schlüssig 945, *3*; 1395; 1773, *3*

schlüssig werden, sich 499, *2*

Schlüssigkeit 947, *2*

Schlusspunkt 1400, *2*; 1944, *2*

Schlussrechnung 1316, *1*

Schlussrunde 1400, *5*

Schlusssatz 1400, *2*

Schlussstrich 1596, *1*

Schlussteil 1400, *1*

Schlussverkauf 1760, *2*

Schlusswort 1400, *2*

Schmach 1372, *1*

schmachten 217, *2*; 872, *2*

schmachten nach 217, *2*

Schmachtfetzen 940, *2*

schmächtig 410, *3*

schmackhaft 100, *2*; 109

schmackhaft machen 208

Schmackhaftigkeit 108; 746, *3*

schmähen 841, *1*; 1765; 1765

schmählich 239, *2*

Schmährede 989, *3*

Schmähredner 990, *2*

Schmähung 240; 627; 989, *3*; 1766

schmal 410, *2*; 480, *1*

schmalbrüstig 954, *2*

schmälern 1007, *2*

Schmälerung 454, *1*; 1348, *3*; 1723, *2*

Schmalfilmkamera
916, 2
schmallippig 1005, 2
Schmalspurkonsens
444; 1737, 1
schmalzig 941
Schmankerl 979
schmarotzen 153, 3
Schmarotzer 985;
1402, 2
Schmarre 1924
Schmarren 737, 2;
940, 2; 1675, 1
schmatzen 566, 5
Schmauch 353, 1
schmauchen 1308
Schmaus 730, 2; 1080, 1
schmausen 566, 3
schmecken 691, 1;
977, 2
schmecken lassen, es
sich 725
Schmeichelei 1062, 4
Schmeichelkatze
1402, 1
schmeicheln 1401;
1508, 4
Schmeichler 1402
Schmeichlerin 1402, 1
schmeichlerisch 583, 4
schmeißen 715, 1;
1226, 3; 1443, 1;
1815, 1
schmeißen, sich in Scha-
le 1292, 2
Schmelze 1747, 2
schmelzen 152, 3;
531, 4; 1066, 2
Schmerbauch 673, 2
schmerbäuchig 381, 1
Schmerz 1341; **1403**;
1592
schmerzbewegt 1660, 1
Schmerzempfinden
1403, 2
schmerzempfindlich
471, 2
Schmerzempfindlich-
keit 472, 1
schmerzen 256; 330, 3;
364, 4; **1404**
Schmerzen 1041, 1;
1403, 2
Schmerzen haben
1040, 1

schmerzend 1293, 1
Schmerzensgeld 498, 3
Schmerzensschrei
943, 2
schmerzerfüllt 1660, 1
schmerzfrei 286
Schmerzgefühl 1403, 2
Schmerzgefühl, ohne
286
Schmerzgeplagter 1238
schmerzhaft 1293, 1
schmerzlich 1452, 1;
1499; 1660, 4
schmerzlindernd 285, 1
schmerzlos 286
schmerzmildernd 285, 1
schmerzstillend 285, 1
schmettern 316, 2;
1018, 1; 1443, 1;
1465, 2
Schmettern 734, 5;
739, 1
schmettern, einen
1601, 2
schmieden 102, 4
schmieden, Eisen
1196, 2
schmieden, Komplott
1718, 4
schmieden, Pläne
1259, 1
schmiedend, Ränke
323, 1
schmiegen, aneinander
1056, 3
schmiegsam 1891, 1
Schmiegsamkeit 623, 2
schmierbar 1891, 1
Schmiere 1406, 1;
1577, 1
schmieren 769, 4;
924, 3; 1252; 1421, 4
schmieren, aufs Brot
1856
Schmierfilm 618, 1
Schmierfink 1407
Schmiergeld 436, 2
Schmierheft 828, 1
schmierig 768, 6; 1408
Schminke 1559, 2
schminken 268; 1249, 5
schmirgeln 769, 3
Schmiss 1446, 2
schmissig 1026, 3
Schmöker 336, 1

schmökern 1050, 1
schmollen 1959, 1
schmollend 322, 1; 1152
Schmollmund 1131
Schmonzes 1675, 1
schmoren 325, 1;
1445, 1
Schmu 292
schmuck 626; 869;
1365, 1
Schmuck 976, 2;
1286, 2; 1291, 1
schmücken 167, 2;
1292, 1
schmücken, sich mit
fremden Federn
881, 2
schmückend 1405
Schmuckform 1136, 1;
1291, 2
Schmuckgegenstände
976, 2
Schmuckkästchen
922, 1
schmucklos 433, 3
Schmucknadel 1291, 5
Schmucksachen 1291, 1
Schmuckschatulle
922, 1
Schmuckspange 1291, 5
Schmuckstücke 976, 2
Schmuckwaren 976, 2
schmuddelig 1408
schmuen 293, 1
schmuggeln 437, 3
Schmuggler 294, 4
schmunzeln 651, 2;
1009, 1
Schmunzeln 650, 3
schmunzelnd 654, 4;
835, 1; 1493, 2
Schmus 737, 2; 1062, 4;
1256, 2
schmusen 1056, 3
Schmutz 1406; 1552, 1
schmutzen 1809
Schmutzfink 1407
schmutzig 91, 4; 318, 2;
1408
schmutzig machen 1809
Schmutzlache 1406, 1
Schmutzstreifen 1406, 1
Schnabel 415, 2; 1131
schnäbeln 1056, 3
schnabulieren 566, 3

Schnack 737, 2; 1256, 2
schnackseln 1056, 3
Schnalle 211, 2; 812, 1;
  1291, 5; 1785, 2
schnallen 210, 1; 1794, 2
schnallen, Gürtel enger
  1479, 4
schnallen, Riemen enger
  1479, 4
schnalzen 1585, 3
Schnapp 518, 2; 923
Schnäppchen 923
schnappen 588, 1;
  924, 2; 1168, 1
schnappen, Luft 524, 1
schnappen, nach Luft
  115
Schnappschuss 126, 1;
  308, 3
Schnapsdrossel 1602
schnapsen 1601, 2
Schnapsidee 1675, 3;
  1779, 2
schnarchen 1392, 2
Schnarchhuhn 1255
Schnarchzapfen 1782
schnarren 1585, 2
schnarrend 406, 5
schnattern 1495, 3;
  1585, 3; 1947, 1
schnauben 115; 316, 1;
  1391, 2
schnaufen 115
Schnauzbart 187
Schnäuzchen 1131
Schnauze 1131
schnauzen 1391, 2
Schnecke 1255
Schneckentempo, im
  1015, 1
Schnee 1186, 2; 1311;
  1747, 2
Schnee von gestern
  1017, 2; 1708
schneebedeckt 914, 1
schneebleich 592, 1
Schneefall 1186, 2
Schneegebirge 257, 2
Schneegestöber 1186, 2
schneeig 592, 1; 839, 2
Schneeschleicher 852
Schneesturm 1186, 2;
  1543, 1
schneeweiß 592, 1
Schneid 478, 1; 1138

Schneide 1106
Schneide, auf Messers
  690, 1
schneiden 546; 1218;
  1404, 1; **1409**
schneiden, in Stücke
  1409, 1; 1562, 1
schneiden, klein 1938
schneiden, sich 901, 5;
  1409
schneiden, sich ins eigene
  Fleisch 1369, 4;
  1409, 7
schneidend 1307, 5;
  1373, 1; 1373, 4;
  1493, 1
schneidern 102, 4
schneidig 479
schneien 1325
Schneise 1053
schnell 301, 1; 626;
  1036, 5; 1290, 2; **1410**
schnell machen 428, 2
schnellen 597, 1
schneller werden 391, 3
schnellfertig 1037, 1
Schnelligkeit 427, 2
Schnellkraft 623, 2
Schnellsegler 579, 6
schnellstens 429, 3;
  1410, 1
Schnellstraße 1528
schniegeln, sich 1292, 2
schnieke 626
schnippeln 1409, 1
schnippen 1585, 3
schnippisch 642, 2;
  1662, 2
Schnipsel 1540, 2
schnipseln 1409, 1
Schnitt 518, 2; 632, 3;
  806, 2; 1136, 3;
  1195, 2; 1299, 1;
  1732, 2; 1924
Schnitt machen 761, 1
Schnittbogen 1136, 3
Schnitte 1540, 3
Schnitter Tod 1582, 3
schnittig 416, 2; 626;
  1973, 2
Schnittmenge 1102, 1
Schnittmuster 1136, 3
Schnittpunkt 415, 1;
  1119, 6; 1594, 3
Schnittstelle 1719, 2

Schnittvorlage 1136, 3
Schnitzel 5, 1; 1340, 1
schnitzeln 1409, 3;
  1938
schnitzen 756; 1409, 3
Schnitzer 309; 599, 1
schnobern 1344, 3
schnoddrig 642, 3
schnöde 914, 4
Schnörkel 1291, 2
Schnörkelei 1624, 1
schnörkelig 992, 1
schnörkellos 433, 3
Schnorrer 1402, 2
Schnösel 1545
Schnüffelei 1178
schnüffeln 1344, 3
Schnüffler 248, 2
Schnulze 940, 2
schnulzig 941
schnuppe 772, 5
schnuppern 1344, 3
Schnur 575, 1; 1329, 1
Schnürchen, wie am
  768, 5
schnüren 313, 4; 402, 2
schnurgerade 732, 2
Schnürlregen 1186, 1
Schnurrbart 187
schnurren 1585, 3
schnurrig 835, 4;
  1254, 3
schnurstracks 1664, 2
schnurz 772, 5
Schnute 1131
Schober 1484, 2
Schock 62, 1; 552;
  1295, 1
schockierend 91, 6; 553
schockweise 1824, 1
schofel 1397, 5; 1480, 1
Schokolade 759, 3
Schokoladenseite
  1858, 2
schon 1411
schön 738, 2; 781, 3;
  1317, 1; **1412**
schön machen, sich
  1292, 1
schön, allzu 941
Schöne 1414, 2
schonen 1249, 1; **1413**
schönen 268
schonen, sich 1413
schonend 757, 3;

1109, *2*; 1476, *1*;
1846, *2*; 1932, *2*
Schoner 579, *6*
schöner werden 761, *3*
schönfärben 268
Schönfärberei 269
Schonfrist 1822, *3*
Schöngeist 726, *1*
schöngeistig 996, *2*
Schönheit 1286, *2*; **1414**
Schönheitsfehler 599, *2*
Schönheitspflege
1248, *3*
Schönheitssinn 746, *1*
Schonkost 379, *2*
Schönling 1545
schönrechnen 268
Schönrechnerei 269
schönreden 268; 1401
Schönreden 269
Schönredner 1402, *1*
Schönschrift 1422, *2*
Schöntuer 1402, *1*
schöntun 1401; 1742
Schonung 680; 784, *1*;
1110; 1351; 1869
schonungslos 334;
820, *3*; 1373, *3*
Schonungslosigkeit 335;
1537, *1*
schonungsvoll 1109, *1*;
1476, *1*; 1846, *1*;
1932, *2*
Schönwetterzone 400, *4*
schönzeichnen 268
Schönzeichnen 269
Schonzeit 1822, *3*
Schopf 806, *1*
schöpfen 674, *1*
schöpfen, Atem 524, *1*
schöpfen, aus dem Vol-
len 807, *2*
schöpfen, Luft 115
schöpfen, Mut 499, *2*;
1606, *2*
schöpfen, Verdacht
1772, *2*; 1976
Schöpfer 785, *1*
Schöpfergeist 724, *1*
schöpferisch 1231, *1*;
1265, *1*; **1415**
Schöpferkraft 1253;
1274, *1*
Schöpferlust 1274, *1*
Schöpfertum 1274, *1*

Schöpfung 563, *1*;
1046, *1*; **1416**; 1893, *2*
Schöpfungsakt 1416, *1*
schorfig 1307, *2*; 1643, *2*
Schoßhund 871
Schoßkind 1431
Schössling 1599, *2*
Schotter 712, *3*
schotterig 1643, *2*
schräg 1417
schräge 1417, *5*; 1778, *1*
Schräge 5, *4*
Schramme 1497, *1*; 1924
schrammen 1326, *4*
Schrank 1418
Schranke 790; 858, *4*;
1419
schrankenlos 1077, *3*;
1093, *1*; 1648, *1*
Schrankenwärter 1878
Schrankwand 1418
Schranze 1402, *1*
schrappen 1326, *2*
Schraubdeckel 1785, *1*
Schraube 211, *2*
Schraube los 1778, *1*
Schraube ohne Ende
1020, *2*
schrauben 210, *1*
Schraubenwindung
1004
Schrebergarten 680
Schreck 552
schrecken 398, *1*
Schrecken 62, *1*
Schreckensbotschaft
1659
Schreckensherrschaft
847, *3*
Schreckensnachricht
1659
Schreckensregiment
847, *3*
schreckensstarr 1505, *3*
schreckensvoll 1420, *1*
Schreckgespenst 707, *3*;
1386
schreckhaft 64, *1*; 64, *2*;
471, *3*
schrecklich 163, *1*;
1420; 1452, *1*
Schrecknis 1659
Schreckschuss 1876
Schrei 943, *2*
Schrei, letzter 1125, *1*

Schreibe 1518, *1*
schreiben 162, *1*; **1421**
Schreiben 332
schreiben über 224, *3*;
276, *2*
schreiben, in den Kamin
1029
schreiben, in den Schorn-
stein 1768, *2*
schreiben, in den Wind
1029
schreiben, ins Gedächt-
nis 526, *2*
schreiben, ins Stamm-
buch 1081, *2*
schreiben, ins Unreine
1259, *3*; 1421, *2*
schreiben, Maschine
1421, *4*
schreiben, sich hinter die
Ohren 526, *2*
schreiben, Skript
1421, *2*
schreiben, Vorrede
437, *2*
Schreiberling 1423
Schreibfehler 599, *1*
Schreibheft 828, *1*
Schreibschrift 1422, *1*
Schreibtisch 1581
Schreibtischlampe
1012, *1*
Schreibtischtäter
1726, *2*
Schreibweise 1518, *1*
schreien 944, *3*; 1018, *1*;
1391, *2*; 1465, *2*;
1585, *2*
schreiend 591, *1*; 1022
Schreihals 1436
schreinern 102, *4*
schreit zum Himmel
1397, *5*
schreiten 703, *2*; 1871
schreiten, rückwärts
485, *1*
Schrieb 332
Schrift 336, *2*; **1422**
Schriftgut 1061
Schriftkontakt 966, *3*
Schriftleiter 260, *1*
Schriftleitung 260, *3*
schriftlich 1124, *4*
Schriftsprache 1494, *4*
Schriftsteller 1423

Schrifttum 1061
Schrifttypen 1422, *1*
Schriftwechsel 966, *3*
Schriftwerk 1576
Schriftzeichen 337, *1*;
    1422, *1*
Schriftzüge 1422, *1*
schrill 1022; 1373, *4*;
    1778, *1*; 1913, *2*
schrillen 316, *1*; 1585, *2*
Schritt 302, *1*
Schritt für Schritt
    1015, *2*
Schritt tun, zweiten vor
    dem ersten 1658, *2*
Schritt und Tritt, auf
    1612, *1*
Schrittmacher 1257, *2*
Schritttempo, im 1015, *1*
schrittweise 457, *4*;
    1015, *2*
schroff 31, *1*; 376, *2*;
    1005, *2*; 1536, *1*;
    1662, *1*
Schroffen 257, *2*
Schroffheit 643, *3*;
    1537, *2*
schröpfen 153, *2*;
    1168, *3*
Schrot 1289
Schrot und Korn, von
    echtem 347, *2*
schroten 1938
Schrott 5, *2*
schrubben 1326, *1*;
    1367, *1*
Schrulle 424, *4*
schrullig 119, *2*; 1254, *3*
Schrulligkeit 424, *4*
schrumpfen 1149, *3*;
    1479, *4*; 1604, *6*
schrumplig 44, *2*
Schrunde 1497, *1*; 1924
schrundig 1307, *2*;
    1496, *2*; 1643, *2*
Schub 400, *1*; 1295, *1*;
    1446, *1*; 1526; 1590, *2*
Schuber 870, *4*
Schubfach 571, *1*
Schubiack 1429, *1*
Schubkasten 571, *1*
Schubkraft 400, *1*;
    478, *3*; 980, *2*
Schublade 571, *1*
schubsen 391, *1*; 1527

schüchtern 1674, *5*;
    1763, *1*
schüchtern sein 1371, *1*
schüchtern sein, zu
    1371, *2*
Schüchternheit 1370, *1*;
    1764, *2*
schuckern 659, *1*
schuckrig 914, *1*
Schuft 1429, *2*
schuften 92, *3*
Schufterei 1020, *2*
schuftig 1397, *5*
Schuftigkeit 1398
Schuhe und Strümpfe,
    ohne 1154, *2*
Schulanfänger 1428, *1*
Schularbeiten 120, *6*
Schulaufgaben 120, *6*
Schulbank 184, *1*
Schulbeispiel 235
Schulbuch 1032
schuld 1426, *2*
Schuld 1340, *2*; **1424**
Schuld haben 1425, *3*
schuld sein 1425, *3*
Schuld, in jmds. 1776, *1*
Schuld, ohne 1673, *1*
Schuldbekenntnis
    1209, *2*
schuldbeladen 1426, *2*
schuldbewusst 1342;
    1426, *2*
Schuldbewusstsein
    1424, *3*
schulden 1425
Schulden 1424, *2*
Schulden haben 1425, *1*
Schulden machen 321, *1*
schulden, Dank 357, *2*
schuldenfrei 768, *4*
Schuldenlast 1424, *2*
schuldfrei 1673, *1*
Schuldgefühle 1424, *3*;
    1764, *2*
schuldhaft 1426, *2*
schuldig 1426
schuldig bleiben, Ant-
    wort nicht 1751, *1*
schuldig bleiben, nichts
    557, *2*
schuldig machen, sich
    1425, *3*; 1750, *8*
schuldig sein 1425, *1*
schuldig, nicht 1673, *1*

Schuldiger 1726, *1*
Schuldigkeit 356; 1250;
    1424, *1*
Schuldkomplex 1424, *3*
schuldlos 1673, *1*
Schuldner sein 1425, *1*
Schule 1033, *4*; **1427**;
    1538, *1*
schulen 538, *2*; 1034, *2*;
    1611
schulen, Blick 1374, *3*
schulen, sich 1049, *1*
Schüler 1428
schülerhaft 1695, *2*
Schulfreund 652
Schulfreundin 653
Schulfuchs 1239, *1*
Schulgebäude 1427, *2*
schulgerecht 1001
Schulhaus 1427, *2*
Schulheft 828, *1*
Schulkind 936, *1*;
    1428, *1*
Schulkomplex 1427, *2*
Schullandheim 833, *2*
Schullehrer 1035, *1*
Schulleiter 1047, *2*
schulmäßig 1001
Schulmeinung 1033, *4*
Schulmeister 1035, *1*;
    1239, *1*
schulmeisterlich 238, *2*;
    1241, *1*
schulmeistern 1554, *2*
Schulter an Schulter
    443, *2*; 1728, *1*; 1962
Schulter, leichte 1037, *2*
schultern 715, *1*; 827, *1*
Schulterschluss 1719, *1*
Schultertuch 870, *5*
Schulung 96, *1*; 517, *2*;
    565, *2*; 1033, *1*; 1629
Schulversuch 1427, *1*
Schummelei 292
schummeln 1252
schummerig 407, *1*
schummern 409, *1*
Schummerstunde 408, *1*
Schund 940, *1*; 1406, *3*
Schundliteratur 1406, *3*
schuppen 1066, *10*
Schuppen 1484, *2*
schuppig 1307, *2*
schüren 851, *3*
schürfen 787, *1*

schürfend, tief 722, 3; 1580

schurigeln 1242, 1; 1554, 2

Schurke 1429

Schurkerei 1398

schurkig 1397, 5

schurkisch 349

schürzen 827, 1

schürzen, Knoten 210, 1

Schürzenjäger 1743, 1

Schuss 734, 3; 951, 2; 1193; 1446, 1

schussbereit machen 1066, 9

Schüssel 223

schusselig 1639, 1; 1915, 2

Schusswaffe 1859, 1

schustern 1252

Schute 971

Schutt 5, 1; 1186, 1

schütteln 546; 1081, 3; 1112, 1; 1527

schütteln, aus dem Ärmel 963, 3

schütteln, Hand 802, 1

schütteln, sich 462, 1

schütten 616, 1; 1325

schütten, voll 674, 1

schütter 410, 3; 954, 1

Schutthaufen 5, 3

Schutz 1248, 1; 1461, 2; 1788, 2

schutzbedürftig 856, 1

Schutzbefohlener 1431

Schütze 919, 1

schützen 873; 1249, 3; **1430**

schützen, sich 1430; 1462, 3

Schutzengel 838, 1

Schützengraben 211, 4

Schutzfilm 618, 1

Schutzgeist 838, 1

Schützling 1431

schutzlos 1319

Schutzmarke 930, 3

Schutzraum 211, 4

Schutzschicht 618, 1

Schutzzone 211, 4

schwabbelig 1891, 4

Schwabenstreich 1675, 2

schwach 312, 3; 410, 4;

856, 1; 1044; **1432**; 1656, 1

schwach auf den Beinen 1432, 2

Schwäche 599, 2; 599, 5; 984, 1; 1172, 2; **1433**; 1694, 1

Schwäche haben für 1056, 1

schwächen 539, 1; **1434**

Schwachheit 1433, 1

schwachherzig 64, 2

Schwachkopf 405, 1

schwachköpfig 403, 1

schwächlich 471, 2; 1432, 1

Schwächlichkeit 472, 1

Schwächling 603

schwachmütig 64, 2

schwachnervig 1432, 1

Schwachstelle 472, 1

Schwächung 540, 1

Schwaden 353, 2

Schwadronade 737, 2

Schwadroneur 1436

schwafeln 1269, 2; 1495, 3

Schwall 1102, 3; 1538, 2

Schwamm drüber 534, 1

schwammig 381, 2; 1655, 3; 1891, 4

schwanen 555, 3; 1772, 2

Schwanengesang 1400, 2

Schwang, im 678, 1; 1126, 2

schwanger sein 1589, 5

schwanger werden 466, 3

schwängern 411, 1

Schwangerschaftsabbruch 26

Schwangerschaftsunterbrechung 26

schwank 622, 1

Schwank 960; 1675, 2

schwanken 1435; 1948; 1976

Schwanken 1710, 2; 1974, 1

schwanken, hin und her 1947, 2

schwankend 1650, 1; 1674, 4

schwankend werden 1435, 2

schwankhaft 835, 4

Schwankung 1444; 1710, 2

Schwanz 778, 2; 1400, 1

Schwanz, am 477, 3

Schwanz, kein 1188

schwänzeln 1443, 3

schwänzen 602, 3; 1783, 1

Schwanzende 1400, 1

schwappen 1585, 4

Schwarm 800, 5; 874, 2; 1102, 3

schwärmen 219, 2; 602, 2

Schwärmer 876, 2

Schwärmerei 875, 2; 1055, 4

schwärmerisch 473; 548, 3; 877, 1; 1767

Schwarmgeist 876, 1

Schwarte 336, 1; 870, 2

schwarz 407, 1; 407, 6; 591, 3; 834, 1; 1320, 2; 1660, 5

schwarz auf weiß 1460, 4

Schwarzarbeit 101, 3; 292

Schwarze, ins 722, 2

schwärzen 409, 3; 590, 1

schwarzgallig 1117

Schwarzhändler 294, 4

Schwarzkünstler 1276

schwärzlich 407, 6

Schwarzmaler 1245

Schwarzmarkt 1086, 2

Schwarzseher 1245

schwarzseherisch 1246

schwarz-weiß 695, 4

Schwarzweißgerät 609, 1

Schwatz 1684, 1

Schwatzbase 1436

Schwätzchen 1684, 1

schwatzen 948, 1; 1495, 3; 1682, 3

schwätzen 1495, 3

schwätzen, klug 1495, 3

Schwätzer 1436

schwatzhaft 253, 2; 1121

Schwatzhaftigkeit
1210, 2
Schwatzsucht 1210, 2
Schwebe, in der 1207, 3
Schwebebahn 579, 4
schweben 777, 3; **1437**
schweben, in den Wolken 1591, 2
schweben, in Lebensgefahr 1040, 3
schwebend 1026, 5;
1207, 3; 1650, 3
schweifen 703, 2
Schweigegeld 436, 2
schweigen 1438
Schweigen 1355, 1
schweigen wie ein Grab
1438, 2
schweigen wie eine Auster 1438, 2
schweigend 1044;
1357, 1; 1439, 1
schweigsam 1044; **1439**;
1960, 1
Schweigsamkeit 1961, 3
Schwein 780, 1; 1407
Schwein haben 715, 2
Schweinehund, innerer
1433, 1
Schweinerei 662, 3;
1406, 2
Schweinigel 1407
schweinigeln 1809
schweinisch 91, 4
Schweiß 156, 1
schweißen 102, 4
schweißgebadet 1872, 3
schweißig 1408
schweißtreibend 757, 4
schweißtriefend 1872, 3
schwelen 330, 1; 1308
schwelgen 725
Schwelger 726, 1
Schwelgerei 711; 730, 2
schwelgerisch 727;
1093, 3; 1466, 2
Schwelle, an der 1650, 3
schwellen 1297; 1921, 1
schwellend 381, 4;
992, 1
Schwellung 1922, 1
Schwemme 681, 1
Schwenk 1710, 2
schwenken 395, 1;
1443, 1

Schwenkung 29, 2; 1004
schwer 1158; **1440**;
1441, 2
schwer fallen 539, 1
schwer haben 1040, 4
schwer tun, sich 92, 4;
539, 2
Schwerathlet 1489
Schwere 202, 3; 400, 2;
1020, 1
schwerelos 1036, 1
Schwerenöter 1743, 1
schwerfällig 1264, 1
Schwerkraft 400, 2;
980, 2
schwerlich 926, 1
Schwermut 1592
schwermütig 1660, 1
Schwerpunkt 823;
1119, 6
Schwerstarbeit 1020, 2
Schwertscheide 1379, 2
Schwertschlucker
111, 2
Schwerverbrecher
1726, 2
schwerwiegend 1440, 2;
1900, 1
Schwester 867
schwesterlich 654, 3
schwielig 1307, 4
schwiemeln 602, 2
schwierig 1273, 1; **1441**;
1638, 1; 1693, 1
Schwierigkeit 120, 4;
988, 2; 1764, 1
Schwierigkeit, ohne
1036, 2
Schwierigkeit, ohne jede
87
Schwierigkeiten 105, 3
Schwierigkeiten machen
106, 1
Schwierigkeiten, in 401
Schwierigkeiten, ohne
433, 1
Schwimmbad 178, 2
schwimmen 1437, 2;
1442; 1521, 2
schwimmen, gegen den
Strom 124, 2
schwimmen, im Geld
807, 2
schwimmen, in Tränen
944, 3

schwimmen, obenauf
715, 2; 1437, 2
schwimmend 1162, 2
Schwindel 292; 1071, 2;
1559, 1
Schwindelei 1071, 2
Schwindelhuber 852
schwindelig 1915, 3
schwindeln 293, 1; 1072
schwinden 1750, 4
schwinden lassen 122, 3
schwindend 13
Schwindler 294, 1
schwingen 597, 1;
1298, 3; **1443**; 1585, 1
Schwingen 302, 4; 1444
schwingen, hin und her
1443, 2
schwingen, sich in die
Luft 1509, 3
schwingend 587, 1
Schwinger 1393, 1
Schwingung 302, 4;
1444
Schwingungen 1444
Schwips 1310, 1
schwirren 395, 1;
428, 1; 1437, 1;
1585, 2
schwitzen 325, 2; **1445**
schwitzen, Blut 63, 1
schwitzend 1872, 3
schwofen 1682, 5
schwören lassen 89, 2
schwören, falsch 1072
schwören, Meineid 1072
schwul 866
schwül 406, 2; 1872, 2
Schwüle 1873, 1
Schwuler 867
Schwulität 1764, 1
Schwulitäten 105, 3
Schwulitäten, in 401
Schwulst 940, 1;
1256, 2; 1624, 1
schwülstig 941
Schwund 1348, 1;
1368, 1; 1723, 2
Schwung 302, 4; 478, 1;
623, 1; 1025, 6; 1144;
1446
Schwung, in 1026, 2
Schwung, mit 1410, 1
Schwunglosigkeit 540, 1
schwungvoll 479;

829, 2; 1026, 3;
1410, 1
Schwur 1788, 1; 1942, 2
Science-Community
636, 1
Science-Fiction 1254, 2
Sci-Fi 1254, 2
Scoop 930, 7
Scout 1257, 2
Scratching 1133, 3
Screen 311
Scripter 1423
secondhand 44, 4
Secondhandladen 740, 2
sedieren 261, 4
sedierend 285, 1
Sediment 1186, 3
sedimentieren 1184, 6
See 760, 2; 760, 4
Seebad 178, 3
Seebär 1448
Seebeben 1165, 1
seebestatten 233, 1
Seebestattung 234, 2
Seebrücke 333
Seefahrer 1448
Seegang 302, 3
Seegöttin 707, 4
Seejungfer 707, 4
seekrank werden
462, 1
Seele 340, 5; 693, 4;
707, 1; 888, 2; 1119, 1;
1447
Seele der Organisation
1447, 2
Seele des Betriebs
1447, 2
Seele, aus tiefster
1145, 2
Seele, gute 1447, 2
Seele, keine 1188
Seele, schöne 876, 2
Seele, treue 1971, 1
Seele, zarte 471, 4
Seelenblindheit 1647, 4
Seelenfenster 141
Seelenfriede 1355, 2
Seelengröße 792, 2
seelengut 804, 1
Seelenheil 1449, 2
Seelenhirte 939, 1
seelenkrank 720
Seelenkrankheit 721
Seelenlage 1520, 1

Seelenleben 693, 4;
1447, 1
seelenlos 1096, 3
Seelenmassage 436, 1
Seelenruhe 1355, 2
seelenruhig 1357, 3
Seelenschmerz 1403, 1
Seelenstärke 792, 2
Seelenstriptease 1209, 2
seelentaub 403, 1
Seelentaubheit 404, 1
Seelenverfassung
1520, 1
seelenvergnügt 835, 3
seelenverwandt 443, 1
Seelenverwandtschaft
444
seelenvoll 473
seelisch 888, 2
Seelsorger 939, 1
Seemann 1448
Seemannsgarn 1071, 4
seetüchtig 1973, 2
Seeweg 1888, 4
Segelflugzeug 579, 7
segeln 300, 4; 777, 3;
1437, 1
segeln, im Kielwasser
1196, 2
segeln, im Windschatten
1196, 2
segeln, vor dem Wind
392
Segelohren 1217
Segelschiff 579, 6
Segen 673, 1; 780, 1;
784, 2; **1449**
segensreich 781, 2;
1197, 1
Segensspruch 1449, 1
Segenswunsch 1449, 1
Segment 1561, 1
segnen 1450
segnen, das Zeitliche
1513, 1
Segnung 1449, 1
sehen 538, 1; **1451**;
1867, 1
sehen können, nicht
462, 1; 821, 1
sehen können, nicht
mehr 1039, 2
sehen wollen, nicht
1051, 3; 1409, 5
sehen, anders 1709, 1

sehen, den Dingen ins
Gesicht 1451
sehen, durch die Finger
501, 4; 1236, 3;
1413, 3
sehen, durch die rosa
Brille 268
sehen, Gespenster 63, 2;
964, 2
sehen, in den Spiegel
1486, 1
sehen, keinen Ausweg
1823, 1
sehen, klar 1794, 2
sehen, kommen 555, 3;
1772, 2
sehen, rot 106, 2
sehen, Sache verschie-
den 28, 4
sehen, schwarz 63, 2;
496; 1823, 1
sehen, selbst 515, 1
sehen, sich 1593, 1
sehen, sich ähnlich
1615, 3
sehen, sich genötigt 1135
sehen, sich gezwungen
1135
sehen, sich satt 1925, 1
sehen, wieder 1593, 1
sehen, Zusammenhänge
1794, 4
sehenswert 273, 2;
892, 2
Sehenswürdigkeit 424, 3
Seher 141; 1276
Sehergabe 468, 4
seherisch 1277
Sehkreis 317
Sehnen 1762, 2
sehnen nach, sich 217, 2
sehnig 981, 1; 1490, 1;
1929, 4
sehnlich 1145, 2
Sehnsucht 1762, 2
Sehnsuchtsobjekt 527, 3
sehr 1452
sehr, allzu 1625, 1
Sehvermögen 1868, 2
Sehweite, außer 1892, 2
sei es, dass 1202
seichen 1325
seicht 182; 950, 3;
1199, 2
Seichtheit 183, 1

selbstsüchtig 1456
Selbsttäuschung 880, 3
Selbsttötung 1588, 3
Selbstüberhebung
  460, 1
Selbstüberwindung
  229, 1
selbstverantwortlich
  644, 1
Selbstverdammung 1341
selbstvergessen 1357, 4
Selbstvergewisserung
  1454, 1
Selbstvergötterung 1455
selbstverliebt 459, 2;
  1456
Selbstverliebter 417
Selbstverliebtheit
  460, 1; 1455
Selbstverlust 1710, 4
selbstverständlich 87;
  182; 678, 1; 738, 2;
  1166, 2; 1791, 3
Selbstverständlichkeit
  183, 1; 645, 3; 1192, 2
Selbstverständlichkeit
  werden, zur 763, 1
Selbstvertrauen 1454, 2;
  1801
Selbstverurteilung 1341
Selbstvorwurf 1341;
  1424, 3
Selbstwertgefühl
  1454, 2
selbstzerstörerisch
  1660, 1
Selbstzeugnis 176
selchen 522, 2
selektieren 166, 4
Selektion 171, 1
Self-fulfilling Prophecy
  1389, 2
selig 781, 1
Seligkeit 780, 2
selten 926, 1; 975; **1457**
selten, nicht 1216
Seltenheit 424, 3; 976, 1
seltsam 119, 2; 553;
  892, 2; 1254, 3
Seltsamkeit 424, 3
Semantik 202, 1
Semester 1936, 1
Semesterarbeit 8, 2
Seminar 1033, 2
Sendefolge 609, 3

senden 1388, 1; 1622, 4;
  1727, 2; 1774, 2
senden, Grüße 802, 1
Sender, auf jedem 262, 1
Sender, öffentlicher
  609, 2
Sendung 120, 1; 136, 3;
  1267, 2; 1590, 2;
  1775, 2
Senf 1675, 1
Senge 1393, 1
sengen 330, 4
senil 44, 2
Senilität 45, 4
Senior 45, 2
Seniorenheim 833, 2
Senke 1172, 3; 1799, 1
senken 296, 1; 841, 3;
  1149, 5; 1184, 5
senken, Niveau 509, 2
senken, sich 6, 1; 581, 2
senkend, sich 1417, 1
senkrecht 732, 2
Senkrechtstarter 579, 7;
  782
Senkung 5, 4; 1092, 2;
  1799, 1
Sensation 552; 742, 3;
  1079
sensationell 163, 1
Sensationsjournalismus
  1271, 1
Sensationslust 1178
sensationslüstern 895, 2
Sensationsmache
  1624, 2
Sensationsnummer 1079
Sensationspresse 1271, 2
Sense 728
Sensenmann 1582, 3
sensibel 471, 1; 473
Sensibilität 472, 2; 474;
  693, 1
sensitiv 471, 1
Sensitivität 474
Sensorium 693, 3;
  1868, 2
sensualistisch 1466, 1
Sensualität 693, 1
Sentenz 374, 2
Sentiment 693, 1
sentimental 473; 941
Sentimentalität 474;
  940, 3
separat 273, 1; 457, 1

Separation 18, 1;
  1596, 2
Separatismus 18, 2
separieren 17, 1; 1595, 2
separieren, sich 17, 2
Separierung 18, 1;
  1596, 2
Sequel 1905
Sequenz 630, 1; 1329, 1
Sequestration 267
Serie 630, 2; 1329, 2
Serie, in 1824, 1
seriell 1096, 1
serienmäßig 1096, 1;
  1824, 1
Serienprodukt 562
Serienproduktion 563, 2
serienweise 1824, 1
seriös 86, 2; 545, 1
Seriosität 85, 2
Sermon 737, 2; 1082, 4;
  1385, 1
Serpentine 1004
Service 204, 2; 204, 4;
  383, 2; 854, 1; 1329, 2
servieren 50, 3; 203, 2
Servieren 204, 2
Serviererin 204, 3
Servierfräulein 204, 3
serviert 610, 4
servil 1691, 2
Servilität 706, 2
Sessel 1470, 2
Sesselbahn 579, 4
Sessellift 579, 4
sesshaft 59, 2; 227, 1
Session 1713, 2
Set 168, 2; 1329, 2
setteln 1184, 2
Settlement 1185, 1
setzen 560, 5
setzen auf 555, 1;
  1800, 1
setzen, alle Hebel in Be-
  wegung 92, 2
setzen, alles auf eine Karte 1860, 1
setzen, alles aufs Spiel
  1369, 4
setzen, an die Luft 30, 5;
  998, 2
setzen, auf die Straße
  998, 2
setzen, auf die Wahlliste
  1863, 2

sicherlich 39; 79; 863, *1*
sichern 123, *1*; 210, *2*;
    339, *2*; 1430, *1*;
    1430, *2*; **1462**
sichern, sich 1462
sicherstellen 22, *3*;
    339, *2*; 1339; 1462, *2*
Sicherstellung 267
Sicherung 342, *2*;
    1461, *2*; 1788, *2*
sicherzugehen, um
    1846, *3*
Sichfrisieren 1583, *2*
Sichfügen 688, *2*
Sicht 165, *1*; 947, *1*
Sicht, auf lange 882, *1*;
    1857, *1*
Sicht, in 180
sichtbar 945, *3*; 1466, *1*;
    1499
sichtbar machen 528, *3*;
    1208, *1*; 1935, *3*
sichtbar werden 506, *3*;
    523, *3*; 1935, *6*
sichtbar, für jedermann
    1211, *1*
sichten 166, *1*; 619, *1*;
    946, *3*; 1451
sichtlich 119, *1*; 1499
Sichtweite 317
Sichzurechtmachen
    1583, *2*
sickern 625
Sideboard 1418
sieben 166, *1*; 946, *3*;
    1938
siebengescheit 642, *2*;
    1396, *2*
Siebensachen 951, *4*
siech 1042, *3*
siechen 1040, *3*
Siechtum 984, *1*; 1659
Siedehitze 1873, *1*
siedeln 1184, *1*
sieden 106, *2*; 956, *1*;
    1376, *1*; 1445, *1*;
    1585, *4*
siedend 322, *1*; 1872, *2*;
    1906, *4*
Siedepunkt 767, *2*
Siedler 189, *1*
Siedlung 1185, *1*;
    1500, *3*
Siegel 279, *2*; 930, *3*;
    1785, *2*

Siegel der Verschwiegen-
    heit, unter dem 1802
siegeln 931, *3*
siegen 1463
Sieger 1464
Siegermacht 1464, *2*
Siegespreis 518, *5*;
    1270, *4*
sielen, sich 524, *3*
Siesta 525, *1*
Siff 1552, *1*
Sigel 1934, *2*
Sightseeing 281, *1*
Signal 855; 1934, *4*
signalisieren 1120, *2*;
    1935, *1*
Signatur 930, *2*
Signet 930, *3*
signieren 278, *1*; 931, *3*
signifikant 348, *1*;
    1900, *1*
Signum 930, *3*; 1934, *2*
Silbe, keine 1180, *1*
Silbenschrift 1422, *2*
Silbenstecher 1239, *1*
Silbenstecherei 1240, *2*
silbenstecherisch
    1241, *1*
Silber 976, *2*
Silberblick 141
Silbergeld 712, *1*
silberhell 839, *5*
Silberstreifen 556, *3*
silbrig 839, *2*
Silhouette 1058, *2*
Silo 1484, *2*
Simili 583, *3*; 1142, *1*
simpel 312, *3*; 328, *3*;
    678, *1*
Simpel 405, *2*
Simplifikation 1707
simplifizieren 1738
Simplifizierung 1707;
    1739
Sims 415, *2*
Simulant 852
Simulation 880, *4*;
    1258, *2*; 1382
simulieren 1072;
    1259, *3*; 1849
simuliert 583, *3*
simultan 776
Sinekure 1338, *1*
Sinfonie 1827, *2*
singen 1465

Singen 734, *5*; 739, *1*
singen, in den Schlaf
    261, *4*
singen, Loblied 1063, *1*
singen, Partie 1487, *1*
Single 640; 1084
Singsang 739, *1*
singulär 163, *1*; 886, *1*
sinister 1660, *5*
sinken 300, *2*
sinken lassen, den Mut
    nicht 555, *2*
sinken lassen, Kopf
    1823, *1*
sinken lassen, Mut
    1823, *1*
sinken, in Schlaf 1392, *2*
sinkend 13
Sinn 202, *1*; 1172, *1*;
    1549; 1793, *1*; 1944, *1*
Sinn für 468, *1*; 1563, *1*
Sinn für Harmonie
    746, *1*
Sinn haben 201, *1*
Sinn haben, im 1259, *1*
Sinn wollen, nicht aus
    dem 266, *3*
Sinn, ohne 1028, *3*
Sinn, sechster 468, *4*
Sinnähnlichkeit 1617, *6*
Sinnbild 308, *5*;
    1934, *2*
sinnbildlich 310, *2*
Sinndeutung 361, *2*
Sinne nach, dem 1655, *2*
Sinne, feine 468, *1*
Sinne, im strengen
    722, *5*
sinnen 371, *2*
Sinnen 1321
Sinnen, mit wachen
    125, *1*
Sinnen, nicht bei 1767;
    1778, *1*
Sinnen, von 829, *3*
Sinnenfreude 730, *1*;
    1073, *2*; 1467
sinnenfreudig 1466, *2*
sinnenfroh 1037, *2*
sinnenhaft 1466, *2*
Sinnenlust 1073, *2*;
    1467
Sinnenrausch 1073, *2*
Sinnenreiz 730, *1*
Sinnentaumel 1073, *2*

sinnentsprechend
1655, 2
Sinnes werden, anderen
1709, 5
Sinnesänderung 445, 1;
1710, 3
Sinnesart 346; 375
Sinneseindruck 1868, 1
Sinnesempfindung
1868, 2
Sinnesreiz 1333
Sinnestäuschung 880, 2;
1559, 2
Sinneswandel 1710, 3
Sinneswandlung 445, 1
sinnfähig 1791, 1
sinnfällig 78, 1; 945, 3
Sinnfälligkeit 1792
Sinngebung 361, 2
Sinngedicht 374, 1
sinngemäß 771, 4;
1655, 2
sinngleich 771, 4
Sinngleichheit 1617, 6
Sinnhorizont 202, 4
sinnieren 371, 2
sinnlich 78, 2; 218, 1;
467, 1; 727; 1074;
1466
Sinnlichkeit 468, 2;
1073, 3; **1467**
sinnlos 24; 403, 2;
1028, 3; 1693, 3; 1748
Sinnlosigkeit 1749
sinnreich 1468, 2;
1973, 2
Sinnspruch 374, 1
sinnverwandt 771, 4
Sinnverwandtschaft
1617, 6
sinnverwirrend 285, 1
sinnvoll 731, 3; 1197, 1;
1260, 1; **1468**; 1973, 2
sinnwidrig 24; 583, 5;
1693, 3
Sinter 1186, 3
sintern 946, 3
Sippe 800, 6; 1814, 1
Sippschaft 800, 6; 953;
1814, 1
Sippschaft, die ganze
38, 2
Sirene 641; 707, 4; 855
sirren 1585, 2
Sirup 567, 2

sistieren 1757
Sisyphusarbeit 1749
Sit-in 370, 1
Sitte 85, 2; 326, 2;
1322, 2
Sitten, gute 85, 1
sittenfest 86, 2
Sittenlosigkeit 1398
Sittenrichter 1239, 2
sittenrichterlich 1536, 2
sittenstreng 1536, 2
Sittenstrenge 1537, 4
Sittenverderber 186
Sittenverfall 1348, 6
Sittenwächter 1239, 2
sittig 86, 2
sittlich 86, 2
Sittlichkeit 85, 2
sittsam 86, 2
Sittsamkeit 85, 2
Situation 1010, 2; 1966
Situationsangst 62, 6
situiert, gut 1327, 1
situiert, wohl 1327, 1
Sitz 1119, 6; 1232, 2;
1920, 3
Sitz haben, guten
1469, 4
Sitz in, mit 227, 1
Sitzbank 184, 1; 1470, 2
sitzen 1024, 2; **1469**
sitzen bleiben 1521, 1;
1780, 4
sitzen gelassen 1660, 6
sitzen gelassen werden
1383, 5
sitzen lassen 1753, 2
sitzen, auf dem hohen
Ross 430, 3
sitzen, auf dem Trock-
nen 482
sitzen, auf glühenden
Kohlen 1877, 1
sitzen, im Fett 807, 2
sitzen, in der Wolle
807, 2
sitzen, wie angegossen
1469, 4
sitzen, zu Gericht
1702, 2
sitzend, fest 722, 6
sitzend, knapp 480, 3
sitzend, schlecht 1397, 2
Sitzfleisch 1355, 3
Sitzfleisch, kein 1672, 1

Sitzgelegenheit 1470, 1
Sitzmöbel 1470
Sitzung 277, 1; 1594, 2
Sitzungsgeld 498, 3
Skala 1089, 3; 1577, 2;
1827, 2
Skalierung 1303
Skandal 552; 1372, 1
skandalös 130, 2
Skelett 810, 4; 973, 1
Skepsis 1974, 2
Skizze 308, 2; 1258, 2
skizzenhaft 1005, 5;
1199, 3
skizzieren 359, 1; 756;
1259, 3
skizziert 1199, 3
Sklave 1471
Sklavenseele 1402, 1
Sklaverei 1972, 1
sklavisch 1691, 2
sklerotisch 1505, 2
Skribent 260, 1
Skript 394
Skriptautor 1423
Skriptschreiber 1423
Skrupel 1424, 3;
1974, 1
skrupellos 349
skrupulös 1580
Skulpteur 309
Skulptur 1472
skurril 1254, 3
Skylab 579, 10
Skyline 1058, 2
slacken 1331, 2
Slacker 1546, 2
Slalom 1004
Slang 1494, 4
Slogan 374, 2; 1256, 1;
1898, 3
Slum 1500, 4
Small talk 1684, 1
smart 626; 744, 2;
1396, 1
Smog 5, 3; 353, 2
smsen 1622, 6
Smutje 1448
Snack 1080, 8
Snobismus 460, 1
snobistisch 84, 2; 459, 1
so 1473
so eben 1946
so genannt 426, 2
so lala 1091, 2

so oder so 695, *4*; 1206; 1473

so tun als ob 1381, *1*; 1849

Soap-Opera 960

sobald 582; 1895, *2*

Sockel 796, *1*

Socken machen, sich auf die 485, *1*

soeben 1008

Sofa 1470, *2*

sofern 582

sofort 254, *3*; 429, *2*; 771, *3*; 1290, *2*; 1410, *2*

sofort, möglichst 429, *3*

soft 1891, *1*

soften 268

Software 352, *1*

Sog 1538, *2*; 1910, *1*

sogar 3; 117, *2*

sogleich 771, *3*

sohlen 543, *2*

Sohlen, auf leisen 1044

Sohn 910, *1*

Sohnemann 910, *1*

Soiree 1713, *2*

solange 776; 1865; 1895, *2*

Solarauto 579, *2*

Solarheizung 836

solchermaßen 1473

Sold 1732, *1*

Soldat 919, *1*; 1111, *1*

Soldatenhauf 1111, *2*

Soldateska 1111, *2*

Solebad 178, *4*

solenn 600, *2*

Solennität 601, *1*

solid 341, *1*; 363, *1*; 414, *2*

solidarisch 443, *2*; 1728, *1*

solidarisieren, sich 1965, *1*

Solidarität 444

Solidaritätsstreik 1532

solide 86, *3*; 1317, *2*; 1971, *1*

Solidität 613, *1*

solipsistisch 1456

Solist 1134, *2*

solitär 450, *2*

Solitär 424, *3*

Sollbestimmung 750, *1*

Sollbruchstelle 472, *1*

sollen 1135

Söller 181

solo 450, *1*; 457, *3*

solvent 1327, *1*

Soma 973, *1*

somatisch 1228, *1*

somit 43

Sommer wie Winter 882, *1*

Sommerende 46

Sommerfaden 46

Sommerfrische 525, *1*

Sommerfrischler 1332, *1*

Sommergast 1332, *1*

Sommerhaus 824, *1*

sommerlich 1872, *2*

somnambul 1646, *2*

Somnambulismus 1647, *3*

sonder 161, *1*

sonderbar 119, *2*; 553

Sonderbündelei 18, *2*

Sonderfall 424, *3*; 1704

Sondergebiet 1485, *1*

Sondergenehmigung 532, *3*

sondergleichen 163, *1*; 554

Sonderheit, in 273, *1*

Sonderklasse 171, *1*; 424, *3*

Sonderkultur 1546, *1*

sonderlich 119, *2*

Sonderling 160, *1*; 1230, *2*

Sondermüll 5, *1*

sondern 3; 1595, *2*

Sonderrecht 532, *3*; 1318, *4*

Sonderstellung 424, *3*

Sonderung 1596, *2*

Sonderzulage 1957

sondieren 639, *1*; 1284, *1*; 1796, *2*

Sondierung 537; 1285, *2*

Song 739, *2*

Sonne 1052, *1*; 1514

Sonne im Herzen 1222

Sonnenaufgang 51, *3*

Sonnenaufgang, bei 665

Sonnenenergie 478, *2*

Sonnenglut 1873, *1*

sonnenklar 945, *3*

Sonnenlicht 1052, *1*

sonnenlos 407, *2*

Sonnenschein 1052, *1*

Sonnenseite 780, *2*; 1837, *1*

Sonnenseite, auf der 781, *2*

Sonnenuntergang 408, *1*

sonnig 835, *1*; 839, *3*; 1872, *2*

Sonntag 647

sonntäglich 600, *2*

Sonntagskind 782

sonor 1828, *4*

Sonstiges 48; 1824, *2*

sooft 1895, *1*

Sophisterei 1240, *2*

sophisticated 76, *2*

Sophistik 1240, *2*

sophistisch 1241, *2*

Sopran 1363, *2*

Sorge 62, *3*; 1020, *2*; 1248, *1*; **1474**

sorgen für 873; 1789, *2*

Sorgen machen 1369, *2*

Sorgen machen, sich 63, *2*

sorgen, sich 63, *2*

Sorgenfalte 585, *2*

sorgenfrei 781, *2*; 1327, *1*

Sorgenlast 1474

sorgenlos 781, *2*

sorgenvoll 64, *1*; 1660, *1*

Sorgfalt 1475

sorgfältig 722, *1*; 1476, *1*; 1846, *1*; 1971, *2*

Sorgfältigkeit 1475, *1*

sorglich 1476, *1*; 1846, *1*

sorglos 1036, *4*; 1037, *2*; 1696, *2*

Sorglosigkeit 1038, *1*

sorgsam 722, *1*; 1109, *1*; **1476**; 1846, *1*

Sorgsamkeit 1475, *1*

Sorte 110, *2*; 1294, *2*

sortieren 1226, *2*

Sortiment 171, *2*

sosehr auch 1895, *1*

Sosein 567, *1*

soso 1091, *2*

SOS-Ruf 855

Soße 1477

Sottise 1491, *3*

Soubrette 1363, *2*

Souffleur 838, 3
soufflieren 208; 837, 5
Sound 1584, 1
Sound, voller 1828, 4
Soundsystem 1133, 3
Soundtrack 1133, 3
Souper 1080, 7
soupieren 566, 2
Souterrain, im 1678, 2
Souvenir 527, 3
souverän 516, 1; 644, 1
Souverän 849
souverän werden 213, 4
Souveränität 517, 2;
    645, 1
sowie 48; 117, 1; 1895, 2
sowohl 117, 1
soziabel 748, 2
Soziabilität 749, 1
sozial 748, 2; 1644
Sozialarbeiter 838, 1
Sozialfürsorge 1176, 4
Sozialisation 565, 1
sozialisieren 564
Sozialisierung 483;
    565, 1
sozialistisch 1059, 3
sozialkritisch 1059, 3
Sozietät 717, 1
Soziolekt 1494, 4
Soziotop 1546, 1
Sozius 1235, 1
sozusagen 41; 54; 310, 3;
    426, 2; 774; 1160;
    1902, 1
Space 1067, 1
spähen 247, 2; 1451;
    1550, 1
Späher 248, 2
Spalier 810, 4; 1329, 3
Spalt 1067, 1; 1497, 1
Spalte 858, 4; 1067, 1;
    1799, 1
spalten 1562, 1; 1595, 2;
    1595, 5; 1938
Spaltpilze 985
Spaltung 1596, 1
Span 951, 2; 1540, 6
Spänbrenner 710
spänen 1409, 3
Spange 211, 2; 1291, 5
spanisch 1693, 1
Spanne 1732, 2
spannen 769, 2; 894, 1;
    1531, 2; 1943, 2

spannen auf 555, 1
spannen, auf die Folter
    1242, 5
spannen, sich 1298, 3
spannen, vor seinen Kar-
    ren 153, 3
spannen, vor seinen Wa-
    gen 153, 3
spannend 130, 1; 892, 1
Spanner 248, 1
Spannkraft 478, 1;
    623, 1
Spannung 62, 2; 400, 1;
    556, 1; **1478**
Spannung, ohne 1017, 2
Spannungen 105, 3;
    1478, 2; 1534, 1
spannungsgeladen
    690, 1
spannungslos 1017, 1
spannungsreich 892, 1
Spannweite 146, 2
Sparbrief 271, 3
Sparbüchse 921, 1
sparen 448, 2; **1479**
sparend, Energie
    1480, 2; 1637, 1
sparend, Material
    1973, 2
Sparkasse 184, 2
spärlich 410, 3; 954, 1;
    1457, 2; 1656, 1
Sparmaßnahme 454, 1
Sparren 424, 4; 810, 3;
    1779, 1
sparsam 83, 1; **1480**;
    1973, 2
Sparsamkeit 1481
spartanisch 433, 3;
    1536, 3
Sparte 571, 2; 1485, 1;
    1977, 2
Spaß 650, 1; 1491, 1;
    1675, 2; 1684, 2;
    1684, 3
Spaß haben 1682, 4
Spaß machen 651, 1;
    1682, 4
Spaß, im 1493, 2
Spaß, ohne 545, 3
spaßen 651, 2; 1492, 1;
    1682, 4
spaßeshalber 1493, 2
spaßhaft 835, 2
spaßig 835, 2

Spaßmacher 111, 2;
    1384, 1; 1683, 2
Spaßvogel 1384, 1;
    1683, 2
spät 1482
spät, ziemlich 1482, 4
spät, zu 1482, 1; 1744
spätabends 1482, 4
später 1483
später als, nicht 1865
späterhin 1483, 2
Spätfolgen 630, 3
Spätschäden 630, 3
Spätsommer 46
Spatzenhirn 405, 2
Spätzünder 1782
spazieren 703, 2
spazieren führen 1589, 2
spazieren gehen 300, 1;
    703, 2; 1871
Spazierfahrt 578, 1
Spaziergang machen
    703, 2
spe, in 1483, 3
Speckgürtel 1500, 4
speckig 768, 6; 1408;
    1929, 2
spedieren 1388, 2
Spedition 1590, 1
Speed 427, 2; 1311
Speichel 156, 1
Speichellecker 1221
speichelleckerisch
    1691, 2
Speicher 1011, 2; **1484**
Speicherkapazität
    1502, 4
speichern 123, 1; 546;
    1361, 4; 1789, 1
speichern, auf Diskette
    1361, 4
speichern, auf Festplatte
    1361, 4
Speicherung 1362, 4
Speichervermögen
    1502, 4
speien 329, 3
Speis(e) und Trank
    542, 1
Speise 1080, 1
Speisefolge 1080, 9
Speisegaststätte 681, 1
Speisehaus 681, 1
Speisekammer 993
speisen 566, 2

Speiserestaurant 681, *1*
Speisetisch 1080, *10*;
  1581
Spektakel 734, *3*;
  742, *3*; 1378, *2*;
  1713, *3*
spektakeln 1018, *1*
spektakulär 163, *1*
Spektrum 1827, *2*
Spektrum, im linken
  1059, *3*
Spektrum, im rechten
  1320, *2*
Spekulant 2; 1275
Spekulation 556, *2*;
  636, *2*; 1321
spekulativ 879; 1580
spekulieren 371, *2*;
  1860, *1*
spekulieren auf 251, *2*;
  555, *1*; 894, *4*
Spelunke 681, *1*
Spelze 1340, *4*
spendabel 748, *3*; 793, *1*
Spende 677, *2*
spenden 221, *3*; 683, *2*
spenden, Beifall 948, *2*
spenden, Segen 1450, *1*
spenden, Trost 1606, *1*
spendend, Kraft 757, *4*;
  1158
Spender 1095
Spenderorgan 550, *3*
spendieren 446, *2*
spendierfreudig 793, *1*
Sperenzien machen
  807, *3*
sperrangelweit 1207, *1*
Sperre 33, *3*; 858, *4*;
  1419; 1764, *4*
sperren 857, *1*
sperren, sich 1959, *2*
sperrig 1661, *2*
Sperrmüll 5, *1*
Sperrstunde 1721, *2*
Sperrung 267
Spesen 137, *1*; 498, *3*
Spezi 652
Spezialfall 424, *3*
Spezialgebiet 571, *2*;
  1485, *1*
spezialisieren 1937, *1*
spezialisieren, sich
  313, *5*
Spezialisierung 454, *2*

Spezialist 573
spezialistisch 572, *1*
Spezialität 424, *2*; 979;
  1485; 1502, *5*
speziell 273, *1*; 572, *1*
Spezies 110, *2*
Spezifikum 424, *2*;
  930, *1*; 1485, *4*
spezifisch 273, *2*;
  348, *1*; 1231, *1*
spezifizieren 1937, *1*
Sphäre 685, *1*; 1301, *2*
Sphäre, öffentliche
  1212, *1*
Sphären, in höheren
  877, *2*
Sphinx 641
spicken 674, *2*; 881, *2*
Spider 579, *2*
Spiegel 1291, *9*
Spiegelbild 505, *2*
spiegelbildlich 1323, *3*
spiegelblank 768, *2*
Spiegelfechterei
  1559, *1*
spiegelglatt 768, *6*
spiegelgleich 1323, *3*
spiegeln 1381, *2*; **1486**
spiegeln, sich 1486
spiegelnd 768, *2*
Spiegelreflexkamera
  916, *1*
spiegelverkehrt 1352
Spiel 1378, *1*; 1463, *1*;
  1577, *1*; 1684, *5*
Spiel, abgekartetes 898;
  1060, *2*
Spiel, doppeltes 584, *1*
Spiel, leichtes 951, *4*
Spielart 1704
Spielball 1221
Spielbank 681, *2*
Spielcharakter 1795, *3*
spielen 359, *4*; 1381, *2*;
  1487
spielen, an die Wand
  669, *2*; 1394, *3*
spielen, aus dem Stegreif
  1487, *6*
spielen, bösen Streich
  1369, *1*
spielen, den großen Zam-
  pano 1269, *1*
spielen, erste Geige
  669, *2*

spielen, falsch 293, *1*;
  1252
spielen, Hauptrolle
  669, *2*
spielen, in Serie
  1904, *3*
spielen, Karten 1487, *5*
spielen, Klavier 1487, *3*
spielen, Meister 669, *2*
spielen, mit dem Feuer
  1860, *1*
spielen, mit dem Gedan-
  ken 1259, *1*
spielen, Rolle 359, *4*;
  1487, *1*
spielen, Streich 1492, *1*
spielen, Theater 1487, *1*;
  1849
spielen, va banque
  1860, *1*
spielen, Versteck 1849
spielend 1036, *2*
Spieler 2; 1134, *2*
Spielerei 386; 951, *4*;
  1055, *4*; 1200
spielerisch 1037, *2*;
  1199, *4*
Spieleshow 1459
Spielfeld 685, *3*
Spielfilm 618, *3*
Spielfläche 685, *3*
Spielfreude 1274, *1*
Spielgefährte 652
Spielgefährtin 653
Spielhölle 681, *2*
Spielkasino 681, *2*
Spielleiter 1047, *2*
Spielpartner 1235, *2*
Spielplatz 685, *3*
Spielraum 1309, *2*
Spielregel 1322, *2*
Spielsachen 1291, *3*
Spielstätte 1577, *1*
Spielsucht 1551, *4*
Spielverderber 1245
Spielwechsel 1119, *4*
Spielwerk 1291, *3*
Spielzeug 1291, *3*
Spießbürger 340, *3*
spießbürgerlich 341, *3*;
  1241, *3*
Spießbürgerlichkeit
  183, *2*; 1240, *3*
spießen 210, *1*
Spießer 340, *3*

sprechen, in Bildern
359, 5
sprechen, laut 1018, 1
sprechen, leise 629
sprechen, Machtwort
412
sprechen, mit lauter
Stimme 1354, 1
sprechen, nicht 1438, 1
sprechen, Recht 1702, 2
sprechen, schuldig
1810, 1
sprechen, Segen 1450, 1
sprechen, Urteil 1702, 2;
1810, 1
sprechen, zur Diskussi-
on 162, 1
sprechend 78, 1
Sprecher 1807, 3
Sprechfähigkeit 1494, 1
Sprechhandlung 1494, 1
Sprechstil 1494, 2
Sprechtheater 1577, 1
Sprechweise 1494, 2
Spreißel 1540, 6
spreizen, sich 1269, 1
Sprengel 938, 5
sprengen 616, 1;
1214, 1; 1595, 2
Sprengkraft 399, 2;
478, 3
Sprengstoffanschlag 116
Sprengung 1941, 1
Sprenkel 1136, 5
sprenkeln 1137, 1
Spreu 1340, 4
Spreu im Winde, wie
1746
Sprichwort 374, 1
sprichwörtlich 348, 2
sprießen 506, 2
springen 20, 2; 329, 1;
597, 1; 1214, 3;
1262, 1
springen lassen 446, 2
springen lassen, über die
Klinge 1587, 1
springen, in die Bresche
837, 1; 1806, 1
springen, ins Auge
1935, 6
springen, über die Klin-
ge 1513, 3
springend, hin und her
1672, 2

Springer 1807, 4
Springflut 765; 1165, 2
sprinten 428, 2
Sprit 478, 2
spritzen 428, 1; 616, 1;
1325
Spritzer 951, 2
spritzig 76, 2; 1026, 4
spröde 820, 1; 1307, 2;
1496
Spross 936, 2; 1599, 2;
1977, 3
sprossen 506, 2
Sprössling 936, 2
Spruch 374, 2; 1701, 1
Spruchband 529, 4
Sprüche 1256, 2
spruchreif 534, 1
Sprudel 759, 3
sprudeln 625; 1376, 1;
1495, 3
sprudelnd 1026, 4; 1121
sprühen 616, 1; 1325;
1495, 3
sprühend 76, 2
Sprühregen 1186, 1
Sprung 1215, 3; **1497**
Sprung, auf dem 254, 3;
610, 2; 1672, 1
Sprung, auf einen
1005, 4
Sprung, mit einem
1410, 1
Sprünge machen 597, 2
sprunghaft 1037, 1
Spucke 156, 1
spucken 329, 3
Spuk 707, 3
spuken 1634, 3
spukhaft 1420, 2;
1693, 5
Spule 1347, 2
spulen 395, 2
spülen 946, 3; 1367, 3
spülen, Geschirr 1367, 3
Spund 211, 2; 1785, 1
Spundloch 1215, 7
Spur 232; 878, 3;
951, 2; 1193; **1498**;
1888, 1; 1914, 2
Spur von 1894, 1
Spur, keine 1173
Spur, neben der 1778, 1;
1915, 2
Spur, nicht die 1180, 1

spürbar 378, 1; 1466, 1;
1499
spuren 179, 1; 704, 1
spüren 668, 1; 1550, 3;
1867, 1; 1935, 3
Spurer 1257, 2
spurlos 679, 1
Spürnase 693, 3
Spürsinn 468, 1; 693, 3
Spurt 427, 4; 1400, 5
spurten 428, 2
sputen, sich 428, 2
Sputum 156, 1
Staat 137, 2; 949, 1;
1203; 1286, 1
Staat machen 1287, 1
staatenübergreifend 896
staatlich 751, 1; 1213, 1
Staatsangehörigkeit
846, 2
Staatsangehörigkeit, Ver-
leihung der 431
Staatsanwalt 912, 2
Staatsbediensteter 194
Staatsbürger 340, 5
Staatsdiener 194
Staatsempfang 465, 2
Staatsgewalt 1203
Staatsgrenze 790
Staatshaushalt 825, 2
Staatsrepräsentant
387, 1
Staatsstreich 134, 2
Stab 672; 800, 9;
1048, 1
stabil 363, 1; 414, 2;
612; 981, 1
stabil, psychisch 981, 5
stabilisieren 210, 2;
1544, 1
Stabilisierung 1504, 3
Stabilität 613, 1
Stachel 794, 1
Stacheldraht sein, hinter
1469, 2
stachelig 31, 1; 1307, 2;
1373, 1
stacheln 851, 3; 1334, 2
Stadel 1484, 2
Stadion 685, 3; 1377
Stadium 1966
Stadt 1232, 1; **1500**
stadtbekannt 262, 1
Stadtbücherei 306
Städtchen 1500, 1

Stadtfeste 211, *4*
Stadtgebiet 1500, *3*
Stadtgespräch 262, *1*; 737, *1*
Stadtguerilla 919, *3*
Stadtpark 680
Stadtrand 1500, *4*
Stadtstaat 1500, *1*
Stadtstreicher 1332, *2*
Stadtteil 1500, *3*
Stadtviertel 1500, *3*
Staffage 168, *3*; 1559, *2*
Staffel 800, *9*
staffeln 1226, *2*
Staffelung 23, *1*; 779
Stagnation 988, *3*; 1519
stagnieren 1521, *4*
stählen, sich 1503, *1*
stählern 820, *1*; 981, *1*
stahlhart 820, *1*; 981, *1*
Stahlross 579, *2*
staksen 703, *2*
Stall 846, *1*
Stall, aus gutem 1842
Stall, guter 416, *1*
stallwarm 719
Stallwärme 249, *1*
Stamm 110, *2*; 1517, *1*
Stammbaum 846, *1*
Stamme Nimm, vom 808
stammeln 1521, *2*; 1816, *3*
Stammesführer 671, *2*
Stammgast 283, *1*
Stammgast sein 282, *3*
Stammgäste 1000, *3*
Stammhalter 910, *1*; 936, *2*
stämmig 981, *3*
Stammkunden 1000, *1*
Stammtisch 800, *8*
Stammvater 45, *2*
stammverwandt 1813, *1*
Stampede 143, *3*
stampfen 703, *2*; 1938
Stand 740, *4*; 1010, *3*; 1302, *1*
Stand der Dinge 1010, *2*
Stand haben, schweren 92, *4*
Stand, aktueller 1010, *2*
Stand, auf dem neuesten 1126, *2*

Standard 40, *1*; 1089, *3*; 1322, *2*
standardisieren 1738
Standardisierung 1739
Standarte 1934, *4*
Standbein 810, *2*
Standbild 308, *3*; 1472
stand-by 254, *2*
Ständchen 801, *3*
Stander 1934, *4*
Ständer 331, *2*
standfest 981, *1*; 1971, *1*
Standfestigkeit 613, *2*; 613, *4*
Standfoto 126, *1*
standhaft 347, *1*
standhaft bleiben 226, *2*
Standhaftigkeit 613, *5*
standhalten 226, *2*; 1512, *3*
ständig 882, *1*; 882, *1*
Standing 716, *2*
Standing Ovations 231
Standort 1010, *1*; 1100, *2*; 1232, *2*; 1920, *3*
Standort, geistiger 375
Standpauke 1385, *1*
Standpunkt 1100, *2*; 1232, *3*; 1701, *1*
Stange 810, *3*
Stange bleiben, bei der 226, *2*
Stange, eine 1824, *1*
Stange, von der 610, *5*
Stängel 1517, *1*
stängeln, sich 1959, *2*
Stänker 1272, *2*
stänkern 851, *3*
stanzen 447, *2*
Stapel 1295, *1*
Stapel lassen, vom 52, *3*; 162, *1*
stapeln 1361, *2*
Stapelplatz 1484, *2*
stapfen 703, *2*
Star 1501
Starallüren 460, *1*
stark 376, *1*; 381, *1*; 576, *3*; 791, *1*; 829, *1*; 891, *1*; 920; 981, *1*; 1077, *1*; 1359, *2*; 1452, *1*; 1655, *1*
stark machen, sich 918, *1*; 1787, *2*

stark, zu 285, *2*
Stärke 613, *1*; 788; 980, *1*; 1089, *5*; 1485, *2*; **1502**; 1631
Stärkemittel 1502, *6*
stärken 210, *2*; 541, *2*; 769, *2*; **1503**
stärken, Rücken 541, *2*; 837, *1*; 1503, *2*
stärken, sich 524, *1*; 566, *1*; **1503**
stärkend 1607
stärker werden 145, *2*
stärker werdend 1958
starkherzig 1139, *1*
Stärkung 525, *2*; 1080, *8*; **1504**; 1605
Starlet 1501, *1*
starr 612; 820, *1*; 914, *1*; 1300; **1505**
Starre 1647, *5*
starren 1925, *3*
Starrheit 1647, *5*
Starrkopf 1272, *3*
starrköpfig 425
starrsinnig 425; 1505, *2*
Start 51, *2*; 486, *3*
Startbahn 1888, *2*
startbereit 254, *2*
starten 52, *3*; 1711, *2*
startklar 254, *2*; 610, *2*
Statement 529, *1*; 615, *1*
Station 810, *6*; 1679, *1*
Station machen 811, *1*
stationär 59, *2*
stationieren 1512, *1*
statisch 612
Statist 1347, *1*
statt 1506
Statt 1232, *2*
Stätte 1232, *2*
stattfinden 10, *2*; 216, *3*
stattfinden, nicht 598, *3*
stattgeben 503, *2*; 531, *1*
statthaben 10, *2*; 216, *3*
statthaft 252, *1*
Statthalter 1807, *2*
stattlich 381, *1*; 791, *1*; 885; 1412, *2*; **1507**
Statue 373; 1472
Statuette 1472
statuieren 1736
statuieren, Exempel 412
Statur 159; 973, *1*
Status 1010, *3*; 1966

Status quo 1966
Statussymbol 1934, 2
Statut 750, 1
Stau 858, 2; 1519
Staub 1289; 1406, 1
Staub und Asche 1747, 2
Staub werden, zu
  1513, 1
staubbedeckt 1603, 1
Stäubchen 951, 2
Stäubchen, kein
  1180, 1
Staube machen, sich aus
  dem 485, 1; 624, 1
stauben 1809
staubfein 1939
staubgeboren 1104, 2
staubig 1408; 1603, 1
staubsaugen 1367, 1
staubtrocken 1017, 1;
  1603, 1
staubüberzogen 1408
stauchen 402, 2
Staudamm 211, 4
Staude 343, 1
stauen 1361, 2
staunen 1925, 1
Staunen 552
staunend 1505, 3
staunenswert 553
Stausee 760, 2
Stauung 858, 2; 1519
Steadyseller 362, 4
stechen 789; 907, 1;
  1404, 1; 1409, 4;
  1911, 2
stechen, in ein Wespen-
  nest 129, 3; 1369, 4
stechen, Star 1730, 2
stechend 891, 1;
  1293, 1; 1373, 4
stechend, ins Auge
  119, 1
Steckbrief 930, 2
stecken 210, 1; 212, 3;
  861, 1; 1024, 2;
  1208, 2; 1730, 2
Stecken und Stab 652;
  810, 2
stecken, im Dreck
  1040, 4
stecken, in Brand
  1940, 5
stecken, in den Mund
  566, 4

stecken, in den Um-
  schlag 1233, 4
stecken, in die Tasche
  1394, 3
stecken, Kopf in den
  Sand 430, 2; 1051, 3
stecken, seine Nase in alles 894, 3; 1523, 2
stecken, unter einer De-
  cke 293, 2; 1965, 3
Steckenpferd 1172, 2;
  1485, 2
Steg 333; 1888, 1
Stegreif, aus dem
  1696, 3
Stehaufmännchen 1223
stehen 212, 1; **1508**;
  1521, 4; 1758, 2
stehen bleiben 811, 1;
  1521, 1
stehen für 1806, 1
stehen lassen 1628, 3;
  1753, 2
stehen mit 212, 2
stehen müssen 1508, 1
stehen zu 1508, 5;
  1965, 2
stehen, an der Spitze
  669, 2
stehen, an erster Stelle
  669, 2
stehen, auf dem Stand-
  punkt 1099
stehen, auf den Beinen
  1508, 1
stehen, auf jmdn.
  691, 1
stehen, aufrecht 1508, 1
stehen, dazu 339, 1;
  1508, 5
stehen, gut 1794, 6
Stehen, im 1130, 1
stehen, im Dienst 102, 2
stehen, im Gegensatz
  967, 2
stehen, im Weg 1523, 1
stehen, in Ansehen
  201, 3
stehen, in Beziehung zu
  9, 4
stehen, in Blüte 1287, 2
stehen, in Briefkontakt
  974, 1
stehen, in Briefwechsel
  974, 1

stehen, in der Kreide
  1425, 1
stehen, in der Schuld
  1425, 1
stehen, in Flammen
  330, 2; 1056, 2
stehen, in jmds. Schuld
  357, 2
stehen, in Schriftwechsel
  974, 1
stehen, in Verbindung
  1634, 2
stehen, Kopf 1925, 1
stehen, offen 88, 1;
  1214, 4
stehen, Posten 128, 3
stehen, Rede 557, 1
stehen, Schlange 88, 3;
  1877, 2
stehen, schlecht 398, 2
stehen, sich im Licht
  1369, 4
stehen, Spalier 220, 1;
  802, 2
stehen, über den Dingen
  773
stehen, unter Druck
  1135
stehen, vor dem Spiegel
  80, 3
stehen, vor der Tür
  1621, 3
stehen, vor einem Rätsel
  1305, 2
stehen, Wache 128, 3
stehen, zu Berge 1512, 5
stehen, zu Gebote 807, 1
stehen, zu Gesicht
  1508, 4
stehen, zu jmdm. 65, 3
stehen, zur Seite 837, 1
stehen, zur Verfügung
  837, 1
stehend 678, 3; 732, 1
stehend, allein 457, 2
stehend, frei 457, 2
stehend, hoch 791, 4;
  862, 2
stehend, im Raum
  1207, 3
stehend, leer 1028, 4
stehend, nahe 1155, 4;
  1803, 1
stehend, offen 1207, 4
Steher 346

stellend, zufrieden
504, 2; 728; 1317, 1
Stellenjäger 1530
Stellenwert 202, 3
Stellung 101, 2; 716, 1;
1010, 1; 1010, 3;
1302, 1; 1759, 3
Stellung haben 102, 2
Stellung, in leitender
862, 2
Stellung, in sicherer
1460, 2
Stellungnahme 164, 1;
989, 1; 1100, 4;
1701, 1
stellungslos 104
stellvertreten 1806, 1
stellvertretend 1506
Stellvertreter 550, 4;
1807, 2
Stellvertretung 1808
stelzen 703, 2
stemmen 827, 1
stemmen, sich 1959, 2
Stempel 279, 4; 930, 3
stempeln 509, 1; 931, 3
stempelnd 104
Stenogramm 1187, 2
Steppdecke 870, 9
Steppe 343, 1; 1205, 4
steppen 102, 4
Steppke 910, 2
Sterbefall 1582, 2
sterben 475, 2; 581, 3;
1513
Sterben 1582, 1
sterben, von eigener
Hand 1587, 5
sterbenskrank 1042, 1
sterbenslangweilig
1017, 1
sterbensmüde 1130, 1
Sterbenswörtchen, kein
1180, 1
sterblich 1104, 2; 1746
Sterblicher 1103, 1
Sterblicher, gewöhnli-
cher 1102, 6
Sterblichkeit 1747, 1
stereo 390
stereotyp 182; 678, 3;
771, 2
Stereotyp 1322, 2; 1854
steril 1017, 1; 1365, 1;
1603, 3; 1654, 3

sterilisieren 522, 2;
1587, 4
sterilisiert 363, 2
Sterilität 1205, 1
Stern 1514
Stern, guter 780, 1
Sternbilder 1514
Sternchen 1501, 1
Sterne 1389, 2
Sternenhimmel 1514
Sternenzelt 1514
sternhagelvoll 250, 1
Sternschnuppe 1514
Sternstunde 780, 1;
1936, 1
Sternsystem 1514
stet 144
Stete 613, 4
stetig 144
Stetigkeit 362, 2; 613, 4
stets 882, 1
stets und ständig 882, 1
Steuer 7; **1515**
Steuer in der Hand ha-
ben 848, 1
Steuer, am 1841, 1
steuerbord 1320, 1
Steuerflucht 292
steuerfrei 1635, 1
Steuerhinterziehung 292
Steuerknüppel 1515, 1
Steuermann 1448
steuern 203, 1; 669, 2;
857, 1; **1516**; 1945, 2
Steuerprüfer 133, 3
Steuerrad 1515, 1;
1515, 1
Steuerung 204, 1;
1048, 1
Steward 204, 3
Stewardess 204, 3
stibitzen 1168, 2
Stich 81, 1; 308, 2;
424, 4; 1193; 1779, 1;
1924
Stich lassen, im 20, 1
Stich lassen, nicht im
65, 3
Stichelei 81, 1; 1491, 2
sticheln 102, 4; 861, 1;
1492, 1
stichhaltig 1395;
1460, 4; 1981, 1
stichhaltig sein 1627, 3
stichig 844, 1; 1397, 3

Stichprobe 1285, 3
Stichtag 1573
Stichwaffe 1859, 1
Stichwort 930, 5
sticken 102, 4
Stickerei 1291, 8
Stickgarn 575, 2
stickig 406, 1
stieben 316, 1; 428, 1
stiefeln 703, 2; 1871
Stiefkind 936, 2
Stiefmutter 1140, 1
stiefmütterlich 1657
Stiefvater 1705, 1
Stiege 1597
Stiegenhaus 1597
stiekum 834, 1
Stiel 812, 1; **1517**
Stielaugen 141
stier 1505, 1; 1505, 3
Stier 982
Stierkämpfer 919, 4
Stiesel 405, 3
stieselig 1017, 1
Stift 211, 2; 952; 1428, 4
stiften 683, 2
stiften gehen 624, 1
stiften, Frieden 261, 1
stiften, Unfrieden 851, 3
stiften, Verwirrung
1816, 1
Stifter 1095; 1705, 3
Stifterin 1140, 3
Stiftung 677, 2
Stigma 1934, 2
stigmatisiert 534, 3
Stil 110, 3; 424, 1;
632, 2; 746, 1; **1518**;
1538, 1; 1759, 2
Stil, klischierter 940, 1
Stilett 1106
Stilgefühl 746, 1
Stilgefühl, ohne 1264, 1
stilisieren 756
stilisiert 1265, 1
Stilistik 1494, 2
still 1044; 1357, 1;
1439, 1; 1960, 1
still und leise 834, 1
Stille 601, 1; 1355, 1
stillen 676, 1; 1606, 1
stillen, Durst 1601, 1
stillen, Hunger 566, 1
Stillen, im 834, 1
stillhalten 1356, 1

stilllegen 22, *2*; 122, *1*
Stilllegung 120, *2*
stillos 633, *2*
Stillosigkeit 940, *1*
stillschweigen 1438, *2*
Stillschweigen 532, *1*;
1355, *1*
stillschweigend 1439, *2*
Stillstand 810, *6*;
1181, *1*; 1355, *4*; **1519**
stillstehen 441, *1*;
475, *2*; 1508, *3*;
1780, *3*
stillvergnügt 835, *3*
Stilmischung 1113, *4*
stilvoll 996, *3*; 1412, *1*
stilwidrig 633, *2*
Stilwidrigkeit 940, *1*
Stimmabgabe 1862, *2*
Stimmaufwand 1144
Stimme 1100, *4*;
1494, *1*; 1701, *1*
Stimme haben 1564, *1*
Stimme, innere 762
Stimme, mit einer 443, *2*
Stimme, mit gedämpfter
1044
stimmen 503, *3*;
1469, *4*; 1593, *3*;
1863, *3*
stimmen für 215
stimmen, fröhlich 75, *4*
Stimmengewirr 734, *3*
Stimmfärbung 1584, *4*
stimmig 819, *1*; 1616, *2*
Stimmigkeit 818, *1*;
1617, *4*
Stimmlage 1584, *4*
Stimmrecht 1318, *3*
stimmt 1460, *1*
Stimmung 650, *1*;
1073, *1*; **1520**; 1966
Stimmung, ohne 1017, *2*
Stimmungsmacher
1683, *2*
stimmungsvoll 600, *2*
stimulieren 75, *3*;
541, *2*; 1334, *1*
stimulierend 76, *3*
stimulierend, sexuell
91, *3*
stimuliert 1074
Stimuliertheit 1073, *3*
Stimulus 1333
stinken 106, *1*; 1344, *2*

stinkend 109; 461, *2*
stinkig 461, *2*
stinklangweilig 1017, *1*
stinknormal 678, *1*
Stippe 1477
Stippvisite 281, *2*
Stips 1526
Stirn haben 1860, *3*
Stirn haben, nicht die
1371, *2*
Stirnseite 1837, *1*
stirnseitig 1841, *2*
stöbern 1050, *1*; 1367, *1*;
1550, *1*
Stock 796, *3*; 955;
1011, *2*
stockbesoffen 250, *1*
stockbetrunken 250, *1*
stockblind 318, *1*
stockdumm 403, *1*
stockdunkel 407, *1*
stöckeln 703, *2*
stocken 441, *1*; 811, *1*;
1508, *3*; **1521**;
1533, *2*; 1780, *3*;
1816, *3*
Stocken, ohne 1830, *2*
stockend 1015, *1*
stockfinster 407, *1*
stockfleckig 265, *1*
stockig 406, *1*
stocksauer 322, *1*
stocksteif 1505, *1*
Stockung 858, *2*; 1519
Stoff 463, *1*; 697, *2*;
759, *1*; 1164, *1*; 1311;
1522; 1549
Stoffel 1272, *1*
stoffelig 1658, *1*
Stoffgebiet 697, *2*
stofflich 1912, *2*
Stofflichkeit 1522, *2*
stöhnen 944, *3*
Stöhnen 943, *2*
Stoiker 1255
stoisch 689, *2*; 1357, *3*;
1541, *5*
Stoizismus 1355, *2*
Stollen 1799, *1*
stolpern 581, *1*; 1383, *2*
stolz 1453; 1507, *1*
Stolz 419, *1*; 1454, *2*;
1926, *1*
Stolz, falscher 460, *1*
Stolz, ohne 1691, *2*

stolzieren 1269, *1*;
1287, *1*
stoned 250, *2*
stone-washed 718, *2*
stop and go 1519
stopfen 543, *2*; 676, *1*
Stopfen 1785, *1*
stopfen, voll 674, *2*;
676, *1*
Stopp 810, *6*; 1519
Stoppelbart 187
stoppelig 1307, *2*
Stoppeln 187
stoppen 22, *2*; 441, *1*;
811, *1*; 1508, *3*
Stoppstelle 810, *6*
Stöpsel 1785, *1*
stöpseln 1399, *2*
Store 870, *6*
stören 907, *1*; **1523**;
1595, *2*
stören, Nachtruhe
1018, *1*
störend 130, *2*; 1021, *2*;
1661, *1*
Störenfried 1524
Störfall 1651; 1982, *1*
stornieren 122, *2*
Stornierung 120, *3*
störrisch 425
Störung 988, *2*; 1041, *1*;
1525; 1679, *1*; 1982, *1*
Störung, psychische
721
Störung, seelische 721
störungsfrei 768, *5*
Story 258, *1*; 559, *2*;
697, *3*
Storyboard 394
Stoß 400, *1*; 1295, *1*;
1446, *1*; **1526**
stoßen 391, *1*; **1527**;
1938
stoßen auf 619, *1*
stoßen, auf Unverständ-
nis 1383, *6*
stoßen, aufeinander
1593, *2*
stoßen, beiseite 1734, *1*
stoßen, Bescheid 557, *2*;
1730, *2*
stoßen, in die Seite 90, *3*
stoßen, ins Elend 173, *1*
stoßen, ins gleiche Horn
1969, *2*

stoßen, mit der Nase darauf 861, *1*
stoßen, vor sich her 1527
Stoßgebet 684; 943, *2*
Stoßkraft 400, *1*; 980, *2*
Stoßseufzer 943, *2*
Stoßverkehr 767, *4*
stoßweise 1005, *2*; 1853, *1*
Stoßzeit 767, *4*
stottern 1521, *2*; 1816, *3*
strack 732, *1*
stracks 429, *2*; 771, *3*; 1290, *2*; 1410, *2*; 1664, *2*
Strafaktion 1752, *2*
Strafanstalt 692, *2*
Strafantrag 943, *1*
Strafaufschub 1822, *3*
strafbar 1722
strafbar machen, sich 1750, *8*
Strafdelikt 1725
Strafe 1752, *2*
strafen, Lügen 557, *2*
strafen, mit Verachtung 1114, *2*
Straferlass 784, *1*
straff 612; 732, *1*; 1536, *1*
straffällig 1426, *2*
straffällig werden 1750, *8*
Straffälliger 1726, *1*
straffen 769, *2*; 1007, *4*; 1531, *2*
straffen, sich 499, *2*
straffrei 1673, *2*
straflos 1673, *2*
Strafmaßnahme 1752, *2*
Strafpredigt 1082, *4*; 1385, *1*
Strafprozess 1283, *1*
Strafsache 1283, *1*
Straftat 1725
Straftäter 1726, *1*
Strafverfahren 1283, *1*
Strafvollzugsanstalt 692, *2*
strafwürdig 1722
Strahl 1052, *2*
Strahlemann 1223
strahlen 651, *2*; 1009, *1*; 1287, *2*; 1381, *2*

Strahlen 1052, *2*
strählen 1292, *3*
strahlend 654, *4*; 768, *2*; 839, *2*; 1412, *1*
Strahlenkranz 832
Strahler 836; 1012, *1*
Strahlkraft 1052, *2*
Strahlung 1052, *2*
Strähne 1295, *1*
Strähnen 806, *1*
strähnig 768, *3*
straight 1664, *2*
stramm 376, *1*; 381, *1*; 479; 480, *3*; 612
strammstehen 704, *1*; 802, *2*
Strand 1630
stranden 1383, *2*
Strandgut 5, *2*
Strang 575, *1*; 1295, *1*
Strapaze 1020, *2*
strapazieren 153, *2*; 237, *2*; 1724, *3*
strapazieren, nicht 1413, *1*
strapazierfähig 363, *1*
Strapazierfähigkeit 613, *1*
Strapazierung 154, *2*
strapaziös 1021, *1*
Straps 812, *2*
Straße 1528
Straße, auf der 104
Straße, auf offener 1211, *1*
Straßenbahn 579, *4*
Straßenbahnlinie 1058, *3*
Straßenfest 749, *2*
Straßenhändler 816, *1*
Straßenjunge 1272, *1*
Straßenkreuzer 579, *2*
Straßenlärm 734, *3*
Straßenmädchen 1280
Straßenprostitution 1282
Straßenseite 1837, *1*
Straßenstrich 1282
Straßentheater 1577, *1*
Straßenzug 1500, *3*
Stratege 387, *2*
Strategie 743, *2*; 1258, *4*; 1258, *5*
strategisch 744, *2*; 1260, *1*; 1555, *1*

sträuben, sich 807, *3*; 1512, *5*; 1959, *2*
Strauch 343, *1*
straucheln 581, *1*; 1383, *2*
Strauß 343, *2*; 917, *2*; 1534, *2*; 1827, *2*
streben 1529
Streben 422, *1*; 1762, *1*
streben, vorwärts 1529, *2*
Streber 1530
streberhaft 421
strebsam 421; 423; 621
Strebsamkeit 422, *2*
Strecke 486, *1*; 1540, *1*; 1561, *1*; 1888, *3*
Strecke bleiben, auf der 1521, *3*
Strecke, auf halber 809
Strecke, halbe 1119, *4*
strecken 1531; 1740, *2*; 1943, *2*
strecken, alle viere von sich 524, *3*
strecken, Finger 1935, *5*
strecken, sich 1531
strecken, Waffen 122, *3*
strecken, zu Boden 1394, *2*
Streckennetz 1176, *2*
streckenweise 1567
Streetfighter 919, *3*
Streetgang 919, *3*
Streich 1393, *1*; 1675, *2*
Streich, dummer 1675, *3*
Streicheleinheit 1062, *1*
streicheln 1056, *3*
streichen 122, *2*; 590, *3*; 1064, *3*; 1437, *1*
streichen, glatt 179, *1*; 769, *2*
streichen, Segel 122, *3*; 704, *2*
Streicher 1134, *2*
streichfähig 1891, *1*
Streichkonzert 454, *1*
Streichung 454, *1*; 486, *2*
Streife 1285, *2*
streifen 263, *4*; 703, *2*; 861, *1*; 1137, *1*
Streifen 618, *2*; 1136, *5*; 1540, *2*
Streifzug 578, *1*

Studiokamera 916, 2
Studium 1033, 2
Stufe 788; 1302, 1
Stufe, auf gleicher 775
Stufen 1597
Stufenfolge 1303
stufenweise 1015, 2
Stuhl 156, 2; 1470, 1
Stühlerücken 1883, 1
Stuhlgang 156, 2
Stulpe 1291, 9
stumm 1044; 1439, 1
stumm bleiben 1438, 1
stumm, ganz 1505, 3
Stummel 1340, 1;
   1517, 3
Stummfilm 618, 3
Stummheit 1355, 1
Stumpen 1517, 3
Stümper 384, 2; 405, 4
Stümperei 1251
stümperhaft 385, 2
stümpern 1252
stumpf 318, 2; 406, 3;
   772, 4; 1505, 1; **1541**;
   1646, 1
Stumpf 1340, 1; 1517, 3
Stumpf und Stiel, mit
   679, 2
Stümpfchen 1340, 1
Stumpfheit 1014;
   1205, 2; 1647, 1;
   1647, 4
Stumpfsinn 404, 1; 1014
stumpfsinnig 406, 3;
   1017, 2
Stunde 1936, 1
Stunde null 1343, 1
Stunde, blaue 408, 1
Stunde, in elfter 477, 2
Stunde, schwere 687
Stunde, zu später
   1482, 4
Stunde, zu vorgerückter
   1482, 4
Stunde, zur 699, 1
stunden 321, 2; **1542**
Stunden, alle 882, 2
Stundenfrau 826, 2
Stundenhotel 320
stundenlang 1013, 2
stundenweise 1853, 3
stündlich 180; 882, 2
Stunk 1534, 1
Stunt 550, 4

Stuntman 550, 4
stupend 553
stupid 403, 1
Stupidität 404, 1
Stuprum 1458
Stups 1446, 1; 1526
stupsen 1527
Stupser 1526
Stupsnase 1161
stur 425; 1505, 2;
   1929, 1
Sturheit 404, 1; 481, 5;
   481, 5; 1647, 1
Sturm 61, 1; **1543**;
   1910, 1
stürmen 60, 2; 316, 1;
   428, 1; 1214, 1
Sturmflut 765
stürmisch 829, 2;
   1070, 1; 1145, 2;
   1307, 5; 1410, 1
Sturm-und-Drang-Zeit
   908, 1
Sturmwind 1543, 1
Sturmwolken 408, 2
Sturz 134, 2; 580, 1
Sturz in die Tiefe 580, 1
stürzen 428, 1; 533, 3;
   581, 1; 998, 2
stürzen, in die Tiefe
   581, 1
stürzen, ins Verderben
   1940, 1
stürzen, sich auf 60, 2
stürzen, sich in die Tiefe
   20, 2
stürzen, sich in Unkos-
   ten 304, 3
sturzflutartig 1824, 1
Sturzhelm 971
Sturzwelle 1538, 2
Stuss 1675, 1
Stute 1247
Stütze 810, 2; 826, 2;
   838, 1
Stütze, auf 104
stutzen 1007, 1; 1925, 3
stützen 210, 2; 837, 1;
   1462, 1; **1544**
stützen, sich 1544
stützen, sich auf 9, 3;
   124, 1; 1800, 1
Stutzer 1545
stutzerhaft 459, 1;
   1625, 3

stutzig 125, 1; 1505, 3
stutzig werden 1925, 3
Stützpunkt 810, 2
Stützwerk 810, 4
stylen 167, 2
Styling 168, 3; 806, 2;
   1518, 4
Suada 1494, 3
subaltern 1691, 1
Subjekt 1103, 2; 1429, 1
subjektiv 455, 1; 886, 1;
   1244, 1; 1909, 1
Subkultur 1546
subkutan 1720, 1
sublim 416, 1; 996, 2
Sublimation 1547
sublimieren 946, 3;
   1548; 1734, 2
Sublimierung 1547
submikroskopisch
   950, 1
Subordination 706, 2
Subsistenzmittel 1027, 2
subskribieren 280, 2
substantiell 1912, 2
Substanz 567, 1;
   1164, 1; 1522, 1; **1549**
substanzlos 182; 1028, 3
Substanzlosigkeit 183, 1
Substitut 550, 2
subtil 84, 1; 416, 1;
   1441, 2; 1932, 1
Subtilität 607, 1
subtrahieren 1007, 2;
   1930, 1
subtropisch 1872, 2
Suburb 1500, 4
Subvention 854, 1
subventionieren 837, 3
Suche sein, auf der
   1550, 2
suchen 1550
suchen sein, zu 212, 1
suchen, das Weite 624, 1
suchen, Gelegenheit
   538, 1
suchen, seinen Vorteil
   251, 2
suchen, sich anzuglei-
   chen 631, 3
suchen, Stellung 303
suchen, zu bekehren
   1081, 3
suchen, zu bewegen 208;
   541, 1; 1081, 1

T

Tabelle 1818, *1*
Table d'hôte 1080, *10*
Tableau 1827, *2*
Tablette 112, *2*; 1098, *2*
Tablettenabhängigkeit 1551, *2*
tabu 1722
Tabu 1721, *1*
tabuisiert 883, *2*; 1722
tacken 1585, *2*
Tadel 1082, *4*; 1385, *2*
tadellos 86, *2*; 416, *1*; 1225, *1*; 1317, *1*; 1830, *1*
tadeln 196; 1391, *1*; **1554**
tadelnd 31, *2*
Tadelsucht 1240, *2*
tadelsüchtig 1241, *2*
Tafel 308, *2*; 620, *1*; 1080, *10*; 1581; 1818, *2*
Tafelfreuden 730, *2*
Tafelland 620, *1*
Tafelmesser 1106
tafeln 566, *2*
täfeln 200; 676, *2*
Tafelrunde 800, *8*
Täfelung 870, *3*
Tag 1936, *1*
Tag für Tag 882, *1*
Tag machen, sich einen schönen 594
Tag und Nacht, wie 695, *4*
Tag werden 52, *2*
Tag, bei 839, *1*
Tag, den ganzen 882, *1*
Tag, jeden 882, *1*
Tagblatt 1271, *2*
Tage 1322, *4*
Tage der Rosen 780, *2*
Tage, alle 882, *1*
Tage, dieser 180; 1008
Tage, ewig und drei 882, *1*
Tagebuch 527, *3*

Tagedieberei 1677, *1*
Tagegeld 137, *1*; 498, *3*
tagelang 1013, *2*
Tagelöhner 838, *2*
tagen 52, *2*; 276, *3*; 1593, *1*
Tages, eines 1207, *7*; 1483, *2*
Tagesanbruch 51, *3*
Tagesanbruch, bei 665
Tagesdecke 870, *9*
Tagesende 408, *1*
Tagesform 1520, *1*
Tagesgeschmack 1125, *1*
Tagesgespräch 742, *3*
Tagesgespräch sein 1634, *4*
Tageshelle 1052, *1*
Tageslicht 1052, *1*
Tageslicht, bei 839, *1*
Tagesordnungspunkt 697, *2*
Tagesschicht 1387, *2*
Tagesschriftsteller 260, *1*; 1423
Tageszeitung 1271, *2*
tageweise 1853, *3*
taghell 839, *1*
täglich 882, *1*
tagtäglich 882, *1*
Tagung 1594, *2*
Taifun 1543, *1*
Take 126, *1*
Take-off 132
Takt 85, *1*; 468, *3*; 1089, *3*; 1324, *1*; 1961, *2*
Takt, im 1323, *1*
Taktfehler 599, *4*
taktfest 1460, *8*
taktieren 1023, *1*
Taktik 743, *2*; 1258, *4*; 1258, *5*
Taktiker 387, *2*
taktisch 744, *2*; 1260, *1*; **1555**
taktlos 1244, *5*; 1264, *2*; **1556**; 1662, *3*
Taktlosigkeit 599, *4*; 643, *3*
taktmäßig 1323, *1*
taktsicher 1460, *8*
taktvoll 1960, *2*
Tal 1799, *1*
Tal, zu 27

Talent 577; 677, *4*; 1502, *5*
talentiert 576, *1*
talentlos 403, *1*
Talentsucher 1257, *2*
Taler 712, *3*
Talfahrt 27
talgig 1929, *2*
Talisman 1933, *2*
Talk 1684, *1*
Talkmaster 1683, *1*
Talkshow 1459
Talkum 1289
Talmi 940, *1*; 1142, *1*
talwärts 27
Tamtam 291, *4*; 1286, *1*
Tand 940, *1*
tändeln 1056, *2*
Tandem 579, *2*
Tangente 1058, *1*
tangieren 263, *2*
Tank 223
tanken 674, *1*; 1601, *2*
tanken, voll 674, *1*
Tann 1869
Tantalusqualen 1403, *2*
Tante-Emma-Laden 740, *1*
Tantieme 1338, *1*
Tantiemen 137, *1*
Tanz 105, *3*; 749, *2*
Tanz auf dem Vulkan 988, *1*
tänzeln 703, *2*
tanzen 395, *1*; 1435, *1*; 1682, *5*
tanzen, auf zwei Hochzeiten 1562, *3*
tanzen, aus der Reihe 28, *1*; 118
tanzen, nach der Pfeife 704, *1*
tanzen, nicht aus der Reihe 73, *2*
tanzend 1026, *5*
Tanzerei 749, *2*
Tanzlokal 681, *2*
Tanzmusik 1133, *3*
Tanzschuppen 681, *2*
Tanztheater 1577, *1*
Tanzvergnügen 749, *2*
Tape 922, *2*
Tapete 870, *3*
Tapetenwechsel 525, *1*
tapezieren 200; 543, *1*

Thema 638, *4*; 697, *2*; 887, *1*; 1522, *4*
Thema haben, zum 224, *3*
thematisieren 224, *3*
Thematisierung 225, *1*
Theorem 798, *2*; 1033, *4*
Theoretiker 372
theoretisch 799; 879
Theorie 1033, *4*
Theoriebildung 636, *2*
Therapeut 113
Therapeutikum 1098, *2*
Therapie 225, *3*
therapieren 224, *2*; 831, *2*
Thermalbad 178, *4*
Thesaurus 1032
These 798, *2*; 1033, *4*
Thesen 8, *2*; 1299, *2*
Think-Tank 800, *2*
Thronfolger 95, *2*
Tick 424, *4*; 1779, *1*
ticken 1585, *2*
Ticken 734, *2*
tickern 1622, *6*
Ticket 1578
Ticktack 734, *2*
Tiden 765
tief 407, *4*; 722, *3*; 891, *4*; 1364, *3*; 1468, *2*; **1579**; 1828, *4*
Tief 400, *4*; 988, *3*; 1118; 1592
tief gehend 1499
tief liegend 1579, *1*
Tiefdruckgebiet 400, *4*
Tiefe 146, *2*; 202, *3*; 859, *1*; 1799, *1*
Tiefe, in der 1579, *1*; 1678, *1*
Tiefe, in die 27
Tiefe, ohne 1199, *2*
Tiefebene 620, *1*
tiefenscharf 722, *3*; 1373, *5*
tiefer hängen 1479, *4*; 1736
Tiefgang, ohne 182; 1199, *2*
tiefgekühlt 363, *2*
tiefgreifend 1300
tiefgründig 1580
tiefkühlen 522, *2*
Tiefkühlschrank 1418

Tieflader 579, *5*
Tiefland 620, *1*
Tiefpunkt 988, *1*
tiefschwarz 407, *1*
tiefsinnig 1441, *2*; 1580
Tier 186; 747, *1*
Tier, totes 973, *2*
Tierbändiger 111, *2*
Tiergarten 1949
Tiergehege 1949
tierisch 1452, *1*
Tierpark 1949
Tierwelt 1164, *2*
tilgen 34; 122, *2*; 151, *2*; 304, *4*; 1064, *2*
Tilgung 150, *3*; 486, *2*; 1931, *1*
Timbre 1494, *2*; 1584, *2*
timen 73, *1*
Timesharing 1596, *4*
Timing 74, *1*
Tingeltangel 1459; 1684, *6*
Tinktur 112, *2*; 567, *2*
Tinte 1764, *1*
Tinte, in der 401
Tip 677, *1*
Tipp 470; 860, *2*; 1304, *1*; 1934, *2*
Tippelbruder 1332, *2*
tippelig 1241, *1*
tippeln 1871
tippen 1421, *4*; 1487, *5*
Tippfehler 599, *1*
tipptopp 1365, *1*
Tiraden 1256, *2*
tirilieren 1465, *3*
Tirilieren 734, *5*; 739, *1*
Tisch 1581
Tisch machen, reinen 946, *1*
Tisch, am grünen 879
Tisch, vom 534, *1*
Tischchen 1581
tischfertig 610, *4*
Tischgast 283, *1*
Tischgebet 684
tischlern 102, *4*
Tischnachbar 1143, *3*
Tischwäsche 1880
Titan 1345
titanisch 791, *1*
Titel 336, *1*; 419, *2*; 930, *4*; 930, *7*; 1302, *1*
Titelblatt 1837, *2*

Titelpart 1347, *1*
Titelpartie 1347, *1*
Titelrolle 1347, *1*
Titelseite 1837, *2*
Titelzeile 930, *7*
Titten 344
Titulatur 930, *4*
titulieren 931, *5*; 1174, *1*
Toast 801, *3*
toasten 325, *1*
toben 316, *1*; 1391, *2*
tobend 1906, *1*
Tobsuchtsanfall 143, *2*
Tochter 1078, *1*; 1977, *1*
Tochterfirma 1977, *1*
Tod 1582
Tod, nach dem 1482, *3*
todbringend 690, *5*
todernst 545, *2*
Todesengel 1582, *3*
Todesfahrer 111, *2*
Todesfall 1582, *2*
Todesgefahr 399, *2*
Todeskampf 917, *5*
Todeslager 969
todesmutig 1139, *2*
Todesschlaf 1582, *1*
Todessprung 1497, *2*
Todesstarre 915, *1*
Todesstrafe 1588, *2*
Todesverachtung, mit 1653, *2*
Todfeind 604, *1*
todgeweiht 1042, *1*
todkrank 1042, *1*
tödlich 690, *5*
todmüde 1130, *1*
todsicher 1460, *1*
todtraurig 1660, *1*
todunglücklich 1660, *1*
Tohuwabohu 1669, *1*
Toilette 168, *3*; **1583**
Toilette machen 98, *1*; 1292, *2*
Toilettentisch 1581
Token 350, *1*; 930, *3*
Töle 871
tolerant 644, *3*; 793, *2*
Toleranz 1793, *3*
tolerieren 531, *1*
toll 829, *3*; 1254, *1*; 1693, *3*; 1778, *1*
Tolle 806, *1*
Tollhaus 1675, *3*

Tollheit 650, *4*; 830; 1675, *1*
tollkühn 1139, *2*
Tollkühnheit 1138
Tollpatsch 405, *3*
tollpatschig 1658, *1*
Tölpel 405, *3*
Tombola 783
Ton 589, *1*; 734, *1*; 1133, *1*; 1144; 1193; **1584**
Ton, der die Musik macht 1584, *3*
tonangebend 670, *2*; 1077, *2*; 1900, *3*
Tonarchiv 1484, *3*
Tonart 1584, *2*
Tonbandkassette 922, *2*
Tondichter 1134, *1*
Tondichtung 1133, *2*
Töne, falsche 941
tönen 590, *2*; 1018, *2*; 1269, *2*; **1585**
Tönen 739, *1*
tönend 1828, *4*
tönend, hell 839, *5*
Tonfall 1494, *2*; 1584, *4*
Tonfall, im selben 771, *2*
Tonfilm 618, *3*
Tonfolge 1133, *1*
Tonkunst 1133, *2*
Tonkünstler 1134, *1*
tonlos 1044
Tonne 223
tonnenweise 1327, *4*
Tonrelation 1133, *1*
Tonschöpfer 1134, *1*
Tonschöpfung 1133, *2*
Tonschritt 1689
Tonsetzer 1134, *1*
Tonträger 922, *2*
too much 1625, *1*
top 804, *2*
topless 1154, *2*
Topmanager 672
Topmodel 1501, *1*
toppen 1394, *3*
topsecret 834, *2*
Topspeed 427, *2*
Topstar 1501, *1*
Tor 405, *4*; 1215, *1*
Toreador 919, *4*
Torero 919, *4*
Toresschluss, kurz vor 477, *2*; 1482, *2*

Torheit 404, *2*; 1675, *3*
töricht 24; 403, *2*; 1693, *3*
Törin 405, *4*
torkeln 1435, *1*
torkelnd 1674, *4*
Törn 578, *1*
Tornado 1543, *1*
torpedieren 857, *3*; 1940, *9*
Torschluss 1400, *2*
Torso 1472; 1561, *2*
torsohaft 1695, *1*
Tort 240
Tortur 335; 1403, *2*
tosen 316, *1*; 1585, *4*
Tosen 734, *2*
tot 1096, *3*; 1505, *1*; **1586**; 1744
tot, halb 1130, *1*
total 679, *1*; 679, *3*; 1830, *3*
Totalausverkauf 1760, *2*
Totalität 442, *1*
töten 533, *3*; **1587**
töten, Nerv 106, *1*
töten, sich 1587
totenblass 592, *1*
Totenklage 943, *2*
Totenreich 1690, *2*
Totenstadt 657
totenstill 450, *3*; 1357, *7*
Totentanz 1400, *2*
Toter 973, *2*
Totgeburt 1116
totlachen, sich 1009, *2*
Toto 783
Totschlag 1725
totschlagen 1587, *1*
totschlagen, Zeit 594; 1016, *2*
Totschläger 1726, *2*
totschweigen 1409, *5*; 1715, *1*
Tötung 1588
Tötungsdelikt 1588, *1*
Touch 159; 1193
touchieren 263, *4*
Toupet 806, *3*
Tour 326, *2*; 396, *1*; 578, *1*
Tour de Force 917, *1*
Tour machen 1331, *1*
Tour, auf 393, *2*
Tour, in einer 882, *1*

Tour, krumme 292
touren 1331, *1*
Touren sein, immer auf 851, *2*
Touren, auf 1026, *2*
Touren, auf vollen 1026, *2*
Tourist 283, *2*; 1332, *1*
Touristen 649, *2*
Tournee 578, *2*
Tournee machen 1331, *1*
Tournee, auf 393, *2*
tout le monde 38, *2*
Trab 302, *1*
Trabant 66, *3*
Trabantenstadt 1500, *4*
traben 428, *1*; 703, *2*
Tracht 949, *2*; 1590, *2*
Tracht Prügel 1393, *1*
trachten 195, *1*; 1529, *1*
Trachten 1762, *1*
trachten nach 217, *1*; 1259, *2*; 1923, *1*
trachten, zu bekommen 245, *2*
Trader 816, *2*
Tradition 326, *1*
traditionalistisch 1320, *2*
traditionell 59, *3*; 365, *2*; 678, *1*
tragbar 803, *3*; 1128, *2*
träge 772, *3*; 1015, *1*; 1150, *2*; 1676, *1*
tragen 837, *4*; 1040, *1*; 1196, *1*; 1462, *1*; **1589**
tragen an, schwer 1589, *3*
tragen haben, Päckchen zu 1589, *3*
tragen haben, zu 1589, *3*
tragen lassen, sich 1437, *1*
tragen, auf dem Rücken 1589, *1*
tragen, auf Händen 1056, *2*; 1735, *1*; 1817, *2*
tragen, Bedenken 1948
tragen, Folgen 345; 1040, *2*
tragen, Frucht 1196, *1*
tragen, Herz auf der Zunge 1495, *3*

tragen, huckepack
1589, *1*
tragen, Konsequenzen
1040, *2*
tragen, Kosten 304, *1*
tragen, Nase hoch 430, *3*
tragen, Rechnung 193, *2*
tragen, Scheuklappen
1051, *3*
tragen, Schleppe 1401
tragen, sich mit dem Ge-
danken 1259, *1*
tragen, zu Grabe 122, *3*;
233, *1*
tragen, zum Jagen 391, *2*
tragen, zur Schau
1935, *2*
tragend 1828, *4*
tragend, weit 1900, *1*
Träger 810, *3*; 812, *2*
Tragesessel 579, *8*
tragfähig 981, *1*
Tragfähigkeit 1502, *2*
Trägheit 249, *2*; 1355, *3*;
1677, *1*
Tragik 1659
Tragikomödie 960
tragisch 1660, *4*
Tragöde 360
Tragödie 1378, *1*; 1659
Tragstuhl 579, *8*
Tragstütze 810, *3*
Tragweite 202, *3*
Trailer 1898, *3*
Trainee 1428, *4*
Trainer 1035, *2*
trainieren 1034, *2*;
1503, *1*; 1611
trainiert 744, *2*; 981, *1*;
1490, *1*
Training 517, *2*; 1033, *1*;
1629
Trajekt 579, *6*
Trakt 1561, *2*
Traktat 8, *1*
Traktor 579, *5*
trällern 1465, *1*
Tram 579, *4*
Tramp 1332, *2*
Trampel 405, *3*
trampeln 703, *2*
Trampelpfad 1888, *1*
Trampeltier 405, *3*
trampen 1331, *2*
Tran 1310, *1*

Tran, im 250, *1*; 1639, *1*
Trance 549, *3*; 1647, *3*
Trance, in 250, *2*; 286;
1646, *2*
Tranche 1540, *3*
tranchieren 1409, *1*;
1562, *1*; 1937, *2*
Tranchieren 1596, *3*
Träne 1782
tränen 625
Tränen 943, *2*
Tränen in den Augen,
mit 1660, *2*
Tränen, in 1660, *2*
tränenselig 473
Tränenseligkeit 474;
940, *3*
Tränenströme 943, *2*
tränenüberströmt
1660, *2*
Tranfunzel 1255
Trank 759, *1*
Tränke 760, *3*
tränken 616, *1*; 676, *1*
tränken, sich 411, *1*
Tranlampe 1012, *1*
Transaktion 814, *2*;
1686, *2*
Transithandel 814, *3*
transitorisch 1650, *3*
transkribieren 1622, *5*
Transkription 1422, *2*
transnational 896
transparent 369; 945, *1*;
1211, *2*; 1791, *1*
Transparenz 947, *1*;
1212, *2*; 1792
transpirieren 1445, *1*
Transplantat 550, *3*
transplantieren 1218
transponieren 1622, *5*;
1709, *1*
Transport 302, *2*; **1590**
transportabel 301, *2*
transportfähig machen
1233, *2*
transportieren 300, *3*;
1388, *2*; 1589, *1*
Transrapid 579, *4*
Transuse 1255
transversal 1417, *1*
transzendent 1693, *4*
Transzendenz 408, *3*
Trantüte 1255
Trapezkünstler 111, *2*

trappeln 703, *2*
Trapper 905, *1*
Trara 291, *4*
Trasse 1498, *3*
Trassierung 1498, *3*
Tratsch 737, *1*
tratschen 948, *1*;
1495, *3*
Tratschtüte 1436
Trattoria 681, *1*
Traube 800, *5*
trauen, jmdm. 1800, *1*
trauen, seinen Augen
nicht 1925, *1*
trauen, sich 1860, *3*
trauen, sich nicht
1371, *2*
Trauer 1592
Trauerfall 1582, *2*
trauern 944, *4*; 1040, *4*
Trauerspiel 1659
Traufe 1215, *7*
träufeln 625
träufeln, Balsam auf die
Wunde 1606, *1*
träufen 1325
traulich 719
Traulichkeit 249, *1*
Traum 556, *1*; 880, *3*;
1747, *2*
Traum haben 1591, *1*
Traumbild 874, *3*; 880, *1*
träumen 1392, *3*; **1591**
Träumer 876, *1*
Träumerei 880, *3*
träumerisch 877, *2*;
1265, *2*; 1357, *4*;
1639, *1*
Traumgesicht 880, *1*
Traumgesichte haben
1591, *1*
traumhaft 1254, *2*;
1412, *1*
Traumkarriere 135, *1*
Traumland 1234
Traumtänzer 876, *1*
Traumwelt 880, *1*
traurig 1204, *1*; 1293, *2*;
1660, *1*
Traurigkeit 1592
traut 719
Traute 1138
Trautheit 249, *1*
Trauzeuge 338
Traveller 1332, *1*

Trickkünstler 111, 2
trickreich 1396, 1
tricksen 293, 1
Trieb 1551, 1; **1599**;
1762, 1
Triebfeder 794, 1
triebgemäß 1600, 1
triebhaft 1600
Triebhaftigkeit 1599, 1
Triebkraft 478, 3
triebmäßig 1600, 1
Triebwagen 579, 4
triefen 625; 1325
triefend 1162, 1
Triefnase 1161
triezen 1242, 1
trifft sich gut 57, 1
Trift 1538, 2
triftig 1395; 1900, 1
trillern 1465, 2
Trillern 739, 1
trimmen 1292, 3; 1611
trinken 1030, 3; **1601**
trinken, auf ex 1030, 3
trinken, auf jmds. Wohl
90, 6
trinken, Brüderschaft
1157, 4
trinken, über den Durst
284, 3
Trinker 397, 1; **1602**
trinkfest 727
trinkfreudig 218, 2; 727
Trinkgelage 711
Trinkgeld 677, 1
Trinkspruch 801, 3
Trinkstube 681, 1
Trinkwasser 1881, 2
Trip 549, 4; 578, 1;
1310, 2
Trip machen 1331, 1
trippeln 703, 2
trist 1017, 2; 1204, 1
Tristesse 1592
Tritt 1047, 1; 1498, 1;
1526
Trittbrettfahrer 1221
Trittleiter 1047, 1
Triumph 518, 3
triumphal 1268
Triumphator 1464, 1
triumphieren 1463, 1
trivial 312; 312, 3
Trivialität 183, 1
Trivialliteratur 1061

trocken 545, 2; 820, 1;
844, 1; 1358, 2;
1496, 2; **1603**; 1654, 1
trocken werden 1604, 2
Trockenheit 1205, 1
trockenlegen 1249, 4;
1604, 4
trockenreiben 1326, 3;
1604, 1
trocknen 1604
Trocknen, auf dem
856, 2
trocknen, Tränen
1606, 1
Troddel 1291, 4
Trödel 5, 2
Trödelei 1677, 1; 1822, 2
trödelig 1676, 1
trödeln 703, 2; 1821, 3
Trödler 740, 2; 816, 1
Troll 707, 4
trollen, sich 485, 1
Trombe 1543, 1
Trommel 1347, 2
Trommelfeuer 617, 3;
1898, 5
trommeln 1018, 2;
1487, 3; 1896, 1
Trommler 1134, 2; 1897
Trompe-l'Œil 1559, 2
trompeten 316, 2;
1487, 3
Trompeter 1134, 2
Trope 308, 5
Tropf 405, 2
tröpfeln 625; 1325
Tröpfeln 734, 2
tröpfelnd 457, 1; 1015, 2
tropfen 625
Tropfen 112, 2; 734, 2;
759, 1
Tropfen auf den heißen
Stein 1894, 1
Tropfen auf einem heißen
Stein 1656, 1
Tropfen, bis zum letzten
679, 3
Tropfen, guter 979
tropfenweise 1015, 2
tropfnass 1162, 1
Trophäe 518, 5; 1270, 4
tropisch 1872, 2
Tropus 308, 5
Tross 66, 4
Trosse 575, 1

Trost 1504, 2; **1605**
Trost, nicht bei 403, 1;
1778, 1
trösten 1606
trösten, sich 1606
tröstlich 1607
trostlos 1204, 1; 1246;
1660, 1
Trostlosigkeit 1592
Trostpflaster 498, 3
Trostpreis 498, 3;
1270, 4
trostreich 1607
Tröstung 1605
trostvoll 1607
Trostworte 1605
Trott 42, 2; 302, 1;
1014
Trott, im selben 771, 2
Trottel 405, 2; 1782
trotten 703, 2
Trottoir 1528
trotz 1608
Trotz 1609
Trotz, zum 16
trotzdem 3; 1202;
1608, 2
trotzen 1959, 2
trotzig 425
trotzköpfig 425
Trotzreaktion 1609
Troubadour 1363, 1
Troubadourin 1363, 2
Trouvaille 675, 1
trüb 407, 2
trübe 318, 2; 1246
Trubel 291, 3; 1684, 2
trüben 354; 496; 1809
trüben, Hoffnung 496
trüben, sich 409, 2
Trübsal 1592
trübselig 1182, 1
Trübseligkeit 1592
Trübsinn 1118
trübsinnig 1182, 1;
1182, 1; 1246
Trübsinnigkeit 1592
Trübung 408, 2
Truck 579, 3
trudeln 395, 1; 581, 2
Trug 1071, 2; 1559, 1
Trugbild 880, 2
trügen 293, 1
trügerisch 583, 2;
583, 3; 1380; 1748

Trugschluss 599, *3*;
　902, *1*
Truhe 1418
Trumm 1540, *6*
Trümmer 5, *1*
Trumpf 518, *4*; 1850, *1*
trumpfen 761, *2*
Trunk 759, *1*
trunken 250, *2*; 548, *3*
trunken machen 219, *1*
Trunkenbold 1602
Trunkenheit 549, *4*;
　1310, *1*
Trunksucht 1551, *3*
Trupp 800, *5*; 1329, *3*
Truppe 442, *2*; 800, *3*;
　1111, *2*
Truppeneinheit 442, *2*
truppweise 1015, *2*
Trust 1719, *6*
tschilpen 1465, *3*
Tube 223
Tuch 870, *5*; 1522, *3*
Tuch sein, rotes 821, *1*
Tuchfühlung, auf
　1155, *2*
tüchtig 328, *2*; 479;
　576, *1*; 1225, *3*;
　1557, *2*
Tüchtigkeit 478, *1*; 577
Tücke 584, *1*; 1060, *1*
Tücke des Geschicks
　1389, *2*
tuckern 1018, *2*
tückisch 323, *2*
tückschen 1959, *1*
Tuerei 460, *1*; 1624, *1*
tüftelig 1241, *1*
tüfteln 188; 1796, *2*
Tüftler 1239, *1*
Tugend 85, *2*
Tugendbold 1239, *2*
tugendhaft 328, *2*
Tugendwächter 1239, *2*
Tugendwächterei
　1240, *3*

Tüll 1522, *3*
Tülle 1215, *7*
tümelnd 1708
tummeln, sich 102, *3*;
　428, *2*
Tummelplatz 1309, *2*
Tümpel 760, *2*
Tumult 134, *3*; 1669, *4*
tumultuarisch 829, *2*;
　1668, *3*
tun 102, *1*; 274, *3*;
　533, *1*; 729, *1*; 815, *1*;
　1045, *1*; 1685, *2*;
　1815, *1*
Tun 101, *1*
Tun und Lassen
　1025, *4*
Tünche 870, *3*; 1198, *3*;
　1559, *2*
tünchen 590, *3*
Tüncher 1083, *2*
Tundra 1205, *4*
tunen 73, *1*
Tunichtgut 1782
Tunke 1477
tunlich 1973, *3*
tunlichst 314, *1*
Tunnel 1215, *8*
tuntig 1496, *3*
Tüpfchen 1136, *5*
Tüpfelchen auf dem i
　767, *7*
tüpfeln 1137, *1*
Tupfen 1136, *5*
Tür 1215, *1*
Tür und Angel, zwischen
　1005, *4*
Tür, nächste 1155, *2*
Turban 971
turbulent 829, *2*;
　1668, *3*
Turbulenz 830
Türen, hinter verschlos-
　senen 834, *1*
Türgriff 812, *1*
türken 293, *1*

turkey 1042, *5*
Turm 613, *6*; **1610**
türmen 142, *3*; 624, *1*;
　1361, *2*
turmhoch 791, *1*; 862, *3*
turnen 300, *1*
Turner 1489
Turnier 962, *2*
Turnus 630, *1*; 1324, *1*;
　1883, *1*
Turnus, im 696
turnusgemäß 1323, *1*
turnusmäßig 1323, *1*
Türsteher 1878
Türstopper 1878
turteln 1056, *3*
Tusch 801, *3*
tuscheln 629; 948, *1*
Tuscheln 734, *2*; 737, *1*
tuschen 590, *2*
Tussi 405, *4*
Tüte 870, *10*
tuten 316, *2*
Tutor 1035, *1*
Tuttifrutti 1113, *3*
TV 609, *1*
TV-Gerät 609, *1*
Twens 908, *3*
Tyche 1389, *1*
Tycoon 1687, *3*
Typ 159; 346
Typ sein, jmds. 691, *1*
Type 337, *1*; 1230, *2*;
　1384, *1*
typen 1738
typisch 348, *1*
typisieren 1706
Typisierung 1707; 1739
Typung 1739
Typus 110, *2*
Tyrann 849
Tyrannei 847, *3*
tyrannisch 1536, *3*;
　1909, *2*
tyrannisieren 1242, *1*;
　1680, *1*; 1980, *2*

U

U-Bahn 579, *4*
übel 322, *3*; 461, *2*;
690, *5*; 1042, *1*;
1397, *4*
Übel 984, *1*; 1041, *1*;
1659
übel machend 461, *1*
übel nehmen 106, *3*;
1959, *1*
übel wollend 323, *1*
übel, nicht 804, *2*;
1091, *2*
Übel, notwendiges
1192, *1*
Übelbefinden 1041, *1*
Übelkeit 14, *2*
übellaunig 1117
Übellaunigkeit 1118
übelnehmerisch 1152;
1698
Übelstand 1190, *2*
Übeltat 1725
Übeltäter 1726, *1*
Übelwollen 324
üben 1611; 1904, *1*
üben, Blick 1374, *3*
üben, Nachsicht 501, *4*;
1413, *3*
üben, Solidarität
1965, *1*
über 862, *1*; 1124, *3*;
1364, *4*; 1628, *1*
überall 1612
überaltern 1750, *6*
überaltert 44, *1*
Überalterung 45, *4*
überambitioniert 766
Überangebot 1620, *1*
überanstrengen 153, *2*;
237, *2*; 539, *1*
überanstrengen, sich
539, *2*; 1724, *2*
überanstrengt 1130, *2*;
1625, *4*
Überanstrengung 154, *2*;
540, *2*; 1020, *2*
überantworten 1622, *1*

überarbeiten 198, *2*;
1716, *1*
überarbeiten, sich
539, *2*
überarbeitet 1130, *2*
Überarbeitung 225, *2*;
540, *2*
überaus 1452, *1*;
1452, *1*
überbacken 325, *1*
überbelegt 1828, *3*
überbetonen 1623, *1*
überbetont 1625, *2*
überbewerten, sich
430, *3*
überbieten 1394, *3*
Überbleibsel 5, *1*;
1340, *1*
Überblick 165, *1*;
1258, *2*; 1299, *2*; **1613**;
1793, *2*; 1918, *1*
überblicken 1794, *2*;
1917
überborden 1619, *1*
überbringen 280, *4*;
1618
überbringen, Grüße
802, *1*
Überbringer 1614
überbrücken 837, *1*;
1298, *3*; 1718, *2*
Überbrückung 333;
854, *1*
überbrühen 956, *2*
überbürden 153, *2*
überbürdet 1130, *2*
Überbürdung 540, *2*
überdachen 1430, *1*
überdauern 364, *3*
Überdauern 362, *3*
überdauernd 365, *1*
überdecken 200;
1430, *1*
überdehnen 264
überdehnt 722, *4*
überdenken 371, *2*
überdeutlich 378, *1*
überdeutlich machen
1623, *4*
überdies 117, *3*
überdimensional 791, *1*
überdrehen 264; 1623, *1*
überdreht 1778, *1*
Überdruss 14, *2*; 1014;
1118

überdrüssig 1117;
1364, *4*; 1660, *1*
überdrüssig sein 1039, *2*
überdurchschnittlich
149, *1*
übereck 1417, *1*
Übereifer 422, *2*; 427, *3*
übereifrig 423; 429, *2*
übereignen 683, *3*;
1622, *2*
übereilen 428, *4*
übereilen, nichts 1356, *2*
übereilt 1037, *1*; 1857, *2*
Übereilung 427, *3*
übereinkommen 1736
Übereinkommen 150, *4*;
1737, *1*
übereinkommen, nicht
28, *4*
Übereinkunft 326, *2*;
1322, *2*; 1737, *1*;
1754, *3*
übereinstimmen 503, *3*;
974, *2*; **1615**; 1794, *6*
übereinstimmen, nicht
28, *4*
übereinstimmend
443, *1*; 504, *1*; 771, *1*;
819, *1*; **1616**
übereinstimmend, nicht
mit den Tatsachen
583, *1*
übereinstimmend, zeit-
lich 776
Übereinstimmung 444;
1617
überempfindlich 471, *3*
Überempfindlichkeit
472, *1*
überempirisch 1693, *4*
übererregt 548, *1*
überessen, sich 566, *1*
überfahren 1114, *1*;
1298, *2*; 1587, *1*
Überfahrt 578, *3*
Überfall 61, *1*; 116;
281, *2*
überfallen 60, *2*; 282, *1*;
1621, *3*
überfällig 1482, *1*
überfeinert 471, *3*
Überfeinerung 472, *1*;
607, *2*
überfliegen 1050, *1*;
1298, *1*

Überflieger 2
überfließen 1619, *1*
überflügeln 1394, *3*
Überfluss 137, *2*; 673, *1*;
    1620, *1*
überflüssig 1628, *1*;
    1667
überflüssig sein 6, *2*
überfluten 1619, *1*
überflutet 1162, *2*
Überflutung 1165, *2*
überfordern 153, *2*;
    237, *2*; 293, *1*; 539, *1*
überfordern, sich 539, *2*
überfordert 1130, *2*
Überforderung 154, *2*;
    540, *2*; 1020, *2*
überfrachten 153, *2*
überfrachtet 766
überfragt 1697, *1*
überfressen 1364, *1*
überfrieren 659, *2*
überführen 1388, *3*;
    1621, *2*
Überführung 333;
    1590, *1*
Überfülle 1620, *1*
überfüllt 1828, *2*
überfüttern 676, *1*
Übergabe 120, *5*;
    1183, *1*
Übergang 23, *1*; 333;
    1215, *4*; 1710, *2*
Übergang, im 1650, *3*
Übergang, ohne 1263
übergangen 1642, *1*
Übergangsalter 908, *1*
übergangslos 1263
übergeben 1618; 1619, *2*
übergeben, der Erde
    233, *1*
übergeben, der Öffent-
    lichkeit 547, *2*
übergeben, sich 329, *3*
übergegangen 844, *1*
übergehen 20, *1*; 152, *1*;
    1114, *1*; 1409, *5*
übergehen, in andere
    Hände 1884, *1*
übergehen, mit Schwei-
    gen 1715, *1*
übergehen, zum Angriff
    60, *2*
übergehend, ineinander
    1650, *3*

übergenau 722, *1*;
    1241, *1*
übergenug 1327, *1*;
    1824, *1*
übergeordnet 862, *2*
übergescheit 1241, *2*
übergeschnappt 1778, *1*
Übergewicht 673, *2*
Übergewicht haben
    669, *2*
übergewichtig 381, *1*
übergießen 616, *1*
überglücklich 781, *1*
übergreifen 145, *2*
übergreifend 40, *3*
Übergriff 1670, *1*
übergroß 791, *1*
überhaben 1039, *2*
überhand nehmen
    145, *4*
Überhang 415, *2*;
    1620, *1*
überhängen 1921, *2*
überhasten 428, *4*
überhäufen 1623, *3*
überhaupt 41; 679, *2*
überheben, sich 430, *3*;
    1269, *1*
überheblich 459, *2*
überheblich sein 430, *3*
Überheblichkeit 460, *1*
Überhebung 460, *2*
überheizt 1872, *2*
überhitzt 1625, *2*
Überhitzung 1620, *1*
überhöhen 1623, *2*
überhöht 1625, *2*;
    1625, *6*
Überhöhung 269;
    1062, *3*; 1547
überholen 543, *1*;
    1394, *3*
überholen, nicht zu
    1841, *1*
überholt 1708; 1744
überhören 492, *1*;
    1409, *5*
Überich 762
überirdisch 1693, *4*
überkandidelt 1625, *5*;
    1778, *1*
überkleben 200
überkommen 59, *3*;
    60, *2*; 514; 678, *1*;
    1233, *1*

überkriegen 1039, *2*
überladen 1327, *4*;
    1623, *1*; 1623, *5*;
    1625, *3*
überlagern 200
überlang 791, *1*
überlappen 200
überlappen, sich 263, *3*
überlassen 683, *2*;
    683, *4*; 1622, *2*;
    1761, *1*
Überlassung 1819, *1*
überlasten 153, *2*
überlastet 1130, *2*
überlastet, mit Schulden
    1426, *1*
Überlastung 540, *2*;
    1020, *2*
Überlauf 1215, *6*
überlaufen 20, *1*;
    1509, *1*; **1619**; 1828, *2*
Überlaufen, zum 1828, *1*
Überläufer 377
überlaut 1022
überleben 364, *3*;
    1024, *1*
überleben, sich 1750, *6*
Überlebender 513, *3*
überlebensfähig 981, *1*
überlebensgroß 791, *1*
überlebt 44, *2*; 1708
Überlebtheit 45, *4*
überlegen 371, *2*; 516, *1*;
    670, *2*; 791, *4*
überlegen sein 1394, *3*
überlegen, allen 554
Überlegenheit 517, *2*;
    1850, *1*
Überlegenheitswahn
    389, *2*
überlegt 890, *2*; 1260, *1*;
    1357, *2*; 1468, *3*;
    1476, *2*; 1555, *1*;
    1773, *1*
überlegt, wohl 16;
    731, *3*; 1468, *3*;
    1476, *1*; 1846, *2*;
    1973, *2*
Überlegung 878, *2*;
    1258, *4*; 1321
überleiten 1718, *2*
überliefern 1622, *1*
überliefert 678, *1*
Überlieferung 326, *1*;
    513, *2*

Übungsgelände 685, 3
Ufer 1630
Ufer, am anderen 695, 2
Ufer, befestigtes 1630
uferlos 1625, 1; 1824, 1;
1892, 1
Uferstreifen 1630
Uhr, nach der 1323, 1
Ukas 209, 1
Ulk 1491, 1; 1675, 2;
1684, 3
ulken 1682, 4
ulkig 835, 4
ultimativ 479; 1145, 1;
1254, 1
Ultimatum 399, 1
ultra 1452, 1
um 1744
um … willen 69, 2; 1889
umändern 1709, 1
umarbeiten 543, 1;
1709, 1
Umarbeitung 544, 1;
1710, 1
umarmen 1056, 3
Umarmung 801, 2;
1055, 3
Umbau 544, 1; 1710, 1
umbauen 543, 1
umbenennen 931, 5
umbesetzen 1709, 1;
1884, 2
Umbesetzung 1883, 1
umbiegen 586, 2
umbilden 1709, 1
Umbildung 1710, 1
Umblasen, zum 410, 3
umbrechen 756; 787, 1
umbringen 1587, 1
umbringen, sich 1587, 5
Umbruch 1343, 1;
1710, 2
umbuhlen 1401
umdefinieren 1709, 1
umdeklarieren 1709, 1
umdenken 1709, 5
Umdenken 445, 1
umdeuten 1709, 1
Umdeutung 1710, 4
umdrängen 391, 5;
1633, 3
umdrehen 19; 395, 6;
1709, 1
umdrehen, den Magen
462, 1

umdrehen, den Schlüssel
1399, 1
umdrehen, sich 395, 7;
485, 1; 1550, 1
umdrehen, Spieß
1751, 1
Umdrehung 396, 1
umfahren 28, 1
umfallen 20, 1; 1964, 2
Umfang 1502, 3; 1631
Umfang, in diesem
1473
Umfang, in großem
1824, 1
Umfang, in vollem
679, 2
umfangen 1056, 3
umfänglich 1507, 2
umfangreich 1327, 2
umfärben 590, 1
umfassen 402, 2; 493;
1056, 3
umfassend 40, 4; 453;
679, 1; 722, 3; 1327, 2;
1830, 3
Umfeld 317; 1143, 2;
1156, 1; 1636, 2
Umfeld, soziales 1636, 2
umformen 1709, 1
umformulieren 1709, 1
Umformung 1710, 1
Umfrage 1632
umfüllen 1030, 4
umfunktionieren
1709, 1
Umgang 225, 1; 749, 3;
966, 2
Umgang haben 1634, 2
Umgang, gesellschaftli-
cher 749, 3
umgänglich 748, 1
Umgangsform 1584, 3
Umgangsformen 85, 1;
1759, 2
Umgangssprache
1494, 4
Umgangston 1584, 3
umgarnen 1742
umgebaut 1784, 1
umgeben 1633
umgebracht werden
1513, 5
Umgebung 1143, 2;
1156, 1; 1301, 2;
1636, 1

Umgebung, in nächster
1155, 2
umgedreht 1352
Umgegend 1156, 1
**umgehen 172, 2; 624, 2;
1409, 5; 1634**
umgehen mit 203, 1;
224, 1; 1634, 2
umgehend 771, 3;
1290, 2
umgehend, möglichst
1410, 2
umgekehrt 1173; 1352
umgestalten 543, 3;
1709, 1
Umgestalter 1257, 1
Umgestaltung 1343, 1;
1710, 1
umgetan 516, 1
umgetrieben 1672, 1
umgewandelt 1784, 1
umgewandelt, wie
1784, 1
umgießen 1030, 4
umgraben 787, 1
umgrenzen 1633, 4
umhaben 1589, 2
umhalsen 1056, 3
umhängen 98, 1
umhauen 1394, 4
umhegen 1249, 1
Umhegung 1248, 1
umhergehen 300, 1;
703, 1
umherreisen 1331, 1
umherschwirren 1437, 1
umherziehen 1331, 1
umherziehend 393, 2
umhinkönnen, nicht
1135
umhören, sich 639, 1
umhüllen 200; 1233, 2;
1430, 1
Umhüllung 870, 1
Uminterpretation
1710, 4
uminterpretieren
1709, 1
umjubelt 58
Umkehr 396, 1; 1349, 1;
1710, 2
umkehrbar 1853, 5
umkehren 395, 6;
1740, 1
Umkehrpunkt 767, 2

Umkehrung 694, *1*;
1710, *2*
umkippen 20, *1*; 581, *1*
umklammern 402, *2*;
1233, *3*
Umklammerung 858, *3*
umklappen 395, *3*
umkleiden 200
Umkleidung 870, *3*
umkommen 1513, *4*;
1729, *1*
umkommen, vor Lange-
weile 1016, *2*
Umkreis 146, *2*; 317;
685, *1*; 1156, *1*;
1301, *2*
umkreisen 395, *1*;
1633, *5*
umkrempeln 1709, *1*
umkringeln 931, *3*
Umladung 1590, *1*
Umlauf 258, *2*; 396, *1*
Umlauf sein, in 1634, *4*
Umlauf, im 678, *4*
umlaufen 395, *1*;
1634, *4*
umlaufend 678, *4*
umlegen 1587, *1*;
1797, *1*; 1821, *1*
umleiten 11, *1*
Umleitung 29, *1*
umlenken 1734, *2*
umliegen 1633, *3*
umliegend 1155, *2*
ummodeln 1709, *1*
ummünzen 1709, *1*;
1740, *1*
Ummünzung 1710, *4*
umnachtet 708; 1778, *2*
Umnachtung 709
umnebeln, sich 409, *2*
umnebelt 406, *4*
Umorganisation 1710, *1*
umorganisieren 543, *3*;
1709, *1*
Umorientierung 29, *4*
umpflanzen 198, *3*
umpflügen 198, *3*; 787, *1*
umprogrammieren
1709, *1*
umrahmen 1633, *2*
Umrahmung 1301, *1*
umranden 1633, *1*
Umrandung 1301, *1*
umranken 1633, *2*

umräumen 1709, *2*
umreißen 1259, *3*;
1633, *4*; 1730, *1*;
1940, *7*
umringen 391, *5*;
1633, *3*
Umriss 632, *3*; 1058, *2*
umrissen 945, *4*
umrissen, fest 378, *2*
Umrissen, in 53, *2*;
1199, *3*
umrisshaft 407, *3*;
1199, *3*
Umrisslinie 1058, *2*
umsatteln 1709, *3*
Umsatz 814, *1*; 1760, *1*
Umsatzsteuer 1515, *2*
umschalten 1709, *5*;
1884, *1*
umschattet 407, *2*;
1660, *3*
Umschau 165, *1*
umschauen, sich nach
1550, *1*
umschichtig 696
umschichtig tun 1884, *2*
Umschlag 585, *1*;
814, *1*; 870, *4*; 988, *1*;
1710, *2*
umschlagen 586, *2*;
1388, *2*; 1394, *4*;
1709, *1*; 1884, *2*
Umschlagplatz 1086, *1*
Umschlagtuch 870, *5*
umschließen 493;
1056, *3*
umschlingen 1056, *3*
umschmeicheln 1401;
1735, *2*
umschmeißen 1233, *1*;
1527
umschmelzen 1709, *1*
umschneiden 1709, *1*
umschnüren 1233, *2*
umschreiben 198, *2*;
861, *1*; 1709, *1*
Umschrift 1422, *2*
umschulen 1709, *3*
umschwärmen 1735, *2*
umschwärmt 58; 243, *1*
Umschweife, ohne 87;
945, *2*; 1207, *2*
umschweifig 722, *4*
umschwenken 20, *1*;
395, *6*

Umschwung 988, *1*;
1343, *1*; 1710, *2*
umsehen nach, sich
1550, *1*
umsehen, sich 80, *1*
umsetzen 198, *3*;
1709, *1*; 1761, *1*;
1804, *1*
umsetzen, filmisch
198, *6*
umsetzen, in die Tat
533, *1*; 1815, *1*
Umsicht 1475, *2*
umsichtig 890, *2*;
1476, *2*; 1773, *1*
umsiedeln 175, *1*;
485, *4*; 1804, *1*
Umsiedler 1107
Umsiedlung 1108; 1805
umsonst 459, *3*; **1635**;
1748
umsonst, halb 312, *1*
umsorgen 1249, *1*;
1789, *2*
umspannen 402, *2*; 493;
1633, *1*
umspannend 1830, *3*
umspringen 224, *1*
umspulen 1622, *8*
Umstand 580, *2*;
1010, *2*; 1558, *1*
Umstände 137, *2*;
1010, *3*; 1020, *2*
Umstände machen 92, *1*
Umstände, missliche
1190, *1*
umständehalber 49
Umständen sein, in
1589, *5*
Umständen, unter 205;
1128, *3*
Umständen, unter allen
1641, *1*
Umständen, unter kei-
nen 1665
umständlich 722, *4*;
1017, *1*; 1241, *1*;
1441, *1*; 1658, *1*
Umstandskrämer
1239, *1*
Umstandskrämerei
1240, *1*
umsteigen 1709, *3*
umstellen 857, *4*;
1709, *2*; 1884, *2*

umstellen, sich 1709, 5
Umstellung 1710, 2;
1710, 3
umstellungsfähig 301, 1
umstimmen 198, 5;
1627, 1
umstoßen 1527; 1709, 1
umstritten 1273, 1;
1674, 1
umstrukturieren 543, 3;
1709, 1
Umstrukturierung
1710, 1
umstülpen 395, 3;
1709, 1
Umsturz 134, 1; 1343, 1
umstürzen 581, 1;
1709, 1
umstylen, sich 1709, 6
Umtausch 1883, 1
umtauschen 1884, 1
umtexten 1709, 1
umtreiben 129, 4;
263, 2
Umtrieb 291, 2
umtriebig 423; 1557, 1
Umtriebigkeit 422, 1
umtun, sich 639, 1;
1550, 1
U-Musik 1133, 3
Umwallung 211, 4
umwälzen 543, 3
Umwälzung 1343, 1
umwandeln 543, 3;
1709, 1
Umwandlung 1710, 2
umwechseln 1884, 1
Umweg 29, 2
Umweg machen 28, 1
Umweg, ohne 1664, 2
Umwegen, auf 1124, 2
umweglos 1664, 2
Umwelt 1301, 2; **1636**
Umweltfaktoren 985;
1636, 3
umweltfreundlich
1109, 2; 1480, 2; **1637**
umweltgerecht 1637, 1
Umweltgestaltung
997, 4
Umweltpflege 997, 4
umweltschonend
1637, 1
Umweltschutz 997, 4
Umweltverbrechen 1725

Umweltverbrecher
1726, 2
umweltverträglich
1637, 1
umwenden 395, 6
umwenden, sich 395, 7
umwerben 245, 2; 1401;
1735, 2; 1742
Umwerbung 1898, 5
umwerfen 75, 2;
1233, 1; 1527; 1709, 1
umwerfend 130, 1
umwerten 1709, 1
Umwertung 1343, 1;
1710, 4
umwickeln 1233, 2
umwidmen 1709, 1
umwinden 1633, 2
umwittert 262, 1
umzäunen 1633, 4
umziehen 175, 1;
1633, 1; 1633, 4
umzingeln 857, 4;
1633, 5
Umzingelung 858, 3
Umzug 370, 1; 486, 5
unabänderlich 476;
1191, 2; 1460, 5
Unabänderlichkeit
1192, 3
unabdingbar 1641, 1
unabgelenkt 125, 1
Unabgeschlossenheit
1694, 2
unabgesichert 1674, 2
unabhängig 644, 1
unabhängig machen,
sich 213, 4
unabhängig von 1641, 1
unabhängig, geistig
644, 1
Unabhängigkeit 645, 1
unabkömmlich 1191, 1
unablässig 882, 1
unabsehbar 163, 1;
791, 2; 1013, 2;
1648, 2
unabsichtlich 1653, 1
unabweislich 1395
unabwendbar 1191, 2;
1981, 3
Unabwendbarkeit
1192, 3
unachtsam 1037, 1;
1639, 2

Unachtsamkeit 1038, 2;
1151; 1781, 1
unähnlich 1784, 1
Unähnlichkeit 1689
unalltäglich 1457, 1
unambitioniert 433, 2
unanfechtbar 1460, 4;
1830, 1
unangebracht 1556;
1661, 2; 1662, 3
unangebrochen 660, 2;
679, 1; 745, 2
unangefochten 644, 1;
1460, 4
unangemeldet 1263
unangemessen 1661, 2;
1662, 3
unangenehm 1021, 1;
1243, 1; 1244, 5;
1638
unangezogen 1150, 4
unangreifbar 86, 2;
883, 2; 1460, 6;
1830, 1
Unangreifbarkeit 613, 2;
1831
unannehmbar 1665
Unannehmlichkeit
105, 3
unanschaulich 574, 2
unansehnlich 574, 2;
822, 1; 1640
unansprechbar 1441, 3;
1541, 4
unanständig 91, 1;
1359, 2
Unanständigkeit 662, 1
unantastbar 883, 2;
1722
unanzweifelbar 1460, 4;
1864
unappetitlich 461, 2
unaromatisch 574, 1
Unart 643, 3
unartig 642, 3
unartikuliert 406, 3;
1693, 2
unästhetisch 822, 1
unattraktiv 574, 2
unaufdringlich 1960, 2
Unaufdringlichkeit
1961, 2
unauffindbar 1887, 1
unaufgearbeitet 1207, 3
unaufgefordert 646

unaufgeklärt 1693, 2;
  1697, 1
Unaufgeklärtheit 1663
unaufgeräumt 1668, 1
unaufhörlich 365, 1;
  882, 1; 1013, 2;
  1648, 2
unaufmerksam 1150, 2;
  1639; 1662, 1
unaufmerksam sein
  1392, 3
Unaufmerksamkeit
  33, 2; 1038, 2; 1151
unaufrichtig 583, 2;
  1699, 2
Unaufrichtigkeit 584, 1;
  1700, 2
unaufschiebbar 429, 3
unaufschiebbar sein
  428, 3
unausbleiblich 1191, 2
unausforschlich 1693, 4
unausführbar 1665
unausgefüllt 1028, 4;
  1207, 5; 1698
unausgefüllt sein 1016, 2
unausgeglichen 1207, 4
unausgegoren 1671, 1;
  1857, 2
unausgereift 1671, 1;
  1857, 2
unausgerüstet 1696, 1
unausgesetzt 882, 1
unausgesprochen
  406, 3; 1439, 2
unausgestattet 1696, 1
unausgewachsen 909, 2;
  1671, 2
unauslöschlich 891, 4
unaussprechbar 1722
unaussprechlich
  1452, 1; 1693, 4
unausstehlich 1638, 3
unausweichlich 1191, 2;
  1981, 1
Unausweichlichkeit
  1192, 3
unbändig 829, 2;
  1906, 1
Unbändigkeit 830
unbarmherzig 334;
  820, 3
Unbarmherzigkeit 335
unbeabsichtigt 1653, 1;
  1953, 1

unbeachtet 1642, 1
unbeanstandet 252, 1
unbeantwortet 1207, 3
unbeaufsichtigt 644, 1;
  690, 6; 1207, 1
unbebaut 1204, 1
unbebaut lassen 1019, 3
unbedacht 1037, 1;
  1639, 2; 1696, 2
Unbedachtsamkeit
  1038, 2
unbedarft 403, 1;
  433, 2; 1159; 1640;
  1697, 2
Unbedarftheit 404, 1;
  434, 2
unbedeckt 1154, 1
unbedenklich 87;
  1036, 4; 1037, 1;
  1139, 2; 1460, 2;
  1909, 1
Unbedenklichkeit 645, 3
unbedeutend 182;
  950, 2; **1640**; 1642, 1;
  1894, 1
unbedingt 1191, 1;
  1300; **1641**
unbedingt, nicht 205;
  1567
unbedroht 883, 1;
  1460, 3
unbedruckt 1028, 4
Unbeeindruckbarkeit
  1647, 1
unbeeindruckt 772, 3
unbeeinflussbar 1505, 4
unbeeinflusst 735, 1;
  1358, 1
unbeendet 1695, 1
unbefangen 644, 2;
  1358, 1
Unbefangenheit 645, 3;
  736
unbefriedigend 1656, 1
unbefriedigt 1698
unbefugt 1722
unbegabt 403, 1
Unbegabtheit 404, 1
unbegleitet 457, 2
unbegreiflich 1693, 1
unbegrenzt 242; 644, 1;
  679, 2; 1648, 1;
  1892, 1
Unbegrenztheit 146, 2;
  1649

unbegründet 797
unbehaart 768, 3; 913, 1
Unbehagen 1041, 1;
  1118
unbehaglich 64, 1;
  1638, 1
unbehauen 633, 1;
  1264, 2
unbehaust 393, 3
unbehelligt 644, 1
unbeherrscht 1093, 2;
  1906, 1
Unbeherrschtheit 830
unbehindert 644, 1;
  768, 5
unbeholfen 1658, 1
Unbeholfenheit 1764, 3
unbehütet 856, 4
unbeirrbar 347, 1; 479;
  1460, 6; 1971, 1
Unbeirrbarkeit 613, 5
unbeirrt 1460, 6
unbekannt 648, 1;
  1177, 2; **1642**
unbekannt mit 1697, 1
unbekehrbar 1641, 2;
  1692
unbekleidet 1154, 1
unbekömmlich 1661, 3
unbekümmert 1036, 4;
  1037, 2
Unbekümmertheit
  645, 3
unbelastet 644, 1
unbelebt 450, 3;
  1096, 3; 1586, 2
unbelegt 1603, 2
unbelehrbar 403, 1;
  425; 480, 2; 1505, 2;
  1692
Unbelehrbarkeit 481, 5
unbelehrt 1697, 1
Unbelehrtheit 1663
unbelesen 1697, 1
Unbelesenheit 1663
unbeliebt 1638, 3
unbeliebt machen, sich
  1369, 4
unbemannt 1028, 2
unbemäntelt 945, 2;
  1207, 2
unbemerkt 834, 1;
  1720, 1
unbemerkt bleiben
  1236, 2

unfachmännisch 385, *2*
unfähig 1656, *2*
unfair 1657
Unfall 1368, *1*; **1651**
unfallfrei 679, *1*
Unfallopfer 1219, *2*
unfarbig 592, *1*
unfassbar 1693, *2*
Unfassbarkeit 408, *3*
unfasslich 1693, *1*
unfehlbar 1830, *1*
Unfehlbarkeit 1831
unfein 91, *1*; 1264, *2*
unfertig 1671, *2*;
   1695, *1*
Unflat 1406, *1*
unflätig 91, *4*; 1662, *2*
Unflätigkeit 662, *3*
unflexibel 1505, *2*
unfolgsam 425
unförmig 381, *1*; 1264, *1*
Unförmigkeit 673, *2*
unförmlich 633, *3*
unfrei 1652; 1674, *5*;
   1763, *1*
Unfreier 1471, *1*
Unfreiheit 1972, *1*
unfreiwillig 1653;
   1953, *1*
unfreundlich 31, *1*;
   1307, *5*; 1662, *1*
Unfreundlichkeit 643, *3*
Unfriede 606; 1534, *1*
unfriedlich 37, *1*
unfrisiert 1150, *4*
unfroh 1660, *3*
unfruchtbar 1654
Unfruchtbarkeit 1205, *1*
Unfug 1675, *1*
ungalant 1662, *3*
ungar 1695, *3*
ungastlich 1662, *1*
Ungastlichkeit 451, *1*
ungeachtet 1202;
   1608, *1*
ungeahnt 1263
ungebändigt 1906, *1*
ungebärdig 1906, *1*
Ungebärdigkeit 830
ungebeten 646; 1021, *2*
ungebeugt 981, *2*
ungebildet 1697, *2*
ungebräuchlich 1457, *1*
ungebraucht 660, *2*;
   1177, *1*

ungebrochen 433, *2*;
   981, *2*; 1159
Ungebrochenheit 1222
ungebügelt 587, *3*
ungebührlich 642, *1*;
   1662, *3*
Ungebührlichkeit 643, *3*
ungebunden 457, *3*;
   644, *1*
Ungebundenheit 645, *1*
ungedruckt 1642, *1*
Ungeduld 549, *1*;
   556, *1*; 1178; 1478, *1*
ungeduldig 1672, *1*
ungeeignet 1656, *1*;
   1661, *2*
ungefähr 1655; 1946
ungefähr, von 1037, *1*;
   1696, *4*; 1953, *2*
ungefährdet 883, *1*;
   1460, *2*
ungefährlich 1109, *2*;
   1460, *2*
ungefährlich, nicht
   545, *4*
ungefällig 1662, *1*
ungefärbt 592, *1*
ungeformt 633, *1*
ungefragt 646
ungefüge 633, *1*; 1264, *1*
ungegenständlich 879
ungegliedert 433, *1*
ungehalten 322, *1*
Ungehaltenheit 105, *1*
ungeheißen 646
ungehemmt 87; 644, *2*
Ungehemmtheit 1620, *2*
ungeheuer 163, *1*;
   791, *1*; 1452, *1*
Ungeheuer 186; 1345;
   1386
ungeheuerlich 1397, *5*
Ungeheuerlichkeit 335;
   643, *3*
ungehindert 644, *1*;
   768, *5*
ungehobelt 376, *2*;
   642, *3*; 1264, *2*;
   1662, *2*
ungehörig 91, *1*; 1556;
   1662, *3*
ungehorsam 425
Ungehorsam, ziviler
   1901, *2*
ungekämmt 1150, *4*

ungeklärt 1207, *3*;
   1273, *1*
ungekünstelt 433, *2*;
   1166, *2*
ungeladen 1021, *2*
ungelegen 1021, *2*;
   1638, *1*; 1661, *1*
Ungelegenheiten 105, *3*
ungelehrig 403, *1*
ungelehrt 1697, *1*
ungeleitet 457, *2*
ungelenk 1264, *1*
ungelernt 1697, *1*
ungelichtet 1906, *2*
ungelockt 768, *3*
ungelöst 1207, *3*;
   1273, *1*
ungelüftet 406, *1*
Ungemach 1190, *2*;
   1659
ungemein 163, *1*;
   1452, *1*
ungemütlich 1638, *1*
ungenannt 1642, *1*
ungenau 385, *2*; 1037, *1*;
   1150, *1*; 1199, *3*;
   1655, *3*; 1693, *2*;
   1695, *2*; 1699, *2*
Ungenauigkeit 1151;
   1700, *2*
ungeniert 644, *2*
Ungeniertheit 645, *3*;
   662, *2*
ungenießbar 461, *2*;
   1117; 1397, *3*; 1638, *3*
ungenießbar machen
   1729, *4*
Ungenügen 1694, *1*
ungenügend 1656;
   1695, *2*
ungenutzt 1204, *1*;
   1654, *1*; 1748
ungeöffnet 745, *2*
ungeordnet 1668, *1*;
   1915, *1*
ungepflegt 1150, *4*; 1408
ungeplant 163, *2*;
   1668, *2*; 1696, *2*
ungeprüft 87
ungeraten 642, *3*;
   1397, *2*
ungerechnet 161, *1*
ungerecht 388; **1657**
ungerechtfertigt 797;
   1722

Uninteressiertheit
1647, 2
Union 1719, 6
unirdisch 1693, 5
Unisex 771, 2
unisono 443, 1
Unität 442, 1
universal 40, 4; 896;
1830, 3
Universalerbe 513, 3
Universalgenie 724, 1
universell 40, 4
Universitätsbibliothek
306
Universitätsprofessor
1035, 1
Universitätsstadt
1500, 1
Universum 1893, 2
unkameradschaftlich
1657
unken 496
unkenntlich 1720, 1
Unkenntnis 1663
Unkenruf 1876
Unkenrufer 1245
unklar 318, 2; 407, 3;
1441, 1; 1693, 2
Unklaren lassen, im
1715, 1
Unklarheit 353, 2;
408, 3
unklug 403, 2
Unklugheit 404, 2;
1675, 1
unkollegial 1456
unkompliziert 57, 1;
433, 1; 1036, 2;
1791, 1
Unkompliziertheit
434, 3; 1792
unkontrolliert 644, 1;
1093, 2; 1207, 1
unkonventionell 1784, 3
unkonzentriert 1639, 1;
1915, 1
Unkonzentriertheit 33, 2
unkörperlich 879
unkorrekt 583, 1;
1150, 1; 1699, 2
Unkorrektheit 1700, 2
Unkosten 137, 1; 978, 1
unkreativ 1654, 2
unkritisch 433, 2;
1971, 1

unkultiviert 1264, 1;
1264, 2; 1906, 2
unkündbar 1460, 2
unkundig 648, 2;
1697, 1
unkünstlerisch 633, 2;
941
unlängst 1008
Unlauterkeit 1700, 2
unlebendig 1541, 4
unleidlich 322, 1;
1638, 3
unlenkbar 1906, 1
unlesbar 1693, 1
unleserlich 1693, 1
unleugbar 1460, 1
unlieb 1638, 2
unliebenswürdig
1662, 1
Unliebenswürdigkeit
643, 3
unliebsam 1638, 2
Unliebsamkeiten 105, 3
unlimitiert 1648, 1
unlogisch 24; 583, 5
unlösbar 407, 4; 612
Unlösbarkeit 1666
unlöschbar 1460, 7
Unlust 14, 2; 1118
unlustig 1117; 1676, 1
unmanierlich 1264, 2;
1662, 2
Unmaß 1620, 1
unmaßgeblich 1640
unmäßig 1093, 1;
1625, 1
Unmäßigkeit 1620, 2
Unmenge 1102, 4;
1620, 1; 1826
Unmensch 186
unmenschlich 334
Unmenschlichkeit 335
unmerklich 926, 1;
1109, 1; 1720, 1
unmessbar 926, 1
unmethodisch 1668, 2
unmissverständlich
945, 2; 1145, 1
unmittelbar 1244, 2;
1664
unmodern 1708
unmodern werden
1750, 6
unmöglich 1638, 2;
1662, 3; **1665**; 1703

unmöglich gemacht
534, 3
unmöglich machen 1765
unmöglich machen, sich
319, 1; 1369, 4
unmöglich, gesellschaft-
lich 534, 3
Unmöglichkeit 1666
Unmoral 1398
unmotiviert 797; 1953, 1
unmündig 1671, 2
Unmut 14, 2; 105, 1;
1118
unmutig 322, 1
unnachahmlich 163, 1;
554
unnachgiebig 820, 2;
1505, 2; 1536, 1;
1929, 1
Unnachgiebigkeit
1537, 1
unnachsichtig 820, 3
Unnachsichtigkeit 335;
1537, 1
unnahbar 31, 1; 914, 3;
1927, 1
Unnahbarkeit 1537, 2;
1926, 1
unnatürlich 766; 1002;
1237
unnennbar 1693, 4
unnötig 1625, 1; **1667**
unnütz 1748
unobjektiv 1657
unökologisch 1661, 4
unökonomisch 1661, 4
unordentlich 1150, 4;
1668
Unordentlichkeit 1151;
1669, 2
Unordnung 1669
unorganisiert 1668, 2;
1696, 2
unoriginell 968, 1;
1654, 2
unorthodox 467, 2;
1784, 3
unparteiisch 347, 1;
735, 1; 772, 1; 1358, 1
Unparteiischer 911, 2
Unparteilichkeit 736
unpassend 91, 1; 1556;
1661, 2; 1662, 3
unpassend sein 1523, 1
unpässlich sein 530

Unpässlichkeit 1041, *1*
unpersönlich 31, *1*;
968, *2*; 1213, *2*;
1358, *2*
unplastisch 574, *2*
unpoetisch 1358, *2*
unpolitisch 1264, *3*
unpraktisch 1658, *1*;
1661, *2*
unprätentiös 433, *2*
unpräzise 1655, *3*
unproblematisch 433, *1*
unproduktiv 1654, *2*
unpünktlich 1482, *1*;
1699, *2*
unpünktlich sein 1821, *3*
Unpünktlichkeit 1700, *2*
Unrast 427, *1*
Unrat 5, *1*; 1406, *1*
unrationell 1661, *4*
unratsam 1661, *2*
unrealisierbar 1665
unrealistisch 877, *2*;
1703
unrecht 583, *1*
Unrecht 1670
unrecht tun 1750, *8*
unrecht tun, jmdm.
1114, *1*
Unrecht, zu 903
unrechtmäßig 1722
Unrechtmäßigkeit
1670, *2*
Unrechtsbewusstsein
762
Unrechtsempfinden
468, *1*; 762
unredlich 1657
unreell 1657
unregelmäßig 1853, *1*;
1853, *3*
unreif 909, *2*; 1671
unrentabel 1654, *1*;
1661, *4*
unrettbar 534, *2*
unrichtig 583, *1*
Unrichtigkeit 599, *1*;
1071, *2*
unritterlich 1662, *3*
Unruhe 62, *2*; 549, *1*
Unruhen 134, *3*
Unruhestifter 1524
**unruhig 64, *1*; 429, *1*;
548, *1*; 1672**
uns, bei 699, *3*

uns, unter 1802
unsachlich 239, *1*;
1244, *5*; 1571; 1657
unsachlich werden
1391, *1*
unsagbar 1452, *1*
unsäglich 1452, *1*
unsanft 376, *2*
unsauber 1408; 1657
unschädlich 1109, *2*
unschädlich machen
857, *3*
unscharf 407, *3*; 1541, *1*;
1693, *2*
unschätzbar 975
unscheinbar 574, *2*;
1640
unschick 1264, *1*
unschicklich 91, *1*;
1662, *3*
Unschicklichkeit 662, *1*
unschlüssig 856, *2*;
1650, *1*; 1948; 1979
unschlüssig sein 1435, *2*
Unschlüssigkeit 1764, *1*;
1974, *1*
unschmackhaft 574, *1*
unschön 822, *1*
unschöpferisch 1654, *2*
Unschuld 434, *2*
unschuldig 1673
Unschuldsbeweis 495, *2*
unschwer 1036, *2*
Unsegen 1659
unselbständig 856, *1*;
1432, *3*; 1652, *1*
unselig 1660, *4*
unseriös 1037, *2*
**unsicher 407, *4*; 856, *1*;
1674; 1763, *1*; 1846, *3*;
1975, *1*
unsicher machen 129, *2*
unsicher sein 1976
unsicher werden 1976
Unsicherheit 1474;
1764, *2*; 1974, *1*
unsichtbar 1720, *1*
Unsinn 737, *2*; 1675
unsinnig 24; 403, *2*;
583, *5*; 1693, *3*; 1748
Unsinnigkeit 1675, *1*
unsolide 1037, *2*
unsozial 1456
unsportlich 1657
unstatthaft 1722

Unsterblichkeit 1649
Unstern 1659
unstet 393, *3*; 1672, *1*;
1699, *1*
Unstetigkeit 1700, *1*
unstillbar 218, *1*
unstimmig 695, *1*
Unstimmigkeit 599, *2*;
1534, *1*
Unstimmigkeiten 105, *3*
unsträflich 86, *2*
unstreitig 1460, *4*
unstrukturiert 633, *1*
Unsumme 1102, *4*
unsympathisch 1638, *3*
unsystematisch 1668, *2*
untadelig 86, *2*; 416, *1*;
1830, *1*
Untadeligkeit 1831
untaktisch 1264, *3*
untalentiert 403, *1*
Untat 1725
untätig 772, *3*; 1676
untätig sein 594
Untätigkeit 1677
Unteilbarkeit 442, *1*
unten 1678
unten durch 534, *3*
unten, ganz 534, *2*
unten, nach 27
unten, tief 1579, *1*
unten, weit 1579, *1*
unten, weiter 1146
untendrunter 1678, *1*
unter 1678, *4*
unterarbeiten 1112, *1*
Unterbau 796, *1*
unterbauen 1462, *1*
unterbelichten 509, *2*
unterbelichtet 403, *1*
unterbewerten 841, *3*;
901, *6*
unterbewusst 406, *3*
Unterbewusstsein
693, *4*; 1447, *1*
unterbinden 857, *3*;
1516, *3*; 1780, *2*
Unterbindung 858, *2*
unterbleiben 598, *3*
unterbrechen 22, *2*; 25;
435, *3*; 441, *1*; 475, *1*;
811, *1*; 1356, *3*;
1523, *1*; 1595, *2*
unterbrechen, sich
1521, *1*

Unverführbarkeit 613, 5
Unvergänglichkeit 1649
unvergessen sein 526, 5
unvergesslich 891, 4
unvergesslich sein
526, 5
unvergleichbar 886, 1
unvergleichlich 163, 1;
1177, 3; 1412, 1
unvergoren 909, 2
unverhältnismäßig
1625, 1
unverhofft 1263
unverhohlen 131; 1121
unverhüllt 945, 3
unverkäuflich 1628, 1
Unverkäufliches 5, 2
unverkauft 1628, 1
unverkennbar 348, 1;
945, 3
unverkrampft 644, 2
Unverkrampftheit
1038, 1
unverkürzt 679, 2
unverlangt 646
unverlässlich 1699, 2
Unverlässlichkeit
1700, 2
unverletzlich 1460, 6
unverlierbar 1460, 7
unvermeidlich 1191, 2
unvermindert 679, 2
unvermischt 414, 1;
1365, 2
unvermittelt 1263
unvermögend 1656, 2
unvermutet 1263
Unvernunft 404, 1
unvernünftig 403, 2;
1693, 3
unveröffentlicht 1642, 1
unverpackt 1065, 3
unverrückbar 612;
1460, 5
unverschämt 239, 1;
642, 3; 862, 5;
1359, 3; 1662, 2
Unverschämtheit 643, 2
unverschlossen 1207, 1
unverschuldet 1673, 1
unversehen 1696, 1
unversehens 1263
unversehrt 679, 1
unversetzt 1365, 2
unversöhnbar 605

unversöhnlich 605;
695, 4; 820, 3; 1152
Unversöhnlichkeit 606;
694, 2
unversorgt 107, 1;
856, 4; 1674, 2
unversperrt 1207, 1
Unverstand 404, 1; 1663
unverstanden 407, 4
unverständig 403, 1;
1697, 1
unverständlich 407, 4;
1273, 2; **1693**
Unverständlichkeit
408, 3
Unverständnis 1663
Unverstehbarkeit
408, 3
unverstellt 131
unversucht lassen, nichts
92, 2
unvertraut 648, 1;
1697, 1
Unvertrautheit 1663
unverwandt 1505, 3
unverwechselbar 348, 1;
886, 1; 1231, 1
unverwehrt 252, 1;
644, 1
unverweilt 771, 3;
1290, 2; 1410, 2
unverwendbar 583, 1;
1397, 1; 1628, 1;
1661, 2
unverwendet 1628, 1
unverwirklichbar 1703
unverwischbar 78, 2;
891, 4
unverwischbar sein
526, 5
unverwundbar 1460, 6
Unverwundbarkeit
613, 2
unverwüstlich 363, 1
Unverwüstlichkeit
613, 1
unverzagt 920; 1139, 1;
1224
Unverzagtheit 1138
unverziert 433, 3
unverzüglich 771, 3;
1290, 2
unvollendet 1695, 1
unvollkommen 1104, 2;
1656, 1; 1695, 2

Unvollkommenheit
599, 2; **1694**
unvollständig 265, 1;
1656, 1; **1695**
Unvollständigkeit
599, 2; 1694, 2
unvorbereitet 1696
unvoreingenommen
735, 1; 1358, 1
Unvoreingenommenheit
736
unvorhergesehen 1263
unvorhersehbar 1263
unvorsichtig 1037, 1;
1639, 2
Unvorsichtigkeit 1038, 2
unvorstellbar 791, 2;
1254, 1
unvorteilhaft 822, 1;
1661, 2
unwägbar 1693, 2
unwahr 583, 2
Unwahrheit 1071, 1
unwahrscheinlich
163, 1; 926, 2; 1254, 1
unwandelbar 1971, 1
unwegsam 1906, 2
unweigerlich 1641, 1
unweit 1155, 2
unwesentlich 1640
Unwetter 1186, 1
unwichtig 950, 2; 1640
Unwichtigkeit 951, 1
unwiderleglich 1395;
1460, 4
unwiderruflich 476;
534, 1; 1390; 1460, 5
unwidersprechlich
1460, 4; 1536, 1
unwidersprochen
1460, 4
unwiderstehlich 892, 1;
1335; 1981, 1
Unwiderstehlichkeit
1333
unwiederbringlich 1744
Unwille 14, 2; 105, 1;
1118
unwillig 31, 3; 322, 1;
1653, 2
unwillkommen 1638, 2
unwillkürlich 1096, 2;
1653, 1
unwirklich 877, 2; 879;
1254, 2; 1265, 2

unwirksam 1748

unwirsch 31, *1*; 322, *1*;
1662, *1*

unwirtlich 1204, *1*;
1906, *2*

Unwirtlichkeit 1205, *2*

unwirtschaftlich 1661, *4*

unwissend 403, *1*; **1697**

Unwissenheit 404, *1*;
1663

Unwohlsein 1041, *1*

unwohnlich 1638, *1*

Unzahl 1102, *4*

unzählbar 1648, *1*

unzählbare 1826

unzählige 1826

Unzählige 1102, *3*

unzähmbar 1906, *1*

unzart 1264, *2*; 1662, *1*

Unzartheit 643, *3*

unzärtlich 914, *3*

Unzeit, zur 1661, *1*

unzeitgemäß 1708

unzeitig 1661, *1*; 1857, *2*

unzerbrechlich 363, *1*

unzeremoniell 644, *2*

unzerreißbar 363, *1*

Unzerstörbarkeit 1649

unzertrennlich 443, *1*;
1962

unzivilisiert 1264, *1*;
1906, *2*

Unzucht mit Abhängi-
gen 1458

unzüchtig 91, *2*

unzufrieden 1698

Unzufriedenheit 1118

unzugänglich 31, *1*;
380, *1*; 745, *1*; 820, *2*;
1441, *3*; 1496, *3*;
1541, *4*; 1906, *2*

Unzugänglichkeit
1537, *2*; 1961, *3*

unzulänglich 385, *2*;
1656, *1*; 1695, *2*

Unzulänglichkeit 599, *2*;
1694, *1*; 1781, *1*

unzulässig 1722

unzumutbar 1638, *2*

unzurechnungsfähig
1778, *1*

unzureichend 1656, *1*

unzusammenhängend
1915, *4*

unzuträglich 1661, *3*

Unzuträglichkeit 105, *3*

unzutreffend 583, *1*

unzuverlässig 1037, *1*;
1699

Unzuverlässigkeit 1700

unzweckmäßig 1661, *2*

unzweideutig 945, *2*

up and away 1887, *1*

up to date 1026, *3*;
1126, *1*

Upperclass 1201, *1*

Upperten 1201, *2*

üppig 381, *1*; 727;
992, *1*; 1268; 1327, *4*;
1359, *1*; 1507, *2*;
1628, *2*; 1824, *1*

üppig werden 145, *4*

Üppigkeit 673, *1*;
1286, *1*

Ups and Downs 1710, *2*

uralt 44, *1*

Uraufführung 51, *2*

urban 996, *2*

urbar gemacht 996, *1*

urbar machen 547, *3*

Urbehagen 1222

Urbevölkerung 297

Urbild 1136, *4*

ureigen 59, *3*

Ureinwohner 297

Urfassung 1230, *1*

urgemütlich 719

Urgeschichte 1745

Urgewalten 463, *2*

Urheber 561

Urheberrecht 1318, *1*

Urheberschaft 563, *1*

Urian 1575

urig 1166, *2*

Urin 156, *1*

Urin haben, im 668, *1*

urinieren 155

urkomisch 835, *4*

Urkunde 279, *2*; 1942, *1*

urkundlich 1460, *4*

Urlaub 525, *1*

Urlauber 1332, *1*

Urlaubsgeld 1957

urlaubsreif 1130, *2*

Urlaubszeit 647

Urne 223

urplötzlich 1263

Ursache 794, *1*

Ursache sein 1833

Urschrift 1230, *1*

Ursprung 846, *1*;
1296, *2*

Ursprung haben, seinen
506, *3*

ursprünglich 53, *2*;
414, *1*; 426, *1*; 1159;
1166, *1*; 1231, *1*

Ursprünglichkeit 424, *2*;
434, *4*

Urstoff 463, *1*

Urteil 500, *2*; 989, *1*;
1701

Urteil, vernichtendes
989, *3*

urteilen 1399, *3*; **1702**

urteilsfähig 996, *2*;
1773, *4*

Urteilsfähigkeit 1790, *1*

Urteilskraft 947, *3*;
1701, *2*; 1790, *1*

urteilslos 433, *2*

Urteilslosigkeit 991

urteilssicher 84, *1*;
996, *2*; 1773, *4*

Urteilsspruch 1701, *3*

Urteilsvermögen 1790, *1*

Urtext 1230, *1*

urtümlich 1166, *2*

Urvertrauen 1222; 1801

Urwald 343, *1*

urwüchsig 1166, *2*

Urwüchsigkeit 434, *4*

Urzeit 1745

Usance 326, *2*

User 397, *1*

Usus 326, *2*; 1322, *2*

Utensil 733

Utopia 1234

Utopie 880, *3*

utopisch 877, *2*; **1703**

Utopist 876, *2*

uzen 1492, *1*

Uzerei 1491, *2*

V

Vabanquespiel 783; 1861
Vademekum 671, 5; 1032
Vagabund 1332, 2
vagabundieren 1331, 2
Vagant 1332, 1
vage 407, 3; 1693, 2
Vagina 1379, 1
vakant 644, 4; 1028, 4
Vakanz 33, 1; 1067, 2
Vakuum 1181, 1
Vamp 641
Vampir 707, 4; 1275
Van 579, 2
Vandale 186
Vandalismus 335
Vanitas 1747, 1
Vaporetto 579, 6
variabel 301, 2; 1650, 1; 1784, 2
Variable 29, 6; 792, 1
Variante 1704; 1862, 1
variantenreich 1784, 2
Varianz 29, 6
Variation 29, 6; **1704**
Variationsbreite 1827, 1
Varietät 1704
Varieté 1459
Varietékünstler 111, 1
variieren 1709, 1
Vasall 66, 3; 1402, 2
Vase 223
Vater 1705
Vater im Himmel 785, 1
Vater und Mutter 464
Vater, allein erziehender 1705, 1
Vater, geistiger 1705, 3
Vater, himmlischer 785, 1
Vater, kesser 867
Vater, leiblicher 1705, 1
väterlich 654, 3
Vaterschaft 563, 1
Vati 1705, 2
Vegetation 1164, 2
vegetationslos 913, 2

vegetieren 482; 1024, 1
vehement 479; 829, 2; 1145, 1
Vehemenz 478, 1; 830; 1144
Vehikel 579, 1
Vektor 792, 1
Ventil 1215, 6
Ventilation 1068, 2
Ventilator 1068, 2
ventilieren 276, 1; 639, 1; 1835, 5
Venus 641
Venushügel 1370, 2
verabfolgen 683, 1; 1618; 1797, 1
verabreden 1736
Verabredung 1594, 1
verabreichen 683, 1; 1797, 1
verabreichen, Tracht Prügel 1394, 1
verabsäumen 1783, 1
verabscheuen 462, 1; 821, 1
verabscheuenswert 1397, 5
verabschieden 998, 2
verabschieden, sich 469, 3; 485, 2; 1595, 1
verabschiedet 44, 6
Verabschiedung 486, 3; 801, 1; 999, 2
verabsolutieren 1706
Verabsolutierung 1707
verachten 1114, 1
Verächter 990, 2; 1245
verachtet 534, 3
verächtlich 31, 2; 1397, 5; 1397, 5
verächtlich machen 319, 2
Verächtlichkeit 1398
Verachtung 1115
veralbern 1492, 1
verallgemeinern 1706
verallgemeinert 1005, 3
Verallgemeinerung 1707
veralten 1750, 6
veraltet 44, 5; **1708**
Veranda 181
veränderlich 1650, 1
veränderlich sein 1709, 1

verändern 543, 1; **1709**
verändern, Farbe 590, 1
verändern, Lage 300, 1
verändern, sich 175, 1; 998, 1; **1709**; 1884, 2
verändert 1177, 4; 1784, 1
verändert, völlig 1784, 1
Veränderung 511, 1; **1710**
verängstigen 398, 1
verängstigt 64, 2
verankern 210, 3
verankert 59, 2
verankert, fest 612
Verankerung 211, 1
veranlagen 237, 4
veranlagt 576, 1; 1902, 3
Veranlagung 346; 577; 1515, 2
veranlassen 75, 1; **1711**; 1911, 4
Veranlassung 77, 1; 794, 1
Veranlassung von, auf 1124, 3
veranschaulichen 241, 2; 528, 3; 1730, 1
veranschaulichend 238, 1
Veranschaulichung 361, 1; 370, 2; 529, 2
veranschlagen 251, 1; 1375, 2
veranschlagen, zu hoch 1623, 2
veranstalten 1229, 1; 1685, 1; **1712**
veranstalten, Allotria 1018, 1
veranstalten, Feier 602, 1
veranstalten, Razzia 1550, 1
veranstaltet werden 10, 2; 216, 3
Veranstaltung 749, 2; **1713**; 1848, 3
Veranstaltungssaison 1360
verantworten 339, 1; 501, 3
verantworten haben, zu 1425, 3

Vergeltung 356; 498, *1*;
  1752
Vergeltungsdrang 606
Vergeltungsschlag
  1752, *1*
vergessen 1744; **1753**;
  1887, *2*
Vergessen 1781, *1*
vergessen können 122, *3*
vergessen, nicht zu
  1167, *1*
vergessen, sich 1753
vergesslich 1639, *1*;
  1699, *2*
Vergesslichkeit 33, *3*;
  1151; 1700, *2*
vergeuden 1786, *2*
vergeudet 1887, *3*
Vergeudung 137, *2*
Vergewaltigung 1458
vergewissern, sich
  1284, *1*; 1627, *2*
vergießen, Krokodilsträ-
  nen 1072
vergießen, Träne
  944, *3*
vergiften 1587, *1*; 1809;
  1940, *10*
vergiftet 1397, *4*
vergilbt 592, *1*
vergittern 1399, *1*
Vergleich 150, *4*; 656, *1*;
  1737, *1*; **1754**
Vergleich zu, im 1336
vergleichbar 771, *4*; 774;
  1902, *4*
vergleichen 1755
vergleichen, sich 261, *3*;
  1736; **1755**
vergleichsweise 310, *3*;
  1336
Vergletscherung 1348, *7*
verglichen mit 1336
verglimmen 1750, *3*
verglühen 1750, *3*
vergnügen 75, *4*
Vergnügen 291, *4*;
  650, *1*; 730, *1*; 1684, *2*
Vergnügen, mit 738, *2*
vergnügen, sich 602, *2*;
  651, *1*; 1682, *4*
vergnüglich 835, *2*
Vergnüglichkeit 650, *1*
vergnügt 748, *1*; 835, *3*
Vergnügungsfahrt 578, *1*

Vergnügungsstätte
  681, *1*
vergnügungssüchtig
  1037, *2*
vergolden 268; 1716, *4*
vergönnen 531, *1*
vergoren 844, *1*; 1397, *3*
vergotten 420, *1*
vergöttern 1056, *2*;
  1735, *2*
vergöttert 58; 1054, *2*
Vergötterung 716, *3*;
  1055, *2*
Vergöttlichung 35
vergraben 1756
vergraben, sich 17, *2*;
  1756
vergraben, sich in Bü-
  cher 1050, *1*
vergrämen 1242, *1*;
  1804, *2*
vergrämt 322, *1*; 1660, *1*
vergrätzen 106, *1*
vergrätzt 322, *1*
vergraulen 1804, *2*
vergreifen, sich 901, *3*
vergreifen, sich an
  1168, *2*
vergreifen, sich im Aus-
  druck 901, *7*
vergreisen 1149, *4*
vergreist 44, *2*
Vergreisung 45, *4*
vergriffen 1887, *2*
vergröbern 1738
Vergröberung 1739
vergrößern 145, *1*;
  510, *3*; 1531, *2*
Vergrößerung 146, *1*;
  308, *3*; 511, *2*; 520, *1*;
  1511, *3*
vergucken, sich 1056, *2*
Vergünstigung 436, *2*;
  1318, *4*; 1850, *2*
vergüten 304, *2*; 497, *1*;
  1751, *3*
Vergütung 498, *1*;
  1732, *1*; 1931, *2*
verhaften 1757
verhaftet 1652, *2*
Verhaftung 692, *1*
verhageln 857, *3*
verhallen 475, *2*
verhalten 31, *1*; 1044;
  1680, *3*; 1960, *1*

Verhalten 1518, *4*; **1759**
verhalten, sich 1758
verhalten, sich unüber-
  legt 1753, *3*
Verhaltenheit 1961, *2*
Verhaltenskodex 1322, *2*
Verhaltensmaßregel
  96, *2*
Verhaltensmuster
  1759, *1*
Verhaltensnorm 1322, *2*
Verhaltensregel 1322, *2*
Verhaltensweise 1759, *1*
Verhältnis 1055, *4*;
  1089, *4*; 1719, *5*
Verhältnis zu, im 1336
Verhältnis, gespanntes
  1478, *2*
Verhältnis, im richtigen
  504, *1*; 819, *3*
verhältnismäßig 1336
Verhältnisse 1010, *3*
Verhältnisse, gedrückte
  1190, *1*
Verhältnissen, in guten
  1327, *1*
verhandeln 276, *1*
Verhandlung 277, *1*;
  1283, *1*
verhandlungsbereit,
  nicht 605
Verhandlungsgeschick
  743, *2*
verhangen 407, *2*
verhängen 72, *1*; 200
verhängen, Fenster
  1399, *4*
verhängen, Strafe
  1810, *1*
Verhängnis 1389, *1*;
  1659
verhängnisvoll 1660, *4*
verharmlosen 268
Verharmlosung 269
verhärmt 1660, *1*
verharren 1508, *3*;
  1877, *1*
verhärten 551, *3*
verhärten, sich 551, *4*
verhärtet 820, *1*; 1692
verhaspeln, sich 1816, *3*
verhasst 1638, *3*
verhätscheln 1434;
  1817, *1*
verhätschelt 1054, *2*

verhauen 1394, *1*
verhauen, sich 901, *3*
verheddern 1816, *1*
verheddern, sich 1816, *3*
verheddert 1668, *1*;
 1915, *1*
verheeren 1940, *8*
verheerend 1397, *1*;
 1420, *1*
verheert 265, *3*
Verheerung 1941, *1*
verhehlen 1715, *1*
verheilen 723, *2*; 831, *1*
verheimlichen 1715, *1*
Verheimlichung 1559, *4*
verheiraten, sich 1718, *5*
Verheiratete 1235, *4*
verheißend, Glück
 803, *1*
Verheißung 1840
verheißungsvoll 803, *1*
verheizen 1220, *3*
verhelfen zu 274, *1*
verherrlichen 420, *1*
Verherrlichung 1062, *3*
verhetzen 851, *3*
Verhetzung 367
verhexen 305, *1*
verhext 1767
verhext, wie 1665
verhimmeln 1735, *2*
verhindern 440; 857, *3*;
 1516, *3*; 1729, *6*
Verhinderung 858, *2*;
 1525
verhohlen 1124, *2*;
 1720, *1*
verhöhnen 509, *4*;
 1492, *2*
Verhöhnung 1491, *3*
verhökern 1761, *2*
verholzt 1603, *1*
Verhör 638, *3*
verhören 639, *2*
verhören, sich 901, *3*
verhuddeln 1816, *1*
verhüllen 200; 1715, *2*
verhüllt 310, *2*; 407, *2*;
 407, *3*; 1124, *2*;
 1693, *2*; 1720, *1*
Verhüllung 1559, *2*
verhungern 1513, *3*
verhunzen 264; 1729, *4*
verhüten 1430, *5*
Verhütung 1461, *3*

verhutzeln 1604, *6*
verhutzelt 44, *2*; 1603, *1*
verifizieren 1935, *4*
Verinnerlichung 1547
verirren, sich 598, *4*;
 901, *1*
Verirrung 29, *3*
veritabel 1912, *3*
verjagen 918, *3*; 1804, *1*
verjähren 10, *3*; 1750, *7*
verjährt 1397, *6*; 1744
verjubeln 1786, *2*
verjuchheien 1786, *2*
verjüngen, sich 12, *3*;
 543, *5*
verjüngend 757, *4*
Verjüngung 544, *2*
verjuxen 1786, *2*
verkabeln 1718, *2*
verkabelt 1728, *2*
Verkabelung 1719, *1*
verkalken 551, *3*;
 1149, *4*
verkalkt 44, *2*
verkalkulieren, sich
 901, *5*
Verkalkung 45, *4*
verkannt 1642, *1*
verkannt werden 1383, *6*
verkappt 1124, *2*;
 1720, *1*
verkapseln 1399, *2*
verkapseln, sich 17, *2*
verkatert 1042, *1*
Verkauf 1760
verkaufen 1761; 1804, *3*
verkaufen, für dumm
 293, *4*
verkaufen, gut zu 678, *2*
verkaufen, sich 437, *1*;
 901, *5*; 1279; **1761**
verkaufen, sich unter
 Wert 841, *2*
Verkäufer 816, *1*;
 1807, *1*
verkäuflich 678, *2*;
 1839, *1*
Verkaufsförderung
 1898, *5*
Verkaufshäuschen
 740, *4*
Verkaufspreis 1270, *3*
Verkaufsschlager 518, *4*
Verkaufsstand 740, *4*
Verkaufsstelle 740, *4*

Verkehr 291, *3*; 749, *3*
verkehren 282, *3*;
 703, *3*; 1634, *2*
verkehren, schriftlich
 974, *1*
Verkehrsader 1528
Verkehrsflugzeug 579, *7*
Verkehrslärm 734, *3*
Verkehrsmittel 579, *1*
Verkehrsmittel, öffentli-
 ches 579, *4*
Verkehrsnetz 1176, *2*
Verkehrsopfer 1219, *2*
verkehrsreich 1828, *3*
Verkehrsschranke 1419
Verkehrsstrecke 1058, *3*
Verkehrsunfall 1651
Verkehrsunglück 1651
verkehrt 24; 585, *1*; 1117
verkehrt, völlig 583, *1*
verkennen 901, *4*;
 901, *6*; 1114, *1*
Verkennung 599, *3*
verketten 1718, *2*
Verkettung 211, *1*;
 630, *2*; 1719, *1*
verketzern 851, *3*; 1765
Verketzerung 367; 1766
verkitschen 509, *3*;
 1761, *2*
verkitscht 941
verkitten 1718, *2*
verklagen 944, *1*
Verklagter 56
verklammern 210, *1*
verklaren 528, *1*
verklären 268; 420, *1*
verklärt 548, *3*; 781, *1*;
 1625, *6*
Verklärung 269; 1062, *3*
verklausuliert 1124, *2*
verkleben 1399, *2*; 1809
verkleiden 200; 1715, *2*
verkleidet 1720, *1*
Verkleidung 870, *3*;
 1559, *2*
verkleinern 509, *2*;
 841, *3*; 1007, *2*
Verkleinerung 454, *1*;
 1348, *9*
verkleistern 1809
verklemmt 1674, *5*;
 1763, *1*
verklingen 475, *2*;
 1750, *3*

verkloppen 1761, 2
verknacken 1702, 2;
  1810, 1
verknallen, sich 1056, 2
verknallt 1767
verknappen 1007, 3
verknappt 1005, 3
Verknapptheit 1006, 1
Verknappung 454, 1
verknäueln 1816, 1
verknäuelt 1915, 1
verkneifen, sich 1820, 2
verkneten 1112, 1
verknöchern 551, 3
verknöchert 44, 2;
  820, 1; 1505, 2
verknoten 210, 1;
  1718, 2
verknotet 1915, 1
verknüpfen 1399, 3;
  1718, 2
verknüpfen mit 1730, 3
verknüpft 1728, 3
Verknüpfung 211, 1;
  1719, 1
verkohlen 330, 2; 1072;
  1729, 1; 1750, 5
verkohlt 1397, 3
verkommen 265, 1; 349;
  850, 2; 1729, 1;
  1729, 3; 1750, 2
verkommen lassen 264
Verkommenheit 1398
verkonsumieren 1724, 1
Verkopfter 372
verkoppeln 1718, 2
Verkoppelung 1719, 1
verkorken 1399, 2
verkorksen 1729, 4;
  1817, 1
verkorkst 1397, 2
verkörpern 201, 1;
  1487, 1; 1806, 1
Verkörperung 361, 2;
  1934, 1
verkosten 977, 2
verköstigen 1789, 3
Verköstigung 542, 1
verkrachen 1535, 2
verkracht 534, 2; 695, 1
verkraften 1714, 1
verkramen 1768, 1
verkrampfen, sich 551, 4
verkrampft 1763, 1
Verkrampftheit 1764, 4

Verkrampfung 1764, 4
verkriechen, sich 17, 2;
  1715, 4
verkrümeln, sich 485, 1
verkrümmen 264
verkrümmt 265, 1
verkrüppelt 587, 3
verkrüppelt 265, 2
verkühlen, sich 530
verkümmern 1604, 6;
  1729, 3
Verkümmerung 1348, 2
verkünden 1120, 3;
  1278; 1774, 2
verkündend 1277
verkündend, Unheil
  407, 7; 690, 1; 1246
Verkünder 1276
verkündigen 1120, 4
Verkündiger 1276
Verkündigung 1122
Verkündung 1122
verkuppeln 1718, 2
verkürzen 1007, 1
verkürzt 1005, 1
Verkürzung 454, 1
verlachen 1492, 2
verladen 1388, 2
Verladung 1590, 1
verlagern 1709, 1
Verlagerung 1710, 2
verlangen 195, 1; 217, 1;
  872, 2
Verlangen 1055, 2;
  1073, 1; **1762**
verlangen können 88, 2;
  195, 1
verlangen nach 217, 2
Verlangen, auf 205
verlangen, Aufklärung
  1512, 2
verlangen, viel 195, 3
verlangend 218, 1
verlängern 152, 4;
  519, 8; 1531, 2;
  1740, 2
verlängern, Frist 1542
verlängert 1013, 2
verlangsamen 22, 2;
  1821, 1
Verlangsamung 1822, 2
verlangt, viel 243, 2;
  678, 2
verläppern 1786, 2
verlarven 1715, 2

verlarvt 1720, 1
Verlarvung 1559, 2
verlassen 450, 1; 485, 2;
  856, 4; 1028, 2;
  1204, 1; 1595, 1
verlassen, das Haus
  485, 1
verlassen, jmdn. 329, 2
verlassen, nicht 65, 3
verlassen, sich 555, 1
verlassen, sich auf
  1544, 2; 1800, 1
verlassen, Welt 1513, 1
Verlassenheit 451, 1
verlässlich 131; 299;
  347, 1; 1460, 4;
  1971, 2
Verlässlichkeit 613, 5
verlästern 509, 4; 1765
Verlästerung 240; 1766
Verlauf 630, 1; 742, 2;
  1283, 2
Verlauf, im 1865
verlaufen 10, 2; 216, 3;
  411, 3; 1750, 1
verlaufen, sich 10, 1;
  485, 2; 598, 4; 901, 1;
  1750, 1; 1797, 3
verlaufend, flach 768, 1
verlautbaren 1120, 3
verlautbaren lassen
  1774, 2
Verlautbarung 1122
verlauten 506, 5
verlauten lassen 1495, 2
verleben 1024, 2
verlebendigen 270, 1;
  528, 3
verlebt 850, 3
verlegen 11, 1; **1763**;
  1768, 1; 1774, 1;
  1821, 1
verlegen sein 1371, 1
verlegen, sich auf 266, 2;
  313, 5
verlegen, Weg 857, 2
Verlegenheit 1764
Verlegenheit, in 401;
  856, 2
Verleger 561
verlegt werden 958, 3
Verlegung 29, 1
verleiden 15; 496
verleiden lassen, sich
  1039, 1

verleidet 1364, *4*
verleihen 321, *2*
verleihen, Leben 1487, *1*
verleihen, Orden 174, *1*;
    420, *1*; 1063, *2*
verleihen, Preis 174, *1*
verleihen, Staatsangehö-
    rigkeit 127, *6*
verleihen, Staatsbürger-
    schaft 127, *6*
verleiten 1742
verlernen 1753, *1*
verlesen 166, *1*; 1595, *3*
verlesen, sich 901, *3*
verletzbar 471, *1*
Verletzbarkeit 472, *3*
verletzen 841, *1*;
    1242, *2*; 1369, *2*;
    1409, *4*; 1593, *6*
verletzen, Pflicht
    1750, *8*
verletzen, sich 1369, *3*
verletzend 91, *4*; 239, *1*;
    323, *1*; 1293, *2*;
    1493, *1*
verletzlich 471, *1*
Verletzlichkeit 472, *3*
verletzt 322, *2*; 1042, *3*;
    1182, *1*
Verletzter 1238
Verletztheit 105, *1*
Verletzung 240; 1924
verleugnen 1051, *2*;
    1409, *5*
verleugnen lassen, sich
    30, *4*; 1634, *1*
verleumden 1765
Verleumder 897
verleumderisch 323, *1*
Verleumdung 240; **1766**
verlieben, sich 1056, *2*
verliebt 1767
Verliebtheit 1055, *2*
verliehen 252, *2*
verlieren 1029; 1753, *2*;
    1768
verlieren, an Ansehen
    1768, *2*
verlieren, an Höhe
    581, *2*
verlieren, aus dem Ge-
    dächtnis 1753, *1*
verlieren, Balance 581, *1*
verlieren, beim Spiel
    1768, *2*

verlieren, Besinnung
    1964, *1*
verlieren, Faden 28, *3*;
    1521, *2*; 1816, *3*
verlieren, Farbe 1149, *3*
verlieren, Fassung
    1816, *3*
verlieren, Gesicht 319, *1*
verlieren, Gewicht 12, *1*
verlieren, Gleichgewicht
    581, *1*
verlieren, Gültigkeit
    10, *3*
verlieren, guten Ruf
    1369, *4*
verlieren, Halt 581, *1*
verlieren, kein Wort
    1438, *2*
verlieren, keine Zeit
    428, *2*
verlieren, keine Zeit zu
    1482, *2*
verlieren, Kopf 219, *2*
verlieren, Mut 539, *2*;
    1823, *1*
verlieren, Nerven 63, *1*;
    142, *2*; 1780, *3*
verlieren, Rangplatz
    21, *3*
verlieren, sich 1709, *5*
verlieren, sich an jmdn.
    1056, *2*
verlieren, Vermögen
    1383, *2*
verlieren, Wert 1750, *7*
Verlierer 1782
Verlierertyp 1782
Verlies 692, *2*
verloben, sich 1718, *5*
Verlöbnis 1719, *5*
Verlobte 1235, *4*
Verlobter 1235, *4*
Verlobung 1719, *5*
verlocken 1742
verlockend 100, *1*;
    1335
Verlockung 1333
verlodern 1750, *3*
verlogen 583, *4*; 941
verlohnen, sich 1196, *1*
verloren 534, *2*; 1887, *1*;
    1887, *3*
verloren gehen 1768, *1*
verloren, Hopfen und
    Malz 1692

verlöschen 1513, *1*;
    1750, *3*
Verlosung 783
verlottern 264; 1729, *3*
verlottert 265, *1*; 850, *2*
verludern 264; 1729, *3*
verludert 265, *1*; 850, *2*
verlumpen 1729, *3*
verlumpt 850, *2*
Verlust 1067, *2*; 1116;
    1348, *1*; 1368, *1*;
    1582, *2*; 1723, *2*
Verlustangst 1057
verlustbringend 13
vermachen 1622, *2*
Vermächtnis 513, *4*
vermählen, sich 1718, *5*
Vermählte 1235, *4*
Vermählung 1719, *5*
vermaledeien 628
vermarkten 50, *1*
vermasseln 1729, *4*
Vermehrung 146, *1*;
    1511, *3*
vermeiden 492, *2*;
    1634, *1*
vermeiden, Anstrengun-
    gen 1413, *4*
vermeinen 770, *1*; 1099
vermeintlich 54; 1380
vermelden 1120, *1*
vermengen 1112, *1*
vermengt 1915, *1*
Vermengung 599, *3*;
    1113, *4*
vermerken 614, *2*;
    1421, *1*
vermerken, übel 1959, *1*
vermessen 459, *2*;
    614, *3*
vermessen, sich 1860, *3*
Vermessenheit 460, *2*
Vermessung 615, *2*
vermieft 406, *1*
vermiesen 15; 462, *2*;
    496
vermiesen lassen, sich
    1039, *1*
vermiest 1364, *4*
vermieten, zu 1028, *4*
Vermieter 272; 741
vermindern 841, *3*;
    1007, *2*
vermindern, sich 1724, *4*
vermindert um 161, *1*

Verminderung 454, *1*;
  1348, *3*; 1723, *2*
vermischen 1112, *1*
vermischt 1784, *2*
Vermischtes 1113, *3*
Vermischung 1113, *4*;
  1951, *3*
vermissen 482; 598, *2*
vermissen lassen 1780, *4*
vermisst 1887, *1*
vermisst werden 598, *1*
vermittelbar 1791, *1*
vermittelbar, schwer
  265, *2*
Vermittelbarkeit 1792
vermitteln 261, *1*;
  274, *1*; 440; **1769**
vermitteln, Wissen
  1034, *1*
vermittels 1124, *3*
vermittelt 1124, *1*
Vermittler 1770
Vermittlung 275, *1*;
  1771
Vermittlung von, durch
  1124, *3*
Vermittlungsstelle
  1771, *1*
vermodern 1729, *1*
vermodert 265, *1*
vermöge 1124, *3*
vermögen 963, *1*
Vermögen 577; 1502, *1*
Vermögen, ohne 107, *1*
vermögend 576, *1*;
  1077, *2*; 1327, *1*
vermögend, viel 1077, *2*
Vermögensanlage
  271, *3*
vermögenslos 107, *1*
Vermögenswerte 271, *2*
vermorschen 1066, *7*
vermummen 1715, *2*
vermummt 1720, *1*
vermurksen 1729, *4*
vermurkst 1397, *2*
vermuten 430, *1*; 1099;
  1375, *2*; **1772**
vermutlich 79; 863, *1*;
  1128, *3*
Vermutung 1100, *3*;
  1834; 1974, *2*
vernachlässigen 1114, *1*
vernachlässigt 265, *1*;
  1150, *4*

Vernachlässigung 1115;
  1669, *2*; 1781, *1*
vernagelt 403, *1*; 745, *1*
vernarben 524, *2*; 723, *2*
vernarren, sich 1056, *2*
vernarrt 1767
vernebeln 616, *1*;
  1715, *1*
vernebeln, sich 409, *2*
vernehmbar 1022
vernehmen 515, *3*;
  639, *2*; 868, *1*;
  1794, *1*; 1867, *1*
vernehmen lassen
  1120, *1*
vernehmen lassen, sich
  1585, *1*
Vernehmen nach, dem
  79
vernehmlich 378, *1*;
  1022
Vernehmung 638, *3*
verneigen, sich 802, *1*
Verneigung 801, *2*
verneinen 30, *3*; 1051, *1*;
  1780, *1*
verneinend 31, *3*
Verneinung 32, *2*
vernetzen 1718, *2*
vernetzt 1728, *2*
Vernetzung 1176, *2*;
  1719, *1*
vernichten 1587, *1*;
  1940, *1*; 1940, *8*
vernichtend 1420, *1*
Vernichter 186
vernichtet 534, *2*
Vernichtung 1090; 1659;
  1941, *1*
Vernichtungslager 969
verniedlichen 268
Verniedlichung 269
vernieten 1718, *2*
Vernissage 51, *2*
Vernunft 707, *1*; 1790, *1*
vernunftbegabt 890, *1*;
  1773, *1*
vernunftbetont 1773, *4*
vernünfteln 371, *2*
vernunftgemäß 1773, *3*
vernünftig 1468, *1*;
  1773
Vernünftigkeit 1790, *2*
vernunftwidrig 24;
  403, *2*

veröden 1604, *5*;
  1729, *2*
verödet 450, *3*; 850, *2*;
  1204, *2*
Verödung 1205, *3*
veröffentlichen 1120, *3*;
  1727, *1*; **1774**
veröffentlicht 1211, *1*
veröffentlicht werden
  958, *3*
Veröffentlichung 336, *1*;
  1122; **1775**
verordnen 72, *1*
verordnet 751, *5*
Verordnung 750, *1*
verpacken 167, *2*;
  1233, *2*
verpackt 731, *1*; 745, *2*
Verpackung 168, *3*;
  870, *1*
Verpackungsbeilage
  96, *2*
verpassen 1783, *1*
verpassen, Anschluss
  1780, *4*
verpassen, Denkzettel
  1751, *2*
verpassen, eins 1394, *1*
verpassen, kalte Dusche
  496
verpassen, sich 1783, *2*
verpasst 1744
verpatzen 901, *3*; 1252;
  1729, *4*
verpatzt 1397, *2*
verpesten, Luft 1344, *2*
verpetzen 1777
verpfänden 321, *1*;
  339, *2*
Verpfändung 358
verpfeifen 1777
verpflanzen 198, *3*;
  1218; 1709, *1*; 1804, *1*
verpflegen 1789, *3*
Verpflegung 542, *1*
verpflichten 89, *1*;
  266, *1*; 313, *2*
verpflichten, sich 50, *4*;
  313, *3*; 339, *1*
verpflichtend 751, *5*;
  1981, *2*
verpflichtet 1776;
  1967, *2*
verpflichtet sein 1135;
  1425, *2*

verstimmt 322, *2*; 1117
Verstimmtheit 1118
Verstimmung 105, *1*;
   1118; 1478, *2*
verstockt 425; 1692
verstohlen 834, *1*;
   1124, *2*
verstopfen 1399, *2*
Verstopfung 858, *2*
verstorben 1586, *1*
verstören 1816, *2*
verstört 548, *1*; 1505, *3*;
   1915, *3*
Verstörtheit 549, *1*
Verstoß 599, *1*
verstoßen 173, *1*;
   1804, *1*
verstoßen gegen 1750, *8*
verstoßen, gegen Geset-
   ze 1750, *8*
Verstoßung 1805
verstrahlen 1809
verstrahlt 1397, *4*
verstreben 1544, *1*
Verstrebung 211, *1*
verstreichen 1750, *1*
verstreichen lassen
   1783, *1*
verstreuen 1797, *2*
verstreut 457, *1*
verstricken 1718, *4*;
   1816, *1*
verstricken, sich
   1816, *3*
verstrickt 1652, *3*
verstrickt, in Schuld
   1426, *2*
verströmen 1727, *1*
verstümmeln 264
verstümmelt 265, *1*;
   265, *2*
verstummen 1438, *1*;
   1521, *2*
Versuch 1795
Versuch machen 1796, *1*
versuchen 977, *2*; 1742;
   1796
versuchen, sein Glück
   1860, *1*
versuchen, sein Heil
   1796, *2*
Versucher 1575
Versuchsanordnung
   1258, *2*
Versuchsballon 1795, *2*

Versuchskaninchen
   1219, *2*
Versuchsstadium
   1795, *3*
Versuchsstück 1136, *2*
versuchsweise 1853, *2*
versumpfen 1521, *4*;
   1729, *3*
versündigen, sich
   1750, *8*
Versündigung 1670, *1*
versunken 125, *1*;
   1357, *4*; 1639, *1*;
   1678, *4*; 1744
versunken sein, in Ge-
   danken 371, *3*;
   1591, *3*
versunken, in Gedanken
   1357, *4*
Versunkenheit 33, *2*;
   1799, *4*
versüßen 1716, *4*;
   1928, *1*
vertäfeln 200
vertagen 1821, *1*
Vertagung 1822, *2*
vertan 1887, *3*
vertändeln 1780, *4*;
   1786, *2*
vertauschen 1884, *1*
verteidigen 226, *1*;
   501, *3*; 1430, *3*;
   1508, *5*; 1806, *2*
Verteidiger 912, *2*;
   1807, *2*
Verteidigung 495, *2*;
   1901, *2*
Verteidigungsanlage
   211, *4*
verteilen 1220, *1*;
   1562, *2*; **1797**
verteilen, sich 485, *2*;
   1797
Verteilung 1798
verteuern, sich 1509, *4*
Verteuerung 1511, *2*
verteufeln 1765; 1765
verteufelt 323, *1*;
   1441, *1*; 1452, *1*
Verteufelung 1766
vertiefen 210, *3*; 371, *4*;
   1716, *2*
vertiefen, sich 371, *4*
vertieft 125, *1*; 1357, *4*;
   1639, *1*

Vertieftheit 33, *2*
Vertiefung 585, *2*; **1799**
vertikal 732, *2*
vertilgen 566, *1*;
   1030, *3*; 1940, *2*
vertippen, sich 901, *3*
vertrackt 1441, *1*
Vertrag 1737, *2*
vertragen, gut zu 1036, *3*
vertragen, sich 261, *3*;
   1794, *6*
vertraglich 1213, *3*;
   1460, *5*
verträglich 689, *1*
verträglich sein 236, *2*
verträglich, gut 757, *3*
verträglich, sozial 433, *2*
Verträglichkeit 444;
   1110
vertragsgemäß 1213, *3*;
   1460, *5*
vertrauen 1800
Vertrauen 1801
vertrauen auf 555, *1*
Vertrauen haben 1800, *1*
Vertrauensbruch 1071, *3*
vertrauensselig 403, *2*;
   1159
vertrauensvoll 1244, *3*
vertrauenswürdig 86, *3*;
   1971, *1*
vertraulich 654, *2*;
   1244, *3*; **1802**
vertraulich, plump
   1264, *3*
Vertraulichkeit 1055, *1*
verträumt 1357, *4*;
   1639, *1*
Verträumtheit 33, *2*
vertraut 299; 678, *1*;
   929; 1054, *2*; 1155, *4*;
   1728, *1*; **1803**
vertraut machen 528, *4*
vertraut machen mit
   1120, *1*
vertraut sein mit 928, *1*
vertraut werden 73, *2*;
   763, *1*; 1157, *4*
Vertraute 653
Vertrauter 66, *2*; 652
Vertrautheit 655, *2*;
   1156, *2*; 1918, *1*
vertreiben 173, *1*;
   918, *3*; 1761, *1*;
   1774, *1*; **1804**

vertreiben, sich die Zeit
594

vertreiben, Zeit 1682, *2*

Vertreibung 1805

vertretbar 312, *2*;
1128, *1*

vertreten 226, *1*;
1508, *5*; **1806**

vertreten sein 1564, *1*

vertreten, sich den Fuß
598, *5*

vertreten, sich die Füße
703, *1*

vertreten, Standpunkt
1099

Vertreter 387, *1*; 550, *4*;
816, *3*; **1807**

Vertretung 838, *2*;
1808

vertretungsweise
1853, *2*

Vertrieb 1760, *1*

vertrieben 457, *1*

Vertriebener 1107

Vertriebskosten 978, *2*

vertrocknen 1604, *5*

vertrocknet 44, *2*;
1603, *1*

vertrödeln 1783, *1*;
1786, *2*; 1821, *1*

vertrösten 1821, *2*

Vertröstung 1822, *2*

vertrotteln 1149, *4*

vertun 1786, *2*

vertuschen 1715, *1*

verübeln 106, *3*; 1959, *1*

verulken 1492, *1*

verunehren 1765

verunglimpfen 1765

Verunglimpfung 240;
1766

verunglücken 1383, *1*;
1513, *4*

Verunglückter 1238

verunklaren 359, *5*

verunreinigen 1809

verunreinigt 1408

Verunreinigung 1406, *2*

verunsichern 129, *2*;
1816, *2*

verunsichert 1674, *5*

Verunsicherung 988, *2*

verunstalten 264

verunstaltet 265, *2*;
822, *1*

veruntreuen 293, *1*;
293, *4*

Veruntreuung 292

verunzieren 264

verunziert 265, *1*

verursachen 560, *1*;
1711, *1*; 1833

verursachen, Aufregung
129, *3*

verursachen, Gewissens-
bisse 1404, *2*

verursachen, Mühe und
Kosten 237, *3*

verursachen, Schmerzen
1404, *1*

verursacht werden
506, *1*

Verursachung 77, *1*

verurteilen 1702, *2*;
1810

verurteilt 534, *3*;
1426, *2*

Verurteilung 1701, *3*

Verve 1446, *2*

vervielfachen 1811

vervielfachen, sich
1510, *3*

Vervielfachung 1511, *3*;
1812, *3*

vervielfältigen 1811

vervielfältigen, sich
1510, *3*

Vervielfältigung 972, *1*;
1511, *3*; **1812**

vervollkommnen 198, *2*;
510, *3*; 519, *1*; 1716, *2*

Vervollkommnung
520, *1*; 1717, *2*

vervollständigen 198, *2*;
510, *3*; 519, *1*

Vervollständigung
511, *2*; 520, *1*

verwachsen 59, *2*;
992, *2*

verwachsen mit 1184, *1*

verwachsen, sich 723, *2*

verwahren 123, *1*

verwahren, sich gegen
30, *3*; 557, *2*

verwahrlosen 264;
1729, *3*

verwahrlost 265, *1*

verwahrlost, seelisch
850, *2*

Verwahrung 1901, *2*

verwaist 450, *1*

verwalken 1394, *1*

verwalten 274, *3*

Verwaltung 230; 275, *2*;
1203

verwamsen 1394, *1*

verwandeln 1709, *1*;
1709, *1*

verwandelt 1177, *4*;
1784, *1*

Verwandlung 1710, *1*

verwandt 771, *4*; **1813**

Verwandte 1814, *1*

Verwandtenkreis 1814, *1*

Verwandtschaft 1814

verwarnen 1875

Verwarnung 1876

verwaschen 592, *1*;
1655, *3*; 1724, *5*

verwässern 1738;
1740, *2*

Verwässerung 1113, *2*;
1739

verweben 1718, *2*

verwechseln 901, *3*

Verwechseln, zum
771, *2*

Verwechslung 599, *3*;
902, *1*

verwegen 642, *1*; 690, *2*;
1139, *2*

Verwegenheit 1138

verwehen 1750, *1*

verwehren 507; 1780, *1*

verwehrt 1722

Verwehrung 1721, *1*

verweht 1744

verweichlichen 1434;
1817, *1*

verweichlicht 1432, *1*;
1891, *5*

verweigern 507; 1780, *1*

verweigern, Arbeit
1533, *1*

Verweigerung 32, *2*;
508; 1721, *1*

verweilen 212, *3*;
1184, *2*; 1356, *1*

Verweis 860, *1*; 1385, *2*

Verweischarakter, mit
310, *2*

verweisen 359, *5*;
861, *1*; 1554, *2*

verweisen, des Landes
173, *1*

verzogen 642, 3; 992, 1;
  1887, 1
verzögern 1783, 1; **1821**
Verzögerung 1525; **1822**
Verzögerung, ohne
  1664, 2
verzopft 1708
verzuckern 522, 2;
  1716, 4
verzückt 548, 3
Verzückung 549, 3;
  1055, 2
Verzug 1822, 1
Verzug sein, in 1821, 3
Verzug, im 1426, 1;
  1482, 1
Verzug, ohne 771, 3
verzürnt 605
verzwackt 1441, 1
verzweifeln 1040, 4;
  1823
verzweifelt 534, 2;
  856, 2; 1660, 1
Verzweiflung 1592
Verzweiflungstat 549, 5
verzweigen, sich 1562, 5
verzweigt 992, 6;
  1441, 2
Verzweigung 1004
verzwickt 1441, 1
verzwisten 1535, 1
Verzwistung 1534, 1
Vesper 1080, 6
vespern 566, 2
Vestibül 1843, 2
Veteran 45, 2
Veterinärmedizin
  1098, 1
Veto 1721, 1
Vetternwirtschaft 953
Vexierbild 880, 2
Viadukt 333
Vibration 302, 4; 1444
Vibrations 1444
vibrieren 597, 1;
  1443, 4; 1947, 2
vibrierend 548, 1
Videoband 618, 2
Videokamera 916, 2
Videokassette 922, 2
Videorecorder 733
Videothek 1362, 2
Vieh 186
viehisch 334
Viehzüchter 189, 1

viel 1225, 3; **1824**
viel beschäftigt 1557, 4
viel sagend 1468, 2;
  1580; 1975, 2
viel verlangt 243, 2;
  678, 2
viel vermögend 1077, 2
viel versprechend 803, 1
viel, allzu 1625, 1
viel, nicht 1894, 1
viel, zu 1625, 1; 1628, 1
vielarmig 992, 6
vieldeutig 310, 2; 407, 4;
  1975, 2
Vieldeutigkeit 408, 3;
  1825
viele 1826
viele, nicht 1894, 2
viele, ziemlich 1826
vielerlei 1824, 2
Vielerlei 1113, 3; 1827, 1
vieles 1824, 2
vielfach 1216
Vielfalt 673, 1; **1827**
vielfältig 1327, 2;
  1784, 2
Vielfältigkeit 743, 1;
  1827, 1
vielfarbig 591, 1
Vielfarbigkeit 589, 1
vielförmig 1784, 2
Vielförmigkeit 1827, 1
Vielfraß 726, 3
vielgestaltig 1784, 2
Vielgestaltigkeit 1827, 1
Vielheit 1827, 1
vielleicht 1128, 3;
  1655, 1
vielmals 1216
vielmehr 3
Vielschreiber 1423
Vielschwätzer 1436
vielseitig 744, 1
Vielseitigkeit 577
vielstimmig 819, 1;
  1784, 2
vielstöckig 862, 3
Vielzahl 1102, 4
Vierbeiner 871
vierschrötig 1264, 1
Viertel 1500, 3
vif 1026, 3
vigilant 1396, 1
Vignette 930, 3
Viktualien 542, 2

Villa 824, 1
Villenviertel 1500, 4
violent 37, 1; 829, 3
Violenz 830
Violinist 1134, 2
VIPs 1201, 3
Viren 985
viril 1085
virtual 1128, 1
Virtual Vision 880, 4;
  1382
virtuell 1128, 1
virtuos 149, 1; 1830, 2
Virtuose 573; 1134, 2
Virtuosität 767, 7
virulent 690, 5
Visage 752, 1
Visavis 1143, 3
vis-à-vis 695, 2
visieren 1945, 1
Vision 880, 2
visionär 1277; 1703
Visionär 876, 1
Visitation 1285, 2
Visite 281, 1
visitieren 1550, 1
visualisieren 528, 3
Visualisierung 361, 1;
  529, 2
Visum 279, 1
Vita 1025, 2
vital 479; 981, 2; 1026, 3
Vitalität 478, 1; 1025, 6
Vitamin B 1719, 3
Vitrine 170, 1; 1418
Vivat 801, 3
Vize 1807, 2
Vogel 424, 4; 1779, 1
Vogelbauer 189, 2
vogelfrei 1319
Vogelkäfig 189, 2
vögeln 1056, 3
Vögeln 1055, 3
Vogelperspektive 165, 1
Vogelperspektive, aus
  der 862, 1
Vogelschau 165, 1
Vogelscheuche 1386
Vogel-Strauß-Politik 292
Vokabel 147, 1
Vokabular 1494, 2
Vokalist 1363, 1
Vokalkomposition
  739, 2
Vokalkünstler 1363, 1

Vokalmusik 1133, *3*
Vokalstück 739, *2*
Volant 585, *1*; 1515, *1*
Volk 297; 800, *5*
Volk, junges 908, *2*
Völkerrecht 1318, *3*
Völkervernichtung 1090
volkreich 1828, *3*
Volksabstimmung
    1862, *2*
Volksarmee 1111, *2*
Volksaufstand 134, *1*
Volksentscheid 1862, *2*
Volksfest 749, *2*
Volksheer 1111, *2*
Volkslied 739, *2*
Volksmenge 1102, *3*
Volksmusik 1133, *3*
Volkspark 680
Volksschule 1427, *1*
Volkssprache 1494, *4*
Volkstümelei 1163, *1*
volkstümlich 243, *1*;
    433, *1*
Volkstümlichkeit 434, *3*;
    716, *3*
Volksvertreter 1807, *3*
Volksweisheit 374, *1*
Volkszugehörigkeit
    846, *2*
voll 250, *1*; 981, *4*;
    1359, *1*; 1364, *3*; **1828**
voll beschäftigt 1557, *4*
voll gestopft 1364, *1*
voll haben, die Nase
    1039, *2*
voll haben, Schnauze
    1039, *2*
voll laufen lassen, sich
    284, *3*
voll machen 519, *1*;
    674, *1*
voll nehmen, nicht für
    1114, *1*
voll schlagen, Bauch
    566, *1*
voll stopfen, sich 566, *1*
voll werden 674, *3*
voll, gerappelt 1828, *2*
voll, gerüttelt 1828, *1*
voll, gesteckt 380, *2*;
    1828, *2*
voll, gestopft 1828, *1*
vollauf 728; 1327, *4*;
    1628, *2*; 1824, *1*

Vollbad 178, *5*
Vollbart 187
Vollblut 1247
vollblütig 981, *2*
vollbringen 102, *3*;
    533, *1*; 1045, *1*; 1829
Volldampf, mit 429, *3*;
    1410, *1*
vollenden 533, *1*; **1829**
vollendet 610, *1*;
    1412, *1*; 1830, *1*
vollends 679, *3*
Vollendung 511, *2*;
    535, *2*; 767, *7*; 874, *1*;
    1400, *1*; 1414, *1*; 1831
Völlerei 711; 730, *2*
vollführen 533, *1*;
    1045, *1*
vollführen, Eiertanz
    1023, *1*
Vollführung 1832
Vollgas 427, *2*
Vollgas, mit 429, *3*
vollgesogen 1162, *1*
völlig 679, *2*
volljährig 1328, *2*
volljammern, Ohren
    944, *3*
vollkommen 679, *2*;
    1830
Vollkommenheit 767, *7*;
    1831
Vollkraft 758
Vollmacht 532, *2*;
    1968, *1*
vollmundig 459, *2*
Vollrausch 1310, *1*
vollreif 1328, *1*
vollschlank 381, *1*;
    1507, *2*
vollständig 38, *2*; 679, *1*;
    679, *2*; 722, *3*; 1830, *1*
Vollständigkeit 442, *1*
vollstrecken 533, *1*
Vollstreckung 1832
Volltreffer 518, *4*
volltrunken 1828, *5*
vollwertig 775; 1830, *1*
Vollwertigkeit 1617, *3*
vollzählig 38, *2*; 679, *3*
vollziehen 533, *1*;
    1712, *1*
vollziehen, sich 216, *3*
Vollziehung 1832
vollzogen 534, *1*

Vollzug 1832
Volontär 1428, *4*
Volontariat 1033, *2*
Volte 988, *1*
Volumen 673, *1*; 1631
voluminös 791, *2*
voluptuös 1074
von 1124, *3*
von ... ab 1483, *1*
vonnöten 1191, *1*
vonseiten 1124, *3*
Voodoo 701
vor 49
Vor- und Nachteil
    1974, *3*
vor, noch 418
vorab 53, *1*; 1838
Vorabend 51, *1*
Vorahnung 693, *2*
voran 1841, *1*; 1855
vorangegangen 1744
vorangehen 669, *2*
vorankommen 177
Voranschlag 1258, *3*
Voranschlag machen
    251, *1*
vorantreiben 669, *3*
Vorarbeit 1836, *1*
vorarbeiten 538, *2*;
    1835, *2*
Voraus, im 1857, *1*
vorausahnen 555, *3*;
    1278; 1772, *2*
vorausahnend 1277
vorausberechnen 251, *1*
vorausdenken 93
vorausgegangen 1744
vorausgehen 669, *2*
vorausgesetzt 1895, *2*
vorausgesetzt, dass 582
Voraussage 1840
voraussagen 1278
vorausschauen 1278
vorausschauend 890, *2*;
    1277; 1476, *2*; 1846, *2*
voraussehen 93; 555, *3*;
    1278; 1772, *2*
voraussetzen 9, *4*;
    964, *2*; **1833**
Voraussetzung 207, *1*;
    796, *2*; 859, *3*; **1834**
Voraussetzungen, die
    577
voraussetzungslos
    1641, *1*

Vorhaltungen machen
1081, *2*; 1554, *2*

Vorhand haben 669, *2*

vorhanden 1839;
1912, *1*

vorhanden sein 1024, *1*

Vorhandensein 570

Vorhang 870, *6*

vorher 418; 666, *1*;
1857, *1*

vorherbestimmt 1390

Vorherbestimmtheit
1389, *2*

vorhergegangen 1744

Vorherrschaft 847, *2*

vorherrschen 669, *2*;
848, *2*

vorherrschend 40, *1*;
678, *1*; 1626

Vorhersage 1840

vorhersagen 1278

vorhersehen 555, *3*;
1278

vorhersehend 1277

vorhin 1008

vorhonorieren 321, *2*

Vorhut 1257, *2*

vorig 1744

Vorkämpfer 1257, *2*

Vorkehrung 1836, *1*

Vorkenntnisse 796, *4*

vorknöpfen 1081, *3*

vorknöpfen, sich 1512, *2*

vorkommen 216, *2*;
1381, *1*; 1772, *1*

Vorkommen 570; 742, *1*

vorkommen wie 1585, *5*

vorkommen, sich 668, *2*

vorkommend, kaum
1457, *1*

Vorkommnis 742, *1*

vorkragend 381, *4*

vorladen 72, *1*; 280, *3*

Vorlage 94, *1*; 843, *3*;
1136, *3*

Vorlage, ohne 1696, *3*

vorlassen 466, *2*

Vorläufer 1257, *2*

vorläufig 1838; 1853, *3*

Vorläufigkeit 1795, *3*

vorlaut 642, *2*

Vorleben 1745

vorlegen 50, *1*; 203, *2*;
321, *2*; 1935, *2*

vorlegen, Antrag 197

vorlegen, Papiere 173, *2*

Vorleger 1572

vorleiern 1852, *2*

Vorleistung 358; 986

vorlesen 1050, *2*;
1852, *1*; 1852, *1*

Vorlesung 1033, *2*;
1851

vorlieb nehmen 1479, *4*

Vorliebe 1055, *1*;
1172, *2*

vorliegend 1839, *1*

vormachen 1849

vormachen, blauen
Dunst 293, *1*; 1849

vormachen, ein X für ein
U 293, *1*

vormachen, sich etwas
430, *2*

vormachen, X für ein U
1849

Vormachtstellung 847, *2*

vormals 666, *1*

Vormann 1235, *5*

Vormarsch 61, *1*

vormerken 1339; 1339

Vormerkung 136, *1*

Vormund 1807, *2*

vorn 1841

vorn haben, Nase
1463, *1*

vorn, ganz 554

vorn, von 1841, *2*

Vorname 930, *4*

vorne, von 1903

vornehm 416, *3*; 996, *3*;
1842

vornehmen, Eingriff 25;
1218

vornehmen, sich
1259, *1*; 1923, *1*

Vornehmheit 36, *1*;
607, *1*; 1926, *1*

vornehmlich 273, *1*;
1626

vorneigen, sich 296, *1*

vornherein, von 771, *3*

vornweg 1841, *1*

vorordnen 298, *2*

vorpreschen 60, *2*

vorprogrammiert
1460, *1*

vorragen 1921, *2*

Vorrang 1858, *1*

vorrangig 1900, *2*

Vorrangstellung 847, *2*;
1858, *1*

Vorrat 900, *1*; 1011, *2*;
1362, *1*

vorrätig 1839, *1*

vorrätig haben 807, *1*

Vorratskammer 993

Vorratskeller 993

Vorratsschrank 1418

Vorraum 1843

vorrechnen 1856

Vorrecht 1318, *4*;
1858, *1*

Vorrede 438, *1*

Vorreiter 1257, *2*

Vorrichtung 449, *1*; 733

vorrücken 60, *2*; 177;
669, *3*

Vorruhegeld 1338, *2*

vorsagen 837, *5*

Vorsatz 798, *1*; 1258, *1*;
1907, *1*

vorsätzlich 16

vorschieben, andere
172, *2*

vorschieben, Riegel 412;
857, *3*

vorschießen 321, *2*

Vorschlag 77, *1*; 470;
1304, *1*; **1844**

Vorschlag machen
1845, *1*

vorschlagen 50, *1*; 75, *1*;
1174, *2*; 1305, *1*; **1845**

vorschnell 429, *2*;
1037, *1*; 1857, *2*

vorschreiben 72, *1*

Vorschrift 96, *2*; 750, *1*;
1322, *1*

vorschriftsmäßig 731, *2*;
751, *4*; 968, *1*

vorschriftswidrig 1722

Vorschub 854, *1*

Vorschuss 358; 986

Vorschusslorbeeren
1062, *1*

vorschützen 1849

vorschweben 430, *1*;
1772, *2*; 1847, *2*

vorsehen 1259, *1*;
1835, *2*

vorsehen, nicht 152, *1*

vorsehen, sich 128, *4*

Vorsehung 1389, *2*

vorsetzen 50, *3*; 203, *2*

Vorsicht 62, 3; 1351
vorsichtig 1846
vorsichtshalber 1846, 3
Vorsichtsmaßnahme
    1788, 2
vorsintflutlich 1708
vorsitzen 669, 1
Vorsorge 1788, 2;
    1836, 1
vorsorgen 1789, 1;
    1835, 2
vorsorglich 1476, 2;
    1857, 1
Vorspann 438, 1
Vorspeise 438, 1;
    1080, 3
vorspiegeln 1849
vorspiegeln, sich 430, 2
Vorspiegelung 502, 2;
    1559, 2
Vorspiel 438, 1; 1055, 3
vorsprechen 282, 1;
    303; 1852, 1
vorspringen 1921, 2
vorspringend 381, 4
Vorspruch 438, 1
Vorsprung 415, 2;
    1850, 1
Vorstadt 1500, 4
Vorstand 970, 2; 1048, 1
vorstehen 669, 1;
    1921, 2
vorstehend 381, 4
Vorsteher 1047, 2
vorstellbar 1128, 1;
    1791, 1
vorstellbar, schwer
    926, 2
vorstellen 201, 1;
    1806, 1; **1847**; 1935, 2
vorstellen, etwas 201, 3
vorstellen, sich 371, 2;
    430, 1; **1847**
vorstellig werden 197
Vorstellung 222; 438, 1;
    1100, 3; 1577, 1;
    1713, 2; **1848**
Vorstellung machen, sich
    eine 1847, 2
Vorstellungskraft 1253

Vorstellungsvermögen
    1253
Vorstoß 61, 1
Vorstoß machen 60, 2
vorstoßen 60, 2; 669, 3
vorstoßend 670, 2
vorstrecken 321, 2
vortäuschen 1072; **1849**
vortäuschen, Gefühle
    1072
Vortäuschung 1559, 2
Vorteil 893; 1195, 1;
    1850; 1858, 2
Vorteil sein, im 761, 2
vorteilhaft 312, 1;
    803, 1; 1197, 2
vorteilsüchtig 1456
Vortrag 1851; 1852, 1
vortragen 197; 259;
    270, 2; 1050, 2;
    1465, 1; 1495, 2; **1852**
vortragen, szenisch
    1852, 1
Vortragsweise 1494, 2
vortrefflich 149, 1;
    804, 2; 1317, 1
vortreiben 669, 3
vortreten 1921, 2
Vortritt lassen 172, 1
Vorturner 671, 6
vorüber 1744
vorübergehen 1236, 1;
    1750, 1
vorübergehen lassen
    1783, 1
vorübergehend 1746;
    1853
Vorurteil 1854
Vorurteile 481, 5
vorurteilsfrei 1358, 1
vorurteilslos 735, 1;
    1358, 1; 1773, 2
Vorurteilslosigkeit 736
vorurteilsvoll 455, 1
Vorverhandlungen
    438, 1
Vorverurteilung 1854
vorverweisen 1935, 1
Vorwand 502, 2;
    1071, 2; 1559, 1

Vorwarnung 1082, 2
vorwärts 1855
vorwärts kommen 177;
    510, 4; 715, 2
Vorwärtskommen 135, 1
vorweg 53, 1
vorwegnehmen 93
vorwegwissen 93
vorweisen 50, 1; 1935, 2
vorweisen, Leistungen
    1045, 1
vorwerfen 1554, 2; **1856**
vorwerfen, Futter 676, 1
vorwiegend 273, 1; 1626
Vorwissen, ohne 1263
Vorwitz 643, 1; 1178
vorwitzig 642, 2; 895, 2
Vorwitzigkeit 643, 1
Vorwort 438, 1
Vorwurf 1385, 2
Vorwürfe machen 1856
vorzaubern 1849
Vorzeichen 1934, 3
vorzeigen 50, 1; 1935, 2
Vorzeit 1745
Vorzeit, graue 1745
vorzeiten 666, 1
vorzeitig 1857
vorziehen 298, 2
Vorzimmer 1843, 2
Vorzug 1858
Vorzügen, mit allen
    1830, 1
vorzüglich 149, 1;
    804, 2
vorzugsweise 273, 1
votieren 1863, 3
votieren für 215
Votum 500, 1; 1100, 4;
    1701, 1; 1862, 2
Voyeur 248, 1
Voyeurismus 1178
vulgär 91, 4; 376, 2
Vulgarität 662, 3
Vulgärsprache 1494, 4
Vulkanausbruch 1165, 3
vulkanisch 829, 2
Vulkankegel 257, 1
Vulva 1379, 1

W

waagerecht 732, *2*
wabbelig 1891, *4*
wabern 330, *1*
Wabern 617, *1*
wabernd 1026, *5*
wach 125, *1*; 467, *2*;
   890, *1*; 1026, *2*;
   1026, *3*; 1773, *4*
wach machen 1886
Wachablösung 1883, *1*
Wache 1266, *2*
wachen 128, *3*
wachen über 1430, *1*
Wachhabender 133, *2*
Wachheit 468, *2*
Wachhund 871
Wachmann 1878
Wachposten 1878
wachrütteln 1233, *1*;
   1886
wachsam 125, *1*;
   1476, *1*; 1846, *3*
wachsen 506, *2*; 510, *2*;
   769, *3*; 1531, *1*
Wachsen 511, *1*
wachsen lassen über,
   Gras 1714, *1*
wachsend 1958
wachsend, wild 1906, *3*
wächsern 592, *1*;
   1505, *1*
Wachsfigur 747, *2*
Wachsfigurenkabinett
   170, *3*
Wachstum 132; 511, *1*;
   1294, *2*; 1511, *3*
Wachstumsjahre 908, *1*
Wacht 133, *1*
Wächter 1878
Wachturm 1610, *1*
wackelig 992, *3*;
   1065, *1*; 1132, *1*;
   1674, *4*
wackeln 1435, *1*;
   1443, *3*; 1947, *2*
wackelnd 1065, *1*
wacker 328, *2*; 1139, *1*

wacklig 265, *1*
Waffe 1859
Waffen, biologische
   1859, *1*
Waffen, chemische
   1859, *1*
Waffengang 987, *1*
Wagehals 2
Wagemut 1138
wagemutig 920;
   1139, *2*
wagen 1796, *2*; 1860
Wagen 579, *1*
wägen 371, *2*; 1375, *2*
wagen, sich in die Höhle
   des Löwen 1860, *2*
Wagenburg 18, *1*
Wagenladung 1295, *1*
Wagestück 1861
waghalsig 690, *2*;
   1139, *2*
Waghalsigkeit 1138
Wagnis 1861
Wahl 500, *1*; 1862
Wahl haben, keine 1135
Wahl lassen, keine
   1980, *2*
Wahl, erste 148, *1*
Wahl, freie 645, *1*
Wahl, nach 242
wählen 499, *2*; 1863
wählen, Freitod 1587, *5*
wählen, Nummer
   1863, *4*
wählen, Worte 1495, *2*
wählerisch 84, *1*; 727;
   996, *3*
wählerisch, nicht 433, *2*
Wählerumfrage 1632
Wahlgang 1862, *2*
wahllos 242; 1953, *2*
Wahllosigkeit 991
Wahlname 1288
Wahlrecht 1318, *3*
Wahlspruch 374, *1*
wahlverwandt 1813, *2*
Wahlverwandtschaft
   1814, *2*
wahlweise 242
Wählwort 930, *5*
Wahn 880, *1*
wähnen 430, *1*; 770, *1*;
   1099; 1772, *1*
Wahnidee 709
Wahnsinn 709; 1675, *3*

wahnsinnig 708;
   1452, *1*; 1778, *2*
Wahnvorstellung 880, *1*
Wahnwelt 880, *1*
Wahnwitz 1675, *3*
wahnwitzig 24; 1778, *3*
wahr 1317, *2*; 1864
wahr machen 1815, *1*
wahren 1430, *1*
währen 364, *1*
wahren, Abstand 773
wahren, Dekorum
   1381, *1*
wahren, Gesicht 228
wahren, Schein 1381, *1*
wahren, Vorteil 1196, *2*
**während 3; 365, *1*; 776;
   1865; 1895, *2*
während, immer 882, *1*
währenddessen 1865
Wahres dran, etwas
   1864
wahrhaben wollen, nicht
   1051, *3*; 1734, *2*
wahrhaft 1912, *3*
wahrhaftig 131; 1912, *3*
Wahrhaftigkeit 1210, *1*
Wahrheit 1866
Wahrheit werden
   1815, *2*
Wahrheit, in 1864
wahrheitsgetreu 1864
Wahrheitsliebe 1210, *1*
wahrheitsliebend 131
Wahrheitsnachweis
   279, *6*
wahrlich 1864; 1912, *3*
wahrnehmbar 1466, *1*;
   1499
**wahrnehmen 668, *1*;
   868, *1*; 1451; 1867
wahrnehmen, Vorteil
   1196, *2*
**Wahrnehmung 693, *2*;
   1868**
Wahrnehmungsvermö-
   gen 1868, *2*
wahrsagen 1278
Wahrsager 1276
Wahrsagung 1840
Wahrschauer 1276
wahrscheinlich 79;
   863, *1*
Wahrscheinlichkeit nach,
   aller 863, *1*

wegstehlen 1168, *2*
wegstehlen, sich 624, *1*
wegstellen 484, *2*
wegstoßen 484, *1*;
   1804, *1*
wegstoßen, Decke
   213, *7*
wegstreichen 1007, *3*
wegtragen 1168, *2*
wegtreiben 1804, *1*
wegtreten 485, *1*
wegtun 484, *1*
wegverpflichten 19
wegweisend 670, *2*
Wegweiser 671, *5*;
   860, *1*; 930, *3*
wegwerfen 484, *2*
wegwerfen, sich 319, *1*
wegwerfend 31, *2*
wegwischen 484, *1*;
   1064, *3*; 1367, *2*
Wegzehrung 542, *1*
wegziehen 175, *1*; 484, *3*
Wegzug 486, *5*
Weh 1403, *1*; 1762, *2*
Weh und Ach 943, *2*
wehen 316, *1*
wehend 1026, *5*
Wehgeschrei 943, *2*
Wehklage 943, *2*
wehklagen 944, *3*
Wehklagen 943, *2*
wehleidig 471, *2*;
   1432, *1*
Wehleidigkeit 472, *1*
Wehmut 1592
wehmütig 1660, *1*
Wehmütigkeit 1592
Wehr 211, *4*
wehren 857, *1*
wehren, sich 124, *2*
Wehrhaftigkeit 613, *2*
wehrlos 471, *1*; 856, *1*
Wehrlosigkeit 472, *3*
Wehrmacht 1111, *2*
Wehrpflichtiger 1111, *1*
wehtun 1242, *2*;
   1404, *1*
Wehwehchen 951, *1*
Weib 640; 1235, *4*
Weibchen 1743, *2*
Weiberheld 1743, *1*
weiblich 1890
Weibsbild 640
Weibsperson 640

Weibsstück 640
weibstoll 1074
weich 1054, *3*; 1109, *1*;
   1132, *2*; 1432, *3*; **1891**;
   1932, *1*
weich machen 198, *5*;
   1066, *2*; 1627, *1*
weich werden 489, *2*
Weiche 29, *2*
Weichei 603
weichen 485, *1*
Weichheit 472, *3*; 1110;
   1433, *1*
weichherzig 467, *5*;
   1891, *2*
Weichherzigkeit 472, *3*
weichlich 1432, *1*
Weichling 603
weichmütig 1432, *1*
weichzeichnen 268
weiden 566, *6*
weiden lassen 873
weiden, sich an 651, *1*
weidlich 1452, *1*
Weidmann 905, *1*
Weidwerk 904
weigern, sich 124, *2*
Weigerung 32, *2*;
   1901, *2*
Weihe 601, *1*; 1926, *2*
weihen 547, *2*; 683, *3*;
   1450, *1*
Weiher 760, *2*
weihevoll 600, *2*;
   1927, *1*
Weihnachtsgeld 1957
Weihung 438, *2*
weil 49; 69, *2*
weiland 666, *1*
Weile 362, *1*; 1936, *1*
Weile, geraume 1013, *2*
weilen 1024, *2*
weinen 944, *3*
weinend 1660, *2*
weinerlich 1182, *2*
Weines, voll des süßen
   250, *1*
Weinhaus 681, *1*
Weinkellner 204, *3*
Weinkenner 726, *2*
Weinlaune 1310, *1*
weinselig 250, *1*; 727
Weinstube 681, *1*
weise 1328, *4*
Weise 110, *3*; 739, *2*

Weise, auf welche
   1902, *2*
Weise, in dieser 1473
Weise, in keiner 1173
weisen 1935, *1*
weisen, von sich 30, *1*;
   1051, *1*
weisen, Weg 669, *2*
Weiser 372
Weisheit am Ende, mit
   der 856, *2*
Weisheitslehrer 1035, *3*
weislich 1476, *2*
weismachen 293, *1*;
   315, *1*; 1072
weiß 44, *1*; 592, *1*
weiß sich zu helfen
   744, *1*
Weiß, gebrochenes
   592, *1*
weiß, nicht 591, *3*
weiß, wie jeder 1460, *4*
weiß, wie man 1160
weissagen 1278
weissagend 1277
Weissager 1276
Weissagung 1840
Weißbinder 1083, *2*
Weißglut 1873, *1*
weißhaarig 44, *1*
weißlich 592, *1*
Weißwaren 1880
weißwaschen, sich
   1023, *2*
Weißzeug 1880
Weisung 136, *2*; 209, *1*;
   750, *1*
weit 587, *1*; 791, *2*; **1892**
weit blickend 890, *2*
weit reichend 791, *5*;
   1913, *2*
weit und breit 1612, *1*
weit, zu 1397, *2*
Weitblick 517, *2*; 1701, *2*
Weite 146, *2*; 486, *1*;
   620, *2*; 792, *1*; 1309, *2*
weitem, bei 1824, *3*
weitem, von 1892, *3*
weiten 1531, *2*
weiter 117, *1*; 1855
weiter machen 1531, *2*
weiterbilden, sich
   510, *5*; 1049, *2*
weiterbringen 1716, *2*
Weiteren, des 117, *1*

widerstehen 226, 3;
　462, 1
widerstreben 462, 1
Widerstreben 14, 2
widerstrebend 31, 3;
　1653, 2
Widerstreit 694, 1
Widerstreit, innerer
　1974, 1
widerstreiten 557, 2
widerstreitend 695, 3
widerwärtig 461, 1;
　822, 1; 1243, 1;
　1638, 3
Widerwärtigkeiten
　105, 3
Widerwille 14, 2
widerwillig 31, 3;
　1653, 2
widmen 683, 3
widmen, sich 102, 1;
　266, 2
Widmung 677, 3
widrig 1021, 2; 1243, 1;
　1638, 3; 1661, 1
Widrigkeit 105, 3;
　1659
wie 314, 2; 774; **1902**
wie auch immer 1473;
　1641, 1
wie du mir, so ich dir
　1752, 1
wie es scheint 79
wie folgt 1473
wie man so sagt 41
wie wenn 774
wieder 1903
wieder aufnehmen
　1904, 3
wieder beleben 543, 5
wieder erkennen 526, 1;
　1794, 2
wieder finden 619, 1
wieder gutmachen 345;
　497, 3
wieder gutzumachen
　1128, 2
wieder sehen 1593, 1
wieder tun 1904, 2
wieder und wieder
　882, 3
wieder verwenden
　198, 4
wieder zu erkennen,
　nicht 1784, 1

wieder, immer 882, 3;
　1216; 1903
Wiederaufbau 544, 1
Wiederaufleben 544, 2
Wiederaufnahme 544, 2;
　1349, 2
Wiederauftreten
　1349, 2; 1905
wiederbekommen
　497, 3
Wiederbelebung 544, 2
wiederbringen 497, 1
Wiedererblühen 544, 2
wiedererlangen 497, 3
Wiedererscheinen
　1349, 2
wiedererstatten 497, 1
Wiedererstehung 544, 2
Wiedererweckung
　544, 2
Wiedergabe 308, 2;
　361, 1
Wiedergänger 707, 4
wiedergeben 1, 1;
　270, 1; 497, 1;
　1486, 2; 1852, 1
Wiedergeburt 544, 2
Wiedergutmachung
　498, 2
Wiedergutmachungswil-
　le 1341
wiederhergestellt 757, 2;
　1177, 4
wiederhergestellt sein
　723, 1
wiederherstellen 543, 1;
　831, 2
Wiederherstellung
　525, 2; 544, 1
wiederholen 543, 4;
　1284, 1; 1611; **1904**
wiederholen, sich 1904
wiederholt 1216; 1903
Wiederholung 413, 1;
　1324, 1; **1905**
Wiederholungszwang
　1905
wiederkäuen 1904, 4
Wiederkäuen 1014
Wiederkäuer 1239, 1
Wiederkehr 1324, 1;
　1349, 2
wiederkehren 395, 6
wiederkehrend 1323, 1;
　1903

wiederkehrend, ständig
　771, 2
wiederkommen 526, 1
wiederkommen, nicht
　1513, 4
Wiederkunft 1349, 2
wiedersagen 948, 1
Wiedersehen 1594, 1
wiederum 3; 1903
Wiedervergeltung 498, 2
Wiege 51, 1; 295;
　1296, 2
Wiege an, von der
　882, 4
wiegen 201, 2; 614, 3
wiegen, in den Schlaf
　261, 4
wiegen, in Sicherheit
　1849
wiegen, schwer 402, 1
wiegen, sich 1437, 1;
　1443, 2
wiegen, sich in Sicher-
　heit 901, 5
wiegend 1026, 5
wiegend, schwer 1440, 1
Wiegendruck 1230, 1
Wiegenkind 936, 1
wiehern 1009, 2;
　1585, 3
Wiesel, wie ein 1410, 1
wieselig 1410, 1
wieseln 428, 1
Wiesengrund 620, 1
wieso 1879
wiewohl 3; 1202;
　1608, 1
wild 218, 1; 322, 1;
　829, 2; 1204, 1; **1906**
wild machen 106, 1
wild werden 106, 2;
　1262, 2
Wildbach 1882, 1
Wilddieb 905, 2
Wilderer 905, 2
wildern 1168, 3
wildfremd 648, 1
Wildheit 830
Wildhüter 905, 1
Wildnis 343, 1; 649, 1
Wildpark 1949
Wildschütz 905, 2
Wildwasser 1882, 1
wildwüchsig 1906, 3
will nicht 1665

Wille 478, *1*; 500, *1*;
  1907
Wille, böser 324
Wille, letzter 513, *4*
Willen, aus eigenem 646
Willen, mit 16
Willen, wider 1653, *2*
willenlos 349; 1432, *3*;
  1652, *1*
Willenloser 1471, *1*
Willenlosigkeit 1433, *1*
willens 254, *1*
willens sein 489, *1*;
  1923, *1*
Willens, guten 1342
willens, nicht 31, *3*
Willensakt 500, *1*
Willensäußerung 1907, *1*
Willensbekundung
  500, *1*
Willenserklärung 500, *1*;
  1907, *1*
Willensfreiheit 645, *1*
Willenskraft 478, *1*;
  1907, *2*
willenskräftig 479
Willenslenkung 436, *1*
willensschwach 349;
  1432, *3*
Willensschwäche
  1433, *1*
willensstark 479
Willensstärke 478, *1*;
  1907, *2*
willentlich 16
willfahren 489, *2*;
  503, *2*; 704, *1*
willfährig 254, *1*; 491;
  705; 1432, *3*
Willfährigkeit 255;
  706, *2*; 1433, *1*
willig 254, *1*; 738, *1*
Willigkeit 255
Willkomm 126, *3*;
  465, *2*; 801, *1*
willkommen 57, *1*;
  738, *2*; 1054, *1*; **1908**
Willkür 1670, *1*
Willkürherrschaft 847, *3*
willkürlich 242; **1909**
wimmeln von 145, *4*;
  1828, *2*
wimmelnd 1828, *3*
wimmern 944, *3*
Wimmern 943, *2*

Wimpel 1934, *4*
Wind 1910
Wind machen 1269, *1*
Wind, durch den 1778, *1*
Wind, wie der 1410, *1*
Windbeutel 1429, *1*;
  1436
Winde 140, *1*; 1910, *2*
windeln 1249, *4*
windelweich 1342
winden 316, *1*; 395, *2*;
  395, *4*
winden, sich 172, *2*;
  395, *4*; 1023, *2*;
  1371, *1*
Windeseile, in 1410, *1*
Windfahne 1221
windgeschützt 1460, *6*
Windhose 1543, *1*
windig 349; 1028, *3*;
  1070, *1*; 1307, *5*
Windmacherei 1624, *2*
Windsbraut 1543, *1*
Windschatten, im
  1357, *7*
windschief 992, *3*
windschlüpfrig 1973, *2*
windstill 1357, *7*
Windstille 1355, *4*
Windung 1004
Wink 860, *2*; 1082, *1*;
  1876; 1934, *2*
Winkel 415, *1*; 685, *2*;
  1232, *2*
Winkelzug 1060, *1*
Winkelzüge, ohne 131
winken 802, *1*
winken, mit dem Zaun-
  pfahl 861, *1*
winklig 480, *1*
winseln 244, *1*; 315, *1*;
  944, *3*
Winter 915, *1*
winterfest 365, *3*
Wintergarten 181
Winterkälte 915, *1*
winterlich 914, *1*
winzig 950, *1*
Wipfel 767, *1*
wippen 597, *1*
Wirbel 291, *2*; 302, *3*;
  396, *1*; 1538, *2*;
  1882, *1*
wirbelig 1672, *1*
wirbeln 395, *1*; 1437, *1*

Wirbelsäule 810, *4*
Wirbelsturm 1543, *1*
Wirbelwind 1672, *3*
wirken 102, *4*; 158;
  691, *2*; 815, *1*; 1045, *1*;
  1313; 1381, *1*; **1911**
Wirken 101, *1*
wirken, durcheinander
  1112, *1*
wirklich 1026, *1*;
  1839, *2*; **1912**
Wirklichkeit 1558, *2*;
  1866
Wirklichkeit werden
  958, *1*; 1815, *2*
Wirklichkeit, in 426, *2*;
  1864
wirklichkeitsblind
  877, *2*
wirklichkeitsfremd
  877, *2*
wirklichkeitsnah 78, *2*;
  1773, *4*
Wirklichkeitsnähe
  589, *2*
Wirklichkeitssinn
  1790, *2*
wirklichkeitsüberstei-
  gend 1703
wirksam 757, *4*; **1913**
Wirksamkeit 716, *4*;
  1914, *1*
Wirkung 630, *3*; 980, *2*;
  1195, *3*; 1314, *1*; **1914**
Wirkungsbereich 121;
  436, *3*
Wirkungsdauer 716, *4*
Wirkungskreis 121
wirkungslos 1748
Wirkungslosigkeit 1749
wirkungsvoll 1268;
  1405; 1913, *2*
wirr 1668, *1*; 1693, *2*;
  1778, *1*; **1915**
Wirren 134, *3*
Wirrkopf 405, *1*
Wirrwarr 1669, *1*
Wirt 1916
Wirtschaft 190; 681, *1*
wirtschaften 1479, *3*
Wirtschafterin 826, *2*
wirtschaftlich 959;
  1197, *2*; 1480, *2*;
  1973, *2*
Wirtschaftlichkeit 1481

Wucht 400, *2*; 830;
1020, *1*; 1144; 1446, *1*
wuchten 402, *1*; 827, *1*
wuchtig 829, *1*; 1440, *1*
wühlen 635; 787, *1*;
851, *3*; 1550, *1*
Wulst 1922, *1*
wulsten 1921, *1*
wulstig 381, *4*
wund 381, *3*
Wunde 1924
Wunder 702, *1*
wunderbar 553; 892, *2*;
1254, *1*; 1412, *1*
wunderfitzig 895, *2*
Wunderglaube 4
Wunderkind 724, *1*
wunderlich 119, *2*;
1254, *3*; 1778, *1*
Wunderlichkeit 424, *4*
wundern 1925
wundern, sich 1925
wundernehmen 1925, *2*
wundersam 553
wunderschön 1412, *1*
Wundertüte 552
wundervoll 1412, *1*
Wunderwelt 1234
Wunsch 1172, *1*;
1762, *2*; 1862, *1*;
1944, *3*
Wunsch, frommer
880, *3*
Wunsch, nach 242
Wunschbild 874, *3*;
880, *3*
wünschen 217, *1*; 315, *1*
Wünschen 1762, *1*
wünschen haben, nichts
zu 781, *5*
wünschen, etwas an den
Hals 628
wünschen, Glück 90, *6*
wünschen, sich 1591, *2*

wünschen, ungeschehen
256
wünschen, zu 863, *2*
wünschen, zum Ku-
ckuck 628
wünschen, zum Teufel
628
wünschenswert 57, *1*;
863, *2*
wunschgemäß 242;
504, *2*
wunschlos 83, *2*; 781, *1*;
1364, *2*
Wunschlosigkeit 1954
Wunschtraum 874, *3*;
880, *3*
Wunschvorstellung
880, *3*
Wunschziel 874, *3*;
1944, *3*
wuppen 715, *1*; 1829
Würde 202, *3*; 419, *1*;
601, *1*; **1926**
würdelos 349; 1397, *5*
Würdelosigkeit 1398
würdevoll 545, *1*;
600, *1*; 1357, *3*;
1927, *1*
würdig 504, *1*; 775;
1927
würdigen 276, *2*; 420, *1*;
1063, *1*; 1702, *1*
würdigen, keines Wortes
1409, *5*
würdigen, Verdienste
1063, *2*
Würdigung 527, *2*;
989, *1*; 1062, *2*;
1701, *1*
Wurf 1046, *1*
würfeln 1487, *5*
Würfelspiel 783
Wurfsendung 1898, *3*

würgen 402, *2*
Wurm 936, *1*
wurmen 106, *1*; 1242, *3*
Wurmfortsatz 520, *9*
wurmig 1397, *3*
wurmstichig 265, *1*;
1397, *3*
Wurstel 1384, *1*
wurstig 772, *4*; 1541, *5*
Wurstigkeit 1647, *2*
Würze 108
Wurzel 794, *1*; 1296, *2*
Wurzel, bis in die 1300
Wurzel, mit der 1300
Wurzeln 846, *1*
wurzeln in 9, *3*
wurzeltief 1300
würzen 1928
würzig 100, *2*; 109;
844, *2*
Würzigkeit 108
würzlos 574, *1*
Wuschelkopf 806, *1*
wuselig 1672, *1*
wuselnd 1828, *3*
Wust 1669, *1*
wüst 91, *4*; 1204, *1*;
1307, *5*; 1668, *1*;
1906, *2*
Wüste 1205, *4*
Wüstenei 1205, *4*
Wüstling 186
Wut 105, *2*
Wutanfall 105, *2*; 143, *2*
Wutausbruch 143, *2*
wüten 1376, *2*; 1391, *2*
wütend 322, *1*; 829, *3*;
1906, *1*
wutentbrannt 322, *1*
Wüterich 186; 1272, *3*
wütig 322, *1*
wutschnaubend 322, *1*
Wutz 1407

X

Y

Z

Zacke 415, 2; 767, 1
zacken 1409, 3
Zacken 257, 2; 767, 1;
1310, 1
zackig 1643, 2
zage 64, 2; 1763, 1
zagen 63, 1; 1948
zaghaft 64, 2; 1763, 1
Zaghaftigkeit 62, 4
zäh 144; 421; 981, 2;
1929
Zähe 613, 1
zähflüssig 1929, 2
Zähheit 613, 1
Zähigkeit 613, 4;
1502, 2
Zahl 930, 6; 1102, 1;
1295, 2; 1329, 1
Zahl, größere 1102, 5
Zahl, in großer 1826
Zahl, nach der 722, 5
zahlbar 1207, 4
zählebig 981, 1
Zählebigkeit 1502, 2
zahlen 304, 1
zählen 201, 2; **1930**
zählen auf 555, 1;
1800, 1
zahlen haben, zu 1425, 1
Zahlen sein, in den roten
1425, 1
zahlen, Gehalt 304, 2
Zahlen, in 722, 5
zahlen, in Raten 34
zählen, kann nicht bis
drei 403, 1
zahlen, kleckerweise 34
zahlen, Lehrgeld 515, 2
zahlen, Lohn 304, 2
zahlen, mit gleicher Mün-
ze 1751, 1
zahlen, ratenweise 34
zahlen, Reparationen
497, 2
zahlen, Teilzahlungen 34
zahlen, zu 1207, 4
zahlenmäßig 722, 5

Zahlkellner 204, 3
zahllos 1648, 1; 1824, 1
zahllose 1826
zahlreiche 1826
Zahlschalter 921, 2
Zahlstelle 921, 2
Zahlung 96, 3; **1931**
Zahlungseinstellung 185
zahlungskräftig 1327, 1
Zahlungsmittel 712, 1
zahlungspflichtig
1426, 1
Zahlungsschwierigkeit
1190, 1
Zahlungstag 1573
zahlungsunfähig 534, 2
Zahlungsunfähigkeit
185
Zahlwort 930, 6
Zahlzeichen 930, 6
zahm 328, 3; 705
zähmen 1952, 2
Zähmer 1035, 2
Zähmung 1951, 2
Zahn, für den hohlen
1894, 1
Zahn, süßer 218, 2
zähnefletschend 1906, 1
Zähneklappern 62, 2
zähneklappernd 64, 2;
914, 2
Zähneknirschen 105, 2
zähneknirschend 322, 1;
1653, 1
Zahnersatz 550, 3
Zahnprothese 550, 3
Zahnradbahn 579, 4
Zähren 943, 2
Zange 812, 1
Zank 606; 1534, 2
zanken 1391, 1; 1535, 1
Zänker 1272, 2
Zänkerei 1534, 1
zänkisch 37, 1
Zanksucht 830
zanksüchtig 37, 1
Zäpfchen 112, 2
zapfen 1030, 4
Zapfen 211, 2; 1785, 1
zappelig 548, 1; 1672, 1
Zappeligkeit 549, 1
zappeln lassen 1242, 5
Zappelphilipp 471, 4;
1672, 3
zappen 1884, 1

zappenduster 407, 1;
534, 2
Zar 849
zart 410, 2; 471, 1;
1132, 2; 1891, 3; **1932**
zart besaitet 471, 3
Zärtelei 472, 2
Zartgefühl 468, 3;
1961, 2
Zartheit 472, 3; 607, 1;
1110
zärtlich 1054, 4
Zärtlichkeit 1055, 3
Zärtlichkeit, ohne 914, 3
Zärtling 471, 4
zartsinnig 473
Zartsinnigkeit 474
Zaster 712, 3
Zäsur 1679, 1
Zauber 70; 1333; **1933**
Zauber, fauler 292
Zauberei 1933, 3
Zauberer 1276
Zauberformel 1933, 2
Zauberglaube 4
zauberhaft 71, 1; 1412, 1
Zauberkunst 1933, 1
Zauberkünstler 111, 2
Zauberland 1234
zaubermächtig 407, 4
Zaubermittel 1933, 2
zaubern 274, 1; 305, 2
Zauberspruch 1933, 2
Zaubertier 1933, 2
Zauberwesen 1933, 3
zaudern 1435, 2;
1821, 1; 1948
Zaudern 1974, 1
Zaudern, ohne 1664, 2
zaudernd 1015, 1;
1650, 1
Zaun 1419
Zaungast 248, 1
zausen 1394, 1; 1943, 2
Zebrastreifen 333
Zechbruder 1602
zechen 1601, 2
Zecher 726, 3; 1602
Zecherei 711
Zechgelage 711
Zechinen 712, 3
Zechpreller 294, 2
Zechprellerei 292
zedieren 683, 2
Zedierung 1819, 1

zeitweilig 1853, *1*
zeitweise 1853, *1*
Zeitzeuge sein 515, *1*
Zeitzeugenschaft 517, *1*
Zelebration 601, *2*
Zelle 952; 1561, *3*
Zelluloid 618, *2*
Zelot 876, *2*
Zeltlager 1011, *1*
Zeltstadt 1500, *4*
Zement 211, *3*
zementieren 210, *2*
Zenit 767, *2*; 1119, *4*
zensieren 1284, *1*;
    1702, *1*
Zensor 990, *1*
Zensur 133, *1*; 989, *3*;
    1701, *1*; 1721, *1*
zentimeterhoch 950, *3*
Zentnerlast 1020, *1*
zentral 1119, *5*; 1900, *2*
Zentrale 1048, *1*;
    1119, *3*
Zentralheizung 836
zentralisieren 1361, *3*
Zentralpunkt 1119, *6*
Zentrum 823; 845;
    1119, *2*; 1500, *3*
Zentrum, im 1119, *5*
Zentrum, ins 722, *2*
Zephir 1910, *1*
Zeppelin 579, *7*
zerbomben 1940, *5*
zerbombt 265, *3*
zerborsten 265, *3*
zerbrechen 329, *1*;
    1940, *3*; 1940, *4*
zerbrechen an 1040, *4*;
    1383, *2*
zerbrechen, sich den
    Kopf 371, *2*; 1305, *2*
zerbrechlich 410, *2*;
    471, *1*; 1496, *2*;
    1932, *1*
Zerbrechlichkeit 472, *3*
zerbrochen 265, *3*
zerbröckeln 1066, *7*;
    1750, *2*; 1938
zerbröseln 1938
zerdrücken 586, *3*;
    1938; 1940, *8*
zerdrücken, Träne
    944, *3*
Zeremonie 326, *3*;
    601, *2*

zeremoniell 600, *3*;
    1213, *2*
Zeremoniell 326, *3*;
    601, *2*
zeremoniös 1213, *2*
zerfahren 1639, *1*;
    1915, *2*
Zerfahrenheit 33, *2*
Zerfall 596; 1941, *2*
zerfallen 265, *3*;
    1066, *2*; 1729, *2*;
    1750, *2*
zerfallen, mit sich 1979
zerfallen, mit sich und
    der Welt 1182, *1*
zerfallend 1132, *1*
zerfasern 1937, *2*
zerfasert 265, *1*
Zerfaserung 1941, *2*
zerfetzen 1940, *6*
zerfetzt 265, *3*
zerflattern 1750, *3*
zerfleddern 1940, *6*
zerfleddert 265, *3*
zerfleischen 1940, *6*
zerfließen 1066, *2*
zerfließen lassen 152, *3*
zerflossen 1162, *5*;
    1891, *4*
zerfranst 265, *1*
zerfressen 265, *3*;
    1940, *8*
zergangen 1891, *4*
zergehen 1066, *2*
zergehen lassen, auf der
    Zunge 977, *2*
zergliedern 1562, *1*;
    1937
Zergliederung 47
zergrübeln, sich 371, *2*
zerhacken 1938; 1940, *8*
zerhackt 1939
zerhauen 1562, *1*;
    1595, *4*
zerkleinern 566, *4*;
    1409, *1*; **1938**
zerkleinert 1939
zerklopfen 1938
zerklüftet 265, *3*;
    1204, *1*; 1643, *1*
zerknautscht 587, *3*;
    1150, *4*
zerknicken 329, *1*; 1938
zerknirscht 1342
Zerknirschtheit 1341

Zerknirschung 1341
zerknittern 586, *3*
zerknittert 44, *2*; 587, *3*;
    1117; 1150, *4*
zerknüllen 586, *3*
zerknüllt 1150, *4*
zerkrachen 1262, *1*
zerkratzen 264
zerkratzt 265, *1*
zerkrümeln 329, *1*; 1938
zerkrumpeln 586, *3*
zerlassen 152, *3*; 1066, *2*
zerlaufen 1066, *2*;
    1891, *4*
zerlegbar 301, *2*
zerlegen 1562, *1*
zerlegen, in einzelne
    Schritte 1937, *1*
Zerlegung 47; 1596, *3*
zerlesen 265, *3*; 1940, *6*
zerlumpt 265, *1*
zermahlen 1938
zermalmen 566, *4*;
    1938; 1940, *8*
zermatscht 1939
zermürben 496; 539, *1*
zermürbt 1130, *2*
Zermürbung 540, *2*
zernagen 1940, *8*
zerpflücken 1810, *2*;
    1938
zerplatzen 329, *1*;
    1262, *1*
zerquält 1660, *1*
zerquetschen 1938
zerquetscht 1939
zerraufen 1816, *1*
zerreden 1937, *2*
zerreiben 1724, *3*; 1938
zerreißen 329, *1*;
    1810, *2*; 1940, *6*
zerreißen, in der Luft
    1810, *2*
zerreißen, sich die Mäu-
    ler 948, *1*
Zerreißprobe 1285, *3*;
    1795, *3*
zerren 1242, *3*; 1531, *2*;
    1943, *1*
zerrieben 1939
zerrinnen 1066, *2*
zerrissen 265, *3*;
    1204, *1*; 1660, *1*
zerrissen, innerlich 1979
Zerrissenheit 1974, *1*

ziehen, Leine 485, *1*
ziehen, Los 499, *1*;
1487, *5*
ziehen, nach sich 631, *2*;
1711, *1*
ziehen, Nutzen 1196, *2*
ziehen, Parallelen
1755, *1*
ziehen, Schluss 1399, *3*
ziehen, Schlüsse 371, *2*
ziehen, Schlussstrich
475, *1*; 1595, *1*
ziehen, über den Tisch
293, *1*
ziehen, Vergleich
1755, *1*
ziehen, vom Leder
1391, *1*
ziehen, zu Felde 918, *3*
ziehen, zu Rate 245, *1*;
246
ziehen, zur Rechenschaft
944, *1*; 1512, *2*
ziehend 1293, *1*
Ziehmutter 1140, *1*
Ziehvater 1705, *1*
Ziel 874, *1*; 1258, *1*;
1944
zielbewusst 479;
1260, *1*; 1929, *1*
zielen 1516, *2*; **1945**
zielführend 1197, *1*;
1468, *3*
zielgenau 722, *2*
ziellos 1668, *2*
Ziellosigkeit 1669, *1*
Zielpunkt 1944, *4*
Zielscheibe 1944, *4*
Zielsetzung 1258, *1*;
1944, *1*
zielsicher 479
zielstrebig 144; 479
Zielstrebigkeit 613, *3*
ziemen, sich 88, *2*
ziemlich 86, *1*; 1091, *2*;
1336; **1946**
ziepen 1465, *3*; 1943, *2*
Ziepen 734, *5*
Zier 1291, *2*
Zierband 1291, *6*
Zierbengel 1545
Zierde 1291, *2*
zieren 1292, *1*
zieren, sich 807, *3*;
1371, *1*

zierend 1405
Ziergarten 680
zierlich 71, *2*; 410, *2*
Zierlichkeit 70
Ziernadel 1291, *5*
Zierrat 976, *2*; 1291, *2*
Zierstück 976, *1*
ziervoll 1405
Zierwerk 1291, *2*
Ziffer 930, *6*
Zifferblatt 752, *1*
Ziffern, in 722, *5*
ziffernmäßig 722, *5*
Zigarre 1385, *1*
Zimmer 1309, *1*
Zimmerflucht 1920, *2*
Zimmerkellner 204, *3*
Zimmermädchen
204, *3*; 826, *2*
zimmern 102, *4*
Zimmernachbar 1143, *2*
zimperlich 471, *2*;
1496, *3*
Zimperlichkeit 1537, *3*
zinken 293, *1*
Zinken 767, *1*; 1161
Zinne 767, *1*
Zinnober 1675, *1*
Zins 1732, *2*
Zinsen 1338, *1*
Zip-Diskette 1484, *4*
Zipfel 778, *2*; 1340, *5*;
1540, *2*
zipfelig 1643, *4*
zirka 1655, *1*
Zirkel 800, *1*; 1346
zirkeln 1479, *3*
Zirkelschluss 599, *3*;
902, *1*
Zirkular 258, *2*
zirkulieren 395, *1*
Zirkus 291, *4*
Zirkuskünstler 111, *1*
zirpen 1465, *3*
Zirpen 734, *2*
zischeln 629
Zischeln 734, *2*; 737, *1*
zischen 629; 1376, *1*;
1391, *2*; 1585, *2*;
1585, *3*; 1810, *2*
Zischen 734, *2*
zischend 322, *1*
ziselieren 789
ziseliert 1625, *5*
Zitadelle 211, *4*

Zitat 1256, *1*
Zitat, als 1493, *3*
zitieren 72, *1*; 280, *3*;
1174, *2*; 1852, *1*
zitterig 64, *2*
zittern 63, *1*; **1947**
Zittern 62, *2*
zittern um 63, *2*
zittern wie Espenlaub
63, *1*
zittern, vor Kälte 659, *1*
zitternd 64, *2*; 548, *1*;
914, *2*
Zitterpartie 690, *4*;
954, *2*; 1861
zittrig 44, *2*; 64, *2*;
1432, *1*
zivil 312, *2*; 341, *1*; 369
Zivilcourage 1138
Zivilisation 997, *1*
Zivilisationsflüchtling
169
zivilisiert 996, *2*
Zivilist 340, *1*
zockeln 703, *2*
zocken 1487, *5*
Zoff 1534, *1*
zögerlich 1846, *3*
zögern 1442, *2*; 1821, *1*;
1877, *1*; **1948**
Zögern 1974, *1*
Zögern, ohne 87;
1664, *2*
zögernd 1015, *1*; 1650, *1*
Zölibat 935
zölibatär 934
Zoll 7; 1515, *2*
zollen 683, *3*; 1735, *1*
zollen, Dank 357, *1*
zollfrei 1635, *1*
Zollgrenze 790
zollhoch 950, *1*
Zombie 707, *4*
Zone 685, *2*
Zoo 1949
Zopf, alter 326, *2*
Zores 105, *3*
Zorn 105, *2*
Zornausbruch 143, *2*;
1385, *1*
zornentbrannt 322, *1*
zornig 322, *1*; 1906, *1*
zornig machen 106, *1*
zornig werden 106, *2*
zornmütig 829, *3*

Zornmütigkeit 830
Zornnickel 186; 1272, 3
Zorro 838, 1
Zote 662, 3
zotig 91, 4
Zotigkeit 662, 3
zottelig 1307, 2
zotteln 703, 2
Zotteln 806, 1
zottig 1307, 2
zu 69, 1; 250, 1; 290;
    380, 1; 504, 4; 745, 1;
    1828, 5
zu früh 1857, 1
zu haben 644, 4
zu tun haben mit 289
zu tun sein um 217, 1
zu viel 1625, 1; 1628, 1
zu viel sein 6, 2
zuallererst 53, 1
zuarbeiten 837, 2
zuballern 1627, 1
Zubehör 520, 3; 1291, 2
zubereiten 1950
zubereiten, Essen 956, 3
zubereitet 610, 4
zubestimmt 1390
zubilligen 531, 1;
    1797, 1; 1969, 1
zubinden 1233, 2;
    1399, 2
zubringen 1024, 2
Zubringer 520, 8; 579, 4
Zubringerstraße 1528
zubuttern 1029; 1768, 2
Zucht 565, 1; **1951**
züchten 560, 5; **1952**
Züchter 1035, 2
Zuchthaus 692, 2
züchtig 934
Züchtung 1951, 1
Zuchtwahl 1951, 1
zuckeln 703, 2
zucken 63, 1; 330, 1;
    1947, 1
zücken 1943, 3
zucken, Achseln 773;
    1114, 2; 1935, 1
zuckend 1672, 2
zuckern 1928, 1
zuckersüß 583, 4
Zudecke 870, 9
zudecken 200; 1430, 1;
    1715, 1; 1756, 1
zudem 117, 3

zudiktieren 72, 1
zudrehen 22, 2; 1399, 2
zudringlich 1021, 3
Zudringlichkeit 1458
zudrücken 1399, 2
zudrücken, Auge 501, 4;
    1051, 3; 1236, 3;
    1413, 3
zueignen 683, 3
Zueignung 677, 3
zueinander finden
    1157, 4; 1718, 1
zueinander halten
    1965, 1
zuerkennen 531, 1;
    1797, 1
Zuerkennung 1798
zuerst 53, 1; 1841, 1
Zufahrt 520, 8; 1215, 2
Zufahrtstraße 520, 8
Zufall 1389, 2
Zufall, durch einen
    glücklichen 781, 4
Zufall, per 1953, 1
zufallen 236, 1; 514;
    761, 2; 1399, 5
zufällig 242; 797; **1953**
Zufallsspiel 783
zufassen 837, 1; 1233, 3
zufliegen 236, 1; 958, 2;
    963, 3
zufließen 236, 1; 519, 7;
    1593, 5
Zuflucht 1461, 2
Zufluss 520, 5
zuflüstern 948, 1
zufrieden 83, 2; 781, 1;
    835, 1; 1364, 2
zufrieden sein 729, 2
zufrieden sein, nicht 196
zufrieden stellen 214, 1
zufrieden stellend
    504, 2; 728; 1317, 1
zufrieden, sehr 804, 2
Zufriedenheit 650, 2;
    1954
Zufriedenheit, zur 728
zufrieren 659, 2
zufügen 519, 1
zufügen, Arges 1369, 1
zufügen, Böses 1369, 1
zufügen, Leid 1242, 2;
    1369, 2
zufügen, Schaden
    1369, 1

Zufuhr 520, 7
zuführen 519, 7; 1388, 3
zuführen, sich 566, 1
Zuführung 520, 5
Zug 424, 2; 442, 2;
    579, 4; 930, 1; 1172, 2;
    1329, 3; 1538, 2;
    1570, 1; 1910, 1
Zug der Zeit 1125, 1
Zug, schöner 1858, 2
Zugabe 520, 3
Zugang 126, 4; 520, 7;
    1215, 1; 1267, 2
zugänglich 467, 1;
    748, 1; 1207, 1
zugänglich machen
    547, 3
zugänglich, allen 1211, 1
zugänglich, jedermann
    1211, 1
zugänglich, keinen Bit-
    ten 820, 2
zugänglich, schwer
    1441, 2; 1960, 1
zugänglich, Vernunft-
    gründen 1773, 1
Zugänglichkeit 468, 2;
    1212, 2
Zugbrücke 333
Züge 752, 1
zugeben 519, 1; 531, 1;
    1112, 2; 1208, 3;
    1512, 4
zugefallen 1635, 1
zugegeben 39
zugegen 699, 3
zugegen sein 1564, 2
zugegen sein, nicht
    598, 1
Zugegensein 698, 2
zugehen 522, 1
zugehen lassen 1388, 3
zugehen, auf jmdn.
    1157, 1
zugehen, nicht mit rech-
    ten Dingen 1634, 3
Zugehfrau 826, 2
zugehören 807, 1
zugehörig 453; 1728, 1
Zugehörigkeit, ethnische
    846, 2
zugeknöpft 31, 1;
    1439, 1; 1960, 1
Zugeknöpftheit 1961, 3
Zügel 1972, 1

Zügel in der Hand haben
848, 1
zügellos 91, 2; 1093, 2;
1906, 1
Zügellosigkeit 1620, 2
zügeln 857, 1
zügeln, sich 228
Zügen, in groben
1199, 3
Zügen, in vollen 679, 3
zugeschnitten auf 504, 2
zugesellen, sich 220, 1;
631, 1; 1718, 1
zugesperrt 745, 1
zugespitzt 690, 1;
1145, 1; 1300; 1373, 3
zugestanden 252, 1
Zugeständnis 490, 1;
532, 1; 1737, 1
Zugeständnisse machen
1736
zugestehen 531, 1;
1969, 1
zugetan 1054, 2; 1767
zugetan sein 1056, 1
Zugetanheit 1055, 1
Zugführer 671, 3
zugießen 519, 1
zugig 1070, 1
zügig 768, 5; 1410, 1
Zügigkeit 427, 2
Zugkraft 980, 2
zugkräftig 1913, 2
zugleich 776; 1865
Zugluft 1910, 1
Zugmittel 957, 1
Zugnummer 767, 5;
1079
zugreifen 588, 2; 924, 2;
1168, 1; 1233, 3
Zugriff 1094
zugrunde gehen 1513, 3;
1729, 3; 1940, 11
zugrunde liegen 1833
Zugstück 767, 5; 957, 2;
1079
zugute kommen
1196, 2
Zugvogel 1332, 1
Zugwind 1910, 1
zuhaken 1399, 2
zuhalten 1399, 1
Zuhälter 1955
zuhanden 1839, 1
zuhängen 200

zuhängen, Fenster
1399, 4
zuhauf 1824, 1
Zuhause 824, 2; 833, 1
zuhinterst 477, 3
zuhören 128, 1; 247, 1;
868, 2
zuhören, mit halbem
Ohr 1591, 3
zuhören, nicht 1409, 5
Zuhörer 248, 1; 283, 3;
1566, 1
Zuhörerschaft 283, 4;
1566, 1
zuinnerst 888, 2
zujubeln 420, 1; 948, 2
zuklappen 1399, 1
zukleben 1399, 2
zuknallen 1399, 1
zuknöpfen 1399, 2
zukommen 88, 2; 514;
761, 2; 1731, 2
zukommen auf 398, 4;
1157, 1
zukommen lassen 683, 2
zukommen, auf jmdn.
958, 1
zukommend 504, 1
Zukunft 1956
Zukunft, in 1483, 2
zukünftig 1483, 2;
1483, 3
zukunftsfreudig 781, 2
Zukunftsglaube 1222
zukunftsgläubig 1224
Zukunftsgläubiger
876, 2; 1223
Zukunftsmusik 880, 3
zukunftsträchtig 803, 1
Zukunftstraum 880, 3
Zukunftsträumer 876, 2
**Zulage 520, 3; 1511, 1;
1957**
zulänglich 728
Zulass 126, 4; 1215, 2
zulassen 127, 2; 531, 1;
531, 2; 538, 1
zulassen, keinen Zweifel
1627, 3
zulässig 252, 1; 751, 4
Zulassung 126, 2; 532, 2
Zulassungsarbeit 8, 2
Zulauf 518, 3; 520, 5
zulaufen 65, 4; 236, 1;
519, 7; 958, 2

zulaufen auf 1157, 1
zulaufen, spitz 12, 3
zulegen 519, 2; 1510, 2;
1716, 3; 1768, 2
zulegen, Schritt 428, 2
zulegen, sich 924, 1
zulegen, Zahn 391, 3
zuleiten 519, 7; 1388, 3
Zuleitung 520, 5;
520, 8; 1590, 1
zuletzt 477, 1
zum 69, 1
zumachen 122, 1; 392;
1399, 1
zumal 1202
zumeist 1101
zumessen 1562, 2;
1797, 1
zumindest 1894, 3
zumüllen 1809
zumutbar 312, 2; 1128, 1
zumute 576, 2
zumute sein 212, 2;
668, 2
zumuten 195, 1; 237, 2
zumuten, sich zu viel
539, 2
zunächst 53, 1; 1838;
1853, 3
Zunahme 146, 1; 511, 1;
1511, 3
Zuname 930, 4
zünden 89, 3; 1911, 2
zündend 1913, 2
Zunder 478, 1
Zündstoff 399, 2; 843, 2
Zündung 143, 1
zunehmen 145, 2;
1510, 3
zunehmend 1958
Zuneigung 805; 1055, 1
Zunft 1227, 2
zunftgemäß 572, 1
zunftgerecht 572, 1;
817, 1
zünftig 572, 1; 1001
Zunge 746, 2; 1494, 1
Zunge, böse 897; 1436
Zunge, feine 726, 2
Zunge, mit spitzer
1493, 1
Zunge, scharfe 323, 1
Zunge, spitze 31, 2
züngeln 330, 1
Zungendrescher 1436

zwacken 1242, *4*;
1479, *2*

Zwang 229, *3*; 399, *1*;
400, *3*; 1192, *2*; 1250;
1972

Zwang, ohne 646

zwängen 391, *1*; 402, *2*

zwanghaft 708; 1652, *1*

Zwanghaftigkeit 709

zwanglos 633, *3*; 644, *2*;
719; 748, *1*; 1036, *4*

Zwanglosigkeit 645, *3*

Zwangsarbeit 1972, *1*

Zwangsbefürchtung
62, *6*

Zwangsbindung 1972, *1*

Zwangsfixierung
1972, *1*

Zwangsfreistellung
999, *1*

Zwangskonsument 925

Zwangslage 988, *2*;
1190, *1*; 1764, *1*

Zwangslage, in einer
401

zwangsläufig 1096, *2*;
1191, *2*

Zwangsläufigkeit
1192, *3*

Zwangsmaßnahme
1972, *1*

Zwangsmittel 1123, *3*;
1972, *1*

Zwangsneurose 721

zwangsneurotisch 720

Zwangsprostitution
1458

Zwangsregiment 847, *3*

zwangsumsiedeln
1804, *1*

Zwangsumsiedlung
1805

Zwangsvorstellung 709;
880, *1*

zwangsweise 1653, *2*

zwar 3; 39; 1202

Zweck 1944, *1*

Zweck, zu welchem
1879

zweckbestimmt 1571

zweckdienlich 1973, *1*

Zweckdienlichkeit
1195, *4*

zweckentsprechend
1973, *1*

zweckgebunden 205

Zweckgemeinschaft
717, *2*

zweckgerichtet 1973, *2*

zweckhaft 1555, *1*

zwecklos 1748

zweckmäßig 1197, *1*;
1490, *2*; **1973**

zweckmäßig sein 469, *2*

Zweckmäßigkeit 1195, *4*

zwecks 1889

zweckvoll 1555, *1*;
1973, *1*

zwei rechts, zwei links
771, *2*

Zweibeiner 1103, *1*

zweideutig 91, *1*; 407, *4*;
1975, *2*

Zweideutigkeit 408, *3*;
662, *1*; 1825

zweierlei 695, *3*

zweifach 390

Zweifel 1474; **1974**

Zweifel, im 1650, *1*

zweifelhaft 91, *1*;
1207, *3*; 1273, *1*;
1975

zweifellos 945, *3*

zweifeln 1435, *2*; **1976**

zweifeln, nicht 555, *1*

zweifeln, nicht daran zu
1460, *1*

zweifelnd 1650, *1*

Zweifelsfrage 638, *2*;
1974, *1*

zweifelsfrei 1460, *1*

Zweig 571, *2*; **1977**

zweigeschlechtig 390

zweigeteilt 809

Zweigstelle 1185, *2*;
1977, *1*

Zweiheit 1978

Zweikampf 917, *2*

zweimal 390

Zweimaligkeit 1978, *1*

zweisam 1962

zweischneidig 390;
690, *2*

zweiseitig 390

zweispaltig 390

zweit, zu 390

Zweitbesetzung 550, *4*;
1808

zweiteilen 1562, *4*

zweiteilig 390

Zweiteilung 1596, *2*

zweitrangig 1640

Zweitschrift 1812, *2*

Zweiwertigkeit 1825

Zweizahl 1978, *1*

zwerchfellerschütternd
835, *4*

Zwerg 910, *2*

zwergenhaft 950, *1*

Zwickel 452, *3*

zwicken 1242, *4*

Zwickmühle 988, *2*;
1764, *1*

Zwickmühle, in der
401

zwiebeln 1242, *1*

zwiefach 390

zwiefältig 390

Zwiegespräch 277, *2*

Zwiegestalt 1978, *1*

Zwielicht 408, *1*

zwielichtig 407, *1*;
1975, *3*

Zwielichtigkeit 408, *3*

Zwiespalt 1534, *1*;
1596, *1*; 1764, *1*;
1974, *1*

zwiespältig 1650, *1*;
1979

Zwiespältigkeit 1974, *1*

Zwiesprache 277, *2*;
1684, *1*

Zwietracht 1534, *1*

zwieträchtig 605

Zwilling 1978, *2*

Zwillingsgeschehen
1617, *2*

zwingen 1980

zwingen, in die Knie
1463, *2*

zwingend 1191, *1*; 1395;
1981

Zwinger 692, *2*

zwinkern 1935, *1*

Zwirbelbart 187

Zwirn 575, *2*

zwirnen 395, *2*

Zwirnsfaden 575, *2*

zwischen 809

Zwischenbemerkung
1679, *3*

Zwischending 1113, *5*

zwischendrängen, sich
391, *1*

zwischendurch 1865

Gabriele L. Rico
Garantiert schreiben lernen
Sprachliche Kreativität methodisch entwickeln - ein
Intensivkurs auf der Grundlage der modernen
Gehirnforschung
Deutsch von Cornelia Holfelder-von der Tann,
Hainer Kober und Lieselotte Mietzner
312 Seiten. Kartoniert

Dieses Buch ist eine Droge: es führt zur Schreibsucht. Aber es ist
auch ein Heilmittel: es löst Formulierungskrämpfe. In den
Kursen von Dr. Gabriele L. Rico lernen die Teilnehmer rasch,
ihre Schreibhemmungen zu überwinden – durch das Clustering,
die assoziative Ideenverknüpfung, die im Zentrum dieses neuen
Lernverfahrens steht.

Intelligenter, einfallsreicher, kreativer werden, der Vergeßlichkeit in zunehmendem Alter vorbeugen und entgegenwirken: praktische Ratgeber für ein gezieltes Training des Gedächtnisses.

Hans-Jürgen Eysenck
Intelligenz-Test
(rororo sachbuch 16878)

Walter F. Kugemann /
Bernd Gasch
Lerntechniken für Erwachsene
(rororo sachbuch 17123)

Ernst Ott
Optimales Denken
Trainingsprogramm
(rororo sachbuch 16836)

Marilyn vos Savant /
Leonore Fleischer
Brain Building – Das Supertraining für Gedächtnis, Logik, Kreativität
(rororo sachbuch 19696)

Marilyn vos Savant
Brainpower - Training
Das Aktivprogramm für Wissen und geistige Fitneß
(rororo sachbuch 60573)

Shakti Gawain
Stell dir vor
Kreativ visualisieren
(rororo sachbuch 18093)

Raymond Hull
Alles ist erreichbar *Erfolg kann man lernen*
(rororo sachbuch 16806)

Hans Jürgen Eysenck

IQ
Intelligenz-Test

Danielle C. Lapp
Nichts mehr vergessen!
Neuer Schwung für graue Zellen. Mit einem Vorwort von Paul Watzlawick
(rororo sachbuch 60398)

Weitere Informationen in der **Rowohlt Revue**, kostenlos in Ihrer Buchhandlung, oder im **Internet: www.rororo.de**

Überflieger

Die **Überflieger** sind der Einstieg für alle, denen ein ganzes Lehrbuch zu langwierig und ein Sprachführer zu floskelhaft ist. Mit der ausgefeilten Methode der "Überflieger" können Sie schon in wenigen Tagen die notwendigen Grundkenntnisse erwerben, um sich in einem fremden Land zu verständigen. Praktische Tips zu Kultur und Alltag helfen bei der Orientierung.

Uwe Kreisel /
Pamela Ann Tabbert
American Slang in letzter Minute
(Buch: rororo 19623 /
Toncassette: rororo 19705)

Iain Galbraith / Paul Krieger
Englisch in letzter Minute
(Buch: rororo 60908 /
Buch mit Audio-CD:
rororo 60909 /
Toncassette: rororo 60910)

Isabelle Jue /
Nicole Zimmermann
Französisch in letzter Minute
(Buch: rororo 60911 /
Buch mit Audio-CD:
rororo 60912 /
Toncassette: rororo 60913)

Frida Bordon /
Giuseppe Siciliano
Italienisch in letzter Minute
(Buch: rororo 60914 /
Buch mit Audio-CD:
rororo 60915 /
Toncassette: rororo 60916)

Christof Kehr
Spanisch in letzter Minute
(Buch: rororo 60917 /
Buch mit Audio-CD:
rororo 60918 /
Toncassette: rororo 60919)

Weitere Informationen in der
Rowohlt Revue, kostenlos im
Buchhandel, und im **Internet:
www.rororo.de**

rororo sprachen